KB166165

# 한국주역대전 12

절괘·중부괘·소과괘·기제괘·미제괘

이 저서는 2012년 대한민국 교육부와 한국학중앙연구원(한국학진흥사업단)의 한국학분야 토대연구지원사업의 지원을 받아 수행된 연구임(AKS-2012-EAZ-2101)

12

# 한국주역대전

한국주역대전 편찬실

## 절괘 · 중부괘 · 소과괘 · 기제괘 · 미제괘

學古房

# 한국주역대전을 펴내며

2012년 9월 첫 작업을 시작한 '『한국주역대전』편찬 · 표점 · 번역 · 주해 · 해제'라는 방대한 사업이 이제 출판의 결실을 보게 되었다. 지난 수 십 년간 유교경학과 한국학의 급속한 성장에도 불구하고 한국역학은 여전히 불모의 상태를 벗어나기 어려웠다. 개별 연구들이 적지 않게 축적되어 왔고, 이에 고무되어 한국역학사를 공동으로라도 엮어보자는 호기로운 시도가 없었던 것은 아니지만, 그것이 아직 시기상조라는 자각과 함께 무산되곤 하였다. 한국역학 원전자료는 한국경학자료 가운데 단연 방대한 양을 자랑한다. 반면 전문연구자는 턱없이 부족하다. 사정이 이러하니 한국역학이 우뚝 서기까지는 아직 갈 길이 멀기만 하다. 이러한 정황 속에서 『한국주역대전』의 출간은 매우 기쁜 일이 아닐 수 없다.

이번에 출간되는 『한국주역대전』은 한국학자의 역학관련 자료 가운데 주요한 것을 가려 뽑아 『주역전의대전』 체제에 맞추어 집해(集解)형식으로 편찬한 것이다. 『주역전의대전』은 중국은 물론 조선시대 역학사상 형성에 무엇보다 영향력이 큰 문헌이라 할 수 있다. 이번 『한국주역대전』은 먼저 『주역전의대전』을 소주까지 모두 번역하여, 주역에 대한 중국학자들의 이해와 한국학자들의 해석을 비교해 볼 수 있도록 하였다. 편찬 체재는 경문-정전-본의-중국대전-한국대전으로 구성하였다. 편찬과 표점, 그리고 번역을 동반한 『한국주역대전』을 통해 한국학자들의 『주역전의대전』에 대한 깊은 이해 및 새로운 해석의 지평을 볼 수 있을 것이다. 또한 한국학자들의 저작을 시대별로 배열하였으므로 그 흐름을 일목요연하게 파악할 수 있을 것이다.

이번 『한국주역대전』을 편찬하면서 연구기간은 짧고 작업은 방대하여 아쉬운 점이 한 둘이 아니었다. 제한된 연구기간으로 인해 연구 범위를 제한할 수밖에 없었으며, 따라서 작자 미상의 자료, 연대 미상의 자료, 『주역전의대전』과 유사하여 별다른 특징을 볼 수 없는 자료는 편찬 범위에 포함시키지 않았다. 또한 다산의 『주역사전』처럼 중요한 자료일지라도 별도로 번역되어 시중에 유통되고 있는 책은 자료에 포함시키지 않았다. 특히 상수학 관련 자료들에 대한 번역은 앞으로 더 정치한 번역이 필요할 것이라고 생각되며, 그에 대한 별도의 연구도 필요할 것이다. 그럼에도 불구하고 이번 『한국주역대전』의 출간은 한국역학연구의 획기적인 토대를 제공하여, 많은 후속연구를 가능하게 하리라는 기대로 그 아쉬움을 상쇄하고자 한다.

이와 같이 방대한 토대사업은 실상 국가적 지원이 아니고서는 실행되기 어렵다. 이 사업의 지원을 결정해 주신 한국학중앙연구원과 한국학진흥사업단에 감사드린다. 그리고 제한된 연구기간의 압박 속에 과도한 업무를 사명감으로 감당해 준 연구진들의 노고에 고마운 마음을 전한다.

오늘날과 같은 출판시장의 현실에서 『한국주역대전』과 같은 방대한 분량의 책을 간행해 줄 출판사를 찾는다는 것은 결코 쉽지 않은 일이다. 모든 어려움에도 불구하고 조금의 망설임도 없이 흔쾌하게 이 책의 출판을 결정해 주신 도서출판 학고방의 하운근 사장님께 깊은 감사를 드린다.

2017년 1월

한국주역대전편찬 연구책임자
성균관대학교 유학대학 교수/한국주자학회 · 율곡학회 회장
최 영 진

목차

# 60

# 절괘

節卦䷻

## 中國大全

傳

**節, 序卦, 渙者, 離也. 物不可以終離, 故受之以節. 物旣離散, 則當節止之, 節所以次渙也. 爲卦, 澤上有水. 澤之容, 有限, 澤上置水滿, 則不容, 爲有節之象, 故爲節.**

절괘(節卦䷻)는 「서괘전」에서 "환(渙)은 흩어지는 것이다. 사물은 끝까지 흩어져서는 안 되기 때문에 절괘로 받았다"라고 하였다. 사물이 흩어지고 나면 절제하여 멈추어야 하니, 절괘가 그래서 환괘 다음에 있다. 괘의 모양은 못 위에 물이 있다. 못의 용량은 한계가 있어 못 위에 물이 가득하면 받아들이지 못하여 절제가 있는 상이기 때문에 절괘이다.

## 節, 亨, 苦節, 不可貞.

절은 형통하니 괴롭도록 절제해서는 곧을 수 없다.

# 中國大全

### 傳

**事旣有節, 則能致亨通, 故節有亨義. 節貴適中, 過則苦矣. 節至於苦, 豈能常也. 不可固守以爲常, 不可貞也.**

일을 벌써 절제했다면 형통할 수 있기 때문에 절제에 형통하다는 의미가 있다. 절제는 딱 알맞음을 귀하게 여기니, 지나치면 고통스럽다. 괴롭도록 절제해서야 어찌 일정하게 할 수 있겠는가? 굳게 지켜서는 일정하게 할 수 없으니 곧을 수 없다.

### 本義

**節, 有限而止也. 爲卦, 下兌上坎, 澤上有水. 其容有限, 故爲節, 節固自有亨道矣. 又其體陰陽各半, 而二五皆陽, 故其占得亨. 然至於太甚, 則苦矣, 故又戒以不可守以爲貞也.**

절제는 한계를 두어 멈추는 것이다. 괘의 모양이 아래는 태(兌☱)이고 위는 감(坎☵)이니 못 위에 물이 있는 것이다. 그 용량에 한계가 있기 때문에 절제이니, 절제에는 진실로 본래 형통한 도가 있다. 또 그 몸체는 음과 양이 각기 반씩이고 이효와 오효가 모두 양이기 때문에 그 점이 형통하다. 그러나 너무 심하게 절제하면 괴롭기 때문에 지켜서는 곧을 수 없다고 경계하였다.

### 小註

中溪張氏曰, 凡事有節, 則裁制得中, 可以通行而无弊, 故亨. 苦節不可貞, 謂上六. 夫節中道也, 過而不節, 非中也. 節而至於苦者, 亦非中也. 苦則人病其難行, 不可固守以爲貞也.
중계장씨가 말하였다: 일에 절제가 있으면 알맞게 재제하여 통용하여도 폐단이 없기 때문에 형통하다. "괴롭게 절제해서는 곧을 수 없다"는 것은 상육을 말한다. 절제하는 것은 도에 맞는 것인데, 지나치게 하여 절제하지 못하면 알맞지 않기 때문이다. 절제하면서 괴롭게 될 경우도 알맞은 것이 아니다. 괴로우면 사람들이 행하기 어려운 것에 고통을 느껴 굳게 지켜 곧을 수 없다.

○ 漢上朱氏曰, 凡物過則苦, 味之過正, 形之過勞, 心之過思, 皆曰苦. 苦節則違性情之正, 物不能堪. 申屠狄之潔, 陳仲子之廉, 非不正, 立節太苦, 不可貞也.
한상주씨가 말하였다: 사물은 지나치면 괴로우니, 맛이 바름을 지나치고 몸이 수고를 지나치며, 마음이 생각을 지나친 것을 모두 "괴롭다"고 한다. 괴롭도록 절제하면 성정(性情)의 올바름을 어겨 사물이 견딜 수 없다. 신도적[1]의 결백함과 진중자[2]의 청렴함이 바르지 않은 것은 아니지만 너무 괴롭게 절제하였으니 곧을 수 없었다.

○ 雲峯胡氏曰, 天地之數, 六十, 故卦六十而爲節. 月有中氣有節氣, 節以抑其過, 而歸之中也. 節則適中, 故可通行於天下. 苦節則不中, 故不可貞, 何也. 損與節, 皆自泰來. 損而孚則可貞, 節而苦, 則不可貞.
운봉호씨가 말하였다: 천지의 수가 육십이기 때문에 육십 번째의 괘를 절괘로 하였다. 달에는 중기(中氣)와 절기(節氣)가 있으니, 절기는 지나친 것을 억제하여 알맞도록 돌린다. 절제하면 딱 알맞기 때문에 천하에 통용할 수 있다. 괴롭도록 절제하면 알맞지 않기 때문에 곧을 수 없으니, 무엇 때문인가? 손괘(損卦䷨)와 절괘(節卦䷻)는 모두 태괘(泰卦䷊)에서 왔다. 덜어내서 믿으면 곧을 수 있고, 절제해서 괴로우면 곧을 수 없다.

---

1) 신도적(申屠狄): 은(殷)나라의 현인으로 충간이 받아들여지지 않자 돌을 안고 황하에 몸을 던져 자결하였다 한다.

2) 진중자(陳仲子): 전국시대 제(齊)나라의 청렴한 선비로, 소소한 청렴결백을 주장한 나머지 대의를 저버린 사람의 대명사로 쓰인다. 모친이 주는 음식과 형의 저택을 불의의 물건이라 하여 물리치고 오릉에 은거하며 자신은 짚신을 만들어 팔고 아내는 길쌈하여 청빈한 생활을 하였는데, 맹자는 이것에 대해 "이는 사람의 윤리를 저버리고 소소한 청렴에 급급한 행위이다"라고 비난하였다

## 韓國大全

### 이익(李瀷) 『역경질서(易經疾書)』

九五爲卦主, 故曰中正以通. 此言節亨, 彼言甘節吉, 可互發也. 苦節與上六之辭同. 人之行事, 中節爲貴. 然俗尙務高, 例多過中, 故又特擧上六之辭. 此言不可貞, 彼言凶悔亡, 可以互發也.
구오는 괘의 주인이 되므로 "중정하여 통한다"고 했다. 괘사에서는 "절(節)은 형통하다"고 하고 구오에서는 "달콤하게 절제하니 길하다"고 말한 것은 서로 드러냄이 된다. '괴롭도록 절제함'은 상육의 말과 같다. 사람의 행위와 일이 절도에 맞는 것을 귀하게 여긴다. 그러나 세속에서는 오히려 고상한 것에 힘써서 의례히 알맞음을 지나치므로 또 특별히 상육의 말을 들었다. 괘사에서는 "곧을 수 없다"고 하고 상육에서는 "흉하지만 후회는 없을 것이다"고 한 것은 서로 드러냄이 될 수 있다.

### 유정원(柳正源) 『역해참고(易解參攷)』

節亨 [至] 可貞.
절은 형통하니 … 곧을 수 없다.

正義, 節者, 制度之名, 節止之義. 制事有節, 其道乃亨, 故曰節亨. 節須得中爲節, 過苦傷於刻薄, 物所不堪, 不可復正, 故苦節不可貞.
『주역정의』에서 말하였다: '절(節)'은 제도의 이름이니, 절제하여 그치는 뜻이다. 일을 제어함에 절제가 있으면 그 도가 이에 형통하므로 "절(節)은 형통하다"고 했다. '절'은 알맞음을 얻어야 절제가 되니, 지나치게 괴로우면 각박함에 상처가 되어 사물이 감내하지 못하는 바여서 바름을 회복하지 못하므로 괴롭도록 절제해서는 곧을 수 없다.

○ 潮州王氏曰, 節止也. 剛動而止於五, 得中以節, 節之義也. 剛以中, 通亨之象. 上六, 過中而柔, 苦節不可貞之象.
조주왕씨가 말하였다: 절(節)은 그침이다. 굳셈이 움직여 오효에서 그치니, 알맞음을 얻어 그침이 절(節)의 뜻이다. 굳셈으로 알맞고 통함은 '형통함'의 뜻이다. 상육은 알맞음을 지나쳐 부드러우니, 괴롭도록 절제해서는 곧을 수 없는 상이다.

○ 西溪李氏曰, 以坎遇巽, 此坎水得巽風而散者也, 故其卦爲渙, 以坎乘兌, 此坎水得兌澤而止者也, 故其卦爲節.
서계이씨가 말하였다: 감괘가 손괘를 만나면 이는 감괘인 물이 손괘인 바람을 얻어 흩어지는 것이므로 그 괘가 환괘(渙卦䷺)가 되며, 감괘가 태괘를 타면 이는 감괘인 물이 태괘인 못을 얻어 그치는 것이므로 그 괘가 절괘(節卦䷻)가 된다.

○ 案, 苦節過中, 有水盈澤溢之患矣. 故君子節之, 使之不盈不溢而得其中也.
내가 살펴보았다: '괴롭도록 절제함'은 알맞음을 지나쳐 물이 차고 못이 넘치는 근심이 있다. 그러므로 군자는 절제하여 차지 않고 넘치지 않게 하여 알맞음을 얻는다.

### 김상악(金相岳) 『산천역설(山天易說)』

剛柔分爲節. 節亨, 以九五之得中也, 苦節不可貞, 以上六之道窮也.
굳셈과 부드러움이 나뉘어 절제가 된다. '절(節)이 형통함'은 구오가 알맞음을 얻었기 때문이며, '괴롭도록 절제해서는 곧을 수 없음'은 상육의 도가 다했기 때문이다.

○ 節以調和爲味, 故卦爻, 皆取味爲象. 甘者坤之土也, 坤爲兌之母. 苦者離之火也, 離爲坎之妃也.
절괘는 조화(調和)로 의미를 삼으므로 괘와 효가 모두 의미를 취하여 상을 삼았다. '달콤함'은 곤괘인 흙이니, 곤괘는 태괘의 어미가 된다. '괴로움'은 리괘인 불이니, 리괘는 감괘의 짝이 된다.

### 서유신(徐有臣) 『역의의언(易義擬言)』

節而得中, 是以亨也. 苦而過中, 不可貞也.
절제하여 알맞음을 얻었으니, 이 때문에 형통하다. 괴롭도록 하여 알맞음을 지나쳤으니, 곧을 수 없다.

### 강엄(康儼) 『주역(周易)』

節亨 [止] 可貞.
절은 형통하니 … 곧을 수 없다.

本義, 爲卦, 下兌 [止] 其占得亨.
『본의』에서 말하였다: 괘의 모양이 아래는 태괘이고 … 그 점이 형통하다.

按, 爲卦, 下兌上坎 〈至〉 自有亨道者, 以卦象言. 又其體, 陰陽各半 〈至〉 其占得亨, 以卦體言, 前一節, 是文王本義, 後一節, 是取夫子彖傳之意耶.
내가 살펴보았다: "괘의 모양이 아래는 태괘이고 위는 감괘이니 … 본래 형통한 도가 있다"는 괘의 상으로 말했다. "또 그 몸체는 음과 양이 각기 반씩이고 … 그 점이 형통하다"는 괘의 몸체로 말하면 앞의 한 구절은 문왕의 본래 뜻이고, 뒤의 한 구절은 공자의 「단전」의 뜻을 취한 것일 것이다.

## 하우현(河友賢) 『역의의(易疑義)』

卦辭, 苦節, 不可貞, 聖人特恐後世或有節過甚之流弊, 故於卦辭既言亨義, 又繼以苦節不可貞戒之.
괘사의 "괴롭도록 절제해서는 곧을 수 없다"는 성인이 특별히 후세 사람들이 혹 절제에 지나치게 심한 유폐(流弊)가 있을 것을 걱정하였기 때문에 괘사에서 이미 형통한 뜻을 말했고, 또 이어서 "괴롭도록 절제해서는 곧을 수 없다"는 것으로 경계하였다.

## 김기례(金箕澧) 「역요선의강목(易要選義綱目)」

節,
절은,
物散, 則當節止.
만물이 흩어지면 절제하여 그쳐야 한다.
○ 澤上水有限, 故節.
못 위의 물에 한정됨이 있으므로 절제이다.

亨,
형통하니,
指二五得陽剛, 故亨.
이효와 오효가 굳센 양을 얻었기 때문에 형통함을 가리킨다.

苦節, 不可貞.

괴롭도록 절제해서는 곧을 수 없다.
節不可過中, 若固則苦, 故不可貞.
절제는 알맞음을 지나쳐서는 안 되는데, 만약 고집하면 괴로우므로 곧을 수 없다.

### 심대윤(沈大允) 『주역상의점법(周易象義占法)』

節以致其久大, 故曰亨. 得中而爲甘節, 則久大而身享, 其利可貞也, 過中而爲苦節, 則久大而身不能享, 其利不可貞也. 夫澤之畜水, 志在乎滋潤也. 必節量以注泄之, 令其灌漑而不窮也, 不可但畜而不泄, 喪澤之用也. 甘節, 節而能用也, 苦節, 節而不用也. 不用則无所事節矣. 用而不知節, 不及也, 節而不知用, 過也, 其爲喪性一也. 夫澤不節, 則无水, 但節而不用, 則喪澤之用, 而後必有潰決之者矣, 苦節, 雖足以保其名, 而後必有猜毁之者矣.
절제하여 그 오래하고 큼[久大]을 이루므로 "형통하다"고 했다. 알맞음을 얻어 달콤하게 절제함이 되면 오래고 크게 하여 몸이 형통하니, 그 이로움이 곧을 수 있으며, 알맞음을 지나쳐 괴롭도록 절제함이 되면 오래고 크게 하더라도 몸이 형통할 수 없으니, 그 이로움이 곧을 수 없다. 못이 물을 저장함은 뜻이 젖게 하는 데 있다. 반드시 양을 조절하여 흘러들어가고 흘러내리게 하여 그 관개(灌漑)하는 것이 다함이 없게 하는 것이니, 단지 저장만하고 흘러내리지 못해 못의 쓰임을 상실해서는 안 된다. '달콤하게 절제함'은 절제하지만 쓸 수 있는 것이고, '괴롭도록 절제함'은 절제하지만 쓰지 못하는 것이다. 쓰지 못한다면 절제를 해야 할 바가 없다. 쓰기만 하고 절제할 줄 모른다면 미치지 못하게 되며, 절제하기만 하고 쓸 줄을 모른다면 지나치게 되니, 그 성품을 상실하게 되는 것은 같다. 못이 절제하지 못하면 물이 없어지지만, 절제만 하고 쓰지 않으면 못의 쓰임을 상실하여 뒤에 반드시 무너지고 터지는 것이 있으니, '괴롭도록 절제함'이 비록 충분히 그 이름을 보전할 수는 있지만 뒤에 반드시 시기하고 헐뜯는 자가 있게 된다.

### 오치기(吳致箕) 「주역경전증해(周易經傳增解)」

節者, 有限而止也. 水在澤上而中實, 爲滿盈之象, 坎變爲兌而初剛, 爲防限之象, 乃節之取象也. 卦體則剛得中正, 卦義則事有限節, 其道方通, 故言亨. 節之極則道窮, 故言苦節不可貞.
'절(節)'은 한정하여 그침이 있다. 물이 못 위에 있어 안이 차니 가득한 상이 되며, 감괘가 변해 태괘가 되어 초효가 굳세어지니 막아 한정하는 상이 됨이 바로 절괘가 상을 취한 까닭이다. 괘의 몸체는 굳센 양이 중정함을 얻고, 괘의 뜻은 일에 한정하고 절제함이 있어 그 도가 바야흐로 통하므로 "형통하다"고 말했다. 절제함이 지극하면 도가 다하므로 "괴롭도록 절제해서는 곧을 수 없다"고 했다.

○ 苦者, 甘之反, 而過中, 則苦也, 本義亦云, 太甚則苦矣. 固守曰貞, 而堅執不通之意也. 二五不相應, 故不言大亨.
'괴로움'은 '달콤함'의 반대여서 알맞음을 지나치면 괴롭게 되니, 『본의』에서도 "너무 심하게 절제하면 괴롭다"고 했다. 굳게 지킴을 "곧다[貞]"고 하는데, 견고하게 잡아 통하지 못하는 뜻이다. 이효와 오효는 서로 호응하지 않으므로 "크게 형통하다"고 말하지 않았다.

### 이진상(李震相) 『역학관규(易學管窺)』

平巖曰, 制數度, 坎之法律也. 議德行, 兌[3]之講習也.
평암이 말하였다: '수와 법도를 제정함'은 감괘가 법률이기 때문이다. '덕행을 의론함'은 태괘가 강론하고 익히는 것[講習]이기 때문이다.

### 박문호(朴文鎬) 「경설(經說)·주역(周易)」

亨, 指九五. 苦節不可貞, 指上六. 卦辭往往有此例. 蓋六四之亨, 由於承五, 則五之自亨, 可知也.
'형통함'은 구오를 가리킨다. "괴롭도록 절제해서는 곧을 수 없다"는 상육을 가리킨다. 괘사에 종종 이러한 예가 있다. 대체로 육사의 '형통함'은 오효를 따르는 데서 연유하니, 오효가 스스로 형통한 것을 알 수 있다.

議德行, 若以用人之道釋之, 似亦通. 蓋位必稱德, 亦事之大者也.
'덕행을 의론함'은 사람을 쓰는 도로 해석한다면 통할 듯도 하다. 대체로 지위가 반드시 덕에 걸맞아야 하는 것 또한 일 가운데 큰일이다.

### 이정규(李正奎) 「독역기(讀易記)」

節之爲卦, 坎上兌下, 則說之旡已者. 見險而止, 是上節下也. 水流旡限, 而澤容有限, 是下節上也. 故中節不過者, 爲節也. 初九不出戶庭, 初在下旡位, 宜節於止也, 而小象

3) 兌: 경학자료집성DB에는 '必'로 되어있으나, 문맥을 살펴 '兌'로 바로잡았다.

曰, 知通塞也, 是恐其惟知止之爲節, 而不知通而可出, 故戒之也. 九二不出門庭凶, 以剛中之德, 當可行之時, 處柔居說, 又私暱於六三之陰, 不知出故凶也. 六三不節若, 則嗟若, 陰柔不中正, 而處動位, 當節而不節者, 故小象曰又誰咎也. 六四安節, 居得其正, 而又承順九五正中之君, 故亨. 九五甘節, 彖傳當位, 正中以通者, 此也. 居中而合節, 故甘吉也. 上六苦節, 卦辭苦節不可貞, 是也. 凡物過節則苦也.
절괘는 감괘가 위이고 태괘가 아래이니 기뻐함이 그침이 없는 자이다. 험함을 보고 그침은 위가 아래를 절제함이다. 물의 흐름은 한정됨이 없으나 못의 수용에는 한정이 있는 것은 아래가 위를 절제함이다. 그러므로 절제에 알맞아 지나침이 없는 것이 절(節)이 된다. 초구의 '외짝문의 뜰을 벗어나지 않음'은 초효가 아래에 있고 지위가 없어서 의당 그침에 절제해야 하는 것이지만, 「소상전」에서 "통함과 막힘을 알아야 한다"고 한 것은 아마도 그치는 것만이 절제가 되는 것으로 알아서 통하여 나갈 수 있는 것을 알지 못할까 염려하였기 때문에 경계한 것이다. 구이의 '양짝문의 뜰을 벗어나지 않으니 흉함'은 굳세고 알맞은 덕으로 행할 수 있는 때를 맞이하여 부드러움에 처하여 기뻐함에 있으며, 또 육삼의 음에게 사사롭게 친하여 나갈 줄 모르기 때문에 흉하다. 육삼의 '절제하지 못하여 한탄함'은 부드러운 음이 중정하지 못하고 움직이는 자리에 처하여 마땅히 절제해야 하는데 절제하지 못하는 자이기 때문에 「소상전」에서 "또 누구를 허물하겠는가?"라고 했다. 육사의 '편안하게 절제함'은 거처가 바름을 얻었고 또 구오의 바르고 알맞은 임금을 잇고 따르므로 형통하다. 구오의 '달콤하게 절제함'과 「단전」의 '지위를 담당함'은 "중정하여 통한다"는 것이 이것이다. 알맞음에 있고 절제에 부합하므로 감미롭게 길하다. 상육의 '괴롭도록 절제함'은 괘사에서 "괴롭도록 절제해서는 곧을 수 없다"는 것이 이것이다. 만물이 지나치게 절제하면 괴로운 것이다.

# 彖曰, 節亨, 剛柔分而剛得中.

단전에서 말하였다: "절이 형통함"은 굳셈과 유순함이 나눠져서 굳셈이 중도를 얻었기 때문이다.

## 中國大全

### 傳

**節之道, 自有亨義, 事有節, 則能亨也. 又卦之才, 剛柔分處, 剛得中而不過, 亦所以爲節, 所以能亨也.**

절제하는 도에는 본래 형통한 의미가 있으니, 일을 절제하면 형통할 수 있다. 괘의 재질이 굳셈과 유순함이 나눠지고 굳셈이 중도를 얻어 지나치지 않아 또한 그 때문에 절제하니 형통할 수 있는 것이다.

### 本義

**以卦體釋卦辭.**

괘의 몸체로 괘사를 풀이하였다.

#### 小註

厚齋馮氏曰, 剛柔分, 謂乾本純剛, 坤本純柔, 則剛柔无節, 剛不得中, 則節苦而不亨. 今坤分五之六以來三, 節乾之剛, 乾亦分三之剛以往五, 節坤之柔. 是之謂節也. 向也坤以柔居中, 則不能節. 節使以止其過, 非剛不可, 剛常急於太過. 今剛當大君之位而得中, 則无過節之苦, 斯可通行於天下矣.

후재풍씨가 말하였다: "굳셈과 유순함이 나눠졌다"는 것은, 말하자면 건(乾☰)이 본래 굳셈을 순수하게 하고, 곤(坤☷)도 본래 유순함을 순수하게 하면, 굳셈과 유순함이 절제가 없어 굳셈이 중도를 얻지 못하니, 절제하는 것이 괴로워서 형통하지 않은데, 이제 곤이 육인 오효

를 나눠 건의 삼효로 보내 건의 굳셈을 절제시키고, 건도 굳센 삼효를 나눠 곤의 오효로 보내 곤의 유순함을 절제시키는 것이다. 이것을 절제라고 한다. 접때는 곤이 유순함으로 가운데 있어서는 절제할 수 없었다. 절제는 지나침을 멈추게 하는 것이어서 굳셈이 아니면 할 수 없는데, 굳셈은 언제나 서둘러서 너무 지나친다. 이제 굳셈이 천자의 자리에 있으면서 중도를 얻어 지나치게 절제하는 괴로움이 없으니, 이것은 천하에 통용할 수 있다.

○ 白雲郭氏曰, 賁與節, 皆自泰來. 賁則柔來文剛, 剛上文柔, 節則柔來節剛, 剛上節柔. 夫泰爲天地純剛柔之卦, 賁以剛柔純質而无文, 故文之. 節以剛柔過盛而无節, 故節之. 彖曰, 剛柔分而剛得中, 則知節之名卦, 以剛柔過盛爲義也.
백운곽씨가 말하였다: 비괘(賁卦䷕)와 절괘(節卦䷻)는 모두 태괘(泰卦䷊)에서 왔다. 비괘는 유순함이 와서 굳셈을 꾸밈에 굳셈이 올라가 유순함을 꾸미고, 절괘는 유순함이 와서 굳셈을 절제시킴에 굳셈이 올라가서 유순함을 절제시킨다. 태괘(泰卦䷊)는 천지가 굳셈과 유순함을 순수하게 한 괘이고, 비괘(賁卦䷕)는 굳셈과 유순함이 질박함을 순수하게 하여 꾸밈이 없기 때문에 꾸몄다. 절괘(節卦䷻)는 굳셈과 유순함이 지나치게 성대하여 절제가 없기 때문에 절제시켰다. 「단전」에서 "굳셈과 유순함이 나눠져서 굳셈이 중도를 얻었기 때문이다"라고 하였으니, 절괘로 이름을 붙여 강유가 지나치게 성대한 것을 뜻으로 했음을 알겠다.

## 韓國大全

### 권만(權萬) 「역설(易說)」

節亨, 剛柔分而剛得中, 言此卦本地天泰, 而乾分三爻之剛而與坤, 坤分二爻之柔而與乾. 坤得乾之所分第三爻之剛, 作中爻成坎, 而剛得五位之中也.
"'절이 형통함'은 굳셈과 유순함이 나눠져서 굳셈이 중도를 얻었기 때문이다"는 것은 이 괘가 본래 지천 태괘(泰卦䷊)인데 건괘에서 삼효의 굳셈이 나뉘어져 곤괘와 함께 하고, 곤괘에서 이효의 유순함이 나뉘어져 건괘와 함께 함을 말한다. 곤괘는 건괘가 나뉘어진 세 번째 효의 굳셈을 얻어 가운데 효를 만들어 감괘를 이루었는데, 굳센 양이 오효 자리의 알맞음을 얻는다.

### 김규오(金奎五) 「독역기의(讀易記疑)」

彖, 剛柔分而剛得中, 似說卦變. 蓋節自賁變, 六二六五往爲三上, 九三上九來作二五. 剛得中, 指此而言也. 又三陰三陽卦, 剛柔皆半, 而彖言剛柔分者, 獨噬嗑賁節而已, 噬賁反對, 則只是一卦而已.

「단전」에서 "굳셈과 유순함이 나눠져서 굳셈이 중도를 얻는다"는 것은 괘의 변화를 설명하는 것과 같다. 대체로 절괘는 비괘(賁卦☶☲)로부터 변했으니, 육이와 육오가 가서 삼효와 상효가 되고 구삼과 상구가 와서 이효와 오효가 된다. '굳셈이 중도를 얻음'은 이것을 가리켜 말한다. 또 세 음과 세 양인 괘는 굳셈과 유순함이 모두 반인데, 「단전」에서 "굳셈과 유순함이 나뉜다"고 말한 것은 서합괘(噬嗑卦☲☳)와 비괘(賁卦☶☲)와 절괘(節卦☵☱) 뿐이지만 서합괘와 비괘는 서로 뒤집어진 것이니, 단지 한 괘일 뿐이다.

### 하우현(河友賢) 『역의의(易疑義)』

彖曰, 剛柔分而剛得中, 傳曰, 剛柔分處, 本義曰, 陰陽各半, 傳則分二體言, 本義則合卦六爻言.

「단전」에서 "굳셈과 유순함이 나눠져서 굳셈이 중도를 얻었기 때문이다"고 한 것에 대해 『정전』에서는 "굳셈과 유순함이 나눠지고"라고 했는데, 『본의』에서는 "음과 양이 각기 반씩이고"라고 했으니, 『정전』은 두 몸체로 나누어 말한 것이고, 『본의』는 괘의 여섯 효를 합해 말한 것이다.

### 이항로(李恒老) 「주역전의동이석의(周易傳義同異釋義)」

傳, 剛柔分處,

『정전』에서 말하였다: 굳셈과 유순함이 나뉘어 있고,

本義, 陰陽各半,

『본의』에서 말하였다: 음양이 각기 반씩이고,

按, 月令, 春秋分曰日夜分, 謂晝夜相半也. 噬嗑賁及此卦, 陰陽相半而分布, 故言之, 両釋叅觀, 其義乃盡.

내가 살펴보았다: 『예기 · 월령』에서 춘분과 추분이 나뉨을 "낮과 밤이 같아진다"고 했으니, 낮과 밤이 서로 반씩임을 말한다. 서합괘(噬嗑卦☲☳)와 비괘(賁卦☶☲) 및 절괘는 음과 양이 서로 반씩 나뉘어 퍼져 있으므로 말했으니, 두 해석을 참고하여 살펴보면 그 뜻이 이에 지극하게 된다.

### 심대윤(沈大允) 『주역상의점법(周易象義占法)』

坎剛兌柔中間有二陰爻, 爲分限內外之義, 有分限而得中, 故亨也.
감괘의 굳센 양과 태괘의 부드러운 음 사이에 두 음효가 있어 안팎을 나누어 한정하는 뜻이 되는데, 나누어 한정함이 있지만 알맞음을 얻었기 때문에 형통하다.

### 최세학(崔世鶴) 주역단전괘변설(周易彖傳卦變說)」

節, 泰之二體變也. 三與五二爻爲主, 故彖以剛柔分剛得中言之. 否三來居於下體之上, 以柔分剛, 否五往居於上體之中, 以剛分柔而得其中也.
절괘는 태괘(泰卦☷☰)의 두 몸체가 변한 것이다. 삼효와 오효가 주인이 되므로 「단전」에서 "굳셈과 유순함이 나눠져서 굳셈이 중도를 얻었다"는 것으로 말했다. 비괘(否卦☰☷)의 삼효가 와서 하체의 맨 위에 있으니 유순함으로 굳셈을 나누며, 비괘의 오효가 가서 상체의 가운데 있으니, 굳셈으로 유순함을 나눠서 알맞음을 얻은 것이다.

## 苦節, 不可貞, 其道窮也.

"괴롭도록 절제해서는 곧을 수 없음"은 그 도가 다했기 때문이다.

# 中國大全

傳

**節至於極而苦, 則不可堅固常守, 其道已窮極也.**

절제를 끝까지 하여 괴롭도록 하면 견고하게 언제나 지킬 수 없으니 그 도가 이미 다했기 때문이다.

本義

**又以理言.**

또 이치로 말하였다.

小註

李氏曰, 節以甘爲吉, 苦爲窮. 所謂甘節, 制之有道, 使人說而不厭, 故吉. 所謂苦節, 損抑過常, 使人惡而不擇, 故窮.

이씨가 말하였다: 달콤하게 절제하면 길하고, 괴롭게 하면 다한다. 이른바 달콤하게 절제한다는 것은 제재함에 도가 있어 사람들이 기뻐서 싫어하지 않도록 하기 때문에 길한 것이다. 이른바 괴롭도록 절제한다는 것은 덜어내고 억제함이 일정함을 지나쳐 사람들이 싫어서 택하지 않게 하기 때문에 다하는 것이다.

○ 胡氏應回曰, 夫喜怒哀樂未發, 謂之中, 發而皆中節, 謂之和. 節之見於用, 得宜而和者也. 中節則和, 否則不和, 稼穡作甘, 以得中央之土也, 火炎上作苦, 亦以焦枯之極也. 剛得中而能節, 乃爲九五之甘, 柔失中而過節, 則爲上六之苦. 故物得中則甘, 失中則苦. 此節則亨而苦, 不可貞也.
호응회가 말하였다: 기쁨 · 노함 · 슬픔 · 즐거움이 아직 나오지 않은 것을 중도라고 하고, 나와서 모두 절제에 맞는 것을 조화라고 한다. 그러니 절제는 효용에 나타나고 마땅함을 얻어 조화로운 것이다. 절도에 맞으면 조화롭고 맞지 않으면 조화롭지 않으니, 농사지어 단 것은 중앙의 토를 얻었기 때문이고, 화염이 치솟아 괴로운 것은 또한 그을리고 메마른 것의 끝이기 때문이다. 굳셈이 중도를 얻어 절제할 수 있으면 바로 구오의 단 것이고, 유순함이 가운데를 잃어 지나치게 절제하면 상육의 괴로움이다. 그러므로 사물이 중도를 얻으면 달고, 중도를 잃으면 괴롭다. 여기서의 절제는 형통하면서도 괴로우니, 곧을 수 없었기 때문이다.

## 韓國大全

### 권만(權萬) 「역설(易說)」

苦節, 不可貞, 其道窮也, 苦, 過也, 言上六也. 節之爲卦, 坎之五爻, 握節水之柄, 以時節之, 而上六過節, 而不知以中道節之, 則不可爲正法也. 此卦水在澤上, 水入澤口爲節, 而上六洩水於上, 而不節之道.
"'괴롭도록 절제해서는 곧을 수 없음'은 그 도가 다했기 때문이다"고 했는데, '괴롭도록[苦]'은 지나침이니 상육을 말한다. 절괘가 된 것이 감괘의 오효가 물을 절제하는 권한을 잡고 때에 따라 절제하는데, 상육은 절제를 지나쳐 중도로 절제할 줄을 모르니, 바른 법이 될 수 없다. 이 괘는 물이 못 위에 있으니 물이 못의 입구로 들어감이 절제가 되는데, 상육은 위에서 물이 새어나와 절제하지 못하는 도이다.

### 서유신(徐有臣) 『역의의언(易義擬言)』

剛柔分, 陽三陰三也. 剛得中, 九二九五也. 其道窮, 上六也. 陰陽平分, 不偏多不偏少, 是中節也, 五互艮二反艮, 有限節之象, 有限節而不過中, 是中節也. 上六過於五之外, 所以爲苦節也. 得其中正, 可以通行之謂節, 過中而不可行之謂苦節, 其道窮而不通也.
'굳셈과 유순함이 나뉨'은 양이 셋이고 음이 셋이라는 것이다. '굳셈이 중도를 얻음'은 구이와 구오이다. '그 도가 다했기 때문'은 상육이다. 음과 양이 균평하게 나뉘어 치우쳐 많지도 않고 치우쳐 적지도 않은 것이 중절(中節)이며, 오효의 호괘인 간괘와 이효의 거꾸로 된 간괘에 한정하고 절제하는 상이 있어 한정하고 절제하여 알맞음을 지나치지 않음이 중절(中節)이다. 상육은 오효의 밖으로 지나쳤으니, 이 때문에 '괴롭도록 절제함'이 된다. 중정(中正)을 얻어 통하여 행할 수 있음을 절제라고 하며, 알맞음을 지나쳐 행할 수 없음을 '괴롭도록 절제함'이라고 하니, 그 도가 다하여 통하지 못하는 것이다.

### 김기례(金箕澧) 「역요선의강목(易要選義綱目)」

其道窮也.
그 도가 다했기 때문이다.

洪範曰, 炎上作苦, 稼穡作甘, 蓋炎火極焦則味苦, 得土之中則味甘. 上六過節失中, 故苦而道窮, 九五中節, 故曰甘節. 蓋過則窮也.
『서경 · 홍범』에서 "불꽃이 타오르는 것은 '쓴 맛'이 되고, 심고 거두는 것은 단 맛이 된다"고 했으니, 불꽃이 타올라 다 태우면 맛이 쓰고, 흙의 알맞음을 얻으면 맛이 달다. 상육은 절제를 지나쳐 알맞음을 잃었으므로 쓰고 도가 다했으며, 구오는 중절(中節)하므로 "달콤하게 절제한다"고 했다. 대체로 지나치면 다하게 된다.

## 說以行險, 當位以節, 中正以通.

기뻐하여 험함을 행하고, 지위를 담당하여 절제하며, 중정하여 통한다.

## 中國大全

### 傳

以卦才言也. 內兌外坎, 說以行險也. 人於所說, 則不知已, 遇艱險, 則思止. 方說而止, 爲節之義. 當位以節, 五居尊當位也. 在澤上有節也. 當位而以節, 主節者也. 處得中正, 節而能通也. 中正則通, 過則苦矣.

괘의 재질로 말하였다. 내괘가 태(兌☱)이고 외괘가 감(坎☵)이니, 기뻐하여 험함을 행한다. 사람들이 기뻐하는 것에서는 그칠 줄 모르고, 어려움과 험함을 만나서는 멈출 것을 생각한다. 한창 기쁠 때에 멈추는 것이 절제의 의미이다. 지위를 담당하여 절제하는 것은 오효가 높은 자리에 있어 지위를 담당하고, 못 위에 있어 절제하는 것이다. 지위를 담당하여 절제하는 것은 절제를 주관하는 것이다. 있는 곳이 중정하여 절제하면서도 통할 수 있다. 중정하면 통하고 지나치면 괴롭다.

#### 小註

朱子曰, 說以行險, 伊川之說是也. 說則欲進, 而有險在前, 進去不得, 故有止節之義. 節便是阻節之義.

주자가 말하였다: "기뻐하여 험함을 행한다"는 것에 대해서는 이천의 설명이 옳다. 기뻐하면 나아가려고 하지만 앞에 험함이 있으면 나아갈 수 없기 때문에 멈추어 절제한다는 의미가 있다. 절제는 곧 막혀서 절제한다는 의미이다.

本義

又以卦德卦體言之. 當位中正, 指五, 又坎爲通.

또 괘의 덕과 괘의 몸체로 말하였다. "지위를 담당하고 중정하다"는 것은 오효를 가리키고, 또 감(坎☵)은 통한다는 것이다.

小註

或問, 節卦大抵以當而處通爲善, 觀九五中正而通. 本義云, 坎爲通, 豈水在中間必流而不止耶. 朱子曰, 然.
어떤 이가 물었다: 절괘(節卦䷻)는 대체로 담당해서 통하는 것을 선으로 여겼으니, 구오가 중정해서 통함을 본 것입니다. 『본의』에서 "감(坎☵)은 통한다는 것이다"라고 하였으니, 어찌 물이 중간에서 반드시 흘러가지만 멈추지 않겠습니까?
주자가 답하였다: 그렇습니다.

## 韓國大全

### 이익(李瀷) 『역경질서(易經疾書)』

剛柔分者, 剛柔各三爻, 爲陰陽相配也. 易學正, 以通下脫然後乃亨一句.
"굳셈과 유순함이 나뉜다"는 굳셈과 유순함이 각각 세 효로 음과 양이 서로 짝이 되기 때문이다. 『주역거정』에서는 '이통(以通)' 아래에 '연후내형(然後乃亨)' 한 구절을 뺐다.[4]

### 권만(權萬) 「역설(易說)」

說以行險, 當位以節, 言澤以說道, 有施出之象, 而坎有險象, 與說相反, 不使之快施, 但當五位, 節之以道也. 中正以通, 言九二以中正之道, 上應於九五, 九五以中正之道, 下應於九二, 是水與澤, 皆以中正之道相通也.
'기뻐하여 험함을 행하고, 지위를 담당하여 절제함'은 못은 기뻐하는 도로써 하여 베풀어

4) 『欽定四庫全書 · 周易擧正』에서 "然後乃亨也一句誤將入註"라고 했다.

나오는 상이 있는데, 감괘에 험함의 상이 있어 '기뻐함'과 서로 반대되어 기쁘게 베풀지 못하고 다만 오효의 지위를 담당하여 도로써 절제함을 말한다. '중정하여 통함'은 구이가 중정의 도로써 위로 구오에게 호응하고, 구오는 중정의 도로써 아래로 구이에게 호응함을 말하니, 물과 못이 모두 중정한 도로써 서로 통하는 것이다.

### 유정원(柳正源)『역해참고(易解參攷)』

說以 [至] 以通.
기뻐하여 … 통한다.

王氏曰, 然後乃亨也. 旡說而行險, 過中而爲節, 則道窮也.
왕필이 말하였다: 그런 뒤에 곧 형통한다. 기뻐하여 험함을 행하는 것이 없고 알맞아서 절제가 되는 것을 지나치게 되면 도(道)가 다하게 된다.

○ 正義, 就二體及四五當位, 重釋行節得亨之義. 行險以說, 則爲節得中, 當位以節, 中而能正, 所以得通, 所以爲亨.
『주역정의』에서 말하였다: 두 몸체 및 사효와 오효의 합당한 자리에 나아가 절제를 행하고 형통함을 얻는 뜻을 거듭 해석하였다. '기뻐하여 험함을 행함'은 절제함이 알맞음을 얻는 것이 되고, '지위를 담당하여 절제함'은 알맞아서 바르게 할 수 있으니, 이 때문에 통할 수 있고 이 때문에 형통하게 될 수 있다.

### 김규오(金奎五)「독역기의(讀易記疑)」

當位以節, 恐兼四五, 五固節之主, 而四之安節, 亦能當位故也. 爻辭之單言亨, 諸爻之所旡也.
'지위를 담당하여 절제함'은 아마도 사효와 오효를 겸하니, 오효는 진실로 절제의 주인이고 사효의 '편안하게 절제함'이 또한 지위를 담당할 수 있기 때문이다. 효사에서 홀로 '형통하다'고 말한 것은 다른 효에서는 없는 바이다.

### 서유신(徐有臣)『역의의언(易義擬言)』

說而不知險, 則說之過矣, 險而不知說, 則憂之過矣. 說以行險, 方爲中節也. 當位者, 初四五也. 事得當, 則中節也. 二三不當位, 爲不節也. 上六雖正得而其道窮, 故過而不可貞也. 中正以通, 九五也. 不中正則不通, 不通則非節, 通所以爲節, 節然後方通也.
기뻐하지만 험함을 알지 못하면 기뻐함이 지나친 것이며, 험하다고 하여 기쁨을 알지 못하면 근심이 지나친 것이다. '기뻐하여 험함을 행함'이 바로 중절(中節)이 된다. "지위를 담당한다"는 것은 초효와 사효와 오효이다. 일이 마땅함을 얻으면 중절(中節)한 것이다. 이효와 삼효는 지위에 합당하지 못해 절제하지 못하는 것이 된다. 상육은 비록 바름을 얻었으나 그 도가 다했으므로 지나쳐서 곧을 수 없다. '중정하여 통함'은 구오이다. 중정하지 않으면 통하지 못하고, 통하지 못하면 절제가 아니니, 통함이 절제가 되는 까닭에 절제한 뒤에 비로소 통하게 된다.

### 박제가(朴齊家)『주역(周易)』

彖傳, 說以行險.
「단전」에서 말하였다: 기뻐하여 험함을 행하고.

凡人之情, 遇險則不行, 雖行而不說. 若兌之畜坎, 則所謂說以行險者也, 如立節之士, 視死如歸. 死卽險, 如歸卽說也. 如顔子陋巷不改其樂, 陋巷坎也, 樂則兌也. 傳方說而止, 爲節之義, 此猶樂不可極之意, 未嘗非節也, 然非此彖之謂. 若方說而止, 則爲兌下艮上之損矣. 經曰說以行, 不曰止, 又曰以, 不曰而, 則正指以說而行其險也. 朱子曰, 說以行險, 伊川之說, 是也. 說則欲進而有險在前, 進去不得, 故有止節之義. 節便是阻節, 此又未安. 險而能止, 則爲蹇之來譽矣. 若節之彖, 則人以爲苦, 而我獨甘之, 如禪家之苦行, 人所不堪, 而乃曰禪悅, 所謂說以行者也. 經明言行, 而兩先生, 皆以止言, 豈未及照管於節之所以爲節者歟.
사람의 정(情)이 험함을 만나면 행하지 않으며, 비록 행하더라도 기뻐하지 않는다. 가령 태괘가 감괘를 위에 쌓는 것은 이른바 '기뻐하여 험함을 행하는 것'이니, 절개를 세운 선비가 죽음을 본래의 곳으로 돌아가는 것으로 보는 것과 같다. 죽음이 험함이라면 본래의 곳으로 돌아가는 것은 기뻐함이다. 안연이 누추한 골목에 있었으나 그 즐거움을 고치지 않은 것과 같은 경우, '누추한 골목'이 감괘라면 '그 즐거움'은 태괘이다. 『정전』에서는 "한창 기쁠 때에 멈추는 것이 절제의 의미이다"라고 했으니, 이것은 오히려 즐거움을 끝까지 할 수 없다는 뜻이니, 일찍이 절제하지 않는 것은 아니지만 이것은 「단전」에서 말한 뜻이 아니다. 가령 한창 기쁠 때에 멈춘다면 태괘가 아래이고 간괘가 위인 손괘(損卦䷨)가 된다. 「단전」에서 "기뻐하여 행한다"고 하고 "그친다"고 하지 않았고, 또 "~하여[以]"라고 하고 "~하고[而]"라고 하지 않았으니, 바로 기뻐하여 그 험함을 행하는 것을 가리킨다. 주자는 "'기뻐하여 험함을 행한다'는 것에 대해서는 이천의 설명이 옳다. 기뻐하면 나아가려고 하지만 앞에 험함이 있으면 나아갈 수 없기 때문에 멈추어 절제한다는 뜻이 있다. 절제는 곧 막혀서 절제함이다"고 했는데, 이 또한 옳지 않다. 험하여 그칠 수 있으면 건괘(蹇卦)의 '오면 명예로움'이 된다. 절괘의 「단전」 같은 경우는 남은 괴로움으로 여기지만 나만 홀로 감미롭게 여기는 것이 선가의 고행을 사람들은 감내하지 못하는 바이지만, 이에 "선열(禪悅)"이라고 하는 것이 이른바 기뻐하여 행하는 것을 말하는 것과 같다. 「단전」에서 '행함'을 분명하게 말했는데, 두 선생이 모두 '그침'으로 말한 것은 절괘가 절제함이 되는 까닭을 미처 살피지 못해서일 것이다.

### 김기례(金箕澧) 「역요선의강목(易要選義綱目)」

說而行險.
기뻐하여 험함을 행하고.
指二體言. 兌悅欲進而次, 險在前, 故止節.
두 몸체를 가리켜 말하였다. 태괘의 기뻐함은 나아가서 머무르고자 하나 험함이 앞에 있으므로 그쳐 절제한다.

當位以節, 中正以通.
지위를 담당하여 절제하며, 중정하여 통한다.
指五, 剛居尊得中節, 而如水在中間, 流而不止, 故通. 坎爲通, 五居中, 故曰中曰通.
오효를 가리키니, 굳센 양이 존귀한 자리에 있고 중절(中節)함을 얻어서 물이 가운데 있어 흘러서 그치지 않기 때문에 통하는 것과 같다. 감괘는 통함이 되고, 오효는 가운데 있으므로 "알맞다"고 했고 "통한다"고 했다.

### 심대윤(沈大允) 『주역상의점법(周易象義占法)』

說以行險者, 人之以節自守者, 乃樂而行之也, 志在乎久大也. 匪爲人所强也, 君子之大知也. 故於釋彖之後, 特言之也. 當位, 謂九五也, 中正, 謂九二也, 當位以節, 言人君之節制天下也, 中正以通, 言節以致用於久大也. 通卽亨之意也.
"기뻐하여 험함을 행한다"는 것은 사람이 절제로 자신을 지키는 경우 곧 즐겁게 여기면서 행하여 뜻이 오래고 큼에 있으니, 다른 사람에 의해 억지로 하는 바가 아니라 군자의 큰 지혜이다. 그러므로 「단전」을 해석한 뒤에서 특별히 그것을 말하였다. '지위를 담당함'은 구오를 말하고 '중정함'은 구이를 말하니, '지위를 담당하여 절제함'은 임금이 천하를 절제함을 말하며, '중정하여 통함'은 절제하여 오래고 큼에 씀을 이루는 것이다. '통함'은 곧 형통하다는 뜻이다.

## 天地節而四時成, 節以制度, 不傷財, 不害民.

천지가 절제해서 사시(四時)가 이루어지니, 제도로 절제하여 재물을 손상하지 않고 백성을 해치지 않는다.

# 中國大全

### 傳

推言節之道. 天地有節, 故能成四時, 无節則失序也. 聖人立制度以爲節, 故能不傷財害民. 人欲之无窮也, 苟非節以制度, 則侈肆, 至於傷財害民矣.

절제하는 도를 미루어 말하였다. 천지가 절제하기 때문에 사시가 생기니, 절제가 없으면 질서가 없어진다. 성인이 제도를 세워 절제하기 때문에 재물을 손상하지 않고 백성을 해치지 않을 수 있다. 사람의 욕심은 끝이 없으니 제도로 절제하지 않으면 사치하고 마음대로 하여 재물을 손상하고 백성을 해친다.

### 本義

極言節道.

절제의 도를 극단적으로 말하였다.

#### 小註

朱子曰, 天地節而四時成, 天地轉來, 到這裏相節了, 更没去處, 今年冬盡了, 明年又是春夏秋冬, 到這裏厮匝了, 更去不得, 這個折做兩截, 兩截又折做四截, 便是春夏秋冬. 他是自然之節, 初无人使他. 聖人則因其自然之節而節之, 如修道之謂敎, 天秩有禮之類, 皆是. 天地則和這個都无, 只是自然如此. 聖人法天, 做這許多節, 指出來.

주자가 말하였다: "천지가 절제하면 사시가 이루어진다"는 것은 천지가 돌면서 어떤 절기가 되면 바로 떠나버리는 것이고, 금년의 겨울이 다하면 내년에 또 봄 · 여름 · 가을 · 겨울 이렇

게 돌아가 다시 올 수 없는 것인데, 이것을 나누어 두 개로 하고 두 개를 다시 네 개로 한 것이 바로 봄 · 여름 · 가을 · 겨울이다. 그것은 저절로 그렇게 되는 절제여서 처음부터 사람이 그렇게 한 것은 없다. 성인은 저절로 그렇게 되는 절제를 따라 절제하니, 이를테면 『중용』에서 "도를 닦는 것을 교화라고 한다"[5]는 것과 『서경』에서 "하늘이 순서대로 하여 예가 있다"[6]는 것들이 모두 여기에 해당한다. 천지는 이것들이 없어지도록 조화를 부리는 것이 이처럼 자연스럽게 했을 뿐이다. 성인은 하늘을 본받아 이렇게 많은 절제로 지적해냈다.

○ 建安丘氏曰, 天地之氣運有節, 則分至啓閉, 弦望晦朔, 四時不差, 而歲功以成. 聖人體節之義, 則立爲制度, 量入爲出, 无過取, 无泛用, 有損己益人之實, 而无剝下奉上之事. 故不傷財, 則不害民矣. 語曰, 節用而愛人, 正此意也.
건안구씨가 말하였다: 천지의 기운이 절제하면, 열고 닫는 것을 나누어 상하현이 되고 보름이 되며 그믐이 되고 초하루가 되니, 사시가 어긋나지 않아 한 해의 일이 이루어진다. 성인이 절제의 의미를 몸소 실천하였으니, 제도를 만들고 들어오는 것을 살펴서 내보내며, 지나치게 거둬들이지 않고 남용하지 않아 자신의 것을 덜어 남에게 보태는 실상은 있고 아랫사람에게서 빼앗아 윗사람을 섬기는 일은 없다. 그러므로 재물을 손상하지 않으니 백성을 해치지 않는다. 『논어』에서 "비용을 절제하여 사람을 사랑한다"[7]는 것이 바로 이런 의미이다.

○ 中溪張氏曰, 天地節者, 剛節柔, 柔節剛也. 剛節柔, 猶冬之有春, 柔節剛, 猶夏之有秋. 不然則大冬大夏而已, 安能成四時乎.
중계장씨가 말하였다: 천지가 절제하는 것은 굳셈이 유순함을 절제하고 유순함이 굳셈을 절제하는 것이다. 굳셈이 유순함을 절제한 것은 겨울이 가고 봄이 오는 것과 같고, 유순함이 굳셈을 절제하는 것은 여름이 가고 가을이 오는 것과 같다. 그렇게 하지 않으면 긴 겨울만 있고 긴 여름만 있을 뿐이니, 어떻게 사시를 이루겠는가?

○ 雲峯胡氏曰, 凡天地節而四時成, 節以制度, 而不傷財不害民, 皆節之通者也. 卦辭曰, 節亨, 通卽亨之義, 窮乃通之反. 苦節, 則窮, 必如五之甘節, 則通. 故无位者, 不能制節, 節而不以中正者, 不能通.
운봉호씨가 말하였다: "천지가 절제해서 사시가 이루어지니, 제도로 절제하여 재물을 손상하지 않고 백성을 해치지 않는다"는 것은 모두 절제가 통하는 경우이다. 괘사에서 "절은 형

5) 『中庸』: 修道之謂敎.
6) 『書經 · 皐陶謨』: 天秩有禮.
7) 『論語 · 學而』: 節用而愛人.

통하다"라고 하였으니, 통한다는 것은 바로 형통하다는 의미이고, 다한다는 것은 통한다는 것의 반대이다. 괴롭도록 절제하면 다하니, 반드시 오효가 달게 절제하는 것처럼 하면 통한다. 그러므로 자리가 없는 자는 절제할 수 없다. 절제하더라도 중정으로 하지 않으면 통할 수 없다.

## 韓國大全

### 이익(李瀷) 『역경질서(易經疾書)』

節以制度, 禁奢侈不踰限也. 奢侈則財不足, 財不足則貪欲肆, 貪欲肆則必害民. 財非天降, 必從民出, 不歛於民, 無以充其欲, 故裕民必先從制度始 制度如四時之不違其節, 古如此, 今如此, 東如此, 西如此. 此天地之節, 而聖人則之也.

'제도로 절제함'은 사치를 금하여 한도를 넘지 않는 것이다. 사치하면 재물이 부족하고, 재물이 부족하면 탐욕이 제멋대로 하게 되며, 탐욕이 제멋대로 하게 되면 반드시 백성을 해친다. 재물은 하늘이 내리는 것이 아니어서 반드시 백성으로부터 나오니, 백성에게 거두어들이지 않으면 그 욕심을 채울 수 없기 때문에 백성을 넉넉하게 함은 반드시 먼저 제도로부터 시작한다. 제도는 사시(四時)가 그 절기를 어기지 않는 것과 같으니, 옛날에도 이와 같았고 지금도 이와 같으며, 동쪽에서도 이와 같고 서쪽에서도 이와 같아야 한다. 이것이 천지의 절제여서 성인이 그것을 본받았다.

### 권만(權萬) 「역설(易說)」

天地節而四時成, 言卦本地天之變, 故曰天地節.

'천지가 절제해서 사시가 이루어짐'은 괘가 본래 지천 태괘가 변한 것을 말하기 때문에 "천지가 절제한다"고 했다.

### 유정원(柳正源) 『역해참고(易解參攷)』

天地[至]害民.

천지가 … 백성을 해치지 않는다.

陸氏〈贄〉曰, 地力之生物, 有大數, 人力之生物, 有大限, 用之有節則常足, 旡節則常不足. 生物之豊歉由天, 用物之多少由人, 是以先王立程, 量入爲出, 雖遇菑難, 下旡困窮.
육지가 말하였다: 땅의 힘이 만물을 낳는 데는 큰 수(數)가 있고, 사람의 힘이 사물을 낳는 데는 커다란 제한이 있으니, 쓰는 데 절제가 있으면 항상 넉넉하고 절제가 없으면 항상 부족하다. 만물을 낳는 데 넉넉하고 부족함은 하늘에서 말미암고 만물을 쓰는 데 많고 적음은 사람에게서 말미암으니, 이 때문에 선왕이 법을 세워 들어오는 것을 헤아려 나가게 하였으니, 비록 묵힌 밭의 어려움(재난)을 만나더라도 아랫사람이 곤궁(困窮)함이 없다.

○ 爪山潘氏曰, 論節之義, 歷家最明, 二十四氣, 半爲之節, 半爲之中. 蓋物不可以旡節, 節不可以旡中也.
과산반씨가 말하였다: 절(節)을 논한 뜻은 역술가가 가장 분명하니, 이십사절기의 반은 절제가 되고 반은 알맞음이 된다. 사물은 절제가 없을 수 없으며, 절제에는 알맞음이 없을 수 없다.

○ 厚齋馮氏曰, 節以制度, 以坎節兌, 坎爲法律之象也. 陽富爲財, 陰貧爲民, 陰陽雖相節, 而三陰三陽, 仍在陽不傷陰不害也.
후재풍씨가 말하였다: '제도로 절제함'은 감괘로 태괘를 절제하는 것이니, 감괘는 법률의 상이 된다. 양의 부유함은 재물이 되고 음의 빈한함은 백성이 되니, 음과 양이 비록 서로 절제하지만 세 음과 세 양이 여전히 양은 손상되지 않고 음은 해치지 않는 데 있다.

### 김상악(金相岳) 『산천역설(山天易說)』

以卦體釋卦辭, 又以卦德卦體推廣亨義, 而極言之. 剛柔分, 兌二陽, 坎二陰, 分居上下也. 剛謂五也, 以卦變言, 九自四上而得五之中也. 其道窮者, 過中則爲苦也. 說以行險, 說則欲進, 而遇險而止也. 當位以節, 中正以通, 五所以爲節亨之主也. 天地節而四時成者, 剛柔分也. 節以制度不傷財不害民者, 剛得中也.
괘의 몸체로 괘사를 해석하였고, 또 괘의 덕과 괘의 몸체로 '형통하다'는 뜻을 미루어 넓혀서 지극히 말하였다. '굳셈과 유순함이 나뉨'은 태괘의 두 양과 감괘의 두 음이 위아래에 나뉘어 있는 것이다. 굳셈은 오효를 가리키니, 괘의 변화로 말하면 구(九)가 사효자리로부터 올라가서 오효의 알맞음을 얻은 것이다. '그 도가 다했음'은 알맞음을 지나치면 괴롭게 된다. '기뻐하여 험함을 행함'은 기쁘면 나아가고자 하는데 험함을 만나 그치는 것이다. '지위를 담당하여 절제하며, 중정하여 통함'은 오효가 '절(節)이 형통함'의 주인이 되기 때문이다. "천지가 절제해서 사시가 이루어진다"는 것은 굳셈과 유순함이 나뉨이다. "제도로 절제하여 재물을 손상하지 않고 백성을 해치지 않는다"는 것은 굳셈이 중도를 얻었기 때문이다.

○ 剛柔分, 朱子曰, 如晝夜分.
굳셈과 유순함이 나뉨에 대해 주자는 "낮과 밤이 나뉘는 것과 같다"고 했다.
謹案, 兌下坎上, 自秋而冬, 而剛柔中半爲秋分之卦. 噬嗑則震下離上, 自春而夏, 而剛柔中半爲春分之卦也. 故皆曰剛柔分. 又自乾至泰, 其爻爲六十而後爲泰, 自乾至節, 其卦爲六十而爲節, 六十者, 天地之數也. 故泰曰, 天地交而萬物通, 節曰, 天地節而四時成.
내가 살펴보았다: 태괘가 아래이고 감괘가 위이니, 가을에서 겨울이 되는데 굳셈과 유순함의 절반이 추분의 괘가 된다. 서합괘(噬嗑卦䷔)는 곧 진괘가 아래이고 리괘가 위이니, 봄에서 여름이 되는데 굳셈과 유순함의 절반이 춘분의 괘가 된다. 그러므로 모두 "굳셈과 유순함이 나뉜다"고 했다. 또 건괘로부터 태괘에 이르기까지는 그 효가 육십이 되고, 그런 뒤에 태괘(泰卦䷊)가 되며, 건괘로부터 절괘에 이르기까지는 그 괘가 육십이 되어서 절괘(節卦䷻)가 되니, '육십'은 천지의 수이다. 그러므로 태괘에서는 "천지가 사귀어 만물이 형통한다"고 했고, 절괘에서는 "천지가 절제해서 사시가 이루어진다"고 했다.

## 서유신(徐有臣)『역의의언(易義擬言)』

兌而坎爲秋而冬, 故曰天地節而四時成也. 日夜長短, 分至進退, 是爲天地節. 若使四時如一, 而無所長短進退, 則豈能成歲功乎. 節之義, 蓋如此. 貉太輕而國用縮, 傷其財矣, 桀太重而民食損, 害其民矣. 什一而徹, 則財不傷民不害也. 先王之制, 先定貢賦, 而吉凶賓嘉之禮, 爵祿物采之法, 隆殺豊約, 一視貢賦, 以爲節也.
태괘이고 감괘인 것이 가을에서 겨울로 가는 것이 되므로 "천지가 절제해서 사시가 이루어진다"고 했다. 낮과 밤의 길고 짧음과 춘분·추분과 하지·동지의 나아가고 물러남은 천지가 절제함이 된다. 가령 사시(四時)가 한결같아서 길고 짧으며 나아가고 물러나는 바가 없다면 어찌 한 해의 공효를 이룰 수 있겠는가? 절제의 뜻이 대체로 이와 같다. 맥(貉)은 조세가 너무 가벼워 나라의 쓰임이 위축되었으니 그 재물을 손상한 것이며, 걸(桀)은 조세가 너무 무거워 백성의 식량이 준 것이니 그 백성을 해친 것이다. 열에 하나를 거두어들이면 재물이 손상되지 않고 백성이 침해되지 않는다. 선왕의 제도는 먼저 공·부(貢賦)의 조세를 정하여 길(吉)·흉(凶)·빈(賓)·가(嘉)의 예와 작위와 봉록, 물·채(物采)의 법을 높이고 낮추며 넉넉하게 하고 약소하게 함이 모두 공·부(貢賦)의 조세를 보고 절제를 삼은 것이다.

### 강엄(康儼) 『주역(周易)』

說以行險 [止] 不害民.
기뻐하여 험함을 행하고 … 백성을 해치지 않는다.

按, 說以行險以下, 皆所以明節亨之義. 說以行險, 當位以節, 節也, 中正以通, 亨也. 天地節, 節也, 四時成, 亨. 節以制度, 節也, 不傷財不害民, 亨也. 然本義但云極言節道, 而不言亨, 獨雲峯以爲節之通者, 雲峯之說, 其亦本義意也歟.
내가 살펴보았다: "기뻐하여 험함을 행한다" 이하는 모두 '절이 형통하다'는 뜻을 밝힌 것이다. '기뻐하여 험함을 행하고, 지위를 담당하여 절제함'은 절(節)이고, '중정하여 통함'은 형통함이다. '천지가 절제함'은 절이고, '사시가 이루어짐'은 형통함이다. '제도로 절제함'은 절이고, '재물을 손상하지 않고 백성을 해치지 않음'은 형통함이다. 그러나 『본의』에서는 "절제의 도를 극단적으로 말하였다"고만 하고 "형통함"을 말하지 않았는데, 운봉만이 절제가 통하는 것이라고 여긴 것은 운봉의 설명이 그 또한 『본의』의 뜻이겠구나.

### 김기례(金箕澧) 「역요선의강목(易要選義綱目)」

天地節而四時成,
천지가 절제해서 사시가 이루어지니,
天地, 以二十四節, 成一歲四時之序.
천지는 24절기로 한 해 사시의 차례를 이룬다.

不傷財, 不害民.
재물을 손상하지 않고 백성을 해치지 않는다.
聖人制度, 在節用而愛民也.
성인이 법도를 제정함이 쓰임을 절제하여 백성을 사랑함에 있다.

### 심대윤(沈大允) 『주역상의점법(周易象義占法)』

節而不以制度, 則爲苦節矣. 天之有四時, 大節也, 其寒燠雨暘, 凡諸小節, 隨時不同, 而亦不悖於理. 人之有四德, 大節也, 其視聽言動, 凡諸小節, 隨時不同, 亦不違於道, 以其能以禮制中也. 故節貴有制度也. 奢則傷財, 儉則害民, 不傷財, 儉以節民之濫溢也. 不害民, 重用民力也. 子曰, 節用而使民以時, 象傳凡五[8]擧卦名者, 屢歎之也.
절제하는데 제도로써 하지 못하면 '괴롭도록 절제함'이 된다. 하늘에 사시(四時)가 있는 것은 커다란 절제이고, 거기에 차고 따뜻하며 비가 내리고 볕이 쪼이는 것은 모두 작은 절제이니, 때에 따라서 같지 않지만 또한 이치에 어긋나지 않는다. 사람에게 사덕(四德)이 있는 것은 큰 절제이고, 거기에 보고 듣고 말하고 행동하는 것은 무릇 모두 작은 절제이니, 때에 따라 같지 않지만 또한 도리에 위배되지 않는 것은 그것이 예로써 알맞게 제어할 수 있기 때문이다. 그러므로 절제의 귀함에 제도가 있다. 사치하면 재물을 손상하고 검박(儉薄)하면 백성을 해치니, '재물을 손상하지 않음'은 검소함으로 백성의 차고 넘치는 것을 절제하는 것이다. '백성을 해치지 않음'은 백성의 노고를 신중하게 쓰는 것이다. 공자는 "씀을 절약하고 때를 가려 백성을 부린다"고 했으니, 「단전」에서 괘의 명칭을 다섯 번 말한 것은 거듭 탄식한 것이다.

### 오치기(吳致箕) 「주역경전증해(周易經傳增解)」

此, 以卦反卦體卦德釋卦辭, 而終又極言節之道也. 以卦反言, 則渙之下體坎剛, 分而爲本卦上體, 得九五之剛, 渙之上體巽柔, 分而爲本卦下體之兌柔, 成澤上有水, 防限節止之象. 故以卦反而明其象也. 不曰剛上柔下, 而曰剛柔分者, 坎雖卦反, 而其體不變, 故言剛柔分, 如噬嗑彖傳之辭也. 說極而能知艱險, 則可以節止, 而當君位之尊者, 能以中正之道節之, 則无事不通也. 是以天地有節, 而四時有序, 聖人立制度以爲節, 而能不傷天下之財, 不害天下之民也. 餘見彖解.

이는 괘가 거꾸로 된 것과 괘의 몸체와 괘의 덕으로 괘사를 해석하였는데, 끝에 또 절제하는 도를 극단적으로 말했다. 괘가 거꾸로 된 것으로 말하면 환괘(渙卦䷺)의 하체인 감괘의 굳셈은 나뉘어 절괘의 상체가 되어 구오의 굳셈을 얻고, 환괘의 상체인 손괘의 유순함은 나뉘어 절괘의 하체인 태괘의 유순함이 되어 못 위에 물이 있어 막아 한정하고 절제하여 그치는 상이 된다. 그러므로 괘가 거꾸로 된 것으로 그 상을 밝혔다. "굳셈이 위이고 유순함이 아래이다"고 말하지 않고 "굳셈과 유순함이 나눠진다"고 한 것은 감괘는 비록 괘가 거꾸로 되더라도 그 몸체가 변하지 않으므로 "굳셈과 유순함이 나눠진다"고 말했으니, 서합괘 「단전」의 말과 같다. 기쁨이 지극하지만 어렵고 험함을 알 수 있다면 절제하여 그칠 수 있어서 임금 자리의 존엄함에 해당하는 자는 중정(中正)한 도로 절제할 수 있어서 통하지 않는 일이 없다. 이 때문에 천지에 절기가 있고 사시에 차례가 있으며, 성인이 제도를 세워 절제로 삼아 천하의 재물을 손상시키지 않을 수 있고 천하의 백성을 해치지 않을 수 있는 것이다. 나머지는 「단전」의 해석을 보라.

---

8) 五: 경학자료집성DB에는 '左'로 되어 있으나, 경학자료집성 영인본을 참조하여 '五'로 바로잡았다.

### 이진상(李震相) 『역학관규(易學管窺)』

象.

단.

剛之過, 則兌以折之, 柔之過, 則坎以通之, 皆以其苦節之不可貞也. 中有厚離火, 味過則苦矣.

굳셈이 지나치면 태괘로 꺾이고 유순함이 지나치면 감괘로 통하는 것은 모두 괴롭게 절제함이 곧을 수 없기 때문이다. 가운데 두터운 리괘인 불이 있으니, 맛이 지나치면 쓰다.

傳.

전.

此亦卦變. 下體本乾, 而九三往居五, 上體本坤, 而六五來居三, 則是剛柔之迭分, 而九往居五者, 獨爲得中也. 馮氏曰, 陽富爲財, 陰貧爲民, 陰陽雖相節, 而三陰三陽, 仍在陽不傷陰不害也.

이 또한 괘의 변화이다. 하체는 본래 건괘인데 구삼이 가서 오효 자리에 있고, 상체는 본래 곤괘인데 육오가 와서 삼효자리에 있으면 이것이 굳셈과 유순함이 갈마들어 나뉜 것이지만 구(九)가 가서 오효 자리에 있는 것만 홀로 알맞음을 얻게 된다. 풍씨는 "양의 부유함은 재물이 되고 음의 빈한함은 백성이 되니, 음과 양이 비록 서로 절제하지만 세 음과 세 양이 여전히 양은 손상되지 않고 음은 해치지 않는 데 있다"고 했다.

### 이병헌(李炳憲) 『역경금문고통론(易經今文考通論)』

節亨剛得中, 指九五也. 苦節其道窮, 指上六也. 節以制度, 包括六爻而言, 否泰爲乾坤之孔路, 故卦可謂自否泰來. 然其實, 皆從乾坤來也. 策準中數.

'절(節)이 형통함은 굳셈이 중도를 얻었음'은 구오를 가리킨다. '괴롭도록 절제함은 그 도가 다했기 때문'은 상육을 가리킨다. '제도로 절제함'을 여섯 효를 포괄하여 말하면 비괘(否卦)와 태괘(泰卦)가 건·곤의 큰 길이 되므로 괘가 비괘와 태괘에서 왔다고 할 수 있다. 그러나 그 실상은 모두 건곤으로부터 온 것이다. 책수가 중수(中數)이다.

## 象曰, 澤上有水節, 君子以, 制數度, 議德行.

「상전」에서 말하였다: 못 위에 물이 있는 것이 절(節)이니, 군자가 그것을 본받아 수와 법도를 제정하고 덕행을 의론한다.

# 中國大全

### 傳

**澤之容水有限, 過則盈溢. 是有節, 故爲節也. 君子觀節之象, 以制立數度. 凡物之大小輕重高下文質, 皆有數度, 所以爲節也. 數多寡, 度法制. 議德行者, 存諸中爲德, 發於外爲行, 人之德行, 當義則中節. 議, 謂商度求中節也.**

못이 물을 담을 수 있는 용량에 한계가 있으니, 지나치면 넘친다. 이것은 절제가 있는 것이므로 절괘이다. 군자가 절괘의 상을 보고 수와 법도를 제정하여 세운다. 크고 작고, 가볍고 무거우며, 높고 낮고, 화려하고 질박한 사물에는 모두 수와 법도가 있기 때문에 절제이다. '수'는 많고 적음이고 '법도'는 법제이다. "덕행을 의론한다"는 것은, 마음에 보존하는 것이 덕이고, 밖으로 드러내는 것이 행위이니, 사람의 덕행이 의에 합당하면 절제에 맞는다는 것이다. '의론한다'는 것은 절도에 맞도록 헤아려서 구하는 것을 말한다.

### 小註

童溪王氏曰, 數度所以爲節也, 德行欲其中節也. 古者之制器用宮室衣服也, 莫不有多寡之數, 隆殺之度, 存乎其間, 使賤不踰貴, 上不侵下, 以是爲節. 故貴賤上下, 各安其分. 存於中爲德, 發於外爲行, 隨時合宜, 无過不及, 則爲中節. 如禹稷之於平世, 顏子之於亂世, 曾子之去, 子思之守, 是也. 而孟子以同道與之, 其善議德行也歟.

동계왕씨가 말하였다: 수와 법도는 절제를 행하는 것이고, 덕행은 절도에 맞고자 하는 것이다. 옛날에 기물을 제작하여 궁실과 의복에 사용함에 많고 적은 수와 두텁게 하고 덜어내는 법도를 그 사이에 두어 천한 자가 귀한 자를 넘어가지 못하고 윗사람이 아랫사람을 침범하지 못하도록 하지 않은 적이 없으니, 이것으로 절제한 것이다. 그러므로 귀한 자와 천한 자가 제각기 그 분수를 편하게 여긴다. 마음에 보존하는 것이 덕이고 밖으로 드러내는 것이

행위이니, 때에 따라 마땅함에 합하고 지나치고 미치지 못하는 것이 없으면 절도에 맞는 것이다. 이를테면 하우(夏禹)와 후직(后稷)은 평탄한 세상에서, 안자는 혼란한 세상에서 행하였으며, 증자는 피난 가고 자사는 왕을 지킨 것이 여기에 해당한다. 맹자가 도가 같은 것으로 인정하였으니,[9] 덕행을 잘 의론한 것이다.

○ 雲峯胡氏曰, 澤上有水, 水有所限而止也. 制數度, 所以定萬用之限, 議德行, 所以嚴一身之限也.
운봉호씨가 말하였다: 못 위에 물이 있으니 물에 한도가 있어 멈춘다. 수와 법도를 제정하기 때문에 온갖 비용의 한도를 정하고, 덕행을 의론하기 때문에 일신의 한도를 엄격하게 한다.

## 韓國大全

### 이만부(李萬敷)「역통(易統)·역대상편람(易大象便覽)·잡서변(雜書辨)」

臣謹按, 聖王之制, 自宗廟祭享喪紀學校軍旅以至車服宮室器用, 莫不有多寡之數, 隆殺之度, 使賤不踰貴, 下不侵上, 故貴賤上下, 各安其分. 此所以存之爲德, 發之爲行, 而一時制作, 彬彬而中節者也. 我朝祖宗法制, 非不明且節矣, 而目今紀綱解弛, 名分紊亂, 歷觀京外, 凡踰制犯分之事, 不一而足. 賈誼所謂庶人屋壁, 被以文繡, 猖優下賤, 得爲后飭者, 近之. 正宜特命大臣儒臣, 合議博考, 凡數度之可以申明舊制者, 可以變通更張者, 一一釐正用新, 一代之耳目, 作爲永久之定制, 則其於聖明之德行, 益有光矣. 不宜仍循苟且任其頹壞而已也.
신이 삼가 살펴 보았습니다: 성왕(聖王)의 제도가 종묘와 제향, 상사에 관한 일[喪紀]과 학교와 군대[軍旅]로부터 수레와 의복[車服], 가옥과 집[宮室], 기물의 쓰임[器用]에 이르기까지 많고 적은 수와 높이고 줄이는[隆殺] 제도가 있지 않음이 없어 천한 자가 귀한 이를 뛰어넘을 수 없고 아랫사람이 윗사람을 침범할 수 없게 하므로 귀하고 천함과 위와 아래가 각각 그 분수에 편안한 것입니다. 이것이 보존되면 덕(德)이 되고 드러내면 행실이 되어 한 때의 제작이 조화롭고 절도에 맞는 까닭입니다. 우리나라 조종(祖宗)의 법도는 분명하고 또 절제되지 않은 것은 아니지만 지금의 기강은 해이해지고 명분이 문란하여 경외(京外)를 둘러보

9)『맹자 · 이루』.

면 제도를 뛰어넘고 분수를 범하는 일이 한 가지가 아닙니다. 가의(賈誼)가 이른바 "서인(庶人)의 옥벽(屋壁)이 황제의 문양으로 칠해지고, 광대[倡優]나 낮고 천한 자가 황후의 복식을 할 수 있다"고 한 것이 거기에 가깝습니다. 바로 마땅하게 특별히 대신과 유신(儒臣)에게 명하여 의론을 합하고 널리 상고하면 수와 법도가 옛 제도를 펼쳐 밝게 할 수 있는 것과 변통하여 경장(更張)할 수 있는 것이 하나하나 바르게 고쳐지고 새롭게 쓰여 일대의 이목이 영구하게 정립된 제도가 되면 성명(聖明)의 덕행에 더욱 빛남이 있을 것입니다. 마땅히 인습을 따라 구차하게 무너지는 데 임하지 마시옵소서.

### 이익(李瀷) 『역경질서(易經疾書)』

澤上有水, 與澤無水相照, 水聚澤上, 限于堤岸, 不竭不溢, 所以爲節. 孔穎達曰, 數度, 謂尊卑禮命之多少, 德行, 謂人才堪任之優劣. 君子象節以禮數等差, 皆須有度, 議人之任用德行, 皆須得宜, 此於制度之義, 甚叶.

못 위에 물이 있는 것을 못에 물이 없는 것과 서로 대조해보면 물이 못 위에 모이는 것은 제방에 한정되니, 마르지도 않고 넘치지도 않는 것이 절제가 된다. 공영달은 "법도의 수는 높고 낮음에 따라 예로 명(命)하는 많고 적음을 말하며, 덕행은 사람의 재주에 따라 책임을 감당하는 우열(優劣)을 말한다"고 했다. 군자가 절괘를 본받아 예의 수와 차등이 모두 도수가 있고 사람의 임용(任用)과 덕행(德行)을 의론함이 모두 마땅함을 얻으니, 이는 제도의 뜻에 매우 부합한다.

### 심조(沈潮) 「역상차론(易象箚論)」

象, 澤上有水節.

「상전」에서 말하였다: 못 위에 물이 있는 것이 절(節)이니.

互卦有艮, 卽有限而止之象. 物之有節者, 莫如竹, 故從竹. 互卦之下震上艮, 亦竹象.

호괘에 간괘(☶)가 있으니, 곧 한정하여 그치는 상이 있다. 물건에 절제가 있는 것이 대나무만한 것이 없으므로 '죽(竹)'을 부수로 했다. 호괘가 아래는 진괘이고 위는 간괘인 것도 대나무의 상이다.

### 유정원(柳正源) 『역해참고(易解參攷)』

澤上 [至] 德行.

못 위에 … 덕행을.

正義, 數度, 謂尊卑禮命之多少, 德行, 謂人才堪任之優劣. 君子象節以制其禮數等差, 皆使有度, 議人之德行任用, 皆使得宜.
『주역정의』에서 말하였다: 수(數)와 법도는 높고 낮은 이가 예(禮)로써 명하는 많고 적음을 말하며, 덕행은 사람의 재주가 책임을 감내하는 우열(優劣)을 말한다. 군자가 절괘를 본떠 예절의 등차(等差)를 제정하여 모두 법도가 있게 하였으며, 사람의 덕행과 임용(任用)을 의론함이 모두 마땅함을 얻게 하였다.

○ 白雲蘭氏曰, 澤上有水, 不虛不溢, 適當其分, 故謂之節.
백운란씨가 말하였다: 못 위에 물이 있어 비지도 않고 넘치지도 않아 그 분수에 적당하므로 '절제'라고 했다.

○ 節齋蔡氏曰, 制度數, 節乎外也, 兌見象, 議德行, 節乎內也, 坎心亨象.
절재채씨가 말하였다: '법도와 수'를 제정함은 밖을 절제함이니, 태괘가 드러내는 상이고, '덕행을 의론함'은 안을 절제함이니, 감괘인 마음이 형통한 상이다.

○ 平庵項氏曰, 制數度, 坎之法律也. 議德行,兌之講習也.
평암항씨가 말하였다: '수(數)와 법도를 제정함'은 감괘가 법률이기 때문이다. '덕행을 의론함'은 태괘가 강론하고 익히는 것[講習]이기 때문이다.

○ 董氏曰, 數度, 涉於器制之使平, 則无弊如私量公量之類. 德行, 涉於道議之使中, 則无弊如過與不恭〈疑及〉之類.
동씨가 말하였다: 수(數)와 법도가 기물의 제정이 고르게 되는 데 관계되면 사적으로 헤아리거나 공적으로 헤아리는 것과 같은 부류의 폐단이 없다. 덕행이 도(道)의 의론이 알맞게 되는 데 관계되면 지나치거나 공경하지 못하는〈아마도 미치지 못함[及]인 듯하다.〉 부류와 같은 폐단이 없다.

## 김상악(金相岳) 『산천역설(山天易說)』

制者, 坎之矯揉也. 議者, 兌之口舌也. 剛柔分居於上下, 故制其數度. 二五得中於內外, 故議其德行.
'제정함'은 감괘의 바로잡음이다. '의론함'은 태괘의 시비하여 말함이다. 굳셈과 부드러움이 위와 아래에 나뉘어 있으므로 그 수(數)와 법도를 제정한다. 이효와 오효는 안팎에서 알맞음을 얻었으므로 덕행을 의론한다.

### 서유신(徐有臣)『역의의언(易義擬言)』

水灌於澤, 盈科而出, 得其通行之節, 是爲澤上有水節. 澤受水有節, 水洩澤有節也. 制數度議德行, 君子之節也. 議者, 擬議也. 擬議, 非謂臨時商度, 乃謂權度素明也. 制數度, 象澤, 議德行, 象水.
물이 못에 들어가 구덩이를 채우고서 흘러나와 그 통하여 행하는 절도를 얻었으니 이것이 못 위에 물이 있는 절괘가 된다. 못이 물을 수용함에 절제가 있고, 물이 못에서 흘러나옴에도 절제가 있다. 수와 법도를 제정하고 덕행을 의론함은 군자가 절제함이다. '의론'은 헤아려 의론함이다. 헤아려 의론함은 임시로 생각하고 헤아림을 말하는 것이 아니고, 바로 권도(權度)가 밝아짐을 말한다. 수와 법도를 제정함은 못을 형상하고, 덕행을 의론함은 물을 형상한다.

### 박제가(朴齊家)『주역(周易)』

大象, 制數度, 議德行.
「대상전」에서 말하였다: 수와 법도를 제정하고 덕행을 의론한다.

數度, 律度量衡之事也. 議德行, 定謚之事也, 如文武幽厲之名稱, 所以論其人之節行, 人之爲節, 雖有大小美惡偏全之不同, 而從其分限易見者而言, 故皆謂之節也. 所以議論者, 亦必欲其名實相稱者, 卽節也. 記所云, 節惠者, 是也. 謚法昉於周公, 而節惠之言, 已自其時, 故夫子取以說象, 非記者, 取夫子節之大象而曰節惠也. 傳德行, 當義則中節. 議謂商度, 求中節也, 此乃講也, 非議也. 商度則當曰道義, 不可曰德行, 行猶可講, 德何可講耶. 童溪王氏曰, 孟子以禹稷顔回曾子子思同道言之, 其善議德行也歟. 雲峯胡氏曰, 議德行, 所以嚴一身之限也, 皆不達議字. 古人修辭說議字, 自可易見, 如中孚議獄, 詩之風議, 蓋未有自修而謂之議者, 至於論人, 則曰尙論, 未嘗曰尙議. 公孫丑曰, 顔淵善言德行, 不曰善議. 此之議德行, 惟議謚而已矣.
수와 법도는 법률과 도량형[律度量衡]의 일이다. '덕행을 의론함'은 시호를 정하는 일이니, 마치 문·무와 유·려(幽厲)의 명칭이 그 사람의 절개가 있는 행실을 논한 것이어서 사람의 절개가 비록 크고 작으며 아름답고 추악하며 치우치고 온전함이 같지 않지만, 그 분수와 한계가 쉽게 드러나는 것에 따라 말하므로 모두 절개[節]라고 했다. 이 때문에 의론(議論)한다는 것은 또한 반드시 그 이름과 실재[名實]가 서로 걸맞게 하려는 것이 바로 절개[節]이다. 『예기』에서 이른바 '절혜(節惠)'라고 한 것이 이것이다. 시호를 짓는 법은 주공에서 비롯되었으니, '절혜(節惠)'라는 말이 이미 그 때부터 있었기 때문에 공자가 취하여 상을 설명하였고, 기록하는 자가 공자 절괘의 「대상전」을 취하여 '절혜(節惠)'라고 한 것은 아니다. 「상전」에서의 '덕행'은 의리에 합당하면 절도에 맞는 것이다. '의론함'은 헤아려서 절도에

맞음을 구함을 말하는 것이니, 이는 바로 강론하는 것[講]이지 의론하는 것[議]은 아니다. 헤아린다면 마땅히 "도의(道義)"라고 하고 "덕행(德行)"이라고 할 수 없으니, '행함'은 오히려 강론할 수 있으나 '덕'을 어찌 강론할 수 있겠는가? 동계왕씨는 "맹자는 하우와 후직, 안회와 증자, 자사를 같은 도로 말했으니, 덕행을 잘 의논한 것이다"고 했고, 운봉호씨는 "덕행을 의론함은 일신의 한도를 엄격하게 하는 까닭이다"고 한 것이 모두 '의논한다[議]'는 글자에 통달하지 못한 것이다. 옛사람의 수사(修辭)에서 '의논한다[議]'는 글자를 설명하는 것을 쉽게 볼 수 있으니, 중부괘(中孚卦䷼)의 의옥(議獄)이나 『시경』에서의 '바람따라 의논한다[風議]'는 것과 같은 것이 대체로 자신을 닦는 것을 '의논한다'고 한 것은 있지 않다. 다른 사람을 논하는 데 이르면 '상론(尙論)'이라고 하고, 일찍이 '상의(尙議)'라고 하지 않았다. 공손추는 "안연은 덕행을 잘 말했다"고 했지 "잘 의논했다[善議]"고 하지 않았다. 여기서 '덕행을 의논한다'는 것은 시호를 의논한 것일 뿐이다.

### 이지연(李止淵) 『주역차의(周易箚疑)』

天下可亨之道, 无過於節, 四時不節, 則一歲之功不成, 晝夜不節, 則一日之功不成, 財用不節, 則生道絶矣. 飮食不節, 則生意遏矣. 臣不節, 則爲叛, 女不節, 則爲淫, 節節推去, 則天下之亨, 有亨於節者乎, 故大象曰, 制度數議德行, 以此謂乎.
천하에 형통할 만한 도는 절제를 지나침이 없으니, 사시(四時)가 절제되지 않으면 한 해의 공효가 이루어지지 못하며, 낮과 밤이 절제되지 않으면 하루의 공효가 이루어지지 못하며, 재물의 쓰임이 절제되지 않으면 살아가는 도가 끊어지게 된다. 마시고 먹는 것이 절제되지 않으면 살아가는 뜻이 막힌다. 신하가 절제하지 않으면 반역하게 되고 여자가 절제하지 않으면 음란하게 되니, 절제하고 절제함을 미루어 가면 천하의 형통함 가운데 절제보다 형통한 것이 있겠는가? 그러므로 「대상전」에서 "수와 법도를 제정하고 덕행(德行)을 의논한다"고 한 것이 이것을 말하는 것이다.

### 김기례(金箕澧) 『역요선의강목(易要選義綱目)』

君子以, 制度數, 議德行.
군자가 그것을 본받아 수와 법도를 제정하고 덕행을 의논한다.

器用服飾之有制而不踰限, 言語政教之有度而止於善.
기용(器用)과 복식(服飾)에 제도가 있어 한도를 넘지 못하게 하고 언어와 정교(政教)에 법도가 있어 선(善)에 그치게 한다.

### 심대윤(沈大允) 『주역상의점법(周易象義占法)』

節者, 節而合於禮也. 禮者, 制其中也. 喜怒哀樂, 發而中節, 則中立于其心矣. 視聽言動, 皆中禮, 則中立于其身矣. 執其両端, 用其中於民, 則中立於天下矣. 君子而時中, 則中立於萬世矣. 節者, 所以爲禮也, 禮者, 所以爲中也. 制數度, 政事之中也, 議德行, 言行之中也. 坎爲數, 艮爲度爲德, 坎爲果行, 兌制艮議.

'절(節)'은 절제하여 예에 부합하는 것이다. '예(禮)'는 그 알맞음을 제정한 것이다. 희로애락이 발현하여 절도에 알맞으면 중도가 그 마음에 확립된다. 보고 듣고 말하고 움직임이 모두 예에 맞으면 중도가 그 몸에 확립된다. 두 가지 단서를 잡아 그 알맞음을 백성에게 쓰면 중도가 천하에 확립된다. 군자로서 때에 알맞으면 중도가 만세에 확립된다. '절제'는 예를 행하는 방법이며, '예'는 중도를 행하는 방법이다. '수와 법도를 제정함'은 정사(政事)가 알맞은 것이며 '덕행(德行)을 의논함'은 말과 행동이 알맞은 것이다. 감괘는 수(數)가 되고 간괘는 법도가 되고 덕이 되니, 감괘는 과단성 있는 행동이 되고 태괘는 제정하는 것이고 간괘는 의론하는 것이다.

### 오치기(吳致箕) 「주역경전증해(周易經傳增解)」

澤有防限, 水不得溢, 爲節之象. 君子觀其象, 以制定其數度, 而使不踰節, 商議其德行, 而皆欲合節也.

못에 막아 한정함이 있어서 물이 넘칠 수 없어 절제의 상이 된다. 군자가 그 상을 살펴서 수(數)와 법도를 제정하여 절도(節度)를 넘지 못하게 하고, 덕행을 헤아리고 의논하여 모두 절도에 맞게 하고자 한다.

### 이진상(李震相) 『역학관규(易學管窺)』

數陽度陰, 而陰陽各有限, 節制之者, 兌斷決也. 德內行外, 而內外莫不中節, 議之者, 兌之講習也. 坎爲法律, 又有常, 德行之象.

수는 양이고 도는 음인데, 음과 양에 각각 한정됨이 있으니, 절제하는 것은 태괘가 결단하는 것이다. 덕이 안에 있고 행동은 밖으로 드러나는 것인데 안팎이 절도에 맞지 않음이 없으니, 의논한다는 것은 태괘의 강습(講習)이다. 감괘는 법률이 되고 또 항상 됨이 있으니, 덕행의 상이다.

### 이병헌(李炳憲) 『역경금문고통론(易經今文考通論)』

侯果曰, 澤上有水, 以隄防爲節.

후과가 말하였다: 못 위에 물이 있으니, 제방으로 절제한다.

## 初九, 不出戶庭, 无咎.

정전 초구는 외짝문의 뜰을 벗어나지 않으면 허물이 없다.
본의 초구는 외짝문의 뜰을 벗어나지 않으니 허물이 없다.

### 中國大全

#### 傳

**戶庭, 戶外之庭, 門庭, 門內之庭. 初以陽在下, 上復有應, 非能節者也. 又當節之初, 故戒之謹守, 至於不出戶庭, 則无咎也. 初能固守, 終或渝之, 不謹於初, 安能有卒. 故於節之初, 爲戒甚嚴也.**

외짝문의 뜰은 그 밖의 뜰이다. 양짝문의 뜰은 그 안의 뜰이다. 초효가 양으로 아래에 있고 위로 다시 호응이 있으니 절제할 수 있는 것이 아니다. 또 절제의 처음이기 때문에 삼가 지켜서 외짝문의 뜰을 벗어나지 않으면 허물이 없다고 경계하였다. 처음에는 굳게 지킬 수 있지만 끝에는 변할 수 있으니, 초기에 삼가지 않으면 어찌 마침이 있겠는가? 그러므로 절제의 처음에 경계함이 아주 엄하다.

#### 本義

**戶庭, 戶外之庭也. 陽剛得正, 居節之初, 未可以行, 能節而止者也. 故其象占如此.**

외짝문의 뜰은 그 밖의 뜰이다. 굳센 양이 바름을 얻었으나 절제의 초기에 있어 행할 수 없으니 절제하여 그칠 수 있는 것이다. 그러므로 그 상과 점이 이와 같다.

#### 小註

李氏曰, 以陽剛之才, 上有其應, 而險難在前, 不可往也. 自守以正, 愼密而不出, 此盡節之道也, 故可无咎.

이씨가 말하였다: 굳센 양의 재질로 위로 호응하지만 험난함이 앞에 있어 갈 수 없다. 스스로 바름으로 지키고 조심해서 나가지 않으면, 이것이 절제를 극진하게 하는 도이기 때문에

허물이 없을 수 있다.

○ 雲峯胡氏曰, 初前遇九二, 九陽奇有戶象. 二前遇六三, 六陰耦有門象. 初九以陽居陽得正, 而時當節之初, 九二近不相得, 隔塞在前, 未可以行. 故其象爲不出戶庭, 其占爲无咎.
운봉호씨가 말하였다: 초효는 앞에서 구이를 만나니, 구는 양의 기수여서 외짝문의 상이 있다. 이효는 앞에서 육삼을 만나니, 육은 음의 우수여서 양짝문의 상이 있다. 초구는 양으로 양의 자리에 있으면서 바름을 얻었지만 때가 절제의 초기이고, 구이가 가까이 있어 서로 얻지 못하면서 앞에서 가로막아 행할 수 없다. 그러므로 그 상이 외짝을 벗어나지 않는 것이고 그 점이 허물이 없는 것이다.

○ 厚齋馮氏曰, 初四有應, 宜出者也. 然前有陽爻蔽塞, 一不可出也. 四爲坎體, 應則入于坎窞, 二不可出也. 剛在下而无位, 三不可出也. 不出則免咎, 无陽爻之塞, 坎窞之險, 陵節之僭矣, 此知節者也.
후재풍씨가 말하였다: 초효와 사효는 호응하니 나가야 하는 것이다. 그러나 앞에 양효가 가로막으니, 첫 번째 나갈 수 없는 이유이다. 사효는 감(坎☵)의 몸체여서 호응하면 구덩이에 빠지니, 두 번째 나갈 수 없는 이유이다. 굳셈이 아래에 있고 지위가 없으니, 세 번째 나갈 수 없는 이유이다. 나가지 않으면 허물을 면하여 양효의 가로막음과 구덩이의 험함과 절제를 능멸하는 참람함이 없으니, 이것이 절제를 아는 것이다.

## 韓國大全

### 김장생(金長生) 『경서변의(經書辨疑)-주역(周易)』

初應於四, 是乃外求, 故非能節者也.
초효는 사효에 호응하니, 이것이 밖으로 구하는 것이므로 절제할 수 있는 것이 아니다.

### 곽설(郭說) 『역전요의(易傳要義)』

節, 初九爻, 不出戶庭, 无咎, 子曰, 亂之所生也, 則言語以爲階. 君不密, 則失臣, 臣不密, 則失身, 幾事不密, 則害成, 是以君子愼密而不出也.

절괘(節卦) 초구의 효에 "외짝문의 뜰을 벗어나지 않으니, 허물이 없다"고 한 것에 대해 공자는 "어지러움이 생겨나는 곳이다"고 했으니, 곧 말로 계단을 삼은 것이다. 임금이 깊이 생각하지 않으면 신하를 잃고 신하가 깊이 생각하지 않으면 몸을 잃으며, 일의 기미가 정밀하지 못하면 이룸을 해치니, 이 때문에 군자는 삼가고 깊이 생각하여 나아가지 않는다.

## 송시열(宋時烈) 『역설(易說)』

艮爲門, 門內爲庭, 庭內有戶. 初與六四爲應, 可出而往從, 而當節之時, 二爻之陽塞而當前, 不出然後可以无咎. 小象知通塞云者, 通則可行, 塞則可止, 言當知其時也. 餘見系辭.

간괘는 양짝문이 되니 양짝문 안이 뜰이 되고 뜰 안에 외짝문이 있다. 초효는 육사와 호응이 되니, 나와 가서 따를 수 있지만 절제에 합당한 때에 이효인 양이 막아 앞에서 지키니, 나가지 않은 뒤에야 허물이 없을 수 있다. 「소상전」에서 "통함과 막힘을 알아야 한다"고 말한 것은 통하면 행하고 막히면 그쳐야 하니, 마땅히 그 때를 알아야 함을 말한다. 나머지는 「계사전」에 보인다.

## 이익(李瀷) 『역경질서(易經疾書)』

初九, 居最下, 卦以節爲義, 故以不妄動爲重. 然與四爲正應, 乃自守而待時者也. 四爲近君之臣, 兩皆得正. 苟以道薦達, 亦未有不出之義. 初九之辭, 蓋謂不自先動. 孔子或懼後人錯看, 比諸果忘獨善, 故以知通塞明之. 戶庭, 戶外門內之庭也. 周禮, 主君接賓, 行禮於庫門之外, 是爲門庭. 私家之禮, 雖無所考, 君命至, 則必出拜於門外, 非門庭而何. 不然戶外門內, 恐未有別.

초구는 맨 아래에 있는데, 괘가 '절제'로 뜻을 삼으므로 망령되게 움직이지 않는 것을 중(重)하게 여긴다. 그러나 사효와 정응(正應)이 되니, 바로 자신을 지켜 때를 기다리는 자이다. 사효는 임금에 가까운 신하가 되니, 둘이 모두 바름을 얻었다. 진실로 도(道)로써 천달(薦達)하게 되면 또한 나가지 않는 뜻이 있는 것은 아니다. 초구의 말은 대체로 자신이 먼저 움직이지 않음을 말한다. 공자는 혹 뒷사람이 잘못 볼까 염려하여 과감하게 세상을 버리고 홀로 선한 것에 견주었으므로 "통함과 막힘을 알아야 한다"는 것으로 밝혔다. '외짝문의 뜰'은 외짝문의 밖과 양짝문의 안에 있는 뜰이다. 『주례』에서 임금이 빈객을 접대함에 고문(庫門) 밖에서 예를 행하는 것이 양짝문의 뜰이 된다. 사가(私家)의 예는 비록 고증할 수 있는 바가 없지만 임금의 명(命)이 이르면 반드시 나와 문 밖에서 절하니, 양짝문의 뜰이 아니고 무엇이겠는가? 그렇지 않다면 외짝문 밖과 양짝문 안은 아마도 구별이 있지 않을 것이다.

## 유정원(柳正源) 『역해참고(易解參攷)』

初九 [至] 旡咎.
초구는 … 허물이 없다.

王氏曰, 爲節之初, 將整離散, 而立制度者也. 故明於通塞, 慮於險易, 不出戶庭, 愼密不失, 然後事濟而旡咎.
왕필이 말하였다: 절제하는 처음에 떠나고 흩어진 것을 정리하여 제도를 세우는 것이다. 그러므로 통함과 막힘에 밝고 험함과 쉬움을 염려하여 외짝문의 뜰을 벗어나지 않고, 삼가고 세심함을 잃지 않은 연후에 일이 이루어져 허물이 없다.

○ 縉雲馮氏曰, 初則二蔽之, 二則旡蔽之者. 二猶戶, 三猶門, 四猶路也.
진운풍씨가 말하였다: 초효는 이효가 가리지만, 이효는 가리는 자가 없다. 이효는 외짝문과 같고 삼효는 양짝문과 같으며, 사효는 길과 같다.

○ 雙湖胡氏曰, 爻辭取門戶象, 本爻前陽爻爲戶, 陰爻則爲門, 同人初九于門, 隨初九出門, 皆前有六二也, 明夷六四出門庭, 前有六五也, 若節初戶庭, 前有九二, 節二門庭, 前有六三也, 其例昭然矣. 今觀九二一爻, 橫於初九之前, 亦有戶閉而不通之象, 又前有名山大川之險, 艮又止其前, 故初二皆有不出之象.
쌍호호씨가 말하였다: 효사에서는 양짝문과 외짝문의 상을 취했으니, 본효(초효) 앞의 양효가 외짝문이 되면 음효는 양짝문이 되니, 동인괘(同人卦) 초구의 “문에”와 수괘(隨卦) 초구의 “문을 나옴”은 모두 앞에 육이가 있고, 명이괘(明夷卦) 육사의 “대문의 뜰로 나온다” 앞에는 육오가 있으니, 절괘 초구의 ‘외짝문의 뜰’은 앞에 구이가 있고 절괘 이효의 ‘양짝문의 뜰’은 앞에 육삼이 있는 것과 같은 것은 그 예가 분명하다. 지금 구이 한 효가 초구의 앞에서 횡으로 있는 것을 보면 또한 외짝문이 닫혀 통하지 못하는 상이 있고 또 앞에 명산대천(名山大川)의 험함이 있으며, 간괘가 또 그 앞을 그치게 하므로 초효와 이효에 모두 나가지 못하는 상이 있다.

○ 廬陵龍氏曰, 天地間陰陽通塞, 有自然之象, 君子進退行藏, 有一定之理, 所謂節也. 若宜止而出, 宜出而止, 則非其理矣. 戶庭之象, 其前壅塞, 止而不出, 可也, 故爲旡咎之占.
여릉용씨가 말하였다: 천지의 사이에 음과 양이 통하고 막힘에는 저절로 그러한 상이 있고, 군자가 나아가고 물러나며 행하고 감춤에는 일정한 이치가 있는 것이 이른바 ‘절제’이다. 만약 그쳐야 하는데 나가거나 나가야 하는데 그친다면 그 이치가 아니다. 외짝문의 뜰인

상은 그 앞이 막혔으니, 그쳐서 나가지 않음이 옳으므로 허물이 없는 점이 된다.

○ 案, 一言一動, 皆當謹之於初, 雖在戶外之庭, 猶不敢輕出, 況戶庭之外乎.
내가 살펴보았다: 말 한마디 행동 하나를 모두 처음에 삼가야하니, 비록 외짝문 밖의 뜰에 있더라도 오히려 감히 가볍게 나가지 못하는데, 하물며 외짝문의 뜰 밖에 있어서랴!

### 김상악(金相岳) 『산천역설(山天易說)』

初九, 以陽居兌, 與四爲應, 四互艮體而見阻於九二, 故有不出戶庭之象. 居節之初, 止而不行, 无咎之道也.
초구는 양으로 태괘에 있고 사효와 호응이 되는데, 사효는 호괘인 간괘의 몸체이면서 구이에게 저지되므로 외짝문의 뜰을 벗어나지 못하는 상이 있다. 절괘의 처음에 있어 그치고 행하지 않으니, 허물이 없는 도이다.

○ 不出, 艮之止也. 初前遇九二, 九陽奇戶之象. 二前遇六三, 六陰偶門之象. 又艮爲門, 而門在外戶在內, 故初言戶, 二言門. 朱子曰, 戶庭主心, 門庭主事. 又初居兌, 兌之時酉也. 二互震體, 震之時卯也. 說文卯爲春門, 萬物已出, 酉爲秋門, 萬物已入, 所以初不出而无咎, 二不出而凶也. 此爻之義, 與括囊之意相似, 故文言及繫傳, 皆言愼, 所以程傳在人所節, 惟言與行, 節於言則行可知, 言當在先也.
'벗어나지 않음'은 간괘의 그침이다. 초효는 앞의 구이를 만나는데, 구(九)인 양의 홀수(－)는 외짝문의 상이다. 이효는 앞의 육삼을 만나는데, 육(六)인 음의 짝수(--)는 양짝문의 상이다. 또 간괘는 문이 되는데, 문(門)은 밖에 있고 호(戶)는 안에 있으므로 초효에서는 '외짝문[戶]'을 말했고 이효에서는 '양짝문[門]'을 말했다. 주자는 "외짝문의 뜰은 마음을 주로하고 양짝문의 뜰은 일을 주로 하였다"고 했다. 또 초효는 태괘에 있는데, 태괘의 때는 유(酉)이다. 이효는 호괘인 진괘의 몸체이니, 진괘의 때는 묘(卯)이다. 『설문해자』에 묘(卯)는 춘문(春門)이 되니 만물이 이미 나오고, 유(酉)는 추문(秋門)이 되니 만물이 이미 들어갔으니, 이 때문에 초효는 벗어나지 않아 허물이 없고, 이효는 벗어나지 않아 흉하다. 이 효의 뜻이 '괄낭(括囊)'의 뜻과 서로 비슷하므로 「문언전」 및 「계사전」에서 모두 '삼감'을 말했으니, 이 때문에 『정전』에서 사람에 있어 절제해야 할 것이 오직 말과 행동이니, 말을 절제하면 행동을 알 수 있어 말이 마땅히 앞에 있어야 한다.

### 서유신(徐有臣) 『역의의언(易義擬言)』

門戶者, 內外出入之限節也. 三爲戶, 四爲門, 今卜筮家之說, 尙如此也. 戶之外卽四也. 初九不應於四, 不出戶庭也. 此卽當位以節者, 蓋以不出爲節也. 初不應四, 於義无咎也.
'양짝문'과 '외짝문'은 안팎의 출입을 한정하여 절제함이다. 삼효가 '외짝문'이 되고 사효가 '양짝문'이 되는 것은 지금 점치는 자들의 설명이 오히려 이와 같은 것이다. '외짝문'의 밖이 곧 사효이다. 초구는 사효에 호응하지 않으니, 외짝문의 뜰을 벗어나지 않는다. 이는 합당한 자리로 절제하는 것이니, 대체로 벗어나지 않는 것으로 절제를 삼는 것이다. 초효가 사효에 호응하지 않는 것은 의리상 허물이 없다.

### 이지연(李止淵)『주역차의(周易箚疑)』

下也內也. 陽剛得正, 不犯乎上, 不出乎外, 能節其慾而知時節.
아래이고 안이다. 굳센 양이 바름을 얻고 위를 범하지 않으며 밖으로 벗어나지 않아 그 욕심을 절제할 수 있어 때의 절도를 안다.

### 김기례(金箕澧)「역요선의강목(易要選義綱目)」

易中以陽前有陰爲門. 蓋陰偶爲門, 則陽爲戶也. 九二在六三後而爲戶, 初在下无位, 隔於二, 不能得應, 四比三, 則知通塞之理而自止, 則亦不至陷險也, 如顔子之陋巷.
『주역』에서는 양 앞에 음이 있는 것을 문(門)이라고 한다. 대체로 음인 둘(--)이 '양짝문'이 된다면 양은 '외짝문'이 된다. 구이는 육삼의 뒤에 있어서 '외짝문'이 되고, 초효는 아래에 있고 지위가 없으며 이효에게 막혀 호응을 얻을 수 없는데, 사효는 삼효와 가까우니 통함과 막힘의 이치를 알아 스스로 그친다면 또한 험함에 빠지는 데 이르지 않으니, 안자가 누추한 거리에 있었던 것과 같다.

### 심대윤(沈大允)『주역상의점법(周易象義占法)』

凡節之道, 量入以爲用, 審位以行事, 度才以賦切, 權時以制中, 貧富也貴賤也賢愚也, 是三者, 異時而殊節矣. 節限止也, 故不取應. 有應者有偏係也. 節之爻位, 居剛自守也, 居柔制於人也. 自守與受制於人, 志願而樂行一也.
절제의 도는 들어올 것을 헤아려 쓸 것을 삼고, 제자리인지 살펴 일을 하며, 재주를 헤아려 부절(賦切)하고, 때를 저울질하여 알맞음을 제정하니, 가난함과 부유함, 귀함과 천함, 어짊과 어리석음 이 셋은 때가 다르고 절제가 다른 것이다. '절제[節]'는 한정하여 그침이므로 호응을 취하지 않는다. 호응하는 것이 있으면 치우치고 매이는 것이 있다. 절괘 효의 자리가 굳센 자리에 있으면 스스로를 지키고, 유순한 자리에 있으면 남에게 제어된다. 스스로를 지키는 것과 남에게 제어됨을 받는 것은 뜻으로 원하여 즐겁게 행한다는 점에서 같다.

節之坎䷜. 初九以剛居剛, 自守之固, 泥陷而不進, 有應於四, 而四居坎艮震之體. 初九之志, 在乎頤養德行祿位威名, 而居初地卑, 又爲二之隔, 故自守而不進, 故曰不出戶庭无咎. 艮离爲戶, 震爲庭, 言限于二也. 初九, 无德者節行也, 无財者節用也. 兌爲口舌, 艮爲言, 故繫辭傳以言愼密爲戒也.
절괘가 감괘(䷜)로 바뀌었다. 초구는 굳센 양으로 굳센 자리에 있어 스스로를 지키는 견고함이 진흙에 빠져 나아가지 못하여 사효에 호응함이 있으나, 사효는 감괘와 간괘와 진괘의 몸체에 있다. 초구의 뜻은 덕행과 녹위(祿位)와 위명(威名)을 닦는 데 있으나 초효에 있고 지위가 낮으며, 또 이효에게 막히므로 스스로를 지키고 나아가지 않으므로 "외짝문의 뜰을 벗어나지 않아 허물이 없다"고 했다. 간괘와 리괘가 '외짝문'이 되고 진괘가 '뜰'이 됨은 이효에게 한정됨을 말한다. 초구는 덕이 없는 자이니 행동을 절제하며, 재물이 없는 자이니 씀을 절제한다. 태괘는 구설(口舌)이 되고 간괘는 말이 되므로 「계사전」에서 말을 삼가고 세밀하게 하는 것으로 경계를 삼았다.

### 오치기(吳致箕) 『주역경전증해(周易經傳增解)』

初九, 陽剛居下, 而旡其位, 上雖有應, 而入于坎險, 前有蔽塞, 而未可往進. 若不能早自防限於節之初, 則宜其有咎, 故戒言苟能固守其居, 而不出戶庭, 則旡輕動之咎也.
초구는 굳센 양이 아래에 있으나 그 지위가 없으며, 위에 비록 호응이 있으나 감괘의 험함에 빠졌으니, 앞에 가리고 막힘이 있어 나아갈 수가 없다. 만약 절제하는 처음에 일찍이 스스로 막아 한정할 수 없다면 마땅히 허물이 있을 것이므로 진실로 그 자리를 굳게 지켜 외짝문의 뜰을 벗어나지 않을 수 있으면 경솔하게 움직이는 허물이 없을 것이라고 경계해 말하였다.

○ 奇爻在前, 爲戶之象, 已見. 諸卦庭者, 戶外之庭也.
하나[一]로 된 효가 앞에 있어 '외짝문'의 상이 됨은 이미 보인다. 여러 괘에서의 '뜰'은 외짝문 밖의 뜰이다.

### 이진상(李震相) 『역학관규(易學管窺)』

不出戶庭.
외짝문의 뜰을 벗어나지 않으니.

節互震艮, 震動艮止, 各有其節者也. 初在震前, 時未可動, 故特以不出戶庭言之.
절괘에서의 호괘가 진괘(☳)와 간괘(☶)이니, 진괘가 움직이고 간괘가 그침에 각각 절제하는 것이 있다. 초효는 진괘의 앞에 있어 때가 아직 움직여서는 안 되므로 특별히 "외짝문의 뜰을 벗어나지 않는다"는 것으로 말했다.

## 채종식(蔡鍾植) 「주역전의동귀해(周易傳義同歸解)」

傳謂, 非能節者也. 故戒之謹守. 本義謂, 能節而止者也. 故其象如此. 蓋程易謂, 初陽在下, 而上復有應, 故慮其或出, 而爲戒甚嚴也, 本義謂, 陽剛得正, 而爲九二所塞, 故愼密不出, 而有節止之象也. 然戒以示其守節之理, 象以形其爲節之理, 則其爲理也一.
『정전』에서는 "절제할 수 있는 것이 아니다. 때문에 삼가 지키라고 경계하였다"고 했고, 『본의』에서는 "절제하여 그칠 수 있는 것이다. 그러므로 그 상이 이와 같다"고 했다. 대체로 『정전』은 초효인 양이 아래에 있고 위로 다시 호응이 있음을 말하므로 그것이 혹 벗어날까 염려하여 경계함이 아주 엄하며, 『본의』는 굳센 양이 바름을 얻었으나 구이에게 막히는 바가 되기 때문에 신중하게 해서 벗어나지 않으니 절제하여 그치는 상이 있음을 말한다. 그러나 경계하는 말로 그 절제를 지키는 이치를 보이고, 상으로 그 절제가 되는 이치를 드러냈으니, 이치가 됨에는 같다.

## 이용구(李容九) 「역주해선(易註解選)」

初九張氏曰, 不出戶庭, 陋巷之顔子以之.
초구에서 장씨가 말하였다: 외짝문의 뜰을 벗어나지 않는다는 것은 누추한 곳에서 살았던 안자가 그렇게 했다.

○ 六四馮氏曰, 在學爲不陵節, 在禮爲節文, 在財爲撙節, 在物爲符節, 在臣爲名節, 在君爲節制.
육사에서 풍씨가 말하였다: 배움에서는 절차를 건너뛰지 않는 것이고, 예에서는 문채를 절제하는 것이며, 재물에서는 절도를 지키는 것이고, 물건에서는 절도에 부합하는 것이며, 신하에게서는 절개를 명예로 여기는 것이고, 임금에게서는 제도를 알맞게 하는 것이다.

## 象曰, 不出戶庭, 知通塞也.

「상전」에서 말하였다: "외짝문의 뜰을 벗어나지 않더라도" 통함과 막힘을 알아야 한다.

## 中國大全

### 傳

爻辭於節之初戒之謹守, 故云不出戶庭, 則无咎也. 象恐人之泥於言也, 故復明之云, 雖當謹守不出戶庭, 又必知時之通塞也. 通則行, 塞則止, 義當出則出矣. 尾生之信, 水至不去, 不知通塞也. 故君子貞而不諒. 繫辭所解, 獨以言者, 在人所節, 唯言與行, 節於言則行可知, 言當在先也.

효사에서는 절제의 초기에 삼가 지킬 것을 경계했기 때문에 "외짝문의 뜰을 벗어나지 않으니 허물이 없다"고 하였다. 「상전」에서는 사람들이 말에서 잘못될까 염려했기 때문에 그것을 다시 밝혀서 '당연히 삼가 지키고 외짝문의 뜰을 벗어나지 않더라도 또 반드시 때의 통함과 막힘을 알아야 한다'고 하였다. 통하면 가고 막히면 멈추지만 의리상 나가야 하는 것이라면 나간다. 미생(尾生)의 믿음은 물이 차오름에도 피하지 않았으니,[10] 통함과 막힘을 몰랐던 것이다. 그러므로 군자는 바르고 견고하지만 작은 일에 구애되지 않는다. 「계사전」의 해석에서 유독 말에 대해 했던 것은 사람이 절제할 것은 말과 행실뿐이고, 말에서 절제한다면 행실을 알 수 있으니 말이 앞에 있는 것은 당연하다.

### 小註

中溪張氏曰, 節之道, 貴知時通塞. 塞則行之戶庭而準, 通則放之四海而準, 此其出處所以能中節也. 或謂塞者, 乃九二以剛塞乎初之前也. 初唯知其塞, 故不出, 然通則出矣. 不出戶庭, 陋巷之顔子以之.

중계장씨가 말하였다: 절제의 도는 통하고 막히는 때를 아는 것을 귀하게 여긴다. 막히면

10) 미생(尾生): 『장자』에 나오는 고지식한 선비이다. 다리 밑에서 만나기로 약속한 여자가 오는 대신 갑자기 쏟아진 폭우로 홍수가 밀어닥쳤는데도, 그는 신의를 지키기 위해 그곳에서 다리 기둥을 껴안고 있다가 죽었다.

외짝문의 뜰에서 행하면서 헤아리고, 통하면 온 세상에 널리 펼치면서 헤아리니, 이것은 출사하거나 집에 있거나 절제에 맞출 수 있기 때문이다. 어떤 이가 막힘은 바로 구이가 초효의 앞을 막고 있는 것이라고 하였다. 초효는 단지 그것이 막고 있는 것을 알기 때문에 나가지 않지만 통하면 나간다. 외짝문의 뜰을 벗어나지 않는다는 것은 누추한 곳에서 살았던 안자가 그렇게 했다.

## 韓國大全

### 김상악(金相岳) 『산천역설(山天易說)』

塞則當止, 通則當行, 所以初二之凶无咎不同.
막히면 멈춰야 하고 통하면 행해야 하니, 이 때문에 초효와 이효의 흉함과 허물이 없음이 같지 않다.

○ 通者, 坎下之缺也. 塞者, 兌下之合也. 以居上得中爲通, 以在下失中爲塞也. 又節者困之交也, 又兌反則爲井, 故以井之通對困之塞也.
'통함'은 감괘의 아래가 터진 것이다. '막힘'은 태괘의 아래가 합한 것이다. 위에 있고 알맞음을 얻었기 때문에 통함이 되고, 아래에 있고 알맞음을 잃었기 때문에 막힘이 된다. 또 절괘(節卦䷻)는 곤괘(困卦䷮)의 위아래 괘가 교차한 것이며, 또 태괘(☱)가 거꾸로 되면 정괘(井卦䷯)가 되므로 정괘의 통함으로 곤괘의 막힘을 짝한다.

### 서유신(徐有臣) 『역의의언(易義擬言)』

能知通行塞止之義, 故爲節也. 兌塞坎也.
통하면 행하고 막히면 그치는 뜻을 알 수 있으므로 절제가 된다. 태괘가 감괘를 막는다.

### 심대윤(沈大允) 『주역상의점법(周易象義占法)』

志在於豊亨, 而以其時不可得, 故不進, 是以言知通塞也. 艮塞對巽通, 塞于今而通于後也.

뜻이 풍성하게 형통함에 있는데 그 때를 얻을 수 없기 때문에 나아가지 못하니, 그래서 "통함과 막힘을 안다"고 말했다. 간괘의 막힘은 손괘의 통함과 상대하니, 지금은 막혔으나 뒤에 통한다.

### 오치기(吳致箕) 「주역경전증해(周易經傳增解)」

通則行, 塞則止, 卽節之道, 而能知通塞之理, 故不出戶庭也.
통하면 행하고 막히면 그침이 곧 절제의 도인데, 통함과 막힘의 이치를 알 수 있으므로 외짝문의 뜰을 벗어나지 않는다.

### 박문호(朴文鎬) 「경설(經說) · 주역(周易)」

不出戶庭, 知通塞, 本義之意, 蓋曰不出戶庭, 以其知通塞也.
"외짝문의 뜰을 벗어나지 않더라도 통함과 막힘을 안다"에 대한 『본의』의 뜻은 대체로 '외짝문의 뜰을 벗어나지 않아도 되는 것은 통하거나 막힘을 알기 때문'이라는 것이다

### 이병헌(李炳憲) 『역경금문고통론(易經今文考通論)』

程傳曰, 在節之初, 謹守不出戶庭, 又必知時之通塞也.
『정전』에서 말하였다: 절괘의 초효에 있어서는 삼가 지켜 외짝문의 뜰을 벗어나지 않으며, 또 반드시 때의 통함과 막힘을 알아야 한다.

## 九二, 不出門庭, 凶.

구이는 양짝문의 뜰을 벗어나지 않으니 흉하다.

## 中國大全

### 傳

二雖剛中之質, 然處陰居說而承柔. 處陰, 不正也, 居說, 失剛也, 承柔, 近邪也. 節之道, 當以剛中正, 二失其剛中之德, 與九五剛中正異矣. 不出門庭, 不之於外也, 謂不從於五也.二五非陰陽正應, 故不相從. 若以剛中之道相合, 則可以成節之功, 唯其失德失時, 是以凶也. 不合於五, 乃不正之節也. 以剛中正爲節, 如懲忿窒慾損過抑有餘, 是也. 不正之節, 如嗇節於用, 懦節於行, 是也.

이효가 굳세고 가운데 있는 자질이지만 음의 자리와 기뻐함에 있으면서 유순함을 받들고 있다. 음의 자리에 있는 것은 바르지 못한 것이고 기뻐함에 있는 것은 굳셈을 잃은 것이며, 유순함을 받듦은 사악함을 가까이 하는 것이다. 절제의 도는 굳세고 중정한 것으로 해야 하는데, 이효는 굳세고 가운데 있는 덕을 잃었으니 구오가 굳세고 중정한 것과는 다르다. 양짝문의 뜰을 벗어나지 않는 것은 밖으로 나가지 않는 것이니, 오효를 따르지 않는 것을 말한다. 이효와 오효는 음과 양이 바르게 호응하는 것이 아니기 때문에 서로 따르지 않는다. 굳세고 가운데 있는 도로 서로 합한다면 절제의 공을 이룰 수 있는데 단지 덕을 잃고 때를 잃었기 때문에 흉하다. 오효와 합하지 않은 것이야말로 바르지 못한 절제이다. 굳세고 중정한 것을 절제로 하는 것은 이를테면 분한 마음을 경계하고 욕심을 막으며 지나침을 덜어내고 많음을 억제하는 것이 여기에 해당한다. 바르지 못한 절제는 이를테면 인색하면서 비용을 절제하고 나약하면서 행동을 절제하는 것이 여기에 해당한다.

### 本義

門庭, 門內之庭也. 九二當可行之時, 而失剛不正, 上无應與, 知節而不知通. 故其象占如此.

양짝문의 뜰은 그 안의 뜰이다. 구이는 행할 수 있는 때인데도 굳셈을 잃고 바르지 못하며 위에 호응하여 함께 하는 것이 없으니, 절제할 줄은 알지만 통할 줄은 모른다. 그러므로 그 상과 점이 이와 같다.

小註

朱子曰, 戶庭, 是初爻之象, 門庭, 是第二爻之象. 戶庭, 未出去在, 門庭, 則已稍出矣, 就爻位上推. 戶庭, 主心, 門庭主事. 問, 君子之道, 貴乎得中. 節之過雖非中道, 然亦愈於不節者, 如何便會凶. 如九二不出門庭, 雖是失時, 亦未失爲恬退守節者, 乃以爲凶, 何也. 曰, 這處便局定不得. 若以占言之, 且只寫下. 少間自有應處, 眼下皆未見得. 若以道理言之, 則有可爲之時, 乃不出而爲之, 這便是凶之道, 不是別更有凶.
주자가 말하였다: 외짝문의 뜰은 초효의 상이고, 양짝문의 뜰은 이효의 상이다. 외짝문의 뜰은 아직 나가지 않고 있는 것이고, 양짝문의 뜰은 벌써 약간 나간 것이니, 효의 자리로 미루었다. 외짝문의 뜰은 마음을 주로, 양짝문의 뜰은 일을 주로 하였다.
물었다: 군자의 도는 중도를 귀하게 여깁니다. 지나치게 절제함이 중도가 아닐지라도 절제하지 않은 경우보다 나은 것을 어떻게 흉하다고 합니까? 이를테면 구이가 양짝문의 뜰을 벗어나지 않은 것은 때를 잃었을지라도 아직 물러나 절제하는 것까지 잃은 것은 아닌데 흉이 되는 것은 무엇 때문입니까?
답하였다: 이것은 한정할 수 없습니다. 점으로 말한다면 또 기록해 놓았던 것일 뿐입니다. 잠시 가만히 있으면 저절로 호응이 있을 것이니, 지금 모두 알 수는 없습니다. 도리로 말한다면 무엇인가 할 수 있는 때인데 나가지 못하고 그러고 있으니, 이것이 바로 흉한 도이지 별도로 흉함이 있는 것이 아닙니다.

○ 南軒張氏曰, 處節之道, 要知時識變, 故曰, 當位以節, 中正以通. 初九, 无位之人, 雖愼密不出戶庭而亦无咎. 九二有位大臣, 則不出門庭爲凶. 蓋處顔子之世, 不可爲禹稷之事, 當禹稷之位, 不可守顔子之節, 反是失節矣.
남헌장씨가 말하였다: 절제하는 도는 때와 변화를 아는 것이기 때문에 "지위를 담당하여 절제하며, 중정하여 통한다"라고 하였다. 초구는 지위가 없는 사람이니, 세심하게 주의하여 외짝문의 뜰을 벗어나지 않아도 허물이 없다. 구이는 지위가 있는 대신이니, 양짝문의 뜰을 벗어나지 않아도 흉하다. 안자의 때에는 하우와 후직의 일을 할 수 없고, 하우와 후직의 지위에서는 안자의 절제를 지킬 수 없으니, 이것을 어기면 절제를 잃은 것이다.

○ 建安丘氏曰, 通塞在時, 出處在已. 時之通, 則出爲是, 其不出者非也. 時之塞, 則不出爲是, 而出者非也. 若初之不出戶庭, 則以其猶未得位, 前遇剛塞, 可以不出也, 故不出則无咎. 二之不出門庭, 則以其旣得中位, 且无窒塞, 不可以不出也, 而亦不知出焉, 此其所以凶歟.
건안구씨가 말하였다: 통함과 막힘은 때에 달렸고, 출사하거나 집에 있거나 하는 것은 자신에게 달렸다. 때가 통하면 출사하는 것이 옳으니, 출사하지 않는 것은 틀렸다. 때가 막히면 출사하지 않는 것이 옳으니, 출사하는 것은 틀렸다. 초효가 외짝문의 뜰을 벗어나지 않은 것이라면, 여전히 아직 지위를 얻지 못했고 앞에 굳셈에 가로막혀 출사하지 않아도 되기 때문에 출사하지 않으면 허물이 없는 것이다. 이효의 양짝문의 뜰을 벗어나지 않은 것이라면, 이미 가운데 자리를 얻었고 또 가로막는 것도 없어 출사하지 않아서는 안 되는데도 출사할 줄 모르니, 이것은 흉한 까닭이다.

○ 雲峯胡氏曰, 初九爲兌始. 兌於時爲酉, 闔戶之象. 九二互體震. 震於時爲卯, 闢戶之象. 九二以剛居柔不正, 且上无應與, 然六三非蔽之者, 故猶爲可行之時. 二可行而不行, 是知節而不知通也, 故凶. 或曰, 旣无應與, 如之何可行. 曰, 初九於時當止, 位雖有應, 其止非失時, 九二於時當行, 位雖无應, 其行非干時. 是故節而止者易, 節而通者難.
운봉호씨가 말하였다: 초구는 태(兌☱)의 시작이다. 태는 시간으로는 '오후 다섯 시부터 일곱 시까지[酉]'이니, 문을 닫는 상이다. 구이는 호체가 진(震☳)이다. 진은 시간으로는 '오전 다섯 시부터 일곱 시까지[卯]'이니, 문을 여는 상이다. 구이는 굳셈이 유순한 자리에 있어 바르지 않고 또 위에서 호응해 함께 함이 없지만, 육삼이 막을 수 있는 것이 아니기 때문에 오히려 갈 수 있는 때이다. 이효가 갈 수 있는데 가지 않은 것은 절제할 줄만 알고 통함을 모른 것이기 때문에 흉하다.
어떤 이가 말했다: 이미 호응하여 함께 함이 없는데 어떻게 갈 수 있습니까?
답하였다: 초구는 때로 봐서 멈추어야 하니, 자리로 비록 호응할지라도 멈춘 것이 때를 잃은 것이 아니고, 구이는 때로 봐서 가야 하니, 자리로 호응함이 없을지라도 감이 때를 범한 것이 아니다. 이 때문에 절제하여 멈추는 것은 쉽지만 절제하여 통하는 것은 어렵다.

## ‖ 韓國大全 ‖

### 송시열(宋時烈)『역설(易說)』

見上艮之門庭, 而當出而從五, 若不出則凶, 而失其時之極者也. 傳以不當出門庭釋之, 象之失時, 以失其出之時言, 則此爲不出之誡, 出則无咎, 不出則凶, 而傳義之釋, 果未知如何.
위의 간괘인 '양짝문의 뜰'을 보고 마땅히 나가 오효를 따라야 하는데, 만약 나가지 않으면 흉하여 그 때를 잃음이 극에 달한 것이다. 『정전』은 양짝문의 뜰을 벗어나는 것이 마땅하지 않다는 것으로 해석했는데, 「상전」의 '때를 잃음'을 그 벗어나는 때를 잃는 것으로 말하면 이것은 벗어나지 않는 경계가 되니, 벗어나게 되면 허물이 없고 벗어나지 못하면 흉한데 『정전』과 『본의』의 해석이 과연 어떠한지 모르겠다.

### 이익(李瀷) 『역경질서(易經疾書)』

象云, 剛得中, 中正以通, 蓋指九五中正之君位也. 二雖失正, 陽剛居中, 爲在下之賢, 三四两陰, 無阻碍之患. 易貴二反中正, 然九五而六二則臣弱, 六五而九二則君柔, 両皆剛明而三四两陰者, 四卦, 渙坎節中孚也. 渙坎卦義不善, 惟節以節爲義, 中孚以孚爲義, 故両卦皆有両陽相應之象. 節先而中孚後, 節幾微而中孚著效, 中孚所以次節也. 然或節之過而不肯出, 應君命則凶, 此甚戒之辭, 非謂初無出義. 故傳乃明之曰失時極也, 出焉則不失時也, 豈不及吉乎. 若但曰不出爲凶, 則非聖人之意也.
『단전』에서 "굳셈이 중도를 얻고, 중정하여 통한다"고 한 것은 대체로 구오의 중정한 임금의 자리를 가리킨다. 이효는 비록 바름을 잃었으나 굳센 양이 가운데 있어 아래에 있는 어진 이가 되니, 삼효와 사효의 두 음이 막는 근심이 없다. 역은 이효가 중정(中正)한 데 돌아가는 것을 귀하게 여기지만, 구(九)가 오효의 자리이고 육(六)이 이효의 자리이면 신하가 유약하고 육(六)이 오효의 자리이고 구(九)가 이효의 자리이면 임금이 유약한데, 이효와 오효 둘이 모두 굳센 양으로 밝고 삼효와 사효 둘이 음인 것이 넷이니, 환괘(渙卦䷺)·감괘(坎卦䷜)·절괘(節卦䷻)·중부괘(中孚卦䷼)이다. 환괘와 감괘는 괘의 뜻이 좋지 않고, 절괘는 '절제'로 뜻을 삼고 중부괘는 '믿음'으로 뜻을 삼으므로 두 괘가 모두 두 양이 서로 호응하는 상이 있다. 절괘가 먼저이고 중부괘가 뒤이며, 절괘는 기미이고 중부괘는 드러난 효과니, 중부괘가 절괘의 다음인 까닭이다. 그러나 혹 절제가 지나쳐 기꺼이 벗어나려 하지 않는데 임금의 명에 호응하면 흉하니, 이것은 깊이 경계한 말로 초효에 벗어나는 뜻이 없음을 말하는 것은 아니다. 그러므로 「상전」에서 곧 그것을 밝혀 "때를 잃음이 심하기 때문이다"고 했으니, 벗어났다면 때를 잃은 것이 아닌데 어찌 길함에 미치지 못하겠는가? 만약 "벗어나지 않아 흉함이 된다"고만 말했다면 성인의 뜻이 아니다.

### 심조(沈潮) 「역상차론(易象箚論)」

九二, 門庭.
구이는 양짝문의 뜰을.

二稱門者, 前有互艮, 艮爲門闕也.
이효를 '양짝문'이라고 말한 것은 앞에 호괘인 간괘가 있기 때문인데, 간괘는 문궐(門闕)이 된다.

### 유정원(柳正源) 『역해참고(易解參攷)』

九二 [至] 庭凶.
구이는 … 뜰이니 흉하다.

厚齋馮氏曰, 雙扉曰門, 戶內門外也. 庭猶今廳前接物之所也.
후재풍씨가 말하였다: 쌍으로 된 문을 '문(門)'이라고 하니, '호(戶)'는 안이고 '문(門)'은 밖이다. '뜰'은 지금의 대청 앞에서 대상을 맞이하는 곳과 같다.

○ 李氏〈光〉曰, 互震爲足, 可行而不行, 凶道也.
이광이 말하였다: 호괘인 진괘가 발이 되니, 갈 수 있는데도 가지 않음은 흉한 도이다.

○ 息齋余氏曰, 戶指二, 門指三, 戶陽而門陰也. 以月令之祀觀之, 可見.
식재여씨가 말하였다: '외짝문'은 이효를 가리키고 '양짝문'은 삼효를 가리키니, '외짝문'은 양이고 '양짝문'은 음이다. 『예기 · 월령』의 오사(五祀)[11]로 살펴보면 알 수 있다.

### 김상악(金相岳) 『산천역설(山天易說)』

居節之時, 以剛得中, 上有同德之應, 時可以出, 而比三而係於私, 故不出門庭而凶也.
절제의 때에 있고 굳센 양으로 알맞음을 얻으며 위로 덕을 같이 하는 호응이 있어 때가 벗어날 만한데 삼효에 가까워 사사롭게 매었으므로 양짝문의 뜰을 벗어나지 않아 흉하다.

○ 初變爲習坎, 重險在前, 入于坎窞, 不出所以知通塞也. 二變爲屯, 剛柔始交, 動乎

11) 오사(五祀): 문(門), 호(戶), 중류(中霤), 조(竈), 행(行).

險中, 不出, 所以失時極也. 又兌伏艮而爲蹇, 蹇之初曰, 往蹇來譽, 二曰, 王臣蹇蹇, 匪躬之故, 所以初之不出, 得其宜待之戒, 二之不出, 失其鞠躬之義, 故凶无咎異占.
초효가 변하면 거듭된 감괘가 되니 거듭된 험함이 앞에 있고 감괘의 구덩이에 들어가니, '벗어나지 않음'은 통함과 막힘을 알기 때문이다. 이효가 변하면 준괘(屯卦䷂)가 되어 굳셈과 부드러움이 비로소 사귀어 험한 가운데 움직이니, '벗어나지 않음'은 이 때문에 때를 잃음이 심한 것이다. 또 태괘의 음양이 바뀐 간괘로써 건괘(蹇卦䷦)가 되니, 건괘 초효에서 "가면 어렵고 오면 명예롭다"고 하고 이효에서 "왕의 신하가 어렵고 어려움이 자신 때문이 아니다"고 했으니, 그래서 초효의 '벗어나지 않음'은 마땅히 기다려야 한다는 경계를 얻었고, 이효의 '벗어나지 않음'은 조심하고 삼가는 뜻을 잃었으므로 '흉함'과 '허물이 없음'은 점이 다르다.

### 서유신(徐有臣) 『역의의언(易義擬言)』

門之外卽五也, 九二以爲非正應, 而不應於五, 不出門庭也. 初之不應四无咎, 而若二之於五, 則其義甚重, 不可以非正應而不與應也. 如困二之利享祀, 巽二之用史巫, 皆不嫌於敵剛也, 故不出門庭爲凶也. 然則九二爲不節歟. 自以爲節而非節之正也, 執拗而不通也.
양짝문 밖이 곧 오효인데, 구이는 정응이 아니라고 여겨 오효에게 호응하지 않아 양짝문의 뜰을 벗어나지 않는다. 초효가 사효에 호응하지 않음은 허물이 없지만 가령 이효가 오효에 대해서는 그 뜻이 매우 중요하니, 정응이 아니라고 하여 호응과 함께 하지 않을 수 없다. 마치 곤괘(困卦䷮) 이효에서 "향사하는 것이 이롭다"고 한 것과 손괘(巽卦䷸) 이효에서 "사관과 무당을 쓴다"는 것은 모두 필적하는 굳센 양을 싫어하는 것이 아니므로 '양짝문의 뜰을 벗어나지 않음'이 흉하게 된다. 그렇다면 구이는 절제하지 못하는 것일 듯하다. 스스로는 절제라고 여기지만 바르게 절제함이 아니니, 고집스러워서 통하지 못하는 것이다.

### 박제가(朴齊家) 『주역(周易)』

初之不出戶庭, 自不出者也, 二之不出門庭, 使之不出者也, 猶錮之也, 故象傳曰, 失時極也. 若可出而不出, 則當曰不知時, 豈曰失時乎. 失之又極, 則雖欲出而不可得矣. 蓋戶在內, 開闔在我, 門在外, 有物塞其外則不得出, 故初曰戶, 而二曰門也. 夫二雖得中, 互震而交於坎, 則爲屯, 欲動而不得, 非無出之情者也, 坎塞門而不通者也. 初之戶則內, 故戶在其中, 二之門在外, 以三爲門者也, 所以不能出. 朱子曰, 九二一爻, 看來甚好, 而反云凶, 終是解不穩. 本義以爲知節而不知通者, 未及勘定, 而諸儒以爲可出而不出爲凶者, 皆未免隔靴爬癢耳.

초효에서의 '외짝문의 뜰을 벗어나지 않음'은 스스로 벗어나지 않는 것이고, 이효에서의 '양짝문의 뜰을 벗어나지 않음'은 벗어나지 못하게 하기 때문이니, 붙들어 매어 놓은 것과 같으므로 「상전」에서 "때를 잃음이 심하기 때문이다"라고 했다. 벗어날 수 있는데도 벗어나지 않는다면 마땅히 "때를 알지 못한다"고 해야 하는데, 어째서 "때를 잃었다"고 했는가? 때를 잃고 또 심하다면 비록 벗어나고자 하나 그렇게 할 수 없는 것이다. '외짝문'은 안에 있어서 열고 닫음이 나에게 있지만, '양짝문'은 밖에 있어서 어떤 것이 그 밖을 막으면 나갈 수 없으므로 초효에서는 "외짝문"이라고 했고 이효에서는 "양짝문"이라고 했다. 이효가 비록 알맞음을 얻었지만 호괘인 진괘로서 감괘와 사귀면 준괘(屯卦䷂)가 되어 움직이고자 하나 그렇게 할 수 없으니, 벗어나려는 정(情)이 없는 것은 아니지만 감괘가 문을 막아 통하지 못하는 것이다. 초효의 '외짝문'은 안이므로 '외짝문'은 그 안에 있고, 이효의 '양짝문'은 밖에 있어 삼효를 '문'으로 삼는 것이니, 이 때문에 벗어날 수 없다. 주자는 "구이의 한 효는 좋아 보이는데 오히려 '흉하다'고 했으니, 끝내 온당하지 않은 해석이다"고 했다. 『본의』에서 절제는 알지만 통함을 알지 못하는 것으로 여긴 것은 헤아려 정함에 이르지 못한 것이며, 여러 유학자들이 벗어날 수 있는데도 벗어나지 않는 것이 흉함이 된다고 여긴 것은 모두 신을 신고 발을 긁는 안타까움을 면치 못하는 것이다.

## 이지연(李止淵) 『주역차의(周易箚疑)』

九二之凶, 殆所謂今汝畫也.

구이의 '흉함'은 거의 이른바 "너는 지금 한계를 지었다"[12]고 하는 것이다.

## 김기례(金箕澧) 「역요선의강목(易要選義綱目)」

二以剛中當出門, 應五可行君臣同德之惠於天下, 而此三固守, 只知无應之爲嫌, 不知同德之相求, 所謂知節而不知通者也, 胡不凶而失時.

이효는 굳세고 알맞기 때문에 양짝문을 벗어남에 해당하고 오효에 호응하여 임금과 신하가 덕을 같이 하는 은혜를 천하에 행할 수 있는데, 이 삼효가 굳게 지켜 단지 호응이 없는 것을 싫어하게 됨을 알 뿐 덕을 같이 하는 것이 서로 구하는 것은 알지 못하니, 이른바 절제할 줄만 알고 통할 줄은 알지 못하는 자이니, 어찌 흉하여 때를 잃지 않겠는가?

12) 『논어 · 옹야』.

### 심대윤(沈大允) 『주역상의점법(周易象義占法)』

節之屯䷂, 艱苦也. 九二位卑而居柔, 受制於上, 以剛中之才爲五所節, 艱苦守節, 而不自用, 人臣之節也. 艮震爲門庭, 臣節天地之大義也. 此爻與歸妹之象事雖凶, 而道則中也, 必因是以天下治君民安, 豈可以其凶而廢其義乎. 九二就爻而言則凶, 而實爲艱苦守節之主, 四五之亨吉, 本自九二守節而致之也, 彖傳中正以通是也. 九二賴人以有德與財者, 不得不節也. 初二其所畜有者少, 易以爲節, 故不言節也.

절괘가 준괘(屯卦䷂)로 바뀌었으니, 힘들고 어려운 것이다. 구이는 지위가 낮고 부드러운 음의 자리에 있어 위로부터 제약을 받는데, 굳세고 알맞은 재질로 오효에게 절제되며, 힘들고 어렵게 절개를 지키고 스스로 쓰지 않으니, 남의 신하된 절개이다. 간괘와 진괘는 양짝문의 뜰이 되니, 신하의 절개는 천지의 큰 의리이다. 이 효는 귀매괘(歸妹卦䷵) 「단전」과 함께 일은 비록 흉하지만 도리는 알맞으니, 반드시 이로 인하여 천하가 다스려지고 임금과 백성이 편안해지니, 어찌 그것이 흉하다고 하여 그 의리를 폐지할 수 있겠는가? 구이는 효에 나아가 말하면 흉하지만 실상 힘들고 어렵게 절개를 지키는 주인이 되니, 사효와 오효에서의 '형통함'과 '길함'은 본래 구이가 절개를 지킴으로부터 이루는 것이니, 「단전」에서 "중정하여 통한다"고 한 것이 이것이다. 구이는 남에게 의지하여 덕과 재주가 있는 자이니 절제하지 않을 수 없다. 초효와 이효는 쌓아 가지고 있는 것이 적은데도 쉽게 절제하므로 '절제'를 말하지 않았다.

### 오치기(吳致箕) 「주역경전증해(周易經傳增解)」

九二, 剛雖得中而居失其正, 上有九五之君而不得相應, 切比同體之柔而私暱爲說. 故當節之時, 固執其中而不知隨時, 前旡蔽阻而不能向上, 有不出門庭之象, 所以言凶.

구이는 굳센 양이 비록 알맞음을 얻었으나 거처함이 바름을 잃고 위로 구오의 임금이 있으나 서로 호응함을 얻지 못하며, 같은 몸체의 부드러운 음에게 매우 가깝고 사사롭게 친하여 기뻐함이 된다. 그러므로 절제하는 때를 맞아 그 중도만을 굳게 잡고 때에 따를 줄을 몰라 앞에 가리고 막아 위로 향할 수 없는 것이 없는데도 양짝문의 뜰을 벗어나지 않는 상이 있으니, 이 때문에 "흉하다"고 말했다.

○ 耦爻在前爲門之象, 而亦以應體互艮爲門也. 庭者門內之庭也. 初九之不言節, 以其戒當防限於早也. 九二之不言節, 以其雖節而不知時也.

음(--)효가 앞에 있어 양짝문의 상이 되고, 또 호응하는 몸체의 호괘인 간괘로 양짝문을 삼았다. '뜰'은 양짝문 안의 뜰이다. 초구에서 '절제'를 말하지 않은 것은 그 경계함이 마땅히 조기에 막고 한정해야 하기 때문이다. 구이에서 '절제'를 말하지 않은 것은 그것이 비록 절제하더라도 때를 알지 못하기 때문이다.

### 이진상(李震相) 『역학관규(易學管窺)』

不出門庭.
양짝문의 뜰을 벗어나지 않으니.

九二方涉震體, 故稍出戶外, 猶以坎險在外, 上無正應, 不敢出門, 而係累於陰邪, 所以凶也. 雲峰以兌在西爲闔戶之象, 而兌非坤也. 無乃太早計乎. 況初九爲戶外之庭, 此言不出於庭, 初不管其戶之開闔也. 九二之門庭, 亦然.
구이가 막 진괘의 몸체에 이르렀으므로 외짝문 밖으로 조금 나갔는데, 오히려 감괘의 험함이 밖에 있고 위로 정응(正應)이 없어 감히 양짝문을 벗어나지 말아야 하는데 음의 사특함에 매여 연루되었으니, 이 때문에 흉하다. 운봉은 태괘(☱)가 서쪽에 있는 것으로 외짝문을 닫는 상을 삼았는데, 태괘는 곤괘가 아니니, 너무 경솔함이 없겠는가? 하물며 초구는 외짝문 밖의 뜰이 되니, 여기서 "뜰에서 벗어나지 않는다"고 말한 것은 초효가 그 외짝문의 열고 닫음에 관여하지 않는 것이다. 구이에서의 '양짝문의 뜰'도 그러하다.

### 박문호(朴文鎬) 「경설(經說)·주역(周易)」

嗇節於用, 懦節於行, 言嗇者, 節於用財, 懦者, 節於力行也.
"인색하면서 비용을 절제하고 나약하면서 행동을 절제한다"는 인색한 자가 재물을 쓰는데 절제하며 나약한 자가 힘써 행하는 데 절제함을 말한다.

## 象曰, 不出門庭, 凶, 失時極也.

「상전」에서 말하였다: "양짝문의 뜰을 벗어나지 않으니 흉함"은 때를 잃음이 심하기 때문이다.

## 中國大全

### 傳

**不能上從九五剛中正之道, 成節之功, 乃係於私暱之陰柔, 是失時之至極, 所以凶也. 失時, 失其所宜也.**

위로 구오의 굳세고 중정한 도를 따라 절제의 공을 이루지 못하고, 유순한 음의 사사로움에 빠져 때를 잃은 것이 아주 심하기 때문에 흉하다. 때를 잃음은 그때의 마땅함을 잃은 것이다.

#### 小註

中溪張氏曰, 九二居大臣之位, 上逢九五剛中同德之君, 謂宜佐其制數度, 議德行, 出坎險之中, 以成節亨之功, 可也. 而乃不出門庭, 其所節者, 亦狹矣. 所以凶者, 蓋以其失時之極也.

중계장씨가 말하였다: 구이가 대신의 지위에 있어 위로 덕을 같이하는 굳세고 바른 구오라는 임금을 만났으니, 마땅히 그가 수와 법도를 제정하고 덕행을 의론하는 것을 보좌해서 험한 감(坎☵)의 가운데에서 나와 절제가 형통한 공을 이루어야 한다는 말이다. 그런데 양짝문의 뜰을 벗어나지 않고 절제를 지키는 것은 또한 협소한 것이다. 흉한 것은 그가 때를 잃음이 심하기 때문이다.

○ 臨川吳氏曰, 當其可之謂時中. 九二不出, 以合於九五, 不得時宜, 甚矣. 初之知通塞, 知節者也, 二之失時極, 不知節者也.

임천오씨가 말하였다: 옳은 것에 합당한 것을 시중(時中)이라고 한다. 구이가 출사하지 않고 구오와 합하는 것은 때의 마땅함을 얻지 못함이 심한 것이다. 초효가 통함과 막힘을 아는 것은 절제할 줄 알기 때문이고, 이효가 때를 잃음이 심한 것은 절제할 줄 모르기 때문이다.

# 韓國大全

## 유정원(柳正源) 『역해참고(易解參攷)』

失時極.
때를 잃음이 심하기 때문이다.

正義, 極中也. 應出不出, 失時之中, 所以爲凶.
『주역정의』에서 말하였다: '극(極)'은 알맞음이다.[13] 마땅히 나가야 하는데 나가지 않음은 때의 알맞음을 잃은 것이니, 이 때문에 흉함이 된다.

## 김상악(金相岳) 『산천역설(山天易說)』

君子不能爲時, 能不失時, 時可以出而不出, 失時之極也. 所以可仕則仕可止則止, 孔子爲聖之時也.
군자는 때가 되게끔 할 수는 없으나 때를 잃지 않을 수는 있으니, 때가 벗어날 만한데도 벗어나지 않음은 때를 잃음이 심한 것이다. 이 때문에 벼슬을 할 만하면 하고 그만둘 만하면 그만두는 것이니, 공자가 성인이 되는 때이다.

○ 五互艮體, 初不出戶庭, 二不出門庭, 則行其庭而不見其人矣. 初則時止則止者也, 二則時行而不行者, 故凶无咎不同.
오효의 호괘가 간괘의 몸체이니, 초효에서 '외짝문의 뜰을 벗어나지 않음'과 이효에서 '양짝문의 뜰을 벗어나지 않음'은 곧 뜰을 다녀도 사람을 보지 못하는 것이다. 초효는 때가 그칠 만하면 그치는 자이고, 이효는 때가 다닐 만한데도 다니지 않는 자이므로 흉함과 허물이 없음이 같지 않다.

## 서유신(徐有臣) 『역의의언(易義擬言)』

爻各有時而義隨不同. 九二之時, 則義當出而不出也.
효에는 각각 때가 있어 뜻이 그에 따라 같지 않다. 구이의 때는 곧 뜻이 마땅히 벗어나야 하는데 벗어나지 않는 것이다.

---

13) 『周易正義·節卦』: 象曰, 失時極者, 極中也.

### 심대윤(沈大允) 『주역상의점법(周易象義占法)』

不自用, 故曰失時極. 兌互對卦巽, 离爲失時, 艮爲極.
스스로 쓰지 않으므로 "때를 잃음이 심하기 때문이다"고 했다. 태괘(☱)와 서로 상대되는 괘가 손괘(☴)니, 리괘(☲)는 '때를 잃음'이 되고 간괘(☶)는 '심함'이 된다.

### 오치기(吳致箕) 「주역경전증해(周易經傳增解)」

不能上從中正之君, 而乃暱比陰柔之私, 當出而不出, 是失時之極而爲凶也.
위로 중정(中正)한 임금을 따를 수 없어 이에 사사롭게 부드러운 음을 가까이 하니, 벗어남이 마땅한데 벗어나지 않음은 때를 잃음이 지극하여 흉함이 된다.

### 이병헌(李炳憲) 『역경금문고통론(易經今文考通論)』

虞曰, 極中也. 未變之正, 故失時極矣.
우번이 말하였다: '극(極)'은 '알맞음'이다. 아직 변하지 않은 바름이므로 때의 알맞음을 잃은 것이다.

## 六三, 不節若, 則嗟若, 无咎.

정전 육삼은 절제하지 못하면 한탄할 것이나 허물할 데가 없다.
본의 육삼은 절제하지 못하여 한탄하는 것이나 허물할 데가 없다.

## 中國大全

### 傳

**六三, 不中正, 乘剛而臨險, 固宜有咎. 然柔順而和說, 若能自節而順於義, 則可以无過. 不然則凶咎必至, 可傷嗟也. 故不節若, 則嗟若, 已所自致, 无所歸咎也.**

육삼은 중정하지 않고 굳셈을 올라타고 험한 데에 있으니 진실로 허물이 있는 것은 당연하다. 그러나 유순하고 상냥하니, 스스로 절제해서 의리를 따른다면 허물이 없을 것이다. 그렇게 하지 않으면 반드시 재앙이 닥쳐 한탄할 것이다. 그러므로 절제하지 못하면 한탄할 것이나 자신이 스스로 불러들인 것이어서 허물을 돌릴 데가 없다.

### 本義

**陰柔而不中正, 以當節時, 非能節者, 故其象占如此.**

음의 유순함이고 중정하지 못하면서 절제의 때를 만났으니, 절제할 수 있는 것이 아니기 때문에 그 상과 점이 이와 같다.

#### 小註

進齋徐氏曰, 三處說之極, 不知節者也. 說極則悲, 故曰, 不節若, 則嗟若. 不節之嗟, 已所自致, 无所歸咎, 故曰, 无咎.

진재서씨가 말하였다: 삼효는 기쁨의 끝에 있어 절제할 줄 모르는 것이다. 기쁨이 끝나면 슬프기 때문에 "절제하지 못하면 한탄한다"고 하였고, 절제하지 못한 한탄을 자신이 스스로

불러들인 것이어서 허물을 돌릴 데가 없기 때문에 "허물할 데가 없다"고 하였다.

○ 雙湖胡氏曰, 以澤節水, 故名節, 其成卦正在六三一爻. 今自三爻觀之, 坎水自溢出於兌澤之上, 初非三之所能節者, 故有不節之象. 但徒見其兌口之開, 故又有嗟若之象.
쌍호호씨가 말하였다: 못으로 물을 절제하기 때문에 절괘라고 이름붙였으니, 괘를 이루는 것이 바로 육삼이라는 하나의 효에 있다. 이제 삼효에서 보면, 감(坎☵)이라는 수가 태(兌☱)라는 못의 위로 저절로 흘러넘치고 있으니, 애초에 삼효가 절제할 수 있는 것이 아니기 때문에 절제하지 못하는 상이 있다. 다만 태(兌☱)라는 입이 열리는 것을 보았기 때문에 또 한탄한다는 상이 있다.

○ 雲峯胡氏曰, 以成卦言, 則六自五來居三, 本能節者也. 獨以此爻言, 則陰柔不中正, 不能節者. 兌, 說之極. 說極則悲, 故其象爲嗟, 而其占爲无所歸咎也.
운봉호씨가 말하였다: 이루어진 괘로 말하면 절괘(節卦䷻)의 육삼이 태괘(泰卦䷊)의 육오에서 와서 삼효에 있으니,[14] 본래 절제할 수 있는 것이다. 그런데 삼효로만 말하면, 유순한 음이 중정하지 않아 절제할 수 없는 것이다. 태(兌☱)는 기쁨의 끝이다. 기쁨이 다하면 슬프기 때문에 그 상이 한탄하는 것이고, 그 점이 허물을 돌릴 데가 없는 것이다.

## 韓國大全

### 권근(權近) 『주역천견록(周易淺見錄)』

六以陰居陽而說極, 前有險而不知節, 樂極哀來, 必有咨嗟之至. 蓋體無故見暗, 居陽故志剛. 以處悅極之時, 不知險之方來, 而耽樂肆志者也. 其終必至於可嗟, 誰之咎乎.
육(六)은 음으로 양의 자리에 있고 기뻐함이 극에 이르니, 앞에 험난함이 있지만 절제할 줄 몰라 즐거움이 극에 이르면 슬픔이 와서 반드시 탄식하기에 이른다. 체모가 없기 때문에 견식이 어둡고 양에 있기 때문에 뜻이 굳세다. 기뻐함이 지극한 때에 처하여 험난함이 이르

14) 『周易·節卦』: 節, 亨, 苦節, 不可貞. 구절에서 『본의』 아래 소주에서 "운봉호씨가 말하였다: 손괘(損卦䷨)와 절괘(節卦䷻)는 모두 태괘(泰卦䷊)에서 왔다.[雲峯胡氏曰, 損與節, 皆自泰來.]

는지 알지 못하여 즐거움에 빠져 방자하게 구는 자이다. 그 끝에 반드시 한탄함에 이르니 누구를 허물하겠는가?

### 송시열(宋時烈) 『역설(易說)』

此與上六爲應, 居悅之極, 不當交而交, 是不節若之象也. 然則自知愧忸咨嗟之聲發於兌口, 故曰則嗟若. 旣愧而嗟, 僅得無咎而已. 無咎者, 占辭. 然□小象又誰咎者, 言自嗟自咎之意, 似非言占之无咎也.

육삼은 상육과 호응이 되고 기뻐함의 끝에 있어 사귀지 말아야 하는데 사귀니, 이것이 '절제하지 못하는' 상이다. 그렇다면 부끄럽고 탄식하는 소리가 태괘인 입에서 드러남을 스스로 알므로 "한탄하는 것이다"고 했다. 이미 부끄럽고 한탄하여 겨우 허물할 데가 없음을 얻었을 뿐이다. '허물할 데가 없음'은 점사이다. 그러나 □ 「소상전」에서 "또 누구를 허물하겠는가?"라고 한 것은 스스로 한탄하고 스스로 허물이 있는 뜻을 말하니, 점(占)이 허물이 없음을 말하는 것은 아닌 듯하다.

### 이익(李瀷) 『역경질서(易經疾書)』

六三, 不中正, 故始有不節之象也. 則嗟若者, 與離五戚嗟若相照, 蓋卒乃覺悟, 故自怨自艾, 至於嗟傷也. 大傳云, 無咎者, 善補過也, 有過而善補, 非自嗟傷乎. 象所謂不節之嗟, 重在嗟字上, 故曰又誰咎也. 若字與屯如邅如之如相似, 若曰不節若水之流, 則[15]嗟若澤之節云爾, 義見上.

육삼은 중정(中正)하지 않으므로 처음부터 절제하지 못하는 상이 있다. "한탄한다[則嗟若]"는 것을 리괘(離卦䷝) 오효에서 "근심하고 한탄한다"는 것과 서로 대조해 보면, 끝내 깨닫게 되므로 스스로 원망하고 스스로 고쳐서 한탄하고 슬퍼함에 이르는 것이다. 효사에서 "허물할 데가 없다"는 것은 허물[過]을 잘 말한 것이니, 허물이 있더라도 보완을 잘한다면 스스로 한탄하고 슬퍼하는 것이 아니겠는가? 「상전」에서 이른바 "절제하지 못한 한탄함"은 중점이 '한탄[嗟]'이라는 글자에 있으므로 "또 누구를 허물하겠는가?"라고 했다. '약(若)'자는 준괘(屯卦䷂)의 "어려워하고 머뭇거린다[屯如邅如]"고 할 때의 '여(如)'자와 서로 비슷하니, "'절제하지 못함'은 물이 흐르는 것이고, '한탄함'은 못이 절제함이다"라고 운운한 것과 같다. 뜻은 위에 보인다.

15) 則: 경학자료집성DB와 영인본에는 '自'로 되어 있으나, 문맥을 살펴 '則'으로 바로잡았다.

## 유정원(柳正源)『역해참고(易解參攷)』

六三 [至] 旡咎.
육삼은 … 허물할 데가 없다.

李氏〈彦章〉曰, 臨之六三, 失臨之道而旣憂之, 節之六三, 失節之道而嗟若, 皆得旡咎. 易以補過爲善者也.
이언장이 말하였다: 림괘(臨卦䷒) 육삼은 임하는 도리를 잃어 이미 그것을 근심하였고, 절괘(節卦䷻) 육삼은 절제의 도리를 잃고 한탄하였으니, 모두 허물할 데가 없음을 얻었다. 역은 잘못을 보완하는 것으로 선을 삼는다.

○ 案, 澤旣極矣, 而上承水注, 泛溢不節者也. 嗟歎奈何, 旡所歸咎.
내가 살펴보았다: 못이 이미 다 찼는데, 위로 물이 들어옴을 이어 차고 넘쳐서 절제하지 못하는 것이다. 탄식한들 어찌하겠는가? 허물을 돌릴 곳이 없다.

## 김상악(金相岳)『산천역설(山天易說)』

陰柔, 不中正, 以兌遇坎, 有不節之象. 雖上旡應, 與比二而交, 以節其過, 故能嗟若而旡咎也.
부드러운 음이 중정하지 못하고 태괘(☱)로 감괘(☵)를 만났으니, 절제하지 못하는 상이 있다. 비록 위로 호응이 없어 가까운 이효와 사귀지만 그 잘못을 절제하기 때문에 한탄할 수는 있지만 허물할 데가 없다.

○ 澤之容水有限. 三居兌上, 水自溢出, 故曰不節. 兌口坎憂, 皆嗟之象. 易之道, 懼以終始, 其要旡咎. 自乾九三以下諸爻, 其義可見. 三雖不節, 能嗟若, 爲善補過也. 或曰, 節以調和爲味, 而坎之飮食, 兌口承之以說, 故有不節之戒, 而與需爭三九六, 需有飮食之象矣. 能須待以養其德, 則昔之嗟傷, 今爲宴樂, 豈止旡咎而已. 需九五曰, 酒食貞吉, 是也.
못이 물을 수용함에 한계가 있다. 삼효는 태괘(☱)의 맨 위에 있고 물이 저절로 넘쳐 나오므로 "절제하지 못한다"고 했다. 태괘인 입과 감괘인 근심이 모두 '한탄한다'는 상이다. 역의 도는 처음부터 끝까지 두려워하는 것이니, 그 요점은 허물할 데가 없는 것이다. 건괘 구삼으로부터 이하 여러 효에서 그 뜻을 알 수 있다. 삼효가 비록 절제하지 못하지만 한탄하여 잘못을 잘 보완할 수 있다. 어떤 이는 "절괘는 조화(調和)로 맛을 삼는데, 감괘의 음식을 태괘인 입이 기쁨으로 이었기 때문에 절제하지 못하는 것에 대한 경계가 있고, 수괘(需卦

䷄)와는 삼효 자리에서 구(九)와 육(六)을 다투니, 수괘에는 음식의 상이 있다"고 했다. 모름지기 기다려 그 덕을 기를 수 있다면 옛날의 한탄하고 슬퍼함은 이제 잔치를 베풀고 안락함이 되니, 어찌 다만 허물할 데가 없을 뿐이겠는가? 수괘 구오에서 "술과 음식이니, 곧으면 길하다"고 한 것이 이것이다.

## 조유선(趙有善) 『경의(經義)-주역본의(周易本義)』

六三旡咎, 傳義皆曰無所歸咎, 蓋據象辭又誰咎也. 然又誰咎看作人誰咎之之意, 未爲不通其意. 若曰不節, 而能有嗟悔之心, 可以旡咎. 離六五曰, 戚嗟若吉, 萃上六曰, 齎咨涕洟旡咎, 以此例之, 其義可見矣.

육삼의 '허물할 데가 없음[旡咎]'에 대해 『정전』과 『본의』에서 모두 "허물을 돌릴 데가 없다"고 한 것은 대체로 「상전」에서 "또 누구를 허물하겠는가?"라고 한 말에 근거하였다. 그러나 '또 누구를 허물하겠는가?[又誰咎]'를 "사람 가운데 누가 그것을 허물하겠는가?"라는 뜻으로 보아도 그 뜻에 통하지 않는 것은 아니다. "절제하지 못하지만 한탄하고 후회하는 마음이 있을 수 있다면 허물할 데가 없다"는 말과 같으니, 리괘(離卦䷝) 육오에서 "근심하고 한탄하니, 길할 것이다"고 했고, 취괘(萃卦䷬) 상육에서 "한탄하며 눈물과 콧물을 흘리니, 허물할 데가 없다"고 했으니, 이것으로 예를 든다면 그 뜻을 볼 수 있다.

## 서유신(徐有臣) 『역의의언(易義擬言)』

此, 不當位, 爲不節者也. 水盈澤而洩出, 節不節在於澤口, 故自三以上, 乃稱節也. 六三澤口而中決, 有遽洩之象, 是不節也. 然農家春旱不得不爾, 故雖爲嗟惜, 而亦旡咎也. 推類人事, 亦有如此時節也.

이는 지위에 합당하지 않아 절제하지 못하는 자가 된다. 물이 못에 차서 새어나옴은 절제하고 절제하지 못함이 못의 입구에 달려 있으므로 삼효로부터 이상에서 '절제'를 일컬었다. 육삼은 못의 입구인데 가운데가 터져서 갑자기 새어나오는 상이 있으니, 이것이 '절제하지 못함'이다. 그러므로 농가의 봄 가뭄이 부득이하게 그러하므로 비록 애달프고 안타깝지만 또한 허물할 데가 없다. 그러한 부류를 사람의 일에 미루어도 이와 같은 때가 있다.

## 박제가(朴齊家) 『주역(周易)』

節之爻, 自初以不出爲節, 蓋從幽人說者也. 三亦當以幽人爲說, 今人有自托處士之名, 而內實自欺者, 正指此爻之辭也. 言三之自處者, 爲不堅其節, 則必嗟嘆也. 嗟者, 三之自嗟, 如不皷缶而歌, 則大耊之嗟, 是也. 然此特發其隐情耳. 亦未必至於咎, 故曰无咎. 象傳曰, 又誰咎也者, 言其自致之由, 而咎字偶與之同. 如解六三爻無占斷, 亦曰又誰咎也, 非釋占辭之斷者也. 傳與本義恐不必曰此无咎與諸爻異. 九十九爻, 无咎之中, 獨此爲異議未安. 然此爻不嗟則節矣, 非可畫定, 但爲不能節者戒也, 三以身受水, 有中流砥柱之勢, 易於不節, 故戒之也. 雙湖胡氏曰, 坎水自益, 非三之所能節者, 故有不節之象. 或曰, 處說之極, 不知節, 說極則悲, 故其象爲嗟, 則支矣. 若曰, 坎水溢出, 非三之所節, 則此卦初不成矣, 又何以兌之能節, 而成此卦乎. 水滿則不容之說, 本於程傳. 然立卦之意, 只取目下之象, 又不必預推其不容, 到得不容, 則已非節之時矣.
절괘의 효가 초효부터 '벗어나지 않음'을 절제로 여기니, 대체로 은자[幽人]에 따라 설명한 것이다. 삼효도 마땅히 유인으로 설명을 삼아야 하는데, 지금 사람들은 스스로 처사(處士)라는 이름에 의탁하면서도 안으로는 실상 스스로를 한탄하는 자가 있는데 바로 이 효의 말을 가리킨다. 삼효가 자처하는 것이 그 절제를 견고하게 하지 못한다면 반드시 한탄함을 말한다. '한탄'은 삼효가 스스로 한탄하는 것이니, "질장구를 두드려 노래하지 않으면 너무 늙음을 한탄하는 것이므로 흉하다"[16]는 것과 같은 것이 이것이다. 그러나 이것은 특별히 그 숨은 정을 드러낸 것이어서 또한 반드시 허물에 이르는 것은 아니므로 "허물할 데가 없다"고 했다. 「상전」에서 "또 누구를 허물하겠는가?"라고 한 것은 스스로 야기한 연유를 말하는데 '구(咎)'자가 우연히 효사의 '무구'와 같으니, 예컨대 해괘(解卦䷧) 육삼의 효에 점사의 단정이 없는 것과 같으니, 또한 "또 누구를 탓하겠는가?"라고 한 것은 점사의 단정을 해석한 것이 아니다. 『정전』과 『본의』에서 "이 허물할 데가 없음은 여러 효와 다르다"고 반드시 말할 필요는 없을 듯하다. 구십 구개의 효에서 '무구(无咎)'라고 한 것 중에 유독 이것만이 다른 의론이 되니, 옳지 못하다. 그러나 이 효에서 한탄하지 않음은 절제함이나, 확정할 수 있는 것은 아니고 다만 절제할 수 없는 자를 위해 경계한 것이다. 삼효는 몸으로 물을 받는데 흘러내리는 가운데 지주(砥柱)의 형세가 있어 쉽게 절제하지 못하므로 경계한 것이다. 쌍호호씨는 "감괘인 물이 저절로 넘치니, 삼효가 절제할 수 있는 것이 아니므로 절제하지 못하는 상이 있다"고 했다. 어떤 이는 "기뻐함의 끝에 처하여 절제함을 알지 못하니, 기쁨이 다하면 슬프므로 그 상이 한탄하게 된다"고 했다. '즉(則)'은 갈라짐이니, 만약 "감괘인 물이 넘쳐 나옴이 삼효가 절제할 수 있는 것이다"고 한다면 이 괘는 애초에 이루어지지 못하는데, 또 어떻게 태괘가 절제할 수 있어서 이 괘를 이루겠는가? 물이 차면 수용하지 못한다는 설명은 『정전』에 근본한다. 그러나 괘를 세운 뜻이 단지 지금의 상을 취했고, 또 반드시 그 용납하지 못할 것을 미리 예측한 것도 아니어서 용납하지 못하는 데까지 이르렀다면 이미 절제의 때가 아니다.

16) 『주역 · 리괘』.

### 이지연(李止淵) 『주역차의(周易箚疑)』

陰柔, 不中不正, 又說而臨乎險, 此所謂輿居无節者也. 然而居下之上, 說於節而力不足也. 力雖不足, 志則常以己之不節, 發其嗟歎者也. 能知己之不節, 而屢發嗟歎, 則竟至於節矣. 所謂无耻之耻, 无耻矣, 然則无咎, 故象傳曰, 不節之嗟, 又誰咎也, 言雖敢爲咎云耳.

부드러운 음이 가운데 있지도 않고 바르지도 않으며, 또 기뻐하지만 험한데 임했으니, 이것이 이른바 기거함에 절도가 없다는 것이다. 그러나 하괘의 맨 위에 있고 절제함에 기뻐하나 힘이 넉넉지 못하다. 힘은 비록 넉넉지 못하지만 뜻은 항상 자신이 절제하지 못하는 것으로 한숨지으며 탄식을 드러내는 자이다. 자신이 절제하지 못함을 알 수 있어 자주 한숨지으며 탄식함을 드러내니 끝내 절제함에 이른다. 이른바 부끄러움이 없는 것을 부끄러워함은 부끄러움이 없는 것이니, 그렇다면 허물할 데가 없으므로 「상전」에서 "'절제하지 못한 한탄함'이니, 또 누구를 허물하겠는가?"라고 한 것은 "누가 감히 허물하겠는가?"라고 말하는 것이다.

### 김기례(金箕澧) 「역요선의강목(易要選義綱目)」

嗟象兌口, 悅極故嗟. 悅而不知節, 但知比二之悅, 不知近險之憂, 咎將誰歸.

'한탄함'은 태괘의 입을 형상하니, 기뻐함이 다했으므로 한탄한다. 기뻐하지만 절제를 알지 못하니, 이효에 가까운 기쁨만을 알고 험함에 가까운 근심을 알지 못하는데 허물이 장차 누구에게 돌아가겠는가?

### 심대윤(沈大允) 『주역상의점법(周易象義占法)』

節之需䷄, 待人也. 六三受土地人衆於天子, 而能自用焉, 是待人而能用也. 以其用之有節而保其國家, 爲能事君也, 故曰不節若, 則嗟若, 言用之不敢恣意, 微有不節, 則輒嗟惜而止之也. 兌坎爲嗟, 而五居坎, 言其嗟惜者, 卽所以事五也. 六三柔而居剛, 順從于上, 而能自守, 蓋節而時用也. 六三, 有德有財者, 行用而不敢盡意也.

절괘가 수괘(需卦䷄)로 바뀌었으니, 사람을 기다리는 것이다. 육삼은 토지와 사람의 무리를 천자에게서 받아 제 뜻대로 쓸 수 있으니, 이는 사람을 기다려 쓸 수 있는 것이다. 그 쓰임이 절제가 있고 국가를 보전하는 것으로 임금을 섬길 수 있기 때문에 "절제하지 못하면 한탄할 것이다"고 한 것은 쓰임을 감히 제멋대로 할 수 없어서 조금이라도 절제하지 않음이 있으면 문득 애달프고 안타깝게 여겨 그치는 것을 말한다. 태괘와 감괘가 '한탄함'이 되는데 오효는 감괘에 있으니, 애달프고 안타깝게 여긴다고 한 것은 곧 오효를 섬기기 때문이다. 육삼은 부드러운 음으로 굳센 자리에 있고 상효에게 순종하여 스스로를 지킬 수 있으니, 대개 절제하여 때에 쓰는 것이다. 육삼은 덕이 있고 재물이 있는 자로 쓰임을 행하지만 감히 뜻을 다하지 않는다.

### 오치기(吳致箕)「주역경전증해(周易經傳增解)」

六三, 陰柔不得中正, 而上无正應, 乘乎剛而自專其志, 過於說而不知艱虞, 處身則恣慾而无忌, 用財則妄費而不惜, 當節之時, 非能節者也. 雖有追悔而嗟傷, 乃其自致, 无所歸咎, 故切戒如此.
육삼은 부드러운 음으로 중정(中正)을 얻지 못하고 위로 정응이 없으며, 굳셈을 타고서 제 뜻대로 하여 기쁨을 지나쳤는데 어려움과 근심을 알지 못하니, 몸에 처해서는 욕심을 제멋대로 하여 거리낄 것이 없고, 재물을 쓰는 데에서는 망령되게 소비하고서도 애석해하지 않으니, 절제의 때를 맞아 절제할 수 있는 자가 아니다. 비록 후회하고 애달아 안타깝게 여기더라도 그것이 스스로 초래한 것이어서 허물을 돌릴 데가 없으므로 절실하게 경계함이 이와 같다.

○ 若, 語辭也. 嗟, 憂歎之言, 取於應坎及兌也.
'약(若)'은 어조사이다. '차(嗟)'는 근심하여 탄식하는 말인데, 호응인 감괘 및 태괘에서 취했다.

### 이진상(李震相)『역학관규(易學管窺)』

六三, 不節 [至] 无咎.
육삼은 절제하지 못하여 … 허물할 데가 없다.

兌爲毁, 易於毁節, 故曰不節. 兌爲口, 上无正應, 故有嗟象. 傳義, 皆以无咎爲无所歸咎.
태괘는 이지러짐이 되니, 쉽게 절제가 이지러지므로 "절제하지 못한다"고 했다. 태괘는 입이 되는데, 위로 정응이 없으므로 '한탄하는' 상이 있다. 『정전』과 『본의』는 모두 "무구(无咎)"를 '허물을 돌릴 데가 없다'는 것으로 여겼다.

## 象曰, 不節之嗟, 又誰咎也.

「상전」에서 말하였다: "절제하지 못한 한탄함"이니, 또 누구를 허물하겠는가?

## 中國大全

### 傳

**節則可以免過, 而不能自節, 以致可嗟, 將誰咎乎.**

절제하면 잘못을 면할 수 있는데 스스로 절제하지 못하여 한탄하게 되었으니 누구를 허물하겠는가?

### 本義

**此无咎, 與諸爻異, 言无所歸咎也.**

여기에서 무구(无咎)는 여러 효와 다르니, 허물을 돌릴 데가 없다는 말이다.

#### 小註

建安丘氏曰, 六三居下體兌說之上, 過於奢而不知節者也. 不節之嗟, 咎將誰執.
건안구씨가 말하였다: 육삼은 아래의 몸체인 태(兌☱)의 위에 있어 지나치게 사치하면서도 절제할 줄 모르는 것이다. 절제하지 못한 한탄을 누구를 붙들고 허물하겠는가?

○ 雲峯胡氏曰, 又誰咎也, 凡三見而其義有二. 同人初九又誰咎, 誰得而咎之也, 解與節六三, 又誰咎也, 咎自己致, 无所歸咎於人也. 但解三爻辭未嘗有无咎字. 故本義曰, 此无咎與諸爻異. 蓋因爻辭言之, 諸卦爻辭言无咎者, 九十有九, 多補過之辭. 此非可以例論也.
운봉호씨가 말하였다: '우수구야(又誰咎也)'는 모두 세 번 나오는데 그 의미는 두 가지이다. 동인괘(同人卦䷌) 초구 「상전」에서 '우수구(又誰咎)'[17]는 "누가 허물할 수 있겠는가?"라는

의미이며, 해괘(解卦䷧)[18]와 절괘(節卦䷻)의 육삼 「상전」에서 '우수구야(又誰咎也)'는 "허물을 자신이 불러들였으니, 남에게 허물을 돌릴 것이 없다"는 의미이다. 다만 해괘(解卦䷧) 삼효의 효사에는 '무구(无咎)'라는 말이 없다.[19] 그러므로 『본의』에서 "여기에서 무구(无咎)는 여러 효와 다르다"라고 하였다. 효사를 근거로 말하면, 여러 괘의 효사에서 무구(无咎)를 말한 경우는 아흔 아홉 번으로 대부분 잘못을 바로잡는 말이다. 이것은 사례로 논할 수 있는 것이 아니다.

## 韓國大全

### 김상악(金相岳) 『산천역설(山天易說)』

與同人初九, 同辭.
동인괘(同人卦䷌) 초구와 「소상전」의 말이 같다.

### 서유신(徐有臣) 『역의의언(易義擬言)』

人亦不以爲咎也.
다른 사람도 허물로 여기지 않는다.

### 심대윤(沈大允) 『주역상의점법(周易象義占法)』

與同人初九之象, 同.
동인괘(同人卦䷌) 초구의 상과 같다.

### 오치기(吳致箕) 「주역경전증해(周易經傳增解)」

本義曰, 此无咎, 與諸爻異, 言无所歸咎也.

---

17) 『周易 · 同人卦』: 象曰, 出門同人, 又誰咎也.
18) 『周易 · 解卦』: 象曰, 負且乘, 亦可醜也, 自我致戎, 又誰咎也.
19) 『周易 · 解卦』: 六三, 負且乘, 致寇至, 貞, 吝.

『본의』에서 말하였다: 여기에서 '무구(旡咎)'는 여러 효와 다르니, 허물을 돌릴 데가 없다는 말이다.

### 박문호(朴文鎬) 「경설(經說)·주역(周易)」

又誰咎, 凡三見於易, 而獨此所以釋爻辭之无咎, 故本義特發此无咎與他爻異之意. 程傳因此而又推之於他卦无咎, 則恐過矣.
"또 누구를 허물하겠는가?"는 『주역』에 세 번 보이는데 유독 여기서 효사의 '허물할 데가 없음'을 해석한 까닭에 『본의』에서 특별히 이 '허물할 데가 없음'이 다른 효와는 다른 뜻을 드러내었다. 『정전』은 이로 인하여 또 다른 괘의 '무구(无咎)'까지 유추하였으니, 지나친 듯하다.

### 이병헌(李炳憲) 『역경금문고통론(易經今文考通論)』

王曰, 若辭也. 以陰處陽, 以柔乘剛, 違節之道, 以至哀嗟, 自已所致, 无所怨咎, 故曰无咎.
왕필이 말하였다: '약(若)'은 어사이다. 음으로 양의 자리에 있고 부드러운 음으로 굳센 양을 타니, 절제의 도를 어겨 슬프고 한탄함에 이르니 자신이 이룬 바로 원만하고 허물할 데가 없으므로 '무구(旡咎)'라고 했다.

## 六四，安節，亨.

육사는 편안하게 절제하니 형통하다.

### 中國大全

傳

四順承九五剛中正之道，是以中正爲節也，以陰居陰，安於正也，當位爲有節之象．下應於初，四坎體水也．水上溢爲无節，就下有節也．如四之義，非强節之，安於節者也，故能致亨．節以安爲善．强守而不安，則不能常，豈能亨也．

유순한 사효는 굳센 구오의 중정한 도를 계승하니, 이것은 중정으로 절제하는 것이고, 음으로서 음의 자리에 있으니 바름에 편안한 것이며, 자리에 합당하니 절제가 있는 상이다. 아래로 초효와 호응하고, 사효는 감(坎☵)의 몸체인 물이다. 물이 위로 넘치면 절제가 없는 것이고, 아래로 흐르면 절제가 있는 것이다. 이를테면 사효의 뜻은 억지로 절제하는 것이 아니라 절제에 편안한 것이므로 형통할 수 있다. 절제는 편안함이 선이다. 억지로 지켜서 편안하지 않으면 일정할 수 없으니 어찌 형통할 수 있겠는가?

本義

柔順得正，上承九五，自然有節者也．故其象占如此．

유순함이 바름을 얻어 위로 구오를 계승하니, 자연스럽게 절제하는 것이다. 그러므로 그 상과 점이 이와 같다.

小註

節齋蔡氏曰，安者，順而无所勉强之謂，當位故安，得五故亨．

절재채씨가 말하였다: 편안하다는 것은 순리대로 해서 억지로 하는 것이 없다는 말이다. 지위에 합당하기 때문에 편안하고 오효를 얻었기 때문에 형통하다.

○ 縉雲馮氏曰, 節, 中其節之義. 在學爲不陵節, 在禮爲節文, 在財爲撙節, 在物爲符節, 在臣爲名節, 在君師爲節制, 唯其時物耳.
진운풍씨가 말하였다: 절제는 알맞게 절제한다는 의미이다. 배움에서는 건너뛰지 않게 절제하는 것이고, 예에서는 절제하여 꾸미는 것이며, 재물에서는 알맞게 절제하는 것이고, 신하에게는 명예와 절개이며, 임금과 스승에게는 절도와 법제인데, 때에 알맞게 하는 것일 뿐이다.

○ 雙湖胡氏曰, 四最先受節者. 順正故安.
쌍호호씨가 말하였다: 사효는 가장 먼저 절제를 받아들인 것이다. 바름에 순종하므로 편안하다.

○ 雲峯胡氏曰, 下兌澤, 上坎水, 六四水澤之交, 水於此自然受節. 又上卦本坤, 坤有安象. 節本人情所難, 此則安於節而自然, 无勉强者也. 故其象爲安, 其占爲亨.
운봉호씨가 말하였다: 하괘는 태(兌☱)라는 못이고, 상괘는 감(坎☵)이라는 물이다. 육사는 물과 못이 뒤섞였으니, 물이 여기에서 자연스럽게 절제를 받아들인다. 또 상괘는 본래 곤(坤☷)이니, 곤에는 편안한 상이 있다. 절괘(節卦䷻)는 본래 마음에서 어렵게 여기는 것인데, 사효는 절제가 편안하고 자연스러워서 억지로 힘쓰는 것이 없다. 그러므로 그 상이 편안함이고 그 점이 형통함이다.

## 韓國大全

### 송시열(宋時烈) 『역설(易說)』

安者, 順止而安其位之謂也. 五居中主節, 四處艮止, 安於其節, 順承上道而已, 所以亨也. 亨與彖辭亨孚相照應.
'편안하게[安]'는 순응하고 그쳐 그 자리에 편안하다는 말이다. 오효는 가운데 있어 절제를 주도하고, 사효는 간괘의 그침에 처하여 그 절제에 편안해 하여 위의 도를 순응하고 이을 뿐이니, 이 때문에 형통하다. '형통함'은 괘사에서의 '형통함'과 진실로 서로 일치하여 호응한다.

### 이익(李瀷) 『역경질서(易經疾書)』

卦中正應, 惟四與初. 六四得位近臣, 上比中正剛明之君, 下應得正之初. 又薦達九二在下剛明之賢, 而無嫌婧. 卦又以節爲義, 則是明良相遇之際, 安享其節者也. 故象之節亨, 本指九五, 而爻辭則乃以四當之, 其實五之亨, 四亦得以有之, 豈有君享太平之吉, 而臣無富貴之亨者. 故曰承上道也, 此所以尤著其道之極廣. 若曰四亨而五不亨, 非聖人意也.

괘 가운데의 정응은 사효와 초효뿐이다. 육사는 지위를 얻은 가까운 신하로 위로는 중정하고 강명(剛明)한 임금에게 가깝고, 아래로는 바름을 얻은 초효에게 호응한다. 또 구이인 아래에 있는 강명(剛明)한 어진 이를 천거하여 이르게 하고 싫어하고 시기함이 없다. 괘가 또 절제를 뜻으로 하니, 이는 밝은 군주와 훌륭한 신하가 서로 만나는 때여서 그 절제를 편안해 하여 형통한 자이다. 그러므로 괘사에서의 '절(節)은 형통함'은 본래 구오를 가리키며 효사에서는 곧 사효가 그에 해당하니 실상 오효가 형통하면 사효도 형통함이 있는 것인데, 어찌 임금은 태평함을 누리는 길함이 있는데 신하는 부귀의 형통함이 없는 자이겠는가? 그러므로 "위의 도를 잇는다"고 했으니, 이는 그 도가 매우 넓음을 더욱더 드러낸 것이다. 가령 "사효는 형통한데 오효가 형통하지 못하다"고 하는 것은 성인의 뜻이 아니다.

### 심조(沈潮) 「역상차론(易象箚論)」

六四在雜體之坤, 故爲安, 安者順受其節, 而無所勉强也. 九五在雜體之兌, 故爲甘, 甘者人皆說之也. 要得人心說, 先須我心說也, 四未當位, 只安於身而已, 五陽居尊, 人之親美也.

육사는 섞인 몸체인 곤괘에 있으므로 편안함이 되니, '편안함'은 그 절제를 순응하고 받아들여 억지로 힘쓰는 바가 없다. 구오는 섞인 몸체인 태괘에 있으므로 단 것이 되니, '단 것'은 사람들이 모두 기뻐한다. 남의 마음을 기뻐하게 하려면 먼저 내 마음이 기뻐해야 하니, 사효는 지위를 담당하지 않아 다만 자기 자신에만 편안할 뿐이며, 오효인 양은 높은 데 있어 남들이 친히 하고 좋아한다.

### 유정원(柳正源) 『역해참고(易解參攷)』

正義, 六三失位乘剛, 故失節而招咎, 六四得位承陽, 故安節而致亨.

『주역정의』에서 말하였다: 육삼은 제자리를 잃고 굳센 양을 탔기 때문에 절제를 잃고 허물을 부르며, 육사는 제자리를 얻고 양을 받들기 때문에 편안하게 절제하여 형통함을 이룬다.

### 김상악(金相岳)『산천역설(山天易說)』

六四卦變, 而居坎之初, 應兌之下, 以陰得正, 爲安節之象. 又承五之剛, 受其中正之節, 故能亨也.
육사는 괘변하는데 감괘의 처음에 있고 태괘의 맨 아래와 호응하니, 음이 바름을 얻은 것으로 편안하게 절제하는 상이 된다. 또 오효의 굳셈을 받들고 그 중정함의 절제를 받기 때문에 형통할 수 있다.

○ 水之上溢, 爲无節而就下, 則自然受節而安, 安於下, 則不溢於上矣. 蓋六四專以比應爲象. 初之陽剛, 卽在下之賢也. 大臣之道, 能得賢而承上, 則初之不出者, 可以出矣. 以得賢爲安, 所以亨也. 泄柳申詳, 无人於繆公之側, 則不能安其身, 此爻之義也.
물이 위로 넘쳐 절제함이 없어 아래로 흐르게 되면 자연히 절제를 받아 편안해지니, 아래에서 편안해지면 위에서 넘치지 않는다. 대체로 육사는 전적으로 가까이 하고 호응하는 것으로 상을 삼는다. 초효의 굳센 양은 곧 아래에 있는 어진이다. 대신의 도가 어진 이를 얻어 윗사람을 받들 수 있으면 초효로서 나오지 않던 자가 나올 수 있다. 어진 이를 얻는 것으로 편안함을 삼는 것이 이 때문에 형통하다. 설류(泄柳)와 신상(申詳)이 목공(繆公)의 곁에 사람이 없으면 그 몸을 편히 할 수 없었던 것[20]이 이 효의 뜻이다.

### 서유신(徐有臣)『역의의언(易義擬言)』

此當位以節者也. 夫水匯爲澤, 水遇澤, 則注焉, 滿其限, 則洩焉, 是之爲節. 四在澤上, 有此象焉. 水滿限而洩者, 其流必安穩, 故曰安節也, 水以流行爲亨通也.
이는 자리에 합당하여 절제하는 자이다. 물이 모여듦이 못이 되는데, 물이 못을 만나면 흘러들어가고 그 한계에 차면 흘러내리니, 이것이 절제가 된다. 사효는 못 위에 있어 이러한 상이 있다. 물이 한계에 차서 흘러내리는 것은 그 흘러내림이 반드시 편안하기 때문에 "편안하게 절제한다"고 했으니, 물은 흘러가는 것으로 형통함을 삼는다.

### 이지연(李止淵)『주역차의(周易箚疑)』

柔順得正, 下與初九爲應, 上與九五爲比, 所謂安分身无辱者也.
유순(柔順)함이 바름을 얻어 아래로 초구와 호응이 되며, 위로 구오와 가까우니, 이른바 분

---

20)『孟子 · 公孫丑』下: 曰 坐 我明語子. 昔者魯繆公無人乎子思之側, 則不能安子思 泄柳、申詳, 無人乎繆公之側, 則不能安其身. 子爲長者慮, 而不及子思, 子絕長者乎 長者絕子乎.

수에 편안하여 몸에 욕됨이 없는 자이다.

### 김기례(金箕澧) 「역요선의강목(易要選義綱目)」

正陰而承五剛中, 處兌之上坎之下, 承□接源, 自有盈科放海之淵源, 莫非自然者, 故不自安.

바른 음으로 오효의 굳세고 알맞음을 받들며, 태괘의 위와 감괘의 아래에 처하여 □을 잇고 흘러내리는데 잇닿았으니, 스스로 구덩이를 채우고 바다로 흐르는 연원(淵源)이 있어서 저절로 그렇지 않은 것이 없기 때문에 스스로 편안해하지 않는 것이다.

### 심대윤(沈大允) 『주역상의점법(周易象義占法)』

節之兌☱. 六四以柔居柔, 上從乎五而受制, 下應於初, 而初居兌體, 六四之志, 係于澤民而安下, 初九之志乎上, 如澤之節而畜水也. 六四之志乎下, 如澤之注泄而滋潤也. 雖隔二而從五, 不能顯有施用之功, 然足以潤身而澤民, 向之艱苦者, 至是而安樂矣. 故曰安節亨. 艮爲安, 安而得其所願, 是以亨也, 卽象之亨也. 節至四而亨, 至五而吉矣.

절괘가 태괘(兌卦☱)로 바뀌었다. 육사는 부드러운 음으로 부드러운 음의 자리에 있어 위로는 오효를 따라서 그 절제를 받으며 아래로는 초효에게 호응하는데, 초효는 태괘의 몸체에 있고 육사의 뜻은 백성에게 혜택을 주어 아랫사람을 편안하게 하는데 매었으니, 초구가 위에 바라는 바는 못이 절제하여 물을 비축하는 것과 같으며, 육사가 아래에 바라는 바는 못이 물을 흘려내려 윤택하게 하는 것과 같다. 비록 이효에게 막혀 오효를 따르니, 베풀어 쓰는 공효가 있음을 드러낼 수는 없으나 충분히 자신을 윤택하게 하고 백성에게 혜택을 줄 수 있으니, 지난번의 간고(艱苦)한 것은 여기에 이르러 안락하게 된다. 그러므로 "편안하게 절제하니, 형통하다"고 했다. 간괘는 편안함이 되는데, 편안하여 그 원하는 바를 얻으니, 이 때문에 형통한 것으로 바로 괘사(「단전」)의 '형통함'이다. 절괘는 사효에 이르러 형통하고 오효에 이르러 길하다.

### 오치기(吳致箕) 「주역경전증해(周易經傳增解)」

六四, 柔得其正, 而居近君之位, 承九五中正之道, 以爲節, 有自然之善, 旡强守之意, 卽安於節者也. 安而行節, 則旡往不通, 故言亨.

육사는 부드러운 음이 그 바름을 얻고 임금에 가까운 자리에 있어 구오의 중정한 도를 받들어 절제를 삼음에 저절로 그러한 선(善)은 있고 억지로 지키려는 뜻은 없으니, 곧 절제에 편안해 하는 자이다. 편안하여 절제를 행하면 가서 통하지 않음이 없으므로 “형통하다”고 말했다.

○ 得正而自中其節, 曰安也. 坎本坤體, 而坤有安象也. 四居水澤之交, 承九五之流, 最先受節而不汎濫, 故安也.
바름을 얻고 스스로 그 절제에 알맞아 “편안하다”고 했다. 감괘는 본래 곤괘의 몸체인데 곤괘에 편안한 상이 있다. 사효는 물과 못이 사귀는 즈음에 있고 구오의 흐름을 받들어 가장 먼저 절제를 받아 범람하지 않기 때문에 편안하다.

## 이진상(李震相) 『역학관규(易學管窺)』

震終而艮止, 見險能止, 且上承九五, 自然有節, 故曰安節.
진괘는 끝남이고 간괘는 그침이니, 험함을 보고 그칠 수 있으며 또 위로 구오를 받듦에 자연히 절제함이 있기 때문에 “편안하게 절제한다”고 했다.

## 象曰, 安節之亨, 承上道也.

「상전」에서 말하였다: "편안하게 절제한 형통함"은 위의 도를 받들기 때문이다.

## 中國大全

傳

**四能安節之義非一. 象, 獨擧其重者, 上承九五剛中正之道, 以爲節, 足以亨矣. 餘善, 亦不出於中正也.**

사효가 편안하게 절제할 수 있는 의리는 하나가 아니지만 「상전」에서 유독 그 중요한 것을 들었으니, 위로 굳센 구오의 중정한 도를 계승하여 절제하면 충분히 형통할 수 있기 때문이다. 나머지 선도 중정을 벗어나지 않는다.

小註

李氏光曰, 居近君之位, 能以卑遜承上, 安於臣節者也.
이광이 말하였다: 임금에게 가까운 지위에 있어 낮추고 공손한 것으로 위를 계승하여 신하의 절제에 편안할 수 있는 것이다.

## 韓國大全

김상악(金相岳) 『산천역설(山天易說)』

卦辭之亨在五, 故釋象如此.
괘사의 '형통함'이 오효에 있기 때문에 상을 해석함이 이와 같다.

### 서유신(徐有臣) 『역의의언(易義擬言)』

承上道, 謂比五也. 應於初爲注澤象, 比於五爲洩澤象, 旣注而洩爲節爲亨也.
'위의 도를 받듦'은 오효에 가까움을 말한다. 초효에 호응함은 못에 물을 대는 상이 되고, 오효에 가까움은 못에서 물이 새는 상이 되니, 이미 물을 대고 새어나옴은 절제가 되고 형통함이 된다.

### 심대윤(沈大允) 『주역상의점법(周易象義占法)』

巽震爲承道, 承五而同其道, 以節用天下也.
손괘와 진괘는 받드는 도가 되니, 오효를 받들어 그 도를 함께 함은 천하에 아껴 쓰기 때문이다.

### 오치기(吳致箕) 「주역경전증해(周易經傳增解)」

上承九五, 一遵其中正, 以通之道, 故是以亨也.
위로 구오를 받들고 한결같이 그 중정함을 따르니, 통하는 도이기 때문에 그래서 형통하다.

曰非一, 曰餘善, 指上註以陰居陰以下三事也.
"하나가 아니다"라고 하고, "나머지 선"이라고 한 것은 위 효사 『정전』의 주에서 "음으로서의 자리에 있다"는 이하의 세 가지 일을 가리킨다.

### 이병헌(李炳憲) 『역경금문고통론(易經今文考通論)』

虞曰, 得正承五, 有應於初, 故安節亨.
우번이 말하였다: 바름을 얻고 오효를 받들며 초효에게 호응함이 있기 때문에 편안하게 절제하니 형통하다.

荀九家曰, 言四得正奉五, 故曰承上道也.
『순구가역』에서 말하였다: 사효가 바름을 얻고 오효를 받드는 것을 말했으므로 "위의 도를 받든다"고 했다.

## 九五, 甘節, 吉, 往有尚.

구오는 달콤하게 절제하니 길하고, 가면 가상한 일이 있을 것이다.

### 中國大全

**傳**

**九五剛中正, 居尊位, 爲節之主, 所謂當位以節中正以通者也. 在己則安, 行天下則說從, 節之甘美者也, 其吉可知. 以此而行, 其功大矣, 故往則有可嘉尚也.**

굳세고 중정한 구오가 존귀한 자리에 있어 절제의 주인이니, 이른바 지위를 담당하여 절제하고, 중정하여 통하는 것이다. 자신에게는 편안하고 천하에 행하면 기뻐하며 따르는 것은 절제가 달콤하고 아름다운 것이니, 그 길함을 알만하다. 이렇게 행하면 그 공이 크기 때문에 가면 가상한 일이 있을 것이다.

**本義**

**所謂當位以節中正以通者也. 故其象占如此.**

이른바 지위를 담당하여 절제하고, 중정하여 통하는 것이다. 그러므로 그 상과 점이 이와 같다.

**小註**

朱子曰, 安節, 是安穩自在, 甘節, 是不辛苦喫力底意思. 甘便對那苦. 甘節, 與禮之用, 和爲貴, 相似. 不成人臣得甘節吉時, 也要節天下, 大率人一身上, 各自有個當節底.

주자가 말하였다: "편안하게 절제하는 것"은 안전하고 편안한 것이고, "달콤하게 절제하는 것"은 괴롭게 힘쓰지 않는 의미이다. 달콤함은 바로 괴로운 것에 상대적이다. "달콤하게 절제하는 것"은 "예의 쓰임은 화합이 귀중하다"[21]는 것과 서로 비슷하다. 신하가 달콤하게 절제하여 길할 때를 얻어 천하를 절제하는 것을 이룰 수 없지만 사람들을 크게 거느리는 몸에

는 각기 본래 절제를 합당하게 하는 것이 있다.

○ 臨川吳氏曰, 甘者樂易而无艱苦之謂.
임천오씨가 말하였다: 달콤한 것은 즐겁고 쉬워서 어렵고 괴로운 것이 없음을 말한다.

○ 建安丘氏曰, 五得中, 故甘, 上過中, 故苦.
건안구씨가 말하였다: 오효는 가운데를 얻었기 때문에 달콤하고, 상효는 가운데를 지나쳤기 때문에 괴롭다.

○ 中溪張氏曰, 味之甘, 人所嗜也, 味之苦人所不嗜也. 今九五爲節之主, 甘於節而不苦於節, 持此以往, 有可嘉尙. 故人皆說從如嗜甘味, 而无艱苦之態也.
중계장씨가 말하였다: 단맛은 사람들이 좋아하는 것이고, 쓴맛은 사람들이 싫어하는 것이다. 이제 절괘의 주인인 구오가 달콤하게 절제해서 절제 때문에 괴롭지 않으니, 이것을 유지하며 간다면 가상한 일이 있을 것이다. 그러므로 사람들이 모두 달콤한 맛을 좋아하듯이 기쁘게 따라 어렵고 괴로운 것이 없는 모양이다.

○ 雲峯胡氏曰, 他爻之節, 節其在我者, 九五當位以節, 節天下者也. 節天下而使天下甘之, 所謂中正以通者也. 五本坤體, 又居中, 故有甘之象. 甘在臨之三, 則我求說於人, 故无攸利. 在節之五, 則人自說於我, 故行有尙.
운봉호씨가 말하였다: 다른 효의 절제는 자신에게서 절제하는 것이다. 그런데 구오는 지위를 담당하여 절제하니 천하를 절제하는 것이다. 천하를 절제하여 천하가 달콤하게 느끼도록 하면 이른바 중정하여 통하는 것이다. 오효는 본래 곤(坤의☷) 몸체이고, 또 가운데 있기 때문에 달콤한 상이 있다. 달콤함이 림괘(臨卦䷒)의 삼효에서는 내가 사람들에게 기쁨을 구하기 때문에 이롭지 않다.[22] 절괘(節卦䷻)의 오효는 사람이 자신에게서 저절로 기뻐하기 때문에 가면 가상한 일이 있다.

---

21)『論語 · 學而』: 禮之用, 和爲貴, ….
22)『周易 · 臨卦』: 六三, 甘臨, 无攸利, 旣憂之, 无咎.

# ‖韓國大全‖

## 송시열(宋時烈) 『역설(易說)』

甘見上. 往者, 往應於九二也. 有尙者, 其往有所嘉尙也. 五居中位, 以剛陽之德, 不爲坎險所陷, 能往求同德在下之臣, 節之功已成, 節之占亦吉.

'달콤함'은 위에 보인다. '간다'는 것은 가서 구이에게 호응함이다. '가상한 일이 있다'는 것은 그 감에 가상한 바가 있는 것이다. 오효는 가운데 자리에 있고 굳센 양의 덕으로 감괘의 험함에 빠지지 않아 아래에 있으며 덕을 함께 하는 신하를 가서 구할 수 있으니, 절제하는 공이 이미 이루어져 절제의 점도 길하다.

## 석지형(石之珩) 『오위귀감(五位龜鑑)』

臣謹按, 節之九五曰, 甘節吉, 所謂甘節者, 不苦於節, 如嗜甘味, 无艱辛喫力底意思也. 五爲節之主, 而居坤之中土, 味作甘故取甘象. 蓋節之爲卦, 水滿澤上而節止之義也. 凡物旣滿而節之, 則合人情而无所苦. 方今公私困甚, 有如旣涸之澤, 而擧世所務, 專在裁損, 故民困滋烈, 國用猶匱, 是則可謂苦節, 不可謂甘節也. 昔鄒穆公時, 以二石粟易一石粃爲鳧鴈食, 吏以爲費, 請以粟食之. 公曰爾知小計, 不知大會. 周諺曰, 囊漏貯中. 粟之在倉與在民, 於我何擇. 惟此一言, 豈有司徒恤經費者, 所能及哉. 然則今之惟事裁損, 恐無遺秉滯穗之意, 而所益未補所損也. 不特此也, 天理之節文, 人臣之名節, 朝廷之節制, 无非節卦之用, 而莫有合於甘節之道者, 此非細故也. 伏願殿下, 毋偏於節損, 而厚其源本焉.

신이 삼가 살펴보았습니다: 절괘 구오에서 "달콤하게 절제하니, 길하다"고 했으니, 이른바 '달콤하게 절제한다'는 절제하는데 괴롭지 않은 것이 달콤한 맛을 즐기는 것과 같아서 힘들고 고생하는 뜻이 없습니다. 오효는 절괘의 주인이 되는데 곤괘의 가운데 흙[中土]에 있고, 맛이 달콤하기 때문에 '달콤한[甘]' 상을 취했습니다. 대체로 절괘의 괘가 됨이 물이 못 위에 차서 절제하여 그치는 뜻입니다. 무릇 물건이 넉넉하지만(찼지만) 절제되면 인정(人情)에 부합하여 괴로워하는 바가 없습니다. 이제 공사(公私)에 곤란함의 심함이 이미 말라버린 못과 같아서 온 세상이 힘써야 할 바가 오로지 마름질하고 덜어내는 데 있는 것과 같으므로 백성의 곤궁함은 더욱 맹렬하고 나라의 쓰임조차 다하니, 이것은 '괴롭게 절제하는 것'이라고 할 수 있고 '달콤하게 절제하는 것'이라고 할 수는 없습니다. 옛날 추나라 목공의 때에 두 석의 벼로 한 석의 쭉정이를 바꾸어 오리와 기러기가 먹게 하였는데, 관리[吏]가 낭비로 여겨 벼로 먹이기를 청하였습니다. 목공이 "너는 작은 계책만 알고 큰 계책[會]을 모르는 것이다. 주나라 속담에 '주머니가 새는데 안에 넣는다'고 했다. 벼가 창고에 있는 것과 백성에게 있는 것이 내게 무엇이 다를 것이 있겠는가?"라고 하였습니다. 이 한마디 말은 어찌 유사(有司)로서 한갓 경비를 아끼려는 자가 미칠 수 있는 것이겠습니까? 그렇다면 지금의 일에서 마름질하여 덜어내는 것은 아마도 추수가 끝난 들판에 떨어진 이삭이 많다[遺秉滯穗]는 뜻은 없어서 이익이 되는 것이 손해가 되는 것을 돕지는 못할 듯합니다. 다만 이것만이 아니어서 천리의 절문(節文)과 신하의 명절(名節)과 조정의 절제(節制)가 절괘의 쓰임 아닌 것이 없는데, '달콤하게 절제하는 도에 합함이 있지 않는 것은 이는 세세한 일이 아닙니다. 엎드려 바라건대 전하께서는 절제하고 더는 데에만 치우치지 마시고 그 본원을 두텁게 하십시오.

## 이현석(李玄錫) 「역의규반(易義窺斑)」

節者, 酌其過溢, 而適乎中者也. 五十而食肉, 七十而衣帛, 亦節以制度之一事也. 然而自幼喫芻豢被紈綺者, 一朝使之必待五七十, 則人情定不樂矣. 九五, 居尊臨下, 當位以節, 節天下者也. 節天下, 而使天下甘之, 果何術歟. 得中道而身率之故也. 人君躬行以倡, 則下無不說而從之. 吳王好劒客, 百姓多瘡瘢, 楚王好細腰, 宮中多餓死, 卽其驗也. 人之所甚惡, 莫如死, 而所甚厭, 莫如傷, 猶且甘心而爲之者, 以上之所好在此也. 況乎不至乎死與傷, 而君上之所好在焉, 則爲其民者, 豈有不樂從者哉. 或曰, 此言固然矣. 第此爻有導率之義乎, 曰, 此卦坎上而兌下, 坎水流下而入于兌澤, 有逮下之象. 五爻居君位, 而流逮乎下, 此非以身導下者乎. 甘節之吉, 以此也.

'절제'는 그것이 지나치고 넘치는 것을 짐작하여 중도(中道)에 맞게 하는 것이다. 오십에 고기를 먹고 칠십에 비단옷을 입는 것도 제도로써 절제하는 한 가지 일이다. 그러나 어려서부터 고기를 먹고 비단옷을 입은 자를 하루아침에 오십과 칠십이 될 때까지 기다리게 한다면 인정(人情)이 반드시 좋지 못할 것이다. 구오는 높은 데 있으면서 아래에 임하여 지위를 담당하여 절제하니, 천하를 절제하는 자이다. 천하를 절제하되 천하 사람들이 달콤하게 여기게 하니 과연 무슨 방법인가? 중도(中道)를 얻어 몸소 이끌기 때문이다. 임금이 몸소 행하여 이끌면 아랫사람들은 기뻐하여 따르지 않는 이가 없다. 오나라 왕은 검객을 좋아하여 백성들은 흉터자국이 많고, 초나라 왕은 가는 허리를 좋아하여 궁중에 굶어죽는 여인이 많았던 것이 바로 그 증험이다. 사람들이 매우 싫어하는 것으로 죽음 같은 것이 없고 매우 싫어하는 것으로 상처 나는 것 같은 것이 없는데, 오히려 또 즐거운 마음으로 그렇게 하는 것은 윗사람의 좋아하는 바가 여기에 있기 때문이다. 더욱이 죽거나 상처가 나는데 이르지 않으면서 임금이 좋아하는 바가 있다면 그 백성 된 자가 어찌 즐겁게 따르지 않는 자가 있겠는가? 어떤 이는 “이 말이 참으로 그러하다. 짐짓 이 효에 이끄는 뜻이 있다”고 했는데, “이 괘는 감괘가 위이고 태괘가 아래여서 감괘인 물이 아래로 흘러 태괘인 못에 들어가니, 아래에 이르는 상이 있다”고 했다. 오효는 임금의 지위에 있고 흘러 아래에 이르니, 이것이 몸소 아랫사람을 이끄는 것이 아니겠는가? ‘달콤하게 절제함이 길한 것’은 이 때문이다.

### 이익(李瀷) 『역경질서(易經疾書)』

甘者, 苦之反. 苦則澁, 甘則滑, 故其行之也, 苦艱而甘易也. 莊子斲輪者云, 徐則甘而不固, 疾則苦而不入, 此謂枘鑿之間, 宜濶窄適均寬, 徐而甘滑, 則易入而不固急, 疾而苦澁, 則杆格而不入也. 節之甘苦, 亦猶是也, 君明臣良, 幽側咸揚, 何有於治理, 此甘節之義也. 往有尙者, 尙賢也, 近臣安享, 遠臣薦達, 則不獨臣賴君以安, 亦且君得臣, 然後易治也.

‘헐거움’은 ‘빡빡함’의 반대이다. 빡빡하면 껄끄럽고 헐거우면 매끄럽기 때문에 그 행하는 것이 빡빡하면 어렵고 헐거우면 쉽다. 『장자』에서 수레바퀴를 깎는 자가 “너무 깎으면 헐거워 견고하지 못하고 적게 깎으면 빡빡하여 들어가지 않는다”고 했으니, 이것은 모난 자루와 둥근 구멍의 사이에 넓고 좁음이 마땅하고 고르고 넓음이 알맞아야 함을 하니, 너무 깎아 헐거워 매끄럽게 되면 쉽게 들어는 가지만 꼭 맞지 않고, 적게 깎아 빡빡해 껄끄럽게 되면 서로 방해되어 들어가지 못한다. 절제의 헐거움과 빡빡함도 이와 같으니, 임금은 밝고 신하는 어질어 원근의 인재들이 다 드러날 것이니, 다스리는 이치에 무슨 어려움이 있겠는가? 이것이 ‘감절(甘節)’의 뜻이다. ‘가면 가상한 일이 있다’는 것은 어진 이를 높이는 것이니, 가까운 신하는 편안히 누리게 하고 멀리 있는 신하는 천거하여 이르게 하면 신하만이 임금을 의지하여 편안한 것이 아니라 임금도 신하를 얻는 것이니, 그런 뒤라야 쉽게 다스리게 되는 것이다.

### 심조(沈潮) 「역상차론(易象箚論)」

九五, 甘節.
구오는 달콤하게 절제하니.

五, 在河洛爲中央土. 土味甘, 故曰甘節, 又在雜坤之中也. 蓋此爻爲節之主者, 此爲互艮之上爻, 艮止也. 本義所謂有限而止者, 非此艮乎.
오효는 하도와 낙서에서 중앙인 토(土)의 자리가 되는데, 토(土)는 맛으로는 단 것이므로 “달콤하게 절제한다”고 했고, 또 곤괘의 가운데에 섞여있다. 대체로 이 효가 절괘의 주인이 되는 것은 이효가 호괘인 간괘의 맨 윗 효가 되기 때문인데, 간(☶)은 그침이다. 『본의』에서 이른바 "한정하여 그치는 바가 있다"는 것이 이 간괘가 아니겠는가?

○ 竊嘗推之, 節之一卦, 有無限道理. 試以心上工夫言之, 初九之不出戶庭, 卽君子之時中也. 九二之不出門庭, 知者過之也. 六三之不節, 小人之反中庸也. 六四之安節, 不勉而中也. 九五之甘節, 致中和位育也. 上六之苦節, 賢者過之也. 大抵初九, 當節而節者也, 前有奇門掩之象, 門旣掩, 其可出乎. 此不出, 所以旡咎也. 九二, 不當節而節者也, 前有偶門開之象, 門旣開, 其可不出乎. 此不出, 所以致凶也.
가만히 미루어 보면 절괘 하나에 무한한 도리가 있다. 시험 삼아 마음에서의 공부로 말하면 초구의 '외짝문의 뜰을 벗어나지 않음'은 군자가 때에 맞게 함이다. 구이의 '양짝문의 뜰을 벗어나지 않음'은 지혜로운 자가 지나친 것이다. 육삼의 '절제하지 못함'은 소인이 중용(中庸)에 반대로 하는 것이다. 육사의 '편안하게 절제함'은 힘쓰지 않아도 알맞은 것이다. 구오의 '달콤하게 절제함'은 중화(中和)를 이루면 천지가 자리잡고 만물이 길러지는 것이다. 상육의 '괴롭도록 절제함'은 어진 자가 지나치게 하는 것이다. 대체로 초구는 마땅히 절제해야 해서 절제하는 자이고 앞에 외짝 문의 닫힌 상이 있으니, 문이 닫혔는데 나갈 수 있겠는가? 여기서의 '나가지 않음'은 허물이 없게 되는 까닭이다. 구이는 절제함이 마땅하지 않은데도 절제하는 자이고 앞에 양짝 문의 열린 상이 있으니, 문이 열렸는데 나가지 않을 수 있겠는가? 여기서의 '나가지 않음'은 흉함을 이루는 까닭이다.

### 유정원(柳正源) 『역해참고(易解參攷)』

九五 [至] 有尙.
구오는 … 가상한 일이 있을 것이다.

王氏〈師心〉曰, 甘者, 人情所尙, 故往則有尙.
왕사심이 말하였다: '달콤함'은 사람 마음에 높게 여기는 것이므로 가면 가상한 일[尙]이 있다.

○ 鄭氏〈剛中〉曰, 五自泰三升入坤土, 甘之意寓焉.
정강중이 말하였다: 오효는 태괘(泰卦䷊) 삼효로부터 올라가 곤괘인 흙에 들어가니, 달콤한 뜻이 깃들어 있다.

### 김상악(金相岳)『산천역설(山天易說)』

九五居坎之中, 比四與上, 當位以節, 中正以通, 故其象爲甘節而吉, 往則有尙.
구오는 감괘의 가운데 있고 사효와 상효에 가까워 지위를 담당하여 절제하고 중정하여 통하기 때문에 그 상이 달콤하게 절제하여 길하게 되니, 가면 가상한 일이 있게 된다.

○ 甘節者, 樂易而无艱苦之謂也. 在己則安行, 天下則說從也. 五行以甘爲正味, 坎得坤中, 爻甘之象. 五變則爲臨, 臨之三曰甘臨, 亦取象於坤, 而彼則求說乎人, 故无攸利, 此則人說乎我, 故吉也. 往者, 九五自四而上也. 坎陽動乎中, 則能出險而有功, 故曰往有尙. 坎以居上而中爲往有尙, 故節在五, 離以自下而上爲往有尙, 故豊在初. 節者, 渙之反也, 故諸爻, 皆以相比爲象. 初曰不出戶庭无咎, 二曰不出門庭凶, 三曰不節嗟, 四曰安節亨, 五曰甘節吉, 六曰苦節凶, 皆相比而相反也.
'달콤하게 절제함'은 즐겁고 평이하여 어려움이 없음을 말한다. 자신에게서는 편안히 행하며, 천하 사람에게서는 기뻐하여 따른다. 오행으로는 '달콤함'을 바른 맛으로 삼는데, 감괘는 곤괘 가운데 자리를 얻어 효가 달콤한 상이다. 오효가 변하면 림괘(臨卦䷒)가 되니, 림괘의 삼효에서 "달콤함으로 임한다"고 한 것도 곤괘에서 상을 취했는데 림괘에서는 다른 사람에게서 기쁨을 구하기 때문에 이로운 바가 없고, 절괘에서는 다른 사람이 나에게서 기뻐하기 때문에 길하다. '감'은 구오가 사효로부터 올라감이다. 감괘의 양이 안에서 움직이면 험함에서 벗어나 공이 있을 수 있기 때문에 "가면 가상한 일이 있다"고 했다. 감괘는 위이면서 가운데 있는 것으로 가면 가상한 일이 있음을 삼았기 때문에 절괘에서는 오효에 있으며, 리괘는 아래로부터 위로 가는 것으로 가면 가상한 일이 있다고 여겼기 때문에 풍괘에서는 초효에 있다. 절괘는 환괘가 거꾸로 된 것이므로 여러 효가 모두 서로 가까이 있는 것끼리 상으로 삼는다. 초효에서 "외짝문의 뜰을 벗어나지 않으니 허물이 없다"는 것과 이효에서 "양짝문의 뜰을 벗어나지 않으니, 흉하다"는 것과 삼효에서 "절제하지 못하여 한탄한다"는 것과 사효에서 "편안하게 절제하니 형통하다"는 것과 오효에서 "달콤하게 절제하니 길하다"는 것과 육효에서 "괴롭도록 절제하니 흉하다"는 것이 모두 가까이 있으면서 서로 반대된다.

### 서유신(徐有臣)『역의의언(易義擬言)』

此當位以節, 中正以通者也. 水之美者, 爲甘泉, 得土之正味也. 五得坤中之正位, 故曰甘節也. 泉之甘者, 誰不好飮, 節之甘者, 誰不樂從. 是爲吉也. 注於澤而中節, 洩於澤而中節, 故往有功也.
이것은 지위를 담당하여 절제하며 중정하여 통한다는 것이다. 물 가운데 아름다운 것이 감천(甘泉)이 되는 것은 땅의 바른 맛을 얻었기 때문이다. 오효는 곤괘에서 가운데의 바른 자리를 얻었기 때문에 "달콤하게 절제한다"고 했다. 샘물이 달콤한 것을 누가 마시기를 좋아하지 않을 것이며, 절제함이 달콤한 것을 누가 즐겁게 따르지 않겠는가? 이것이 길하게 되는 까닭이다. 못에 물을 대는데 절도에 맞고 못에서 흘러나오는데 절도에 맞기 때문에 가면 공이 있는 것이다.

### 강엄(康儼) 『주역(周易)』

九五 [止] 有尙.
구오는 … 가상한 일이 있을 것이다.

按, 坎彖曰, 行有尙, 節之九五, 以坎體而得剛中, 故亦曰往有尙. 蓋坎雖險陷之卦, 然一陽在中, 有孚心亨, 以此而行, 必有功矣, 故皆言有尙.
내가 살펴보았다: 감괘 「단전」에서 "가면 가상함이 있다"고 했는데, 절괘 구오는 감괘의 몸체로 굳세고 알맞음을 얻었기 때문에 또한 "가면 가상한 일이 있다"고 했다. 대체로 감괘는 비록 험한 괘이지만 한 양이 가운데 있어 믿음이 있고 마음이 형통하니, 이것으로 행한다면 반드시 공이 있기 때문에 모두 "가상한 일이 있다"고 했다.

### 이지연(李止淵) 『주역차의(周易箚疑)』

己以節爲甘, 而人亦甘其所節之節, 此所謂發而中節者也.
자신이 절제를 달콤하게 여기고 남들도 그 절제하는 바의 '절제'를 달콤하게 여기니, 이것이 이른바 "드러나 절도에 맞는다"는 것이다.

### 김기례(金箕澧) 「역요선의강목(易要選義綱目)」

彖辭所謂當位中正者, 中則有土甘, 正則中節, 發皆中節則和, 和而居尊, 與天下同甘, 何往而不得甘.
「단전」의 이른바 '지위를 담당함'과 '중정함'은 알맞으면 땅의 달콤함이 있고 바르면 절도에 맞으니, 드러나 모두 절도에 맞으면 화락하고, 화락하여 높은 데 있어 천하 사람과 달콤함을 함께하니, 어디를 간들 달콤함을 얻지 못하겠는가?

### 심대윤(沈大允) 『주역상의점법(周易象義占法)』

節之臨䷒, 下接也. 九五以剛居剛, 能自守而得中, 旣以自致亨大, 復以之節制天下, 而致安樂, 有下接之義, 故曰甘節吉. 兌互坤曰甘, 坎爲苦, 九五畜而能施, 澤之滋潤之功, 著矣.
절괘가 림괘(臨卦䷒)로 바뀌었으니, 아래로 접하는 것이다. 구오는 굳센 양으로 굳센 자리에 있어 자신을 지키고 알맞음을 얻을 수 있어 이미 스스로 형통하고 큼에 이르고, 다시 그것으로 천하를 절제하여 안락함을 이루니, 아래로 사귀는 뜻이 있기 때문에 "달콤하게 절제하니, 길하다"고 했다. 태괘의 호괘는 곤괘이므로 '달콤하다'고 했고, 감괘는 고통(쓴맛)이 되는데, 구오는 축적하여 베풀 수 있으니, 못이 윤택하게 하는 공이 드러난다.

### 오치기(吳致箕) 「주역경전증해(周易經傳增解)」

九五, 陽剛中正而居尊, 爲節之主, 卽所謂當位以節中正以通者也. 當節之時, 用和易之道, 節制天下, 而人心莫不悅嗜之, 故有甘節之象. 所以言得吉, 而以此道往, 則當有功也.
구오는 굳센 양이 중정하고 높은데 있어 절괘의 주인이 되니, 곧 지위를 담당하여 절제하며 중정하여 통하는 자이다. 마땅히 절제해야 하는 때엔 온화[和易]한 도로써 천하를 절제하는데 사람의 마음이 기뻐하여 좋아하지 않는 것이 없기 때문에 달콤하게 절제하는 상이 있다. 그래서 길함을 얻었다고 말했고, 이 도(道)로써 가면 마땅히 공효가 있다.

○ 甘者, 和易旡辛苦之謂, 而變坤爲土, 亦以五居中, 故取象而言甘也. 尙者, 功也.
'달콤함'은 온화[和易]하고 고생스러움이 없음을 말하는데 변한 곤괘가 땅이 되고, 또 오효가 가운데 있기 때문에 상을 취하여 "달콤하다"고 했다. '가상한 일'은 공효이다.

### 이진상(李震相) 『역학관규(易學管窺)』

九五, 甘節 [至] 有尙.
구오는 달콤하게 절제하니 … 가상한 일이 있을 것이다.

鄭氏曰, 五自泰三升入坤土, 甘之義寓焉.
정씨가 말하였다: 오효는 태괘(泰卦䷊)의 삼효로부터 올라와 곤괘인 땅에 들어온 것이니, 달콤한 뜻이 깃들어 있다.

愚按, 爻變坤土處乎中央, 故其味爲坎, 艮體終, 故坎往有尙.
내가 살펴보았다: 효가 변한 곤괘의 땅이 중앙에 있기 때문에 그 맛이 감(坎)이 되고, 간괘

몸체의 끝이기 때문에 감괘가 가면 가상한 일이 있다.

### 박문호(朴文鎬) 「경설(經說)·주역(周易)」

四之安節, 由乎承五, 五之自安有可知, 故云在己則安也. 或以行字讀屬上句而以在字竝蒙天下者亦通.

사효의 '편안하게 절제함'은 오효를 따르는 데서 말미암으니, 오효가 스스로 편안함을 알 수 있기 때문에 "자신은 편안하다"고 했다. 혹 '행(行)'자를 윗구절에 소속시키고 '재(在)'자를 천하에까지 아울러 미치는 것으로 읽어도 통한다.

**象曰, 甘節之吉, 居位中也.**

「상전」에서 말하였다: "달콤하게 절제한 길함"은 있는 자리가 가운데이기 때문이다.

## 中國大全

**傳**

**旣居尊位, 又得中道, 所以吉而有功. 節, 以中爲貴. 得中則正矣, 正不能盡中也.**

이미 존귀한 자리에 있고, 또 중도를 얻었기 때문에 길하고 공이 있다. 절제는 가운데를 귀하게 여긴다. 가운데를 얻으면 바르지만 바른 것으로는 중도를 다할 수 없다.

**小註**

中溪張氏曰, 甘者, 味之中, 五者位之中. 所以吉者, 以其位之居中也.
중계장씨가 말하였다: 단 것은 맛의 가운데이고, 오(五)는 자리의 가운데이다. 길한 이유는 자리가 가운데에 있기 때문이다.

○ 臨川吳氏曰, 中則不過而至於苦.
임천오씨가 말하였다: 가운데라면 지나쳐서 괴롭게 되지는 않을 것이다.

## 韓國大全

### 김상악(金相岳) 『산천역설(山天易說)』

節以中爲貴, 中則正矣.
절제는 '알맞음'을 귀하게 여기니, 알맞으면 바르다.

### 서유신(徐有臣) 『역의의언(易義擬言)』

居中, 故爲節之甘也.
가운데 있기 때문에 절제의 달콤함이 된다.

### 오치기(吳致箕) 「주역경전증해(周易經傳增解)」

居尊位得中道, 而行節, 所以爲吉也. 雖不言正, 得中則正也.
높은 자리에 있고 중도(中道)를 얻어서 절도를 행하니, 그래서 길하게 된다. 비록 '바르다'고 말하지는 않았지만, 중도를 얻었으면 바르다.

### 이병헌(李炳憲) 『역경금문고통론(易經今文考通論)』

姚曰, 謂泰三也. 泰坤爲土, 稼穡作甘. 三之五, 得位居中, 故甘節吉往有尙. 甘節者, 得中和, 皆中節者也.
요신이 말하였다: 태괘(泰卦䷊) 삼효를 말한다. 태괘에서 곤(☷)은 흙이 되니, 곡식을 심는 것은 달콤함이 된다. 삼효가 오효자리로 가서 지위를 얻고 가운데 있기 때문에 달콤하게 절제하니 길하고, 가면 가상한 일이 있다. '달콤하게 절제함'은 중화(中和)를 얻어서 모두 절도에 맞는 것이다.

按, 卦自渙來, 甘節謂亨也.
내가 살펴보았다: 괘가 환괘(渙卦䷺)로부터 왔으니, '달콤하게 절제함'은 형통함을 말한다.

## 上六, 苦節, 貞, 凶, 悔, 亡.

정전 상육은 괴롭도록 절제하니, 곧으면 흉하고 뉘우치면 흉함이 없을 것이다.
본의 상육은 괴롭도록 절제하니, 곧더라도 흉하지만 후회는 없을 것이다.

### 中國大全

傳

**上六, 居節之極, 節之苦者也. 居險之極, 亦爲苦義. 固守則凶, 悔則凶亡, 悔, 損過從中之謂也. 節之悔亡, 與他卦之悔亡, 辭同而義異也.**

상육은 절제의 끝에 있어 괴롭도록 절제하는 것이다. 험한 것의 끝에 있어 또한 괴로운 의미이다. 굳게 지키면 흉하고 뉘우치면 흉함이 사라지니, 뉘우침은 지나침을 덜어 가운데를 따름을 말한다. 절괘(節卦䷻)에서 뉘우침이 없다는 것은 다른 괘에서 뉘우침이 없다는 것과 말은 같지만 의미는 다르다.

小註

沙随程氏曰, 苦節而貞固, 故凶. 悔則不爲貞固之行而亡, 是凶矣.
사수정씨가 말하였다: 괴롭도록 절제하면서 곧고 견고하기 때문에 흉하다. 뉘우치면 곧고 견고한 행동을 하지 않아 없어지니, 이것이 흉하다.

○ 趙氏曰, 三戒不節, 上戒苦節. 過猶不及, 失均也.
조씨가 말하였다: 삼효에서는 절제하지 못하는 것을 경계하였고, 상효에서는 괴롭도록 절제하는 것을 경계하였다. 지나침이 모자람만 못하지만 잃는 것은 마찬가지이기 때문이다.

本義

**居節之極, 故爲苦節. 旣處過極, 故雖得正, 而不免於凶. 然禮奢寧儉, 故雖有悔, 而終得亡之也.**

절제의 끝에 있기 때문에 괴롭도록 절제한다. 이미 지나친 끝에 있기 때문에 비록 바를지라도 흉함을 면하지 못한다. 그러나 예는 사치하기보다는 차라리 검소한 것이 낫기 때문에 후회가 있을지라도 마침내 없어질 것이다.

小註

中溪張氏曰, 上六居節之終, 過於節, 則苦而難行, 雖貞亦凶也. 然用過乎儉, 悔猶可亡, 所謂伯夷之隘, 是也. 卦言苦節不可貞, 指此爻也.
중계장씨가 말하였다: 상육이 절괘의 끝에 있어 지나치게 절제하는 것은 괴롭고 행하기 어려우니 곧을지라도 흉하다. 그러나 비용이 지나치게 검소하면 뉘우침이 오히려 없어질 것이니, 이른바 백이(伯夷)의 고지식함이 여기에 해당한다. 괘에서 "괴롭도록 절제해서는 곧을 수 없다"고 한 것은 상효를 가리킨다.

○ 雲峯胡氏曰, 五位中, 故爲甘, 上位極, 故爲苦. 彖曰, 節亨, 五以之, 曰, 苦節不可貞, 上以之, 悔亡, 諸家以爲必悔之而後凶可亡. 悔其苦而之甘可也, 悔其節而不節, 弊將若何. 本義謂, 禮奢寧儉, 苦節雖有悔, 而終得亡之, 與賁束帛戔戔終吉, 意同. 蓋苦節之悔, 猶勝不節之嗟也.
운봉호씨가 말하였다: 오효는 자리가 가운데이기 때문에 달고, 상효는 끝이기 때문에 괴롭다. 「단전」에서 "절제가 형통한 것은"이라고 하였으니, 오효에서 그것을 썼고, "괴롭도록 절제해서는 곧을 수 없으니"라고 했으니 상효에서 그것을 썼다. '회망(悔亡)'은 여러 학자들이 반드시 뉘우친 다음에 흉함이 없어지는 것이라고 여겼다. 그 괴로움을 뉘우쳐서 달콤하게 되는 것은 괜찮지만, 절제한 것을 뉘우쳐서 절제하지 않으면 그 폐단을 어떻게 해야 할까? 「본의」에서 "예는 사치하기보다는 차라리 검소한 것이 낫기 때문에 괴롭도록 절제해서 뉘우침이 있을지라도 마침내 없어질 것이다"라고 하였으니, "묶어놓은 비단이 작으니 부끄럽지만 마침내 길할 것이다"[23]와 같은 의미이다. 괴롭도록 절제한 것에 대한 뉘우침은 절제하지 못한 한탄보다는 오히려 낫다.

23) 『周易 · 賁卦』: 六五, 賁于丘園, 束帛, 戔戔, 吝, 終吉.

# ‖韓國大全‖

## 송시열(宋時烈) 『역설(易說)』

苦亦見上. 若貞固則其道窮, 其占凶. 若變其苦節, 知其不可貞而不貞焉, 則可以無悔矣. 蓋通處味甘, 塞處味苦, 塞極必通, 失甘則反爲苦矣.
'괴로움'은 또한 앞에 보인다. 가령 곧고 굳세면 그 도가 다하고 그 점이 흉하다. 만약 '괴롭도록 절제함'이 변하여 곧을 수 없음을 알아서 곧지 않다면 후회가 없을 수 있다. 통하는 곳에서는 맛이 달고 막힌 곳에서는 맛이 쓰니, 막힘이 다하면 반드시 통하고 단맛을 잃으면 도리어 쓰게 된다.

## 이익(李瀷) 『역경질서(易經疾書)』

上六節之過者, 居事外之地, 以抗高爲能, 過高則必有窒碍難行, 故與甘對擧, 以苦節爲辭, 雖貞亦凶, 象所謂不可貞也. 傳云其道窮也, 謂必有窮而難行也. 然所守則正, 故又可以悔亡.
상육은 절제가 지나친 자로 일의 밖에 있고 높아지는 것[抗高]을 능력으로 여기는데, 지나치게 높으니 반드시 막힘이 있어 행하기 어려우므로 '달콤함'과 상대하여 '괴롭도록 절제함'으로 효사를 삼았으니, 비록 곧더라도 흉하여 괘사에서 이른바 "곧을 수 없다"는 것이다. 「상전」에서 "그 도가 다하기 때문이다"고 한 것은 반드시 다함이 있어 행하기 어려움을 말한다. 그러나 지키는 바가 바르기 때문에 또 후회가 없을 수 있다.

## 유정원(柳正源) 『역해참고(易解參攷)』

上六 [至] 悔亡.
상육은 … 후회가 없을 것이다.

李氏曰, 陰性吝嗇而處上, 過於節也.
이씨가 말하였다: 음의 성질은 인색(吝嗇)한데 맨 위에 처했으니, 절제함을 지나쳤다.

○ 王氏〈湘卿〉曰, 甘節良臣也, 苦節忠臣也. 苦節, 君子不得已而得之, 若以爲常則凶矣. 然殺身成仁, 亦旡後悔.
왕상경이 말하였다: '달콤하게 절제함'은 어진 신하이고, '괴롭도록 절제함'은 충성스런 신하

이다. '괴롭도록 절제함'은 군자가 부득이하여 얻은 것인데 평상의 것이라고 여기면 흉하다. 그러나 살신성인(殺身成仁)도 후회가 없다.

○ 厚齋馮氏曰, 下三爻澤未有水, 未節者也. 上三爻有水, 受節者也. 故初之戶庭, 二之門庭, 皆不出接物, 三有不節之嗟, 四始安於節, 五甘於節, 上過中, 亦苦於節, 自戶而門以至不節, 自安而甘以至苦節, 各有序也. 初不出戶, 四則安矣, 皆以下也. 二不出門, 五則甘矣, 以中之正不正也. 三不安節, 上則苦矣, 皆以極也, 皆相比而相反.
후재풍씨가 말하였다: 아래의 세 효는 못에 아직 물이 있지 않아 절제하지 못하는 것이다. 위의 세 효는 물은 있어서 절제를 받는 것이다. 그러므로 초효의 '외짝문의 뜰'과 이효의 '양짝 문의 뜰'은 모두 벗어나서 대상을 만나지 못하여 삼효에 '절제하지 못한 한탄함'이 있고 사효는 비로소 절제를 편안하게 하며, 오효는 절제를 달콤하게 하고 상효는 알맞음을 지나쳐 또한 절제를 괴롭도록 하니, 외짝문과 양짝 문으로부터 절제하지 못하는 데에까지 이르고, 편안하고 달콤함으로부터 괴롭도록 절제함까지 이르는데 각각 차례가 있다. 초효가 외짝 문을 벗어나지 않고 사효가 편안한 것은 모두 아래이기 때문이다. 이효가 양짝 문을 벗어나지 않고 오효가 달콤한 것은 오효는 가운데가 바르고 이효는 바르지 않기 때문이다. 삼효가 편안하게 절제하지 못하고 상효가 괴로운 것은 모두 다했기 때문이니, 모두 서로 따르는 것이지만 서로 반대가 된다.

### 김상악(金相岳) 『산천역설(山天易說)』

上六, 以過極之陰, 居卦之終, 爲苦節之象, 雖得正, 窮上无援, 不免於凶也. 然與五相比, 以節其過, 故終亡其悔也.
상육은 지나치게 다한 음으로 괘의 끝에 있어 괴롭도록 절제하는 상이 되니, 비록 바름을 얻었지만 맨 위에 다하여 잡아주는 이가 없어 흉함을 면치 못한다. 그러나 오효와 서로 가까워 그 지나침을 절제하기 때문에 끝내 그 후회가 없게 된다.

○ 苦節, 見卦下. 不可貞, 戒辭也. 貞凶, 斷辭也. 悔亡, 乃避凶趨吉之辭也. 苦節, 過於節者, 故凶. 悔亡, 與大過上六曰凶无咎相似.
'괴롭도록 절제함'은 괘 아래에 보인다. '곧을 수 없음'은 경계하는 말이다. '곧더라도 흉함'은 단정하는 말이다. '후회가 없음'은 바로 흉함을 피하고 길함을 따르는 말이다. '괴롭도록 절제함'은 지나치게 절제하는 것이므로 흉하다. '후회가 없음'은 대과괘(大過卦䷛) 상육에서 "흉하나 허물이 없다"는 것과 서로 비슷하다.

### 서유신(徐有臣) 『역의의언(易義擬言)』

此亦當位者, 而特爲過中之節, 故曰苦節. 苦者, 甘之反也. 人之以爲不可貞, 而獨以爲得貞, 故曰貞凶也, 人之以爲可悔, 而獨以爲靡悔, 故曰悔亡也. 兌爲剛鹵之地, 坎爲水, 互頤有離火象, 蓋卦有煮塩之象焉. 煮塩中節, 則其味甘, 過節, 則其味苦, 苦不可食也.
이 또한 지위를 담당한 자인데 특히 알맞음을 지나친 절제가 되기 때문에 "괴롭도록 절제한다"고 했다. '괴로움'은 '달콤함'의 반대이다. 남들은 곧을 수 없다고 여기는데 홀로 곧음을 얻었다고 여기기 때문에 "곧더라도 흉하다"고 했으며, 남들은 후회할 만하다고 여기는데 홀로 후회가 아니라고 여겼기 때문에 "후회가 없을 것이다"고 했다. 태괘는 짠 땅이 되고 감괘는 물이 되며, 호괘인 이괘(頤卦)에는 리괘(☲)인 불의 상이 있으니, 대체로 괘에 소금을 굽는 상이 있다. 소금을 굽는 것이 절제에 알맞으면 그 맛이 달지만 절제를 지나치면 그 맛이 쓰니, 쓰면 먹을 수 없다.

### 박제가(朴齊家) 『주역(周易)』

中溪張氏曰, 卦言不可貞, 指此爻也.
중계장씨가 말하였다: 괘사에서 "곧을 수 없다"고 한 것은 상효를 가리킨다.

案, 六爻[24]分位, 而上爻每應彖, 所謂卒成之終者也. 文王作彖時, 爻固未分, 安知其彖之必屬第六而指之耶.
내가 살펴보았다: 여섯 효가 자리를 나누는데 상효는 매번 괘사와 호응하니, 이른바 "끝마쳐 마침을 이룬다"는 것이다. 문왕이 괘사를 지을 때엔 효가 본디 나뉘지 않았으니, 어찌 괘사가 반드시 여섯 번째 효에 속하는지를 알아서 가리켰겠는가?

### 강엄(康儼) 『주역(周易)』

上六 [止] 悔亡.
상육은 … 후회는 없을 것이다.

本義, 雖得正, 而不免於凶.
『본의』에서 말하였다: 비록 바를지라도 흉함을 면하지 못한다.

---

24) 支: 경학자료집성DB에는 '支'로 되어 있으나, 경학자료집성 영인본을 참조하여 '爻'로 바로잡았다.

按, 此貞字, 恐只當就事上說. 蓋以節儉言之, 則節儉固正也. 然過於節儉, 則爲苦節, 而不可行矣. 故曰雖得正, 而不免於凶. 或曰, 以陰居六爲得正.
내가 살펴보았다: 여기서의 '곧음[貞]'이라는 글자는 아마도 마땅히 일에 나아가 말해야 할 듯하다. 절검(節儉)으로 말하면 절검은 본래 바른 것이다. 그러나 절검이 지나치면 '괴롭도록 절제함'이 되어 행할 수 없다. 그러므로 "비록 바를지라도 흉함을 면하지 못한다"고 했다. 어떤 이는 "음으로 상육의 자리에 있어 바름을 얻은 것이 된다"고 했다.

○ 此爻之義, 如君子以禮律身, 過於嚴厲者, 亦可謂苦節, 禮勝則絶, 亦可謂凶. 然是如家人之嗃嗃, 雖厲而終吉, 故旣曰貞凶, 而又曰悔亡.
이 효의 뜻은 예컨대 군자가 예로 자신을 규율할 때에 지나치게 엄격한 것은 또한 "괴롭도록 절제한다"고 말할 만하고, 예가 지나치면 끊어지니 흉하다고 말할 만하다. 그러나 이것은 가인괘(家人卦䷤) 구삼의 '가인이 원망함'과 같으니, 비록 위태로우나 끝내 길하기 때문에 이미 "곧더라도 흉하다"고 하고, 또 "후회가 없을 것이다"고 했다.

### 이지연(李止淵) 『주역차의(周易箚疑)』

節之苦者, 於身則有凶, 而於道則无悔, 如過涉滅頂之无咎.
절제함이 괴로운 것은 자기 몸에는 흉함이 있으나 도에는 후회가 없으니, 지나치게 건너다 이마까지 빠지는 것이 허물[25]이 없는 것과 같다.

### 김기례(金箕澧) 「역요선의강목(易要選義綱目)」

卦辭所謂苦節, 不可貞, 彖辭所謂, 其道窮者.
괘사에서 이른바 "괴롭도록 절제해서는 곧을 수 없다"고 하고, 「단전」의 이른바 "그 도가 다했기 때문이다"고 한 것이다.

○ 過中而受苦. 三之不節, 不及也, 上之苦節, 過也, 過不及, 皆失節也. 程傳本義二說, 少有不同於悔亡一句.
알맞음을 지나쳐서 괴로움을 받는다. 삼효에서의 '절제하지 못함'은 미치지 못한 것이고, 상효에서의 '괴롭도록 절제함'은 지나친 것이니, 지나치거나 미치지 못한 것은 모두 절제를 잃었다. 『정전』과 『본의』의 두 설명이 '회무(悔亡)' 한 구절에서 조금 다르다.

---

25) 대과괘 상육.

贊曰, 節爲最難, 奚舍奚取. 不節則奢, 過節則苦, 可以德行, 可以度數. 亡則受和, 節宜中土.
찬미하여 말하였다: 절제가 가장 어려움이 되는데 어찌 버리고 어찌 취할까? 절제하지 못하면 사치하게 되고, 지나치게 절제하면 괴롭게 되니, 덕행(德行)을 하기도 하고 도수(度數)를 하기도 하는구나. 없어지면 조화를 받으니, 절제는 의당 중토(中土)로구나.

### 이항로(李恒老)「주역전의동이석의(周易傳義同異釋義)」

傳, 固守則凶, 悔則凶亡.
『정전』에서 말하였다: 굳게 지키면 흉하고 뉘우치면 흉함이 사라진다.

本義, 居節之極, 故爲苦節. 旣處過極, 故雖得正而不免於凶. 然禮奢寧儉, 故雖有悔, 而終得亡之也.
『본의』에서 말하였다: 절괘의 끝에 있기 때문에 괴롭도록 절제한다. 이미 지나친 끝에 있기 때문에 비록 바를지라도 흉함을 면하지 못한다. 그러나 예는 사치하기 보다는 차라리 검소한 것이 낫기 때문에 후회가 있을지라도 마침내 없어질 것이다.

按, 苦節, 已有固守之意, 又以固守訓貞, 則意疊. 悔亡, 若釋以悔則凶亡, 則少凶字, 不如從他卦之例爲順.
내가 살펴보았다: '괴롭도록 절제함'에는 이미 굳게 지키는 뜻이 있는데도 "굳게 지킨다"는 것으로 '곧음'을 설명하면 뜻이 중첩된다. '회망(悔亡)'을 만약 뉘우치면 흉함[凶]이 없는 것으로 해석한다면 '흉(凶)'자가 다른 괘의 예에서 순하게 되는 것보다는 조금 못하다.

### 심대윤(沈大允)『주역상의점법(周易象義占法)』

節之中孚䷼. 居節之極, 自信之篤, 而人亦信之. 凡人能守節, 則取信于人矣. 人之有信, 以有節也, 故符節之節, 亦名節也. 以柔居柔, 下從于五, 而受制焉. 此知節而不知用者也, 故曰苦節貞凶. 貴而益卑, 富而益儉, 才德足以濟物化俗, 而不求用身, 雖不享其利, 而畜有者甚大, 爲天下所尊信, 故曰悔亡.
절괘가 중부괘(中孚卦䷼)로 바뀌었다. 절괘의 끝에 있어 자신을 믿음이 독실하고 다른 사람도 그를 믿는다. 사람이 절개를 지킬 수 있으면 다른 사람에게서 믿음을 얻는다. 다른 사람이 나에 대한 믿음이 있는 것은 절개가 있기 때문이니, '부절(符節)'의 믿음[節]도 절(節)이라고 말한다. 부드러운 음으로 부드러운 자리에 있고 아래로 오효를 따라 절제를 받는다.

이는 절제할 줄은 알지만 쓰임을 알지 못하는 자이기 때문에 "괴롭도록 절제하니, 곧더라도 흉하다"고 했다. 귀하지만 더욱 낮추고 부유하지만 더욱 검소하며 재덕(才德)은 사물을 이루고 풍속을 교화할 수 있지만 몸에 쓰이길 구하지 않으니, 비록 그 이로움을 누리지는 못하지만 쌓아 둔 것이 매우 커서 천하 사람들이 존경하고 믿는 바가 되기 때문에 "후회가 없을 것이다"고 했다.

### 오치기(吳致箕) 「주역경전증해(周易經傳增解)」

上六, 柔雖得正, 然乘坎剛之上, 而居節之極, 故制行太甚, 而踰於常度, 執志堅固, 而不能通變, 卽犯苦節貞之戒者也. 是以爲凶之道, 而宜其有悔. 然過於節, 而能得其正, 非出於邪心, 故言雖凶而亦亡其悔也.
상육은 부드러운 음이 비록 바름을 얻었지만 감괘에서 굳센 양의 위에 타고서 절괘의 끝에 있기 때문에 행위를 절제함이 너무 심하여 상도(常度)를 뛰어넘고 뜻을 행함(잡음)이 견고하여 변통할 수 없어 곧 '괴롭도록 절제하여 곧음'의 경계에 저촉된 자이다. 그래서 흉한 도가 되어 마땅히 후회가 있다. 그러나 지나치게 절제하지만 그 바름을 얻을 수 있고 사심(邪心)에서 나오지 않았기 때문에 비록 흉하지만 또한 그 후회가 없다고 말한다.

○ 苦之義, 已見彖辭. 易中凡言, 雖凶旡咎, 雖凶悔亡之類, 聖人所以示補過之意, 深厚矣.
'괴롭다'는 뜻은 이미 괘사에 보인다. 역에서 "비록 흉하지만 허물이 없다"거나 "비록 흉하지만 후회는 없을 것이다"고 말한 부류는 성인이 허물을 보완하는 뜻이 깊고 두터움을 보인 것이다.

### 이진상(李震相) 『역학관규(易學管窺)』

上六, 苦節 [至] 道窮.
상육은 괴롭도록 절제하니 … 도가 다하기 때문이다.

苦者, 甘之反也. 以柔乘剛, 位又處窮, 故有苦節象. 坎爲心病, 節反爲困苦之義也.
'괴로움'은 '달콤함'의 반대이다. 부드러운 음으로 굳센 양을 탔고, 자리도 끝에 처했기 때문에 괴롭도록 절제하는 상이 있다. 감괘는 마음의 병이 되니, 절제함이 도리어 곤란하고 어려운 뜻이 된다.

### 박문호(朴文鎬) 「경설(經說)・주역(周易)」

悔亡, 當從本義爲正. 蓋貞凶, 以事言, 悔亡, 以心言, 如尾生之死, 其事雖凶, 其心則終无所悔耳. 但此貞字, 與卦辭貞字, 不容異同, 而本義異其釋, 恐偶失照考耳.

'후회는 없을 것이다[悔亡]'는 마땅히 『본의』를 따르는 것이 옳다. 대체로 '곧더라도 흉함[貞凶]'은 일로 말하고 "후회는 없을 것이다"라는 마음으로 말하니, 미생(尾生)의 죽음과 같은 것은 그 일이 비록 흉하지만 그 마음은 끝내 후회할 것이 없는 것이다. 다만 이 '정(貞)'자는 괘사에서의 '정(貞)'자와 다를 수 없는데 『본의』에서 그 해석을 달리 했으니, 아마도 살펴 생각한 것이 우연히 틀린 듯하다.

## 象曰, 苦節, 貞凶, 其道窮也.

정전 「상전」에서 말하였다: "괴롭도록 절제하니, 곧으면 흉함"은 그 도가 다하기 때문이다.
본의 「상전」에서 말하였다: "괴롭도록 절제하니, 곧더라도 흉함"은 그 도가 다하기 때문이다.

# 中國大全

### 傳

**節旣苦, 而貞固守之, 則凶. 蓋節之道, 至於窮極矣.**

절제하는 것이 이미 괴로운데 바르고 견고하게 지키면 흉하니, 절제하는 도가 끝에 이르렀기 때문이다.

#### 小註

涑水司馬氏曰, 節之苦也, 故於貞爲凶. 其道窮者, 謂其道不可通行於世也.
속수사마씨가 말하였다: 절제는 괴롭기 때문에 바르고 견고하게 하는 것에서는 흉하다. '그 도가 다하기 때문'이라는 것은 그 도가 세상에 통용될 수 없다는 것을 말한다.

○ 或問, 觀節六爻, 上三爻在險中, 是處節者也. 故四在險初, 而節則亨, 五在險中, 而節則甘, 上在險終, 雖苦而无悔. 蓋節之時當然也. 下三爻在險外, 是未至於節, 而預知所節之義. 初知通塞, 故无咎, 二可行而反節, 三見險在前當節, 而又以陰居剛, 不中正而不能節, 所以三爻凶而有咎. 不知是如此否. 朱子曰, 恁地說也說得. 然九二一爻看來甚好, 而反云凶, 終是解不穩.
어떤 이가 물었다: 절괘(節卦䷻)의 여섯 효를 보면 위의 세 효는 험한 것 가운데 있으니, 절제로 처신해야 하는 것들입니다. 그러므로 사효는 험한 초기여서 절제하면 형통하고, 오효는 험한 가운데 있어 절제하면 달콤하며, 상효는 험한 끝에 있어 괴롭지만 후회가 없습니다. 절제의 때에 당연한 것입니다. 아래의 세 효는 험한 것 밖에 있으니, 아직 절제하지는 않지만 절제하는 의리를 미리 압니다. 초효는 통함과 막힘을 알기 때문에 허물이 없고, 이효는 갔다가 돌아왔으니 절제하며, 삼효는 험함이 앞에 있으니 절제해야 하는데, 또 음으로

굳센 자리에 있고 중정하지 않아 절제할 수 없기 때문에 삼효는 흉하고 허물이 있습니다. 모르겠습니다만 그런 것입니까?
주자가 답하였다: 그렇게 설명할 수 있습니다. 그러나 구이라는 하나의 효는 보기에 아주 좋은데 도리어 "흉하다"고 했으니 끝내 해석이 꺼림칙합니다.

○ 建安丘氏曰, 節六爻, 大率以當位爲善, 不當位爲不善. 初九六四九五, 當位者也, 故五吉四亨初无咎. 九二六三, 不當位者也, 故二凶而三嗟. 上雖當位而亦凶者, 則以其當節之極, 居上之窮, 故其取義, 又不同也. 若以兩爻相比者觀之, 則爻各相比而相反. 初與二比, 初不出戶庭, 則无咎, 二不出門庭, 則凶. 二反乎初者也. 三與四比, 四柔得正, 則爲安節, 三柔不正, 則爲不節. 三反乎四者也. 五與上比, 五得中, 則爲節之甘, 上過中則爲節之苦. 上反乎五者也. 聖人於爻義用意之精如此.
건안구씨가 말하였다: 절괘의 여섯 효는 대개 자리에 합당한 것을 좋게, 합당하지 않은 것을 좋지 않게 여겼다. 초구 · 육사 · 구오는 자리에 합당하기 때문에 오효는 길하고 사효는 형통하며 초효는 허물이 없다. 구이 · 육삼은 자리에 합당하지 않기 때문에 이효는 흉하고 삼효는 한탄한다. 상효는 자리에 합당하지만 흉한 것은 절제의 끝에 해당하고 상괘의 끝에 있기 때문에 의미를 취한 것이 또 같지 않기 때문이다. 두 효가 서로 가까운 것으로 보면, 효가 각기 서로 가까운데도 상반된다. 초효와 이효가 가까운데, 초효는 외짝문의 뜰을 벗어나지 않으니 허물이 없고, 이효는 양짝문의 뜰을 벗어나지 않으니 흉하다. 그러니 이효는 초효와 상반된다. 삼효와 사효가 가까운데, 유순한 사효는 제자리를 얻어 편안하게 절제하는 것이고, 유순한 삼효는 제자리가 아니니 절제하지 않은 것이 된다. 그러니 삼효는 사효와 상반된다. 오효가 상효가 가까운데, 오효는 가운데 자리를 얻었으니, 절제의 달콤함이고, 상효는 가운데를 지나쳤으니 절제의 고통이다. 그러니 상효는 오효와 상반된다. 성인이 효의 의미에 대해 이처럼 정성스럽게 마음을 썼다.

## 韓國大全

### 김상악(金相岳) 『산천역설(山天易說)』

九五剛中, 爲節之主. 而四在下, 則曰承上道也, 六居上, 則曰其道窮也. 如復六四與初爲應曰, 以從道也, 上六與初相遠曰, 反君道也.

구오는 굳세고 알맞아 절괘의 주인이 된다. 그런데 사효는 아래에 있으니 "위의 도를 받들기 때문이다"고 했고, 상효는 맨 위에 있으니 "그 도가 다했기 때문이다"고 했다. 이것은 복괘(復卦䷗) 육사는 초효와 호응이 되어 "도를 따랐기 때문이다"라고 하고, 상육은 초효와 서로 멀어 "임금의 도를 위반했기 때문이다"라고 한 것과 같다.

### 서유신(徐有臣) 『역의의언(易義擬言)』

窮而不通也.
다하여 통하지 않는다.

### 심대윤(沈大允) 『주역상의점법(周易象義占法)』

節之時, 初无有而節也, 二微有而益節也. 夫有畜而能節, 則乃可以致大. 然求富者, 期爲陶朱而後用, 修道者, 期爲孔子而後行, 則或无行用之日矣. 故象曰失時極也. 是以君子節而不失時, 行焉用焉, 而節在其中矣, 時可以節則節, 時可以用則用. 然多節而寡用焉已矣. 六三畜有者, 旣富而需用時, 可以用, 則不得已而用也. 四節而能用, 自養而有施也. 五節用而得中, 厚養而博施也. 上六畜有之極, 前所期願者有信, 而不能享也. 九二艱苦之效, 著于九五, 而失時之凶, 驗于上六矣.
절제하는 때이니, 초효는 가지고 있는 것이 없어 절제하고, 이효는 조금 가지고 있지만 더욱 절제한다. 쌓은 것이 있는데도 절제할 수 있으면 바로 크게 이룰 수 있다. 그러나 부유함을 구하는 자가 도주(陶朱)[26]가 되기를 기약한 뒤에 쓰고 도를 닦는 자가 공자가 되기를 기약한 뒤에 행하려 한다면 혹 쓰고 행하는 날이 없을 것이다. 그러므로 구이 「상전」에서 "때를 잃음이 심하다"고 했다. 이 때문에 군자는 절제하지만 때를 잃지 않고 행하고 쓰지만 절제함이 그 안에 있으니, 절제해야 할 때이면 절제하고 써야할 때이면 쓴다. 그러나 절제함이 많고 씀이 적을 뿐이다. 육삼은 쌓아 가지고 있는 자여서 이미 부유하여 쓰임을 필요로 할 때에 쓸 수 있으면 부득이하게 쓰는 것이다. 사효는 절제하지만 쓸 수 있어서 자신을 기르고 베풂이 있다. 오효는 쓰임을 절제하여 알맞음을 얻고, 기름을 두텁게 하여 베풂을 넓게 한다. 상육은 쌓아 가지고 있는 것이 다하여 이전에 기약한 것에 신의는 얻었지만 누릴 수는 없다. 구이의 어렵고 힘든 효험은 구오에서 드러나고 때를 잃은 흉함은 상육에서 증험된다.

---

26) 도주(陶朱): 월(越)나라 왕 구천(勾踐)을 도와 오나라를 멸망킨 일등공신 범려를 말한다. 범려는 구천의 곁을 떠난 뒤 이름을 도주공(陶朱公)이라 바꾸고 대부호가 되었다.

**오치기(吳致箕)「주역경전증해(周易經傳增解)」**

其道窮, 與彖傳同義, 言節之窮極也.
"그 도가 다하기 때문이다"는 「단전」과 뜻이 같으니, 절제가 극도에 다다랐음을 말한다.

**이병헌(李炳憲)『역경금문고통론(易經今文考通論)』**

坎上多窮, 故苦而凶, 貞故悔亡.
감괘의 상효는 궁핍함이 많으므로 괴롭고 흉한데, 곧기 때문에 후회가 없다.

荀曰, 无應於下, 故其道窮也.
순상이 말하였다: 아래에서 호응함이 없기 때문에 그 도가 다한다.

# 61

# 중부괘

## 中孚卦䷼

# 中國大全

傳

**中孚, 序卦, 節而信之, 故受之以中孚. 節者, 爲之制節, 使不得過越也. 信而後能行, 上能信守之, 下則信從之. 節而信之也, 中孚所以次節也. 爲卦澤上有風, 風行澤上而感于水中, 爲中孚之象. 感謂感而動也. 內外皆實而中虛, 爲中孚之象, 又二五皆陽, 中實, 亦爲孚義. 在二體則中實, 在全體則中虛, 中虛, 信之本, 中實, 信之質.**

중부괘(中孚卦䷼)는 「서괘전」에서 "절제하여 믿게 하므로 중부괘로 받았다"라고 한다. 절(節)이란 절제하여 넘치지 않도록 하는 것이다. 믿은 이후에 행할 수 있으니, 윗사람이 믿어서 지킬 수 있고 아랫사람이 믿어서 따른다. 절제하여 믿게 하니 중부괘가 절괘 다음에 있는 까닭이다. 괘의 모양은 연못 위에 바람이 있으니, 바람이 연못 위로 불어 물속으로 감동하게 하는 것이 중부(中孚)의 상이다. '감동[感]'은 느껴서 움직이는 것이다. 안팎이 모두 충실하고 가운데가 비어서 '속이 미더운[中孚]' 상이 된다. 또한 이효와 오효가 모두 양이어서 가운데가 충실하니 역시 '미더운[孚]' 뜻이 된다. 두 몸체로는 가운데가 충실하고 전체로는 가운데가 비었는데, 속[가운데]이 빈 것은 미더움의 근본이고, 속[가운데]이 충실한 것은 미더움의 실질이다.

小註

或問, 中虛信之本, 中實信之質, 如何. 朱子曰, 只看中虛中實字, 便見本質之異. 中虛是无事時虛而无物, 故曰中虛. 若有物, 則不謂之中虛. 自中虛中發出來, 皆是實理, 所以曰中實.

어떤 이가 물었다: 『정전』에서 '속이 빈 것[中虛]은 미더움의 근본이고, 속이 충실한 것[中實]은 미더움의 실질'이라고 하였는데, 어떻습니까?

주자가 말하였다: 단지 속이 비고[虛] 속이 충실하다[實]는 글자만 가지고 본다면 '근본[本]'과 '실질[質]'의 다름을 알 수 있습니다. 속이 빈 것은 일이 없을 때 비어서 아무것도 없으므로 '속이 비었다'고 하였습니다. 무엇인가 있다면 속이 비었다고 할 수 없습니다. 속이 빈 것으로부터 발현해 나오면 모두 실리이기 때문에 '속이 충실하다'고 하였습니다.

○ 一念之間, 中无私主, 便謂之虛, 事皆不妄, 便謂之實, 不是兩件事.

한 생각 사이에 속에 사사롭게 주관하는 것이 없으면 '비었다'고 하고, 일에 모두 거짓됨이 없으면 '충실하다'고 하니, 두 가지 일이 아니다.

又曰, 敬則內欲不萌, 外誘不入. 自其內欲不萌而言則曰虛, 自其外誘不入而言, 故曰實. 只是一時事, 不可作兩截看.
또 말하였다: 공경스럽게 하면 안에서 욕심이 싹트지 않고 밖에서 유혹이 들어오지 못한다. 안에서 욕심이 싹트지 않은 것으로 말하면 '비었다'고 하고, 밖에서 유혹이 들어가지 못한 것으로 말하기 때문에 '충실하다'고 하는데, 동시의 일일뿐이니 둘로 나누어 볼 수 없다.

○ 潛室陳氏曰, 中實爲孚, 謂實理充乎其內, 而外邪不得入之, 此中孚之體. 中虛爲孚, 謂外邪旣不得入, 故中唯有虛明道理, 此中孚之用.
잠실진씨가 말하였다: 속이 충실하여 미더운 것은 실리가 그 안에 가득 차서 밖에서 그릇된 것이 들어갈 수 없음을 말하니, 이것이 '중부'의 체(體)이다. 속이 비어서 미더운 것은 밖의 삿됨이 이미 들어갈 수 없기 때문에 가운데에 비어서 밝은 도리만 있는 것을 말하니, 이는 중부의 용(用)이다.

## 韓國大全

### 권만(權萬) 「역설(易說)」[1]

中孚, 長女少女之卦, 兩女相會, 无孚感之象. 然巽風也, 字書牝牡相求, 謂之風, 則巽實兼牝牡之義. 又上風下澤, 風起澤動有相盪之象. 以成卦觀之, 則上下四陽之間, 抱得二陰, 爲中虛之象, 譬如鳥卵殼堅而裏虛, 故曰中孚. 說文曰, 孚, 卵孚也, 從爪從子, 鳥抱垣以爪, 反覆其卵. 又曰, 鳥之乳卵, 皆如其期不失信也. 中孚得名, 蓋以此也. 伏卵者, 皆雌鳥, 故二女卦爲中孚.
중부괘(中孚卦☴☱)는 맏딸과 막내딸의 괘로 두 딸이 서로 모임에 미더움과 감동이 없는 상이다. 그러나 손괘(巽卦☴)의 바람으로 사전에서 암컷과 수컷이 서로 찾는 것을 바람이라고 하였으니, 그 괘는 실로 암컷과 수컷의 의미를 겸한다. 또 위가 바람이고 아래가 못이면 바람이 일어나고 못이 움직여 서로 흔드는 상이 있다. 대성괘로 보면 상하의 네 양 사이에

1) 경학자료집성DB에서는 「단전」으로 분류했으나, 내용에 따라 이 자리로 옮겼다.

두 음을 껴안아 속이 비어 있는 상이 된다. 비유하자면 새의 알은 껍질이 단단하지만 속이 비어 있는 것과 같기 때문에 중부(中孚)라고 하였다. 『설문해자』에서 "'미더울 부[孚]'는 알이 미더운 것으로 '발톱 조(爪)'와 '아들 자(子)'에서 왔으니, 새가 발톱으로 껴안고 둘러싸서 그 알을 이리저리 굴리는 것이다"라고 하였고, 또 "새가 알을 낳음에 모두 그 기일대로 하여 믿음을 잃지 않는다"라고 하였다. 중부(中孚)로 이름붙일 수 있는 것은 이 때문이다. 알을 품는 것은 모두 암컷이기 때문에 두 여자의 괘가 중부이다.

○ 嘗考乳字, 人及鳥生子, 曰乳, 從孚從乙. 乙者, 玄鳥, 明堂月令, 玄鳥至之日, 祀于高媒以請子, 故乳從乙. 又曰, 乳者, 化之信也, 故從孚.
일찍이 '젖 유[乳]'자를 상고해보니, 사람과 새가 새끼를 낳는 것인데, 유(乳)라고 하니 '미쁠 부(孚)'자와 '새 을(乙)'자에 온 것이다. 을(乙)은 제비[玄鳥]로 『명당월령』에 '제비가 오는 날 고매(高媒)에 제사를 지내 자식을 빈다'고 했기 때문에 "유(乳)자가 을(乙)자에서 왔다"고 했다. 또 유(乳)라고 한 것은 교화의 믿음이기 때문에 '믿을 부(孚)'에서 왔다.

○ 又巽爲五, 兌爲二, 二五之數合而爲中孚, 亦有陰陽相合之象. 以先天位言之, 則兌居東南陽位, 巽居西南陰位, 以後天言之, 則巽居東南陽位, 兌居西南陰位, 亦有陰陽合體之象.
또 손괘는 5이고 태괘는 2이니, 2·5의 숫자가 합해서 중부괘가 된 것에도 음양이 서로 합하는 상이 있다. 선천괘의 자리로 말하면 태괘는 동남쪽 양의 자리에 있고, 손괘는 서남쪽 음의 자리에 있으며, 후천괘로 말하면 손괘는 동남쪽 양의 자리에 있고, 태괘는 서남쪽 음의 자리에 있는 것에도 음양이 몸체를 합한 상이 있다.

### 이만부(李萬敷) 「역통(易統)·역대상편람(易大象便覽)·잡서변(雜書辨)」

䷼外實中虛, 孚信之象
밖이 충실하고 가운데가 빈 것이 믿음의 상이다.

澤上有風, 風行澤上, 而感于水中. 二陰在內, 四陽在外, 而二五之陽, 皆得其中. 以一卦言之, 爲中虛, 以二體言之, 爲中實, 皆孚信之象, 故爲中孚, 孚, 信也.
못 위에 바람이 있음은 바람이 못 위로 불어 물속에 감동을 준 것이다. 두 음이 속에 있고 네 양이 밖에 있는데, 이효와 오효의 양이 모두 알맞음을 얻었다. 하나의 괘로 말하면 속이 빈 것이고, 두 몸체로 말하면 속이 충실한 것으로 모두 미더움의 상이기 때문에 중부(中孚)이다. 부(孚)는 믿음이다.

## 윤동규(尹東奎) 『경설(經說)-역(易)』

序卦傳下小註, 朱子所謂, 內欲外誘虛實等語, 據朱子本書答廖子晦, 與之論敬之言也. 本書上文亦有中虛中實之論. 故今收入大全者, 并與看作一義, 而同爲載錄, 大全之不能考詳, 據此一端可知.
「서괘전」 아래 소주의 주자가 말한 '안에서 욕심 · 밖에서 유혹 · 비어 있음 · 충실함' 등의 말은 『주자대전』의 요자회(廖子晦)에게 답하면서 그와 경(敬)을 논한 말에 근거한다. 『주자대전』의 글에도 속이 비고 속이 충실한 것에 대한 논의가 있다. 그러므로 이제 『주역전의대전』에 넣은 것은 아울러 함께 하나의 의미로 보고 동일하게 실어놨으니, 『주역전의대전』에서 상고할 수 없는 것은 여기에 근거하면 알 수 있다.

김상악(金相岳) 『산천역설(山天易說)』
䷼序卦節以信之, 故受之以中孚.
「서괘전」에서 "절제하여 믿게 하므로 중부괘로 받았다"라고 하였다.

○ 孚信也. 爲卦二陰在內, 四陽在外, 而二五之陽, 皆得其中. 以一卦言爲中虛, 以二體言爲中實, 皆孚之象也. 易皆從中起, 故焦氏卦氣以中孚爲冬至, 揚子太玄以中首擬中孚, 而邵子以爲見天地之心.
부(孚)는 믿음이다. 괘의 모양은 두 음이 안에 있고 네 양이 밖에 있는데, 이효와 오효의 양이 모두 알맞음을 얻은 것이다. 하나의 괘로 말하면 속이 빈 것이고, 두 몸체로 말하면 속이 충실한 것으로 모두 미더움의 상이다. 『역』은 모두 알맞음에서 나오므로 초씨(焦氏)는 「괘기설(卦氣說)」에서 중부를 동지로 여겼고, 양자(揚子)는 『태현경』에서 알맞은 머리를 중부에 비교했으며, 소자(邵子)는 천지의 마음을 보는 것으로 여겼다.

## 서유신(徐有臣) 『역의의언(易義擬言)』

中孚曰, 豚魚.
중부괘(中孚卦䷼)에서 말하였다: 돼지와 물고기까지.
卦中虛有圈柵陂池之象, 圈中之豚陂中之魚.
괘 가운데가 비어 울과 못의 상이 있으니, 울 속의 돼지와 못 속의 물고기이다.

涉大川.
큰 내를 건너는 것이.

両澤相合爲大川. 巽木載於澤上, 而風行焉涉川之象. 兩巽木相合而中虞爲舟象, 故彖曰乘木舟虛也.
두 못이 서로 합한 것이 큰 내이다. 손괘(巽卦☴)의 나무를 못 위에 띄우고 바람이 불어서 내[川]를 건너는 상이다. 두 손괘의 나무가 서로 합해 속으로 배가 되는지 헤아리는 상이기 때문에 「단전」에서 "나무에 오름에 배가 비었기 때문이다"라고 하였다.

初九曰, 虞吉.
초구에서 말하였다: 헤아리면 길하니.
兌爲澤, 互艮爲山, 有虞人象也.
태괘(兌卦☱)가 못이고 호괘 간괘(艮卦☶)가 산이어서 우인(虞人)의 상이 있기 때문이다.

九二曰, 鳴鶴.
구이에서 말하였다: 우는 학이.
白鳥巽象, 反巽亦鶴也, 両巽相合, 上下風相應之象, 両兌相合, 両口和鳴之象. 在陰九二也, 其子三四也. 好爵九五之鶴爲好鳥也, 靡之從風而靡.
백조가 손괘의 상이고, 거꾸로 된 손괘도 학인데, 두 손괘가 서로 합해 위아래로 바람이 서로 호응하는 상이고, 두 태괘가 서로 합해 두 입이 화합하여 우는 상이기 때문이다. 그늘에 있는 것은 구이이고, 그 자식들은 삼효와 사효이다. 벼슬을 좋아하는 구오의 학은 좋은 새이니, 그에게 휩쓸리고 바람을 따라 휩쓸린다.

六三曰或鼓.
육삼에서 말하였다: 북을 울렸다가.
互震鼓動, 或罷, 互艮罷止, 或泣, 疊畫離爲目也, 或歌, 兌爲口也.
호괘 진괘(震卦☳)가 북을 치며 움직이기 때문이고, "그만 두었다가"라고 한 것은 호괘 간괘가 그만두어 그치기 때문이며, "울었다가"라고 한 것은 획을 겹친 리괘(離卦䷝)가 눈이기 때문이고, "노래했다가"라고 한 것은 태괘가 입이기 때문이다.

六四曰, 幾望.
육사에서 말하였다: 달이 거의 보름이니.
兌爲月上弦象. 馬匹三四互震爲馬匹也.
태괘가 상현달의 상이기 때문이다. '말의 짝'은 삼효와 사효의 호괘 진괘가 말의 짝이기 때문이다.

九五曰, 攣如.
구오에서 말하였다: 잡아당기듯 하니.
互艮兩手相握之象, 又有兩瓜抱卵之象.
호괘 간괘가 두 손으로 서로 쥐는 상인데다가 두 발톱으로 알을 껴안은 상이기 때문이다.

上九曰, 翰音.
상구에서 말하였다: 날아가는 소리가.
巽爲雞也. 登于天, 上九也, 虛聲外颺之象也.
상구에서 "날아가는 소리"라고 한 것은 손괘가 닭이기 때문이다. '하늘로 올라간 것'은 상구로 헛된 소문이 밖으로 퍼지는 상이기 때문이다.

## 심대윤(沈大允)『주역상의점법(周易象義占法)』

中孚, 澤上有風, 虛而動, 風巽而入. 長女在上, 巽以感通之, 少女在下, 悅以虛受之. 巽爲感通, 兌爲感悅, 中孚之象也. 凡中實, 則言難入爲疑惑, 中虛, 則言易入而爲孚信.
중부괘(中孚卦䷼)는 못 위에 바람이 있고 비어 있으면서 움직이니, 바람이 유순하게 되어 들어온다. 맏딸이 위에 있어 순종으로 감동시켜 통하고, 막내딸이 아래에 있어 기쁨으로 비워서 받아들인다. 손괘(巽卦☴)는 감동시켜 통하고 태괘(兌卦☱)는 감동하여 기뻐하는 것이 중부의 상이다. 안으로 충실한 것은 말이 들어와 의혹이 되기 어려운 것이고, 속이 빈 것은 말이 들어와 믿음이 되기 쉬운 것이다.

中孚全卦爲離. 二五剛中爲誠實. 中虛則入而爲信, 中實則出而爲誠. 中剛包中虛者, 無有誠信也. 巽爲德爲行艮爲言. 巽艮在震兌之上, 能感悅遷動焉. 君子之言行善則入, 悅而信之從而化之也. 上巽下說, 說而巽, 中孚之道也. 互卦爲頤, 頤養之漸成也.
중부괘는 전체 괘의 모양이 리괘이다. 이효와 오효는 굳셈이 가운데 있어 성실한 것이다. 가운데가 빈 것은 들어와서 미더운 것이고, 가운데가 차 있는 것은 나가서 성실한 것이다. 가운데의 굳셈이 가운데의 비어있음을 감싸 안고 있는 것은 성실함과 믿음이 없다. 손괘는 덕이고 행실이며, 간괘(艮卦☶)는 말이다. 손괘와 간괘가 진괘와 태괘의 위에 있어 감동시키고 기쁘게 하여 옮겨 움직이게 할 수 있다. 군자의 언행이 선하면 들어오니, 기뻐하면서 믿고 따르면서 교화된다. 위에서 공손하고 아래에서 기뻐하니, 기쁘면서 공손한 것이 중부의 도이다. 호괘가 이괘(頤卦䷚)이니, 이괘는 기르는 것이 차츰 이루어지는 것이다.

### 이용구(李容九) 「역주해선(易註解選)」

鄭氏曰, 仁及草木, 言草木難仁也, 誠動金石, 言金石難誠也, 信及豚魚, 言豚魚難信也. 天則眞, 人則情, 聖人與天地同德任眞.
정씨가 말하였다: "어짊이 초목에까지 미친다"는 것은 초목에게 어질게 하기 어렵다는 말이고, "정성이 금석까지 감동시킨다"는 것은 금석을 정성으로 감동시키기 어렵다는 말이며, "믿음이 돼지와 물고기에까지 미친다"는 것은 돼지와 물고기를 믿게 하기 어렵다는 말이다. 하늘은 참되고 사람은 감정대로 하는데, 성인은 천지와 덕을 함께하여 참됨에 맡겨 놓는다.

○ 楊氏曰, 好生洽民, 舜之中孚也. 聖人中萬心一心矣.
양씨가 말하였다: 살리기를 좋아하고 백성을 윤택하게 하는 것이 순임금의 중부이다. 성인의 중부는 만민의 마음이 한 마음인 것이다.

## 中孚, 豚魚, 吉, 利涉大川, 利貞.

중부(中孚)는 돼지와 물고기까지 하면 길하니, 큰 내를 건너는 것이 이롭고, 곧게 함이 이롭다.

### 中國大全

**傳**

豚躁魚冥, 物之難感者也. 孚信能感於豚魚, 則无不至矣, 所以吉也. 忠信, 可以蹈水火, 況涉川乎. 守信之道, 在乎堅正, 故利於貞也.

돼지는 조급하고 물고기는 어리석어 사물 가운데 감동시키기 어렵다. 미더움이 돼지와 물고기를 감동시킬 수 있으면, 이르지 못하는 데가 없기 때문에 길하다. 진실되고 미더우면 물·불을 밟을 수 있는데, 하물며 내를 건너는 일쯤이랴? 미더움을 지키는 도는 바름을 굳게 하는 데 있으므로 곧게 함이 이롭다.

**本義**

孚, 信也. 爲卦, 二陰在內, 四陽在外, 而二五之陽, 皆得其中. 以一卦言之, 爲中虛, 以二體言之, 爲中實, 皆孚信之象也. 又下說以應上, 上巽以順下, 亦爲孚義. 豚魚, 无知之物. 又木在澤上, 外實內虛, 皆舟楫之象. 至信, 可感豚魚, 涉險難而不可以失其貞. 故占者, 能致豚魚之應, 則吉而利涉大川, 又必利於貞也.

'부(孚)'는 미더움이다. 괘의 모양은 두 음이 안쪽에 있고 네 양이 바깥쪽에 있어 이효와 오효의 양이 모두 그 가운데를 얻었다. 한 괘로 말하면 가운데가 비었고, 두 몸체로 말하면 가운데가 충실하니, 모두 미더움의 상이다. 또 아랫사람은 기쁨으로 위와 호응하고, 윗사람은 공손하게 아래를 따르니 역시 미더움의 뜻이다. 돼지와 물고기는 무지한 동물이다. 또 나무가 연못 위에 있어 밖으로 충실하고 안으로 비었으니, 모두 배의 상이다. 지극한 미더움은 돼지와 물고기를 감동시킬 수 있음에 험난함을 건너면서 그 곧음을 잃어서는 안된다. 그러므로 점치는 자가 돼지와 물고기의 감응을 이룰 수 있다면 길한데, 큰 내를 건넘이 이로운 것은 또한 반드시 곧게 함에 이로운 것이다.

**小註**

或問, 孚字與信字, 恐亦有別. 朱子曰, 伊川云, 存於中爲孚, 見於事爲信, 說得極好. 因擧字說孚字, 從爪從子, 如鳥抱子之象. 今之乳字, 也一邉從孚, 蓋中所抱者, 實有物也, 中間實有物, 所以人自信之.
어떤 이가 물었다: '부(孚)'자와 '신(信)'자는 또한 구별이 있는 듯 합니다.
주자가 답하였다: 이천이 "마음에 있는 것이 '부(孚)'이고, 일로 드러난 것이 '신(信)'이다"라고 하였으니, 이 말이 아주 좋습니다. 글자로 '부(孚)'자를 설명한다면, 발톱[爪]과 자식[子]으로 이루어져 있으니 새가 새끼를 품고 있는 것과 같은 상입니다. 이제 젖 먹인다는 유(乳)자도 한편에 부(孚)자가 있으니, 대체로 마음에 품고 있는 것은 실제로 사물로 있기 때문입니다. 마음에 실제로 사물이 있기 때문에 사람들이 스스로 믿습니다.

○ 鄭東卿說易, 亦有好處, 如說中孚有卵之象, 小過有飛鳥之象. 孚字, 從爪從子, 如鳥以爪抱卵也. 蓋中孚之象, 以卦言之, 四陽居外, 二陰居內, 外實中虛, 有卵之象. 又言鼎象鼎形, 革象風爐, 亦是此義, 此等處說得有些意思. 但易一書, 盡欲如此牽合附會, 少間便疏脫, 學者須是先理會得正當道理了, 然後, 於此等些小零碎處, 收拾以相資益, 不爲无補. 若未得正路脈, 先去理會這様處, 便疏略.
정동경이 『주역』을 설명함에도 좋은 곳이 있으니, 이를테면 중부괘(中孚卦䷼)에는 알의 상이 있고, 소과괘(小過卦䷽)에는 나는 새의 상이 있다고 하는 것이다. '부(孚)'자는 발톱[爪]과 자식[子]으로 이루어져 있으니 새가 발톱으로 알을 안고 있는 것이다. 대체로 중부의 상은 괘로 말하면, 네 양이 바깥쪽에 있고 두 음이 안쪽에 있어서 밖은 충실하고 속은 비었으니 알이 있는 상이다. 또 정괘(鼎卦䷱)는 솥의 모양을 본뜨고, 혁괘(革卦䷰)는 풍로를 본떴다고 한 것도 이런 뜻이니, 이러한 곳에는 이러한 뜻이 있다고 말한 것이다. 다만 『주역』이라는 책을 모두 이처럼 견강부회를 한다면, 점점 어긋나고 말 것이니, 공부하는 자가 반드시 먼저 정당한 도리로 이해하고, 그런 뒤 이러한 미세한 곳에서 거두어들여 유익함을 돕는다면 도움이 없지는 않을 것이다. 만약 바른 길과 맥락을 알지 못하고 이러한 곳을 이해하려 한다면 거칠어지게 된다.

○ 豚魚吉, 這卦中, 也須見得有豚魚之象. 今不可考, 占法則莫須是見豚魚則吉. 如鳥, 占之意象, 若十分理會著, 便須穿鑿.
'돼지와 물고기까지 하면 길하다'는 것은 이 괘 가운데 반드시 돼지와 물고기의 상을 볼 수 있어야 한다. 그런데 이제 고증할 수가 없는 것은 점법에 반드시 돼지와 물고기에게 드러내면 길하다는 것은 아니다. 새의 경우에도 점의 뜻과 상을 끝까지 이해하려고 한다면 천착하게 될 것이다.

○ 雲峯胡氏曰, 程子云, 中虛信之本, 中實信之質. 實所以爲信, 虛所以受信也. 心者神明之舍, 舍不虛, 神明何所居. 譬之羽虫之孚, 剛殼於外, 其質雖實, 溫柔於內, 其氣則虛. 雌伏呼啄, 不違其自然之期, 信之最可必者也. 或以豚魚爲江豚, 生大澤中, 每作知風之至, 是物之有自然之信. 本義, 不取, 蓋以爲江豚, 則信在豚魚, 不在我. 以豚魚爲无知之物, 而信足以及之, 則信在我, 而自能及物, 於義爲長. 下說以應上, 下信上也. 上巽以順下, 上信下也. 豚魚至愚无知, 惟信足以感之. 大川, 至險不測, 惟信足以濟之. 然信而或失其正, 則如盜賊相群, 男女相私, 士夫死黨, 小人出肺肝相示, 而遂背之, 其爲孚也, 人爲之僞, 非天理之正也. 故又戒之以利貞.
운봉호씨가 말하였다: 정자가 말하길 '속이 빈 것은 미더움의 근본이고, 속이 충실한 것은 미더움의 실질이다'라 하였다. 충실하므로 믿고, 비었으므로 믿음을 받는다. 마음은 신명의 집이니, 집이 텅 비지 않으면 신명이 어떻게 머물겠는가? 새가 알을 깨는 것에 비유하자면, 밖으로 굳세게 둘러싸고 있어 그 실질이 비록 충실하게 차 있을지라도 속으로는 온유하여 그 기운은 비어있다. 암컷이 품고 부르고 쪼아주어 저절로 그렇게 되어 있는 기약을 어기지 않는 것이 미더움 가운데 가장 틀림없는 것이다. 어떤 이는 '돼지와 물고기[豚魚]'를 강돈(江豚)[2]라고 보는데, 큰 못에 살면서 매번 바람이 이르는 것을 알게 되니, 동물에게 저절로 그렇게 되는 믿음이 있는 것이다. 『본의』에서는 취하지 않았는데, 대체로 강돈(江豚)으로 보면 미더움이 돼지와 물고기에 있고 내게 있지 않은 것이다. 돼지와 물고기는 무지한 동물인데 미더움이 그것들에게 미쳤다면, 미더움이 내게 있어 스스로 사물에 미칠 수 있는 것이니, 의미상 더 낫다. 아래에서 기쁘게 위와 호응함은 아래에서 위를 믿는 것이다. 위에서 공손하게 아래를 따름은 위가 아래를 믿는 것이다. 돼지와 물고기는 지극히 어리석고 무지하니 믿음으로만 그것을 감동시킬 수 있다. '큰 내'는 지극히 험하고 측량할 수 없으니 믿음으로만 건널 수 있다. 그러나 믿더라도 혹 그 바름을 잃는다면 강도가 서로 떼를 짓고, 남녀가 서로 사통하며, 사대부가 죽을 각오로 무리 지으며, 소인이 간과 쓸개를 내어 서로 보여주는 것과 같아서 마침내 배반하고 말 것이니, 그 미더움에 사람이 인위적으로 하는 것은 천리의 바름이 아니다. 그러므로 또한 곧게 함이 이롭다고 경계하였다.

---

2) 『삼재도회(三才圖會) · 조수(鳥獸)』의 설명을 참고하면, 강돈(江豚)은 돌고래로 보인다. 이 때 강돈은 무지몽매한 동물이 아니라, 바람의 방향을 아는 미더운 능력을 지닌 동물이 된다. 『삼재도회』에서는 강돈은 '코에서 소리를 내고 머리위에 구멍이 있어서 물을 위로 쏘아 올리며, 물결 속에서 바람의 방향을 알고, 비늘이 없는 흑색 동물'이라고 하였다.

# 韓國大全

## 송시열(宋時烈) 『역설(易說)』

中女相孚, 曰中孚. 二五相孚, 大離錯坎爲孚. 豚[3]以坎言, 魚以巽[4]言. 吉者, 以二五之孚也. 利涉者, 亦二五之剛也. 木川, 錯坎也. 大離中虛, 巽[5]木在上, 中虛之木爲舟象孚, 故其道利於貞固也.
가운데 딸이 서로 믿는 것을 가운데가 미덥다고 한다. 이효와 오효가 서로 미덥고 큰 리괘[大離☲]의 음양이 바뀐 감괘(坎卦☵)가 미더움이다. 돼지는 감괘로 말했고 물고기는 손괘로 말하였다. '길하다'는 것은 이효와 오효가 서로 미더운 것이다. '내를 건너는 것'은 이효와 오효가 굳세기 때문이다. '큰 내'는 음양이 바뀐 감괘이다. 큰 리괘[大離☲]의 속이 비었고, 손괘의 나무가 위에 있어 속이 빈 나무가 배로 미더움을 상징하기 때문에 그 도는 정고한 것이 이롭다.

## 강석경(姜碩慶) 「역의문답(易疑問答)」

問, 中孚豚魚作一句看之義, 可得聞乎. 曰, 中謂心也, 孚謂信也. 中孚豚魚, 謂中孚于豚魚則吉也. 蓋豚魚無知之物也, 不可以聲音笑貌接而有所感也. 惟中有盈缶之信, 有所潛契默孚, 則物無不感而事無不吉矣.
물었다: "중부(中孚)는 돼지와 물고기까지 하면"을 하나의 구절로 본 의미에 대해 말씀해 주시겠습니까?
답하였다: 중(中)은 마음을 말하고, 부(孚)는 믿음을 말합니다. "중부는 돼지와 물고기까지 하면"은 마음으로 돼지와 물고기까지 믿으면 길하다는 것을 말합니다. 돼지와 물고기는 무지한 동물이어서 소리와 웃는 낯으로 마주해서 감동시킬 수는 없습니다. 오직 마음으로 질그릇을 채우는 믿음이 있고 깊이 맺어져 묵묵히 믿는 것이 있으니, 사물이 감동하지 않은 것이 없고 일은 길하지 않은 것이 없습니다.

問,[6] 子之說信乎有理. 而孔子象傳節略卦名, 只云豚魚吉信及豚魚也, 子無乃不諒乎.

---

3) 豚: 경학자료집성DB와 영인본에 '脉'으로 되어 있으나, 문맥을 살펴 '豚'으로 바로잡았다.
4) 巽: 경학자료집성DB와 영인본에 '竝'으로 되어 있으나, 문맥을 살펴 '巽'으로 바로잡았다.
5) 巽: 경학자료집성DB와 영인본에 '竝'으로 되어 있으나, 문맥을 살펴 '巽'으로 바로잡았다.
6) 問: 경학자료집성DB에 '間'으로 되어 있으나, 경학자료집성 영인본과 문맥을 참조하여 '問'으로 바로잡았다.

曰, 此正前後解經者, 誤看之根本也. 孔子於彖象節略全文, 只擧一句半句, 而解一章之義, 此例甚多, 是乃彖象之文體也, 又何有可疑乎.
물었다: 그대의 설명은 진실로 이치가 있습니다. 그러나 공자의 단전은 괘의 이름을 줄여 단지 "'돼지와 물고기까지 하면 길함'은 미더움이 돼지와 물고기까지 미친 것이다"라고 하였으니, 그대는 믿지 않을 수 있겠습니까?
답하였다: 이것이 바로 전후로 경을 풀이하는 자들이 잘못하게 되는 근본입니다. 공자는 「단전」과 「상전」에서 전체의 글을 줄여 한 구절이나 반 구절로 들어 한 장의 뜻을 해석했습니다. 이런 예는 아주 많고, 바로 「단전」과 「상전」의 문체이니, 또 어찌 의심할 수 있겠습니까?

## 이현익(李顯益) 「주역설(周易說)」

潛室陳氏, 以中實爲中孚之體, 中虛爲中孚之用. 然程子曰, 中虛信之本, 中實信之質, 朱子曰, 中虛是無事時虛而無物, 自中虛發出來, 皆是實理, 所以曰中實. 以此看陳說非是.
잠실진씨는 속이 충실한 것을 '중부'의 체(體)로 여기고 속이 빈 것을 중부의 용(用)으로 여겼다. 그러나 정자는 "속[가운데]이 빈 것은 미더움의 근본이고, 속[가운데]이 충실한 것은 미더움의 실질이다"라고 하였고, 주자는 "속이 빈 것은 일이 없을 때 비어서 아무것도 없는 것이다. 속이 빈 것으로부터 발현해 나오면 모두 실리이기 때문에 '속이 충실하다'고 하였다"고 하였다. 이것으로 본다면 진씨의 설명은 옳지 않다.

中溪張氏, 謂虛者, 所以受信, 實者, 所以爲信, 雲峯胡氏說亦然. 然中孚是中虛中實之摠名, 則不當以中虛爲受信. 曰受信. 則是虛與信爲二也.
중계장씨는 "비었기 때문에 미더움을 받을 수 있고, 충실하기 때문에 미더움이 된다"고 하였고, 운봉호씨의 설명도 그렇다. 그러나 중부(中孚)가 속이 비어 있고 속이 충실한 것을 총괄하는 명칭이라면, 속이 빈 것을 미더움을 받는 것으로 여겨서는 안 된다. '미더움을 받는 것'이라고 하면, 바로 비어 있음과 미더움은 다른 것이 되기 때문이다.
〈語類, 問, 孚字與信字, 恐亦有別. 曰, 伊川云, 存於中爲孚, 見於事爲信, 說得極好. 以此看以中虛爲受信, 亦自可耶.
『주자어류』에서 "'부(孚)자와 신(信)자에도 구별이 있느냐'고 물었고, 이천이 '속에 보존한 것을 부(孚)라고 하고 일로 드러나는 것을 신(信)이다'라고 했으니 설명이 아주 좋다"라고 하였다. 이것으로 보면 속이 빈 것을 미더움을 받는 것으로 여겨도 본래 괜찮은 것 같다.〉

### 이익(李瀷) 『역경질서(易經疾書)』

象辭連卦名說, 四卦履同人艮中孚也. 故傳云, 豚魚吉, 信及豚魚也. 凡畜物之不可馴擾, 惟豚與魚, 豚必單以縶于牙, 魚必苞以藏于池, 少緩堤坊輒思逃脫, 然感之以孚誠, 亦可以有孚. 爲此言者, 蓋謂物之頑冥尙猶如此, 況於人孚, 況於明君之至誠求賢乎. 上風下澤, 風無所不入, 澤雖深, 風亦感動, 故有此象. 柔在內則心虛, 剛得中則事不過.
단사에서 괘의 이름과 연결하여 설명한 것은 네 괘로 리괘(履卦)·동인괘(同人卦)·간괘(艮卦)·중부괘(中孚卦)이다. 그러므로 「단전」에서 "'돼지와 물고기까지 하면 길함'은 미더움이 돼지와 물고기까지 미친 것이다"라고 하였다. 동물을 길러 순종하게 할 수 없는 것은 돼지와 물고기뿐이니, 돼지는 반드시 어금니를 묶어 꼼짝 못하게 하고 물고기는 반드시 못에 넣어 가두어야 한다. 조금이라도 제방을 느슨하게 하면 번번이 도망갈 것을 생각하지만 믿음과 정성으로 감동시키면 또한 미더움이 있을 수 있다. 이런 말을 한 것은 어리석은 동물들도 오히려 이와 같음을 말한 것이다. 그런데 하물며 사람이 미덥게 하고 현명한 임금이 현신을 지성으로 구함에 있어서야 말해 무엇 하겠는가? 위는 바람이고 아래는 못이어서 바람이 들어가지 않는 곳이 없고, 못이 깊을지라도 바람이 또한 감동시킬 수 있기 때문에 이런 상이 있다. 부드러움이 안에 있는 것은 마음을 비운 것이고, 굳셈이 알맞음을 얻은 것은 일이 지나치지 않은 것이다.

### 유정원(柳正源) 『역해참고(易解參攷)』

吳氏曰, 先儒以豚魚爲二物, 實一物耳. 蓋兌澤巽風, 豚魚生於澤而生風. 古云, 江豚魚出而風. 今江湖行舟之人, 見江豚作, 則知風之至, 天下之物, 皆有自然之信.
오씨가 말하였다: 선대의 학자들은 '돼지 물고기[豚魚]'를 두 동물로 여겼는데, 실제로는 하나의 동물이다. 태괘의 못과 손괘의 바람은 돼지 물고기가 못에서 나오면 바람이 부는 것이다. 옛날에 강에서 돼지 물고기가 나오면 바람이 분다고 했고, 지금 강과 호수의 뱃사공들은 강돈이 나오는 것을 보면 바람이 불 것을 아니, 천하의 사물에는 모두 저절로 그런 믿음이 있다.

○ 潼川毛氏曰, 說文卵不孚爲毈. 失性者爲毈, 則不毈者爲孚, 此孚所以訓信也.
동천모씨가 말하였다: 『설문해자』에서 '알이 미덥지 않는 것이 깨어나지 않는[毈] 것이다'고 했다. 본성을 잃은 것은 알이 깨어나지 않는다면, 알이 깨어나는 것은 미더운 것이니, 이것이 '미더울 부(孚)'자를 '믿을 신(信)'자로 설명하는 이유이다.

○ 雙湖胡氏曰, 江豚說不止風澤之義爲通. 蓋巽爲魚, 而生於兌澤, 則是江豚明矣. 九家謂巽爲魚, 占者得此, 知有風兆, 隨事避就, 故吉. 涉川, 巽木行兌澤象, 利貞, 主九五一爻言.
쌍호호씨가 말하였다: 강돈의 설명은 바람과 못의 의미로 통할 뿐만이 아니다. 손괘가 물고기이고 태괘인 못에서 나오니 바로 강돈이 분명하다. 『구가역』에서 손괘는 물고기여서 점치는 자들이 이 괘를 얻으면 바람의 징조가 있을 것을 알아 일에 따라 피하거나 나아갔기 때문에 길하였다. 내를 건너는 것은 손괘인 나무가 태괘인 못을 건너는 상이고, 곧게 함이 이로움은 구오 한 효를 위주로 말한 것이다.

○ 廬陵龍氏曰, 江豚一名鱄䱐, 取專而孚之義歟
여릉용씨가 말하였다: 강돈은 용상어와 돌고래를 하나의 이름으로 부른 것으로 오로지하여 믿는 의미를 취한 것이다.

○ 鄱陽董氏曰, 先儒論孚字爪抱子之象, 蓋天理自然之信者, 莫如乳育.
파양동씨가 말하였다: 선대의 학자들은 '믿을 부(孚)'자를 발톱으로 새끼를 껴안은 상으로 설명했다. 천리가 저절로 그렇게 하는 믿음은 젖 먹여 기르는 것 만한 것이 없다.

小註朱子說, 鳥占.
소주 주자의 설명에서 새의 경우에 대한 점.
〈案, 如術家占應某色鳥來, 則進財見貴人之類.
내가 살펴보았다: 이를테면 술가들은 점이 어떤 색의 새가 오는 것으로 호응하면, 재물을 앞세워 귀인을 보는 종류이다.〉

## 김상악(金相岳) 『산천역설(山天易說)』

豚魚, 无知之物, 大川, 險陷之地也. 孚信之至, 可以感物而涉川, 然必利於貞, 所以九五剛而得中爲孚之主.
돼지와 물고기는 무지한 동물이고, 큰 내는 위험하게 빠지는 곳이다. 믿음이 지극하면 동물을 감동시켜 내를 건너지만 반드시 곧게 함이 이로우니, 구오가 굳세면서 알맞음을 얻어 믿음의 주인이 된 까닭이다.

○ 豚在澤上, 四之象, 魚在澤中, 三之象. 豚之蹄坼, 魚尾兩角, 各得一陰之象, 故姤之初二取象于魚豕, 利涉大川, 見渙卦.
돼지는 못 위에 있으니 사효의 상이고, 물고기는 못 속에 있으니 삼효의 상이다. 돼지의 발굽이 갈라지고 물고기의 꼬리가 두 뿔이 솟은 모양 같은 것은 각기 한 음의 상을 얻은 것이기 때문에 구괘(姤卦)의 초효와 이효는 물고기와 돼지에서 상을 취했고,[7] '큰 내를 건너는 것이 이롭다'는 것은 환괘(渙卦)를 참고하라.

### 김기례(金箕澧) 「역요선의강목(易要選義綱目)」

豚魚吉.
돼지와 물고기까지 하면 길하다.
豚魚陰物. 卦體四陽抱二陰, 有外信內孚之像. 德足以及禽獸, 則化邦之信, 何不孚. 豚魚信及, 宜昧以實之謂.
돼지와 물고기는 음물(陰物)이다. 괘의 몸체에서 네 양이 두 양을 껴안고 있어 밖이 믿음직하고 안이 미더운 상이 있다. 덕이 동물들에게까지 충분히 미치니, 나라를 교화시키는 믿음이 어찌 미덥지 않겠는가? 돼지와 물고기까지 믿음이 미쳤다는 것은 당연히 어리석은 것들로 실증했다는 말이다.

利涉大川.
큰 내를 건너는 것이 이롭다.
應天之誠孚, 及豚魚, 何有乎涉險.
하늘의 참된 믿음에 호응하여 돼지와 물고기까지 하니, 험함을 건너는 데 무슨 어려움이 있겠는가?

利貞.
곧게 함이 이롭다.
信而不正, 則爲奸黨朋淫.
미덥지만 바르지 않으면 간사하고 음험한 붕당이다.

### 서유신(徐有臣) 『역의의언(易義擬言)』

中孚者, 中之孚也, 孚於中也. 豚魚吉者, 豚魚之吉也. 卦有舟象, 而風行澤上, 故利涉也. 二三利也, 四五貞也, 上下相孚, 故利且貞也.
중부(中孚)는 알맞음의 미더움이니 알맞음에 대한 미더움이다. '돼지와 물고기까지 하면 길하다'는 돼지와 물고기의 길함이다. 괘에 배의 상이 있고 바람이 못 위로 불기 때문에 건너

---

7) 『周易·姤卦』: 初六, 繫于金柅, 貞吉, 有攸往, 見凶, 羸豕孚蹢躅. 九二, 包有魚, 无咎, 不利賓.

는 것이 이롭다. 이효와 삼효는 이로움이고, 사효와 오효는 곧게 함인데, 위아래가 서로 믿기 때문에 이롭고 또 곧다.

윤행임(尹行恁)『신호수필(薪湖隨筆)·역(易)』
水則流, 澤則停, 故風行水上則散, 澤上有風則感. 其感也誠, 故可以孚豚魚.
물은 흐르고 못은 정지해 있기 때문에 바람이 물 위로 불면 흩어지고, 못 위에 바람이 있으면 감동한다. 그 감동이 진실하기 때문에 돼지와 물고기까지 믿게 할 수 있다.

### 이지연(李止淵)『주역차의(周易箚疑)』

豚魚之頑, 无異木石, 信及者, 孟子所謂, 鷄豚无失其時, 數罟不入洿池之類也.
돼지와 물고기의 완고함은 목석과 다를 것이 없는데 미더움이 미치는 것은『맹자』에서 말한 닭과 돼지를 기름에 그 시기를 놓치지 않고[8] 촘촘한 그물로 못에서 물고기를 잡지 않는다[9]는 것이다.

### 김기례(金箕灃)「역요선의강목(易要選義綱目)」

制節謹度, 當止於信.
제도를 절도 있게 하고 법도를 삼가 행함은 믿음에 머물러야 한다.

○ 風入澤中, 感動而孚.
바람이 못 가운데로 부니, 감동해서 믿음이 있다.

○ 分二體言, 則二五中實, 爲信之質, 合一卦言, 則中虛, 爲信之本
두 몸체로 나누어 말하면, 이효와 오효가 가운데 있어 충실한 것이 미더움의 실질이고, 하나의 괘로 합하여 말하면 가운데가 빈 것이 미더움의 근본이다.

### 윤종섭(尹鍾燮)『경(經)-역(易)』

易之道, 使得其中正, 而中孚二五, 俱陽剛得中, 而三四兩爻, 以陰見孚於四陽之中, 中孚之名義大矣哉. 豚魚, 謂河豚也. 澤居而知[10]風, 是謂風信. 正反, 皆巽. 巽爲魚也.

---

8)『孟子·梁惠王上』: 雞豚狗彘之畜, 無失其時.
9)『孟子·梁惠王上』: 數罟不入洿池.

『주역』의 도는 알맞음과 바름을 얻게 하는 것인데, 중부괘(中孚卦䷼)의 이효와 오효는 모두 양의 굳셈으로 알맞음을 얻었고, 삼효와 사효 두 효는 음효로 네 양의 가운데에서 미더움을 받으니, 중부의 이름과 의미가 크다. 돼지 물고기는 복어를 말한다. 못에 있어 바람을 아니, 바람이 미더운 것이라고 한다. 바르거나 반대로 되거나 모두 손괘로 그것이 물고기이다.

### 심대윤(沈大允)『주역상의점법(周易象義占法)』

卦全爲離, 對爲坎. 信[11]者, 彼此相與者, 故取對言也. 坎爲豚魚, 豚魚物之冥昧多疑者, 而其性有誠實而无虛詐象. 坎之出爲誠實, 入爲憂疑也. 我之信及於冥昧疑惑之人, 而能使之輸其誠信於我也. 夫天下之事, 无信則不立. 然必以信爲本, 而行之以禮義, 配之以知權, 然後乃能成仁也. 信於行爲土, 土爲太極, 寄用於四時, 位乎中而无專治. 是故天下之物, 皆有內外表裏, 乃成器而有用矣. 人必有陰幾焉. 有陽幾焉. 若无他端而專以信爲主, 則是无內外表裏, 而爲无用之器矣, 是无陰陽之幾, 而爲无用之人矣. 若然者, 硜硜然蠢蠢然忠實, 而无他腸有似乎豚魚, 故以豚魚喩愚民也. 以愚民之无知信其上, 而輸其誠无異意者, 愚民之福也. 故曰, 豚魚吉, 而不曰及也. 君子行乎其不可測, 而不違於信. 小人主乎其信, 而不反於信, 最下內詐而外信人, 而无信不能一日存矣. 能有誠而信乎人, 則可以濟險難, 故曰利涉大川. 誠信之道, 固利貞也.

괘가 전체로는 이괘(離卦䷝)여서 음양이 바뀐 괘는 감괘(坎卦䷜)이니, 믿는 것은 피차가 서로 함께 하는 것이기 때문에 음양이 바뀐 괘를 취하여 말하였다. 감괘는 돼지와 물고기이다. 돼지와 물고기는 어리석으면서 의심이 많은데 그 성질은 참되고 충실하여 공연히 속이는 것이 없는 상이 있다. 감괘에서 나오면 참되고 충실하고, 감괘로 들어가면 근심하고 의심하는 것이다. 나의 미더움이 어리석어 의심이 많은 사람에게 미치면 나를 참되게 믿게 할 수 있다. 천하의 일은 미더움이 없으면 세워지지 않는다. 그렇지만 믿음을 근본으로 하여 예의와 의로움으로 행하더라도 지혜와 권모로 짝한 다음에야 어짊을 이룰 수 있다. 믿음은 오행에서 토이고, 토는 태극인데, 네 계절에 사용되면 가운데에 자리 잡아 전적으로 다스리는 것이 없다. 이 때문에 천하의 사물은 모두 내외와 표리가 있어 그야말로 그릇을 이루고 쓰임이 있다. 사람들은 반드시 음의 기미가 있으면 양의 기미가 있다. 다른 실마리 없이 전적으로 믿음을 주로 한다면, 바로 내외와 표리가 없어 쓸모없는 그릇이니, 음양이 없는 기미이고 쓸모없는 사람이다. 그런 자는 천박하게 꿈틀거리며 충실하지만 달리 속이 없어 돼지 · 물고기와 비슷하기 때문에 돼지 · 물고기로 어리석은 사람을 비유하였다. 무지하여 어리석은 사람이 윗사람을 믿어 참됨을 이루고 다른 뜻이 없는 것은 어리석은 사람의 복이

---

10) 知: 경학자료집성DB에 '和'로 되어 있으나, 경학자료집성 영인본과 문맥을 참조하여 '知'로 바로잡았다.
11) 信: 경학자료집성DB에 '言'으로 되어 있으나, 경학자료집성 영인본과 문맥을 참조하여 '信'으로 바로잡았다.

다. 그러므로 '돼지와 물고기까지 하면 길하다'고 하고 '미친다'고 하지 않았다. 군자는 예측할 수 없게 행동하지만 믿음을 어기지 않는다. 소인은 믿음을 주로 하면서도 그것으로 되돌아가지 못하여 최하는 안으로 속이면서 겉으로 사람을 믿으니, 믿음이 없이는 하루도 살아갈 수 없다. 참되어 남을 믿으면 험난함을 구제할 수 있기 때문에 "큰 내를 건너는 것이 이롭다"고 하였다. 참됨과 믿음의 도리는 진실로 곧게 함이 이롭다.

## 오치기(吳致箕) 「주역경전증해(周易經傳增解)」

中者, 居乎中也, 孚者信也. 四剛居于外, 二柔在於內, 有虛中相孚之象, 亦以剛得中於上下, 爲中實有孚之象. 下說以從上, 上巽以順下, 亦爲孚之義也. 豚魚无知之物, 而亦有信, 故曰信能及於豚魚則吉. 有信則必有濟功, 故言利涉大川. 相孚之道, 當在於正, 而亦有以邪相孚者, 故言利貞以戒也. 程子云, 中虛信之本, 中實信之質, 實所以爲信, 虛所以受信.
중(中)은 가운데 있는 것이고, 부(孚)는 믿음이다. 굳센 네 양이 밖에 있고 부드러운 두 음이 안에 있으니, 가운데가 비어 서로 믿는 상이 있고, 또한 굳센 양이 상하괘의 가운데에 있으니, 속이 충실하여 믿음이 있는 상이다. 아래에서 기뻐하면서 위를 따르고 위에서 공손함으로 아래에 순리대로 하니, 또한 믿음의 의미이다. 돼지 물고기는 무지한 동물인데도 믿음이 있기 때문에 '믿음이 돼지 물고기에 미칠 수 있으면 길하다'고 하였다. 믿음이 있으면 반드시 공을 이루므로 '큰 내를 건너는 것이 이롭다'고 하였다. 서로 믿는 도는 곧음에 있어야 하는데도 나쁘게 서로 믿는 자들이 있으므로 '곧게 함이 이롭다'고 하여 경계하였다. 정자는 "속[가운데]이 빈 것은 미더움의 근본이고, 속[가운데]이 충실한 것은 미더움의 실질이다"고 하였으니, 충실하기 때문에 미덥고 비었기 때문에 믿음을 받아들이는 것이다.

○ 豚魚在澤中, 能知風候, 將風則出見, 有自然之信. 故取以爲喩, 而巽有魚象也. 全卦中虛有舟之象, 而本體之巽對體似坎, 有水木之象也. 在中孚之時, 主爻皆不得中, 故不言亨.
돼지 물고기가 못 가운데 있으면서 바람의 조짐을 알 수 있어 바람이 불려고 하면 나타나는 것은 저절로 그렇게 되는 믿음이 있는 것이다. 그러므로 그것으로 비유를 했지만 손괘에는 물고기의 상이 있기 때문이다. 전체 괘는 가운데가 비어 배의 상이 있고, 본래 몸체의 손괘(巽卦☴)와 '반대괘의 몸체[䷛]'가 감괘(坎卦☵)와 비슷해 물과 나무의 상이 있다. 중부의 때에는 주된 효가 모두 가운데를 얻지 못했기 때문에 형통함을 말하지 않았다.

### 이진상(李震相) 『역학관규(易學管窺)』

豚魚吉.
돼지와 물고기까지 하면 길하다.

姤初六言羸豕, 九二言包魚, 皆以巽體言之. 下體巽, 而中孚之信, 及於微下, 故曰豚魚吉, 江豚之說, 則未可信
구괘(姤卦䷫) 초육에서 여윈 돼지를 말하고, 구이에서 꾸러미에 물고기가 있는 것을 말했으니, 모두 손괘(巽卦☴)의 몸체로 말한 것이다. 아래의 몸체가 손괘여서 중부의 믿음이 미천한 아래에까지 미쳤으므로 "돼지와 물고기까지 하면 길하다"라고 하였으니, 강돈(江豚)으로 보는 설명은 믿을 수 없다.

### 박문호(朴文鎬) 「경설(經說)·주역(周易)」

中孚豚魚, 孚字下又有孚字義, 蓋省文而蒙上也. 外實內虛, 非謂上下卦, 乃謂全卦之上下及中也.
'중부는 돼지와 물고기까지 한다[中孚豚魚]'는 구절에서 부(孚)자의 아래에 또 부(孚)자의 의미가 있으니, 글자를 생략하면서 위로 이은 것이다. 밖이 차 있고 안이 비어 있다는 것은 상하의 괘를 말하는 것이 아니라 전체 괘의 상하와 가운데를 말하는 것이다.

### 이정규(李正奎) 「독역기(讀易記)」

中孚爲卦風上澤下, 而本義曰, 以一卦言之爲中虛, 以二體言之爲中實. 蓋中虛則心无私主, 中實則外誘不入, 其孚安得不天之眞乎.
중부괘(中孚卦䷼)는 바람이 위에 있고 못이 아래에 있는데, 『본의』에서 "한 괘로 말하면 가운데가 비었고, 두 몸체로 말하면 가운데가 충실하다"고 하였다. 가운데가 비면 마음에 사사롭게 주도하는 것이 없고, 가운데가 충실하면 밖에서 유혹이 들어가지 못하니, 그 미더움이 어찌 하늘의 참됨이 아닐 수 있겠습니까?

## 彖曰, 中孚柔在內而剛得中,

「단전」에서 말하였다: 중부는 부드러운 음이 안쪽에 있고 굳센 양이 가운데 자리를 얻었으니,

## 中國大全

### 傳

**二柔在內, 中虛, 爲誠之象, 二剛得上下體之中, 中實, 爲孚之象. 卦所以爲中孚也.**

부드러운 음 둘이 안쪽에 있어서 가운데가 비었으니 '정성'의 상이 되고, 굳센 양 둘이 위아래 몸체의 가운데 자리를 얻어 속이 충실하니 '미더움'의 상이 된다. 그래서 괘가 중부괘가 된다.

#### 小註

朱子曰, 柔在內, 剛得中, 這個是就全體看則中虛, 就二體看則中實, 他都見得有孚信之意, 故喚作中孚. 伊川這二句, 說得好.

주자가 말하였다: 부드러운 음이 안쪽에 있고 굳센 양이 가운데 자리를 얻었으니, 이것이 전체적으로 보면 가운데가 빈 것이고, 두 몸체로 보면 가운데가 충실한 것이니, 그것들에 모두 미더움의 뜻이 있음을 볼 수 있기 때문에 '중부'라고 부른 것이다. 이천의 이 두 구절은 설명이 좋다.

○ 中溪張氏曰, 六三六四, 以柔而在中孚全體之中, 是中虛也. 九二九五, 以剛而得中孚二體之中, 是中實也. 虛者, 所以受信, 實者, 所以爲信, 皆中孚之義也.

중계장씨가 말하였다: 육삼 육사가 부드러운 음으로 중부괘 전체의 가운데에 있으니, 바로 가운데가 빈 것이다. 구이 구오가 굳센 양으로 중부괘 두 몸체의 가운데 자리를 얻으니, 바로 가운데가 충실한 것이다. 비었기 때문에 믿음을 받을 수 있고, 충실하기 때문에 미더움이 되는 것이니 모두 '중부'의 뜻이다.

# ▌韓國大全▐

### 송시열(宋時烈) 『역설(易說)』

柔內者, 二陰在內也, 剛中者, 剛陽得位也. 五爲君, 二爲臣, 其志相孚, 邦國可化也. 豚魚之爲物, 在水中幽會之地, 能知巽[12]風之所自上之誠信, 如風之行乎上而及於下, 故曰信及豚魚也. 鶴之知秋鷄之知朝, 皆有孚信如豚魚之知風, 故二[13]亦取之.

"부드러운 음이 안쪽에 있다"는 것은 두 음이 안에 있다는 것이고, "굳센 양이 가운데 자리를 얻었다"는 것은 굳센 양이 자리를 얻었다는 것이다. 오효는 임금이고 이효는 신하인데, 그 뜻이 서로 미더우니 나라가 교화될 수 있다. 돈어가 물이 깊어 어두운 곳에 있으면서 손괘인 바람이 위에 있는 것을 알 수 있는 성실과 미더움은 바람이 위에서 지나가며 아래로 미치는 것과 같기 때문에 "미더움이 돈어에게까지 미친다"고 하였다. 학이 가을을 알고 아침을 아는 것은 모두 돈어가 바람을 아는 것처럼 미더움이 있는 것이기 때문에 이효에서 또한 취하였다.

### 권만(權萬) 「역설(易說)」

合上下體奇耦而言, 柔在內, 指成卦中二陰也, 剛得中, 言二五皆居單卦之中爻也.

상하 몸체의 기수와 우수를 합해 말하면, '부드러운 음이 안쪽에 있는 것'은 대성괘의 가운데 두 음을 가리키고, '굳센 양이 가운데 자리를 얻은 것'은 이효와 오효가 모두 소성괘의 가운데 효에 있는 것을 말한다.

### 강엄(康儼) 『주역(周易)』

傳, 中虛爲誠之象, 中實爲孚之象. 或疑孚與誠似无不同, 而程傳分言之者, 何也. 旣濟九五, 程傳曰五中實孚也, 二虛中誠也, 與此說相合, 蓋以虛者爲誠實者爲孚也.

『정전』의 가운데가 비었으니 '정성'의 상이 되고, 속이 충실하니 '미더움'의 상이 된다는 것에 대해. 혹 미더움과 정성이 같지 않음이 없는 것 같다고 여기는데, 「정전」에서 나누어 말한 것은 무엇 때문인가? 기제괘(旣濟卦䷾)의 구오 「정전」에서 "오효의 가운데가 찬 것 믿음이고, 이효의 가운데가 빈 것은 정성이다"라고 한 것이 여기의 설명과 서로 합하니, 빈 것은 정성이고 찬 것은 믿음이기 때문이다.

---

12) 巽: 경학자료집성DB와 영인본에 '竝'으로 되어 있으나, 문맥을 살펴 '巽'으로 바로잡았다.

13) 二: 경학자료집성DB와 영인본에 '女'로 되어 있으나, 문맥을 살펴 '二'로 바로잡았다.

### 김기례(金箕澧) 「역요선의강목(易要選義綱目)」

以明卦體中虛中實之義, 三四虛二五實.

이 구절로 괘의 몸체에서 가운데가 비고 가운데가 충실한 의미를 밝혔으니, 삼효와 사효는 비어 있고 이효와 오효는 차 있는 것이다.

### 이진상(李震相) 『역학관규(易學管窺)』

豚, 豕子, 姤之羸豕, 是也. 易中單言豕, 如豕負塗, 大豕也, 屬坎. 若姤之羸豕及此之豚, 則小豕也, 屬巽. 蓋巽坎同體而異用. 巽陽而坎陰, 故坎爲月, 而巽爲旣望之月, 坎爲豕, 而巽爲羸弱之豕. 豕尤躁而難化者也. 先輩多以江豚知風爲證, 而於信及之義, 有未通. 魚巽象, 姤之包魚, 是也. 以二體, 則巽木行乎兌澤之上, 以全體, 則厚離爲虛舟, 故有涉川之利. 二三六, 皆不正, 故曰利貞.

'돼지 돈[豚]'은 돼지 새끼이니, 구괘(姤卦) 초육의 여윈 돼지가 여기에 해당한다. 『주역』에서 한 글자로 '돼지 시[豕]'라고 한 것은, 이를테면 규괘(睽卦) 상구의 진흙을 짊어진 돼지[豕]는 큰 돼지여서 감괘(坎卦☵)에 속한다. 구괘(姤卦) 초육의 '여윈 돼지[羸豕]'와 여기의 돼지는 작은 돼지여서 손괘(巽卦☴)에 속한다. 손괘와 감괘는 몸체는 같지만 쓰임이 다르다. 손괘는 양이고 감괘는 음이기 때문에 감괘는 달이고, 손괘는 보름이 지난 달이며, 감괘는 큰 돼지이고, 손괘는 여위고 약한 작은 돼지이다. 큰 돼지는 더욱 성질이 급해 길들이기 어렵다. 선대의 학자들은 대부분 강돈이 바람을 아는 것으로 논증했지만 미더움이 미친다는 의미에서는 통하지 않는다. 물고기는 손괘의 상이니, 구괘(姤卦) 구이의 꾸러미의 물고기가 여기에 해당한다. 두 몸체로는 손괘의 나무가 태괘의 못 위로 지나가는 것이고, 전체로는 두터운 이괘(離卦䷝)가 빈 배이기 때문에 내를 건너는 이로움이 있다. 이효 · 삼효 · 육효는 모두 바르지 않기 때문에 "곧게 함이 이롭다"고 하였다.

### 최세학(崔世鶴) 주역단전괘변설(周易彖傳卦變說)」

中孚, 乾之二體變也. 三與四二爻爲主, 故彖以柔在內言之, 坤之三四, 居上下兩體之間, 是爲柔在內也.

중부괘(中孚卦䷼)는 건괘(乾卦䷀)의 두 몸체가 변한 것이다. 삼효와 사효가 주인이기 때문에 「단전」에서 부드러운 음이 안쪽에 있는 것으로 말하였고, 곤괘(坤卦䷁)의 삼효와 사효가 상하 두 몸체 사이에 있는 것이 부드러운 음이 안쪽에 있는 것이다.

### 이정규(李正奎) 「독역기(讀易記)」

彖傳有曰, 中孚以利貞, 乃應乎天, 此處可見中孚之實也. 蓋信以正者, 天之眞也, 信以不正者, 人之情也. 故士者之或爲知己爲黨論而死者, 與男女之或爲約誓而捐命者, 非不信也, 而式出於人之情也. 至於盜賊之相群不違, 小人之肺肝之相照, 亦可謂信也, 而不正之甚者也. 故信以正, 然後可及豚魚, 而其仁可及草木之難及, 其誠可動金石之難動矣. 此豈非與天合德者乎.

「단전」에 "'속이 미덥고 곧게 함이 이로우면' 이에 하늘에 응하리라"라는 말이 있으니, 여기에서 중부의 실질을 알 수 있다. 바른 것으로 미더운 것은 하늘의 참됨이고, 바르지 않은 것으로 미더운 것은 사람의 마음이다. 그러므로 선비가 혹 자신을 알아주거나 당론 때문에 죽는 것과 남녀가 혹 맹세 때문에 죽는 것이 미덥지 않은 것은 아니지만 법이 사람의 마음에서 나온 것이다. 도적들이 서로 무리지어 어기지 않는 것이나 소인들이 서로 속마음을 내보이는 것도 미덥다고 말할 수 있지만 심하게 바르지 않은 것이다. 그러므로 바른 것으로 미더운 연후에 돼지와 물고기에까지 미칠 수 있어 그 어짊은 미치기 어려운 초목들까지 미치고 그 정성은 움직이기 어려운 금석에까지 미치니, 이것이 어찌 하늘과 덕을 합한 것이 아니겠는가!

## 說而巽, 孚乃化邦也.

기뻐하고 공손하며, 미더움이 이에 나라를 교화한다.

## 中國大全

### 傳

**以二體, 言卦之用也. 上巽下說, 爲上, 至誠以順巽於下, 下有孚以說從其上. 如是, 其孚乃能化於邦國也. 若人不說從, 或違拂事理, 豈能化天下乎.**

두 몸체로 괘의 쓰임을 말하였다. 위는 공손하고 아래는 기뻐해서, 윗사람은 지성으로 아랫사람에게 공손하며, 아랫사람은 믿음을 가지고 기쁨으로 윗사람을 따른다. 이와 같으면 그 미더움이 이에 나라를 교화할 수 있다. 만약 사람들이 기쁘게 따르지 않고 혹 사리에 어긋난다면 어떻게 세상을 교화할 수 있겠는가?

### 本義

**以卦體卦德, 釋卦名義.**

괘의 몸체와 괘의 덕으로 괘의 이름을 풀이하였다.

#### 小註

厚齋馮氏曰, 柔在內, 六三六四也, 剛得中, 九二九五也. 柔在內, 中虛之象. 中虛則生信, 信者孚之德. 剛得中, 則中實, 實者孚之本. 上以巽行之, 下以說從之, 所以孚也.
후재풍씨가 말하였다: '부드러운 음이 안쪽에 있는 것'은 육삼·육사이고, '굳센 양이 가운데 자리를 얻은 것'은 구이·구오이다. 부드러운 음이 안쪽에 있는 것은 속이 빈 상이다. 마음이 비면 신뢰[信]가 생기니, 신뢰는 미더움[孚]의 덕이다. 굳센 양이 가운데 자리를 얻은 것은 가운데가 충실함[實]이니, 충실함은 미더움[孚]의 근본이다. 윗사람이 공손함으로 행하고, 아랫사람이 기쁨으로 따르기 때문에 미더운 것이다.

○ 中溪張氏曰, 下說以孚乎上, 上巽以孚乎下, 則何往而不孚. 可以感化乎萬邦也.
중계장씨가 말하였다: 아랫사람은 기쁨으로 윗사람을 믿고, 윗사람은 공손함으로 아랫사람을 믿으면 어디 간들 미덥지 못하겠는가! 만방을 감화시킬 수 있다.

## 韓國大全

### 권만(權萬) 「역설(易說)」

九五剛中之君, 得九二剛中之臣, 而其間二陰爻, 有邦民之象, 而孚爲化, 化信故也.
구오의 굳세고 알맞은 임금이 구이의 굳세고 알맞은 신하를 얻었는데, 그 사이에 두 음효는 나라와 백성이 있는 상이어서 미더움으로 교화를 삼으니, 교화는 믿게 하는 것이기 때문이다.

### 유정원(柳正源) 『역해참고(易解參攷)』

王氏曰, 信立而後邦乃化也. 柔在內, 而剛得中, 各當其所也. 剛得中, 則直而正, 柔在內, 則靜而順, 說而以巽, 則乖爭不作. 如此則物无巧競, 敦實之行著, 而篤信發乎其中矣.
왕필이 말하였다: 믿음이 세워진 이후에 나라가 이에 교화된다. 부드러움이 안에 있고 굳셈이 알맞음을 얻어 각기 제 있을 곳에 합당하다. 굳셈이 알맞음을 얻으면 곧고 바르며, 부드러움이 안에 있으면 고요하고 유순하며, 기뻐하여 유순하면 배반과 다툼이 일어나지 않는다. 이와 같으면 사물이 기교를 부리거나 다투지 않고 돈독하고 충실한 행위가 드러나서 독실함과 미더움이 속에서 드러난다.

### 김상악(金相岳) 『산천역설(山天易說)』

以卦體卦德釋卦辭. 以全體言三四在內二五居外, 以卦變言六來居四, 九往居五, 皆柔在內剛得中, 而下說上巽以成其孚也. 化邦, 卽二五之功也.
괘의 몸체와 괘의 덕으로 괘사를 해석하였다. 전체로 말하면 삼효와 사효가 안쪽에 있고 이효와 오효가 바깥쪽에 있으며, 괘의 변화로 말하면 음효가 사효로 와 있고 양효가 오효로가 있으니, 모두 부드러운 음이 안쪽에 있고 굳센 양이 가운데 자리를 얻어 아래에서 기뻐하고 위에서 공손하여 그 미더움을 이룬 것이다. 나라를 교화하는 것은 이효와 오효의 공이다.

### 서유신(徐有臣) 『역의의언(易義擬言)』

兌之反爲巽, 巽之反爲兌, 相合而成中孚, 上象卽下象, 下象卽上象也. 三卽四, 四卽三, 而在一卦之中, 二卽五, 五卽二, 而得兩體之中, 此釋中也. 兌之孚爲巽, 巽之孚爲兌, 說而巽者, 其孚, 此釋孚也, 乃化邦者, 中孚也.

태괘(兌卦☱)를 뒤집은 것이 손괘(巽卦☴)이고 손괘를 뒤집은 것이 태괘로 서로 합해 중부괘(中孚卦䷼)가 되어 위의 형상이 바로 아래의 형상이고, 아래의 형상이 바로 위의 형상이다. 삼효가 바로 사효이고 사효가 바로 삼효이면서 한 괘의 가운데에 있고, 이효가 오효이고 오효가 이효여서 두 몸체의 가운데를 얻었으니, 이것으로 가운데를 해석하였다. 태괘의 미더움이 손괘이고 손괘의 미더움이 태괘여서 '기뻐하고 공손하다'는 것은 그 미더움이니, 이것으로 미더움을 해석하였다. '이에 나라를 교화한다'는 것은 중부이다.

### 김기례(金箕澧) 「역요선의강목(易要選義綱目)」

上下相孚, 何難化國.

상하가 서로 믿으니, 나라를 교화시킴에 무슨 어려움이 있겠는가!

### 심대윤(沈大允) 『주역상의점법(周易象義占法)』

說而巽, 說乎人而巽入也, 民信其上則易化. 詳見觀義.

기뻐하고 공손함은 사람을 기뻐하여 공손히 들어가는 것이니, 백성들이 윗사람을 믿으면 교화시키기 쉽다. 자세한 것은 관괘(觀卦䷓)의 뜻에 있다.

## 豚魚吉，信及豚魚也，

"돼지와 물고기까지 하면 길함"은 미더움이 돼지와 물고기까지 미친 것이다.

## 中國大全

### 傳

**信能及於豚魚, 信道至矣, 所以吉也.**

미더움이 돼지와 물고기에까지 미칠 수 있으면 미더운 도리가 지극한 것이기 때문에 길하다.

#### 小註

中溪張氏曰, 豚魚, 冥昧无知之物, 飼之以信, 則應期而集. 孚誠之道, 尙及於豚魚, 則天下无難感之物矣.
중계장씨가 말하였다: 돼지와 물고기는 무지몽매한 동물이지만, 믿음으로 먹이를 주면 약속이나 한 듯이 모여든다. 미더워 정성스러운 도리가 돼지와 물고기까지 미쳤다면 천하에 감동시키지 못할 물건이 없을 것이다.

○ 鄭氏湘卿曰, 仁及草木, 言草木難仁也. 誠動金石, 言金石難誠也. 信及豚魚, 言豚魚難信也. 天則眞, 人則情, 聖人與天地同德, 任眞不任情, 故信及豚魚, 然後爲吉.
정상경이 말하였다: "어짊이 초목에까지 미친다"는 것은 초목에게 어질게 하기 어렵다는 말이고, "정성이 금석까지 감동시킨다"는 것은 금석을 정성으로 감동시키기 어렵다는 말이며, "믿음이 돼지와 물고기에까지 미친다"는 것은 돼지와 물고기를 믿게 하기 어렵다는 말이다. 하늘은 참되고 사람은 감정대로 하는데, 성인은 천지와 덕을 함께 하여 참됨에 맡기고 감정대로 하지 않기 때문에 믿음이 돼지와 물고기까지 미치며, 그런 뒤에 길하게 된다.

## 韓國大全

### 심조(沈潮)「역상차론(易象箚論)」

此卦中虛有豚圈象, 魚兌澤象, 又陰象也.
이 괘의 속이 비었음에 돼지우리의 상과 물고기와 태괘의 못의 상과 또 음의 상이 있다.

### 유정원(柳正源)『역해참고(易解參攷)』

鄱陽董氏曰, 信及豚魚, 恐只如虎渡雉馴, 鱷魚遠徙之意. 若從江豚之說, 則只當云豚魚信及, 不當言信及豚魚. 信及乃人之信及豚魚耳, 非豚魚之信及於人也, 其爲二物明矣.
파양동씨가 말하였다: "미더움이 돼지와 물고기까지 미친 것이다"는 아마도 단지 '범이 멀리 가 버리고[14] 길들인 꿩이 있으며[15] 악어가 멀리 갔다[16]는 의미이다. 강돈의 설을 따른다면 돼지 물고기의 믿음이 미쳤다고 말해야지, 미더움이 돼지와 물고기까지 미쳤다고 말해서는 안된다. 믿음이 미쳤다는 것은 사람들의 믿음이 돼지와 물고기까지 미쳤다는 것일 뿐이지 돼지와 물고기의 믿음이 사람에게 미쳤다는 것이 아니니, 그것들이 두 동물임이 분명하다.

### 권만(權萬)「역설(易說)」

中間二陰爲信, 而上巽風化生蟲魚, 澤宜豚性, 言中孚之信及於上下也. 又考字書陸璣曰, 魚獸似豬, 人以爲弓韇, 其皮雖乾, 每海水將濕, 及天陰則毛皆起, 自相感也. 魚獸云者, 卽江豚海豚之屬. 上體之風, 及於下體之澤, 自然交感, 猶天風, 則大澤中死魚相感, 有孚義也. 然此說舛錯, 豚與魚爲二物, 非魚獸也.

---

14) 호도(虎渡): 후한 때 유곤(劉昆)이 강릉(江陵) 태수(太守)로 있을 적에 그의 인정(仁政)에 감화된 나머지 평소 호환(虎患)이 극심했던 그 고을에서 마침내 범들이 모두 새끼를 거느리고 강을 건너 멀리 가 버렸다는 고사에서 온 말이다.

15) 치순(雉馴): 지방관의 선정을 비유한 말로 후한 때 노공(魯恭)이 중모령(中牟令)이 되어 선정을 베풀자, 뽕나무 밑에 길들은 꿩이 있는 상서가 있었던 데서 온 말이다.

16) 악어원사(鱷魚遠徙): 한유(韓愈)가 일찍이 조주 자사(潮州刺史)로 나갔을 때 그곳 악계(惡溪)에 사는 악어(鱷魚)가 백성들의 가축을 마구 잡아먹어서 백성들이 몹시 고통스럽게 여겼다. 이에 한유가 마침내 제악어문(祭鱷魚文)을 지어서 악계의 물에 던졌더니, 바로 그날 저녁에 그 물에서 폭풍과 천둥이 일어났고, 그로부터 수일 뒤에 그 물이 다 말라 버려서 악어들이 마침내 그곳을 떠나 60리 밖으로 옮겨감으로써 다시는 조주에 악어의 걱정이 없게 되었던 데서 온 말이다.

중간의 두 음이 믿음인데, 위에 있는 손괘의 바람이 벌레와 물고기를 낳고 못은 돼지의 성품에 마땅하니, 중부의 믿음이 상하로 미친다는 말이다. 또 사전을 살펴보면 육기는 "물짐승은 돼지와 비슷하고 사람들이 그것으로 활집을 만드는데, 그 가죽이 말랐는데도 매번 바닷물로 축축해지려고 하거나 날이 흐려지면 털이 모두 일어나니, 저절로 서로 감통한 것이다"라고 했다. 물짐승이라는 것은 강돈(江豚)이나 해돈(海豚)의 종류이다. 위의 몸체인 바람이 아래의 몸체인 못에 미쳐 자연히 교감하는 것이 마치 하늘에 바람이 불면 큰 못 속의 사어(死魚)가 감응하는 것과 같아, 미더움의 뜻이 있다. 그러나 이 설명은 어긋났으니, 돼지와 물고기는 두 가지 생물이지 물짐승이 아니다.

## 利涉大川, 乘木, 舟虛也,

"큰 내를 건너는 것이 이로움"은 나무배에 오름에 배가 비었기 때문이며,

## 中國大全

### 傳

以中孚, 涉險難, 其利如乘木濟川而以虛舟也, 舟虛則无沈覆之患. 卦虛中爲虛舟之象.

마음 속 믿음으로 험난함을 건너면 그 이로움이 나무배에 올라 내를 건너는데 배가 빈 것과 같으니, 배가 비면 가라앉거나 뒤집힐 염려가 없다. 괘가 가운데가 빈 것이 빈 배의 상이 된다.

#### 小註

涑水司馬氏曰, 中孚者, 發於中而孚於人也. 豚魚, 幽賤无知之物, 苟飼以時, 則應聲而集, 而况於人乎. 至誠以涉險, 如乘虛舟, 物莫之害, 故曰利涉大川, 乘木舟虛也.

속수사마씨가 말하였다: 중부란 가운데에서 피어나 남들에게 미더운 것이다. 돼지와 물고기는 어둡고 천하며 무지한 동물이지만, 참으로 때에 맞추어 먹이를 주면 소리에 응하여 모여드는데, 하물며 사람에게 있어서야 말해 무엇 하겠는가! 지성으로 험함을 건너는 것이 빈 배를 탄 것 같아서 어떤 것도 해치지 못하므로 "'큰 내를 건너는 것이 이로움'은 나무배에 오름에 배가 비었기 때문이다"라고 하였다.

### 本義

以卦象言.

괘의 상으로 말한 것이다.

**小註**

中溪張氏曰, 卦之全體, 外實中虛, 有舟虛之象. 乘巽之木, 而其中枵然. 以此而行乎兌澤之上, 則利涉大川, 又豈復有風濤之患哉.
중계장씨가 말하였다: 괘의 전체는 바깥쪽이 충실하고 속이 비어 있으니, 배가 비어 있는 상이 있다. 손괘의 나무배에 올라탔는데 그 가운데가 비었다. 이렇게 태괘 연못 위를 건너는 것이 큰 내를 건넘이 이로운 것이니, 또 어찌 다시 바람과 파도의 우환이 있겠는가?

## 韓國大全

### 유정원(柳正源) 『역해참고(易解參攷)』

案, 乘木舟虛, 以卦象言則然矣, 而於中孚之義, 亦有取乎. 今夫乘潮而行者, 早晚有信, 候風而行者, 疾徐有信, 量水之緩急, 而進退有常, 知津之深淺, 而往來如期. 漏則繻袽, 危則維柁, 莫非誠信之義, 則程子所謂忠信可以涉川, 不其然乎.
내가 살펴보았다. '나무배에 오름에 배가 비었기 때문임'은 괘의 상으로 말하면 그렇지만, 중부의 뜻에서도 취한 것이 있는가? 이제 조수를 타고 가는 자는 아침저녁에 믿음이 있고, 바람을 기다려 가는 자는 빠르게 하고 늦게 함에 믿음이 있으며, 물이 완만한지 급한지를 헤아리고, 나아가고 물러남에 일정함이 있으며 나루터가 깊은지 얕은지를 알아 오고 감을 기약한다. 물이 새면 명주헝겊을 뭉쳐 막고 위험하면 키를 밧줄로 매어놓는 것이 성실하고 미덥게 하는 뜻이 아닌 것이 없으니, 정자가 말한 진실되고 미더우면 내를 건널 수 있다는 것이 그런 것이 아니겠는가?

### 권만(權萬) 「역설(易說)」

木雖是巽象, 而非水則木不可乘, 合巽兌而觀之, 則有乘木之象. 合上下體觀, 則二陰中虛, 有似舟虛, 是知巽爲木兌爲澤, 而風澤爲虛舟也.
나무가 비록 손괘의 상일지라도 물이 아니면 나무를 탈 수 없으니, 손괘와 태괘를 합하여 보면 나무를 타는 상이 있다. 상하의 몸체를 합하여 보면 가운데 비어 있는 두 음이 배가 빈 것과 유사하니, 바로 손괘가 나무이고 태괘가 못이며, 바람과 못이 빈 배임을 알겠다.

### 서유신(徐有臣) 『역의의언(易義擬言)』

先王之制, 無故不殺犬豕, 數罟不入洿池, 爲豚魚之吉, 孚信及於豚魚也. 木載澤上爲舟, 兩巽聯合爲舟, 卦形中虛如舟, 故曰乘木舟虛也. 虛則受亦爲孚象也.
선왕의 제도에 까닭 없이 개·돼지를 죽이지 않고[17] 촘촘한 그물로 못에서 물고기를 잡지 않는 것이 돼지와 물고기의 길함이니, 미더움이 돼지와 물고기까지 미친 것이다. 나무가 못 위로 실려가는 것이 배이고, 두 손괘(巽卦☴)가 묶어 합하여 배를 만드니, 속이 빈 괘의 형태가 배와 같기 때문에 "나무배에 오름에 배가 비었기 때문이다"라고 하였다. 비어 있으면 받아들이는 것도 미더운 상이다.

### 김기례(金箕澧) 「역요선의강목(易要選義綱目)」

乘木, 指巽木在兌澤上. 舟虛指卦中虛, 謂虛心而中孚. 虛中而止於信, 何難乎濂險.
'나무배에 오름'은 손괘의 나무가 태괘의 못 위에 있음을 가리킨다. '배가 비었음'은 괘의 속이 비었음을 가리키니, 마음을 비워 속으로 미더운 것을 말하다. 속을 비워 믿음에 머문다면 내의 험함에 무슨 어려움이 있겠는가!

---

17) 『禮記·王制』: 士無故不殺犬豕.

## 中孚, 以利貞, 乃應乎天也.

속이 미덥고 곧게 함이 이로우니, 이에 하늘에 응하리라.

# 中國大全

**傳**

**中孚而貞, 則應乎天矣. 天之道, 孚貞而已.**

속이 미덥고 곧으면 하늘과 호응할 것이다. 하늘의 도는 미더움과 곧음일 뿐이다.

**本義**

**信而正, 則應乎天矣.**

미덥고 바르면 하늘과 호응할 것이다.

**小註**

厚齋馮氏曰, 又以六四九五明卦占. 中孚, 六四也, 貞九五也. 五天位, 四應之, 應乎天也. 誠者天之道, 孚之正則應乎天, 不正則徇乎人, 而孚不足言矣.
후재풍씨가 말하였다: 또 육사와 구오로써 괘의 점을 밝혔다. '속이 미더움'은 육사이고, '곧게 함'은 구오이다. 오효는 하늘의 자리인데 사효가 그에 호응하니 하늘에 호응하는 것이다. '진실함'은 하늘의 도이니, 믿음이 바르면 하늘에 호응하고, 바르지 못하면 사람에 얽매여서 미덥다고 하기에 부족할 것이다.

○ 中溪張氏曰, 中孚而以貞正則利. 此天有所孚感, 則可以上應乎彼天矣.
중계장씨가 말하였다: 속으로 미덥고 곧고 바르면 이롭다. 여기의 하늘에 믿어 감응함이 있으면 위로 저기의 하늘에 호응할 수 있을 것이다.

○ 雲峯胡氏曰, 合上下卦, 則柔在內爲中虛, 所以受信. 分上下體, 則剛得中爲中實, 所以爲信. 上巽則君以位[18]入於民, 下說則民以信通於君, 所以爲化. 信及豚魚, 其化深矣. 然信必合乎正, 乃天理也, 惟天有自然之化.
운봉호씨가 말하였다: 상하괘를 합치면 부드러운 음이 안쪽에 있어 가운데가 빈 것이 되기 때문에 믿음을 받는다. 상체와 하체를 나눠 보면 굳센 양이 가운데 자리를 얻어 알맞고 충실하기 때문에 미덥게 되었다. 윗사람이 공손하면 임금이 지위를 가지고 백성에게 들어가고 아랫사람이 기뻐하면 백성이 믿음으로 임금에게 소통하기 때문에 교화가 된다. 믿음이 돼지와 물고기까지 미침은 그 교화가 깊은 것이다. 그러나 믿음이 반드시 바름과 합하여야 천리이니, 오직 하늘만이 저절로 그러한 교화가 있다.

## 韓國大全

### 박문호(朴文鎬) 「경설(經說) · 주역(周易)」

乘木, 舟虛, 木卽舟也, 言乘舟而其舟虛也. 程傳頗有未盡明, 當以卦辭下本義參看也.
'나무배에 오름에 배가 비었기 때문이다'에서 나무는 바로 배이니, 배를 탔는데 그 배가 비었기 때문이라는 말이다. 『정전』에는 다 밝히지 못한 것이 자못 있으니, 괘사 아래의 『본의』를 참고해서 봐야 한다.

### 권만(權萬) 「역설(易說)」

之天字不諧韵可疑. 貞指二五之正應言. 成卦旣中孚矣, 而二五又以正相應, 其利大也. 以正相應, 天之道也, 中孚上下體皆乾也.
여기서의 '하늘 천(天)'자는 운이 맞지 않아 의심스럽다. '곧게 함'은 이효와 오효가 바르게 호응함을 가리켜서 말한 것이다. 대성괘가 이미 중부괘(中孚卦䷼)인데, 이효와 오효가 또 바르게 호응하여 그 이로움이 크다. 바르게 호응하는 것이 하늘의 도인 것은 중부괘의 상하의 몸체가 모두 건괘이기 때문이다.

---

18) 位: 본래 사고전서 전자판에 '信'자로 되어 있는 것을, 학민사본과 국립중앙도서관본에 의거하여 '位'자로 바꾸었다. 그러나 문맥상 '位'보다는 '信'이 더 자연스러운 듯하다.

### 김상악(金相岳) 『산천역설(山天易說)』

釋卦辭信及豚魚, 則无不孚之物矣, 乘木舟虛, 則无覆溺之患矣. 天道孚正而已, 所以利貞, 乃可應天也

괘사를 해석함에 '미더움이 돼지와 물고기까지 미친 것이다'라 한 것은 미덥지 않은 동물이 없다는 것이고, '나무배에 오름에 배가 비었기 때문이다'라 한 것은 뒤집혀서 빠지는 우환이 없다는 것이다. 하늘의 도는 미덥고 곧을 뿐이기 때문에 이에 하늘에 응할 수 있다는 것이다.

○ 大有大畜, 皆言應天, 指乾體, 而中孚, 則以陽包陰, 天包地外, 故同辭.

대유괘(大有卦䷍)의 「단전」과 대축괘(大畜卦䷙) 「단전」에서 모두 '하늘에 응하리라'를 말한 것은 건괘의 몸체를 가리켰는데, 중부괘(中孚卦䷼)에서는 양이 음을 싸고 있고 하늘이 땅의 바깥을 싸고 있기 때문에 말이 같다.

### 서유신(徐有臣) 『역의의언(易義擬言)』

稱利貞與兌彖同, 故繼之曰, 應乎天也. 兌說於人心, 巽順於天理, 利且貞也, 仲父曰, 卦有乾中虛之象.

곧게 함이 이롭다고 한 것이 태괘(兌卦)의 단사와 같기 때문에[19] 그것을 이어서 "하늘에 응하리라"라고 하였다. 태괘가 사람마음을 기쁘게 하고 손괘가 천리에 순종하니 이롭고 또 곧은 것이다. 중보(仲父)가 "괘에 건괘의 가운데가 비어 있는 상이 있다"고 하였다.

### 김기례(金箕澧) 「역요선의강목(易要選義綱目)」

信爲四端之根, 信而貞, 合天理之自然也, 非人欲之間其間者.

믿음은 사단(四端)의 근본이어서 믿으면서 바르다면 천리의 저절로 그러함에 합하니, 사람들의 욕망이 그 사이에 개입할 수 있는 것이 아니다.

### 오치기(吳致箕) 「주역경전증해(周易經傳增解)」

彖曰, 中孚柔在內而剛得中〈卦體二五〉, 說而巽〈卦德〉, 孚乃化邦也. 豚魚吉, 信及豚

---

19) 『周易 · 兌卦』: 彖曰, 兌, 說也, 剛中而柔外, 說以利貞. 是以順乎天而應乎人, 說以先民, 民忘其勞, 說以犯難, 民忘其死, 說之大, 民勸矣哉.

魚也, 利涉大川, 乘木, 舟虛也, 中孚, 以利貞, 乃應乎天也.
「단전」에서 말하였다: 중부는 부드러운 음이 안쪽에 있고 굳센 양이 가운데 자리를 얻었으니〈괘의 몸체가 이효와 오효이다〉, 기뻐하고 공손하며〈괘의 덕이다〉, 미더움이 이에 나라를 교화한다. "돼지와 물고기까지 하면 길함"은 미더움이 돼지와 물고기까지 미친 것이다. "큰 내를 건너는 것이 이로움"은 나무배에 오름에 배가 비었기 때문이며, 속이 미덥고 곧게 함이 이로우니, 이에 하늘에 응하리라.

此以卦體卦德釋卦名義及卦辭, 又以卦象釋利涉大川之辭也. 以卦體言, 則二柔在全卦之中, 爲中虛相孚之象, 二剛又得二五之中, 爲中實有孚之象. 以卦德言, 則下以說而孚乎上, 上以巽而孚乎下, 所以感化于萬邦也. 豚魚乃无知之物, 猶有自然之信, 人之有孚, 亦能及豚魚, 則吉之道, 而无險不濟, 必有其功. 然相孚之道, 有正有邪, 必以其正然後, 應乎天理也. 已見彖解.
여기에서는 괘의 몸체와 괘의 덕으로 괘의 이름 및 괘사를 해석하였고, 또 괘의 상으로 "큰 내를 건너는 이로움"을 해석하였다. 괘의 몸체로 해석하면, 부드러운 두 효가 전체 괘의 속에 있으니, 속이 비어 서로 믿는 상이 되고, 두 굳셈이 또 이효와 오효의 가운데를 얻었으니 속이 충실하여 믿는 상이 된다. 괘의 덕으로 말하면, 아래에서 기뻐하여 위로 미덥고 위에서 공손하여 아래로 미덥기 때문에 모든 나라를 감화시킨다. 돼지와 물고기는 무지한 동물로 여전히 저절로 그런 미더움이 있어 사람들이 믿는 것이 또한 돼지와 물고기까지 미치니, 길한 도여서 험함을 구제하지 않음이 없고 반드시 공이 있다. 그러나 서로 믿는 도는 바름이 있고 사악함이 있으니, 반드시 바름으로 한 다음에 천리에 호응한다. 이미 「단전」의 해석에 있다.

### 심대윤(沈大允) 『주역상의점법(周易象義占法)』

巽爲舟翼風之義. 卦全爲離, 對爲坎. 乾陷坤而爲坎誠, 坤麗乾而爲離信. 誠信者, 彼此合體之道, 而乾爲誠之本, 坤爲信之本, 故以對坎互乾坤. 曰大川, 坤入乾而爲兌離巽, 中孚兼有焉. 坤體乾之誠以爲信. 故曰, 應乎天. 人之誠信利貞者, 所以法地而應天也, 故自天祐之吉无不利也.
손괘(巽卦)는 배 · 날개 · 바람의 의미이다. 괘가 전체로는 이괘(離卦☲䷝)이고 음양이 바뀐 괘는 감괘(坎卦☵䷜)이다. 건괘(乾卦)가 곤괘(坤卦)에 빠져 감괘(坎卦)의 정성이 되고, 곤괘(坤卦)가 건괘(乾卦)에 걸려 이괘(離卦)의 믿음이 되었다. 정성과 믿음은 피차가 몸체를 합하는 도인데, 건괘는 정성의 근본이 되고 곤괘는 믿음의 근본이 되기 때문에 음양이 바뀐 감괘로 건괘와 곤괘를 번갈아 하였다. '큰 내'라고 한 것은 곤괘(坤卦)가 건괘(乾卦)로 들어가 태괘(兌卦☱) · 이괘(離卦☲) · 손괘(巽卦☴)가 되어 중부괘(中孚卦䷼)가 함께 있다. 곤괘의 몸체는 건괘의 정성으로 믿음을 삼기 때문에 "하늘에 응하리라"라고 하였다. 사람의 정성과 믿음이 곧게 함이 이로운 것은 땅을 본받아 하늘에 응하기 때문에 하늘에서 도와 길하니 이롭지 않음이 없다.
〈卦中有自天祐之象之故, 引大有繫辭傳以證之也.
괘에 하늘에서 돕는 상의 까닭이 있어 대유괘(大有卦䷍)와 「계사전」을 인용해서 논증하였다.〉

이병헌(李炳憲) 『역경금문고통론(易經今文考通論)』
程傳曰, 豚魚, 物之難感者也. 孚信能感則吉也.
『정전』에서 말하였다: 돼지와 물고기는 어리석어 사물 가운데 감동시키기 어렵다. 미더움이 감동시킬 수 있으면 길하다.

王肅曰, 三四在內, 二五得中, 兌說而巽順, 故孚也.
왕숙이 말하였다: 삼효와 사효는 안에 있고 이효와 오효는 가운데 있으며, 태괘는 기뻐하고 손괘는 유순하기 때문에 미덥다.

鄭曰, 舟謂集板. 如今自空大木爲之, 曰虛.
정현이 말하였다: '주(舟)'는 판목을 묶어 놓은 것을 말한다. 지금처럼 본래 비어 있는 큰 나무로 만든 경우에는 '허(虛)'라고 한다.
按, 孚則誠, 誠則達乎天道也. 二陰四陽, 與下小過之二陽四陰, 作相反例而爲對卦, 猶上經之有頤大過也.
내가 살펴보았다: 미더우면 정성스럽고, 정성스러우면 천도에 통달한다. 두 음에 네 양은 아래 소과괘(小過卦䷽)의 두 양에 네 음과 서로 반대되는 예가 되어 음양이 바뀐 괘가 되니, 「상경」에 이괘(頤卦䷚)와 대과괘(大過卦䷛)가 있는 것과 같다.

## 象曰, 澤上有風, 中孚, 君子以, 議獄緩死.

「상전」에서 말하였다: 못 위에 바람이 있는 것이 중부이니, 군자가 그것을 본받아 옥사를 의논하며 사형을 늦춘다.

# 中國大全

### 傳

澤上有風, 感于澤中. 水體虛, 故風能入之, 人心虛, 故物能感之. 風之動乎澤, 猶物之感于中, 故爲中孚之象. 君子觀其象, 以議獄與緩死. 君子之於議獄, 盡其忠而已, 於決死, 極於惻而已. 故誠意常求於緩, 緩, 寬也. 於天下之事, 无所不盡其忠. 而議獄緩死, 最其大者也.

못 위에 바람이 있어 못 속을 감동시킨다. 물의 몸체는 비었으므로 바람이 들어갈 수 있고, 사람의 마음은 비어있으므로 만물이 감응할 수 있다. 바람이 못을 움직이는 것은 만물이 속에서 감응하는 것과 같으므로 중부의 상이 된다. 군자가 그 상을 보고 옥사를 논의하고 사형을 늦춘다. 군자가 옥사를 논의함에 그 진심을 다할 뿐이고, 사형을 결단함에 측은함을 극진히 할 뿐이다. 그러므로 성의껏 항상 늦추기를 구하니, 늦춤은 너그러운 것이다. 천하의 일에 그 진심을 다하지 않는 바가 없다. 그런데 옥사를 논의하고 사형을 늦추는 것은 가장 큰 것이다.

### 本義

風感水受, 中孚之象. 議獄緩死, 中孚之意.

바람은 감동시키고 물은 받아들이는 것이 중부의 상이다. 옥사를 논의하고 사형을 늦추는 것은 중부의 뜻이다.

#### 小註

或問, 澤上有風中孚. 風之性善入, 水虛而能順承, 波浪洶湧. 惟其所感, 有相信從之義, 故爲中孚. 朱子曰, 也是如此. 風去感他, 他便相順, 有相孚之象.
어떤 이가 물었다: 못 위에 바람이 있음이 중부입니다. 바람의 성질은 들어가기를 잘하고, 물은 비어있어 순하게 받들 수 있으니, 물결이 세차게 일어납니다. 오직 그 감응함에 서로 믿고 따르는 뜻이 있으므로 중부괘가 되는 것입니까?
주자가 답하였다: 역시 그렇습니다. 바람이 그것을 감동시키자, 그것도 서로 순응하여 서로 믿는 상이 있는 것입니다.

○ 澤上有風中孚, 須是澤中之水. 海卽澤之大者, 方能相從乎風. 若溪湍之水, 則其性急流就下, 風又不奈他何.
"못 위에 바람이 있는 것이 중부이다"는 반드시 연못 속의 물이다. 바다는 못의 큰 것이니, 바람과 서로 따를 수 있다. 시내나 여울 같은 물은 그 특성이 급하게 흘러 내려가니 바람이 또한 그것을 어떻게 할 수 없다.

○ 議獄緩死, 只是以誠意求之. 澤上有風, 感得水動, 議獄緩死, 則能感人心.
"옥사를 논의하고 사형을 늦춘다"는 것은 단지 성의로 구하는 것이다. 연못 위에 바람이 있으면 물을 감동시켜 움직일 수 있고, 옥사를 논의하고 사형을 늦추면 사람들의 마음을 감동시킬 수 있다.

○ 問, 中孚, 是誠信之義, 議獄緩死, 是誠信之事, 故君子盡心於是. 曰, 聖人取象, 有不端確處, 如此之類. 今也只恁地解, 但是不甚親切.
물었다: 중부는 정성스럽고 미더운 뜻이고, '옥사를 논의하고 사형을 늦춤'은 정성스럽고 미더운 일이므로 군자가 이것에 마음을 다합니까?
답하였다: 성인이 상을 취함에 자세히 확증할 수 없는 곳이 있으니 이러한 종류입니다. 이제 이런 식으로 풀이하지만 꼭 들어맞지는 않습니다.

○ 誠齋楊氏曰, 風無形而能震川澤鼓幽潛, 誠无象而能動天地感人物, 此澤上有風, 所以爲中孚. 故君子以之議獄緩死. 蓋好生洽民, 舜之中孚也, 不犯有司, 天下之中孚也. 天下中孚, 則萬心一心矣, 鳥巢可窺, 況豚魚乎. 无他不殺之心, 孚于鳥爾, 使无誠慤好生之心, 巢中之烏, 不爲海上之鷗乎. 議獄者, 求其入中之出, 緩死者, 求其死中之生. 若元惡大姦, 不在是典, 故四凶无議法, 少正卯无緩理.
성재양씨가 말하였다: 바람은 형체가 없지만 시내와 못을 움직여 깊숙이 잠겨있는 것을 흔들 수 있고, 정성은 모양이 없으나 천지를 움직이고 사람과 사물을 감동시킬 수 있으니, 이렇게 못 위에 바람이 있기 때문에 중부이다. 그러므로 군자는 그것으로 옥사를 논의하고

사형을 늦춘다. 살리기를 좋아하여 백성을 윤택하게 하는 것은 순임금의 중부이고, 죄를 짓지 않는 것[不犯有司]은[20] 천하의 중부이다. 천하가 맘속으로 믿으면 만민의 마음이 한 마음이어서 새 둥지도 엿볼 수 있는데[21] 하물며 돼지와 물고기를 말해 무엇하랴! 다른 것이 아니라 죽이지 않는 마음이 새를 미덥게 했을 뿐이니, 진실로 살리기를 좋아하는 마음이 없다면 둥지 속의 새들이 바다 위의 갈매기처럼 흩어지지 않겠는가? '옥사를 논의함'은 들어가는 가운데 나오기를 구하는 것이고, '사형을 늦춤'은 죽이는 가운데 살리기를 구하는 것이다. 크게 흉악한 경우는 이러한 규범이 있지 않기 때문에 사흉(四凶)[22]에 대해서는 논의하는 법이 없고, 소정묘(少正卯)[23]의 경우는 늦추는 이치가 없다.

○ 平庵項氏曰, 獄之將決則議之, 其旣決則又緩之, 然後盡於人心. 王聽之, 司寇聽之, 三公聽之, 議獄也, 旬而職聽, 二旬而職聽, 三月而上之, 緩死也. 故獄成而孚輸而孚. 在我者盡, 故在人者无憾也.

평암항씨가 말하였다: 옥사를 결정하려 할 때는 논의하고, 이미 결정하였으면 또한 늦추니, 그런 뒤에야 인정을 다한 것이다. 임금이 듣고, 사구가 듣고, 삼공이 들어서, 옥사를 논의함에 열흘 동안 직무에 따라 논의하고, 이십 일 동안 직무에 따라 처리하며, 삼 개월 만에 올려서 죽음을 늦추는 것이다.[24] 그러므로 옥사가 이루어짐에 미더움을 다하였기에 미더운

---

20) 『書經 · 大禹謨』: 皐陶曰, 帝德罔愆, 臨下以簡, 御衆以寬, 罰弗及嗣, 賞延于世, 宥過無大, 刑故無小, 罪疑惟輕, 功疑惟重, 與其殺不辜, 寧失不經, 好生之德, 洽于民心, 玆用不犯于有司.

21) 『莊子 · 馬蹄』: 故至德之世, 其行塡塡, 其視顚顚. 當是時也, 山無蹊隧, 澤無舟梁; 萬物群生, 連屬其鄕; 禽獸成群, 草木遂長. 是故禽獸可係羈而游, 鳥鵲之巢可攀援而闚.

22) 사흉(四凶): '사흉'은 요순(堯舜)시대 때 악명(惡名)을 떨쳤던 네 부족의 수장들을 뜻한다. 다만 네 명의 수장들에 대해서는 이견(異見)이 있는데, 『춘추좌씨전 · 문공』18년편에서는 "舜臣堯, 賓于四門, 流四凶族, 渾敦 · 窮奇 · 檮杌 · 饕餮, 投諸四裔, 以禦螭魅."라고 하여, '사흉'을 혼돈(渾敦) · 궁기(窮奇) · 도올(檮杌) · 도철(饕餮)이라고 하였다. 한편 『書經 · 舜典』편에서는 "流共工于幽洲, 放驩兜于崇山, 竄三苗于三危, 殛鯀于羽山. 四罪而天下咸服."이라고 하여, '사흉'을 공공(共工) · 환두(驩兜) · 삼묘(三苗) · 곤(鯀)이라고 하였다. 이 문제에 대해 채침(蔡沈)의 『집전(集傳)』에서는 "春秋傳所記四凶之名與此不同, 說者以窮奇爲共工, 渾敦爲驩兜, 饕餮爲三苗, 檮杌爲鯀, 不知其果然否也."라고 하였다. 즉 『춘추좌씨전』과 『서경』에서 설명하는 '사흉'의 이름이 다른데, 어떤 자들은 궁기(窮奇)를 공공(共工)으로 여기고, 혼돈(渾敦)을 환두(驩兜)라고 여기며, 도철(饕餮)을 삼묘(三苗)라고 여기고, 도올(檮杌)을 곤(鯀)으로 여기기도 하는데, 이 말이 맞는지에 대해서는 확신할 수 없다는 뜻이다.

23) 소정묘(少正卯): 노(魯)나라의 대부로 공자가 대사구 벼슬에 올라 7일 만에 처형했다고 전한다. 『사기』등의 기록에 따르면 공자는 소정묘가 천하의 다섯 가지 큰 죄악을 범하고, 도당을 만들어 대중을 현혹하였다고 토죄하였다.

24) 순이직청(旬而職聽)의 뜻은, 향(鄕)은 비교적 도성과 가깝기 때문에, 향에서 죄목을 조사하고 10일 만에 도성의 조정으로 조사한 문서를 보내면 직무에 따라 판결한다는 뜻이다. 이순이직청(二旬而職聽)은 수(遂)는 향(鄕) 밖에 있으므로, 향보다 늦은 20일 만에 조사한 문서를 조정에 올려서 직무에 따라 판결함을 뜻한다. 삼월이상지(三月而上之)는 방사(方士)가 담당하는 지역은 수(遂) 밖의 채지(采地) 지역이므로, 3개월 만에

것이다. 내가 할 수 있는 것을 다하므로 남들도 유감이 없다.

○ 雲峯胡氏曰, 水不定, 不可受風, 必澤上有風然後, 成其風之孚. 見不定, 不可以折獄, 必議獄緩死然後, 可成其獄之孚. 或曰, 議獄兌象, 緩死巽象.
운봉호씨가 말하였다: 물이 안정되어 있지 않으면 바람을 받을 수 없으니, 반드시 못 위에 바람이 있는 뒤에 그 바람의 미더움을 이룰 수 있다. 견해가 정해지지 않으면 옥사를 결단할 수 없으니, 반드시 옥사를 논의하고 사형을 늦춘 뒤에야 그 옥사의 미더움을 이룰 수 있다. 어떤 이가 "옥사를 논의하는 것은 태괘(兌卦)의 상이고, 사형을 늦추는 것은 손괘(巽卦)의 상이다"라 하였다.

○ 進齋徐氏曰, 象言刑獄者五, 噬嗑, 賁, 豊, 旅, 中孚. 離爲戈兵, 有刑獄象, 又取離明照, 知情實, 則刑不濫也. 中孚厚畫底離, 噬嗑, 豊, 兼取震, 賁, 旅, 兼取艮者, 明以察其情, 動以致其決. 噬嗑去間, 豊則多故, 非震以動之, 无以威重也. 賁過於文, 旅不留獄, 非艮以止之, 或輕於用刑也. 蓋獄乃人命所繫, 一成不可變, 聖人立象盡意, 而致其謹審如此.
진재서씨가 말하였다: 「상전」에 형옥을 말한 것이 다섯인데, 서합괘(噬嗑卦), 비괘(賁卦), 풍괘(豊卦), 려괘(旅卦), 중부괘(中孚卦)이다. 리괘는 창과 병기가 되니 형옥의 상이 있고, 또 리괘(離卦)의 밝게 비춤을 취하여 실정을 알면 형벌을 남용하지 않는다. 중부괘(中孚卦 ䷼)는 획이 두터운 큰 리괘이고, 서합괘(䷔), 풍괘(䷶)는 진괘(☳)를 겸하여 취하였으며, 비괘(賁卦䷕), 려괘(旅卦䷷)에서 간괘(☶)를 겸하여 취한 것은 밝혀서 그 실정을 살피고, 움직여서 그 결단을 이루는 것이다. 서합괘(噬嗑卦䷔)는 이간질을 제거함이고, 풍괘(豊卦䷶)는 변란이 많으니, 진괘로서 움직이지 않으면 위엄 있고 무겁지 못하다. 비괘(賁卦)는 지나치게 꾸미고, 려괘(旅卦)는 옥사를 지체하지 않으니 간괘로 멈추지 않으면 혹 가볍게 형벌을 쓰게 된다. 대체로 옥사는 사람의 목숨이 걸렸는데 이루어지면 변할 수 없으니, 성인이 상을 세우고 뜻을 다하여 신중하게 살피도록 한 것이 이와 같다.

象言刑獄五卦, 噬嗑豊以其有離之明, 震之威也. 賁次噬嗑, 旅次豊, 離明不易, 震皆反爲艮矣. 蓋明貴無時不然, 威則有時當止. 至於中孚, 則全體似離, 互體有震艮, 而又兌以議之, 巽以緩之. 聖人卽象垂敎, 其忠厚惻怛之意, 見於謹刑如此, 何其仁哉. 五卦中, 文王唯於噬嗑取象, 夫子卽噬嗑, 賁, 豊, 旅, 中孚, 以盡其義.

---

조정으로 조사한 문서를 올린다는 뜻이다. 따라서 10일, 20일, 3개월 등의 차이는 단순히 거리상의 차이 때문에 발생한 것인데, 평암항씨는 다르게 이해한 것으로 보인다.

「상전」에서 형옥을 말한 것이 다섯 괘인데, 서합괘 · 풍괘는 리괘의 밝음과 진괘의 위엄이 있기 때문이다. 비괘(賁卦)가 서합괘(噬嗑卦) 다음에 오고, 려괘(旅卦)가 풍괘(豊卦) 다음에 오지만, 리괘의 밝음은 바뀌지 않고, 진괘(震卦☳)는 모두 거꾸로 하면 간괘(艮卦☶)가 된다. 대체로 밝음이 귀한 것은 어느 때고 그렇지 않음이 없지만, 위엄은 마땅히 그쳐야 할 때가 있다. 중부괘(中孚卦☴☱)는 전체가 리괘(離卦☲)와 비슷하고, 호체로 진괘(震卦☳)와 간괘(艮卦☶)가 있으며, 또 태괘(☱)로 논의하고 손괘(☴)로 늦춘다. 성인이 상에 입각하여 가르침을 드리워, 그 진실하고 두텁게 측은히 여기는 뜻이 형벌을 이처럼 신중하게 하는 데서 드러나니, 어쩌면 그리도 어진가! 다섯 괘 가운데 문왕은 서합괘에서만 상을 취하였고, 공자는 서합괘, 비괘, 풍괘, 려괘, 중부괘에서 그 뜻을 다 하였다.

## 韓國大全

### 송시열(宋時烈) 『역설(易說)』

議獄者, 以兌口也, 緩死者, 以其巽順也, 戈言獄與死者, 耒云卦有噬嗑象, 理或然也. 大離爲兵[25]戈, 兵中虛爲獄象, 變爲大坎, 亦爲桎梏象.

'옥사를 의논하는 것'은 태괘(兌卦☱)의 입이고, 사형을 늦추는 것은 손괘(巽卦☴)의 유순함이다. 창으로 옥사와 사형을 말하는 것은 뇌씨가 괘에 서합괘(噬嗑卦☲☳)의 상이 있다고 말한 것이니, 이치상 혹 그럴 수 있다. 큰 리괘[大離☴☱]가 무기이고, 무기의 속이 빈 것이 옥의 상인데, 큰 감괘[坎卦☵]로 변하면 또한 질곡의 상이 된다.

### 이익(李瀷) 『역경질서(易經疾書)』

君子所存, 莫大乎推內及外, 使萬物得其所, 故以生物之心爲至誠. 其怙終賊刑, 卽不得已也, 曾子曰, 如得其情, 哀矜而勿喜. 其不能附之生意者, 乃誠之不至也, 天下之罪惡固象矣, 苟誠求其所以然, 則多非樂爲也. 法失於上, 俗驅於下, 蚩蚩齊氓, 易以墮坑, 故誠求其故. 若風之入澤, 微密而遍及, 必得其可生之道, 而緩其死. 不然以獄官之尊臨, 當刑之罪, 上下懸遠, 情意間阻, 縱有橫罹枉死, 何得以知之. 古之明智能發寃於

25) 兵: 경학자료집성DB와 영인본에 '氐'로 되어 있으나, 문맥을 살펴 '兵'으로 바로잡았다.

衆棄之中者, 皆善用風澤之象也.
군자가 보존하는 것은 안에서 미루고 밖으로 미치어 만물이 제 있을 곳을 얻게 하는 것보다 큰 것이 없기 때문에 사물을 낳는 마음으로 지극한 정성으로 삼는다. 『서경 · 순전』의 믿는 데가 있어 끝까지 죄를 짓는 자를 사형에 처하는 것은 곧 부득이한 것이니, 증자가 "그 실정을 얻었으면 불쌍히 여기고 기뻐하지 말라"라고 했던 것이다. 백성들이 따를 수 없게 낳는 마음은 바로 정성이 지극한 것이 아니어서 천하의 죄악이 진실로 본받으니, 진실로 그들이 그렇게 한 까닭을 구해보면 대부분 기꺼이 한 것이 아니다. 법이 위에서 잘못되고 풍속이 아래로 핍박하면 어리석은 모든 백성들이 쉽게 함정에 빠지기 때문에 진실로 그렇게 된 까닭을 찾는다. 바람이 못에 들어가는 것처럼 자세하고 촘촘히 두루 미치면 반드시 그 살릴 수 있는 도를 얻어 그 사형을 늦춘다. 그렇게 하지 않고 옥관의 존엄으로 군림하여 형벌의 죄를 담당하면, 위아래가 현격하게 멀어지고 마음과 뜻이 막혀 어지럽게 누명을 쓰고 억울하게 죽게 될지라도 어떻게 알 수 있겠는가? 옛날의 명철하고 지혜로운 자가 사람들이 버린 가운데 원통함을 드러낼 수 있었던 것은 모두 바람과 못의 상을 잘 썼기 때문이다.

## 유정원(柳正源) 『역해참고(易解參攷)』

正義, 忠信之世, 必非故犯過失爲辜, 情在可恕, 故君子以議其過失之獄, 緩捨當死之刑也.
『주역정의』에서 말하였다: 진실하고 미더운 시대에는 고의로 범한 과실이 아니라면 형을 집행함에 실상은 용서하는 데 있기 때문에 군자는 그 과실의 옥사를 의논하여 죽여야 될 형벌을 늦추어 처리한다.

○ 厚齋馮氏曰, 中虛象獄.
후재풍씨가 말하였다: 가운데가 빈 것은 옥을 상징한다.

○ 案, 澤之浸潤, 議獄象, 風之舒暢, 緩死象.
내가 살펴보았다: 못이 스며들어 적시는 것은 옥사를 의논하는 상이고, 바람이 부는 것은 사형을 늦추는 상이다.

## 김상악(金相岳) 『산천역설(山天易說)』

議者, 兌之口舌, 緩者, 巽之不果也, 議獄緩死, 中孚之意也.
의논하는 것은 태괘의 구설이고, 늦추는 것은 손괘의 결단하지 않는 것이니, 옥사를 의논하며 사형을 늦추는 것은 중부의 뜻이다.

### 김규오(金奎五) 「독역기의(讀易記疑)」

徐氏, 以厚畫底離當之, 又以噬賁豊旅證之. 蓋離爲戈兵, 又外剛中虛有囹圄之象故也. 中孚固有離體, 而卦變亦自離來, 三四變爲二五. 象, 柔在內而剛得中, 似有指此之意.
서씨는 두터운 획의 이괘(離卦☲䷝)를 그것으로 보고는 또 서합괘(噬嗑卦䷔) · 비괘(賁卦䷕) · 풍괘(豊卦䷶) · 여괘(旅卦䷷)로 증명하였다. 이괘(離卦☲)는 무기이고, 또 바깥이 굳세고 안이 비어 옥의 상이 있기 때문이다. 중부괘(中孚卦䷼)는 진실로 이괘(離卦䷝)의 몸체가 있어 괘의 변화도 이괘(離卦䷝)에서 와서 삼효와 사효가 이효와 오효로 변하였다. 「단전」에서 '부드러운 음이 안쪽에 있고 굳센 양이 가운데 자리를 얻었다'는 것은 이것을 가리킨 뜻이 있는 것 같다.

### 서유신(徐有臣) 『역의의언(易義擬言)』

風澤相感, 中孚之象, 議獄緩死, 中孚之德, 好生之德, 洽于民心, 是也. 議獄者, 讞而得允, 緩死者, 寬而傅生, 非遽斷也. 非遽釋也, 盡其忠信惻怛之意, 求生於必死之中, 是爲中孚也. 後世徒以赦令爲恩者, 適足爲小人之幸也. 議獄, 兌說而決, 緩死, 巽順而入. 又議兌口象, 緩巽繩象.
바람과 못이 서로 감동하는 것이 중부의 상이고, 옥사를 의논하며 사형을 늦추는 것이 중부의 덕이니, 생명을 좋아하는 덕이 백성의 마음에 합하는 것이 여기에 해당한다. 옥사를 의논하는 것은 그 죄를 논의하여 동의를 얻는 것이고, 사형을 늦추는 것은 너그럽게 해서 사형에 이의가 있으면 그 죄를 경감하여 생명을 이어주는 것이니, 갑자기 끊어버리는 것이 아니다. 갑자기 끊어버리지 않는 것은 진실과 측은한 마음을 다하여 반드시 사형시키는 것에서 구하는 것이니, 이것이 중부이다. 후세에 한갓 사면령을 은혜로 여기는 것은 소인들이 요행으로 여기는 것에 적당하다. 옥사를 의논하는 것은 태괘의 기뻐하며 결정하는 것이고, 사형을 늦추는 것은 손괘의 유순해서 들어가는 것이다. 또 의논하는 것은 태괘의 입의 상이고, 늦추는 것은 손괘의 밧줄의 상이다.

### 박제가(朴齊家) 『주역(周易)』

本義說, 得平淡不鑿, 義自足見. 然朱子於大象每患摸捉, 不定於此而曰, 聖人取象, 有不端確處, 如此之類. 今也且恁地解, 但是不甚親切. 又曰, 澤上有風, 感得水動, 議獄緩死, 則能感人心.
『본의』의 설명은 평범하게 천착하지 않으면 의미가 저절로 충분히 드러난다. 그러나 주자는 「대상전」에서 매번 찾을 것을 근심하면서 이것을 확정하지 않고 "성인이 상을 취함에 자세히 확증할 수 없는 곳이 있으니 이러한 종류입니다. 이제 이런 식으로 풀이하지만 꼭 들어맞지는 않습니다"라고 하였다. 또 "연못 위에 바람이 있으면 물을 감동시켜 움직일 수 있고, 옥사를 논의하고 사형을 늦추면 사람들의 마음을 감동시킬 수 있다"라고 하였다.

此又倒說聖人見風感水之象, 而亦自感於心, 乃議獄非爲感人心而議獄也. 蓋澤者停蓄之水也, 虛明而受風, 如人心之感物而動者也. 卦之名, 不謂之孚而必曰中孚者, 在水爲澤在人爲心之象也. 如鏡之照物, 未嘗非中孚, 而風與澤之象, 尤活動者也. 聖人見其象, 而有感於中, 名之曰中孚, 文王則只言信及豚魚, 孔子則又向議獄起想. 蓋中孚者, 至誠感物而能生者也. 禽獸之微, 猶能以孚而生, 至信之在中, 可以及豚魚. 此其所以議獄也.
여기에서 또 성인이 바람이 물을 감동시키는 상을 보고 저절로 마음에 감동함을 거꾸로 설명하였으니, 옥사를 의논한 것은 사람들의 마음을 감동시키기 위해 그렇게 한 것이 아니다. 못은 정지되어 있는 물로 비어있어 밝고 바람을 받아들이니, 사람의 마음이 사물을 감동시켜 움직이는 것과 같다. 괘의 이름을 부(孚)라고 하지 않고 반듯이 중부라고 한 것은 물로는 못이 되고 사람으로는 마음이 되는 상이기 때문이다. 이를테면 거울이 사물을 비춤에는 속으로 미덥지 않은 적이 없지만 바람과 못의 상으로는 더욱 활동적인 것이다. 성인이 그 상을 보고 속으로 감동하여 중부라고 이름을 붙였고, 문왕은 "미더움이 돼지와 물고기까지 미친 것이다"라고만 하였으며, 공자는 또 옥사를 의론하는 것으로 상상을 일으켰다. 중부는 지성으로 사물을 감동시켜 살릴 수 있는 것이다. 미미한 금수도 오히려 믿고 나오니, 지극한 믿음이 속에 있어 돼지와 물고기까지 미칠 수 있는 것이다. 이것이 옥사를 의논하는 까닭이다.

夫議獄緩死者, 議死獄而緩之也, 非盡庶獄而議之. 其議之者, 亦未必盡傳生也, 議而緩之, 求生於必死耳. 此惻隱之發而推而極之者也, 其端甚著, 其象甚明, 但不說其所因, 則所謂見水結網之說也, 則夫議爲兌, 緩爲巽等之說轉益, 卽當轉益穿鑿有不勝卞者矣.
옥사를 의논하며 사형을 늦추는 것은 사형을 의논하여 늦추는 것이니, 일반 옥사를 극진히 해서 의논하는 것이 아니다. 의논하는 것도 반드시 이의가 있어 사형을 경감하여 주는 것을 다하지는 않으니, 의논해서 늦추는 것은 반드시 죽이는 것에서 생명을 구하는 것일 뿐이다. 이것은 측은한 마음이 나와 그것을 미루어서 다한 것으로 그 단서가 심하게 드러나고 그 상이 아주 분명한데, 단지 그 원인을 설명하지 않는다면 이른바 물을 보고 그물을 엮는 설이다. 의논하는 것은 태괘이고 늦추는 것은 손괘라는 등의 설명은 전해질수록 더욱 보태지니, 곧 전해질수록 더욱 천착해서 분별을 감당할 수 없게 된다.

誠慤之慤, 乃眞心也. 何以從皮殼之殼也. 有皮殼, 然後有中心, 蓋指此殼中之物者也.

孚者, 何也. 從卵之化生而言者也. 化生者在中, 而孚是皮殼也. 如葭中薄皮曰莩, 亦從孚, 謂破其殼, 則有物之義. 大約浮泛之浮, 指旣孚之空殼與外城之郛, 指中有物之殼, 皆爲皮殼之義. 則制字者與畫卦者, 同一義諦矣.
'정성스럽고 참되다[誠慤]'의 '각(慤)'은 진심이라는 뜻인데, 어째서 '껍질[皮殼]'이라고 할 때의 '각(殼)'을 따르는가? 겉껍질이 있은 후에 중심이 있으니, 대개 껍질 속의 물건을 가리키는 것이다. '부(孚)'는 무엇인가? 알이 변화하여 깨어나는 것을 말한다. 화생(化生)하는 것은 속에 있고, '부(孚)'는 껍질이다. 갈대 속의 얇은 껍질을 '부(莩)'라고 하는데, 역시 '부(孚)'를 따르니, 껍질을 깨고 나면 물건이 들어있다는 뜻이다. 대개 '공허하다[浮泛]'고 할 때의 '부(浮)'는 이미 부화한 빈 껍질과 외성(外城)인 '부(郛)'를 가리키니, 속에 물건이 있는 껍질을 가리키는 것으로서 모두 겉껍질의 의미이다. 그렇다면 글자를 만든 것과 괘를 그린 것이 동일한 뜻임이 분명하다.

朱子曰, 中孚須是澤中之水. 海卽澤中大者, 方能相從乎風. 若溪[26]湍之水, 則其性急流就下, 風又不奈他何, 此又似没緊要底. 旣曰澤, 則溪湍非所可論, 又何必海耶. 雖半畝之小水, 亦爲中孚, 如蒙之山下出泉, 又是至小之水矣.
주자가 "중부는 반드시 연못 속의 물이다. 바다는 곧 못의 큰 것이니, 바람과 서로 따를 수 있다. 시내나 여울 같은 물은 그 특성이 급하게 흘러 내려가니 바람이 또한 그것을 어떻게 할 수 없다"라고 하였는데, 여기에는 또 긴요한 것이 빠진 것 같다. 이미 못이라고 하였다면, 시내나 여울은 논할 수 있는 것이 아닌데, 또 어떻게 반드시 바다이겠는가? 50평 정도에 있는 작은 물일지라도 중부이다. 이를테면 몽괘의 산 아래에 나오는 샘은 또한 지극히 적은 물이다.

### 이지연(李止淵) 『주역차의(周易箚疑)』

澤上有風, 如刑獄之上有孚
못 위에 바람이 있는 것은 형벌과 옥사에 미더움이 있는 것과 같다.

### 김기례(金箕澧) 「역요선의강목(易要選義綱目)」

易中, 言刑獄處, 必取離火者, 謂其明照. 卦體似離, 故言獄事. 議獄, 澤止象, 緩死巽仁象.
『주역』에서 형벌과 옥사를 말한 곳에 반드시 이괘(離卦)를 취함이 있는 것은 그것이 밝게 비춤을 말한다. 괘의 몸체가 이괘(離卦)와 비슷하기 때문에 옥사를 말하였다. 옥사를 의논

---

26) 溪: 경학자료집성DB에 '澤'으로 되어 있으나, 경학자료집성 영인본과 문맥을 참조하여 '溪'로 바로잡았다.

하는 것은 못이 멈춘 상이고, 사형을 늦추는 것은 손괘의 어진 상이다.

### 이항로(李恒老) 「주역전의동이석의(周易傳義同異釋義)」

按, 二釋備矣. 或問, 本義曰, 議獄緩死, 中孚之意, 何謂也. 曰, 天地之大德, 只是生物之心而已. 是以聖人之心, 莫誠於活人, 凡物之情, 莫切於畏死. 夫折獄致刑, 不得已之事也, 孟子所謂, 生道殺民, 是也. 折其獄, 而平獄之心, 未嘗不在, 致其死, 而寬死之心, 未嘗不行, 此聖人所以入物之深, 而萬民所以感德之速也. 風入澤動之象, 莫切於此, 讀者宜潛玩也.

내가 살펴보았다: 두 해석이 자세하다. 어떤 이가 "『본의』에서 '옥사를 논의하고 사형을 늦추는 것은 중부의 뜻이다'라고 한 것은 무엇을 말합니까?"라고 물었다.

답하였다: 천지의 큰 덕은 사물을 낳은 마음일 뿐입니다. 이 때문에 성인의 마음은 사람을 살리는 것보다 정성스러운 것이 없고, 사물의 정은 죽음을 두려워하는 것보다 절실한 것이 없습니다. 옥사를 거행하고 형벌을 주는 것은 부득이한 일이니, 『맹자 · 진심상』에서 "살리는 도리로 백성을 죽인다"는 것이 여기에 해당합니다. 옥사를 결단하지만 그것을 공평하게 하는 마음이 있지 않은 적이 없고, 사형을 집행하지만 사형을 너그럽게 하는 마음을 행하지 않은 적이 없으니, 이것은 성인이 사물에 깊이 들어간 것이고, 만민이 덕에 빨리 감화하는 것입니다. 바람이 들어가고 못이 움직이는 상은 이것보다 절실한 것이 없으니, 독자들은 깊이 완미해야 합니다.

### 허전(許傳) 「역고(易考)」

中孚, 誠信也. 獄情甚可哀矜, 必以誠信而折之, 議之於未決之前, 緩之於未死之時也. 易象言刑獄者五. 噬嗑利用獄, 豊折獄致刑, 賁無敢折獄, 旅[27]於明愼用刑, 皆明辨審愼之義, 而又無如中孚之尤盡心焉耳.

중부는 정성과 믿음이다. 옥사의 실정은 아주 불쌍하게 여겨야 하니, 반드시 정성과 믿음으로 결단함에 그렇게 하기 전에 의논하고 아직 죽이지 않았을 때 늦춘다. 『주역』의 「상전」에서 형벌과 옥사를 말한 것이 다섯이다. 서합괘(噬嗑卦)는 옥사에 쓰는 것이 이롭고, 풍괘(豊卦)는 옥사를 결단하고 형벌을 집행하며, 비괘(賁卦)는 감히 옥사를 결단하지 않고, 여괘(旅卦)는 밝게 하고 삼가며 옥사를 지체하지 않으니, 모두 『중용』의 밝게 분별하고 자세히 물으며 신중히 생각한다는 의미인데, 또 중부괘(中孚卦)에서 더욱 마음을 다하는 것과 같은 것은 없다.

---

27) 旅: 경학자료집성DB에 '於'로 되어 있으나, 경학자료집성 영인본과 문맥을 참조하여 '旅'로 바로잡았다.

심대윤(沈大允) 『주역상의점법(周易象義占法)』

彖, 主風而言感入于人也, 象, 主澤而言能虛受也. 君子以誠信治獄, 心无疑忌慍怒之畜, 而周詢衆議審聽爰辭, 國人皆曰可殺, 然後殺之. 中孚爲誠信而兼離明, 故取象于議獄也. 艮兌爲議獄, 巽兌爲緩死.

「단전」은 바람을 주로 하여 사람에게 감동이 들어가는 것을 말하였다. 「상전」은 못을 주로 하여 비어서 받아들일 수 있는 것을 말하였다. 군자는 정성과 믿음으로 옥사를 다스려 마음에 의심하고 꺼리며 화냄을 쌓아두지 않아 사람들의 마음을 두루 묻고 그 말을 자세히 들으니, 나라 사람들이 모두 "죽여야 된다"고 한 다음에 죽인다. 중부는 정성과 믿음인데 이괘(離卦)의 밝음을 겸하기 때문에 옥사를 의논하는 것을 상으로 취하였다. 간괘와 태괘가 옥사를 의논하는 것이고, 손괘와 태괘가 사형을 늦추는 것이다.

오치기(吳致箕) 「주역경전증해(周易經傳增解)」

風入于澤水, 猶物之感于中, 故爲中孚之象, 而君子觀其象, 以議獄而緩死. 君子惻怛之心, 發於中者, 莫切於平議獄情, 寬緩人死, 以孚感天下之心, 故取其象也.

바람이 못의 물로 들어오는 것이 사물이 속으로 감동하는 것과 같기 때문에 중부의 상이 되었는데, 군자가 그 상을 보고 옥사를 의논하고 죽임을 늦춘다. 측은하게 여기는 마음이 속에서 나오는 자는 옥의 실정을 공평하게 의논하고 사람의 사형을 관대하게 늦추어 천하의 마음을 미더움으로 감동시키기 때문에 그 상을 취하였다.

이진상(李震相) 『역학관규(易學管窺)』

二陰在中, 而重陽實於外, 獄, 有死囚之象也. 兌以議之, 巽以緩之, 又互體震爲反生, 艮爲止.

두 음이 가운데 있고 거듭된 양이 밖으로 충실한 것이 옥이니, 사형수의 상이 있다. 태괘로 의논하고 손괘로 늦추며, 또 호체인 진괘로 삶으로 되돌리고, 간괘로 멈춘다.

이병헌(李炳憲) 『역경금문고통론(易經今文考通論)』

姚曰, 澤以恩被之, 風以敎化之, 則上下相孚, 不濫刑.

요신이 말하였다: 못으로 은혜를 입히고 바람으로 교화시키니 상하가 서로 믿어 형벌을 함부로 하지 않는다.

## 初九, 虞, 吉, 有他, 不燕.

초구는 헤아리면 길하니, 다른 마음이 있으면 편안하지 못하다.

## 中國大全

### 傳

九當中孚之初, 故戒在審其所信. 虞, 度也, 度其可信, 而後從也. 雖有至信, 若不得其所則有悔咎, 故虞度而後信則吉也. 旣得所信則當誠一, 若有他則不得其燕安矣. 燕, 安裕也. 有他, 志不定也, 人志不定則惑而不安. 初與四, 爲正應, 四巽體而居正, 无不善也, 爻以謀始之義大, 故不取相應之義. 若用應則非虞也.

구(九)가 중부괘의 초효를 만났으므로 그 믿을 것을 잘 살피라고 경계했다. 우(虞)는 헤아림이니, 그 믿을 것을 헤아린 뒤에 따른다. 비록 지극한 믿음이 있더라도 그 자리를 얻지 못하면 후회와 허물이 있으므로 헤아린 후에 믿으면 길하다. 이미 믿는 것을 얻었으면 마땅히 정성스럽고 한결같이 해야 하니, 만약 다른 마음이 있으면 그 편안함을 얻지 못할 것이다. 연(燕)은 편안하고 여유로운 것이다. "다른 마음이 있음[有他]"은 뜻이 정해지지 못한 것이니, 사람이 뜻이 정해지지 못하면 미혹되어 편안하지 못하다. 초효는 사효와 바른 호응이 되고, 사효는 손괘의 몸체이면서 바른 자리에 있으니 선하지 않음이 없으나, 효가 시작을 도모하는 뜻이 크기 때문에 서로 호응하는 뜻을 취하지 않았다. 만약 호응함을 쓴다면 헤아리는 것이 아니다.

### 本義

當中孚之初, 上應六四, 能度其可信而信之, 則吉, 復有他焉, 則失其所以度之之正, 而不得其所安矣, 戒占者之辭也.

중부괘의 처음을 만나서 위로 육사와 호응하니, 그 믿을 만한가를 헤아려 믿을 수 있으면 길하나, 다시 다른 마음이 있으면 그 헤아리는 것의 바름을 잃어 그 편안한 바를 얻지 못하니, 점치는 자를 경계한 말이다.

**小註**

中溪張氏曰, 初九居中孚之始, 與四爲正應, 初度其可以孚感者, 无如六四, 故有相應相孚之吉. 苟舍六四之正應, 而有它志, 則不得享其燕安矣. 故識者, 必於初志未變動之際, 而度其可孚者, 孚之一眞不僞, 一誠无妄, 庶幾靡有它向而孚, 感得其正矣.
중계장씨가 말하였다: 초구는 중부괘의 처음에 있으면서 사효와 정응이 되니, 초효가 믿어 감응할 자를 헤아림은 육사만한 것이 없으므로 서로 호응하여 믿는 길함이 있다. 육사의 정응을 버리고 다른 뜻을 가지면 그 편안함을 누릴 수 없을 것이다. 그러므로 식견이 있는 자는 반드시 처음의 뜻이 변동하지 않았을 때에 그 믿을 만한 자를 헤아려 믿기를 한결같이 참되어 거짓되지 않고 한결같이 정성스러워 거짓됨이 없다면 거의 다른 데로 향하는 마음이 없이 믿어 감응함이 그 바름을 얻을 것이다.

○ 雲峯胡氏曰, 信凡失於後者, 由不能度於初, 四陰柔得正, 初與四正應, 當孚之初, 度其可信而信之, 吉之道也. 若復舍四之正應而有它焉, 心之不一而信不專, 必不得其所安矣. 凡言有它, 指非應而言. 比之初有孚, 自有非正應而來應者, 有他, 許之之辭也. 中孚之初, 若舍正應而他求, 所謂應焉, 非吉之道. 有他, 戒之之辭也
운봉호씨가 말하였다: 믿음을 뒤에서 잃는 것은 처음에 헤아리지 못했기 때문인데, 사효는 부드러운 음이 바름을 얻었고, 초효는 사효와 정응으로서 믿는 처음에 그 믿을 만한가를 헤아려 믿었으니 길한 도리이다. 만약 다시 사효의 정응을 버리고 다른 마음을 가지면 마음이 한결같지 않아 믿음이 오롯하지 못하니 반드시 그 편안한 바를 얻지 못할 것이다. 다른 맘이 있다고 한 것은 호응이 아닌 것을 가리켜 말한 것이다. 비괘의 초효에서 "믿음이 있다"고 한 것은 본디 정응이 아닌 데서 와서 호응함이 있으니, '다른 마음이 있다[有他]'는 허락하는 말이다. 중부괘의 초효가 정응을 버리고 다른 것을 구한다면, 이른바 호응함은 길한 도가 아니니, '다른 마음이 있다'는 경계하는 말이다.

## 韓國大全

### 송시열(宋時烈) 『역설(易說)』

虞之虞度, 燕之燕安, 傳義詳言之. 初若有他志, 非其應而求之, 則爲不安之道, 當不變其志, 必度六四之志, 以應相孚, 故吉也.

우(虞)는 헤아리는 것이고, 연(燕)은 편안한 것으로『정전』과『본의』에서 자세히 설명했다. 초효가 다른 뜻이 있어 호응이 아닌데 구한다면 불안한 도이니, 당연히 그 뜻을 변하지 않고 반드시 육사의 뜻을 헤아려 호응으로 서로 믿으므로 길하다.

### 이현익(李顯益)「주역설(周易說)」

有他謂初或捨四而之他, 非謂初虞四之有他. 建安丘氏說未然.
'다른 마음이 있으면' 초효가 혹 사효를 버리고 다른 것으로 간다고 말한 것이지 초효가 사효의 다른 마음이 있을까 헤아림을 말한 것이 아니다. 건안구씨의 설명은 옳지 않다.

### 이익(李瀷)『역경질서(易經疾書)』

虞, 說也, 孟子曰, 驩虞如也. 居澤之初, 自說而無妄進之志, 故虞吉. 有他者, 傳所謂志變也. 燕者, 燕息之燕, 與虞相照. 變則失其虞矣, 又安得燕哉.
우(虞)는 기뻐하다는 것이니,『맹자 · 진심상』에서 "기뻐한다"고 했다. 못의 처음에 있어 본래 기뻐하면서도 함부로 나아가는 뜻이 없기 때문에 기뻐하면 길한 것이다. '다른 마음이 있다'는 것은「상전」에서 말한 '뜻이 변한다'는 것이다. '편안하다'는 것은 편안히 쉰다고 할 때의 편안하다는 것으로 기뻐하는 것과 서로 비춰준다. 뜻이 변하면 기뻐함을 잃으니, 어찌 편안할 수 있겠는가?

### 심조(沈潮)「역상차론(易象箚論)」

有他者, 或指三而言耶. 蓋此爻志柔, 故容有他志也.
'다른 마음이 있다'는 것은 혹 삼효를 가리켜 말한 것인가! 여기 효의 뜻은 부드럽기 때문에 다른 뜻을 받아들인다.

### 유정원(柳正源)『역해참고(易解參攷)』

正義, 虞猶專也, 燕安也. 初爲信始, 應在于四, 得其專一之吉, 故曰虞吉. 旣係心於一, 故叀有他求, 不能與之共相燕安也, 故曰, 有它不燕.
『정의』에서 말하였다: 우(虞)는 전일하다와 같고, 연(燕)은 편안하다는 것이다. 초효는 믿음의 시작으로 사효와 호응하여 전일함의 길함을 얻었기 때문에 "헤아리면 길하다"고 하였다. 이미 마음이 하나에 걸렸기 때문에 다시 달리 구함이 있다면 그것과 함께 편안할 수 없기 때문에 "다른 마음이 있으면 편안하지 못하다"라고 하였다.

○ 陸氏〈希聲〉曰, 有應於四, 宜從之, 而誠信未通, 未能及物, 自守則吉, 而有它不燕.
육희성이 말하였다: 사효와 호응해 그것을 따라야 하는데, 정성과 미더움이 통하지 않아 사물에 미칠 수 없으니, 스스로 지키면 길하고 다른 마음이 있으면 편안하지 않다.

○ 厚齋馮氏曰, 字以羽族孚子爲象, 故六爻皆有取於此. 虞是山虞防守山林, 護鳥獸之卵胎者也. 卵有孚有不孚, 六三失信, 不孚者也, 六四當位, 孚者也. 二得中而先者, 故爲鳴鶴, 九五得中而後者, 故爲子和. 初在前防其巢者也, 虞人是也, 上最後飛擧者也, 翰音登天是也. 初當位, 故吉. 若不專心致志防護山林而有它志, 則群鳥不安矣. 燕或取燕雀之象. 兌之初七月未社, 燕猶在也. 過此之他, 則巽在東南, 又明年矣. 社過則无燕, 故有不燕之象.
후재풍씨가 말하였다: 글자가 새의 무리들이 새끼를 품고 있는 것을 상으로 했기 때문에 여섯 효가 모두 이것을 취하였다. 우(虞)는 산지기가 산림을 지키며 새들이 알을 낳아 기르는 것을 보호하는 것이다. 알은 미더운 것도 있고 미덥지 않은 것도 있으니, 육삼이 믿음을 잃은 것은 미덥지 않은 것이고, 육사가 자리에 마땅한 것은 미더운 것이다. 이효가 알맞음을 얻고 앞서는 것이므로 '우는 학'이고, 구오가 알맞음을 얻고 뒤지는 것이므로 '새끼가 화답하는 것'이다. 초효는 앞에서 새집을 지키는 것이니 '산지기[虞人]'가 여기에 해당하고, 상효는 가장 뒤에 날아오르는 것이니, '날아가는 소리가 하늘로 올라가는 것'이 여기에 해당한다. 초효가 자리에 마땅하기 때문에 길하다. 마음을 오로지 하고 뜻을 다하여 산림을 보호하지 않고 다른 뜻이 있다면 새의 무리들이 편안하지 못하다. 연(燕)은 혹 제비와 참새의 상을 취하기도 한다. 태괘(兌卦☱)의 처음인 7월에는 아직 토지신 제사를 지내지 않았으니 제비가 여전히 있고, 이때를 지난 다른 때는 손괘가 동남쪽에 있으니, 또 명년이다. 토지신 제사가 지났으면 제비가 없기 때문에 편안하지 못한[不燕] 상이 있다.

○ 雙湖胡氏曰, 易只兩虞字. 屯卽鹿无虞, 及此爻虞吉, 皆作山, 虞訓乃通.
쌍호호씨가 말하였다: 『주역』은 우(虞)자를 둘로 한 것일 뿐이다. 준괘(屯卦䷂)에서는 사슴을 추적하는데 '길잡이[虞]'가 없다는 것이고, 여기 효의 "헤아리면 길하다"에서는 모두 산으로 한 것이니, 우(虞)의 설명으로 바로 통한다.

○ 案, 信亦有不當信而信者, 如匹夫匹婦之爲諒, 硜硜小人之言必信, 是也. 能虞度其當信者, 而信之則吉.
내가 살펴보았다: 믿음에는 또한 믿지 않아야 되는데 믿는 경우가 있으니, 이를테면 『논어』의 '필부필부들이 하찮은 신의를 위하는 것'과 '속이 좁은 소인이 말을 반드시 미덥게 하는 것'이 여기에 해당한다.

### 김상악(金相岳)『산천역설(山天易說)』

虞, 度也. 卦惟二陰, 而初之陽能度其可信而信之, 故從應於四, 則吉. 若有他焉, 則不得其所安矣. 他指三也. 三非其應, 故曰有他.
우(虞)는 헤아린다는 것이다. 괘에 두 음뿐이어서 초효의 양이 믿을 수 있는지 헤아려서 믿기 때문에 사효를 따라서 호응하면 길하다. 다른 마음이 있으면 편안할 수 없다. 다른 마음은 삼효를 가리킨다. 삼효는 그 호응이 아니기 때문에 "다른 마음이 있다"고 하였다.

○ 巽爲進退不果, 虞度未定之象. 四則巽體得正, 三則說體不正, 故能虞而信四, 不失其吉也. 有他, 與大過九四同. 燕者安也. 若舍其正應而求他, 則不燕矣. 蓋兌性說易失其正, 故取虞之象, 與兌四曰商兌相似. 有他, 卽介疾也. 不燕, 卽未寧也. 然兩爻不累於私係, 故彼有喜而此吉. 又應四而四變, 則爲履, 說而應乾, 三變則爲小畜, 陽爲陰畜, 故曰有他不燕.
손괘는 진퇴에 과감하지 않고 헤아림이 정해지지 않은 상이다. 사효는 손괘가 그 바름을 얻었고, 삼효는 기뻐하는 몸체가 바르지 않기 때문에 헤아려서 사효를 믿으면 그 길함을 잃지 않는다. '다른 마음이 있다'는 것은 대과괘(大過卦䷛) 구사와 같다.[28] 연(燕)은 편안하다는 것이다. 바르게 호응함을 버리고 다른 것을 구한다면 편안하지 않다. 태괘(兌卦)의 특성은 기뻐하여 그 바름을 잃기 쉽기 때문에 헤아리는 상을 취하였으니, 태괘(兌卦䷹)의 사효에서 "기뻐함을 헤아린다"[29]는 것과 비슷하고, '다른 마음이 있다'는 것은 태괘의 '절개를 지켜 사악함을 미워한다'는 것이며, '편안하지 못하다'는 것은 태괘의 편안하지 못하다는 것이다. 그러나 두 효는 사사로운 걸림에 얽히지 않고 저기 태괘(兌卦䷹)에는 기쁨이 있고 여기 중부괘(中孚卦䷼)에는 길함이 있다. 또 사효와 호응하였는데 사효가 변하면 리괘(履卦䷉)가 되고, 기뻐서 건괘와 호응하였는데 삼효가 변하면 소축괘(小畜卦䷈)가 되어 양을 음이 저지하기 때문에 "다른 마음이 있으면 편안하지 못하다"고 하였다.

### 서유신(徐有臣)『역의의언(易義擬言)』

周禮有山虞澤虞, 虞度山澤者也. 下卦兌, 九五互艮, 有山澤之象焉. 在孚之初, 其虞度已及於九五, 是以吉也. 但上九在於山澤之外, 虞度之所不及也, 此爲他不燕也.
『주례』에 산우(山虞)라는 관리와 택우(澤虞)라는 관리가 나오니 산과 못을 헤아리는 자이다. 하괘가 못이고 구오가 호괘로 간괘이니, 산과 못의 상이 있다. 믿는 처음에 헤아림이

---

28)『周易·大過卦』: 九四, 棟隆, 吉, 有它, 吝.
29)『周易·兌卦』: 九四, 商兌, 未寧, 介疾, 有喜.

이미 구오에 미쳤으니, 이 때문에 길하다. 다만 상구는 산과 못의 밖에 있어 헤아림이 미치지 못하는 바이니, 이것이 다른 마음으로 편안하지 못한 것이다.

### 서유신(徐有臣)『역의의언(易義擬言)』

虞之所之, 卽其志也. 志在孚五, 不以六四而變其志也.
헤아림이 가니 곧 그 뜻이다. 뜻이 오효를 믿고 육사 때문에 그 뜻을 바꾸지 않는다.

### 박제가(朴齊家)『주역(周易)』

初九象傳, 初九虞吉志未變也, 與家人之初辭同而旨異. 家人之變, 則家人之志也, 閑之於其未變之先也, 此之未變, 則初之自不變也, 言必專一而後孚也, 此則專釋有它二字.
초구「상전」의 "'초구는 헤아리면 길함'은 뜻이 변하지 않아서이다"는 가인괘(家人卦) 초구「상전」과 말은 같지만 뜻은 다르다.[30]

### 이지연(李止淵)『주역차의(周易箚疑)』

三四二爻, 孚之象, 而四爲正應, 虞而信之, 則吉. 若與六三以同體之兌說而信之, 則不安之甚, 故戒之.
삼효와 사효 두 효가 믿음의 상인데 사효가 정응이니, 헤아려서 믿는다면 길하다. 육삼과 같은 몸체의 태괘로 기뻐하여 믿는다면 아주 편안하지 못하기 때문에 경계하였다.

### 김기례(金箕澧)「역요선의강목(易要選義綱目)」

凡體度於初, 則无失信終.
몸체는 처음에서 헤아리면 믿음의 끝을 잃음이 없다.

○ 初度應四之可信與否, 得可信之道而應則吉. 若不能誠一, 妄有近三之志, 則不信故不得燕安.
처음에 사효와 호응하는 것이 믿을 수 있는지 여부를 살피고 믿을 수 있는 도를 얻어 호응하면 길하다. 성실하고 전일할 수 없어 함부로 삼효의 뜻을 가까이 하면 믿지 못하기 때문에 편안할 수 없다.

---

30)『周易·家人卦』: 象曰, 閑有家, 志未變也.

### 심대윤(沈大允) 『주역상의점법(周易象義占法)』

中孚之義, 彼此相與者也, 故六爻皆兼彼此之義, 猶巽之通于上下也. 雖同物而取應也, 中孚之爻位, 居剛偏信也, 居柔汎信也.

중부의 뜻은 피차가 서로 함께 하는 것이기 때문에 여섯 효가 모두 피차의 뜻을 겸하니, 손괘가 위아래로 통하는 것과 같다. 중부괘(中孚卦䷼)의 효의 자리가 굳셈에 있으면 한쪽으로 믿고 부드러움에 있으면 널리 믿는다.

中孚之渙䷺, 發散也, 誠實之出, 而信乎人也. 初九以剛居剛, 剛而偏信, 居初地卑言行, 未立有應于四. 我之信人與人之信我, 俱偏而不廣, 必擇其可信者而信之, 擇其信我者而言之, 故曰虞.

중부괘가 환괘(渙卦䷺)로 바뀌었으니, 발산하는 것이니, 참됨이 나와서 사람들을 믿는 것이다. 초구는 굳셈으로 굳센 자리에 있으니 굳세어서 한쪽으로 믿는 것이고, 처음의 곳에 있어 언행을 낮추니 사효와 호응함을 확립하지 못한 것이다. 내가 남을 믿는 것과 남이 나를 믿는 것은 모두 한쪽으로 해서 넓지 않은 것이니, 반드시 믿을 수 있는지 택하여 믿고, 나를 믿는 자를 택하여 말하기 때문에 "헤아린다"고 하였다.

坎離次, 且互震兌遷變, 主震曰億, 主兌曰商,[31] 主坎曰虞, 主離曰審. 應四而不從二, 故曰, 有他不燕. 四艮爲他, 二兌爲燕, 取艮之阻塞, 反背兌之說樂也. 信无兩信之義, 初能舍近私悅, 而從遠阻塞, 虞度之善也. 信者言行之積以致之者也, 久而有立, 則始之不信者, 皆從而信之矣. 初之能虞度于初, 而同志輒信, 獨爲吉也.

감괘(坎卦☵)와 이괘(離卦☲) 다음에 또 호괘 진괘(震卦☳)와 태괘(兌卦☱)가 옮겨가며 변하니, 진괘를 주로하면 '억측한다'고 하고, 태괘를 주로 하면 '상량한다'고 하며, 감괘를 주로 하면 '헤아린다'고 하고 리괘를 주로 하면 '살핀다'고 한다. 사효와 호응하고 이효를 따르지 않기 때문에 "다른 마음이 있으면 편하지 못하다"고 하였다. 사효의 간괘가 다른 마음이고 이효의 태괘가 편안함인데, 간괘의 험하게 막음을 취해 태괘의 기뻐함을 거꾸로 등졌다. 믿음에는 양쪽으로 믿는 의리가 없어 처음에 가까이 개인적인 기쁨을 버리고 멀리 막혀 있는 것을 따를 수 있으니 헤아림의 선한 것이다. 믿음은 언행이 쌓여 이룬 것이니, 오래도록 하여 확립하였으면 처음의 믿지 않는 자들이 모두 따르고 믿는다. 초효가 처음에 헤아렸는데 뜻이 같아 바로 믿으니 오직 길하다.

---

31) 商: 경학자료집성DB와 영인본에 '商'으로 되어 있으나, 문맥을 살펴 '商'으로 바로잡았다.

### 오치기(吳致箕) 「주역경전증해(周易經傳增解)」

初九陽剛得正而在下, 上應六四之柔, 然以二剛之間隔于中, 恐或生疑不能誠實, 故戒言當專心相孚. 不變其初, 則爲吉. 若或有他, 則不得其燕安矣.
초구는 양의 굳셈으로 바름을 얻고 아래에 있어 위로 육사의 부드러움에 호응하지만 이효의 굳셈이 중간에서 막고 있어 아마 참될 수 없다고 의심할 수 있기 때문에 전일한 마음으로 서로 믿어야 한다고 경계하여 말하였다. 그 처음을 변하지 않으면 길하고, 다른 마음이 있으면 편안할 수 없다.

○ 虞者, 專也, 謂專信其所應之地也. 燕者, 安也.
우(虞)는 전일하다는 것이니, 호응하는 곳을 오로지 믿는다는 말이다. 연(燕)은 편안하다는 것이다.

### 이진상(李震相) 『역학관규(易學管窺)』

初之正應在六四, 而六四上從乎五, 未可遽信, 故虞度其可信而信之, 若其有他志, 則不得以安矣. 若不虞而遽應, 則必匈無疑. 有他, 言六四之有他志也. 我志未變, 而彼志易變, 我豈能得其燕安哉. 志亦終變而已, 故象不曰不變, 而曰未變.
초효의 바른 호응이 육사에 있는데 육사는 위로 오효를 따라 대번에 믿을 수 없으므로 믿을 수 있는지 헤아려보고 믿는데, 그에게 다른 뜻이 있다면 편안할 수 없다. 헤아려보지 않고 대번에 호응한다면 반드시 흉함을 의심하지 못한다. '다른 마음이 있는 것'은 육사가 다른 뜻이 있다는 말이다. 나의 뜻이 아직 변하지 않았는데 그의 뜻이 쉽게 뜻하니, 내가 어찌 편안할 수 있겠는가? 뜻도 마침내 변하기 때문에 「상전」에서 "변하지 않았다"고 하지 않고 "아직 변하지 않았다"고 하였다.

## 象曰, 初九虞吉, 志未變也.

「상전」에서 말하였다: "초구는 헤아리면 길함"은 뜻이 변하지 않아서이다.

## 中國大全

### 傳

**當信之始, 志未有所存而虞度所信, 則得其正, 是以吉也, 蓋其志未有變動. 志有所從則是變動, 虞之, 不得其正矣. 在初, 言求所信之道也.**

믿음의 시작을 맞아 아직 뜻을 둔 바가 없어서 믿어야 할 것을 헤아리면 그 바름을 얻으므로 길하니, 그 뜻이 아직 변동이 없기 때문이다. 뜻이 따르는 바가 있다면 이는 변동한 것이니 헤아림에 그 바름을 얻지 못할 것이다. (일의) 초기에 믿을 바를 구하는 도리를 말하였다.

### 小註

誠齋楊氏曰, 虞雖訓度, 亦防也. 書儆戒无虞, 萃戒不虞, 是也. 邪不閑, 則誠不存, 家人之閑有家, 中孚之虞, 皆見於初九. 防家防心, 皆在初也, 故孔子, 皆以志未變, 贊之.

성재양씨가 말하였다: '우(虞)'는 비록 헤아린다는 뜻이지만 '막는 것[防]'이기도 하다. 『서경 · 대우모(大禹謨)』의 "특별한 일이 없을 때에도 경계한다"와 취괘의 "미처 헤아리지 못한 일을 경계한다"[32]가 이것이다. 사특함을 막지 못하면 정성이 보존되지 못하니, 가인괘의 "집안에서 법도로써 막는다"와 중부괘의 "헤아린다"가 모두 초구에서 보인다. 집안을 막고 마음을 막는 것이 모두 처음에 달린 것이므로, 공자가 모두 "뜻이 아직 변하지 않았다"는 것으로 찬탄하였다.

---

32) 『周易 · 萃卦 · 大象傳』: 象曰, 澤上於地, 萃, 君子以, 除戎器, 戒不虞.

## 韓國大全

### 김상악(金相岳) 『산천역설(山天易說)』

凡信之失于後者, 由不能度之于始也. 故能虞而吉者, 志未變於初也. 與家人同辭.
믿음을 뒤에 잃는 것은 처음에 헤아릴 수 없었기 때문이다. 그러므로 헤아릴 수 있어 길한 것은 뜻이 처음에 변하지 않아서이다. 가인괘(家人卦)와 말이 같다.[33]

### 심대윤(沈大允) 『주역상의점법(周易象義占法)』

同志, 故輒信而未變也. 若以言行積久以致信者, 終難保其无變也.
뜻이 같기 때문에 갑자기 믿고 변하지 않는다. 언행을 오래도록 쌓아서 믿음을 이룬 경우라면 끝내 변하지 않기 어렵다.

### 오치기(吳致箕) 「주역경전증해(周易經傳增解)」

志從六四, 而未變其初, 則所信得專, 而爲吉也.
뜻이 육사를 따라 그 처음을 아직 변하지 않으니, 믿는 것이 전일할 수 있어 길하다.

### 이병헌(李炳憲) 『역경금문고통론(易經今文考通論)』

荀曰, 虞安也. 宜自安, 無意於四, 則吉也.
『순구가역』에서 말하였다: 우(虞)는 편안하다는 것이다. 당연히 본래 편안하여 사효에 마음이 없으면 길하다.

王曰, 虞猶專也. 爲信之始, 而應在四, 得乎專, 吉者也.
왕필이 말하였다: 우(虞)는 전일한 것과 같다. 믿는 시작인데 사효와 호응하여 전일함을 얻었으니 길한 것이다.

程傳曰, 虞度也, 燕安裕也.
『정전』에서 말하였다: 우(虞)는 헤아리는 것이고, 연(燕)은 편안하고 여유로운 것이다.

---

33) 『周易 · 家人卦』: 象曰, 閑有家, 志未變也.

## 九二, 鳴鶴在陰, 其子和之, 我有好爵, 吾與爾靡之.

구이는 우는 학이 그늘에 있으니, 그 새끼가 화답한다. 내게 좋은 벼슬이 있으니, 나와 네가 함께 매여 있도다.

## 中國大全

### 傳

二剛實於中, 孚之至者也. 孚至則能感通. 鶴鳴於幽隱之處, 不聞也, 而其子相應和, 中心之願, 相通也. 好爵, 我有而彼亦係慕, 說好爵之意, 同也. 有孚於中, 物无不應, 誠同故也. 至誠, 无遠近幽深之間, 故繫辭云, 善則千里之外應之, 不善則千里違之, 言誠通也. 至誠感通之理, 知道者, 爲能識之.

이효는 가운데서 굳세고 충실하여 미더움이 지극한 자이다. 미더움이 지극하면 감동시켜 통할 수 있다. 학이 그윽한 곳에서 울어서 들리지 않지만 그 새끼가 서로 화답하니 속마음으로 바라는 것이 서로 통해서이다. '좋은 벼슬'은 내가 가지고 있는데, 저 사람도 역시 매여 흠모하니, 좋은 벼슬을 기뻐하는 마음은 같기 때문이다. 속에 미더움이 있으면, 만물이 호응하지 않음이 없는 것은 정성이 같기 때문이다. '지극한 정성'은 거리와 깊이의 간격이 없으므로, 「계사전」에서 "선하면 천리의 밖에서도 호응하고, 선하지 못하면 천리 밖에서도 어긴다"라 하였으니 정성이 통함을 말한 것이다. 지극한 정성으로 감통하는 이치는 도를 아는 자라야 알 수 있다.

### 本義

九二, 中孚之實, 而九五亦以中孚之實, 應之. 故有鶴鳴子和我爵爾靡之象. 鶴在陰, 謂九居二, 好爵, 謂得中, 靡與縻同. 言懿德, 人之所好, 故好爵, 雖我之所獨有, 而彼亦繫戀之也.

구이는 중부에서 충실한 것이고, 구오 역시 중부의 충실함으로 호응한다. 그러므로 '학이 울자 새끼가 화답하고 내 벼슬에 네가 얽히는' 상이 있다. '학이 그늘에 있다'는 것은 양이 이효의 자리에 있음을 말하고, '좋은 벼슬'은 가운데 자리를 얻음을 말하며, '매임[靡]'은 '얽어 맴[縻]'과 같다. 아름다운 덕은 사람들이 좋아하는 것이므로 좋은 벼슬을 비록 내가 홀로 가지고 있는 것이지만 저 사람도 또한 매여 사모한다는 말이다.

小註

朱子曰, 九二爻, 自不可曉. 看來, 我有好爵, 吾與爾靡之, 是兩個都要這物事. 所以鶴鳴子和, 是兩箇中心都愛, 所以相應如此.
주자가 말하였다: 구이효는 본래 분명하지가 않다. 보아하니, "내게 좋은 벼슬이 있으니 나와 네가 함께 매여 있도다"는 둘이 모두 이것을 원하는 것이다. 학이 울자 새끼가 화답하는 것은 둘이 속마음으로 모두 사랑하기 때문에 서로 호응함이 이와 같다.

○ 中溪張氏曰, 二與五同德而居相應之位. 分則君臣也, 情則父子也, 故以類相孚. 鶴陽鳥, 謂九也, 在陰謂二也. 鶴鳴於幽隱之地, 而其子和之, 鶴鳴而感, 指二而言, 子和而應, 指五而言, 蓋出於中心所願也. 我爵指五, 五爲君位, 故以爵言. 吾亦五也, 爾, 指二. 靡, 二係於五也, 二五以誠實相孚, 故其象如此.
중계장씨가 말하였다: 이효와 오효는 덕이 같고 서로 호응하는 자리에 있으니, 신분으로는 임금과 신하이고, 정으로는 부모와 자식이므로 류(類)에 따라 서로 믿는다. 학은 양(陽)인 새이니 구(九)라 하고, '그늘에 있음'은 이효를 말한다. '학이 그윽한 곳에서 울자 그 새끼가 화답한다'에서 학이 울어 감동시키는 것은 이효를 가리켜 말하고, 새끼가 화답하여 호응함은 오효를 가리켜 말하니, 속마음으로 바라는 것에서 나왔기 때문이다. '내 벼슬'은 오효를 가리키는데, 오효는 임금의 자리이므로 벼슬을 가지고 말하였다. 내[吾]가 또한 오효이니, 너는 이효를 가리킨다. '얽힘[靡]'은 이효가 오효에 얽매임이니, 이효와 오효가 정성과 충실함으로 서로 믿으므로 그 상이 이와 같다.

○ 厚齋馮氏曰, 諸爻有應, 皆有關隔, 反无應義. 惟二五, 无間隔, 乃以同德相孚, 中虛相感.
후재풍씨가 말하였다: 여러 효가 호응이 있으나 모두 가로막는 것이 있어서 도리어 호응하는 뜻이 없다. 오직 이효와 오효만이 가로막힘이 없으니 이에 덕이 같아 서로 믿고 속이 비어서 서로 감응한다.

○ 雲峯胡氏曰, 兌爲正秋, 爲口舌, 感於秋而鳴鶴之象也. 卵生爲孚, 故又取鶴母子之象. 好爵, 諸家多以爲爵祿之爵, 本義, 謂之懿德, 蓋謂二五剛而得中, 皆能修其天爵者也. 天爵, 我之所固有, 吾與爾靡之. 二與五皆得中, 是吾之心與爾, 皆靡繫也. 人无所不至, 惟天不容僞, 鶴鳴子和, 天機之自動, 好爵爾靡, 天理之自孚也.
운봉호씨가 말하였다: 태괘는 중추이고 구설이니, 가을에 감응하여 우는 학의 상이다. 알에서 태어나는 것이 부(孚)이므로 또한 학의 어미와 새끼의 상을 취하였다. '좋은 벼슬'은 여러 학자들이 세속의 벼슬로 본 경우가 많으나, 『본의』에서는 '아름다운 덕'이라 하였으니, 이효와 오효가 굳세면서도 알맞음을 얻어 모두 그 하늘이 준 벼슬을 닦을 수 있기 때문이다. '하늘의 벼슬'은 내게 본디 있는 것으로 나와 네가 함께 매인 것이다. 이효와 오효가 모두 가운데 자리를 얻은 것은 내 마음이 너와 함께 모두 매여 있는 것이다. 사람은 이르지 못하는 것이 없고, 오직 하늘만이 거짓을 용납하지 않으니, 학이 울자 새끼가 화답함은 천기(天機)가 저절로 움직이는 것이고, 나의 좋은 벼슬에 네가 함께 얽혀 있는 것은 천리가 저절로 미더운 것이다.

## 韓國大全

### 송시열(宋時烈) 『역설(易說)』

震爲鳴, 大離爲鶴. 離兌在西南爲陰方, 二爲陰位, 震爲男, 故曰, 其子. 震象相孚, 其鳴相應, 故曰和之. 我者二, 自我也, 好爵者, 陽之德貴也. 爾者, 指五已. 縻之云者, 以巽之純互相羈縻也. 小象, 中心願者, 二五居中, 相孚以心也.
진괘는 울음이고, 큰 이괘(離卦)는 학이다. 이괘(離卦)와 태괘(兌卦)는 서남쪽에 있어 음의 방위이고, 이효는 음의 자리이며, 진괘(震卦)는 아들이기 때문에 '그 새끼'라고 하였다. 진괘의 상이 서로 믿고 그 울음이 서로 호응하기 때문에 "화답한다"고 하였다. '나'는 이효로 '나에게'라는 의미이다. '좋은 벼슬'은 양의 덕이 귀함이다. '너'는 오효를 가리킬 뿐이다. '매여 있도다'라고 한 것은 손괘의 순수함으로 서로 매여 있는 것이다. 「소상전」의 '속에서 원해서이다'는 것은 이효와 오효가 가운데 있어 서로 마음으로 믿는 것이다.

### 강석경(姜碩慶) 「역의문답(易疑問答)」

蓋鶴鳴子和者, 言二五誠信之相感應也. 我爵爾縻者, 言君臣恩義之所係戀也. 然則好爵, 只是爵祿之謂也, 而本義卻以懿德天爵言之. 天爵之說, 雖自孟子有, 而前此無聞, 且古經簡質, 不應以寓言爲文也. 朱子嘗謂易不須說得深, 只是輕輕說過可也. 此實針砭人說易深之病, 而及到自家說易時, 反有此病, 何也.
우는 학에 새끼가 화답하는 것은 이효와 오효가 정성과 믿음으로 서로 감응하는 것이다. 나의 벼슬에 네가 매여 있다는 것은 임금과 신하가 은혜와 의리로 서로 매여 있는 것이다. 그렇다면 좋은 벼슬은 작록을 말하는 것일 뿐인데, 『본의』에서 아름다운 덕과 하늘의 벼슬로 말하였다. 하늘의 벼슬에 대한 설명은 맹자에게 있었지만 이보다 앞서 들은 것이 없는 것은 또 옛 경전은 간결하여 우언으로 표현하지 않았기 때문이다. 주자는 『주역』을 깊게 설명할 필요가 없다고 일찍 말했으니, 가볍게 설명하면서 지나쳐야 될 뿐이라는 것이다. 이것은 실로 사람들이 역을 깊게 설명하는 잘못을 경계한 것인데, 자신이 『주역』을 설명할 때 이런 잘못을 저지른 것은 무엇 때문인가?

### 이익(李瀷) 『역경질서(易經疾書)』

上巽下說, 君臣際會之卦也, 天下之孚信莫大乎此. 九五卦主也, 九二居下, 兩陽疑若不相應, 卦以中孚爲義, 則其道尤善. 凡易中最貴, 二五中正. 然君明臣弱, 亦非至善. 惟乾爲純體, 故兩陽有利見之象. 中孚信及, 故兩陽有縻爵之象. 五居巽體之中, 則以剛明求賢, 二居說體之中, 則亦以剛明待聘. 明君賢臣, 各以中道感應, 吉不須言矣. 彖, 所謂中孚以利貞, 乃應乎天, 卽此象也.
윗사람이 공손하고 아랫사람이 기뻐하는 것은 임금과 신하가 서로 만나는 괘이니, 천하의 믿음은 이보다 큰 것이 없다. 구오는 괘의 주인이고 구이가 아래에 있어 두 양이 서로 호응하지 않을 것으로 의심되는데, 괘가 중부로 의리를 삼으니 그 도가 더욱 선하다. 『주역』에서 가장 귀중한 것은 이효와 오효가 중정한 것이다. 그러나 임금이 명철하고 신하가 유약한 것은 또한 지극한 선이 아니다. 오직 건괘(乾卦☰☰)는 순수한 몸체이기 때문에 두 양효에 보는 것이 이로운 상이 있다. 중부괘(中孚卦☴☱)는 미더움이 미치기 때문에 두 양효에 벼슬에 매어 매어있는 상이 있다. 오효가 공손한 몸체의 가운데 있으니 굳센 밝음으로 현명한 신하를 구하고, 이효가 기뻐하는 몸체의 가운데 있으니 또한 굳센 밝음으로 불러주기를 기다린다. 밝은 임금과 현명한 신하가 각기 중도로 감응하니 길함은 말할 필요가 없다. 「단전」에서 말한 "속이 미덥고 곧게 함이 이로우니, 이에 하늘에 응하리라"라는 말이 바로 이런 상이다.

天者非九五乎. 兌爲澤爲口. 聲從口出, 在澤而聲之, 遠聞者, 莫如鶴, 故有鳴鶴之象. 易例, 初爻有子之象. 凡鶴之鳴, 一倡則一和, 兩聲俱揚, 故所以遠聞. 初二兩陽同德說上, 故有此象. 詩云, 鶴鳴九皐聲聞于天, 今一倡一和必上, 將達于九五之明君. 所謂乃應乎天, 亦其左契也.

하늘은 구오가 아니겠는가? 태괘는 못이고 입이다. 소리가 입에서 나와 못에서 울려 멀리 들리는 것에는 학만한 것이 없기 때문에 우는 학의 상이 있다. 『주역』의 사례에서 초효에는 자식의 상이 있다. 학의 울음은 한 번 선창하고 한 번 화답하여 두 소리가 모두 퍼지기 때문에 멀리 들린다. 초효와 이효 두 양효는 같은 덕으로 위를 기뻐게 하므로 이런 상이 있다. 『시경』에 "학이 구고의 늪에서 우니, 그 소리가 하늘에 들린다"라고 하였으니, 이제 한 번 선창하고 한 번 화답하는 것이 반드시 위로 올라가 구오의 밝은 임금에게 들릴 것이다. 이른바 "이에 하늘에 응하리라"라는 것도 증거이다.

我指五, 爾指二, 子指初. 靡, 縻也. 君子居下, 懷抱道德孚信, 遠聞於明君, 卽以爵位加之, 將置諸輔弼之位, 謂之好爵, 則人臣之極, 伊尹太公可以當之. 九五所謂攣如, 卽指此而云. 爾達而兼善, 君子之本志, 故曰, 中心願也. 此道榛塞已久, 惟我東之乙巴素, 近之.

'나'는 오효를 가리키고, '너'는 이효를 가리키며, '새끼'는 초효를 가리킨다. "매여 있다"는 것은 얽어맨다는 것이다. 군자가 아래에 있으면서 도덕과 믿음을 품고 있는 것이 멀리 밝은 임금에게까지 소문나서 바로 작위를 주어 보필할 수 있는 지위에 둠에 이것을 좋은 벼슬이라고 하니, 신하의 본보기로는 이윤과 태공이 그것에 해당할 수 있다. 구오의 이른바 "잡아당기듯이 한다"는 것은 바로 이것을 가리켜서 말한 것이다. 네가 영달하여 선을 겸하는 것이 군자의 본래 뜻이기 때문에 "속마음에서 원해서이다"라고 하였다. 이런 도리가 막힌 것이 오래 되었는데, 오직 우리나라 을파소(乙巴素)[34]만이 그것에 가깝다.

### 심조(沈潮) 「역상차론(易象箚論)」

子和, 五也, 互艮爲小男也. 雖有兌, 非震, 何能善鳴乎.

새끼가 화답하는 것은 오효이니, 호괘인 간괘가 막내아들이기 때문이다. 태괘가 있지만 진괘가 아니면 어떻게 잘 울 수 있겠는가?

有兌有震, 氣之亨通, 而有遠聞者也.

태괘가 있고 진괘가 있는 것은 기가 형통해서 멀리까지 소문이 난 것이다.

---

34) 을파소(乙巴素): 유리왕 때 대신이었던 을소(乙素)의 자손이다. 191년(고국천왕 13)에 안류(晏留)의 추천으로 고국천왕에 의해 고구려 지배세력들의 회의체의 의장격인 국상(國相)으로 발탁되었다. 을파소는 기존 지배세력들의 반발에도 불구하고 고국천왕의 강력한 지지를 받으면서 고대왕권을 중심으로 한 고구려사회의 새로운 정치질서를 수립하여 사회안정에 크게 이바지하였고, 또 진대법(賑貸法)을 실시하였다. 산상왕 때에도 계속 국상으로 재임하다가 죽었다.

## 유정원(柳正源) 『역해참고(易解參攷)』

漢上朱氏曰, 離爲飛鳥, 震爲鵠. 鵠鶴通, 列子以鵠爲鶴. 震聲感, 兌鳴於正秋, 九二之象也.

한상주씨가 말하였다: 이괘(離卦)는 나는 새이고, 진괘는 고니이다. 고니와 학은 통용되니 열자는 고니를 학으로 여겼다. 진괘가 소리로 감동시켜 태괘가 중추에 우는 것이 구이의 상이다.

○ 案, 孚信之積中, 天與之好爵也, 人我之所同得也, 故我有好爵, 而爾戀之.

내가 살펴보았다: 믿음이 마음에 쌓인 것이 하늘이 준 좋은 벼슬로 남들과 내가 같이 얻는 것이기 때문에 나에게 좋은 벼슬이 있고 네가 매이는 것이다.

## 김상악(金相岳) 『산천역설(山天易說)』

大象離, 而九二居兌之中, 應巽之中, 孚之至也. 鳴鶴, 指五也, 子和, 謂二也. 我爵爾靡, 又主五而言. 蓋至誠无遠近幽深之間, 而物之相愛, 无如子母之同心, 人之所慕, 无如好爵之可貴也. 凡於本爻兼言應爻之象者, 卽禍福將至, 善必先知之, 不善必先知之也. 故記曰淸明在躬, 志氣如神,嗜欲將至, 有開必先, 天降時雨, 山川出雲. 此爻之辭, 與詩之興體同, 只言其象.

괘의 큰 모양이 리괘인데, 구이가 태괘의 가운데 있으면서 손괘의 가운데와 호응하니 미더움의 지극함이다. 우는 학은 오효를 가리키고 새끼가 화답하는 것은 이효를 말한다. '내게 좋은 벼슬이 있으니 나와 네가 함께 매여 있다'는 것은 오효를 위주로 말한 것이다. 지극한 정성은 멀고 가까움이나 깊고 고요함의 간극이 없으나, 사물이 서로 사랑하는 것은 새끼와 어미가 한 마음인 것 만한 것이 없으며, 사람이 사모하는 것으로는 귀하게 되는 좋은 벼슬만한 것이 없다. 여기의 효에서 호응하는 효의 상을 겸하여 말한 것은 재앙과 복이 생기려고 할 때에 좋은 것은 반드시 먼저 알고 좋지 않은 것을 반드시 먼저 안다는 것이다. 그러므로 『예기』에서 "청명한 덕을 몸에 지녀 지기가 신과 같고, 하고자 하는 바의 일이 이르려면 반드시 먼저 징조가 있으며, 하늘에서 때에 맞는 비를 내리려고 하면 산천에 구름이 일어난다"고 하였다. 여기 효의 말은 시의 흥(興)과 격식이 같은데 단지 그 상을 말하였을 뿐이다.

○ 離爲禽, 兌爲口, 又爲正秋. 禽之感於秋而鳴者鶴, 而鶴知夜半有信, 故取象之. 凡卦內陽而外陰, 故曰在陰, 相鶴經鶴陽鳥而遊於陰, 是也. 鶴鳴而子和者, 誠之不可掩也. 詩云, 鶴鳴于九皐, 聲聞于天, 是也. 子謂二也. 卦體中虛外實, 有卵之象, 而孚字從爪從子, 如鳥之抱子也. 巽之長女, 居上而爲母, 兌之少女, 居下而爲子, 而兌口與巽口相向, 故取子母相和而鳴之象也. 靡與縻同, 古註靡分散也. 願與賢者, 分散而共之也.
리괘는 날짐승이고, 태괘는 입이고 팔월이다. 날짐승이 가을을 느껴 우는 것은 학인데, 그것이 한밤을 아는데 믿음이 있기 때문에 취하여 상으로 하였다. 괘가 안은 양이고 밖은 음이기 때문에 "그늘에 있다"고 하였으니, 『상학경』에 학은 양(陽)의 새인데 그늘에 논다는 것이 여기에 해당한다. 학이 울고 새끼가 화답하는 것은 정성의 가릴 수 없는 것이니, 『시경』에서 "학이 구고(九皐)에 우니, 그 소리가 하늘에까지 들리네"라는 것이 여기에 해당한다. 새끼는 이효를 말한다. 괘의 몸체가 가운데가 비어 밖이 채워져 있어 알의 상이 있는데, 부(孚)자는 조(爪)와 자(子)를 합한 것이니, 새가 새끼를 안고 있는 것과 같다. 손괘의 맏딸은 위에 있어 어미이고 태괘의 작은 딸은 아래에 있어 자식인데, 태괘인 입과 손괘인 입이 서로 향하기 때문에 새끼와 어미가 서로 화답하며 우는 상을 취하였다. 미(靡)자는 미(縻)자와 같으니 옛 주석에서 미(靡)는 흩어진 것이라고 하였다. 원하는 것과 현자는 흩어져 있을지라도 함께 하는 것이다.

## 서유신(徐有臣)『역의의언(易義擬言)』

鶴白鳥, 巽爲白也. 下卦亦巽, 俱爲鶴也. 鶴雄鳴上風, 雌鳴下風. 両巽相合, 兩風相應之象, 両兌相合, 両口和鳴之象也. 鳴而在陰者, 九二也, 非二先鳴, 應五而鳴也. 下風而鳴, 上風之鶴, 亦旣鳴矣. 中孚爲抱子之象, 三四卽其子也. 爵, 鳥也, 好鳥者, 九五, 爲唳天之鶴也. 爾謂子也, 靡之者, 靡然而從之也. 然則在陰之鳴, 其子之和, 皆應於好爵者也.
학은 흰 새인데 손괘가 흰색이다. 아래의 괘도 손괘이니 모두 학이다. 학은 수컷이 울면 바람이 위로 불고 암컷이 울면 바람이 아래로 분다. 두 손괘가 서로 합한 것이 두 바람이 서로 호응하는 상이고, 두 태괘가 서로 합한 것이 두 입이 화합하여 우는 상이다. 울지만 그늘에 있는 것이 구이이니, 이효가 먼저 운 것이 아니라 오효에 호응하여 운 것이다. 아래로 바람이 불어 울었다면 위로 바람을 부르는 학도 이미 울었다. 중부괘는 새끼를 품는 상이니, 삼효와 사효가 바로 그 새끼이다. '벼슬'은 새이니, 좋은 새는 구오로 하늘에 우는 학이다. '너'는 새끼를 말한다. '매여 있는 것'은 매여서 따르는 것이다. 그렇다면 그늘에 있는 새와 그 새끼의 화답은 모두 좋은 벼슬에 호응하는 것이다.

## 박제가(朴齊家)『주역(周易)』

與, 猶爲也. 言爲之係之也, 此不過如詩之白駒之爾公爾侯之義, 乃代爲九五之言而說之于此者也. 傳, 我有而彼亦係慕, 說好爵之意, 同也, 朱子曰, 是兩箇[35]都要這物, 兩箇中心都愛, 所以相應如此. 稍疑其下語轉深, 而莫得其所以然. 雲峯胡氏曰, 二與五, 皆得中, 是吾之心與爾, 皆縻繫也, 於是乃覺程朱兩夫子, 皆以與字爲及字解, 謂吾及汝, 皆靡也.
여(與)자는 '위하여'와 같다. 그를 위해 그것을 이어 놓는다는 말이니, 이것은 이를테면 『시경 · 백구(白駒)』에서 '너를 공작으로 삼고 너를 후작으로 삼도다'는 의미에 불과한 것으로 바로 구오를 위한 말을 대신하여 여기에서 설명한다는 것이다. 『정전』에서 "내가 가지고 있는데, 저 사람도 역시 매여 흠모하니, 좋은 벼슬을 기뻐하는 마음은 같기 때문이다"라고 하고, 주자가 "둘이 모두 이것을 원하고 둘이 속마음으로 모두 사랑하기 때문에 호응함이 이와 같다"고 했다. 그런데 아래의 말이 깊어지는데도 아무도 그런 까닭을 모르는 것으로 다소 의심된다. 운봉호씨가 "이효와 오효가 모두 가운데 자리를 얻은 것은 내 마음이 너와 함께 모두 매여 있는 것이다"라고 하였다. 여기에서 정자와 주자 두 선생이 모두 여(與)자를 '~와[及]'로 해석했음을 깨달았으니, 나와 네가 모두 매여 있는 것이라는 말이다.

爻義姑勿論, 卽以文義推之, 其曰靡之者, 爲之係之之辭, 非共縻者也. 如鼓之舞之, 皆使之之辭. 若自鼓自舞, 則何用之字耶. 亦當曰, 此有好爵, 不當曰我有. 故本義乃以爵爲懿德, 則於我有之文義稍優. 然天爵則又豈可謂之靡耶. 彼亦本有之性, 豈可曰繫戀耶. 爵祿者, 先王之所以待賢德也. 同聲相應, 如子母之鶴, 則有不受其縻者耶. 故象傳曰, 中心願也, 言其固所願也, 乃人之願, 非鶴之願. 蓋鶴已孚而子矣. 傳, 常不取象說, 只擧一句屬之義理矣.
효의 의미는 잠시 접어두고 곧 문리로 추리하면, '매여 있다'고 한 것은 그를 위해 그것을 이어 놓는다는 말이지 함께 매여 있다는 것이 아니다. 이를테면 북치게 하고 춤추게 한다는 것은 모두 시키는 말이라는 것이다. 저절로 북치고 저절로 춤춘다면 무엇 때문에 지(之)를 붙여서 말하겠는가? 그러니 또한 "여기에 좋은 벼슬이 있는데"라고 해야지 "내가 가지고 있는데"라고 해서는 안된다. 그러므로 『본의』에서 바로 벼슬을 아름다운 덕으로 여긴 것이라면 내가 그것을 가졌다는 문장의 의미에서는 다소 뛰어나다. 그렇지만 하늘의 벼슬로 여긴 것이라면 또 어찌 그것을 매여 있다고 할 수 있겠는가? 저들도 본래 가진 본성을 어찌 매여 사모한다고 할 수 있겠는가? 작록은 선왕이 현명하고 덕 있는 사람을 대우하는 것이다. 같은 소리로 서로 호응하는 것이 새끼와 어미학과 같다면 이어 놓음을 받아들이지 않겠는가? 그러므로 「상전」에서 "속마음에서 원해서이다"라고 한 것은 진실로 원한다는 말로 바로 사람이 원하는 것이지 학이 원하는 것이 아니니, 학이 이미 믿어서 새끼를 두었다는 것이다. 『정전』은 언제나 「상전」의 설명을 취하지 않고 한 구절이 속한 의리를 들 뿐이다.

---

35) 箇: 경학자료집성DB에 '固'로 되어 있으나, 경학자료집성 영인본과 문맥을 참조하여 '箇'로 바로잡았다.

中溪張氏曰, 二與五, 分則君臣, 情則父子也. 而以子和爲五. 夫象雖无常然以位而言, 則子當爲二, 鶴當爲五. 而以其在陰牢, 定二之陰位, 故其說如此, 亦不倫之甚矣. 鶴之有子, 只取孚義, 同在一位, 又豈別其子而置之他所, 爲但和其鳴而不能相隨之, 離群別毋之鶴耶.

중계장씨는 "이효와 오효는 신분으로는 임금과 신하이고, 정으로는 부모와 자식이다"라고 하고 새끼의 화답을 오효로 여겼다. 상은 일정함이 없을지라도 위치로 말하면 새끼는 이효여야 하고 학은 오효여야 한다. 그런데 학이 그늘의 우리에 있는 것으로 이효라는 음의 자리를 정했기 때문에 그 설명이 이와 같았으니, 또한 아주 윤리에 맞지 않는다. 학에게 새끼가 있다는 것은 단지 '부(孚)'의 의미를 취한 것으로 한 자리에 함께 있는데, 어찌 또 그 새끼를 별도로 하여 다른 곳에 두어서, 단지 그 울음에 화답하기만 하고 서로 따르지 못하여 무리를 떠나고 어미와 헤어진 학으로 만드는가?

## 윤행임(尹行恁)『신호수필(新湖隨筆)·역(易)』

鶴鳴九皐聲聞于天, 如鳴鶴之子和, 誠至則感, 感極則通. 銅山崩而霜鍾應, 天欲雨而琴絃緩, 蓋有自然之理, 有不可誣者. 如此.

『시경』의 "학이 구고의 늪에서 우니, 그 소리가 하늘에 들린다"는 것은 우는 학의 새끼가 화답하는 것처럼 정성이 지극하면 감동하고 감동함이 지극하면 통한다는 것이다. 구리산이 무너져서 종소리가 호응하고, 하늘이 비를 내리려고 해서 거문고 줄이 느슨해지는 것은 저절로 그런 이치가 있어 속일 수 없는 것이 이와 같다는 것이다.

## 하우현(河友賢)『역의의(易疑義)』

或問, 先儒有以我爵爲指五, 爾指二, 未知如何. 曰, 本義曰, 好爵謂得中. 蓋亦自二而言, 何必謂指五也. 言二旣有中德, 而五亦有中德, 故云也. 且自二而言, 則曰我有好爵, 吾與爾靡之, 自五而言, 則曰有孚攣如也.

어떤 이가 물었다: 선대의 학자들은 나의 벼슬을 오효를 가리키는 것으로, 너를 이효를 가리키는 것으로 여겼는데 어떤지 모르겠습니다.

답하였다: 『본의』에서 "'좋은 벼슬'은 가운데 자리를 얻음을 말한다"라고 한 것은 대개 또한 이효로부터 말한 것이니, 어찌 반드시 오효를 가리킨다고 하겠습니까? 이효에 이미 알맞은 덕이 있고 오효에도 알맞은 덕이 있기 때문에 말한 것입니다. 또 이효로부터 말하면 "내게 좋은 벼슬이 있으니, 나와 네가 함께 매여 있도다"라고 하고, 오효로부터 말하면 "미더움이 있는 것이 잡아당기듯 한다"라고 합니다.

### 이지연(李止淵)『주역차의(周易箚疑)』

鳴鶴, 指九五, 我, 二之自謂也. 爾, 指九五, 周公告太王王季[36]曰, 惟爾.
'우는 학'은 구오를 가리키고, '나'는 이효 자신을 말한다. '너'는 구오를 가리키니, 주공이 태왕 왕계[37]에게 고하면서 "오직 당신"이라고 한 것이다.

### 김기례(金箕澧)「역요선의강목(易要選義綱目)」

鳴, 取兌口. 鶴陽鳥, 指陽爻, 在陰, 指陰位.
'울음'은 태괘인 입에서 취하였다. '학'은 양의 새이니, 양효를 가리키고, '그늘에 있다'는 것은 음의 자리를 가리킨다.

○ 二應五, 爲同德一心之孚, 故取子母之理. 二陰位, 故自謂母, 五陽位, 故指謂子. 鄭東卿曰, 中孚有抱卵象. 卵生者鳥, 故取鶴. 我有好爵, 指五居天位, 而有尊貴之德.
이효는 오효와 호응하는 것은 덕이 같고 마음이 하나인 믿음이기 때문에 새끼와 어미의 이치를 취하였다. 이효는 음의 자리이기 때문에 본래 어미를 말하고, 오효는 양의 자리이기 때문에 새끼를 가리켜서 말하였다. 정동경(鄭東卿)은 "중부에는 알을 품는 상이 있다. 알을 낳은 것은 새이기 때문에 학을 취하였다. '내게 좋은 벼슬이 있다'라는 것은 오효가 하늘의 자리에 있어 존귀한 덕이 있음을 가리킨다"라고 하였다.

○ 吾與爾靡之, 言懿德之人, 人之所好, 五有美德, 二與固結而和之
'나와 네가 함께 매어 있도다'라는 것은, 아름다운 덕이 있는 사람은 사람들이 좋아하는 것이니 오효에게 아름다운 덕이 있음에 이효가 함께 굳게 결합하여 화답하는 것을 말한다.

○ 中孚二五, 无間隔之陽, 故同德之孚益切.
중부괘(中孚卦䷼)의 이효와 오효는 중간에 가로막는 양이 없기 때문에 덕이 같은 미더움이 더욱 절실하다.

---

36) 季: 학자료집성 DB에 '李'로 되어 있으나, 경학자료집성 영인본과 문맥을 참조하여 '季'로 바로잡았다.
37) 왕계(王季): 고공단보의 막내아들이며 문왕 창(昌)의 아버지. 태백(太伯)과 우중(虞仲)이라는 두 형이 있었으나, 뛰어난 인덕(人德)을 인정받아 고공단보의 후계자가 되었다. 아들 창(昌)과 손자인 무왕 발(發)에 이르러 주 왕조를 세웠다.

### 이항로(李恒老) 「주역전의동이석의(周易傳義同異釋義)」

或問, 鳴鶴在陰, 其子和之, 此何理也, 我有好爵, 吾與爾靡之, 此何物也. 曰, 孔子釋之曰, 中心願也, 已揭一心字而示之矣. 又從而解之曰, 善則千里之外應之, 不善則千里之外違之, 竝與其心之德而敎之矣, 更何疑焉. 蓋心一而已矣. 由[38]一物而言, 則一物獨具一心. 由萬物而言, 則萬物同具一心, 形雖有爾我之別, 而理初無彼此之隔也. 是以此善則彼說, 此悖則彼怒, 如桴鼓影響之捷. 暗闇幽獨之中, 造次顚沛之頃, 一念得失一動從違, 似不干事而天地降鑑, 向背已判, 聲氣類應, 吉凶不僭, 可不慎歟. 知此心之妙, 則可以知此說也.

어떤 이가 물었다: 우는 학이 그늘에 있으니, 그 새끼가 화답하는 것은 어떤 이치 때문이고, 내게 좋은 벼슬이 있으니 나와 네가 함께 매여 있는 것은 어떤 사물 때문입니까?

답하였다: 공자가 그것을 "속마음에서 원해서이다"라고 해석하여 이미 마음을 보여주었습니다. 또 이어서 "선하면 천리의 밖에서도 호응하고, 선하지 못하면 천리 밖에서도 어긴다"라고 해석하여 마음의 덕을 아울러서 가르쳤으니, 다시 무엇을 의심하겠습니까? 마음 하나일 뿐입니다. 하나의 사물로 말하면 그것이 오직 하나의 마음을 갖추었고, 만물로 말하면 그것들이 동일하게 하나의 마음을 갖추었으니, 형체로는 너와 나의 구별이 있을지라도 이치로는 애초에 저것과 이것의 막힘이 없습니다. 이 때문에 이것이 선하면 저것이 기뻐하고 이것이 어그러지면 저것이 분노하니, 마치 북과 북채, 그림자와 메아리처럼 빠릅니다. 캄캄한 데 외롭게 홀로 있으면서 엎어지고 넘어지는 순간일지라도 한 생각의 잘잘못과 한 움직임의 따르고 어김이 일에 간여하지 않는데도 천지가 거울을 내려준 것처럼 향배가 이미 구별되고 소리와 기운이 종류대로 호응하며 길흉이 어긋나지 않으니 삼가지 않을 수 있겠습니까? 마음이 이처럼 묘한 것을 알면 이 설명을 알 수 있을 것입니다.

### 심대윤(沈大允) 『주역상의점법(周易象義占法)』

中孚之益䷩, 損上益下也. 誠實之出乎我, 而信乎人者, 漸多有損上益下之義. 九二以剛居柔, 汎信而得中, 九五志相和應巽. 艮爲山. 鳥之白曰鶴. 震爲鳴, 鳴和應也. 鳴鶴言五之得二之和應也. 巽離爲在巽, 離對坎爲木, 蔽日曰陰. 在陰, 言居巽木之下也. 其子, 謂初二兩爻之在下也. 其者, 不一之辭, 言和應者, 不一也. 巽兌爲子, 兌爲和, 言五之言行誠實, 在下而遠者, 皆効之而誠實也. 凡言鳴者, 皆和應而相効也.

중부괘가 익괘(益卦䷩)로 바뀌었으니, 위에서 덜어내어 아래로 보태주는 것이다. 성실함이 나에게서 나와 남들에게 미더운 것은 위에서 덜어내어 아래로 보태주는 의미가 점점 많아지

---

38) 由: 경학자료집성DB와 영인본에 '申'으로 되어 있으나, 문맥을 살펴 '由'로 바로잡았다.

는 것이다. 구이가 굳셈으로 부드러운 자리에 있어 믿음을 널리 하고 알맞음을 얻었으니, 구오가 마음으로 서로 화답하여 호응함이 공손하다. 간괘는 산이다. 새가 희면 학이라고 하고, 진괘(震卦)는 울음이며, 울음은 화답하여 호응하는 것이다. 우는 학은 오효가 이효의 화답하여 호응함을 얻은 것이다. 손괘(巽卦)와 이괘(離卦)는 손괘(巽卦)에 있고, 이괘(離卦)와 음양이 다른 감괘(坎卦)가 나무이니, 그것이 해를 가린 것이 그늘이다. '그늘에 있다'는 것은 손괘라는 나무의 아래에 있다는 말이다. '그 새끼[其子]'는 초효와 이효 두 효가 아래에 있는 것을 말한다. '그[其]'는 일정하지 않다는 말로 화답하여 호응하는 것이 일정하지 않다는 것이다. 손괘와 태괘가 새끼이고, 태괘가 화합이니, 오효의 언행이 성실해서 아래로 멀리 있는 자들이 모두 본받아 성실하게 된다는 말이다. 울음을 말한 경우는 모두 화합하고 호응하여 서로 본받는다는 것이다.

中孚巽爲鳥爲翼而張于上, 兌爲咧嘈啄食之象. 漸之六二互巽兌, 亦言鴻之啾啄. 外剛中虛而互頤, 有母鳥抱雛之象, 故以鶴之子母鳴應爲言也. 艮巽爲好艮爲爵. 我有好爵, 言五之言行之善也. 我專主之辭, 言行主乎己也. 吾與爾靡之, 言二與初信服于五也. 巽爲靡九二之時, 言行有立而始之不同志者, 亦有感應而信之者. 我之言行發乎邇, 而動乎遠, 故曰鳴鶴在陰, 陰言幽隱之地也. 中庸曰, 微之顯, 是也. 一人旣信, 而衆應之, 故曰其子和之. 必托于大人先生, 而後取信於人, 故曰我有好爵吾與爾靡之. 九二信從于五, 而初九承之, 我能自托于大人, 而人亦信我以効應也.

중부괘(中孚卦䷼)에서 손괘(巽卦☴)가 새이고 날개여서 위로 베풀고, 태괘(兌卦☱)는 가늘게 지껄이며 음식을 쪼아 먹는 상이다. 점괘(漸卦䷴) 육이는 손괘(巽卦☴)와 태괘(兌卦☱)를 번갈아 나타내는 것도 가늘게 지껄이며 음식을 먹는 것을 말했다. 밖이 굳세고 안이 빈 호괘 이괘(頤卦䷚)에는 어미 새가 새끼를 품고 있는 상이 있기 때문에 학의 새끼와 어미가 울며 호응하는 것으로 말했다. 간괘와 손괘는 '좋은'이고, 간괘는 '벼슬'이다. '내게 좋은 벼슬이 있다'는 것은 오효의 언행이 선하다는 말이다. '나'는 오로지 주관한다는 말이니, 언행은 자신을 주로 한다. '나와 네가 함께 매어 있다'는 것은 이효와 초효가 오효를 믿고 따른다는 말이다. 손괘가 구이를 매여 놓는 때에는 언행이 확립되어 처음에 뜻이 같지 않은 자가 있을지라도 감응해서 믿는다. 나의 언행은 가까이로 발해 멀리 움직이기 때문에 "우는 학이 그늘에 있다"고 하였다. 그늘은 깊숙이 은밀한 곳이다. 『중용』에서 "은미한 것이 드러난다"고 한 여기에 해당한다. 한 사람이 믿고 여러 사람이 호응하기 때문에 "그 새끼가 화답한다"고 하였다. 반드시 대인과 선생께 의탁한 이후에 사람들에게 믿음을 취하기 때문에 "내게 좋은 벼슬이 있으니, 나와 네가 함께 매여 있도다"라고 하였다. 구이는 오효를 믿고 따르고 초구가 받드니, 내가 대인에게 스스로 의탁할 수 있고, 사람들도 나를 믿어 호응함을 본받는다.

### 오치기(吳致箕) 「주역경전증해(周易經傳增解)」

九二陽剛得中, 而上應九五中正之君, 同德相孚. 故其中心之感, 出於至誠, 有鶴鳴子和之象, 而以君臣相愛之切, 亦有我爵爾靡之心. 孚信如此, 其臣之賢可知矣. 雖不言占, 而占在象中.
구이는 양의 굳셈으로 알맞음을 얻고 위로 구오의 중정한 임금과 호응하여 같은 덕으로 서로 믿는다. 그러므로 속마음에서 감동하는 것이 지극한 정성에서 나와 학이 울고 새끼가 화답하는 상이 있고 임금과 신하가 서로 아끼는 절심함으로 또한 나의 벼슬로 너를 매어 놓는 마음이 있다. 믿음이 이와 같으면 그 신하의 현명함을 알 수 있다. 점을 말하지 않았지만 그것이 상 가운데 있다.

○ 鳴取互震, 而震爲善鳴也. 鶴能知夜有信之鳥, 而其爲物股長而色白. 取於巽爲股爲長爲白也. 陰取陰位, 子取互震. 和者應也. 我與吾指五, 而爾指二, 皆假辭也. 與授也, 取於互艮. 爵者, 君之所命, 而取於巽, 靡與縻同, 亦取巽也.
울음은 호괘인 진괘에서 취했고 진괘는 잘 우는 것이다. 학은 밤을 알 수 있어 믿음이 있는 새인데, 그 모양은 다리가 길고 색은 희다. 손괘에서 취해 다리이고 긴 것이며 흰색이다. '그늘'은 음의 자리에서 취했고, '새끼'는 호괘인 진괘에서 취했다. '화답'은 호응하는 것이다. '나[我]'와 '나[吾]'는 오효를 가리키고 '너'는 이효를 가리키니, 모두 의탁하는 말이다. '함께 한다[與]'는 준다는 말로 호괘인 간괘에서 취했다. '벼슬'은 임금이 명하는 것으로 손괘에서 취했고, '매어 놓다[靡]'는 얽어 놓다와 같으니, 또한 손괘에서 취했다.

### 이진상(李震相) 『역학관규(易學管窺)』

說卦, 震爲鵠, 而列子以鵠爲鶴. 鶴, 互震象, 兌爲口, 震爲聲鳴之義也. 九二, 陰鶴順風而鳴, 其子應之, 孚之至也. 震爲子, 我, 九五自我也. 好爵, 所以爵有德者也. 九二剛中同德相應, 故五以好爵與而縻之. 縻爵, 猶言繫官. 好爵, 人心之所同願也, 而惟有實德者, 方可當之. 先儒以九五爲子, 殊失尊卑之倫. 而本義以好爵指懿德, 亦恐不若直訓爵祿. 蓋天爵之說, 始出於孟子, 而古經中言爵, 皆以官言故也. 又以中心願之義, 推及縻字以爲繫戀, 而亦恐未安. 好爵以縻之, 所以酬中心之願也. 君之願得臣, 臣之願得君, 皆誠心也. 二五之同德相應, 豈直繫戀而已也. 大傳曰, 善則千里之外應之, 況其邇者乎, 此乃鶴鳴子和之義也. 賢人倡道於下, 而信從者衆, 則亦豈無上徹天德[39]朱紱方來之理乎.

---

39) 德: 경학자료집성DB에 '聽'으로 되어 있으나, 경학자료집성 영인본과 문맥을 참조하여 '德'으로 바로잡았다.

「설괘전」에서 진괘는 고니인데, 열자(列子)는 고니를 학으로 여겼다. 학은 호괘인 진괘의 상이고 태괘는 입이니, 진괘는 소리와 울음의 의미이다. 구이는 음의 학으로 바람을 따라 우는데 그 새끼가 따라서 우니 지극한 미더움이다. 진괘는 새끼이고 나는 구오 자신이다. 좋은 벼슬은 벼슬에 덕이 있는 것이다. 구이는 굳셈이 가운데 있고 덕이 같아 서로 호응하기 때문에 오효가 좋은 벼슬로 함께하며 매여 있다. 벼슬에 매여 있는 것은 관직에 매여 있다는 말과 같다. 좋은 벼슬은 사람들이 마음으로 동일하게 원하는 것이니, 실제로 덕이 있는 자만이 감당할 수 있다. 선대의 학자들은 구오를 새끼로 여겨 존비의 질서를 크게 벗어났다. 그런데 『본의』에서 좋은 벼슬을 가지고 아름다운 덕을 가리킨 것도 작록이라고 바로 해석한 것만 못한 것 같다. 대개 하늘의 벼슬이라는 설명은 처음 『맹자』에서 나왔으니, 옛 경전에서 벼슬이라고 말한 것은 모두 관직으로 말했기 때문이다. 또 속마음에서 원한다는 의미로 매여 있다는 말을 미루어 매여 사모한다는 것으로 생각했는데 이것도 좋지 않은 것 같다. 좋은 벼슬로 매어 놓는 것은 속마음의 소원을 이루는 것이다. 임금은 신하를 얻기를 원하고 신하는 임금을 얻기를 원하는 것은 모두 참된 마음이다. 이효와 오효가 덕이 같아 서로 호응하는 것이 어찌 단지 매여 사모하는 것일 뿐이겠는가! 「계사전」에서 "선하면 천리의 밖에서도 호응하니, 하물며 가까운 자에 있어서랴!"라고 하였으니, 이것이야말로 학이 울고 새끼가 화답하는 의미이다. 현인이 아래로 도를 선창하면 믿고 따르는 자들이 많으니, 또한 어찌 위로 하늘에 통하는 덕과 주홍빛 인끈을 찬 임금이 오려는 이치가 없겠는가?

### 채종식(蔡鍾植) 「주역전의동귀해(周易傳義同歸解)」

傳謂爵祿, 本義謂懿德. 蓋爵祿人爵也, 懿德天爵也. 修天爵, 則人爵自至, 故兩釋不相妨耳.

『정전』에서는 작록을 말하였고, 『본의』에서는 아름다운 덕을 말하였다. 작록은 사람의 벼슬이고 아름다운 덕은 하늘의 벼슬이다. 하늘의 벼슬을 닦으면 사람의 벼슬은 저절로 오기 때문에 두 해석이 서로 방해되지 않는다.

## 象曰, 其子和之, 中心願也.

「상전」에서 말하였다: "그 새끼가 화답함"은 속마음에서 원해서이다.

## 中國大全

**傳**

**中心願, 謂誠意所願也. 故通而相應.**

"속마음에서 원한다"는 진실한 뜻으로 원하는 것임을 말한다. 그러므로 통해서 서로 호응한다.

**小註**

進齋徐氏曰, 九二, 以實感, 九五以實應, 卦體中虛, 自然相應, 无所隔塞也.
진재서씨가 말하였다: 구이는 충실함으로 감동시키고, 구오는 충실함으로 호응하는데, 괘의 몸체가 가운데가 비어서 자연히 서로 호응하여 막힌 것이 없다.

## 韓國大全

**김상악(金相岳) 『산천역설(山天易說)』**

鶴鳴子和, 乃其中心所願, 非勉强於外也, 同聲相應, 同氣相求, 是也. 但云子和者, 主本爻而言也
학이 울고 새끼가 화답하는 것은 바로 속마음이 원하는 것이지 밖으로 힘써 억지로 하는 것이 아니니, '같은 소리는 서로 호응하며 같은 기운은 서로 구하는 것'이 여기에 해당한다. 다만 '새끼가 화답한다'고 한 것은 여기의 효를 위주로 말한 것이다.

### 서유신(徐有臣)『역의의언(易義擬言)』

三四有中心象也. 孚出中心之願, 見其誠信無僞也.
삼효와 사효는 속마음의 상이다. 믿음이 속마음의 원하는 것에서 나오니, 그 성심과 믿음에 거짓이 없음을 알겠다.

### 오치기(吳致箕)「주역경전증해(周易經傳增解)」

中心之願, 謂誠意所願也, 故自然感應, 无所隔塞也.
속마음으로 원하는 것은 정성스런 마음으로 원하는 것이기 때문에 저절로 그렇게 감응하고 떼어놓고 가로막는 것이 없다.

### 이진상(李震相)『역학관규(易學管窺)』

願之者, 心也, 和之者, 迹也. 惟其願之, 是以和之. 好爵亦然, 固所願也, 故從以縻之. 若以縻之爲繫戀, 則亦將以和之爲願慕耶.
원하는 것은 마음이고 화답하는 것은 흔적이다. 그것만 원하기 때문에 화답한다. 좋은 벼슬도 그러해서 진실로 원하는 것이기 때문에 따름으로 함께 매여 있다. 매인 것을 매여 사모하는 것으로 삼으면, 또한 화답하는 것을 원하고 사모하는 것으로 삼을 수 있을 것이다.

### 박문호(朴文鎬)「경설(經說)・주역(周易)」

諸卦之例, 二五以父子, 則五父而二子, 以君臣, 則五君而二臣, 於此反. 處五爲子, 處二爲爵, 蓋主二而言也. 小註張氏說中, 我爵指五者, 是未察於賓主之辨也.
여러 괘의 사례에서 이효와 오효가 아비와 자식으로 사용되면 오효가 아비이고 이효가 자식이며, 임금과 신하로 사용되면 오효가 임금이고 이효가 신하인데 여기에서는 반대이다. 오효에 있는 것이 자식이고 이효에 있는 것은 벼슬이니, 이효를 위주로 말한 것이다. 소주의 장씨 설명 가운데 "'내 벼슬'은 오효를 가리킨다"는 것은 손님과 주인의 분변을 살피지 못한 것이다.

中是天爵, 故本義以得中釋好爵, 又以懿德言之.
가운데 자리는 하늘의 벼슬이기 때문에『본의』에서 가운데 자리를 좋은 벼슬로 해석하고, 또 아름다운 덕으로 말하였다.

### 이병헌(李炳憲) 『역경금문고통론(易經今文考通論)』

孟曰, 靡共也.
맹희가 말하였다: "매여 있다"는 것은 함께한다는 것이다.

程傳曰, 孚至則能感通. 義詳繫辭.
『정전』에서 말하였다: 미더움이 지극하면 감통시켜 통할 수 있다. 그 의미는 「계사전」에 자세하다.[40]

40) 이병헌이 『정전』의 내용을 축약한 것이다.

六三, 得敵, 或鼓或罷, 或泣或歌.

육삼은 적을 만나 북을 울렸다가 그만두었다가 울었다가 노래했다가 한다.

## 中國大全

### 傳

敵, 對敵也, 謂所交孚者, 正應上九, 是也. 三四, 皆以虛中, 爲成孚之主, 然所處則異. 四得位居正, 故亡匹以從上, 三不中失正, 故得敵以累志. 以柔說之質, 旣有所係, 唯所信是從, 或鼓張, 或罷廢, 或悲泣, 或歌樂, 動息憂樂, 皆係乎所信也. 唯係所信, 故未知吉凶, 然非明達君子之所爲也.

'적'은 상대로서 믿음으로 사귀는 자를 말하니, 정응인 상구가 여기에 해당한다. 삼효와 사효는 모두 가운데가 비어 미더움을 이루는 주인이나 있는 곳이 다르다. 사효는 제자리를 얻어 바른 데 있으므로 짝을 버리고 위를 따르고, 삼효는 가운데 자리도 아니고 바름도 잃었으므로 적을 만나 뜻에 누를 끼친다. 부드럽고 기쁜 재질로 이미 매인 바가 있으니, 오직 믿는 것만을 따라서 북을 울려 펼쳤다가 그만두어 버렸다가 슬퍼 울었다가 노래하며 즐기니, 움직이고 그치며 근심하고 즐기는 것이 모두 자기가 믿는 바에 매였다. 오직 믿는 바에 매였기 때문에 길흉을 알 수 없으니 밝게 통달한 군자가 하는 바는 아니다.

### 本義

敵, 謂上九, 信之窮者. 六三, 陰柔不中正, 以居說極而與之爲應, 故不能自主, 而其象如此

'적[敵]'은 상구를 말하니, 믿음이 다한 자이다. 육삼은 부드러운 음으로 중정하지 못한데 기쁨의 극한에 있어 그와 더불어 호응하기 때문에 스스로 주관하지 못하니, 그 상이 이와 같다.

小註

或問, 中孚六三, 大義是如何. 朱子曰, 某所以說中孚小過皆不可曉, 便是如此. 依文解字看來, 只是不中不正, 所以歌泣喜樂, 都无常也.
어떤 이가 물었다: 중부괘 육삼효는 대체적인 뜻이 무엇입니까?
주자가 답하였다: 내가 중부괘와 소과괘가 다 분명하지 않다고 말한 것이 바로 이런 것입니다. 문자대로 본다면 그저 알맞지도 않고 바르지도 않기 때문에 노래하거나 울거나 기뻐하거나 즐거워하거나 다 항상되지 못합니다.

○ 中溪張氏曰, 六三雖得上九之應爲匹敵. 然三居兌說之極, 中心莫知所主, 故或鼓而前, 或罷而止, 或泣而悲, 或歌而樂. 或之者, 疑之也.
중계장씨가 말하였다: 육삼은 비록 상구의 호응을 얻어 짝으로 할지라도 그것이 태괘라는 기쁨의 극한에 있으면서 속마음에 중심으로 삼아야 할 바를 알지 못하기 때문에 북을 울려 나아가기도 하고, 그만두어 멈추기도 하며, 울며 슬퍼했다가, 노래하며 기뻐하기도 한다. '혹 ~하기도 한다[或之]'는 의심하는 것이다.

○ 劉氏曰, 人唯信不足, 故言行之間, 變動不常, 如此.
유씨가 말하였다: 사람이 오직 믿음이 부족하기 때문에 말과 행동이 이처럼 항상되지 못하고 변한다.

○ 雲峯胡氏曰, 三與上, 居上下卦之極, 體均力敵者也. 中孚六爻, 唯取柔而正, 剛而中者, 九二九五剛而中者也, 上九不中矣. 六四柔而正者也, 六三不正矣. 以柔而不正者, 應剛而不中者, 此爲說之極, 彼當信之窮. 所以不能自主, 或鼓或罷, 作止之无常. 或泣或歌, 哀樂之无常. 凡爻以柔居陽者, 多以或言.
운봉호씨가 말하였다: 삼효와 상효는 상괘 · 하괘의 끝에 있어 몸체가 균등하고 힘이 필적하는 자이다. 중부괘 여섯 효에서 부드러우면서 바르고, 굳세며 알맞은 것을 취한다면, 구이와 구오는 굳세고 알맞은데, 상구는 알맞지 않다. 육사는 부드러우며 바른 것인데, 육삼은 바르지 않다. 부드러우면서 바르지 않은 것이 굳세며 알맞지 못한 것과 호응하면 이쪽은 기쁨의 끝이 되고, 저쪽은 믿음의 다함이 되기 때문에 스스로 중심을 잡지 못하여 혹 북을 두드려 나아가기도 하고 혹 그만두기도 하며 하거나 마는 것이 일정하지 않다. 혹 울었다가 혹 노래했다가 하는 것은 슬픔과 기쁨이 일정하지 않은 것이다. 효에서 부드러운 음이 양의 자리에 있을 경우, 대부분 '혹(或)'이라고 말한다.

# 韓國大全

## 권근(權近) 『주역천견록(周易淺見錄)』

敵, 相向而對者也. 兌巽反對之卦, 而兌下巽上, 如二人相面而立, 三居內卦之終, 對外卦之初. 我自內往, 彼自外來, 相向而對, 若得敵. 然旣得敵, 故或皷而欲戰, 然彼柔而非與我戰者, 故或罷而不戰. 又居悅終, 樂極哀來, 故或泣, 猶未離乎悅體, 故或歌. 蓋以陰居陽處, 不當位. 識暗志剛, 中無定主, 與人交接之際, 孚信之心不能誠一, 其無常如此, 凶咎不暇言也. 吳氏謂敵與己同等者, 三與四, 同爲陰敵也, 亦通. 但不若以全卦而觀象也. 程朱皆謂上九之應爲敵, 陰之應陽, 豈欲戰而或皷哉. 若曰皷, 非欲戰, 乃樂極皷舞之謂, 則於得敵, 又不合也. 敵與應不同, 敵相竝而抗之謂, 應相合而和之謂也.
'적'은 서로 대면해서 상대하는 자이다. 태괘(兌卦☱)와 손괘(巽卦☴)는 반대되는 괘인데, 태괘가 아래에 있고 손괘가 위에 있으니, 두 사람이 얼굴을 맞대고 서있는 것처럼 삼효가 내괘의 끝에 있으면서 외괘의 처음과 마주한다. 나는 안에서 가고 저것은 밖에서 오며 서로 대면해서 상대하니 적을 만난 것과 같다. 그러나 이미 적을 만났기 때문에 북을 울려 전쟁을 하려다가 저것이 부드러워 나와 전쟁하려는 자가 아니기 때문에 그만두고 전쟁하지 않는다. 또 기쁨의 끝에 즐거움이 다해 슬픔이 오기 때문에 울다가도 아직 기쁨의 몸체를 벗어나지 않았기 때문에 노래를 하기도 한다. 음이 양의 자리에 있어 자리가 마땅하지 않다. 아는 것은 어둡고 뜻은 굳세며, 중앙에 일정한 토가 없고 사람들과 만날 때 믿는 마음이 참되고 전일할 수 없어 이처럼 일정하지 않으니 재앙이 바로 들이닥친다. 오씨가 '적이 나와 동등한 것은 삼효와 사효가 동일하게 음이어서 적이기 때문이다'라고 하였으니, 또한 통한다. 다만 전체 괘를 가지고 상을 보는 것만은 못하다. 정자와 주자는 모두 '상구의 호응이 적이다'라고 하였는데, 음이 양에게 호응함에 어찌 전쟁을 하려고 북을 울리려고 하겠는가? 북을 울린다고 말했다면, 전쟁을 하려는 것이 아니라 바로 즐거움이 다해 북을 울리고 춤추는 것을 말함이니, 적을 만남에서는 또 합당하지 않다. 적과 호응은 같지 않으니, 적은 서로 아울러서 저항하는 것을 말하고, 호응은 서로 합해서 화합하는 것을 말한다.

## 송시열(宋時烈) 『역설(易說)』

敵者, 指上九也. 震爲鼓, 艮爲止, 故曰或鼓或罷. 泣[41]者, 坎象也, 以錯坎言否, 歌者,

41) 泣: 경학자료집성DB와 영인본에 '位'로 되어 있으나, 문맥을 살펴 '泣'으로 바로잡았다.

兌悅之發於口也. 故曰或泣或歌也. 皆言或者, 巽爲或象, 說見上, 三亦綜巽. 小象位不當者, 卦之爲孚在於二五三, 則不當其位, 憂喜無常也.
적은 상구를 가리킨다. 진괘는 북을 울리는 것이고 간괘는 그치는 것이기 때문에 "북을 울렸다가 그만두었다가 한다"고 했다. '울다'는 감괘의 상으로 음양이 바뀐 감괘(坎卦)로 막힘을 말하였고, '노래하다'는 태괘의 기쁨이 입으로 나온 것이기 때문에 "울었다가 노래했다가 한다"라고 했다. 모두 '~했다가 한다[或]'고 한 것은 손괘(巽卦)가 혹(或)의 상이기 때문인데 설명은 앞에 있다. 삼효도 거꾸로 된 손괘이다. 「소상전」에서 '자리가 마땅하지 않아서이다'라는 것은 괘의 미더움이 이효·오효·삼효에 있으면 그 자리에 부당하여 근심과 기쁨이 일정하지 않기 때문이다.

### 이익(李瀷) 『역경질서(易經疾書)』

凡對敵, 鼓則行, 金則罷. 或皷或罷, 互文. 皷則行在其中, 罷則金在其中, 易文槪多此例. 或之者, 疑之也, 皷疑於勇, 罷疑於㤼, 泣疑於哀, 歌疑於樂. 勇㤼以事言, 哀樂以心言, 是事與心, 皆無恒者也. 故曰位不當, 其象未可詳, 姑依文解之.
적과 대적했을 때 북을 울리면 진군하고 종을 치면 멈춘다. '북을 울렸다가 그만두었다가 한다'는 것은 서로 의미를 드러내어 도와주는 글이다. 북을 울리면 나아가는 것이 그 속에 있고, 그만두면 금속을 울리는 것이 그 속에 있으니, 『주역』에는 대개 이런 사례가 많다. '~하다가[或]'는 미심쩍어 하는 것이다. 북을 울리는 것은 용기가 있을까 미심쩍어 하는 것이고, 그만두는 것은 두려워할까 미심쩍어 하는 것이며, 우는 것은 슬플까 미심쩍어 하는 것이고, 노래하는 것은 즐거울까 미심쩍어 하는 것이다. 용기 있고 두려워하는 것은 일로 말한 것이고, 슬퍼하고 즐거워하는 것은 마음으로 말한 것이니, 바로 일과 마음 모두에 일정함이 없는 것이다. 그러므로 "자리가 마땅하지 않아서이다"라고 하였으니, 그 상을 자세히 풀이할 수 없어 잠시 글에 의탁해서 풀이한 것이다.

### 심조(沈潮) 「역상차론(易象箚論)」

鼓, 震動也, 罷, 艮止也, 泣, 兌澤也, 歌, 兌悅也.
북을 울리는 것은 진괘의 움직임이고, 그만두는 것은 간괘의 멈춤이며, 우는 것은 태괘의 못이고, 노래하는 것은 태괘의 기쁨이다.

### 유정원(柳正源) 『역해참고(易解參攷)』

漢上朱氏曰, 敵者勢均而不相下也. 三與四爲敵, 近而不相得也. 六三, 不正小人, 六四, 正君子也. 三不見信於四, 而志在得四, 終不可得. 或鼓而進以張之, 而四不應, 或罷而退以誘之, 而四不來, 或泣以感之, 而四不憂, 或歌以樂之, 而四不說. 小人之情狀盡矣, 終无以取信於君子也.
한상주씨가 말하였다: 적은 세력이 같아 서로 깔볼 수 없는 것이다. 삼효와 사효는 적이어서 가까이 있지만 서로 함께 할 수 없다. 육삼은 바르지 못한 소인이고 육사는 바른 군자이다. 삼효가 사효에게 믿음이 없어 마음으로 사효와 함께 하고자 끝내 그럴 수 없다. 혹 북을 울리며 나아가 베풀어도 사효가 호응하지 않고, 혹 그만두고 물러나 유혹해도 사효가 오지 않으며, 혹 울며 감동시켜도 사효가 근심하지 않고, 혹 노래 부르며 즐거워해도 사효가 기뻐하지 않는다. 소인이 사정을 극진하게 해도 끝내 군자에게 믿음을 얻지 못한다.

○ 案, 或鼓或歌, 位陽也, 或罷或泣, 爻陰也.
내가 살펴보았다: 북을 울리는 것과 노래하는 것은 양의 자리이기 때문이고, 그만두는 것과 우는 것은 음효이기 때문이다.

### 김상악(金相岳) 『산천역설(山天易說)』

敵, 匹敵也, 謂四也. 六三居兌之終, 比巽之初, 互震艮爲離體, 二陰相比, 失其所信, 而莫知所主, 故行止屢變, 而憂樂无常也.
적은 상대할만한 것으로 사효를 말한다. 육삼은 태괘(兌卦☱)의 끝에 있어 손괘(巽卦☴)의 초효에 가깝고, 호괘로 진괘(震卦☳)와 간괘(艮卦☶)가 이괘(離卦)의 몸체가 되어 두 음이 서로 가까우나 그 믿음을 잃어 주로 해야 할 것을 아무도 모르기 때문에 나아가고 멈춤이 자주 변하고 근심과 즐거움이 일정하지 않다.

○ 兌之陰與巽陰相比, 故曰得敵. 震之鼓艮之止遇巽進退, 故曰或鼓或罷. 兌性說, 說極則悲, 又爲口舌爲巫, 故曰或泣或歌. 離火无定體, 故離之三曰, 不鼓缶而歌, 則大耋之嗟是也. 故同人之五, 旅之上, 皆取號而又笑之象也. 六三比二, 而應上六, 四應初而比五, 而舍其陽剛, 相爲匹敵者, 何也. 兌能掩剛, 巽亦畜陽, 志不相孚也. 然四得无咎者, 能巽順于陽也, 故曰, 絕類上也.
태괘의 음효와 손괘의 음효가 서로 가깝기 때문에 "적을 만났다"라고 하였다. 진괘의 북을 울림과 간괘의 멈춤은 손괘의 진퇴를 만났기 때문에 "북을 울렸다가 그만두었다가 한다"라고 하였다. 태괘의 특성은 기뻐함인데 기쁨이 다하면 슬프고, 또 구설이고 무당이기 때문에 "울었다가 노래했다가 한다"라고 하였다. 리괘인 불은 일정한 몸체가 없기 때문에 이괘(離卦䷝)의 삼효에서 "질장구를 두드려 노래하지 않으면 너무 늙음을 한탄하는 것이다"라는 것이 여기에 해당한다. 그러므로 동인괘(同人卦䷌) 오효와 여괘(旅卦䷷)의 상효에서 모두 울부짖다가 또 웃는 상을 취하였다.[42] 육삼은 이효와 가깝고 상육과 호응하며, 사효는 초효와 호응하고 오효와 가까운데, 양의 굳셈을 버리고 서로 경쟁상대가 되는 것은 무엇 때문인가? 태괘는 굳셈을 가릴 수 있고 손괘도 양을 저지하니 뜻이 서로 미덥지 않다. 그러나 사효가 허물이 없는 것은 양에게 순종하기 때문에 "무리를 끊고 올라가는 것이다"라고 하였다.

### 서유신(徐有臣)『역의의언(易義擬言)』

敵, 匹也, 謂六四俱柔也. 六三失孚之正, 故不與正應, 而以四爲得其匹敵也, 見四之得位, 而便欲扳援. 遭四之絶類, 而莫能親與. 或爲鼓動, 或爲罷止, 或悲而泣, 或歡而歌也. 小人躁妄無信, 情狀醜惡如此, 故兼取互象而形容之也. 鼓震象, 罷艮象, 泣離象, 歌兌象也.

적은 맞섬으로 육사가 부드러움을 갖춘 것이다. 육삼은 미더움의 바름을 잃었기 때문에 함께 바르게 호응하지 않고 사효를 가지고 경쟁상대로 여겨 사효가 제 자리에 있는 것을 보고 곧 끌어당기려고 한다. 그러나 사효의 무리를 끊음을 당해 가까이 함께 할 수 없으니, 북을 울려 움직이기도 하고 그만 두고 가만있기도 하며 슬퍼서 울기도 하고 기뻐서 노래하기도 한다. 소인은 조급하고 함부로 움직여 믿음이 없고 실정이 이렇게 추악하기 때문에 호괘의 상을 함께 취하여 형용하였다. 북을 울림은 진괘의 상이고, 그만둠은 간괘의 상이며, 울음은 리괘의 상이고, 노래함은 태괘의 상이다.

### 박제가(朴齊家)『주역(周易)』

得敵, 澤遇風也. 或鼓或罷或泣或歌, 風入心也. 澤爲心象, 坎爲心病. 素門有狂者登木而歌之語.

'적을 만남'은 못이 바람을 만난 것이다. '북을 울렸다가 그만두었다가 울었다가 노래했다가 함'은 바람이 마음으로 들어온 것이다. 못은 마음의 상이고 감괘는 마음의 병이다. 『소문』에 미친 자가 나무에 올라 노래한다는 말이 있다.

### 이지연(李止淵)『주역차의(周易箚疑)』

敵, 指上九. 敵者, 對己之謂也, 吾所與相孚者也. 陰柔不中正之人, 與人相孚之道, 其

---

42)『周易·同人卦』: 九五, 同人, 先號咷而後笑, 大師克, 相遇;『周易·旅卦』: 上九, 鳥焚其巢, 旅人先笑後號咷. 喪牛于易, 凶.

心无恒, 親踈無常. 且以敵國言之, 吳人謂羊祜曰, 豈有鴆人羊叔子哉, 交敵之道, 尤不可不愼也.
적은 상구를 가리킨다. 적은 자신과 대등함을 말하니, 내가 함께하는 자이다. 음험하고 유약하며 중정하지 않은 사람은 남들과 서로 믿는 도에 그 마음이 일정하지 않아 친함과 소원함에 일정함이 없다. 또 적국으로 말하면, 오나라 사람이 양호(羊祜)[43]에 대해 "그가 어찌 사람들을 독살하겠습니까?"라고 한 것이니, 적과 사귀는 도를 더욱 삼가지 않을 수 없다.

### 김기례(金箕澧) 「역요선의강목(易要選義綱目)」

三上, 皆居二體之極, 體均力敵, 故曰得敵.
삼효와 상효는 모두 두 몸체의 끝에 있어 몸체가 같고 힘이 대등하기 때문에 "적을 만났다"고 하였다.

○ 或見坤三.
'혹(或)'은 곤괘(坤卦䷁) 삼효를 참고하라.[44]

○ 三不中正, 居悅極而變, 巽極不正之陽, 皆失信. 則陰之吉凶, 由於陽, 故皷罷泣歌, 作止无常. 能自主者, 不知吉凶而然也.
삼효는 중정하지 않고 태괘의 끝에 있어 변하고, 손괘는 바르지 않은 양을 끝에 두어 모두 믿음을 잃었다. 그렇다면 음의 길흉이 모두 양으로 말미암기 때문에 북을 울렸다가 그만두었다가 울었다가 노래하다가 하며 기거가 일정하지 않으니, 스스로 처리할 수 있는 것이 길흉을 알지 못해 그러는 것이다.

### 심대윤(沈大允) 『주역상의점법(周易象義占法)』

中孚之小畜䷈, 无形之畜也. 言行旣立不言, 而人信之也, 又其畜有之者, 未廣大也. 六三以柔居剛, 偏信而上應于六. 我之信人與人之信我, 偏陷而專深也. 上有應者, 侯牧之從君也, 下有初二之附從者, 統內之臣民信我也. 得敵, 謂應上也, 諸侯之於天子, 鈞

---

43) 진(晉)의 양호(羊祜): 숙자(叔子)는 그의 자(字). 양호가 강릉(江陵)에서 오(吳)의 육항(陸抗)과 대치하고 있으면서도 싸움보다는 덕화로 상대를 심복시키기에 노력했으므로, 육항이 양호에 대해 비록 악의(樂毅)나 제갈공명(諸葛孔明)이라도 그보다 더할 수는 없을 것이라고 했다. 언젠가 육항이 병이 들어 양호가 약을 보냈는데 그곳 사람들이 먹지 말라고 하자, 육항이 "양호가 어찌 사람을 독살하겠는가?"라고 하였다고 한다.
44) 『周易·坤卦』: 六三, 含章可貞, 或從王事, 无成有終.

敵也. 離巽爲牛革, 兌震爲聲音, 曰鼓, 鼓所以進也. 艮止兌革, 曰罷, 離兌爲目之澤, 曰泣. 巽艮爲長言曰歌. 上承五六, 下有初二之信從, 其進止係于上, 而下之悲喜係乎我, 我專信於上, 而下專信我也. 六三之時, 專信而未廣也.
중부괘가 소축괘(小畜卦䷈)로 바뀌었으니, 형태가 없는 저지함이다. 언행이 이미 확립되어 말하지 않아도 사람들이 믿고, 또 저지하여 갖는 것이 광대하지 않다. 육삼은 부드러움으로 굳센 자리에 있으니 믿음이 치우쳐 위로 육효와 호응한다. 내가 남을 믿는 것과 남이 나를 믿는 것이 치우치고 빠져서 오로지 깊다. 위로 호응함이 있는 것은 방백이 임금을 따른 것이고, 아래로 초효와 이효가 따르는 것은 다스리는 국내의 신하와 백성들이 나를 믿는 것이다. '적을 만남'은 상효와 호응함을 말하니, 제후가 천자와 대등한 것이다. 이괘와 손괘는 소가죽이고, 태괘와 진괘는 소리여서 "북을 울린다"고 하였으니, 북소리에 나아가기 때문이다. 간괘는 멈춤이고 태괘는 가죽이어서 "그만둔다"고 하였고, 이괘와 태괘가 눈 속의 못이어서 "운다"고 하였으며, 손괘와 간괘가 길게 말하는 것이어서 "노래한다"고 하였다. 위로 오효와 육효를 잇고 아래로 초효와 이효가 믿음으로 따름이 있으며, 그 나아감과 멈춤이 위에 달렸고 아래의 슬픔과 기쁨은 나에게 달렸으니, 내가 위를 오로지 믿고 아래에서 나를 오로지 믿는다. 육삼의 때에는 오로지 믿고 널리 하지 않는다.

### 오치기(吳致箕) 「주역경전증해(周易經傳增解)」

六三陰柔, 失中正而居說體之極, 應上九不正之剛, 故有得敵之象. 在孚之時, 過於說, 而不得其正, 故或鼓或罷, 而作止不定, 或泣或歌, 而哀樂无常, 卽不能孚信者也. 卽象而占可知矣.
육삼은 음의 부드러움으로 중정함을 잃고 기뻐하는 몸체의 끝에 있으면서 상구의 바르지 않은 굳셈과 호응하기 때문에 적을 만나는 상이 있다. 미더운 때에 기쁨을 지나쳐 그 바름을 얻지 못했기 때문에 북을 울렸다가 그만두었다가 하여 생활이 일정하지 않고 울었다가 노래했다가 하여 슬픔과 즐거움이 일정하지 않으니, 곧 믿을 수 없는 자이다. 상에서 점을 알 수 있다.

○ 三與上, 爲不正之應, 故言敵也. 或者, 未定之辭. 鼓, 取於互震, 罷止也, 取於互艮. 泣取對體似坎, 歌取於兌也.
삼효와 상효는 부정하게 호응하기 때문에 적이라고 말하였다. '~했다가 한다[或]'는 것은 일정하지 않다는 말이다. '북을 울린다'는 것은 호괘인 진괘(震卦)에서 취하였고, '그만둔다'는 것은 그친다는 것으로 호괘인 간괘(艮卦)에서 취하였다. '울었다'는 것은 '감괘(坎卦☵)와 비슷한 반대괘의 몸체[䷛]'에서 취했고, '노래한다'는 것은 태괘(兌卦)에서 취하였다.

### 이진상(李震相)『역학관규(易學管窺)』

勢均之謂敵, 敵當指六四. 蓋六三在兌體之上柔說之極, 而不中不正, 欲妄說於五, 則六四已先比之, 欲正應於上, 則上又信之窮蔽於九五, 不能渙孚於三, 怨恨之心, 惟在六四, 如二女同居者. 然女之說男, 慕勢而厭衰, 所欲在五, 而四乃奪之, 疾視若一敵. 國將往敵之鼓張以進, 而四之本正, 又有近君之寵, 勢不可得以克也, 妬恚之性, 雖發於争鬪, 而陰柔之質, 易至於能廢也. 上九終風之資, 或恵然肯來, 或莫往莫來. 莫往則悲泣, 肯來則歌樂, 而歌泣皆非常心也. 其心之哀樂, 不係於上九之應否, 而次骨之怨毒, 亶在六四之比五, 其淫邪不正之態, 顚倒極矣. 傳義, 皆以上九爲敵, 恐未然. 鼓互震也, 罷互艮也, 歌泣, 兌口象.
기세가 같은 것을 적이라고 하니, 그것은 당연히 육사를 가리킨다. 육삼은 태괘의 몸체 꼭대기인 부드럽고 기쁜 궁극에 있어 중정하지 않으면서 오효를 함부로 좋아함에 육사가 이미 그에 앞서 가까이 하고 있고, 상효와 바르게 호응하려고 함에 상효가 또 구오에게 믿음이 막혀 어질고 미덥게 할 수 없으니, 원한이 오직 사효에 있는 것이 두 여자가 동거하는 것과 같다. 그러나 여자가 남자를 좋아함에 기세를 바라고 쇠한 것을 싫어하여 하고자 하는 것이 오효에게 있는데 사효가 빼앗아버렸으니 질시하는 것이 하나의 적과 같다. 나라에서 적을 토벌하려고 북을 울려 나아가는데, 사효는 본래 바르고 또 임금의 총애를 가까이 하여 기세를 이길 수 없으니, 시기하는 마음에 다툴지라도 부드러운 음의 성질은 쉽게 그만둘 수 있다. 상구는 바람을 끝내는 자질이어서 혹 은혜롭게 오려고 할 수 있으나 아무도 오고가지 않는다. 아무도 오지 않으면 슬퍼서 울고 오려고 하면 노래 부르며 즐거워하니, 노래하고 우는 것이 모두 일정한 마음이 아니다. 그 마음의 슬픔과 즐거움이 상구의 호응 여부에 달려 있지 않고 뼈에 사무치는 원망이 실로 육사가 오효를 가까이 함에 있으니, 음험하고 부정한 태도가 극도로 전도되었다.『정전』과『본의』는 모두 상구를 적으로 여겼는데 그렇지 않은 것 같다. '북을 울리는 것'은 호괘인 진괘이고, '그만두는 것'은 호괘인 간괘이며, 노래 부르고 우는 것은 태괘인 입의 상이다.

## 象曰, 或鼓或罷, 位不當也.

「상전」에서 말하였다: "북을 울렸다가 그만두었다가 함"은 자리가 마땅하지 않아서이다.

## 中國大全

### 傳

居不當位, 故无所主, 唯所信是從, 所處得正, 則所信, 有方矣.

마땅하지 않은 자리에 있으므로 중심 삼는 것이 없이 오직 믿는 것을 따르니, 처신함이 바름을 얻으면 믿는 것이 방도가 있을 것이다.

#### 小註

臨川吳氏曰, 位不當者, 陽位而柔居之. 柔則不實, 豈能得人之孚哉.
임천오씨가 말하였다: 자리가 마땅하지 않는 것은 양의 자리인데 부드러운 음이 있는 것이다. 부드러운 음은 충실하지 못하니 어떻게 남의 믿음을 얻을 수 있겠는가?

## 韓國大全

### 김상악(金相岳) 『산천역설(山天易說)』

兩陰相比也.
두 음이 서로 가까이 있기 때문이다.

서유신(徐有臣) 『역의의언(易義擬言)』

位不當, 則事不當也.

자리가 마땅하지 않으면 일이 마땅하지 않다.

심대윤(沈大允) 『주역상의점법(周易象義占法)』

進止係乎上, 故曰位不當也.

나아가고 멈춤이 위에 달려있기 때문에 "자리가 마땅하지 않아서이다"라고 하였다.

오치기(吳致箕) 「주역경전증해(周易經傳增解)」

位失中正, 不得其當, 故未能孚信, 而有鼓罷泣歌之无常也.

자리가 중정함을 잃어 마땅함을 얻지 못했기 때문에 미더울 수 없어서 북을 울렸다가 그만 두었다가 울었다가 노래했다가 하는 일정하지 못함이 있다.

박문호(朴文鎬) 「경설(經說) · 주역(周易)」

敵, 謂配偶也. 與下爻之四同, 皆指正應也.

적은 짝을 말한다. 아래 효의 짝과 같으니, 모두 바른 호응을 가리킨다.

이병헌(李炳憲) 『역경금문고통론(易經今文考通論)』

荀曰, 三四俱陰, 故得敵也.

순상이 말하였다: 삼효와 사효는 모두 음이기 때문에 적을 만났다.

姚曰, 有應故鼓而歌, 失正故罷而泣.

요신이 말하였다: 호응이 있기 때문에 북을 울리면서 노래하고, 바름이 잃었기 때문에 그만 두고 운다.

王曰, 四居陰, 不相比, 敵之謂也.

왕필이 말하였다: 사효가 음의 자리에 있어 서로 가까이 하지 않음을 적이라고 말하였다.

程傳曰, 敵上九也.

『정전』에서 말하였다: 적은 상구이다.

## 六四, 月幾望, 馬匹亡, 无咎

정전 육사는 달이 거의 보름이니, 말의 짝이 없어지면 허물이 없을 것이다.
본의 육사는 달이 거의 보름이고 말의 짝이 없어짐이니, 허물이 없을 것이다.

### 中國大全

**傳**

四爲成孚之主, 居近君之位, 處得其正而上信之至, 當孚之任者也. 如月之幾望, 盛之至也. 已望則敵矣, 臣而敵君, 禍敗必至, 故以幾望, 爲至誠. 馬匹亡, 四與初爲正應, 匹也. 古者駕車, 用四馬, 不能備純色, 則兩服兩驂, 各一色, 又小大必相稱. 故兩馬爲匹, 謂對也. 馬者, 行物也. 初上應四而四亦進從五, 皆上行. 故以馬爲象. 孚道在一, 四旣從五, 若復下係於初, 則不一而害於孚, 爲有咎矣. 故馬匹亡則无咎也. 上從五而不係於初, 是亡其匹也, 係初則不進, 不能成孚之功也.

사효는 미더움을 이루는 주인이면서 임금과 가까운 자리에 있고 거처함이 바름을 얻어 윗사람의 신뢰가 지극하기에 미더운 소임을 맡는 자이다. 달이 거의 보름이라면 지극히 왕성한 것이고, 보름이 지났다면 대적하게 되니, 신하로서 임금을 대적하면 화와 어그러짐이 반드시 이를 것이므로 '거의 보름'으로 지극한 정성을 삼았다. '말의 짝이 없어짐'은 사효와 초효가 정응이 되니 '짝'이다. 옛날에 수레를 맬 때 네 마리 말을 썼는데, 다 같은 색으로 갖출 수 없으면 가운데 두 마리[服馬]와 양 끝의 두 마리[驂馬]를 각기 같은 색으로 하고, 또 크고 작음을 반드시 서로 맞추었다.[45] 그러므로 두 마리 말이 짝이 되니 상대[對]가 됨을 말한다. 말은 (앞으로) 가는 물건이다. 초효가 위로 사효와 호응하고 사효는 또한 나아가 오효를 따르니 모두 위로 가는 것이다. 그러므로 말로써 상을 삼았다. 미더운

---

45) 일반적으로 수레에 말을 맬 때에는 네 마리의 말을 걸게 되니, 가운데 두 마리의 말을 '복마(服馬)'라고 하며, 양측에 있는 각각의 한 마리 말들을 '참마(驂馬)'라고 한다. 참마는 '곁에서 예비로 몰고 오는 말[騑馬]'을 뜻한다. 『설문해자』에서는 "'비(騑)'는 측면에 있는 말이다."라고 했으니, 이 말은 곧 복마(服馬)의 측면에 있다는 뜻이다. 『시경』에서는 "기(騏)와 류(騮)라는 말은 중앙에서 수레를 끄는 말이고, 왜(騧)와 려(驪)라는 말은 참(驂)이다."라고 했으니, '참(驂)'은 곧 바깥쪽에 있는 말을 뜻한다.

도리는 한결같음에 있으니, 사효가 이미 오효를 따르는데, 만약 다시 아래로 초효에 매인다면 한결같지 못하여 미더움을 손상하니 허물이 있게 된다. 그러므로 말의 짝이 없어지면 허물이 없을 것이다. 위로 오효를 따르고 초효에 매이지 않으니 그 짝을 잃는 것이다. 초효에 매이면 나아갈 수 없어서 미더운 공을 이룰 수 없다.

### 本義

**六四居陰得正, 位近於君, 爲月幾望之象. 馬匹謂初與己爲匹. 四乃絶之而上, 以信於五, 故爲馬匹亡之象. 占者如是, 則无咎也.**

육사는 음의 자리에 있어 바름을 얻고, 자리가 임금에 가까우니 달이 거의 보름인 상이다. 말의 짝은 초효가 자기와 짝이 된 것을 말한다. 사효가 끊고서 올라가 오효를 믿기 때문에 말의 짝이 없어지는 상이 된다. 점치는 이가 이렇게 하면 허물이 없을 것이다.

### 小註

蛟峯方氏曰, 月幾望不處盈也. 馬匹亡不爲黨也. 四捨初九之黨而上從五, 此大臣之絶私黨而一心於君者. 故有馬匹亡之象. 以陰居陰, 履柔處正, 不敢敵陽. 此人臣功業已盛, 而不敢居其盛者. 故有月幾望之象. 若大臣而處盈植黨則有咎矣. 禹之不伐, 周公之不驕, 月幾望也. 晏子不入崔陳之黨, 韓退之不汚牛李之朋, 馬匹亡也.

교봉방씨가 말하였다: '달이 거의 보름이니'는 가득함에 있지 않은 것이다. 말의 짝이 없어짐은 파당 짓지 않는 것이다. 사효가 초구의 무리를 버리고 위로 오효를 따르니, 이는 대신이 사당(私黨)을 끊고 임금에게 한결같은 마음으로 하는 것이다. 그러므로 말의 짝이 없어지는 상이 있다. 음으로서 음의 자리에 있어 부드러움을 밟고 바르게 처신하니 감히 양을 대적하지 않는다. 이는 신하의 공과 업적이 이미 성하지만 감히 그 성대함에 거처하지 않는 것이다. 그러므로 '달이 거의 보름'인 상이 있다. 만약 대신으로서 가득 참에 있고 사당(私黨)을 만든다면 허물이 있을 것이다. 우임금이 자랑하지 않고,[46] 주공이 교만하지 않은 것이[47] '달이 거의 보름'인 것이다. 안자(晏子)가 최 · 진(崔 · 陳)의 당에 들어가지 않고,[48] 한퇴지

---

46) 『書經 · 大禹謨』: 순임금이 "이리 오라. 우야! …. '네가 자랑하지 않으나 천하에 너와 더불어 능함을 다툴 자가 없으며, 네가 과시하지 않으나 천하에 너와 더불어 공을 다툴 자가 없다"라고 하였다.[帝曰, 來禹, …. *汝惟不矜 天下莫與汝爭能 汝惟不伐 天下莫與汝爭功*.]

47) 『論語 · 泰伯』: 공자는 "주공(周公)의 재주가 훌륭하더라도 교만하고 인색하다면 나머지는 볼만한 것이 없다"라고 하였다[子曰, *如有周公之才之美*, 使驕且吝, 其餘不足觀也已.]

48) 『春秋左氏傳 · 襄公』 25년: 제나라 최저(崔杼;崔武子)가 문병차 자신의 집으로 찾아온 제장공(齊莊公)을

가 우・리(牛・李)의 무리[49]에 더럽혀지지 않은 것이 '말의 짝이 없어짐'이다.

○ 雲峯胡氏曰, 月本无光, 受日之光以爲光, 陰不能以自孚, 信於陽以爲孚. 六四近九五, 其象爲月幾望, 而又有馬匹亡之象何也. 六三與上九爲亢, 故曰敵. 六四與初九爲配, 故曰匹. 三陰柔不正, 故不能舍上九以從剛中之二. 四陰柔得正, 故能絶初九以從剛中之五. 然則三之得敵, 非所以爲得, 四亡其匹, 乃所以爲得也. 坤以喪朋爲有慶, 中孚之中, 以絶類爲无咎.
운봉호씨가 말하였다: 달은 본래 빛이 없으니 해의 빛을 받아 빛으로 삼고, 음은 스스로 미더울 수 없으니 양을 신뢰하여 미더움으로 삼는다. 육사는 구오에 가까우니 그 상이 '달이 거의 보름'인 것이 되고, 또 말의 짝이 없어지는 상이 있는 것은 무엇인가? 육삼과 상구는 꼭대기가 되므로 대적한다. 육사와 초구는 배필이 되므로 '짝[匹]'이라고 한다. 삼효는 부드러운 음으로서 바르지 않으므로 상구를 버리고 굳세며 알맞은 이효를 따를 수 없다. 사효는 부드러운 음으로서 바름을 얻었으므로 초구를 끊고 굳세며 알맞은 오효를 따를 수 있다. 그렇다면 삼효가 적을 만남은 만남이 되지 않고, 사효가 그 짝을 잃음은 만남이 된다. 곤괘는 벗을 잃음으로써 경사로움이 있게 되고, 중부괘의 알맞음은 무리를 끊음으로서 허물이 없게 된다.

## 韓國大全

### 권근(權近) 『주역천견록(周易淺見錄)』

吳氏曰, 六四得位得時, 中孚之主, 陰之盛也, 如旣望之月. 四與三同類, 而不孚於三, 下絶其類, 而上孚於五, 如馬之亡其匹.
오씨가 말하였다: 육사가 자리와 때를 얻어 중부의 주인이고 음의 성대함이니, 보름이 이미

---

시해하였는데, 당시 재상이었던 안자(晏子)는 그에게 협력하지 않았다. 최여는 안자가 백성들에게 신망이 두터운 관계로 해치지 못하였다.

49) 당(唐) 문종(文宗) 때 우승유(牛僧孺)와 이덕유(李德裕)가 벌였던 우이(牛李)당쟁을 말한다. 국익은 돌보지 않고 사사로운 당쟁을 일삼았던 이들의 당쟁을 두고, 문종은 "하북의 적을 제거하는 것은 어렵지 않지만, 붕당을 제거하기가 어렵다"고 탄식하였다.

지난 달과 같다. 사효가 삼효와 같은 무리이나 삼효를 믿지 않아 아래로 그 무리를 끊고, 위로 오효를 믿으니 말이 짝이 없는 것과 같다.

愚謂, 馬匹亡, 吳說得矣. 但幾望作旣望, 已於小畜上九辨之矣. 以此卦言之, 六三六四二陰相比而進, 是陰之將盛, 如幾望之月. 若三陰, 則陰已盛而爲旣望矣. 此將盛, 故戒之匹亡, 則不至於過盛, 故無咎. 若旣盛, 則安得亡其匹哉.
내가 생각하였다: 말의 짝이 없어지는 것은 오씨의 설명이 맞다. 다만 '거의 보름인 것'을 '보름이 지난 것'으로 한 것은 내가 소축괘에서 분명하게 설명하였다. 중부괘로 말하면 육삼과 육사라는 두 음이 서로 가까이하여 나아가는 것은 음이 성대하게 되려는 것이어서 거의 보름인 달과 같다. 그런데 삼효의 음이라면 음이 이미 성대해서 보름이 지났다. 사효는 성대하게 되려는 것이기 때문에 '짝이 없어진다'로 경계하였으니, 지나치게 성대하게 되지 않기 때문에 허물이 없다. 이미 성대하게 되었다면 어찌 그 짝을 잃을 수 있겠는가?

### 김장생(金長生) 『경서변의(經書辨疑)-주역(周易)』

傳, 胡氏小註, 中孚之中, 之中之中字, 似當作四
『정전』의 호씨 소주의 ' 중부괘의 알맞음'에서 '알맞음[中]'이라는 말은 '사효[四]'로 해야 할 것 같다.

### 송시열(宋時烈) 『역설(易說)』

月者, 錯坎之象. 互震爲東, 下兌爲西, 大離之日, 錯坎之月, 相望於東西, 則爲幾望之象. 與歸妹六五幾望同. 馬者, 震爲馬也. 震道將盡, 故云馬匹亡也. 小象, 絶類, 上者, 離絶其同類之應, 居於上卦, 順從於九五也. 此等无咎, 善補過之謂也.
달은 음양이 바뀐 감괘의 상이다. 호괘인 진괘는 동쪽이고 아래의 태괘는 서쪽인데, 큰 이괘(離卦)의 해와 음양이 바뀐 감괘의 달이 동서로 서로 바라보니, 거의 보름인 상이다. 귀매괘 육오의 거의 보름이라는 말과 같다. 말은 진괘가 말이기 때문이다. 진괘의 도가 다하려고 하기 때문에 '말의 짝이 없어진다'고 하였다. 「소상전」의 '무리를 끊고 올라간다'는 것은 같은 무리의 호응을 떠나면서 끊은 것이니, 위의 괘에 있어 구오에게 순종하기 때문이다. 이와 같이 허물이 없을 것이라는 말은 허물을 잘 보완한다는 것을 말한다.

### 이익(李瀷) 『역경질서(易經疾書)』조후

候日於晝, 候月於夜, 自朝至夕, 日之候也, 自夕至朝, 月之候也. 候月於夕, 則日在兌

而月在震者, 望也. 未及於震而月在離者, 上弦. 弦, 在朔望之間, 又退而在巽者, 弦望之間, 是月幾於望也. 中孚上巽下兌, 故有月幾望之象, 謂月上在巽, 日下在兌也. 離爲馬在巽, 則已去離近震, 故曰馬匹亡也. 歸妹上震下兌, 則旣望矣. 然其象爲女, 君亡而娣攝故也. 小畜非下兌, 日月麗乎天, 則其下乾, 亦有此象. 候月於夕, 則日之在兌可知. 日在兌, 月方在巽而未及震, 故云月旣望. 四與三, 皆陰則類也, 而四正三不正, 四與五相比, 五得中正, 與四同德. 以類則與三, 以德則與五, 絶其類而上比位, 无咎也.
낮에 해를 맞이하고 밤에 달을 맞이하니, 아침부터 저녁까지는 해맞이이고 저녁부터 아침까지는 달맞이이다. 저녁에 해를 맞이하니, 해가 태괘에 있고 달이 진괘에 있는 것은 보름이다. 진괘에 미치지 못해 달이 리괘에 있는 것은 상현이다. 상현은 초하루와 보름 사이에 있고, 또 물러나 손괘에 있는 것은 상현과 보름 사이이니, 달이 거의 보름이다. 중부괘(中孚卦䷼)는 위가 손괘(巽卦☴)이고 아래가 태괘(兌卦☱)이기 때문에 달이 거의 보름인 상이 있으니, 달이 위로 손괘에 있고 해가 아래로 태괘에 있음을 말한다. 그러나 그 상은 여자이니, 임금이 없어 잉첩이 섭정하기 때문이다. 소축괘(小畜卦䷈)는 아래가 태괘가 아니어서 해와 달이 하늘에서 빛나니, 아래의 건괘에도 이런 상이 있다. 저녁에 달을 맞이하면, 해가 태괘에 있음을 알 수 있다. 해가 태괘에 있고 달이 막 손괘에 있어 진괘에 이르지 못했기 때문에 달이 이미 보름이 지났다고 한다. 사효는 삼효와 모두 음으로 무리인데, 사효는 바르고 삼효는 바르지 않으며, 사효는 오효와 서로 가까운데 오효는 중정하여 사효와 덕이 같다. 무리로는 삼효와 함께 하고 덕으로는 오효와 함께 하여 그 무리를 끊고 위로 지위를 가까이 하니 허물이 없다.

심조(沈潮) 「역상차론(易象箚論)」

月幾望, 本義, 爲近君之象, 此象甚妙. 月爲陰日爲陽, 而此與九五, 上下相對, 非幾望乎. 歸妹之五亦然. 如小畜上九, 則以陽居陰, 而在極處尤極微妙, 非知道者, 孰能識之.
달이 거의 보름인 것에 대해 『본의』에서는 임금에 가까운 상으로 여겼는데, 이 상은 아주 묘하다. 달은 음이고 해는 양인데 이것이 구오와 상하로 서로 짝하니 거의 보름이 아니겠는가! 귀매괘(歸妹卦䷵)의 오효도 그렇다. 소축괘(小畜卦䷈)의 상효라면, 양으로 음의 자리에 있고 끝에서 미묘함을 더욱 다하였으니, 도를 아는 자가 아니라면 누가 알겠는가?

○ 九二所謂其子和之, 亦有妙處. 蓋自上視下, 則爲兌爲震, 亦猶自下而觀上, 故曰, 其子和之, 妙哉妙哉.
구이의 이른바 그 새끼가 화답하는 것에도 묘한 구석이 있다. 위에서 아래로 보면 태괘와 진괘이고, 또한 아래에서 위를 보는 것과 같기 때문에 "그 새끼가 화답한다"고 하였으니, 묘하고 묘하구나.

### 유정원(柳正源) 『역해참고(易解參攷)』

王氏曰, 居中孚之時, 處巽之始, 應說之初, 居正履順, 以承於五, 內毗元首, 外宣德化者也. 充乎陰德之盛, 故曰, 月幾望. 馬匹亡者, 乘群類也. 若夫居盛德之位, 而與物校其競爭, 則失其所盛矣, 故絶類而上, 履正承尊, 不與三爭, 乃得无咎.
왕필이 말하였다: 중부의 때에 있고 손괘의 처음에 있으며 기쁨의 처음과 호응함에 바름에 있고 유순함을 밟아 오효를 받드니, 안으로 머리를 도와 밖으로 덕화를 펴는 자이다. 성대한 음덕을 채웠기 때문에 "달이 거의 보름이다"라고 하였다. 말의 짝이 없어진 것은 무리를 올라탔기 때문이다. 만약 성대한 덕의 자리에 있으면서 사물과 경쟁하여 견준다면 성대함을 잃기 때문에 무리를 끊고 위로 가서 바름을 밟고 존귀함을 받들어 삼효와 경쟁하지 않으니, 허물이 없을 수 있다.

○ 漢上朱氏曰, 四震爲作足, 四應初成坎爲美脊, 兩馬匹也. 震坎陽卦類也. 四上從五, 絶其類而不應, 則馬匹亡矣.
한상주씨가 말하였다: 사효의 진괘는 발빠름이고, 사효가 초효와 호응하며 감괘를 이룬 것은 등마루가 아름다움이 되니 두 마리 말이 짝하는 것이다. 진괘(震卦☳)와 감괘(坎卦☵)는 양괘(陽卦)의 무리이다. 사효는 위로 오효를 따르고 그 무리를 끊고 호응하지 않으니, 말의 짝이 없어지는 것이다.

○ 雙湖胡氏曰, 月幾望象, 凡三, 小畜上歸妹五中孚四, 皆上體坎位象, 而畜孚上爻變亦坎體.
쌍호호씨가 말하였다: 달이 거의 보름인 상이 모두 세 곳이니, 소축괘(小畜卦☴☰)의 상효 · 귀매괘(歸妹卦☳☱)의 오효 · 중부괘(中孚卦☴☱) 사효는 모두 위의 몸체가 감괘(坎卦☵) 자리의 상인데, 소축괘와 중부괘의 상효가 변해도 감괘의 몸체이다.

傳, 兩馬爲匹.
『정전』에서 말하였다: 두 마리 말이 짝이 된다.
案, 一馬亦爲匹, 馬之足, 兩兩爲匹也.
내가 살펴보았다: 한 마리 말도 짝이 되니 말의 다리가 둘 둘로 짝이 되기 때문이다.

### 김상악(金相岳) 『산천역설(山天易說)』

六四居巽之初, 比兌之三, 承五陽剛, 故有月幾望之象. 與三互爲震體, 又爲馬匹亡之象. 處中孚之時, 不處盈, 不爲黨, 无咎之道也.

육사가 손괘(巽卦☴)의 처음에 있어 태괘(兌卦☱)의 삼효와 가까우며 오효의 굳센 양을 받들기 때문에 달이 거의 보름인 상이 있다. 삼효와는 호괘가 진괘(震卦☳)의 몸체여서 또 말의 짝이 없어지는 상이다. 중부(中孚䷼)의 때에 있어 채움에 있지 않고 붕당을 이루지 않으니 허물이 없는 도이다.

○ 月幾望, 見小畜上九歸妹六五. 巽乘乾, 則爲小畜, 兌承震, 則爲歸妹也. 馬匹, 指三也. 凡駕車用四馬, 不能備純色, 則兩服兩驂, 各一色, 又大小相稱, 故兩馬爲匹, 謂三與己對也. 然三四同互震體, 而震於馬爲的顙爲馵足, 其色不純, 故曰馬匹亡, 不係於私黨, 猶泰九二朋亡之亡也. 三位不當, 而比異體之陰, 故得敵而无吉. 四絕其類, 而從位正當之剛, 故亡匹而无咎也. 坤彖曰, 利牝馬之貞, 又取象於月之盈虧, 故曰西南得朋, 乃與類行, 東北喪朋, 乃終有慶, 爲陰之從陽也. 以中孚一卦言之, 兌巽分居西南, 三四變則以乾對坤, 所以月幾望. 對西南得朋馬匹亡. 對東北喪朋, 故小象曰, 絕類上, 與與類行, 不同.

'달이 거의 보름인 것'은 소축괘(小畜卦䷈)의 상구와 귀매괘(歸妹卦䷵)의 육오에 있다. 손괘(巽卦☴)가 건괘(乾卦☰)를 올라타고 있으면 소축괘(小畜卦䷈)이고, 태괘(兌卦☱)가 진괘(震卦☳)를 받들면 귀매괘(歸妹卦䷵)이다. '말의 짝'은 삼효를 가리킨다. 수레를 맬 때 네 마리 말을 썼는데, 다 같은 색으로 갖출 수 없으면 가운데 두 마리[服馬]와 양 끝의 두 마리[驂馬]를 각기 같은 색으로 하고, 또 크고 작음을 서로 맞추었기 때문에 두 마리 말이 짝이 되니 삼효가 자신과 상대[對]가 됨을 말한다. 그러나 삼효와 사효는 같이 호괘인 진괘(震卦☳)의 몸체이고, 진괘는 말에 있어 이마가 흼이고 왼발이 흼인데, 그 색이 같은 색이 아니기 때문에 "말의 짝이 없어지면"이라고 하였으니, 사사롭게 붕당에 걸려 있지 않은 것이 태괘(泰卦䷊) 구이의 '붕당을 없애면'의 없애다와 같다. 삼효는 자리가 마땅하지 않은데 다른 몸체의 음과 가깝기 때문에 적을 만나 길함이 없다. 사효는 그 무리를 끊고 지위가 정당한 굳셈을 따르기 때문에 짝을 없앴으나 허물이 없다. 곤괘(坤卦)의 「단전」에서 "암말의 곧음이 이롭다"라고 한 것은 또 달의 차고 기움에서 상을 취한 것이기 때문에 "서남에서는 벗을 얻는다"고 한 것은 바로 무리와 함께 가는 것이고, "동북에서는 벗을 잃는다"고 한 것은 바로 마침내 경사가 있는 것으로 음이 양을 따르는 것이다. 중부괘(中孚卦䷼) 하나로 말하면 태괘와 손괘가 서남으로 나누어져 있고, 삼사효가 변하면 건괘로 곤괘와 대응하기 때문에 달이 거의 보름이다. '서남에서 벗을 얻음'은 '말의 짝이 없어지는 것'이다. 그런데, '동북에서 벗을 잃었기' 때문에 「소상전」에서 "무리를 끊고 올라가는 것이다"라고 한 것은 곤괘에서 "같은 부류와 함께 행함이다"라고 한 것과는 같지 않다.

### 서유신(徐有臣) 『역의의언(易義擬言)』

馬匹亡, 絶類上也.
말의 짝이 없어짐"은 무리가 올라가는 것을 끊는다.

絶去匹類之上進也.
짝의 무리가 위로 나아가는 것을 끊고 떠난다.

### 서유신(徐有臣) 『역의의언(易義擬言)』

四得孚之正, 故應初九而不與六三也. 初九兌爲月上弦之象, 孚於在下之賢士, 謙屈不自滿, 是爲月幾望也. 六三互震爲馬匹之象, 不相比與, 是爲馬之匹亡也. 匹, 類也, 俱柔類也, 俱互震類也.
사효는 미더움의 바름을 얻었기 때문에 초구와 호응하고 육삼과 함께 하지 않는다. 초구의 태괘는 상현달의 상이고 아래에 있는 현명한 선비에게 미더우며 겸손하고 자만하지 않으니 바로 달이 거의 보름인 것이다. 육삼의 호괘 진괘는 말의 짝의 상이고 서로 가까이 함께 하지 않으니 바로 말의 짝이 없어지는 것이다. 짝은 무리로 모두 유순한 무리이고 모두 호괘 진괘의 무리이다.

### 박제가(朴齊家) 『주역(周易)』

馬所乘者也, 匹, 類也. 類者, 陰也. 四之類當爲三, 三之狂不可匹也, 棄而上則孚矣.
말은 타는 것이고, 짝은 무리이다. 무리는 음이다. 사효의 무리는 당연히 삼효인데, 미친 삼효를 짝할 수 없어 버리고 위로 가니 미덥다.

### 이지연(李止淵) 『주역차의(周易箚疑)』

六四下而能絶其私, 上而不犯其公, 可謂孚之无咎者也.
육사가 아래로 사사로움을 끊을 수 있고, 위로 공적인 것을 해치지 않으니 미더움에 허물이 없는 자라고 할 수 있다.

## 김기례(金箕澧) 「역요선의강목(易要選義綱目)」

月幾望, 不自盈也. 馬[50]匹亡, 不私應也. 四以正陰不自滿假, 上從五君舍初之配匹, 誠一上孚, 故无咎.

달이 이미 거의 보름인 것은 스스로 채운 것이 아니다. 말의 짝이 없어짐은 사사롭게 호응하지 않는 것이다. 사효는 바른 음으로 본래 속이지 않아 위로 오효인 임금을 따르고 초효의 배필을 버리고는 성실하게 하나로 위를 믿기 때문에 허물이 없다.

## 심대윤(沈大允) 『주역상의점법(周易象義占法)』

中孚之履☰, 禮也, 所以辨尊卑親踈之等殺者也. 六四之信行乎天下, 随其遠近親踈而淺深也, 則天下之信我也, 亦随其遠近親踈而淺深矣. 六四居柔汎信而以柔從於五, 有應于初而不就焉, 是信從于大人, 先生而絶其私郮之相信也. 凡人之情信其所尊敬者, 而不信其卑下者, 故中孚之世從上而不從下也. 六四之信乎天下, 幾如五矣, 故曰月幾望. 坎巽爲幾望. 又四以陰受五陽之誠實, 以爲信臣信君以効之焉, 弟子信師以効之焉, 猶月之受日之光以爲明也. 程子曰, 両馬爲匹. 對卦四初俱居坎, 從於君而絶其私郮, 故曰馬匹亡. 絶其所信爲, 若有咎, 而四之時爲可故无咎.

중부괘가 리괘(履卦☰)로 바뀐 것이 예이니, 예란 높고 낮음과 친하고 소원한 등급을 분별하는 것이다. 육사의 믿음이 천하에 행해지는 것은 멀고 가까움과 친하고 소원함을 따라 얕고 깊게 하는 것이니, 천하가 나를 믿음도 그 멀고 가까움과 친하고 소원함을 따라 얕고 깊게 하기 때문이다. 육사가 부드러운 자리에 있어 널리 미덥고 부드러움으로 오효를 따르고, 초효와 호응하면서도 나아가지 않으니, 바로 믿음으로 대인을 따라 먼저 나와서 사사롭게 머무르며 서로 믿는 것을 끊은 것이다. 사람의 마음은 자신이 존경하는 것을 믿고 천시하는 것은 믿지 않기 때문에 중부의 세대에는 위를 따르고 아래를 따르지 않는다. 육사가 천하에 믿음이 있는 것은 거의 오효와 같기 때문에 "달이 거의 보름이다"라고 하였다. 감괘와 손괘는 거의 보름이다. 또 사효가 음으로 오효인 양의 성실을 받아들인 것은 미더운 신하가 임금을 믿어 본받고 제자가 스승을 믿어 본받는 것이 달이 해의 빛을 받아들여 밝음이 되는 것과 같다고 여겼기 때문이다. 정자가 "두 마리 말이 짝이 된다"고 하였으니 '대응하는 괘[對卦(☱)]'의 사효와 초효가 모두 감괘에 있으면서 임금을 따라 사사롭게 머무르는 것을 끊었기 때문에 "말의 짝이 없어졌다"고 하였다. 믿고 행하는 것을 끊어 허물이 있을 것 같지만 사효의 때가 괜찮기 때문에 허물이 없다.

---

50) 馬: 경학자료집성DB와 영인본에 '焉'으로 되어 있으나, 문맥을 살펴 '馬'로 바로잡았다.

### 오치기(吳致箕) 「주역경전증해(周易經傳增解)」

六四柔得其正, 而承九五中正之君, 誠信事上, 其德甚盛, 有月幾望之象, 而下雖有初九之應, 乃爲九二之間隔, 故絶其應而專意從上, 有馬匹亡之象. 然絶其正應, 雖若有咎, 而能專心向君, 无私黨之係, 故言无咎. 下兌互震變離對坎, 有震東兌西, 日月相望之象, 而言臣德之盛也. 不曰既, 而曰幾之義, 已見歸妹六五. 馬取於互震, 而指四也. 匹謂配, 而指初九也. 亡謂絶之也. 月之望有期而不違, 馬之性知主而服從, 皆有信之物, 故取喩也.

육사는 부드러움이 바름을 얻고 구오라는 중정한 임금을 받듦에 정성과 믿음으로 윗사람을 섬겨 그 덕이 아주 성대하니 달이 거의 보름의 상이 있고, 아래로 초구의 호응이 있을지라도 구이가 중간에 막고 있기 때문에 그 호응을 끊고 마음을 오로지하여 윗사람을 따르니 말의 짝이 없어지는 상이 있다. 그러나 바르게 호응함을 끊어 허물이 있을 것 같을지라도 한마음으로 임금을 향해 사사롭게 파당에 걸림에 없기 때문에 '허물이 없다'고 하였다. 아래의 태괘(兌卦☱)의 호괘 진괘(震卦☳)가 이괘(離卦☲)로 변하여 그 반대괘가 감괘(坎卦☵)인데, 진괘는 동쪽이고 태괘는 서쪽으로 해와 달이 서로 바라보는 상이 있어 신하의 덕이 성대함을 말하였다. '이미[旣]'라고 하지 않고 '거의[幾]'라고 한 의미는 귀매괘(歸妹卦) 육오에서 이미 설명했다. 말은 호괘 진괘에서 취하여 사효를 가리켰다. 짝은 상대를 말하여 초구를 가리켰다. '없어졌음'은 끊었음을 말한다. 달의 보름은 주기가 있어 어긋나지 않고, 말의 특성은 주인을 알아보고 복종하니, 모두 믿음이 있는 것들이기 때문에 비유로 취하였다.

### 이진상(李震相) 『역학관규(易學管窺)』

月幾望.

달이 거의 보름이다.

易言月幾望者三, 而歸妹六五陰尙虛, 故直取坎月象,[51] 小畜上九, 此六四, 皆以巽體言. 蓋坎爲月在西方, 而巽位西南由巽而坎, 如月之幾望也. 月受日光, 而幾望則至盛, 故以四之近君受寵[52]者比之. 若已望, 則敵陽而必匈矣.

『주역』에서 '달이 거의 보름이다'라고 한 것이 세 곳인데, 귀매괘(歸妹卦☳☱)에는 육오가 음으로 여전히 비었기 때문에 바로 감괘(坎卦☵)인 달의 상을 취하였고, 소축괘(小畜卦☴☰)에서 중부괘(中孚卦☴☱)의 육사에서는 모두 손괘(巽卦☴)의 몸체로 말하였다. 감괘는 달이 서쪽에 있는 것인데, 손괘의 위치 서남쪽은 손괘에서 감괘로 간 것이니, 달이 거의

51) 象: 경학자료집성DB에 '衆'으로 되어 있으나, 경학자료집성 영인본과 문맥을 참조하여 '象'으로 바로잡았다.
52) 寵: 경학자료집성DB에 '寵'로 되어 있으나, 경학자료집성 영인본과 문맥을 참조하여 '寵'으로 바로잡았다.

보름인 것과 같다. 달은 해의 빛을 받는데 거의 보름이면 지극히 성대하기 때문에 사효가 임금을 가까이 하여 총애를 받는 것으로 비교하였다. 보름이 지났으면 양을 상대해서 반드시 흉하다.

○ 馬匹亡.
말의 짝이 없어짐.
自二至四震體, 而震爲作足之馬. 馬匹亡, 謂六三之罷退也. 三四兩陰爲類, 乃能絶類, 而上進以從乎五, 當見信任之專也. 若初九, 則非其類也, 且無馬象, 爻體變動, 不居在初九, 則正應在六四, 在六四, 則上從乎九五, 彼一時也, 此一時也, 又非一人之事, 則亦何必, 亦何必以初九爲六四之匹, 上九爲六三之敵耶.
이효부터 사효까지는 진괘(震卦)의 몸체이고, 진괘는 발 빠른 말이다. 말의 짝이 없어짐은 육사가 그만두고 물러나는 것을 말한다. 삼효와 사효는 두 음이 무리가 된 것인데 무리를 끊고 위로 올라가 오효를 따르니 당연히 오로지 신임을 받는다. 초구라면 그 무리가 아니고 또 말의 상이 없어 효체의 변동이 초구에 있지 않으니, 바르게 호응함이 육사에 있다. 그런데 육사에서는 위로 구오를 따르니, 저것도 한 때이고 이것도 한 때이며, 또 한 사람의 일이 아니니, 또한 어찌 기필해야 하겠으며 또한 어찌 기필하여 초구를 육사의 짝으로 삼고 상구를 육삼의 적으로 삼아야 하겠는가?

## 象曰, 馬匹亡, 絶類, 上也.

「상전」에서 말하였다: “말의 짝이 없어짐”은 무리를 끊고 올라가는 것이다.

# 中國大全

### 傳

**絶其類而上從五也. 類, 謂應也.**

그 무리를 끊고 올라가 오효를 따르는 것이다. 무리[類]는 호응하는 효를 말한다.

#### 小註

中溪張氏曰, 四能下絶初九之匹類, 而上孚九五, 是馬匹亡矣, 尙何咎之有哉.
중계장씨가 말하였다: 사효가 아래로 초구의 짝을 끊고 올라가 구오를 믿는 것이 말의 짝이 없어지는 것이니, 오히려 무슨 허물이 있겠는가!

# 韓國大全

### 김상악(金相岳) 『산천역설(山天易說)』

類, 同類, 指三也. 巽兌皆陰, 而貞悔異體. 兌則上缺, 巽則下絶, 无攣住之意, 故曰絶類上也.
무리는 같은 무리로 삼효를 가리킨다. 손괘(巽卦☴)와 태괘(兌卦☱)는 모두 음이나 곧음과 허물로 몸체를 달리한다. 태괘는 위가 비어 있고 손괘는 아래가 끊겨 있어 이어지며 거주하는 의미가 없기 때문에 "무리를 끊고 올라가는 것이다"라고 하였다.

### 심대윤(沈大允) 『주역상의점법(周易象義占法)』

**絶初而上, 從于五也.**

초구를 끊고 올라가 오효를 따른다.

### 오치기(吳致箕) 「주역경전증해(周易經傳增解)」

下絶初九之應, 上從九五之君, 是乃絶其類而上也.
아래로 초구의 호응을 끊고 위로 구오의 임금을 따르니 바로 그 무리를 끊고 올라가는 것이다.

### 박문호(朴文鎬) 「경설(經說)・주역(周易)」

馬匹匹字下諺讀, 當移於馬字下, 蓋匹亡, 則一馬而已.
'말의 짝[馬匹]'에서 '짝[匹]'이라는 말 아래의 언해 구두를 말[馬] 아래로 옮겨야 하니, 짝이 없어지면 한 마리 말뿐이기 때문이다.

### 이병헌(李炳憲) 『역경금문고통론(易經今文考通論)』

王曰, 居正履順, 陰德之盛, 故曰月幾望. 類, 謂三也.
왕필이 말하였다: 바름에 있으면서 유순함을 밟고 있어 음의 덕이 성대함이기 때문에 "달이 거의 보름이다"라고 하였다. 무리는 삼효를 말한다.

姚曰, 三四俱陰稱匹.
요신이 말하였다: 삼효와 사효는 모두 음이어서 짝이라고 하였다.

本義曰, 馬匹, 謂初與己爲匹. 四乃絶之則無咎.
『본의』에서 말하였다: 말의 짝은 초효가 자기와 짝이 된 것을 말한다. 사효가 끊으면 허물이 없을 것이다.

## 九五, 有孚攣如, 无咎

정전 구오는 미더움이 있는 것을 잡아당기듯이 하면, 허물이 없을 것이다.
본의 구오는 미더움이 있는 것을 잡아당기듯이 하니, 허물이 없을 것이다.

## 中國大全

### 傳

**五居君位, 人君之道, 當以至誠, 感通天下, 使天下之心, 信之, 固結如拘攣然, 則爲无咎也. 人君之孚, 不能使天下固結如是, 則億兆之心, 安能保其不離乎.**

오효는 임금의 지위에 있는데, 임금의 도리는 지극한 정성으로 천하를 감통하여 천하의 마음이 믿도록 해야 하니, 굳게 맺어 붙들어 당기듯 하면 허물이 없을 것이다. 임금의 미더움이 천하 사람들을 이와 같이 굳게 맺을 수 없다면 모든 백성들의 마음이 어찌 떠나지 않도록 보존할 수 있겠는가?

### 小註

進齋徐氏曰, 攣如, 固結之義. 位正而有孚, 是以誠實固結天下之心, 若拘攣然.
진재서씨가 말하였다: '잡아당기듯이'는 굳게 맺었다는 뜻이다. 자리가 바르고 미더움이 있으니, 그래서 진실함으로 천하의 마음을 굳게 맺음을 마치 잡아당기듯이 하는 것이다.

○ 建安丘氏曰, 居九五之位爲中孚之主, 以至誠而感孚天下之心, 拳拳然而固結之, 若拘攣然則无咎也. 諸爻皆不言孚, 而九五獨言有孚者, 蓋非天下之至誠, 孰能與於此哉.
건안구씨가 말하였다: 구오의 자리에 있어 중부괘의 주인이 되니, 지극한 정성으로 천하의 마음을 감동시켜 미덥게 하여, 정성스레 굳게 맺기를 잡아당기듯이 하면 허물이 없을 것이다. 여러 효에서 모두 '미더움[孚]'을 언급하지 않았는데 오효에서만 '미더움'을 말하였으니, 천하의 지극한 정성이 아니라면 누가 여기에 함께할 수 있겠는가!

本義

**九五, 剛健中正, 中孚之實而居尊位, 爲孚之主者也. 下應九二, 與之同德, 故其象占, 如此**

구오는 강건하고 중정하니 속의 미더움이 충실하고 존귀한 지위에 있어 미더움의 주인이 되는 자이다. 아래로 구이와 호응하여 그와 덕을 함께하므로 그 상과 점이 이와 같다.

小註

雲峯胡氏曰, 六爻不言孚, 唯九五言之, 九五孚之主也. 合九二共爲一體, 包二陰以成中孚, 其固結如此. 故其象爲攣如, 占爲无咎. 在九二則曰靡, 九五則曰攣, 皆固結不可解之象. 无咎,[53] 五與二一心故也. 一則孚, 孚則化. 小畜三至五爲中孚, 故於五亦曰有孚攣如. 月幾望, 與小畜同.

운봉호씨가 말하였다: 여섯 효에서 '미더움[孚]'을 언급하지 않았는데 구오에서만 말한 것은 구오가 미더움의 주인이기 때문이다. 구이와 합하여 함께 한 몸체가 되니, 두 음을 포함하여 중부괘를 이루어 굳게 맺음이 이와 같다. 그러므로 그 상이 '잡아당기듯이 함'이고, 점은 '허물 없을 것이다'이다. 구이에서는 '매여 있다[靡]'라 하고, 구오에서는 '잡아당기듯이 한다[攣如]'라 하였으니 모두 굳게 맺어 풀 수 없는 상이다. 허물이 없음은 오효와 이효가 한결같은 마음이기 때문이다. 한결같으면 미덥고, 미더우면 변화된다. 소축괘(小畜卦☴)의 삼효부터 오효까지가 중부가 되므로 오효에서 또한 '미더움이 있음이 잡아당기듯이 한다'[54]고 하였다. 육사의 '달이 거의 보름이다'도 소축괘와 동일하다.[55]

## 韓國大全

### 송시열(宋時烈) 『역설(易說)』

孚攣, 與小畜九五同. 辭攣者, 與二爻靡字同, 巽象也. 小象亦以正中之位言之.

---

53) 咎: 『주역전의대전』에는 '應'으로 되어 있으나, 문맥을 살펴 '咎'로 바로잡았다.
54) 『周易 · 小畜卦』: 九五, 有孚攣如, 无咎.
55) 『周易 · 小畜卦』: 六四, 月幾望, 馬匹亡, 无咎.

"믿음이 있는 것을 잡아당기듯이 한다"는 것은 소축괘의 구오와 같다. "잡아당기듯이 한다"는 것은 이효의 "매여 있도다"와 같으니 손괘의 상이다. 「소상전」에서도 바르고 알맞은 자리로 말하였다.

## 석지형(石之珩) 『오위귀감(五位龜鑑)』

臣謹按, 中孚之九五, 曰有孚攣如, 无咎, 臣竊聞, 易凡言无咎者, 皆始有咎而終无之義也. 人君當使天下被其化而不自覺, 同於善而无係著可也. 若必欲固結於我, 有如拘攣, 則雖以孚信得衆, 初心已不出於至公, 僅可謂无咎而已, 不足謂之元吉矣. 不然豈有億兆歸心, 而不得元吉者乎. 此與程傳差別, 蓋有所受者矣, 伏願殿下擇其愚焉.
신이 삼가 살펴보았습니다: 중부괘의 구오에서 '미더움이 있는 것을 잡아당기듯이 하니, 허물이 없을 것이다'라고 하였는데, 저는 『주역』에서 '허물이 없을 것이다'라고 말한 경우에는 모두 처음에는 허물이 있으나 끝내 없다는 것으로 들었습니다. 임금은 천하에 혜택을 입히면서도 스스로 알지 못하고 선과 하나가 되었으면서도 걸리어 드러남이 없어야 됩니다. 반드시 나와 굳게 맺어 붙들어 당기듯이 하면 미더움으로 사람들을 얻음에 처음 마음이 이미 지극히 공평함에서 나오지 않아 겨우 허물이 없다고 말할 수 있을 뿐이니, 크게 길하다고 말하기에는 부족합니다. 그렇게 하지 않는다면 어찌 천하 백성들의 마음을 돌리고 크게 길함을 얻지 않을 수 있겠는지요? 이것이 『정전』과 다른 것은 받아들인 것이 있으니, 전하께서는 어리석은 저의 마음을 받아들여 주시옵기를 엎드려 바라옵니다.

## 이익(李瀷) 『역경질서(易經疾書)』

有孚攣如, 與小畜之五同辭. 彼亦二五皆陽, 而二云牽五云攣, 語意相呼喚, 可以爲證二之靡由五之攣也.
'구오는 미더움이 있는 것을 잡아당기듯이 한다'는 것은 소축괘의 오효와 말이 같다. 거기에서도 이효와 오효가 모두 양이어서 이효에서 '이끈다[牽]'고 하고 오효에서 '이끈다[攣]'고 한 것은 말의 의미가 서로 호응하니, 이효의 '매어 있음[靡]'이 오효의 '잡아당김[攣]'에서 말미암았다는 것으로 증거를 삼을 수 있다.

## 유정원(柳正源) 『역해참고(易解參攷)』

雙湖胡氏曰, 三四中虛, 二五中實, 同皆孚信之象. 然陽實有孚, 陰虛不足, 故二五尤有相孚之義. 然獨言於五者, 五正而二不正也. 中孚九五與小畜九五, 同在巽體, 故取象亦相同.

쌍호호씨가 말하였다: 삼효와 사효라는 가운데가 비어 있고, 이효와 오효라는 가운데가 차 있어 함께 모두 중부의 상이다. 그러나 양은 차 있어 미덥고 음은 비어 있어 부족하기 때문에 이효와 오효가 더욱 서로 믿는 상이 있다. 그런데 오효에서만 말할 것은 오효는 바르고 이효는 바르지 않기 때문이다. 중부괘(中孚卦䷼)의 구오와 소축괘(小畜卦䷈)의 구오는 동일하게 손괘(巽卦☴)의 몸체에 있기 때문에 상을 취한 것도 서로 같다.

○ 案, 攣者, 兩物拘攣, 合爲一物, 言九五與九二爲一也.
내가 살펴보았다: 잡아당긴다는 것은 두 가지가 잡아당겨 하나로 합한 것이니, 구오와 구이가 하나가 된 것을 말한다.

## 김상악(金相岳)『산천역설(山天易說)』

九五陽剛居巽之中, 應兌之中, 雖非正應, 中實相孚. 而陰之比於下者, 四則巽順, 三則說從, 故有有孚攣如之象. 所以孚道成, 而得无咎也.
구오는 양의 굳셈으로 손괘의 가운데 있어 태괘의 가운데와 호응함에 비록 바른 호응이 아닐지라도 가운데가 채워져 있어 서로 미덥다. 그런데 음이 아래로 가까이 하는 경우여서 사효는 공손하여 어기지 않고 삼효는 기뻐하여 순종하기 때문에 미더움이 있는 것을 잡아당기는 상이 있다. 미더움으로 도를 이루어 허물이 없는 까닭이다.

○ 攣卽二之靡也, 與小畜九五同辭. 二至上互益體, 益之五曰, 有孚惠心. 有孚惠德, 亦攣如之意也. 感孚天下, 而不以其心, 何能得衆心. 固結惠我以德也, 所以六爻獨言有孚.
'잡아당기듯이 하는 것'은 곧 이효의 '매어 있다'는 것으로 소축괘 구오와 말이 같다. 이효부터 상효까지는 호체가 익괘(益卦䷩)의 몸체여서 그 오효에서 "은혜로운 마음에 믿음이 있다. 믿음이 있어서 나의 덕을 은혜롭게 여긴다"라고 하였으니, 또한 잡아당기듯이 한다는 의미가 있다. 천하에 감동하여 미더운데, 그 마음으로 하지 않고 어떻게 사람들의 마음을 얻을 수 있었겠는가? 굳게 맺어 나를 덕으로 은혜롭게 했기 때문에 여섯 효에서 유독 '미더움이 있다'고 하였다.

## 서유신(徐有臣)『역의의언(易義擬言)』

五與二, 相抱而成中孚, 有两艮手交握之象, 故曰有孚攣如, 謂其契合固密也. 巽說可戒而中正, 故无咎也.

오효와 이효가 서로 끌어안음으로 중부를 이루어 두 간괘의 손이 서로 쥐는 상이 있기 때문에 "미더움이 있는 것을 잡아당기듯이 한다"고 하였으니, 맞아서 합하는 것이 굳게 긴밀하다는 말이다. 손괘의 기쁨은 경계해야 하나 중정하기 때문에 허물이 없을 것이다.

### 박제가(朴齊家) 『주역(周易)』

九五有孚攣如, 與小畜九五同. 蓋三變則爲小畜, 故上體之爻辭相通. 月幾望, 可四可六者, 故小畜則於上言之, 歸妹則以娣故於五稱之, 其義亦同. 其言攣如者, 亦皆四之從五者而言之, 小畜象傳曰, 上合志也, 豈攣字有孿生駢拇之義歟.

구오가 '미더움이 있는 것을 잡아당기듯이 하는 것'은 소축괘 구오와 같다. 삼효가 변하면 소축괘(小畜卦☴☰)가 되기 때문에 윗 몸체의 효사가 서로 통한다. 육사의 '달이 거의 보름이다'는 것은 사효에서도 괜찮고 육효에서도 괜찮은 것이기 때문에 소축괘에서는 상효에서 말하였는데, 귀매괘에서는 잉첩이기 때문에 오효에서 칭하였으니, 그 의미는 또한 같다. 잡아당기듯이 한다고 한 것도 모두 사효가 오효에게 가서 따르는 것으로 말하여 소축괘의 사효 「상전」에서 "위와 뜻이 합하기 때문이다"라고 하였으니, 어찌 잡아당기듯이 한다는 말에 쌍둥이로 태어나고 손가락을 나란히 한다는 의미가 있겠는가?

### 이지연(李止淵) 『주역차의(周易箚疑)』

巽有有孚攣如之象, 故再言之.

손괘(巽卦☴)에 미더움이 있는 것을 잡아당기듯이 하는 상이 있기 때문에 거듭 말하였다.

### 김기례(金箕澧) 「역요선의강목(易要選義綱目)」

以剛中正爲中孚之主, 應二同德而固結, 故无咎. 卦中以五爲主, 故特言中孚.

굳셈의 중정함으로 중부괘의 주인이 되어 이효의 같은 덕에 호응하여 굳게 매었기 때문에 허물이 없을 것이다. 괘에서는 오효가 주인이기 때문에 특별히 중부를 말하였다.

### 심대윤(沈大允) 『주역상의점법(周易象義占法)』

中孚之損☶☱, 損下益上也. 九五之時, 信立於天下, 天下親附而歸服, 皆效而化之, 有損下益上之義也. 九五以剛居剛, 剛而偏信, 人君偏信於臣鄰, 而臣鄰汎信於天下, 乃致交如之孚也. 九五得中, 而无私應, 居艮巽言行之體, 而爲中孚之主, 信之至也. 天下信其言行, 而觀化之親附之, 近者和應, 遠者從而和應矣. 九二應五, 而初九從之, 是也,故曰有孚攣如. 离巽爲攣, 言鉤連以致之也. 至是而中孚之道成矣, 故獨言有孚也. 其偏信於近者, 爲若有咎, 而終致攣如, 故无咎.
중부괘가 손괘(損卦䷨)로 바뀌었으니, 아래에서 덜어내 위에 보태는 것이다. 구오의 때에 미더움이 천하에 서서 천하가 가까이하고 복종하여 따르는 것은 모두 본받아서 감화된 것이니, 아래에서 덜어내 위에 보태는 의미가 있다. 구오는 굳셈으로 굳센 자리에 있어 굳세면서 치우치게 믿으니, 임금은 신하와 백성을 치우치게 믿고 신하와 백성은 천하를 널리 믿어 사귀는 믿음을 이룬다. 구오는 알맞음을 얻어 사사롭게 호응함이 없으며 간괘와 손괘라는 말과 행동의 몸체에 있어 중부의 주인이 되었으니 미더움의 지극함이다. 천하가 그 말과 행동을 믿어 교화되어 가까이 함을 보이니, 가까이 있는 자들은 화답하여 호응하고 멀리 있는 자들은 따라서 화답하여 호응한다. 구이가 오효와 호응하고 초구가 따르는 것이 여기에 해당하기 때문에 "'미더움이 있는 것을 잡아당기듯이 한다"라고 하였다. 리괘와 손괘가 잡아당기는 것이니, 갈고리처럼 연결하여 이룬다는 말이다. 여기에 와서 중부의 도가 이루어졌기 때문에 유독 '미더움이 있다'고 하였다. 가까운 자를 치우치게 믿어 허물이 있을 것 같으나 마침내 잡아당기듯이 함을 이루기 때문에 허물이 없다.

### 오치기(吳致箕) 「주역경전증해(周易經傳增解)」

九五陽剛中正而居尊, 爲中孚之主, 下應九二同德之臣, 誠心相感以成孚道, 而援引固結, 有攣如之象. 然以剛應剛, 雖若敵應而有咎, 以其同德相孚, 故言无咎.
구오는 양의 굳셈으로 중정하고 높은 자리에 있어 중부괘의 주인이면서 아래로 구이의 덕이 같은 신하와 호응하니, 진실한 마음으로 서로 감응하고 미더운 도를 이루어 굳게 맺어 붙들어 잡아당기듯이 하는 상이 있다. 그러나 굳셈으로 굳셈에 호응하니 상대와 호응하여 허물이 있을지라도 같은 덕으로 서로 미덥기 때문에 "허물이 없을 것이다"라고 하였다.

○ 攣取於互艮.
'잡아당기듯이'는 호괘 간괘에서 취하였다.

### 이진상(李震相) 『역학관규(易學管窺)』

五, 中孚之主. 蓋以一體言, 則中實爲孚, 以兩體言, 則中虛爲孚. 其類互相須也, 攣如, 艮手象.
오효는 중부의 주인이다. 한 몸체로 말하면 가운데가 차 있는 것이 미더움이고, 두 몸체로 말하면 가운데가 비어 있는 것이 미더움이다. 그 무리가 서로 반드시 잡아당기듯이 하는 것은 간괘의 손의 상이다.

## 象曰，有孚攣如，位正當也.

「상전」에서 말하였다: "미더움이 있는 것을 잡아당기듯 함"은 자리가 정당해서이다.

## 中國大全

**傳**

五居君位之尊, 由中正之道, 能使天下信之, 如拘攣之固, 乃稱其位. 人君之道, 當如是也.

오효는 임금자리의 존귀함에 있으면서 중정한 도로 말미암아 천하가 믿게 하기를 잡아당기는 것처럼 견고하게 할 수 있어야 그 지위에 걸맞다. 임금의 도리는 이와 같아야 한다.

**小註**

臨川吴氏曰, 位正而當, 故能得人之孚也.

임천오씨가 말하였다: 자리가 바르고 마땅하므로 남들의 믿음을 얻을 수 있다.

## 韓國大全

**김상악(金相岳) 『산천역설(山天易說)』**

合九二共爲一體, 包三四以成中孚者, 由其位正當也.

구이와 합하여 함께 한 몸체가 됨으로 삼효와 사효를 껴안아 중부괘를 이룬 것은 자리가 정당해서이다.

### 서유신(徐有臣) 『역의의언(易義擬言)』

位正當也, 與履兌同. 蓋謂上巽下說, 爲可戒也.
"자리가 정당해서이다"라는 것은 리괘(履卦䷉)의 구오 「상전」·[56]태괘(兌卦䷹))구오 「상전」[57]과 같다. 위에서 공손하고 아래에서 기뻐하여 경계할 만하다는 말이다.

### 오치기(吳致箕) 「주역경전증해(周易經傳增解)」

居中正尊位, 以其實中之德, 固結人心而孚信, 人君之道也.
중정하고 높은 자리에 있어 가운데를 채운 덕이 진실로 사람의 마음을 엮어 미더우니 임금의 도이다.

### 이병헌(李炳憲) 『역경금문고통론(易經今文考通論)』

九五, 雖當位, 有孚攣如, 而後無咎. 九二, 則中心願之, 其亦文紂之事乎.
구오는 비록 자리가 정당할지라도 잡아당기듯이 한 다음에 허물이 없을 것이다. 구이는 속마음으로 원하니, 아마도 문왕(文王)과 주왕(紂王)의 일일 것이다.

---

56) 『周易 · 履卦』: 象曰, 夬履貞厲, 位正當也.
57) 『周易 · 兌卦』: 象曰, 孚于剝, 位正當也.

## 上九, 翰音登于天, 貞凶.

정전 상구는 날아가는 소리가 하늘로 올라가니, 고집하여 흉하다.
본의 상구는 날아가는 소리가 하늘로 올라가니, 곧더라도 흉하다.

## 中國大全

### 傳

**翰音者, 音飛而實不從. 處信之終, 信終則衰, 忠篤內喪, 華美外颺, 故云翰音登天, 正亦滅矣. 陽性上進, 風體飛颺. 九居中孚之時, 處於最上, 孚於上進而不知止者也. 其極, 至於羽翰之音, 登聞于天, 貞固於此而不知變, 凶可知矣. 夫子曰, 好信不好學, 其敝也賊, 固守而不通之謂也.**

'날아가는 소리'는 소리는 날아가지만 실제는 그에 따르지 못하는 것이다. 믿음의 마지막에 있어 믿음이 끝나면 쇠약해져서 진실함과 독실함을 안에서 잃고 화려함과 아름다움을 밖으로 드날리기 때문에, '날아가는 소리가 하늘로 올라간다'고 하였으니, 바름도 없어진 것이다. 양의 성질은 위로 올라가고, 바람의 몸체는 날리는 것이다. 구(九)가 '중부'의 때에 있으면서 제일 꼭대기에 처했으니 위로 올라감에 충실하여 그칠 줄 모르는 자이다. 그 끝은 날아가는 소리가 올라가 하늘에 들리는 데까지 이르렀는데, 이를 고집하여 변할 줄 모르니 흉함을 알 수 있다. 공자가 "믿기만 좋아하고 배우기를 좋아하지 않으면 그 폐단이 도적이다"[58]라 하였으니, 굳게 지켜 통하지 못함을 말한 것이다.

### 小註

進齋徐氏曰, 翰者, 羽翰之音也. 音登于天, 虛聲遠聞也, 有信之名, 无信之實, 以此爲正, 固守則凶. 上居終, 故戒.

---

58) 『論語·陽貨』: 子曰, 由也, 女聞六言六蔽矣乎. 對曰, 未也. 居, 吾語女. 好仁不好學, 其蔽也愚, 好知不好學, 其蔽也蕩, 好信不好學, 其蔽也賊, 好直不好學, 其蔽也絞, 好勇不好學, 其蔽也亂, 好剛不好學, 其蔽也狂.

진재서씨가 말하였다: 날아가는 소리는 날갯짓하는 소리이다. 소리가 하늘까지 올라감은 헛된 소리가 멀리까지 들리는 것이다. '믿음'이란 명목은 있지만 '믿음'의 실질이 없는데 이를 바른 것으로 여겨 고수하면 흉할 것이다. 상효가 마지막에 있기 때문에 경계하였다.

○ 東谷鄭氏曰, 翰音登天者, 聲聞過情, 君子恥之.
동곡정씨가 말하였다: '날아가는 소리가 하늘로 올라간다'는 것은 들리는 소문이 실정보다 지나친 것으로 군자가 부끄럽게 여기는 것이다.[59]

本義

**居信之極, 而不知變, 雖得其貞, 亦凶道也. 故其象占如此. 雞曰翰音, 乃巽之象, 居巽之極, 爲登于天. 雞非登天之物而欲登天, 信非所信, 而不知變, 亦猶是也.**

믿음의 극한에 있어서 변할 줄 모르니, 비록 그 곧음을 얻더라도 흉한 도리이다. 그러므로 그 상과 점이 이와 같다. 닭을 '날아가는 소리[翰音]'이라고 한 것은[60] 손괘의 상인데, 손괘의 끝에 있으니 하늘에 오른 것이 된다. 닭은 하늘에 오르는 사물이 아닌데 하늘에 오르고자 하니, 믿을 것이 아닌 것을 믿으면서 변할 줄을 모르는 것도 이와 같다.

小註

朱子曰, 中孚與小過, 都是有飛鳥之象. 中孚是個卵象, 是鳥之未出殼底, 孚亦是那孚膜意思. 所以卦中都說鳴鶴翰音之類. 翰音登天, 言不知變者, 蓋說一向恁麽去, 不知道去不得, 這兩卦十分解不得, 且只依稀地說.
주자가 말하였다: 중부괘와 소과괘는 모두 날아가는 새의 상이 있다. 중부괘는 알의 상으로 새가 아직 껍질을 까고 나오지 않은 것이고, 부(孚)도 껍질의 뜻이다. 그래서 괘에서 모두 '우는 학'과 '날아가는 소리'같은 종류를 말하였다. '날아가는 소리가 하늘로 올라간다'는 변할 줄 모름을 말하니, 갈 수 없는 줄도 모르고 줄곧 그렇게 가는 것을 말한다. 이 두 괘는 완전히 이해할 수가 없으니 단지 대략적으로 말할 뿐이다.

---

59) 『孟子·離婁下』: 苟爲無本, 七八月之間雨集, 溝澮皆盈, 其涸也, 可立而待也. 故聲聞過情, 君子恥之.
60) 『禮記·曲禮』: 雞曰翰音. 종묘(宗廟) 제례(祭禮)에 있어서, 사용되는 희생물 중 닭[雞]의 경우에는 '한음(翰音)'이라고 부른다. 본래'한(翰)'자는 "길대[長]"는 뜻이다. 닭이 살찌게 되면, 그 울음소리가 길게 울려 퍼진다.

○ 臨川吳氏曰, 巽爲雞, 雞曰翰音, 謂其羽有文采而能鳴也. 豚魚知風, 鶴知夜半, 雞知旦, 皆物之有信者, 故中孚象爻取三物爲象. 上九, 天之位也, 雞飛類之走, 鳴于地上以孚於人者. 欲其音登徹于天, 則非所能矣.
임천오씨가 말하였다: 손괘는 닭이 되는데, 닭을 '날아가는 소리'라고 하니, 그 날개에 무늬가 있고 울 수 있음을 말한다. '돈어(豚魚)'는 바람을 알고, 학은 한밤중을 알며, 닭은 새벽을 아니, 모두 믿음이 있는 사물이다. 그러므로 중부괘 단사와 효사에서 세 사물을 취하여 상으로 삼았다. 상구는 하늘의 자리이고, 닭은 조류 가운데 걸어 다니는 것으로 땅에서 울어서 사람들에게 미더움을 주는 것이다. 그런데 그 소리를 하늘까지 올리려 하니 할 수 있는 것이 아니다.

○ 平庵項氏曰, 巽雞之翰音, 而欲效澤鳥之鳴登聞于天, 愈久愈凶.
평암항씨가 말하였다: 손괘는 닭의 날아가는 소리인데, 연못에 사는 새의 울음이 하늘에 까지 올라가는 것을 따라 하고자 하니, 오래갈수록 더욱 흉하다.

○ 雲峯胡氏曰, 雞鳴必先振其羽, 故曰翰音, 而其鳴有信, 故於中孚言之. 五上天位. 九二鶴也, 而鳴於地之陰, 上九雞也, 而鳴於天之高, 有是理乎. 居信之極而不知變, 雖正亦凶, 況不正乎.
운봉호씨가 말하였다: 닭이 울 때에는 반드시 먼저 날갯짓을 하므로 '날아가는 소리'라고 하였는데, 그 울음에 미더움이 있기 때문에 중부괘에서 말하였다. 오효와 상효는 하늘의 자리이다. 구이는 학인데 지상의 그늘에서 우는 것이고, 상구는 닭인데 하늘 높은 데에서 우니, 이러한 이치가 있겠는가? 믿음의 극한에 있으면서 변할 줄을 몰라 바르더라도 흉할 것인데, 하물며 바르지 못함에야 말해 무엇 하겠는가!

## 韓國大全

### 김장생(金長生) 『경서변의(經書辨疑)-주역(周易)』

翰音, 禮註曰, 翰長也. 鷄肥則鳴聲長, 與易不同
날아가는 소리에 대해 『예기 · 곡례』의 주석에서 "한(翰)은 길다는 말이다. 닭이 살찌게 되면 우는 소리가 길게 퍼진다"고 하였으니, 주역과 같지 않다.

### 송시열(宋時烈)『역설(易說)』

翰音者, 巽鷄也. 禮云, 鷄曰, 翰音. 登于天者, 居於上九之最高位也. 又巽之道消乾天而上也, 其道貞則其凶可知. 此卦本與小過相錯, 有飛鳥之象. 小象何可長者, 巽爲進退不果, 不長久之象. 以鷄言之, 鳴未幾而天欲明, 亦不可長之象.

'날아가는 소리'는 손괘의 닭이다. 『예기』에서 "제사에 사용되는 닭은 한음(翰音)이라고 부른다"라고 하였다. '하늘로 올라가는 것'은 상구가 가장 높은 자리에 있기 때문이다. 또 손괘의 도가 건괘의 하늘을 없애고 올라가니 그 도가 곧다면 흉함을 알 수 있다. 이 괘는 본래 소과괘(小過卦䷽) 음양이 바뀌어 날아가는 새의 상이 있다. 「소상전」의 '어찌 오래갈 수 있겠는가'라는 말은 손괘가 나아가고 물러남에 결단이 없어 장구할 수 없는 상이기 때문이다.

### 강석경(姜碩慶)「역의문답(易疑問答)」

中孚上九翰音, 先儒以爲鷄必振羽而鳴, 故鷄爲翰音. 今觀雉亦振羽而鳴, 則奚知爲雞乎. 曰雉爲離屬, 鷄爲巽屬, 而中孚上卦爲巽, 則爲雞何疑.

중부괘 상구의 날아가는 소리에 대해 선대의 학자들은 닭이 반드시 날갯짓을 하면서 울기 때문에 닭이 '한음(翰音)'인 것이라고 여겼다. 이제 꿩을 봐도 날갯짓을 하면서 우니, 어찌 닭인 줄 아는가? 꿩은 리괘에 속하고 닭은 손괘에 속하는데, 중부괘는 윗괘가 손괘이니, 닭임을 어찌 의심하겠는가?

### 이익(李瀷)『역경질서(易經疾書)』

禮云, 鷄曰翰音, 鷄之爲物, 鳴必皷翼, 所以得名. 今以死鷄截斷肩骨, 猛氣吹入鷄, 便延頸作聲, 可以驗矣. 上巽爲鷄, 鷄居最高之位, 是登于天也. 不曰鷄而曰翰, 音以其鳴聲云也. 凡遠聞莫如長鳴, 長鳴莫如鷄也. 非所登而登焉, 其漸何可長也.

『예기 · 곡례』에서 "제사에 사용되는 닭은 한음(翰音)이라고 부른다"라고 하였으니, 닭은 울 때 반드시 날갯짓을 하기 때문에 그렇게 이름 붙인 것이다. 이제 닭을 죽여 어깨뼈를 자른 것으로써 맹렬한 기운이 닭으로 드나드는 것을 곧 목을 뻗어 울 수 있는 것을 증명할 수 있다. 위의 손괘가 닭으로 그것이 최고의 지위에 있으니, 이것이 하늘로 올라가는 것이다. 닭이라고 하지 않고 날아가는 것이라고 한 것은 소리를 울음으로 말한 것이다. 멀리서도 들리는 것은 긴 소리만한 것이 없고, 긴 소리로는 닭 울음만한 것이 없다. 올라갈 곳이 아닌데 올라가니, 그 조짐을 어찌 키울 수 있겠는가?

### 유정원(柳正源) 『역해참고(易解參攷)』

厚齋馮氏曰, 易凡有應而不得應者, 則必鳴以求其應. 如鳴謙鳴豫, 是也. 今卦取鳥之孚卵, 故以翰音爲象. 爻應六三, 而九五隔之, 本爻乃登于五之上而呼之, 有羽翰之音登于天之象. 卦中虛, 故多取聲音象.
후재풍씨가 말하였다: 『주역』에는 호응함에도 호응할 수 없는 것이 있으니, 반드시 울음으로 그 호응함을 구한다. 이를테면 겸괘(謙卦)의 '겸손함을 드러낸다'는 것과 '예괘(豫卦)의 '즐거움을 소리낸다'는 것이 여기에 해당한다. 이제 괘에서 새의 미더운 알을 취하였기 때문에 날아가는 소리로 상을 삼았다. 효가 육삼과 호응하지만 구오가 그것을 막고 있고, 상구가 오효의 위로 올라가서 우니, 날아가는 소리와 하늘로 올라가는 상이 있다. 괘의 가운데가 비어 있기 때문에 대부분 소리의 상을 취하였다.

○ 進齋徐氏曰, 月令註, 有孚甲孚乳之說, 與中孚取鶴鳴翰音之象同意.
진재서씨가 말하였다: 『예기 · 월령』의 주에 알의 껍질과 알을 까서 기르는 설명이 있으니, 중부괘에서 학이 울고 날아가는 소리의 상을 취한 것과 같은 의미이다.

### 김상악(金相岳) 『산천역설(山天易說)』

居信之極, 處巽之終, 雖有正應於下, 孚于上進, 而不知變, 故有翰音登于天之象. 无信之實, 聲聞過情, 雖正亦凶, 況不正乎. 故君子貞而不諒.
미더움의 끝에 있고 손괘의 끝에 있으니 아래로 바르게 호응할지라도 위로 나아가는 데에 미덥게 하고 변할 줄 모르기 때문에 날아가는 소리가 하늘로 올라가는 상이 있다. 믿음의 내용이 없어 소문이 실정을 지나쳐서 바르더라도 흉한데, 하물며 바르지 않음에야 말해 무엇 하겠는가? 그러므로 군자는 바르고 작은 신의에 얽매이지 않는다.

○ 鷄曰翰音, 巽之象. 又兌居酉, 酉之神爲鷄. 鷄鳴必振羽, 故曰翰音也. 登天者, 上居天位也. 鷄是走鳴於地上者, 而欲效鳴鶴之聲聞於天, 所以貞凶也. 本爻之象如此, 故小過曰, 飛鳥離之凶.
"제사에 사용되는 닭은 한음(翰音)이라고 부른다"고 했는데 손괘의 상이다. 또 태괘는 서쪽에 있는데, 서쪽의 신이 닭이다. 닭이 울 때는 반드시 날갯짓을 하기 때문에 "날아가는 소리"라고 하였다. 하늘에 오르는 것은 위로 하늘의 자리에 있기 때문이다. 닭은 땅에서 달려가며 우는 것인데, 학의 소리가 하늘에 들리는 것을 본받으려고 하기 때문에 곧더라도 흉한 것이다. 상구의 상이 이와 같기 때문에 소과괘(小過卦)에서 "나는 새가 멀리 떠나가는지라 흉하다"라고 하였다.

### 서유신(徐有臣) 『역의의언(易義擬言)』

無實之聲, 安能長久也.
실질이 없는 소리가 어찌 오래갈 수 있겠는가?

### 서유신(徐有臣) 『역의의언(易義擬言)』

巽爲鷄, 鷄鼓翼而鳴, 故曰翰音也. 巽在乾上, 有鷄飛登天之象. 鷄飛高不過數仞, 所登天者, 其音而已也. 夫中孚者, 中之孚也, 而上九外也. 外非孚也, 夸言厲行, 虛聲无實, 如翰音之登天也. 貞之義難曉.
손괘가 닭으로 그것이 날갯짓을 하면서 울기 때문에 '날아가는 소리'라고 하였다. 손괘가 건괘의 위에 있어 닭이 하늘로 날아오르는 상이 있다. 닭은 높이 날아올라도 불과 몇 미터 정도이니 하늘로 오르는 것은 소리일 뿐이다. 중부는 속이 미더운 것인데 상구는 밖에 있다. 밖은 미더운 것이 아니어서 자랑하고 힘써 행하는 것이 헛된 소문과 실질이 없으니, 날아가는 소리가 하늘로 올라가는 것과 같다. 곧더라도 흉하다는 말의 의미는 알기 어렵다.

### 박제가(朴齊家) 『주역(周易)』

孚[61]之盡而卵[62]中之生[63]者, 羽化飛鳴而去也. 飛鳴而去, 則所謂孚者, 乃空殼而已, 所以爲凶. 象傳曰, 何可長也, 言上之將變而爲飛鳥之小過. 故如此孚之爲鳥抱卵之義者, 益明傳音飛而實不從. 又曰, 忠篤內喪, 華美外颺云者, 雖假合成說然, 亦略彷彿, 可見究索之苦心. 本義作巽鷄, 以實翰音而曰非登天之物, 則反涉太冷淡矣. 朱子曰, 中孚是卵象, 鳥之未出殼底, 孚亦是耶孚膜意思, 所以卦中都說鳴鶴翰音之類, 亦幾乎及之, 而孚膜二字尤切詳. 觀孚之爲中爲膜之義, 則曰虛爲孚, 實爲孚者之各倚一偏可知矣.
껍질을 까고 알에서 태어난 것이 날개가 생겨 울면서 날아가는 것이다. 울면서 날아가는 것은 이른바 미더운 것이 바로 빈껍데기뿐이기 때문에 흉하다. 「상전」에서 "어찌 오래 갈 수 있겠는가"라고 한 것은 상효가 변하여 나는 새인 소과괘가 되려는 것이라는 말이다. 그러므로 이와 같은 미더움이 새가 알을 품는 의미가 되는 것은 전해지는 소리가 날아가는데 실질이 따르지 못함을 더욱 밝힌 것이다. 또 충실함과 독실함이 안에서 없어지고 화려함과

---

61) 孚: 경학자료집성DB에 '□'로 되어 있으나, 경학자료집성 영인본을 참조하여 '孚'로 바로잡았다.
62) 卵: 경학자료집성DB에 '□'로 되어 있으나, 경학자료집성 영인본을 참조하여 '卵'으로 바로잡았다.
63) 生: 경학자료집성DB에 '土'로 되어 있으나, 경학자료집성 영인본을 참조하여 '生'으로 바로잡았다.

아름다움이 밖으로 날린다고 하는 것은 임시로 합해 기쁨을 이루었을지라도 대략 비슷하니, 찾는 고심을 알 수 있다. 『본의』에서는 손괘의 닭으로 하여 날아가는 소리를 실질로 여기고는 "하늘에 오르는 사물이 아니다"라고 하였으니, 도리어 아주 냉정하게 관련시킨 것이다. 주자는 "중부괘는 알의 상으로 새가 아직 껍질을 까고 나오지 않은 것이고, 부(孚)도 껍질의 뜻이다. 그래서 괘에서 모두 '우는 학'과 '날아가는 소리'같은 종류를 말하였다"라고 하여 또한 거의 언급했는데, 껍질이라는 말은 더욱 친절하고 자세하다. 부(孚)가 속이 되고 껍질이 된다는 의미는 '비어 있음이 미더움이고 충실함이 미더움이 된다'고 한 것의 각기 한쪽으로 치우친 것에 의지했음을 알 수 있다.

### 이지연(李止淵) 『주역차의(周易箚疑)』

上九, 所謂背公私黨之信也, 如郭解聶政之類.

상구는 이른바 공평함을 등지고 사사롭게 무리 짓는 믿음이니, 이를테면 곽해[64)]와 섭정[65)]과 같은 자들이다.

### 김기례(金箕澧) 「역요선의강목(易要選義綱目)」

翰音鷄鳴, 鳴必先振羽, 故曰翰音. 鷄司晨而有信. 蓋上處信之終, 則信衰而欲求聲聞, 不亦凶乎.

날아가는 소리는 닭이 우는 것으로 울 때 반드시 먼저 날갯짓을 하기 때문에 '날아가는 소리'라고 하였다. 닭은 시간을 지켜 믿음이 있다. 위로 미더움의 끝에 있으니 미더움이 쇠했는데도 소문나기를 구하려고 하니 또한 흉하지 않겠는가?

○ 鶴猶在陰, 而鷄能在天, 自取其凶, 故貞亦凶.

학은 오히려 그늘에 있는데 닭이 하늘에 있어 스스로 그 흉함을 취하기 때문에 곧더라도 흉하다.

---

64) 곽해(郭解): 전한 무제 때의 협객(俠客)으로 자는 옹백(翁伯)이며 지현(軹縣) 출신이다. 신체가 왜소하였으나 호협(豪俠)을 좋아하여 증오하는 인물이 있으면 반드시 살해하곤 하였으나, 뒤에는 행실을 고쳐 공손하였으므로 많은 사람들로부터 존경을 받았다. 마침 그의 문객(門客)이 지현 출신의 유생(儒生)을 살해한 사건이 발생하였는데, 사실 곽해 자신은 그 사건과 무관하였으나 국법을 확립하여야 한다는 조정의 의논으로 대역무도죄(大逆無道罪)로 처형되었다. 그 후 춘추전국 시대로부터 유행하던 협객이 자취를 감추게 되었다.

65) 섭정(聶政): 전국 시대(戰國時代)의 이름난 자객(刺客)으로 엄수(嚴遂)란 사람의 부탁으로 한(韓)나라 재상 괴(傀)를 죽인 사람이다.

贊曰, 孚及豚魚, 涉險何疑. 虛舟[66]輕颺, 天之秉彝, 化邦之德, 應天而施, 聲情過情, 君子恥之.
찬미하여 말하였다: 미더움이 돼지와 물고기까지 미치니, 험난함을 건넘에 무엇을 의심하겠는가? 빈 배가 가볍게 흔들림은 하늘의 본성이고, 나라를 교화하는 덕은 하늘에 호응하여 시행되니, 소문이 실정을 지나침을 군자가 부끄러워한다.

## 심대윤(沈大允) 『주역상의점법(周易象義占法)』

中孚之節䷻, 限止也. 上九以剛居柔, 汎信而居卦之窮, 每言必信, 每事必信, 局有限節, 而不出一步. 是以信自信者也. 我以是信乎人, 而人亦以是信乎我也. 硜硜然小人哉. 上无可從, 而下應于三, 亦爲五之所隔. 居高而无位, 乃在上而效小人之信, 名高而實下, 不可用也. 故曰, 翰音登于天, 巽爲翰, 兌爲音. 言效三而名高而實下也. 先儒以翰音爲雞, 雞之鳴也, 腷膊拍翼, 聞其聲, 則若飛而實在地上也.
중부괘가 절괘(節卦䷻)로 바뀌었으니, 제한하여 멈추는 것이다. 상구는 굳셈으로 부드러운 자리에 있어 널리 믿지만 괘의 끝에 있어 말마다 반드시 믿고 일마다 반드시 믿으니 사정상 제한하고 절제되어 한 발자국도 내딛지 못한다. 이 때문에 믿음은 스스로 믿는 것이다. 내가 이것으로 남을 믿고 남도 이것으로 나를 믿으니 속이 좁은 소인이다. 위로는 따를 수 있는 것이 없어 아래로 삼효와 호응하나 또한 오효에게 막힌다. 높은 데 있으나 지위가 없어 위에 있으면서도 소인의 믿음을 본받고, 이름은 높으나 실질이 낮아 쓸 수 없다. 그러므로 "날아가는 소리가 하늘로 올라간다"고 하였으니, 손괘(巽卦☴)가 '날아가는 것'이고 태괘(兌卦☱)가 '소리'이다. 선대의 학자들이 '날아가는 소리'를 닭으로 여긴 것은 닭이 울 때에 퍼드덕퍼드덕 날개를 치며 그 소리를 내니 날아가는 것 같은데 실제로는 땅에 있기 때문이다.

居坎巽風雲高冥之體, 而位居上, 有登天之象. 坤之變過巽, 則遇乾. 艮乾爲登天, 以言上六之過乎信, 故取乾也. 上六之行, 足以名高天下, 而實不可用, 有小過過而下就之義也. 上六以爲師傅之敎訓, 則可矣. 吳氏云鶴知夜半, 雞知將旦, 物之有信者, 故取之也. 初三五偏信上六之信, 不可用於天下, 故俱不取對象. 二與四汎信, 故取對象, 而二未廣, 則略取, 而四則全取也. 信者忠恕之發也. 上九作意爲信, 喪其忠誠而索其性, 是信而非信也.
감괘와 손괘의 바람과 구름이라는 높고 아련한 몸체에 있고 자리가 위에 있어 하늘로 올라가는 상이 있다. 곤괘(坤卦☷)의 변화가 손괘(巽卦☴)를 지나면 건괘를 만난다. 간괘와 건

---

66) 舟: 경학자료집성DB에 '丹'으로 되어 있으나, 경학자료집성 영인본과 문맥을 참조하여 '舟'로 바로잡았다.

괘는 하늘에 오름으로 상육이 믿음을 지나친 것을 말하였기 때문에 건괘를 취하였다. 상육의 행동은 천하에 이름을 높이 날리기에 충분하지만 실제로는 쓸 수가 없으니 작게 잘못하고 잘못될지라도 아래로 나아가는 의미가 있다. 상육은 사부의 교훈으로 여기면 된다. 오씨는 "학은 한밤중을 알며, 닭은 새벽을 아니, 믿음이 있는 사물이다. 그러므로 취하였다"고 하였다. 초효 · 삼효 · 오효는 상육의 믿음을 치우치게 하여 천하에 쓸 수 없기 때문에 모두 반대의 상을 취하지 않았다. 이효와 사효는 널리 믿기 때문에 반대의 상을 취했는데, 이효에서는 아직 넓지 않으니 간략히 취하였고 사효는 전부 취하였다. 믿음은 충서(忠恕)가 드러난 것이다. 상구는 의도적으로 믿음을 행하여 그 충성을 잃고서 본성을 찾는 것이니, 믿으면서도 믿지 않는 것이다.

### 이정규(李正奎) 「독역기(讀易記)」

六爻比之人事, 則初九虞吉有他不燕者, 馬援竇融之歸光武也. 九二鳴鶴在陰其子和之者, 孔子在世, 三千之徒, 悅服遠來, 列國之君, 慕悅爭聘也. 六三得敵鼓罷泣歌者, 山東七雄, 顚倒於縱橫之說, 心神靡所定. 六四月旣望馬匹亡无咎者, 武侯之一心王室庫无餘帛廩无餘粟, 及蘇允文之案事冀州也. 九五有孚攣如者, 三代之君, 新民之至, 沒世而民不忘也. 上九翰音登于天貞凶者, 如霍子孟之位極, 而不知戒不知變也.

여섯 효를 사람의 일에 비교하면 초구의 "헤아리면 길하니, 다른 마음이 있으면 편안하지 못하다"는 것은 마원[67]과 두융[68]이 광무제[69]에게 귀의한 것이다. 구이의 '우는 학이 그늘에 있으니, 그 새끼가 화답한다'는 것은 공자가 세상에 있을 때 삼천의 무리가 열복하여 멀리서 왔고 열국의 임금들이 사모하고 기뻐하여 다투어 초빙한 것이다. 육삼의 '적을 만나 북을 울렸다가 그만두었다가 울었다가 노래했다가 한다'는 것은 산동(山東)의 일곱 영웅이 종횡

67) 마원(馬援:BC14~AD49): 후한 섬서성 흥평현(興平縣) 북동지방의 우부풍(右扶風) 무릉(茂陵) 사람으로 자는 문연(文淵)이다. 장제(章帝) 건초(建初) 초에 충성(忠成)에 추시(追諡)되었다. 저서에 『동마상법(銅馬相法)』이 있다.

68) 두융(竇融:BC16~AD62): 후한 부풍(扶風) 평릉(平陵) 사람으로 자는 주공(周公)이다. 광무제(光武帝)가 즉위하자 양주목(凉州牧)과 기주목(冀州牧)이 되고, 외효(隗囂)를 격파해 안풍후(安豊侯)에 봉해졌다. 건무(建武) 12년(36) 대사공(大司空)과 장작대장(將作大匠)에 이르렀다. 위위(衛尉)의 일을 집행하면서도 성격이 겸허하여 황제의 총애를 한 몸에 받았고, 많은 후손들이 고관에 오르는 등 번영했다. 시호는 대(戴)다.

69) 광무제(光武帝: BC6~AD57): 자 문숙(文叔). 묘호 세조(世祖). 시호 광무. 성명 유수(劉秀). 전한(前漢) 고조(高祖) 유방(劉邦)의 9세손이다. 왕망의 군대를 격파하고, 25년 허난의 뤄양(洛陽)에서 즉위하여 한왕조(漢王朝)를 재건하였다. 왕망의 가혹하였던 정치를 폐지하고 전조(田租)를 인하하는 한편, 간전(墾田)의 측량 등을 행하여 통일국가의 충실을 기하였으며, 군병(郡兵)을 내어 중앙집권화(中央集權化)를 꾀하였다. 또한 학문을 장려하고 명예와 절조를 중히 여기는 유교존중주의(儒教尊重主義)를 택함으로써, 후한의 특색이 되는 예교주의(禮教主義)의 기초를 다졌다.

가의 유세에 전도되어 마음과 신명이 정해진 것으로 쏠린 것이다. 육사의 '달이 거의 보름이고 말의 짝이 없어진 것'은 무후[70]의 한결같은 마음에 왕실의 창고에는 남는 비단과 남는 곡식이 없었다는 것이고, 소윤문이 일을 하여 고을에 바란 것이다. 구오의 '미더움이 있는 것을 잡아당기듯이 하는 것'은 삼대의 임금에 새로운 백성들이 와서 죽어도 백성들이 잊지 않는 것이다. 상구의 "날아가는 소리가 하늘로 올라가니, 곧더라도 흉하다"는 것은 곽자맹[71]의 지위가 다하였는데도 경계할 줄 모르고 변할 줄 모른 것이다.

### 이용구(李容九) 「역주해선(易註解選)」

上九, 聲聞過情, 君子恥之.
상구는 소문이 실정을 지나치니, 군자는 부끄러워한다.

### 오치기(吳致箕) 「주역경전증해(周易經傳增解)」

上九, 陽剛不正而居孚之極, 下應六三不正之柔, 未能固守其信, 而反爲窮, 乃欲行其不當行者. 故有翰音登天之象, 而言正爲凶也.
상구는 양의 굳셈으로 바르지 않고 미더움의 끝에 있으면서 아래로 육삼의 바르지 않은 부드러움과 호응하고 그 믿음을 굳게 지킬 수 없어 도리어 곤궁하게 되니, 행하지 않아야 될 것을 행하려고 한다. 그러므로 날아가는 소리가 하늘로 올라가는 상이 있으니, 바름을 말하더라도 흉하게 된다.

### 이진상(李震相) 『역학관규(易學管窺)』

雞曰翰音, 言其能輪飛而善鳴. 此言音之登天, 非以雞欲登天而取象也. 程傳恐爲得之. 但釋貞凶當從本義.
닭을 날아가는 소리라고 하니, 날려고 애써 잘 울 수 있다는 말이다. 여기에서 소리가 하늘로 올라간다고 한 것은 닭이 하늘로 올라가려고 해서 상을 취한 것이 아니다. 『정전』에서 그 의미를 얻었는지 의심스럽고, '곧더라도 흉하다'는 해석만은 『본의』를 따라야 한다.

---

70) 무후(武侯): 삼국 시대 촉한(蜀漢)의 재상인 제갈량(諸葛亮)을 말한다. 시호는 충무(忠武)이고 자는 공명(孔明)이며 무향후(武鄕侯)에 봉해졌다.

71) 곽자맹(霍子孟): 한(漢)나라 곽광(霍光)으로, 자맹은 그의 자(字)이다. 곽광은 정권을 쥐고서 금위(禁闈)에 20여 년 동안 출입하였는데, 한 번도 법도를 어긴 적이 없었다고 한다.

## 象曰, 翰音登于天, 何可長也.

「상전」에서 말하였다: "날아가는 소리가 하늘로 올라가니", 어찌 오래갈 수 있겠는가?

## 中國大全

**傳**

**守孚, 至於窮極, 而不知變, 豈可長久也. 固守而不通, 如是則凶也.**

믿음을 지켜 궁극에까지 이르렀는데 변할 줄을 모르니 어찌 오래갈 수 있겠는가? 굳게 지켜 통하지 못하니, 이와 같이 한다면 흉하다.

**小註**

中溪張氏曰, 有孚之名, 无孚之實, 此特假虛聲而好高者也. 雖正亦凶, 何可長也.
중계장씨가 말하였다: 미덥다는 명목은 있으나 미더운 실상이 없으니, 이는 단지 헛된 명성을 가장하여 높아지기를 좋아하는 자이다. 바르더라도 흉할 것이니, 어찌 오래갈 수 있겠는가?
○ 建安丘氏曰, 柔在內而剛得中, 則剛中者, 成孚之象也. 在六爻, 以二五之剛爲主, 故二言鶴鳴子和, 而五言有孚. 二言我爵爾靡, 而五言攣如, 其交孚之實, 可見矣. 餘四爻初上, 則以實應虛, 三四則以虛應實, 而所居之位, 又復不中, 皆未能有孚者也. 初之應四, 初實而四虛也. 故初虞四之有他, 而四絶初之類而從五也. 三之應上, 三虛而上實也, 故三之應上, 則鼓罷歌泣之不常, 而上之應三, 則如翰音登天之无實也. 合中孚六爻, 而詳其虛實之義, 則剛中爲孚之象, 昭昭矣.
건안구씨가 말하였다: 부드러운 음이 안쪽에 있고 굳센 양이 가운데 자리를 얻었으니, 굳셈이 알맞은 것은 미더움을 이룬 상이다. 여섯 효에서 이효와 오효의 굳셈을 주인으로 삼는다. 그러므로 이효에서 학이 울자 새끼가 화답한다고 하였고, 오효에서는 미더움을 말하였다. 이효에서 '내게 좋은 벼슬이 있으니 나와 네가 함께 매어 있다'고 하고, 오효에서는 '잡아당기듯이 한다'고 하였으니 서로 믿는 실상을 알 수 있을 것이다. 나머지 네 효 가운데

초효, 상효는 충실함[實]으로 비어있음[虛]에 대응하고, 삼효, 사효는 비어있음으로 충실함에 대응하며, 있는 자리가 또한 다시 알맞지 않으니, 모두 아직 믿음이 있을 수 없는 자이다. 초효가 사효에 호응하는데, 초효는 충실하고 사효는 비어있다. 그러므로 초효는 사효가 다른 것을 (마음에) 둘까 걱정하고 사효는 초효의 무리를 끊고서 오효를 따른다. 삼효는 상효에 호응하는데, 삼효는 비어있고 상효는 충실하므로 삼효가 상효에 호응함에 있어서, 북을 울렸다가 그만두었다가, 노래를 불렀다가 울었다가 하여 일정하지 못하고, 상효가 삼효에 호응하는 것은 실질이 없어 '날아가는 소리가 하늘에까지 오르는 것'과 같다. 중부괘 여섯 효를 합하여 비어있고 충실한 뜻을 상세히 살펴보면, 굳센 양의 알맞음이 미더운 상이 되는 것이 분명하다.

## 韓國大全

### 김상악(金相岳) 『산천역설(山天易說)』

禮記註, 翰長也. 鷄鳴不過天明一時, 何能長久于信也.

『예기』의 주에 날아가는 소리는 긴 것이라고 하였다. 닭이 우는 것은 날이 밝는 한 때에 불과하니, 어찌 믿음을 길게 할 수 있겠는가?

### 심대윤(沈大允) 『주역상의점법(周易象義占法)』

上六之久而不已, 則其聲名亦喪矣. 故爻言貞凶, 象言何可長也. 蓋申韓刑名之學也.

상구가 오래되었는데도 그치지 않으니 그 명성도 잃는다. 그러므로 효사에 '곧더라도 흉하다'고 하였고, 「소상전」에서 '어찌 오래 갈 수 있겠는가?'라고 하였으니, 신불해와 한비자의 형명학이다.

### 오치기(吳致箕) 「주역경전증해(周易經傳增解)」

孚至於極, 而不能久守, 故有翰音登天之象, 而爲凶也.

미더움이 끝에 이르러 오래 지킬 수 없기 때문에 날아가는 소리가 하늘로 올라가는 상이 있어 흉함이 된다.

○ 鷄曰翰音, 乃巽之象. 上居天位, 而變坎爲飛鳥之象, 故曰登天也. 鷄能司晨, 有信之物, 本不能高飛, 而失其本性. 故登于天, 言不能久其信也.
닭을 날아가는 소리라고 하니, 바로 손괘의 상이다. 위로 하늘의 자리에 있고 변한 감괘가 날아가는 새의 상이기 때문에 "하늘로 올라간다"고 하였다. 닭은 시간을 지킬 수 있어 믿음이 있으나 본래 높이 날아갈 수 없어 그 본성을 상실하였다. 그러므로 하늘로 올라가는 것은 그 믿음을 오래도록 할 수 없다는 말이다.

### 박문호(朴文鎬) 「경설(經說)·주역(周易)」

正亦滅, 言不止於衰而已, 亦且滅矣, 蓋謂信滅也. 或云音滅, 更詳之. 羽翰之音, 言飛颺之音也.
以雞爲翰音, 本出於禮記.
바르게 할지라도 소멸하는 것은 쇠퇴함에 그칠 뿐만이 아니라 또한 소멸한다는 말이니, 진실로 소멸한다는 것을 말한다. 어떤 이는 '소리가 사라지는 것'이라고 말하였으니 더욱 자세하다. 날아가는 소리는 날아오르는 소리를 말한다. 닭이 날아오르는 소리는 본래 『예기』에서 나왔다.

### 이병헌(李炳憲) 『역경금문고통론(易經今文考通論)』

劉德〈西漢人〉曰, 位在上高, 故曰翰音.
유덕(劉德)〈서한 시대의 사람이다.〉이 말하였다: 자리가 꼭대기 높은 곳에 있기 때문에 '날아가는 소리'라고 하였다.

王曰, 音飛而實不從之謂也, 翰音登天, 正亦滅矣.
왕필이 말하였다: 소리가 날아다니는데 실질이 따르지 않는다는 말이니, 날아가는 소리가 하늘로 올라감에 바르더라도 없어진다.

按, 爲高爲鷄爲翰音.
내가 살펴보았다: 높음이고 닭이며 날아가는 소리이다.

# 62

# 소과괘

## 小過卦䷽

## 中國大全

傳

**小過, 序卦有其信者, 必行之, 故受之以小過. 人之所信則必行, 行則過也, 小過所以繼中孚也. 爲卦山上有雷, 雷震於高, 其聲過常, 故爲小過. 又陰居尊位, 陽失位而不中, 小者過其常也. 蓋爲小者過, 又爲小事過, 又爲過之小.**

소과괘(小過卦)는 「서괘전」에 "믿음[信]이 있는 자는 반드시 행하기 때문에 소과괘로 받았다"고 하였다. 사람이 믿는 바에 대해서는 반드시 행하고 행하면 넘치니, 소과괘가 이 때문에 중부괘(中孚卦䷼)를 이었다. 괘가 산 위에 우레가 있으니, 우레가 높은 곳에서 진동하면 그 소리가 보통을 지나치므로 '소과(小過)'가 된다. 또 음이 존귀한 자리에 있고, 양이 지위를 잃고 알맞지 못하니, 작은 것이 보통을 지나친 것이다. 작은 것이 지나침이 되고, 또 작은 일이 지나침이 되며, 또 지나침이 작은 것이 된다.

## 韓國大全

**이만부(李萬敷) 「역통(易統) · 역대상편람(易大象便覽) · 잡서변(雜書辨)」**

䷽雷山小過.
뢰산소과(小過).

陰過於陽之象.
음이 양보다 지나친 상이다.

山上有雷, 雷震於高, 其聲過常, 又二陽在內, 陰多於陽, 小者過也. 故爲小過, 又爲小事過, 又爲過之小.
산 위에 우레가 있으니 우레가 높은 곳에서 진동하면 그 소리가 보통을 넘으며, 또 두 양이 안에 있고 음이 양보다 많으니 작은 것이 지나친 것이다. 그러므로 소과(小過)가 되고, 또 작은 일이 지나치게 되고, 또 지나침이 작은 것이 된다.

### 강석경(姜碩慶) 「역의문답(易疑問答)」

小過初六之飛鳥以凶, 六二之過其祖, 遇其妣, 不及其君, 遇其臣, 九三之不過防之, 從或戕之, 九四之不過, 遇之, 往, 厲, 必戒, 上六之不遇過之, 飛鳥離之. 是皆以過字遇字終始爲言, 而程傳則隨文解義, 不甚襯着, 本義則以過遇互換, 疑經文錯, 何以則可通文義不背象數乎.

소과괘(小過卦) 초육에서 “나는 새처럼 빠르니 흉하다”[1]고 하였고, 육이에서는 “할아버지를 지나가 할머니를 만나니, 임금에게 미치지 않고 신하의 도리에 맞도록 한다”[2]고 하였으며, 구삼에서 “지나치게 방비하지 아니하여 따라서 혹 해친다”[3]고 하였고, 구사에서 “지나치지 아니하여 맞도록 하니, 가면 위태로우므로 반드시 경계하여야 한다”[4]고 하였으며, 상육에서 “도리와 맞지 못하여 지나치니, 나는 새가 멀리 떠나간다”[5]라고 하였다. 이는 모두 ‘과(過)’자와 ‘우(遇)’자를 처음과 끝으로 하여 말을 하였는데, 『정전』에서는 문맥을 살펴 뜻을 풀이하였으나 심하게 잘 들어맞지 않고, 『본의』에서는 ‘과(過)’와 ‘우(遇)’가 서로 자리가 바뀌어 나온 것으로 경(經)의 문장이 잘못되었다고 의심하였으니, 어떻게 하면 문장의 뜻이 통하면서 상수(象數)에 위배되지 않을 수 있겠는가?

曰, 中孚卦中虛外實, 鳥卵之象也, 小過卦中剛外柔, 飛鳥之象也, 小過之所以繼中孚也. 小過之卦陰過於陽, 是爲小過於大, 又爲所過者小之義也. 當小過之時, 事雖不免有小過, 而如飛鳥遺音, 身與聲不甚相遠, 則是乃矯時爲中, 不爲太過矣. 此卦辭所以有飛鳥遺音之象也. 夫鳥之用在翼, 而翼之飛在翰, 小過之卦象, 橫飛之鳥也. 中剛鳥之身也, 初二五上鳥之翼也, 而初與上又爲翼之翰也.

중부괘(中孚卦䷼)는 가운데가 비어 있고 바깥이 차있어서 새알의 상이고, 소과괘(小過卦)는 가운데가 굳세고 바깥이 부드러워서 나는 새의 상이니, 소과괘(小過卦)가 중부괘(中孚卦)를 이은 까닭이다. 소과괘(小過卦)는 음이 양보다 지나치니, 이는 작은 것이 큰 것보다 지나침이 되고 또 지나친 바가 작다는 뜻이 된다. 소과괘(小過卦)의 때를 맞아 일은 비록 작은 지나침이 있는 데에서 면하지는 못하더라도, 마치 나는 새가 소리를 남기는 것과 같이 몸과 소리가 서로 너무 멀리 떨어지지 않는다면 이는 시속(時俗)을 바로잡아 알맞게 되어 크게 지나치지 않게 된다. 이것이 괘사가 “나는 새가 소리를 남기는” 상을 가지는 까닭이다.

---

1) 『周易 · 小過卦』: 初六, 飛鳥, 以凶.
2) 『周易 · 小過卦』: 六二, 過其祖, 遇其妣, 不及其君, 遇其臣, 无咎.
3) 『周易 · 小過卦』: 九三, 弗過防之, 從或戕之, 凶.
4) 『周易 · 小過卦』: 九四, 无咎, 弗過, 遇之, 往, 厲, 必戒, 勿用永貞.
5) 『周易 · 小過卦』: 上六, 弗遇, 過之, 飛鳥離之, 凶, 是謂災眚.

새의 작용은 날개에 달려 있고 날개로 날음은 깃털에 달려 있으니, 소과괘(小過卦)의 괘상은 자유롭게 나는 새이다. 가운데 양은 새의 몸이고, 초효 · 이효 · 오효 · 상효는 새의 날개이며, 초효와 상효는 또한 날개의 깃털이 된다.

卦之初六, 上應九四, 遇所當過, 必至過甚. 至於上六, 居在動體, 處過之極過, 其可知如鳥翰飛, 迅疾極矣, 此初上所以言飛鳥之凶也. 且二陽四陰爲小過體, 則此乃陰過於陽之卦也.
괘에서 초육은 위로 구사와 호응하여 마땅히 지나쳐야 할 경우를 만나 반드시 지나침이 심한 데에 이른다. 상육에 이르러서는 움직이는 몸체에 있고 지나침 중에서 지극히 지나친 곳에 있어서, 새가 하늘 높이 날고 빠르게 날기가 지극한 것과 같음을 알 수가 있으니, 이는 초효와 상효에서 나는 새가 흉함을 말한[6] 까닭이다. 또 두 양과 네 음은 소과괘(小過卦)의 몸체가 되니, 이는 곧 음이 양보다 지나친 괘이다.

六二在陰過之時, 實欲過三四之陽, 而將淩及於五矣, 然而三四兩陽隔在中間, 二雖陰盛而終不可過, 故不及於五而自在二位, 所謂不及其君, 遇其臣也. 此雖非自安於義命者, 而亦不失爲臣之分也, 故其占曰无咎, 此非深許之辭也.
육이는 음이 지나친 때에 있으면서 실제로 삼효와 사효인 양을 지나쳐가 오효에게로 건너가 이르고자 하지만, 삼효와 사효인 두 양이 중간에서 가로막고 있으므로, 이효가 비록 음이 장성하지만 끝내 지나칠 수가 없기 때문에 오효에 이르지 못하고 스스로 이효의 자리에 있으니, 이른바 "임금에게 미치지 않고 신하의 도에 맞도록 한다"[7]는 말이다. 이것은 비록 직분을 스스로 편안해 하는 것은 아니지만 또한 신하가 되는 본분을 잃지 않았기 때문에 그 점사에서 "허물이 없다"고 하였으니, 이는 크게 인정한 말은 아니다.

又如九三, 時値陰過, 下當二陰方來之衝, 陽旣不過於陰矣, 當嚴備防之道, 以爲遠小之地. 而以九居三, 才志俱剛, 若自恃其剛, 爲不足憂, 而牽於昵比, 與之狎侮, 則畢竟不免被其戕害矣, 故其占曰凶, 此乃戒三之辭也.
또 구삼과 같은 경우는 바로 음이 지나친 때가 되어 아래로는 두 음이 곧 오게 되는 길에 해당하고, 양이 이미 음보다 지나치지 않아 방비하는 도를 엄격하게 하여 소인을 멀리하는 곳에 해당한다. 구(九)로서 삼효에 있어 재주와 뜻이 모두 굳세니, 만약 스스로 자신의 굳셈을 믿고서 충분하게 걱정하지 않아 친한 데에 이끌리면서 그를 업신여기면, 필경 그들에게

6) 『周易 · 小過卦』: 初六, 飛鳥, 以凶. ; 上六, 弗遇, 過之, 飛鳥離之, 凶, 是謂災眚.
7) 『周易 · 小過卦』: 六二, 過其祖, 遇其妣, 不及其君, 遇其臣, 无咎.

해침을 받는 데에서 면하지 못하기 때문에 그 점사에서 '흉하다'고 하였으니, 이는 곧 삼효를 경계한 말이다.

又如九四, 陽不過陰, 而其性好進上, 有二陰勢, 必相遇往則危厲, 而必當戒懼也. 此言以不當位之陽, 終無長盛勝陰之理也. 故勿用永貞, 此亦戒四之辭也.
또 구사와 같은 경우는 양이 음보다 지나치지 않은데도 그 성질은 위로 나아가기를 좋아하지만, 두 음이라는 형세가 있는데도 반드시 서로 만나러 간다면 위태로우니, 반드시 경계하고 두려워해야 한다. 이는 자리가 마땅하지 않은 양으로는 끝내 자라고 강성해져서 음을 이기는 이치가 없음을 말한다. 그러므로 오래하고 곧게 함을 쓰지 말아야 하니, 이 또한 사효를 경계한 말이다.

至若上六, 在動之體, 處過之極高, 出於最上之位, 則無可與陽遇, 而旣以過之也. 故其占爲尤凶於初之飛鳥也. 傳義之解, 皆不合象數, 而惟胡雙湖之說, 於文義象數, 俱不戾[8]焉, 故余特表而述之.
상육과 같은 경우에 이르면, 움직이는 몸체에 있고 지나침 중에서 지극히 높은 곳에 있어서 가장 높은 자리에서 벗어났으므로 양과 함께 만날 수 없으니, 이미 지나쳤기 때문이다. 그러므로 그 점이 초효의 '나는 새'보다 더욱 흉하게 된다. 『정전』과 『본의』의 풀이는 모두 상수(象數)와 부합하지 않고 오직 쌍호호씨의 설명만이 문장의 뜻과 상수에서 모두 어그러지지 않았기 때문에 내가 특별히 드러내어 기술하였다.

## 임성주(任聖周) 「주역(周易)」

小過舊病其難看, 今詳之, 便見得卦爻條理井井不紊, 各有意義. 大抵小過, 是陰過於陽, 故謂之小過, 以此陰爻稱過, 陽爻稱不過, 爻義則蓋以過越上進爲過也. 又卦有飛鳥之象, 中二陽是鳥身, 上下四陰是鳥翅. 飛鳥遺音, 不宜上宜下, 故上進則每凶, 下降則每吉.
소과괘(小過卦䷽)에 대하여 예전에는 이해하기 어려움을 걱정하였지만, 이제 상세하게 살펴보니 괘와 효의 조리가 정연하여 어지럽지 않아 각각 의미를 가지고 있다. '약간 지나침[小過]'은 음이 양보다 지나침이기 때문에 '소과(小過)'라고 하였으니, 이 때문에 음효는 '지나침'과 걸맞고 양효는 '지나치지 않음'과 걸맞지만, 효의 뜻에서는 지나쳐 넘어서 위로 나아감을 지나치게 여기는 듯하다. 또 괘에는 나는 새의 상이 있으니, 가운데 두 양은 새의 몸이

8) 戾: 경학자료집성DB와 영인본에 모두 '戻'로 되어 있으나, 문맥을 살펴 '戾'로 바로잡았다.

고 위와 아래에 있는 네 음은 새의 날개이다. "나는 새가 소리를 남김에 올라감은 마땅하지 않고 내려옴이 마땅하듯이 하기"[9] 때문에 위로 나아가면 매번 흉하고 아래로 내려가면 매번 길하다.

初六是翅之末, 而上應九四動體, 疾飛而迅進, 故過亦不暇言, 而直曰以凶. 小象曰, 不可如何也, 蓋言其不可及止也.
초육은 날개의 끝이면서 위로 움직이는 몸체인 구사와 호응하여 빠르게 비행하여 나아가기 때문에 지나침을 또한 말할 겨를도 없이 곧바로 '흉하다'[10]고 하였다. 「소상전」에서 "어쩔 수 없는 것이다"[11]라고 하였으니, 일이 일어나기 전에 멈출 수 없음[12]을 말한다.

六二, 亦爲鳥翅, 故過越而上進. 然卻柔順中正, 過二陽而反與六五陰爻遇, 是不及其君, 而卻還得自己本分之象也. 故小象曰, 臣不可過也, 似上反下過而不遇, 其吉可知.
육이는 또한 새의 날개가 되기 때문에 지나쳐 넘어서 위로 나아간다. 그러나 도리어 유순하면서 중정하여 두 양을 지나자 음효인 육오와 만남을 돌이키니, 이는 임금에게 미치지 못하고 도리어 자기의 본분으로 돌아올 수 있는 상이다. 그러므로 「소상전」에서 "신하는 지나치게 해서는 안 되는 것이다"[13]라고 하였으니, 마치 위에서는 돌이키고 아래에서는 지나친 듯해서 만나지 못하므로 그 길함을 알 수가 있다.

九三九四, 卽陽爻勢旣衰弱, 三又艮體, 四則居柔, 故皆言不過, 謂不過越而上進也. 三不進而下防二陰之進, 蓋居艮體之上, 而昵比二陰故也. 然重剛不中, 二陰銳進, 雖曰防之, 易致傷害, 故曰從或戕之凶. 若能低心畏備, 不失宜下之義, 則亦可以免矣. 四則不進而下與初六遇, 可以无咎, 然初六迅進陵陽, 若與偕往, 則危矣, 故曰往厲必戒, 又曰勿用永貞, 謂雖與初六相遇, 愼勿長永貞固其交道, 與之同事也. 小象終不可長, 與姤彖傳不可與長同意. 四居動體, 故申戒之如此也. 蓋諸爻以上進爲過, 而以與應爻相値爲遇, 義例甚明. 不但此卦, 如同人之大師克, 相遇, 睽之遇主遇剛遇元夫遇雨, 夬之獨行遇雨, 豊之遇配主遇夷主, 皆然也.
구삼과 구사는 양효의 형세가 이미 쇠약해지고, 삼효는 또 간괘(艮卦☶)의 몸체이고 사효는 부드러운 음의 자리에 있기 때문에 모두 '지나치지 않다'고 하였으니, 지나치게 넘어서 위로

9) 『周易 · 小過卦』: 小過, 亨, 利貞, 可小事, 不可大事, 飛鳥遺之音, 不宜上, 宜下, 大吉.
10) 『周易 · 小過卦』: 初六, 飛鳥, 以凶.
11) 『周易 · 小過卦』: 初六, 象曰, 飛鳥以凶, 不可如何也.
12) 『孟子 · 梁惠王』: 王速出令, 反其旄倪, 止其重器, 謀於燕衆, 置君而後, 去之, 則猶可及止也.
13) 『周易 · 小過卦』: 六二, 象曰, 不及其君, 臣不可過也.

나아가지 않음을 말한다. 삼효는 나아가지 않고 아래로 두 음의 나아감을 방비하니, 아마도 간괘(艮卦☶)의 몸체 맨 위에 있으면서 두 음과 가깝기 때문이다. 그러나 거듭된 양이지만 알맞지 않아 두 음이 날쌔게 나아가므로 비록 '방비한다'고 말하였어도 쉽게 상해(傷害)를 입는 데에 이르기 때문에 "따라서 혹 해치니 흉하다"[14]고 하였다. 만약 뜻을 굽혀 두려워하고 방비하여 내려옴이 마땅한 듯이 하는 뜻을 잃지 않는다면 또한 면할 수 있다. 사효는 나아가지 않고 아래로 초육과 만나 허물이 없을 수 있지만, 초육이 빠르게 나아가 양을 업신여기므로 만약 함께 간다면 위태롭기 때문에 "가면 위태로우므로 반드시 경계하여야 한다"고 하고 또 "오래하고 곧게 함을 쓰지 말아야 한다"[15]고 하였으니, 비록 초육과 서로 만나더라도 삼가 그 사귀는 도를 오래하고 곧게 함을 쓰지 말면서 그와 함께 일을 함을 말한다. 「소상전」에서 "끝내 장성(長盛)할 수 없어서이다"[16]라고 하였으니, 구괘(姤卦䷫)의 「단전」에서 "더불어 오래할 수 없기 때문이다"[17]라고 한 것과 뜻이 같다. 사효는 움직이는 몸체에 있기 때문에 거듭 경계함이 이와 같다. 여러 효에서는 위로 나아감을 '지나침[過]'으로 여기고 호응하는 효와 서로 공교롭게 마주침을 '만남[遇]'으로 여기니, 범례가 매우 분명하다. 이 괘뿐만이 아니라, 예를 들어 동인괘(同人卦䷌)에서 "큰 군사로 이겨야 서로 만날 것이다"[18]라고 한 것과 규괘(睽卦䷥)에서 "임금을 만나다"[19]라고 하고 "굳센 양을 만나다"[20]라고 하며 "착한 남편을 만나다"[21]라고 하고 "비를 만나다"[22]라고 한 것과 쾌괘(夬卦䷪)에서 "홀로 감에 비를 만나다"[23]라고 한 것과 풍괘(豊卦䷶)에서 "짝이 되는 주인을 만나다"[24]라고 하고 "대등한 상대[夷主]를 만나다"[25]라고 한 것이 모두 그러하다.

六五所處過高, 不能有爲, 而柔順得中, 故能下取六二以爲助. 不上而下, 過而利貞, 故雖不可大事, 而不至於凶咎.

육오는 있는 곳이 지나치게 높아 일을 할 수가 없지만 유순하면서 알맞음을 얻었기 때문에

---

14) 『周易 · 小過卦』: 九三, 弗過防之, 從或戕之, 凶.
15) 『周易 · 小過卦』: 九四, 无咎, 弗過, 遇之, 往, 厲, 必戒, 勿用永貞.
16) 『周易 · 小過卦』: 九四, 象曰, 弗過遇之, 位不當也, 往厲必戒, 終不可長也.
17) 『周易 · 姤卦』: 象曰, 姤, 遇也, 柔遇剛也. 勿用取女, 不可與長也.
18) 『周易 · 同人卦』: 九五, 同人, 先號咷而後笑, 大師克, 相遇.
19) 『周易 · 睽卦』: 九二, 遇主于巷, 无咎.
20) 『周易 · 睽卦』: 六三, 象曰, 見輿曳, 位不當也, 无初有終, 遇剛也.
21) 『周易 · 睽卦』: 九四, 睽孤, 遇元夫, 交孚, 厲无咎.
22) 『周易 · 睽卦』: 上九, 睽孤, 見豕負塗, 載鬼一車. 先張之弧, 後說之弧, 匪寇, 婚媾, 往遇雨則吉.
23) 『周易 · 夬卦』: 九三, 壯于頄, 有凶, 獨行遇雨, 君子夬夬. 若濡有慍, 无咎.
24) 『周易 · 豊卦』: 初九, 遇其配主, 雖旬无咎, 往有尙.
25) 『周易 · 豊卦』: 九四, 豊其蔀, 日中見斗, 遇其夷主, 吉.

아래로 육이를 취하여 도움을 받을 수 있다. 위로 가지 않고 아래로 가서 지나치지만 곧음을 이롭게 여기기 때문에 비록 큰일은 할 수가 없지만 흉하거나 허물이 있는 데에는 이르지 않는다.

上六又是翅之末, 而處過之極, 上進之意甚急, 故雖有應爻而不相遇. 一向過越飛騰, 是乃過而又過, 上而又上, 故災眚竝至而最凶也.
상육은 또한 날개의 끝이고 지나침의 끝에 있어서 위로 나아가려는 뜻이 매우 급하기 때문에 비록 호응하는 효가 있더라도 서로 만나지 못한다. 한결같이 지나치게 넘어서 날아오르니 이는 지나치고 또 지나치며 오르고 또 오르기 때문에 '재생(災眚)'[26]이 아울러 이르러 가장 흉하다.

### 김상악(金相岳) 『산천역설(山天易說)』

序卦, 有其信者, 必行, 故受之以小過.
「서괘전」에서 말하였다: 믿음이 있는 자는 반드시 행하기 때문에 소과괘(小過卦)로써 받았다.

○ 小謂陰也. 山上有雷, 其聲過常, 小過之象. 四陰二陽, 陰多於陽, 小過之義.
'작음[小]'은 음을 말한다. 산 위에 우레가 있으면, 그 소리가 보통을 지나치므로 '소과(小過)'의 상이다. 네 음과 두 양으로 이루어졌으므로 음이 양보다 많음이 소과괘(小過卦䷽)의 뜻이다.

朱子曰, 中孚有卵之象. 小過中間二畫, 爲鳥腹, 上下四陰, 爲鳥翼. 鳥出乎卵, 此小過所以次中孚.
주자가 말하였다: 중부괘(中孚卦䷼)에 알의 상이 있다. 소과괘(小過卦䷽) 가운데의 두 획은 새의 배가 되고, 위아래의 네 음은 새의 날개가 된다. 새가 알에서 나오니, 이것이 소과괘(小過卦)가 중부괘(中孚卦)의 다음이 되는 이유이다.

### 서유신(徐有臣) 『역의의언(易義擬言)』

小過.
소과.

---

26) 『周易 · 小過卦』: 上六, 弗遇, 過之, 飛鳥離之, 凶, 是謂災眚.

卦上下看俱有艮限，在中爲不過中不過限之象．過而不過，爲小過也．
괘의 위와 아래에서 모두 간괘(艮卦☶)인 한정함이 있음을 볼 수 있고, 가운데에는 알맞음을 지나치지 않고 한계를 지나치지 않는 상이 된다. 지나치지만 지나치지 않음이 '소과(小過)'가 된다.

曰，飛鳥遺之音．
괘사에서 말하였다: 나는 새가 소리를 남긴다.
初至五，上飛之鳥也，上至二，下飛之鳥也，三至五，仰口也，四至二，倒口也．
초효부터 오효까지는 위로 날아가는 새이고, 상효로부터 이효까지는 아래로 날아가는 새이며, 삼효로부터 오효까지는 입을 위로 하는 것이며, 사효로부터 이효까지는 입을 거꾸로 하는 것이다.

彖曰，上逆而下順．
「단전」에서 말하였다: 올라감은 거스르고 내려옴은 순하기 때문이다.
二至四，順風也，三至五，逆風也．
이효로부터 사효까지는 순풍(順風)이고, 삼효로부터 오효까지는 역풍(逆風)이다.

初六曰，飛鳥．
초효에서 말하였다: 나는 새.
溯風而飛也．
바람을 거슬러 나는 것이다.

六二曰，過其祖，遇其妣．
육이에서 말하였다: 할아버지를 지나가 할머니를 만나니,
祖，九四也，妣，六五也．二過而三四不過，故曰過其祖．過四，則至於五矣．
'할아버지'는 구사이고, '할머니'는 육오이다. 이효는 지나치지만 삼효와 사효는 지나치지 않기 때문에 "할아버지를 지나간다"고 하였다. 사효를 지나치면 오효에 이른다.
不及其君，遇其臣．
임금에게 미치지 않고 신하에게 맞게 한다.
君，六五也，臣，九四也．二之過，不若五之過，故曰不及其君．不及五，則止於四矣．
'임금'은 육오이고, '신하'는 구사이다. 이효의 지나침은 오효의 지나침만 못하기 때문에 "임금에게 미치지 않는다"고 하였다. 오효에 미치지 못하면 사효에서 그친다.

九三曰, 弗過.
구삼에서 말하였다: 지나치지 않는다.
陰過, 陽不過, 故三四爲弗過之象也.
음은 지나치고 양은 지나치지 않기 때문에 삼효와 사효는 지나치지 않는 상이 된다.
防之.
방비하다.
艮限象.
간괘(艮卦☶)인 한정하는 상이다.
戕之.
해친다.
艮手象.
간괘(艮卦☶)인 손의 상이다.

六五曰, 密雲不雨.
육오에서 말하였다: 구름이 빽빽하나 비가 오지 않는다.
疊畫坎爲密雲也. 起於西郊而未及行於四方, 故不雨也.
효를 중첩하여 볼 때의 감괘(坎卦☵)는 구름이 빽빽함이 된다. 서쪽 들로부터 일어나지만 사방으로 가는 데에는 미치지 않기 때문에 비가 오지 않는다.
西郊.
서쪽들.
互兌爲西也
호괘인 태괘(兌卦☱)가 서쪽이 된다.
弋取.
쏘아서 잡다.
互巽爲繩, 疊畫坎爲弓也.
호괘인 손괘(巽卦☴)는 노끈이 되고 효를 중첩하여 볼 때의 감괘(坎卦☵)는 활이 된다.
在穴.
구멍에 있는 것.
在下之陰也.
아래에 있는 음이다.

上六曰, 飛鳥.
상육에서 말하였다: 나는 새.

順風之鳥, 過於飛也.
바람에 순한 새는 지나치게 날아간다.

### 이용구(李容九) 「역주해선(易註解選)」

小過象, 晁氏曰, 恭高則僞, 哀過則毁, 儉過則陋, 而君子以之, 盡有爲而爲之, 將矯之以中也. 時有擧趾高之莫敖, 故正考父矯之以循墻, 時有短喪之宰予, 故高柴矯之以泣血, 時有三歸反坫之管仲, 故晏子矯之以弊裘, 雖非中行, 亦足以矯時厲俗.
소과괘(小過卦) 「대상전」의 소주에서 숭산조씨가 말하였다: 공손함이 지나치면 거짓되고 슬픔이 지나치면 훼손되며 검소함이 지나치면 비루해지는데, 군자가 그것을 본받아 잘하려고 하는 의도를 다하여 그렇게 한 것이니, 장차 알맞음으로 바로잡으려고 한 것이다. 당시에 행동거지가 거만한 막오(莫敖)가 있었기 때문에 정고보(正考父)가 담장을 따라 빠르게 걸어감으로써 바로잡았고[27], 당시에 단상(短喪)하려고 했던 재여(宰予)가 있었기 때문에 고시(高柴)가 피눈물로 바로잡았으며[28], 당시에 삼귀(三歸)와 반점(反坫)[29]을 두었던 관중이 있었기 때문에 안자(晏子)가 해진 갖옷으로 바로잡았으니[30], 비록 중도를 행한 것은 아니지만 또한 당시의 사나운 습속을 충분히 바로잡을 수 있었다.

○ 石徂徠曰, 晏子一狐裘三十年, 祭豚肩不掩豆, 人皆謂之不知禮, 獨曾子以爲國奢則示之以儉. 蓋齊奢侈之甚, 晏子能矯時之弊, 是得小過之義.
조래석씨가 말하였다: 안자(晏子)가 호구(狐裘) 한 벌로 삼십 년을 입고 제사에 돼지고기를 제기에 가득 채우지 않은 것[31]에 대해 사람들이 모두 예를 알지 못한 것이라고 하였는데, 증자만이 나라가 사치스러워 검소함을 보인 것이라고 생각하였다. 대개 제나라는 사치가 심하였는데 안자가 당시의 폐단을 바로잡을 수 있었으니, 이는 '소과(小過)'의 뜻에 맞게 하였던 것이다.

---

27) 막오(莫敖): 벼슬이름이며, 초(楚)나라 무왕(武王)의 아들 굴하(屈瑕)를 말한다. 이에 관한 고사는 『춘추좌씨전(春秋左氏傳)』 환공(桓公) 십이년(十二年)조에 보인다.

28) 이러한 고시(高柴)의 일화는 『예기(禮記) · 단궁(檀弓)』에 다음과 같이 보인다. "高子皐之執親之喪也, 泣血三年, 未嘗見齒, 君子以爲難."

29) 『論語 · 八佾』: 子曰 管仲之器 小哉. 或曰 管仲, 儉乎. 曰 管氏有三歸, 官事, 不攝, 焉得儉. 然則管仲, 知禮乎. 曰 邦君, 樹塞門, 管氏亦樹塞門, 邦君, 爲兩君之好, 有反坫, 管氏亦有反坫, 管氏而知禮, 孰不知禮,

30) 『禮記 · 檀弓』: 曾子曰, 晏子, 可謂知禮也已, 恭敬之有焉. 有若曰, 晏子, 一狐裘, 三十年, 遣車一乘, 及墓而反. 國君, 七箇, 遣車七乘, 大夫, 五箇, 遣車五乘, 晏子, 焉知禮. 曾子曰, 國, 無道, 君子, 恥盈禮焉, 國奢, 則示之以儉, 國儉, 則示之以禮.

31) 『禮記 · 禮器』: 管仲鏤簋朱紘, 山節藻梲, 君子以爲濫矣, 晏平仲祀其先人, 豚肩不揜豆, 澣衣濯冠以朝, 君子以爲隘矣.

## 小過, 亨, 利貞,

소과(小過)는 형통하니, 곧음이 이로우니,

## 中國大全

傳

**過者, 過其常也. 若矯枉而過正, 過所以就正也. 事有時而當然, 有待過而後能亨者, 故小過自有亨義. 利貞者, 過之道利於貞也, 不失時宜之謂正.**

'지나침[過]'은 보통을 지나치는 것이다. 굽은 것을 바로잡음에 바름을 지나치게 하는 것과 같으니, 지나치게 함은 바름으로 나아가는 것이다. 일은 때에 따라 당연함이 있고 지나치기를 기다린 뒤에 형통할 수 있는 경우가 있으므로 '소과(小過)'는 스스로 형통한 뜻을 가지고 있다. "곧음이 이롭다[利貞]"는 것은 지나치게 하는 도는 곧음이 이로우니, 때에 마땅함을 잃지 않음을 바름[正]이라고 한다.

## 韓國大全

### 이현익(李顯益) 「주역설(周易說)」

小過, 只是小事過, 而小事過, 只是如過恭過哀過儉之類, 則蓋亦以善言也. 是以彖曰, 小者過而亨. 是爲小過自有亨之道, 而小過之所以爲小過, 亦不過以柔得中也, 則以柔得中者, 謂之小人不可. 蓋以爻而言, 則四陰爲小人之象, 以象而言, 則二五只是柔得中者, 而爲小事之過而已. 臨川吳氏之以柔得中, 爲陰柔小人之得時者, 過矣.

'소과(小過)'는 단지 작은 일이 지나침이고, 작은 일이 지나침은 마치 단지 공손함을 지나치게 하고 슬픔을 지나치게 하며 검소함을 지나치게 하는 부류와 같으니, 또한 좋게 말하는 듯하다. 이 때문에 「단전」에서는 "작은 일이 지나쳐서 형통한 것이다"[32]라고 하였다. 이는 '소과(小過)'가 스스로 형통한 도를 가지고 있어서 '소과(小過)'가 소과(小過)가 되는 까닭은 또한 부드러운 음으로 알맞음을 얻은 데에 지나지 않는다는 것이 되니, 부드러운 음으로 알맞음을 얻었다란 소인은 할 수 없음을 말한다. 효로써 말하면 네 음은 소인의 상이 되고, 「단전」으로 말하면 이효와 오효가 단지 부드러운 음으로 알맞음을 얻은 것이어서, 작은 일에서의 지나침이 될 뿐이다. 임천오씨가 '부드러운 음이 알맞음을 얻음'[33]을 부드러운 음인 소인이 때를 얻은 것으로 여긴 것은 잘못이다.

## 유정원(柳正源) 『역해참고(易解參攷)』

沙隨程氏, 外編, 或人筮婚姻, 再得小過, 內卦互漸, 女歸吉, 外卦互歸妹, 說以動, 所歸, 妹也.

사수정씨가 「외편」에서 말하였다: 어떤 사람이 혼인에 대하여 점을 쳐서 다시 소과괘(小過卦)를 얻었으니, 내괘의 호괘로 된 괘는 점괘(漸卦䷴)라서 딸이 "시집가는 것이 길하고"[34], 외괘의 호괘로 된 괘는 귀매괘(歸妹卦䷵)라서 "기뻐함으로써 움직여, 시집가는 자는 여동생이다."[35]

○ 雙湖胡氏曰, 利貞指三上言, 亦因爲初四五戒.

쌍호호씨가 말하였다: "곧음이 이롭다"란 삼효와 상효를 가리켜 말하였으니, 또한 초효 · 사효 · 오효 때문에 경계하였다.

## 김기례(金箕澧) 「역요선의강목(易要選義綱目)」

小過.

소과(小過)는.

小, 指陰, 陰過於陽也. 雷在山上, 聲過於常.

'소(小)'는 음을 가리키니, 음이 양보다 지나침이다. 우레가 산 위에 있어서 소리가 보통보다 지나치다.

---

32) 『周易 · 小過卦』: 彖曰, 小過, 小者過而亨也, 過以利貞, 與時行也.

33) 『周易 · 小過卦』: 彖曰, 柔得中, 是以小事吉也.

34) 『周易 · 漸卦』: 漸, 女歸吉, 利貞.

35) 『周易 · 歸妹卦』: 彖曰, 說以動, 所歸, 妹也.

亨, 利貞.

형통하니, 곧음이 이로우니,

陰過, 則必正而後亨, 猷言亨在利貞.

음이 지나치면 반드시 바르게 한 후에 형통하니, 형통함이 바름을 이롭게 하는 데에 있다는 말과 같다.

## 可小事, 不可大事, 飛鳥遺之音, 不宜上, 宜下, 大吉.

작은 일은 할 수 있고 큰일은 할 수 없으니, 나는 새가 소리를 남김에 올라감은 마땅하지 않고 내려옴이 마땅하듯이 하면 크게 길하리라.

## 中國大全

### 傳

過所以求就中也. 所過者小事也, 事之大者, 豈可過也. 於大過論之詳矣. 飛鳥遺之音, 謂過之不遠也. 不宜上宜下, 謂宜順也, 順則大吉. 過以就之, 蓋順理也, 過而順理, 其吉必大.

'지나침[過]'은 알맞음에 나아가기를 구하기 위함이다. 지나치는 것은 작은 일이니, 큰일을 어찌 지나치게 할 수 있겠는가? 대과괘(大過卦䷛)에서 상세히 논하였다. '나는 새가 소리를 남김'은 지나친 것이 멀지 않음을 말한다. "올라감은 마땅하지 않고 내려옴이 마땅하듯이 한다"는 마땅히 순해야 함을 말하니, 순하면 크게 길하다. 지나쳐서 나아감은 이치에 순함이니, 지나치게 하여 이치에 순하면 길함이 반드시 크게 된다.

### 本義

小謂陰也. 爲卦四陰在外, 二陽在內, 陰多於陽, 小者過也. 旣過於陽, 可以亨矣, 然必利於守貞, 則又不可以不戒也. 卦之二五, 皆以柔而得中, 故可小事. 三四, 皆以剛失位而不中, 故不可大事. 卦體內實外虛, 如鳥之飛, 其聲下而不上, 故能致飛鳥遺音之應, 則宜下而大吉, 亦不可大事之類也.

'작은 것[小]'은 음을 말한다. 괘가 네 음이 밖에 있고 두 양이 안에 있어서 음이 양보다 많으니, 작은 것이 지나친 것이다. 이미 양보다 지나쳐 형통할 수 있으나, 반드시 곧음을 지킴이 이로우니, 또 경계하지 않을 수 없다. 괘의 이효와 오효가 모두 부드러운 음으로서 가운데를 얻었기 때문에 작은 일은 할 수 있다. 삼효와 사효는 모두 굳센 양으로 지위를 잃고 알맞지도 못하기 때문에 큰일은 할 수 없다. 괘의 몸체가 안은 꽉 차고 밖은 비어서 날아가는 새와 같으니, 새소리는 아래로 내려오고 위로 올라가지 못하기 때문에 나는 새가 남기는 소리의 호응을 이룰 수 있다면 내려옴이 마땅하여 크게 길하지만, 또한 큰일은 할 수 없는 부류이다.

小註

或問, 飛鳥遺之音, 本義謂致飛鳥遺音之應, 如何. 朱子曰, 看這象, 似有羽蟲之孽之意, 如賈誼鵩鳥之類, 是也

어떤 이가 물었다: '나는 새가 소리를 남김'에 대해 『본의』에서 "나는 새가 남기는 소리의 호응을 이룰 수 있다"고 말한 것은 무슨 뜻입니까?

주자가 답하였다: 이 상을 보면 조류가 보여주는 재난이라는 뜻이 있는 것 같으니, 가의(賈誼)의 집에 복조(鵩鳥)가 날아든 경우[36]와 같은 것이 이것입니다.

○ 鄭氏剛中曰, 不宜上者, 上二陰乘陽, 乘陽而上, 非陰所宜也. 宜下者, 謂下二陰順陽, 順陽而恊, 非上逆之比也.

정강중이 말하였다: "올라감은 마땅하지 않다"는 상괘의 두 음이 양을 타는 것이니, 양을 타고 올라감은 음의 마땅한 바가 아니다. "내려옴이 마땅하듯이 한다"는 하괘의 두 음이 양에 순한 것을 말하니, 양에 순해서 화합함은 "올라감은 거스르다"[37]가 견줄 수 있는 것이 아니다.

○ 中溪張氏曰, 卦體, 二剛四柔, 柔過於剛, 小過之義. 過未至於太甚, 亦有可亨之理. 然必利於貞正, 所謂小過者, 但可施於小事, 不可施於大事. 蓋事之大者, 豈可過也. 小過中二爻, 象鳥之身, 上下四爻, 象鳥之翼. 橫飛之鳥, 其勢迅速, 身已飛過而微有遺音爾. 不宜上宜下, 順陰性也, 故大吉.

중계장씨가 말하였다: 괘의 몸체가 굳센 양이 둘이고 부드러운 음이 넷이어서, 부드러운 음이 굳센 양을 지나치니 '소과(小過)'의 뜻이다. 지나침이 아직 크게 심한 데에는 이르지 않고 또 형통할 수 있는 이치가 있다. 그러나 반드시 곧고 바름에서 이로우니, 이른바 '소과(小過)'는 단지 작은 일에는 시행할 수 있으나 큰일에는 시행할 수 없다는 것이다. 대체로 일의 큰 것을 어찌 지나치게 할 수 있겠는가? 소과괘(小過卦) 가운데의 두 효는 새의 몸을 형상

---

36) 한나라 가의가 마침 장사왕 태보가 되었는데, 복조가 그의 집에 날아와 모였다. 복조는 상서롭지 못한 새니, 가의는 자신의 목숨이 길지 않음을 알고 슬퍼서 『복조부』를 지었다고 한다.

37) 『周易 · 小過卦』: 象曰, 飛鳥遺之音不宜上宜下大吉, 上逆而下順也.

하고 위아래의 네 효는 새의 날개를 형상한다. 가로로 나는 새는 그 형세가 빨라서 몸은 이미 지나갔는데 미세하게 소리를 남김이 있을 뿐이다. "올라감은 마땅하지 않고 내려옴이 마땅하듯이 한다"는 음의 성질에 순하기 때문에 크게 길하다.

○ 雲峯胡氏曰, 易貴陽賤陰, 故二陽函四陰爲頤, 四陽函二陰爲中孚, 中孚頤, 皆美名也. 二陰函四陽爲大過, 四陰函二陽爲小過, 過非美名也. 大過, 陽多於陰, 小過, 陰多於陽, 易於陽之過, 則猶許其往, 此則利貞以下, 无非戒辭. 蓋曰陽之過, 利貞而亨, 陰之過, 其亨必利貞, 不貞則不亨也.
운봉호씨가 말하였다: 역은 양을 귀하게 여기고 음을 천하게 여기므로 두 양이 네 음을 머금으면 이괘(頤卦䷚)가 되고, 네 양이 두 음을 머금으면 중부괘(中孚卦䷼)가 되니, 중부괘(中孚卦)와 이괘(頤卦)는 모두 아름다운 이름이다. 두 음이 네 양을 머금으면 대과괘(大過卦䷛)가 되고, 네 음이 두 양을 머금으면 소과괘(小過卦䷽)가 되니, 대과괘(大過卦)와 소과괘(小過卦)는 아름다운 이름이 아니다. 대과괘(大過卦)는 양이 음보다 많고 소과괘(小過卦)는 음이 양보다 많은데, 『주역』은 양이 음보다 지나친 대과괘(大過卦)에서 오히려 그 감을 허락하였으나[38], 여기 소과괘에서는 "곧음이 이롭다"는 것 이하가 경계하는 말 아닌 것이 없다. 대체로 "양이 지나치면 곧음이 이로워 형통하고, 음이 지나치면 그 형통함은 곧음이 이로움을 필요로 하니, 곧지 않으면 형통하지 않다"고 하였다.

曰, 陽之過, 可大事, 陰之過, 不可大事, 而僅可小事, 何也. 曰, 陽之過, 宜上, 陰之過, 宜下而不宜上也, 所以致戒於陰之過者, 切矣.
물었다: 양이 지나치면 큰일을 할 수 있으나, 음이 지나치면 큰일을 할 수 없고 겨우 작은 일만 할 수 있는 것은 어째서입니까?
답하였다: 양이 지나치면 올라감이 마땅하고, 음이 지나치면 내려옴이 마땅하고 올라감이 마땅하지 않으니, 이 때문에 음이 지나친 것에서 경계를 한 것이 절실하다.

○ 臨川吳氏曰, 大者, 陽剛君子也. 小過之時, 大者, 非可以吉. 唯善於自處, 能辭尊而居卑, 勇退而不進, 如鳥音之下而不上, 則大者可吉. 此君子不得志之時, 轉凶爲吉之道也.
임천오씨가 말하였다: '크다'는 것은 굳센 양인 군자이다. '소과(小過)'의 때에는 크다는 것이 길할 수 있는 것은 아니다. 오직 스스로 처신하기를 잘하여 높은 자리는 사양하고 낮은 자리에 있으며 용감하게 물러나고 나아가지 않아서, 마치 새의 소리가 아래로 가고 위로 가지

---

38) 『周易 · 大過卦』: 大過, 棟橈, 利有攸往, 亨.

않는 것처럼 한다면, 큰 것이 길할 수 있다. 이는 군자가 뜻을 얻지 못한 때에 흉함을 길하게 반전시키는 도이다.

## ‖韓國大全‖

### 김장생(金長生) 『경서변의(經書辨疑)-주역(周易)』

小過, 可小事.
소과(小過)는 작은 일은 할 수 있고.

傳, 過以就之.
『정전』에서 말하였다: 지나치게 하여 나아간다.

就之中也.
가운데로 나아감이다.

### 송시열(宋時烈) 『역설(易說)』39)

此卦與大卦相反, 言小者過也. 小者, 陰女也, 然而亨者, 大坎爲亨通象. 二五以柔得中, 小事則可以吉, 而無陽剛之德, 故大事則不可也. 飛鳥, 象飛而過去, 但有音遺. 上卦震動而去, 下卦艮止而在, 去者如飛, 在者如音. 不宜上者, 四五之失位也, 宜下者, 二三之得正也. 故宜下則大吉, 亦不可大而可小之義.
이 괘는 대과괘(大過卦䷛)와 서로 반대가 되니, 작은 것이 지나침을 말한다. '작음'이란 부드러운 음인 여자인데도 형통한 것은 큰 감괘(坎卦☵)가 형통한 상이 되기 때문이다. 이효와 오효는 부드러운 음으로 알맞음을 얻었으니, 작은 일이라면 길할 수 있지만, 굳센 양의 덕이 없기 때문에 큰일이라면 할 수 없다. '나는 새'는 날아가 지나가 버리고 다만 소리를 남김이 있음을 상징한다. 상괘는 진괘(震卦☳)로 움직여 떠나고 하괘는 간괘(艮卦☶)로 멈춰 있으니, 떠나는 것은 '나는' 것과 같고 있는 것은 '소리'와 같다. "올라감은 마땅하지 않다"

39) 경학자료집성DB에는 누락되었으나 영인본을 타이핑하여 보완했다.

란 사효와 오효가 제자리를 잃었기 때문이며, "내려옴이 마땅하다"란 이효와 오효가 제자리를 얻었기 때문이다. 그러므로 내려옴이 마땅하듯이 하면 크게 길함은 또한 크게 해서는 안 되고 작게 할 수 있다는 뜻이다.

### 이현익(李顯益) 「주역설(周易說)」

可小事, 不可大事, 是以事之小大言, 非以過之小大言. 蓋謂此卦卦才, 只可於事之小者, 如行過恭, 喪過哀, 用過儉之類, 而不可於事之大者, 如大過之獨立無悶, 禪讓放伐之類也云耳. 蓋事之大者, 則過可爲, 而過之大者, 則不可爲, 二義自異, 而諸儒卻混而言之, 似未然.〈過之大者, 如恭至於諂諛, 哀至於滅命, 儉至於薄葬之類.〉

"작은 일은 할 수 있고 큰일은 할 수 없다"란 일의 작고 큼을 가지고서 말한 것이지, 지나친 정도가 작고 큼을 가지고 말한 것이 아니다. 이 괘의 재질은 단지 행동함에 공손함을 지나치게 하고 상(喪) 중에는 슬픔을 지나치게 하고 재용을 쓸 때에는 검소함을 지나치게 하는 부류와 같은 작은 일에 대해서는 할 수 있고, 대과괘(大過卦)에서의 홀로 서고 근심하지 않으며[40] 선양하고 방벌하는 부류와 같은 큰일에 대해서는 할 수가 없음을 말할 뿐이다. 일의 큰 것은 지나쳐도 할 수가 있지만, 지나침이 큰 것은 할 수가 없어서 두 뜻이 저절로 다른데도, 여러 유학자들은 도리어 섞어서 말하였는데 아마도 그렇지 않은 듯하다.〈지나침이 큰 경우는 공손함이 아첨하는 데에 이르고, 슬퍼함이 목숨을 잃는 데에 이르며, 검소함이 장례를 박하게 하는 데에 이르는 부류와 같다.〉

### 이익(李瀷) 『역경질서(易經疾書)』

三王迭興, 軌度漸變, 自忠歷質, 日趨於文, 此小過之義也. 子曰, 殷因於夏禮, 所損益可知, 周因於殷禮, 所損益可知. 損益雖變所因則存, 此可小事不可大事也. 雷在山上, 其音下行. 有道人言, 天目山上俯視雷電, 但聞雲中作嬰兒聲, 天目高不過二十餘里, 又雷起於空裏, 聲猶如此, 其不上聞可知. 明劉健奉命祀華山, 山下白霧漫若大海, 亦無所聞, 及下山震雷已數百過矣, 亦可爲證. 生物之空裏作聲, 惟飛鳥爲然, 故有飛鳥之象, 而其音亦不宜上宜下也. 音出於鳥, 音下而鳥已過, 非遺之音乎. 天地之間, 氣無不上, 質無不下, 音之必下, 亦質之類故也. 不可以無形而屬之氣也. 上逆下順, 亦其勢然也.

삼왕이 번갈아 흥하고 법도가 점차 변하여, 진실한 마음으로 질박함을 거쳐 날마다 꾸밈에 나아가니, 이것이 '소과(小過)'의 뜻이다. 공자가 말하기를 "은(殷)나라는 하(夏)나라의 예

---

40) 『周易 · 大過卦』: 象曰, 澤滅木, 大過, 君子以, 獨立不懼, 遯世无悶.

(禮)를 인습(因襲)하였으니 더하고 덜어낸 바를 알 수가 있고, 주(周)나라는 은나라의 예(禮)를 인습하였으니 더하고 덜어낸 바를 알 수가 있다"[41]고 하였다. 더하고 덜어냄이 비록 변하더라도 인습하는 바는 보존되니, 이것이 작은 일은 할 수 있고 큰일은 할 수 없다는 것이다. 우레가 산위에 있어서 그 소리가 아래로 흘러간다. 소식(蘇軾)은 "어떤 도인(道人)이 있어서 말하기를 '천목산(天目山) 위에서 천둥과 번개를 굽어보면, 다만 구름 속에서 어린 아이의 소리가 들릴 뿐이다'라고 하였다"[42]라고 하였는데, 천목산의 높이는 20여 리에 지나지 않고 또 우레는 허공에서 일어날 때 소리가 오히려 이과 같으니, 위로 들리지 않음을 알 수가 있다. 명(明)나라 유건(劉健)[43]이 명(命)을 받들어 화산(華山)에 제사를 드릴 때에 산 아래로 하얀 안개가 가득하여 마치 큰 바다와 같았고 역시 들리는 바가 없었는데, 산 아래로 내려오니 우레가 이미 수백 번을 넘게 쳤다[44]고 하니, 또한 소식(蘇軾)의 시(詩)를 증명할 수가 있다. 생물 중에 공중에서 소리를 낼 수 있는 것은 오직 나는 새만이 그렇게 할 수가 있기 때문에 나는 새의 상이 있고, 그 소리는 또한 올라감은 마땅하지 않고 내려옴이 마땅하다. 새에서 소리가 날 때에 소리는 아래로 내려가고 새는 이미 지나가는 것이 '소리를 남김'이 아니겠는가? 하늘과 땅 사이에 기(氣)는 위로 올라가지 않음이 없고 형질[質]은 아래로 내려가지 않음이 없으니, 소리가 반드시 아래로 내려감은 또한 형질의 부류이기 때문이다. 형체가 없다고 해서 기에 속한다고 해서는 안 된다. 위로 올라감은 거슬리게 되고 아래로 내려감은 순하게 됨은 또한 그 형세가 그러하다.

### 유정원(柳正源)『역해참고(易解参攷)』

可小 [至] 大吉.
작은 일은 할 수 … 크게 길하리라.

正義, 可小事不可大事者, 時也. 小有過差, 唯可矯以小事, 不可正以大事.
『주역정의』에서 말하였다: "작은 일은 할 수 있고 큰일은 할 수 없다"란 때이다. 조금 과실

---

41) 『論語 · 爲政』: 子曰, 殷因於夏禮, 所損益, 可知也, 周因於殷禮, 所損益, 可知也. 其或繼周者, 雖百世, 可知也.

42) 『東坡全集 · 詩一百三首』: 唐道人言, 天目山上俯視雷雨, 每大雷電, 但聞雲中如嬰兒聲, 殊不聞雷震也.

43) 유건(劉健): 명나라 하남(河南) 낙양(洛陽) 사람. 자는 희현(希賢)이고, 호는 회암(晦庵)이다. 이학(理學)을 공부했다. 천순(天順) 4년(1460) 진사가 되고, 편수(編修)에 임명되었다. 성화(成化) 때 『영종실록(英宗實錄)』을 편찬해 올렸다.(『중국역대인명사전』, 2010. 이회문화사.)

44) 『儼山外集 · 願豊堂漫書』: 劉少師健爲庶僚, 夏日奉命往祀華山, 與客登高顧見山下, 白霧瀰漫若大海, 而山頂赤日方熾, 俯視突烟暴起. 或丈餘遞全尺許, 亦無所聞頗異之. 及下山問人云, 適有驟雨挾雷數百已過矣, 向所謂烟中突起者, 悉雷也.

이 있으면, 오직 작은 일은 바로잡을 수 있지만 큰일은 바르게 할 수 없다.

○ 白雲蘭氏曰, 上卦四五陰陽, 皆失位, 故曰不宜上, 下卦二三剛柔, 皆當位, 故曰宜下.
백운난씨가 말하였다: 상괘의 양인 사효와 음인 오효는 모두 자리를 잃었기 때문에 "올라감은 마땅하지 않다"고 하였고, 하괘의 부드러운 음인 이효와 굳센 양인 삼효는 모두 자리가 마땅하기 때문에 "내려옴이 마땅하다"고 하였다.

○ 節齋蔡氏曰, 小過, 柔爲主, 柔性下, 故宜下則大吉.
절재채씨가 말하였다: 소과괘(小過卦䷽)는 부드러운 음이 주인이 되고, 부드러운 음의 성질은 아래로 내겨가는 것이기 때문에 내려옴이 마땅하듯이 하면 크게 길하다.

○ 雙湖胡氏曰, 小過以全體橫觀, 有飛鳥之象, 故爻辭卦義, 亦兩取象, 又與離爲飛鳥象不同. 小過是疊畫坎卦, 不可以離例論也. 四陰過可小事, 二陽微不可大事. 遺音卦有兌口象.
쌍호호씨가 말하였다: 소과괘(小過卦䷽)는 전체를 가로로 보면 나는 새의 상이 있기 때문에 효사와 괘의 뜻은 또한 둘 다 나는 새의 상을 취하였는데, 또 리괘(離卦䷝)가 나는 새의 상이 되는 것과는 같지 않다. 그러나 소과괘(小過卦䷽)는 효를 중첩하면 감괘(坎卦☵)이므로, 리괘(離卦☲)의 사례를 가지고 논할 수가 없다. 네 음이 지나쳐도 작은 일은 할 수 있지만, 두 양이 미미하여 큰일은 할 수가 없다. '소리를 남김'은 괘에 태괘(兌卦☱)인 입의 상이 있기 때문이다.

## 김상악(金相岳)『산천역설(山天易說)』

小過亨, 在二五, 利貞, 在三四. 然卦變, 六五自四而上, 得其中, 故雖致亨而止可小事, 九四自五而下, 失其位而不中, 故利於貞而不可大事. 卦體內實外虛, 如鳥之飛, 其聲下而不上, 故不宜上而宜下, 大吉. 此以鳥音上下, 明可小不可大之義.
"소과(小過)는 형통하다"란 이효와 오효에 있으며, "곧음이 이롭다"란 삼효와 사효에 있다. 그러나 괘의 변화에서 육오는 사효로부터 위로 올라와 알맞음을 얻었기 때문에 비록 형통함에는 이루더라도 작은 일을 할 수 있는 데에 그치고, 구사는 오효로부터 내려와 제자리를 잃고 알맞지 않기 때문에 곧음에서 이롭더라도 큰일은 할 수가 없다. 괘의 몸체는 안은 차있고 밖은 비어 있어서 날아가는 새와 같으니, 새소리는 아래로 내려오고 위로 올라가지 못하기 때문에 올라감은 마땅하지 않고 내려옴이 마땅하듯이 하면 크게 길하다. 이는 새의 소리가 위와 아래로 가는 것을 가지고 작은 일은 할 수 있고 큰일은 할 수 없다는 뜻을 밝혔다.

○ 亨利貞, 猶旅巽小亨, 遯小利貞, 故名卦以小過. 小者過, 故可小事, 不可大事. 飛鳥, 卽橫飛之鳥也. 三四爲鳥身, 初二與五上爲鳥翼, 而初與上又爲鳥翼之翰, 而五互兌口, 二互巽入, 故曰遺之音. 上下, 以逆順言.
"형통하니, 곧음이 이롭다"는 려괘(旅卦䷷)와 손괘(巽卦䷸)에서의 '조금 형통하다'[45]와 돈괘(遯卦)에서의 "조금 바르게 함이 이롭다"[46]와 같기 때문에 '소과(小過)'로써 괘를 이름 지었다. 작은 것이 지나치기 때문에 작은 일은 할 수 있고 큰일은 할 수 없다. '나는 새'는 자유로이 나는 새다. 삼효와 사효는 새의 몸이 되고, 초효·이효와 오효·상효는 새의 날개가 되는데, 초효와 상효는 또 새 날개의 깃털이 되며, 오효가 있는 호괘인 태괘(兌卦☱)는 입이고 이효가 있는 호괘인 손괘(巽卦☴)는 '들어감'이기 때문에 '소리를 남긴다'라고 하였다. '올라감'과 '내려옴'은 순함과 거스름으로 말하였다.

## 서유신(徐有臣)『역의의언(易義擬言)』

小過, 亨, 利貞, 可小事, 不可大事.
소과(小過)는 형통하니, 바름이 이로우니, 작은 일은 할 수 있고 큰일은 할 수 없으니.
卦上下看, 皆有艮, 限在中, 是爲不過中不過限之象. 過而不過, 所以爲小過也. 亨, 過者, 亨也, 貞, 過者, 正也. 過而亨, 不過則不亨也, 過而貞, 不過則不貞也, 此皆以小事言也.
괘를 위와 아래에서 보면 모두 간괘(艮卦☶)가 있어서, 간괘(艮卦☶)의 제한함이 괘의 가운데에 있으니, 이는 가운데를 지나치지 않고 제한함을 지나치지 않는 상이 된다. 지나치지만 실제로는 지나치지 않음이 '소과(小過)'가 되는 까닭이다. '형통함'은 지나치는 것이 형통한 것이고, '바름[貞]'은 지나치는 것이 바른 것이다. 지나쳐서 형통하므로 지나치지 않으면 형통하지 않고, 지나쳐서 바르므로 지나치지 않으면 바르지 않으니, 이는 모두 작은 일로써 말하였다.

飛鳥遺之音, 不宜上, 宜下, 大吉.
나는 새가 소리를 남김에 올라감은 마땅하지 않고 내려옴이 마땅하듯이 하면 크게 길하리라.
卦有兩鳥之象. 下鳥不宜於上飛, 上鳥宜於下飛, 風勢逆順之不同也. 鳥小物也, 而能飛, 能遺音, 其亦過矣. 雖然, 又安能沖天而驚人乎. 此小過所以可小不可大, 宜下不宜

---

45)『周易·旅卦』: 旅, 小亨, 旅貞, 吉. ;『周易·巽卦』: 巽, 小亨, 利有攸往, 利見大人.
46)『周易·旅卦』: 遯, 亨, 小利貞.

上也. 君子處小過, 得此義, 故大吉也.
괘에는 두 마리 새의 상이 있다. 아래에 있는 새는 위로 날아감이 마땅하지 않고, 위에 있는 새는 아래로 날아감이 마땅하니, 바람의 형세가 거스르고 순함이 같지 않기 때문이다. 새는 작은 동물인데도 날 수가 있고 소리를 남길 수 있는 것은 또한 지나치기 때문이다. 비록 그렇더라도 어찌 하늘 높이 올라 사람을 놀라게 할 수 있겠는가? 이는 '소과(小過)'가 작은 일은 할 수 있고 큰일은 할 수 없으며, 내려옴이 마땅하고 올라감은 마땅하지 않은 까닭이다. 군자가 '소과'의 때에 있으면서 이러한 뜻을 깨달았기 때문에 크게 길하다.

### 박제가(朴齊家) 『주역(周易)』

飛鳥遺之音, 不宜上, 宜下, 大吉.
나는 새가 소리를 남김에 올라감은 마땅하지 않고 내려옴이 마땅하듯이 하면 크게 길하리라.

所以說小過者, 甚妙. 凡形之大小, 事之大小之外, 又以蹔爲小, 在鳥飛, 則小爲乍義, 言其迅疾而霎過也. 遺之音, 謂事過而煞有跡, 此猶夫子以顔氏之有不善未嘗不知, 知之未嘗復行, 爲不遠復之元吉也. 人之有過, 形於卒乍之頃, 而卽止, 則所謂小過. 曰宜下者, 欲其卽消而止, 如洪爐之點雪, 是也. 止也故大吉, 若飛而愈上, 則其音愈久而爲大過矣. 象傳以爲上逆而下順, 遂非故曰逆, 不留故順, 以鳥之過去爲象, 而以人之過失爲義, 字變如此. 本義其聲下而不上, 故能致飛鳥遺音之應, 則宜下而大吉者, 恐節節未安. 鳥聲隨其飛之高下, 而爲之遠近, 何嘗下而不能上. 經曰宜, 宜者, 權在我之辭, 若不能上, 則何曰宜下. 乃忽挿入羽蟲之孼一段, 以爲獲其應, 則宜下則何不於災孼未應之前爲之下, 而必俟賈生鵩鳥之至, 然後宜下耶. 鵩鳥旣至, 何吉之有.
이로써 '소과(小過)'를 설명하는 것은 매우 미묘하다. 형체의 크고 작음과 일의 크고 작음 이외에 또 잠깐 동안[蹔]을 '작다[小]'고 할 수 있어서, 나는 새에서 '작은[小]' 것은 잠깐[乍]이라는 뜻이 되니, 빨라서 잠깐 사이에 지나감을 말한다. '소리를 남김'은 일이 지나쳐서 제법 흔적이 있게 됨을 말하니, 이는 공자가 안씨는 선하지 않음이 있으면 일찍이 알지 못한 적이 없으며, 알면 일찍이 다시 행한 적이 없었음을 가지고 『주역』에서 말한 "멀리 가지 않고서 돌아오는 크고 길함"[47]으로 여겼다. 사람은 지나침이 있을 때에 순식간에 드러나는데, 곧바로 그침이 이른바 소과(小過)이다. '내려옴이 마땅하듯이 하다'라고 말한 것은 곧바로 없애

47) 『周易·繫辭傳』: 子曰, 顔氏之子, 其殆庶幾乎. 有不善未嘗不知, 知之未嘗復行也, 易曰, 不遠復, 无祇悔, 元吉.

그치고자 함이니, 예를 들어 큰 화로에 하나의 눈송이가 떨어지는 것이 이것이다. 그치기 때문에 크게 길하니, 만약 날아 더욱 높이 올라가면 그 소리가 더욱 오래 남아 큰 지나침이 된다. 「단전」에서는 "올라감은 거스르고 내려옴은 순하기 때문이다"라고 여겼는데, 잘못을 이루기 때문에 '거스른다[逆]'고 하였고 머무르지 않기 때문에 '순하다'고 하여, 새가 지나가 버린 것을 가지고 상으로 삼고 사람의 잘못을 가지고 뜻으로 삼았으니, 글자가 바뀜이 이와 같다. 『본의』에서 "새소리는 아래로 내려오고 위로 올라가지 못하기 때문에 나는 새가 남기는 소리의 호응을 이룰 수 있다면 내려옴이 마땅하여 크게 길하다"고 한 것은 아마도 글 한마디 한마디가 그렇지 않은 듯하다. 새의 소리는 그 나는 높고 낮음에 따라 멀어지고 가까워지는데 어떻게 일찍이 아래로 내려오고 위로 올라갈 수 없겠는가? 경(經)에서 '마땅함'이라고 하였는데, '마땅함'이란 권도가 나에게 있다는 말이니, 만약 위로 올라갈 수가 없다면 어떻게 '내려옴이 마땅하다'고 하겠는가? 갑자기 새의 재앙이라는 한 단락을 집어넣어 호응을 얻었다고 여겼으니, 내려옴이 마땅하다면 어째서 재앙이 아직 호응하기 전에는 아래로 내려오지 않다가 반드시 가의(賈誼)[48]에게 부엉이가 이르렀던 일[49]을 기다린 후에 내려옴이 마땅할 수 있겠는가? 부엉이가 이미 이르렀는데 어찌 길함이 있을 수 있겠는가?

### 강엄(康儼) 『주역(周易)』

本義, 旣過於陽, 可以亨矣.

『본의』에서 말하였다: 이미 양보다 지나쳤으니 형통할 수 있다.

按, 程傳云, 事有時而當然, 有待過而後能亨者, 故小過自有亨義者, 如此說, 則固无可疑者. 本義以過於陽爲亨, 陰之過於陽, 非陰之福也, 而本義如此不可曉.

내가 살펴보았다: 『정전』에서 "일은 때에 따라 당연함이 있고 지나치기를 기다린 뒤에 형통할 수 있는 경우가 있으므로 '소과(小過)'는 스스로 형통한 뜻을 가지고 있다"고 하였으니, 이와 같이 말한다면 진실로 의심할 만한 것이 없다. 『본의』에서는 양보다 지나침을 형통하다고 여기지만, 음이 양보다 지나침은 음의 복이 아니니, 『본의』가 이와 같음은 이해할 수가 없다.

48) 가의(賈誼): 중국 전한 문제 때의 문인 겸 학자. 진나라 때부터 내려온 율령 · 관제 · 예악 등의 제도를 개정하고 전한의 관제를 정비하기 위한 많은 의견을 상주했다. 「복조부(鵩鳥賦)」와 「조굴원부(弔屈原賦)」를 지었으며, 『초사(楚辭)』에 수록된 「석서(惜誓)」도 그의 작품으로 알려졌다. 저서에 『신서(新書)』 10권이 있으며, 진(秦)의 멸망 원인을 추구한 「과진론(過秦論)」은 널리 알려져 있다.(『두산백과』)

49) 이러한 내용은 가의(賈誼)가 지은 「복조부(鵩鳥賦)」에 보인다.

### 하우현(河友賢) 『역의의(易疑義)』

或問, 卦辭, 不宜上, 宜下, 大吉, 夫大吉者, 不當用於小過, 而特曰大吉, 何也. 曰, 聖人以可小不可大, 宜下不宜上, 戒之陰柔, 蓋曰如此則便合大吉也. 聖人一時勸勉抑揚之語, 非贊辭也. 又問, 此大吉, 似或爲大者吉之義, 如何. 曰, 此草廬吳氏之說也, 吳氏曰, 小過之時, 大者, 非可以吉. 唯善於自處, 能辭尊而居卑, 勇退而不進, 如鳥音之下而不上, 則大者, 可吉, 蓋此說未必不好. 然卦辭文勢, 恐不然, 且此卦, 卦辭自利貞以下, 无非聖人致戒於陰柔之意, 則此大吉, 恐亦爲陰柔而言, 不必指陽剛之大者而言耳. 雲峯胡氏曰, 易於陽之過, 則猶許其往, 此則利貞以下, 无非戒辭, 此說得之. 戒辭, 戒陰之辭也.

어떤 이가 물었다: 괘사에서 "올라감은 마땅하지 않고 내려옴이 마땅하듯이 하면 크게 길하리라"라고 하였으니, '크게 길하다'란 소과괘(小過卦)에서는 마땅히 쓸 수 없는데도 특별히 '크게 길하다'고 한 것은 어째서입니까?

답하였다: 성인이 "작은 일은 할 수 있고 큰일은 할 수 없음"과 "내려옴이 마땅하고 올라감은 마땅하지 않음"을 가지고 부드러운 음을 경계하였으니, 아마도 이와 같이 하면 곧 크게 길함과 부합하게 됨을 말한 듯합니다. 성인이 일시적으로 권면하고 억누르거나 드높이는 말이지, 칭찬하는 말이 아닙니다.

또 물었다: 여기서 말한 '대길(大吉)'이란 혹 큰 것이 길하다는 뜻이 되는 듯합니다. 어떻습니까?

답하였다: 이는 초려오씨(草廬吳氏)[50]의 설명이니, 오씨는 "'소과(小過)'의 때에는 크다는 것이 길할 만한 것은 아니다. 오직 스스로 처신하기를 잘하여 높은 자리는 사양하고 낮은 자리에 있으며 용감하게 물러나고 나아가지 않아서, 마치 새의 소리가 아래로 가고 위로 가지 않는 것처럼 한다면, 큰 것이 길할 수 있다"라고 하였으니, 이러한 설명은 반드시 좋지 않은 것은 아닌 듯합니다. 그러나 괘사의 문세(文勢)는 아마도 그렇지 않은 듯하며, 또 이 괘는 괘사의 "곧음이 이로우니[利貞]"이하가 성인이 부드러운 음에 대하여 경계를 세운 뜻이 아님이 없으니, 여기서의 '크게 길함'이란 아마도 또한 부드러운 음을 위하여 말한 듯하며, 반드시 굳센 양이 큰 것을 가리켜 말한 것은 아닐 뿐입니다. 운봉호씨는 "『주역』은 양이 음보다 지나친 대과괘에서 오히려 그 감을 허락하였으나, 소과괘에서는 '곧음이 이롭다'는 것 이하가 경계하는 말 아닌 것이 없다"고 하였으니, 이러한 설명은 뜻을 잘 이해하고 있습니다. 운봉호씨가 말한 '경계하는 말'은 음을 경계하는 말입니다.

---

50) 초려오씨(草廬吳氏): 원나라 때의 학자인 오징(吳澄)을 말한다.

### 이지연(李止淵) 『주역차의(周易箚疑)』

聲音者, 自內而出者. 飛鳥, 指三四二陽, 禽鳥乃陰中之陽也. 鳥之飛也, 且飛且鳴, 鳥之過也. 其音不遠. 鳥之上也, 徘徊而遲, 鳥之下也, 挺而疾.

성음(聲音)이란 안으로부터 나오는 것이다. '나는 새'는 삼효와 사효인 두 양을 가리키니, 날짐승은 곧 음들 가운데에 있는 양이다. 새가 날 때에는 날기도 하고 울기도 하며, 새가 지나칠 때에는 그 소리가 멀지 않다. 새가 위로 날아갈 때에는 배회하면서 서서히 하고, 새가 아래로 날아갈 때에는 곧게 하면서 빠르다.

### 김기례(金箕澧) 「역요선의강목(易要選義綱目)」

可小事, 不可大事.

작은 일은 할 수 있고 큰일은 할 수 없으니,

二五失剛, 小者過, 故可小, 不可大.

이효와 오효가 굳센 양을 잃어 작은 것이 지나쳤기 때문에 작은 것은 할 수 있지만 큰 것은 할 수가 없다.

飛鳥遺之音, 不宜上, 宜下, 大吉.

나는 새가 소리를 남김에 올라감은 마땅하지 않고 내려옴이 마땅하듯이 하면 크게 길하리라.

卦體, 中二陽似鳥身, 上下四陰, 似鳥展翼, 有鳥飛象. 飛鳥衝上而高音, 則力有限而勢不及, 不如飛而下而微音之爲善. 上二陰乘剛, 則不宜也, 下二陰順陽, 則不逆, 故順陰性而大吉.

괘의 몸체에서 가운데 두 양은 새의 몸과 비슷하고 위와 아래의 네 음은 펼쳐진 새의 날개와 비슷하니, 새가 나는 상이 있다. 나는 새가 위로 치밀어 올라가면서 높은 소리를 낸다면, 힘에는 한계가 있고 형세는 미치지 못하므로, 아래로 날아 미세한 소리를 냄이 좋게 됨만 못하다. 위에 있는 두 음은 굳센 양을 타고 있으니 마땅하지 못하고, 아래에 있는 두 음은 양에 순하니 거슬리지 않기 때문에 음의 성질에 순하여 크게 길하다.

### 심대윤(沈大允) 『주역상의점법(周易象義占法)』

夫言行恭下者, 將以求上于人也, 故小過所以爲大過也, 其道可大, 故曰亨. 言行恭下, 君子之常也, 夫然後能行全. 卦爲巽震, 有行道之象. 言行不能恭下, 則道不行矣, 故曰利貞. 小事, 可以下人, 而大事, 不可以下人, 故曰可小事, 不可大事. 汎言其大概, 則事業爲大事, 而言行爲小事. 分言其小目, 則事業之中, 亦有小事, 言行之中, 亦有大事. 小事不下, 則怒於人, 大事不上, 則侮於人. 本卦坎巽爲大事, 對離巽爲小事, 以言方行于人, 則取對也. 雖爲恭下, 而聲名揚[51]動而上, 故曰飛鳥遺之音. 小事, 宜下而不宜上也. 艮爲上, 巽爲下. 人說附尊敬, 而免於惡怒侮辱之患 故曰大吉.
언행을 공손하게 낮추는 자는 장차 다른 사람에게 높임을 구하는 것이기 때문에 작은 지나침이 큰 뛰어남[大過]이 되니, 그 도가 크다고 할 만하기 때문에 '형통하다'고 하였다. 언행을 공손하게 낮춤은 군자의 항상 됨이니, 그렇게 한 후에 덕행을 완전하고 아름답게 할 수 있다. 괘는 손괘(巽卦☴)와 진괘(震卦☳)로 이루어져 있으니, 도를 행하는 상이 있다. 언행을 공손하게 낮출 수 없다면 도가 행하여지지 않기 때문에 '곧음이 이롭다'고 하였다. '작은 일'이란 다른 사람에게 낮출 수 있는 것이고, '큰일'이란 다른 사람에게 낮출 수 없는 것이기 때문에 "작은 일은 할 수 있고 큰일은 할 수 없다"고 하였다. 개괄적으로 말하면, 사업은 큰일이 되고 언행은 작은 일이 된다. 작은 조목으로 나누어 말하면, 사업 안에 또한 작은 일이 있고, 언행 중에 또한 큰일이 있다. 작은 일에 낮추지 못하면 다른 사람에게 노여움을 받고, 큰일에 높이지 못하면 다른 사람에게 업신여김을 당한다. 본 괘는 괘 전체로 볼 때의 괘인 감괘(坎卦☵)와 손괘(巽卦☴)가 '큰일'이 되며, 감괘(坎卦☵)의 음양이 바뀐 괘인 리괘(離卦☲)와 손괘(巽卦☴)가 '작은 일'이 되는데 말로써 다른 사람에게 행한다면 음양이 바뀐 괘에서 취하는 것이다. 비록 공손하게 자신을 낮추더라도 명예로운 이름은 드날려 높아지기 때문에 "나는 새가 소리를 남긴다"고 하였다. 작은 일에는 낮춤이 마땅하고 높임이 마땅하지 않다. 간괘(艮卦☶)는 높임이 되고, 손괘(巽卦☴)는 낮춤이 된다. 사람들이 기뻐하면서 가까이 하고 존경하여 미움과 노여움을 받고 모욕을 당하는 걱정에서 면하게 되기 때문에 '크게 길하리라'라고 하였다.

### 오치기(吳致箕) 「주역경전증해(周易經傳增解)」

小, 指陰也, 過謂陰過於陽也. 四陰包外, 二陽在內, 柔得中而剛失[52]中, 爲小者過之象. 雷在天上, 爲大壯, 則山上有雷, 自爲小過之象也. 陰多於陽, 而柔得中於上下, 故言小過而亨, 以小而過, 故戒以利貞, 而不宜上宜下大吉, 卽戒辭也.
'소(小)'는 음을 가리키고, '과(過)'는 음이 양보다 지나침을 말한다. 네 음이 밖을 둘러싸고 두 양은 안에 있으며, 부드러운 음은 알맞음을 얻었지만 굳센 양은 알맞음을 잃었으니, 작은 것이 지나치는 상이 된다. 우레가 하늘 위에 있는 것이 대장괘(大壯卦䷡)가 되니, 산위에

---

51) 揚: 경학자료집성DB와 영인본에 모두 '揚'으로 되어 있으나, 문맥을 살펴 '揚'으로 바로잡았다.
52) 失: 경학자료집성DB에 '朱'로 되어 있으나, 경학자료집성 영인본을 참조하여 '失'로 바로잡았다.

우레가 있는 것은 저절로 '소과(小過)'의 상이 된다. 음이 양보다 많고 부드러운 음이 상괘와 하괘에서 알맞음을 얻었기 때문에 '소과(小過)'이면서도 형통하다고 하였으며, 작게 지나치기 때문에 "곧음이 이롭다"고 하고 "올라감은 마땅하지 않고 내려옴이 마땅하듯이 하면 크게 길하리라"고 하여 경계하였으니, 곧 이는 경계하는 말이다.

○ 四陰爲翼, 二陽爲身, 有飛鳥之象. 互兌爲口, 震爲聲, 故言音, 而鳥飛在上, 故音遺于下也. 陰乘陽而上往, 則逆, 故曰不宜上, 陰從陽而在下, 則順, 故曰宜下也.
네 음은 날개가 되고, 두 양은 몸이 되니, 나는 새의 상이 있다. 호괘인 태괘(兌卦☱)는 입이 되고 진괘(震卦☳)는 소리가 되기 때문에 '소리'를 말하였고, 새가 날아 위에 있기 때문에 소리가 아래에 남는다. 음이 양을 타고 위로 올라가면 거슬리기 때문에 "올라감은 마땅하지 않다"고 하였고, 음이 양을 따르고 아래에 있으면 순하기 때문에 "내려옴이 마땅하다"고 하였다.

### 이진상(李震相) 『역학관규(易學管窺)』

不宜上, 宜下.
올라감은 마땅하지 않고 내려옴이 마땅하듯이 하면.

二五, 固皆以柔得中, 而五之不正, 不若二之得正, 三四, 固皆以剛失中, 而四之不正, 不若三之爲正, 故曰不宜上宜下.
이효와 오효는 진실로 모두 부드러운 음으로 알맞음을 얻었는데 오효의 바르지 못함은 이효가 바름을 얻은 것만 못하고, 삼효와 사효는 진실로 모두 굳센 양으로 알맞음을 잃었는데 사효의 바르지 못함은 삼효가 바름이 되는 것만 못하기 때문에, "올라감은 마땅하지 않고 내려옴이 마땅하듯이 하다"라고 하였다.

### 박문호(朴文鎬) 「경설(經說) · 주역(周易)」

卦辭, 本義, 能致飛鳥遺音之應.
괘사에 대한 『본의』에서 말하였다: 나는 새가 남기는 소리의 호응을 이룰 수 있다면.
吉, 占也.
'길함'은 점사이다.

初六, 訌, 或致羽蟲之孽.

초육에 대한 주(註)에서 말하였다: 혹 조류가 보여주는 재앙이 이른다.[53]
凶, 占也.
'흉함'은 점사이다.

### 이정규(李正奎) 「독역기(讀易記)」

小過, 卦辭, 亨利貞, 彖傳曰, 小者過而亨也, 又曰, 過以利貞, 與時行也. 聖人觀故, 有君子之光暉而吉也.
'소과(小過)'에 대하여 괘사에서는 "형통하니, 곧음이 이롭다"고 하였으며, 「단전」에서는 "작은 일이 지나쳐서 형통한 것이다"라고 하였고 또 「단전」에서는 "지나치게 하되 곧음이 이로움은 때에 따라 행하는 것이다"[54]라고 하였다. 성인이 그 까닭을 관찰하니, 군자의 빛남이 있어서 길하기 때문이다.

53) 이러한 내용은 초육에 대한 소주(小註)에 나오지 않고 『본의』에 나온다.
54) 『周易 · 小過卦』: 彖曰, … 過以利貞, 與時行也.

## 彖曰, 小過, 小者過而亨也,

「단전」에서 말하였다: 소과(小過)는 작은 일이 지나쳐서 형통한 것이니,

### 中國大全

傳

陽大陰小, 陰得位, 剛失位而不中, 是小者過也. 故爲小事過, 過之小. 小者與小事, 有時而當過, 過之亦小, 故爲小過. 事固有待過而後能亨者, 過之所以能亨也.

양은 크고 음은 작은데 음은 지위를 얻었고 굳센 양은 지위를 잃었으며 알맞지 못하니, 이것이 작은 것이 지나친 것이다. 그러므로 작은 일이 지나침이 되니, 지나침이 작은 것이다. 작은 것과 작은 일은 때에 따라 마땅히 지나치게 하여야 할 경우가 있으니, 지나치게 하기를 또한 작게 하므로 '소과(小過)'가 된다. 일에는 진실로 지나치게 한 뒤에 형통할 수 있는 것이 있으니, 지나치게 함이 이 때문에 형통할 수 있다.

本義

以卦體, 釋卦名義與其辭.

괘의 몸체로 괘의 이름과 괘사를 풀이하였다.

小註

建安丘氏曰, 陽大陰小, 此卦陰多陽寡, 故曰小者過.

건안구씨가 말하였다: 양은 크고 음은 작은 것인데, 이 괘는 음이 많고 양이 적으므로 "작은 일이 지나치다"고 하였다.

# 韓國大全

### 권만(權萬) 「역설(易說)」

上下四陰, 爲小者. 卦凡六爻, 而陰占其四, 又過也, 而成卦二陽居中, 有太剛之慮, 而二與五, 皆以柔道居上下體之中, 是以柔濟剛, 故亨.
위와 아래의 네 음이 작은 것이 된다. 괘는 모두 여섯 효인데 음은 그 넷을 점유하니 또한 지나치고, 괘를 이룸에 두 양이 가운데에 있으니 크게 굳센 생각이 있으며, 이효와 오효는 모두 부드러운 음의 도로써 상체와 하체의 가운데에 있으니, 이 때문에 부드러운 음이 굳센 양을 구제하므로 형통하다.

### 하우현(河友賢) 『역의의(易疑義)』

彖, 小過, 小者過而亨.
「단전」에서 말하였다: 소과(小過)는 작은 일이 지나쳐서 형통한 것이다.

此本義所謂旣過於陽, 可以亨之意. 傳則以事有待過而後能亨, 言之.
이것이 『본의』에서 이른바 "이미 양보다 지나쳤으니 형통할 수 있다"라는 뜻이다. 『정전』에서는 "일에는 지나치기를 기다린 뒤에 형통할 수 있는 것이 있다"라고 말하였다.

### 심대윤(沈大允) 『주역상의점법(周易象義占法)』

彖曰, 小過, 小者過而亨也.
「단전」에서 말하였다: 소과(小過)는 작은 일이 지나쳐서 형통한 것이다.

明大事之不可下也, 大壯之大者壯, 大過之大者過, 是也.
큰일은 아래로 할 수가 없음을 밝혔으니, 대장괘(大壯卦䷡)에서 말한 "큰 것이 장성하다"[55]와 대과괘(大過卦䷛)에서 말한 "큰 것이 지나침이다"[56]가 이것이다.

55) 『周易 · 大壯卦』: 彖曰, 大壯, 大者壯也, 剛以動, 故壯.
56) 『周易 · 大過卦』: 彖曰, 大過, 大者過也.

## 過以利貞, 與時行也.

지나치게 하되 곧음이 이로움은 때에 따라 행하는 것이다.

## 中國大全

傳

**過而利於貞, 謂與時行也. 時當過而過, 乃非過也, 時之宜也, 乃所謂正也.**

지나치게 하되 곧음이 이롭다는 것은 때에 따라 행함을 말한다. 때가 마땅히 지나치게 해야 할 경우에 지나치게 함은 지나친 것이 아니고 때에 마땅함이니, 이른바 '바르다[正]'는 것이다.

小註

建安丘氏曰, 過而利在貞正, 乃合時宜而與時偕行也.
건안구씨가 말하였다: 지나치게 하지만 이로움이 곧고 바름에 있으니, 바로 때의 마땅함에 부합하고 때와 함께 행한다.

○ 平庵項氏曰, 時當小過, 不稍過則執而不通, 小過所以亨也. 然必利於正而後可通, 故曰過以利貞, 與時行也.
평암항씨가 말하였다: 때가 '소과(小過)'에 해당하여 조금 지나치게 하지 않으면 집착되어 통하지 못하니, 작게 지나치게 함이 이 때문에 형통하다. 그러나 반드시 바른 데서 이로운 뒤에 통할 수 있으므로 "지나치게 하되 곧음이 이로움은 때에 따라 행하는 것이다"고 하였다.

# 韓國大全

### 권만(權萬) 「역설(易說)」

言雖過而二以柔居於陰, 五以柔居於陰位者, 皆貞也, 下體艮止而二得正於止之時, 震爲動而五得正於動之時, 其止其動, 皆能以正, 斯爲以時行而亨也.
비록 지나치더라도 이효는 부드러운 음으로 음의 자리에 있고 오효도 부드러운 음으로 음의 자리에 있는 것은 모두 곧고, 하체가 간괘(艮卦☶)로 그쳐서 그치는 때에 이효가 바름을 얻고 상괘가 진괘(震卦☳)로 움직임이 되어 움직이는 때에 오효가 바름을 얻어, 그치고 움직임이 모두 바름으로써 할 수가 있으니, 이는 알맞은 때로써 행위를 하여 형통함이 됨을 말한다.

### 김상악(金相岳) 『산천역설(山天易說)』

彖曰, 小過, 小者過而亨也, 過以利貞, 與時行也.
「단전」에서 말하였다: 소과(小過)는 작은 일이 지나쳐서 형통한 것이니, 지나치게 하되 곧음이 이로움은 때에 따라 행하는 것이다.

以卦體釋卦名義與卦辭. 過而亨者, 陰也, 過以利貞者, 陽也. 當小過之時, 故陽必與時而行也, 遯爲陽遯之卦, 故與時行, 同象.
괘의 몸체로 괘 이름과 괘사를 풀이하였다. '지나쳐서 형통함'이란 음이며, "지나치게 하되 곧음이 이롭다"란 양이다. 소과괘(小過卦䷽)의 때를 맞았기 때문에 양은 반드시 때에 따라 행하여야 하고, 돈괘(遯卦䷠)는 양이 도망가는 괘가 되기 때문에 때에 따라 행하니[57], 상이 같다.

### 서유신(徐有臣) 『역의의언(易義擬言)』

小過, 小者過而亨也, 過而利貞, 與時行也.
「단전」에서 말하였다: 소과(小過)는 작은 일이 지나쳐서 형통한 것이니, 지나치게 하되 곧음이 이로움은 때에 따라 행하는 것이다.

---

57) 『周易 · 遯卦』: 彖曰, 遯亨, 遯而亨也, 剛當位而應, 與時行也.

過謂小者過, 亨謂小者亨, 是小者過而亨也. 小者過而亨, 故爲小過也. 過而利貞者, 以過而得正也. 與時行也者, 事有不可不過之時也. 時當過而過, 非過也.
'과(過)'는 작은 일이 지나침을 말하고, '형통함[亨]'은 작은 일이 형통함을 말하니, 이것이 작은 일이 지나쳐서 형통함이다. 작은 일이 지나쳐서 형통하기 때문에 '소과(小過)'가 된다. "지나치게 하되 곧음이 이롭다"란 지나치지만 바름을 얻었기 때문이다. "때에 따라 행하는 것이다"란 일에 지나치지 않을 수가 없는 때가 있다는 것이다. 때가 마땅히 지나쳐야 해서 지나치는 것은 지나침이 아니다.

### 김기례(金箕澧) 「역요선의강목(易要選義綱目)」

與時行.
「단전」에서 말하였다: 때에 따라 행하는 것이다.

當小過之時, 不稍過則執而不通, 故隨時之義, 與損益盈虛, 與時偕行同.
'소과(小過)'의 때를 맞아 조금 지나치게 하지 않으면 고집하여 통하지 않기 때문에 때에 따른다는 뜻이니, 손괘(損卦䷨) 「단전」에서 말하는 "덜고 보태며, 채우고 비움을 때에 맞게 때와 행한다"[58]와 같다.

---

58) 『周易 · 損卦』: 彖曰, 損, 損下益上, 其道上行, 損而有孚, 元吉无咎可貞, 利有攸往, 曷之用二簋可用享, 二簋應有時, 損剛益柔有時, 損益盈虛, 與時偕行.

## 柔得中，是以小事吉也.

부드러운 음이 알맞음을 얻은 까닭에 작은 일이 길한 것이다.

## 中國大全

本義

**以二五言.**

이효와 오효로써 말하였다.

小註

建安丘氏曰, 六五六二, 柔居二體之中, 是以小事吉也.
건안구씨가 말하였다: 육오와 육이는 부드러운 음으로 두 몸체의 가운데에 있으니, 이 때문에 작은 일이 길하다.

## 韓國大全

**권만(權萬) 「역설(易說)」**

柔指二五也. 柔爲陰, 陰爲小, 故曰小. 事得正, 故曰吉.
'부드러운 음'은 이효와 오효를 가리킨다. 부드러움은 음이 되고, 음은 작음이 되기 때문에 '소(小)'라고 하였다. 일에 바름을 얻기 때문에 '길하다'고 하였다.

**김기례(金箕澧) 「역요선의강목(易要選義綱目)」**

是以小事吉.
「단전」에서 말하였다: 이런 까닭에 작은 일이 길한 것이다.

指二五, 柔居二體之中, 陰小, 故小事吉.
이효와 오효를 가리키니, 부드러운 음이 두 몸체의 가운데 자리에 있고, 음은 작기 때문에 작은 일이 길하다.

**剛失位而不中, 是以不可大事也.**

굳센 양이 지위를 잃고 알맞지 못하기 때문에 "큰일은 할 수 없는 것이다".

## 中國大全

**本義**

**以三四言.**

삼효와 사효로써 말하였다.

**小註**

建安丘氏曰, 九三九四, 剛而不中, 是以不可大事也. 大事, 非陽剛得位之才, 則不可爲也.

건안구씨가 말하였다: 구삼과 구사는 굳센 양이지만 알맞지 못하니, 이 때문에 큰일은 할 수 없는 것이다. 큰일은 굳센 양으로 지위를 얻은 재질이 아니라면 할 수 없다.

○ 臨川吳氏曰, 二五之柔得中, 陰柔小人得時也. 然小人可以爲小事而已. 爲大事者, 必陽剛君子而後能. 三四之剛不中, 而四又失位, 則陽剛不得志矣. 是以不可爲大事也.

임천오씨가 말하였다: 이효와 오효의 부드러운 음이 알맞음을 얻은 것은 유약한 음인 소인이 때를 얻은 것이다. 그러나 소인은 작은 일을 할 수 있을 뿐이다. 큰일을 한다는 것은 반드시 굳센 양인 군자라야 할 수 있다. 삼효와 사효가 굳센 양으로 알맞지 못한데 사효는 또 제자리까지 잃었으니, 굳센 양이 뜻을 얻지 못한 것이다. 이 때문에 큰일을 할 수 없다.

## 韓國大全

### 권만(權萬) 「역설(易說)」

言三雖陽位, 而失中正者也, 四是陰位, 而剛卻居焉, 均之失位, 故不可大事. 大是陽也.
삼효가 비록 양의 자리에 있으나 중정을 잃은 것이고, 사효는 음의 자리인데 굳센 양이 도리어 거기에 있으며, 모두 지위를 잃었기 때문에 큰일을 할 수가 없음을 말한다. '큼'은 양이다.

### 서유신(徐有臣) 『역의의언(易義擬言)』

柔得中, 是以小事吉也. 剛失位而不中, 是以不可大事也.
「단전」에서 말하였다: 부드러운 음이 알맞음을 얻은 까닭에 작은 일이 길한 것이다. 굳센 양이 지위를 잃고 알맞지 못하기 때문에 "큰 일은 할 수 없는 것이다".

稱得中而兼得位也. 小者過而得時得中之象也. 剛不得二五, 爲失位也. 大者不過而失時失中之象也.
가운데 자리를 얻고 겸하여 제자리를 얻음을 말한다. '작은[小]'이란 지나치지만 마땅한 때를 얻고 알맞음을 얻은 상이다. 굳센 양은 이효와 오효의 자리를 얻지 못하여 지위를 잃었다. '큰[大]'이란 지나치지는 않지만 마땅한 때를 잃고 알맞음을 잃은 상이다.

### 김기례(金箕澧) 「역요선의강목(易要選義綱目)」

不可大事.
「단전」에서 말하였다: "큰일은 할 수 없는 것이다".

指三四, 陽大而失位, 故不可大.
삼효와 사효를 가리키니, 양은 크지만 지위를 잃었기 때문에 큰일은 할 수가 없다.

### 심대윤(沈大允) 『주역상의점법(周易象義占法)』

過以利貞, 與時行也. 柔得中, 是以小事吉也. 剛失位而不中, 是以不可大事也.
「단전」에서 말하였다: 지나치게 하되 곧음이 이로움은 때에 따라 행하는 것이다. 부드러운 음이 알맞음을 얻은 까닭에 작은 일이 길한 것이다. 굳센 양이 지위를 잃고 알맞지 못하기 때문에 "큰 일은 할 수 없는 것이다".

卦之柔外而剛中者, 柔以爲過而剛以爲中也, 剛失二五之中者, 行過於常中也, 剛得卦之中者, 時中也. 與時行者, 過而時中也. 柔雖過而得中, 剛雖時中而縮而失位也. 小事加吉者, 以明不宜上宜下大吉之爲小事也.

괘 중에서 부드러운 음이 밖에 있고 굳센 양이 가운데에 있는 것은 부드러운 음을 지나치게 여기고 굳센 양을 알맞게 여긴다는 것이며, 굳센 양이 이효와 오효의 자리인 가운데 자리를 잃은 것은 행동이 항상 된 알맞음에서 지나치다는 것이고, 굳센 양이 괘의 가운데 자리를 얻은 것은 때에 알맞게 한다는 것이다. "때에 따라 행한다"란 지나치지만 때에 알맞게 한다는 것이다. 부드러운 음은 지나치지만 알맞음을 얻고, 굳센 양은 비록 때에 알맞게 하지만 위축되어 지위를 잃는다. '작은 일[小事]'에 '길함[吉]'을 더한 것은 "올라감은 마땅하지 않고 내려옴이 마땅하듯이 하면 크게 길하다"[59]가 작은 일이 됨을 밝힌 것이다.

### 최세학(崔世鶴) 주역단전괘변설(周易彖傳卦變說)」

小過, 彖曰, 剛失位而不中, 是以不可大事也.

소과괘(小過卦) 「단전」에서 말하였다: 굳센 양이 지위를 잃고 알맞지 못하기 때문에 "큰 일은 할 수 없는 것이다".

小過, 坤之二體變也. 三與四二爻爲主, 故彖以剛失位言之. 乾之三四, 居上下兩體之間, 不得中正之位, 故不可大事也.

소과괘(小過卦)는 곤괘(坤卦☷)인 두 몸체가 변한 것이다. 삼효와 사효인 두 효는 주인이 되기 때문에 「단전」에서는 "굳센 양이 지위를 잃다"로 말하였다. 건(乾)인 삼효와 사효가 상체와 하체의 사이에 있으면서 중정한 자리를 잃었기 때문에 큰일은 할 수 없는 것이다.

---

59)『周易·小過卦』: 小過, 亨, 利貞, 可小事, 不可大事, 飛鳥遺之音, 不宜上, 宜下, 大吉.

# 有飛鳥之象焉.

나는 새의 상이 있다.

## 中國大全

### 傳

小過之道, 於小事, 有過則吉者, 而彖以卦才言吉義. 柔得中, 二五居中也. 陰柔得位, 能致小事吉耳, 不能濟大事也. 剛失位而不中, 是以不可大事. 大事, 非剛陽之才, 不能濟. 三, 不中, 四, 失位, 是以不可大事. 小過之時, 自不可大事, 而卦才又不堪大事, 與時合也. 有飛鳥之象焉此一句, 不類彖體, 蓋解者之辭, 誤入彖中. 中剛外柔, 飛鳥之象, 卦有此象, 故就飛鳥爲義.

'소과(小過)'의 도가 작은 일에 지나치게 함이 있으면 길한데, 「단전」에서는 괘의 재질로 길한 뜻을 말하였다. "부드러운 음이 알맞음을 얻었다[柔得中]"는 것은 이효와 오효가 가운데에 있는 것이다. 부드러운 음이 제자리를 얻음은 작은 일이 길함을 이룰 수 있을 뿐이고, 큰 일을 이루지는 못한다. "굳센 양이 지위를 잃고 알맞지 못하기 때문에 큰 일은 할 수 없는 것이니", 큰 일은 굳센 양의 재질이 아니면 이룰 수 없는데, 삼효는 가운데 있지 못하고 사효는 제자리를 잃었으므로, 이 때문에 큰 일을 할 수 없다. 소과의 때에는 스스로 큰 일은 할 수 없고, 괘의 재질이 또 큰 일을 감당하지 못하니, 때와 합한다. "나는 새의 상이 있다[有飛鳥之象焉]"는 한 구절은 「단전」의 문체와 유사하지 않으니, 아마도 해석하는 자의 말이 「단전」의 내용 안에 잘못 들어간 듯하다. 안은 굳세고 밖은 부드러운 것이 나는 새의 상인데, 괘에 이러한 상이 있으므로 나는 새를 가지고 뜻을 삼았다.

### 小註

陸氏希聲曰, 中孚卦, 柔在內而剛在外, 有鳥卵實之象. 今變爲小過, 則剛在內而柔在外, 有飛鳥之象.

육희성이 말하였다: 중부괘(中孚卦䷼)는 부드러운 음이 안에 있고 굳센 양이 밖에 있어서 새의 알이 튼실한 상이 있다. 이제 소과괘(小過卦䷽)로 변했다면 굳센 양이 안에 있고 부드러운 음이 밖에 있어서 나는 새의 상이 있다.

○ 建安丘氏曰, 以全體觀之, 有飛鳥之象焉.
건안구씨가 말하였다: 전체로써 살핀다면 날아가는 새의 상이 있다.

## 韓國大全

### 권만(權萬) 「역설(易說)」

二中陽似鳥之身, 上下四陰, 似鳥之張翼, 是橫看而言象.
가운데에 있는 두 양은 새의 몸과 유사하고 위와 아래의 네 음은 새의 긴 날개와 유사하니, 이는 가로로 보아 상을 말한 것이다.

### 유정원(柳正源) 『역해참고(易解參攷)』[60]

飛鳥之象.
나는 새의 상.

王氏曰, 不宜上, 宜下, 卽飛鳥之象.
왕필이 말하였다: "올라감은 마땅하지 않고 내려옴이 마땅하듯이 한다"가 곧 나는 새의 상이다.

小註, 陸氏說, 鳥卵實[61].
소주에서 육희성이 말하였다: 새의 알이 튼실하다.
〈案, 卵+鳥[62], 當作鷇, 音穀. 廣韻鳥卵, 韻會卵孚也. 韓聯句, 盤肴[63]饋禽鷇.

---

60) 경학자료집성DB에서는 소과괘 괘사에 해당하는 것으로 분류했으나, 내용에 살펴 이 자리로 옮겨 바로잡았다.

61) 卵實: 경학자료집성 영인본에서는 '卵+鳥'로 되어 있고, 경학자료집성DB에는 알 수 없는 글자로 표시하였으나, 『주역전의대전(周易傳義大全)』을 살펴 '卵實'로 바로잡았다.

62) 『周易傳義大全·小過卦·象傳』 小註: 陸氏希聲曰, 中孚卦, 柔在內而剛在外, 有鳥卵實之象. 今變爲小過, 則剛在內而柔在外, 有飛鳥之象. 이상에서와 같이 육희성의 소주에는 『역해참고(易解參攷)』에 나오는 '卵+鳥'가 '卵實'로 되어 있다.

내가 살펴보았다: '卵+鳥'은 마땅히 새알이라는 '곡(鷇)'자가 되어야 하니, 음은 '곡(轂)'이다. 『광운』에서는 '새알[鳥卵]'이라고 하였고, 『운회』에서는 "알이 부화한다[卵孚]"라고 하였다. 한유(韓愈)의 연구시(聯句詩)[64]인 「납량련시(納涼聯句)」에는 "쟁반에 담긴 안주로 새의 알을 주네"[65]가 있다.〉

## 서유신(徐有臣)『역의의언(易義擬言)』

初至五, 鳥上飛也, 上至二, 鳥下飛也, 上之下之兩鳥之象也.
초효로부터 오효까지는 새가 위로 나는 것이고, 상효로부터 이효까지는 새가 아래로 나는 것이니, 올라가고 내려가는 두 새의 상이다.

## 박제가(朴齊家)『주역(周易)』

彖傳, 有飛鳥之象焉.
「단전」에서 말하였다: 나는 새의 상이 있다.

傳, 蓋解者之辭誤入彖[66]中
『정전』에서 말하였다: 아마도 해석하는 자의 말이 「단전」의 내용 안에 잘못 들어간 듯하다.

案, 彖說飛鳥來得突兀, 夫子先說所以爲鳥之故而釋之, 故如此. 聖人筆端之造化, 又豈可得而例耶. 恐無它解者.
내가 살펴보았다: 「단전」에서 높이 솟아오른 나는 새를 설명하면서 공자가 먼저 새가 되는 까닭을 설명하여 풀이하였기 때문에 이와 같다. 성인이 글을 쓰는 기세의 조화를 또한 어찌 일반적인 사례(事例)로 생각할 수 있겠는가? 아마도 다른 해석이 없을 듯하다.

---

63) 肴: 경학자료집성DB와 영인본에 모두 '有'로 되어 있으나, 문맥을 살펴 '肴'로 바로잡았다.
64) 연구시(聯句詩): 각자가 한 구씩을 연결하여서 지은 시(詩)를 말한다.
65) 『別本韓文考異 · 納涼聯句』: 篚實摘林珍, 盤肴饋禽鷇.
66) 彖: 경학자료집성DB에 '象'으로 되어 있으나, 경학자료집성 영인본을 참조하여 '彖'으로 바로잡았다.

飛鳥遺之音不宜上宜下大吉, 上逆而下順也.

"나는 새가 소리를 남김에 올라감은 마땅하지 않고 내려옴이 마땅하듯이 하면 크게 길함"은 올라감은 거스르고 내려옴은 순하기 때문이다.

## 中國大全

傳

事有時而當過, 所以從宜, 然豈可甚過也. 如過恭過哀過儉, 大過則不可. 所以在小過也, 所過當如飛鳥之遺音. 鳥飛迅疾, 聲出而身已過. 然豈能相遠也. 事之當過者亦如是. 身不能甚遠於聲, 事不可遠過其常, 在得宜耳. 不宜上宜下, 更就鳥音, 取宜順之義, 過之道, 當如飛鳥之遺音. 夫聲, 逆而上則難, 順而下則易, 故在高則大, 山上有雷, 所以爲過也. 過之道, 順行則吉, 如飛鳥之遺音宜順也. 所以過者, 爲順乎宜也, 能順乎宜, 所以大吉.

일이 때로는 마땅히 지나치게 하여야 함이 있는 것은 마땅함을 따르는 것이나, 어찌 너무 지나치게 해서야 되겠는가? 공손함을 지나치게 하고 슬픔을 지나치게 하며 검소함을 지나치게 하듯이 하여야 하니, 너무 지나치게 하면 안 된다. 이 때문에 '작게 지나침[小過]'에 있으니, 지나치게 하기를 마땅히 나는 새가 소리를 남긴 것과 같이 하여야 한다. 새의 날아감이 빨라서 소리가 나오면 몸은 이미 지나간다. 그러나 어찌 서로 멀 수 있겠는가? 일을 마땅히 지나치게 하여야 하는 것도 이와 같다. 몸은 소리와 매우 멀리 떨어질 수 없고, 일은 그 항상됨을 멀리 지나쳐서는 안 되니, 마땅함을 얻음에 달려 있을 뿐이다. "올라감은 마땅하지 않고 내려옴이 마땅하듯이 한다[不宜上宜下]"는 다시 새소리를 가지고 마땅히 순해야 하는 뜻을 취하였으니, 지나치게 하는 도는 마땅히 나는 새가 소리를 남기는 것과 같이 하여야 한다. 소리는 거슬러 올라가면 어렵고 순해서 내려오면 쉬우므로 높은 데에 있으면 크니, 산 위에 우레가 있는 것이 이 때문에 지나침이 된다. 지나치게 하는 도는 순하게 행하면 길하니, 나는 새가 소리를 남김이 마땅히 순해야 하는 것과 같다. 이 때문에 지나치게 함은 마땅함에 순하기 위한 것이니, 마땅함에 순할 수 있어 이 때문에 크게 길하다.

本義

**以卦體言.**

괘의 몸체로 말하였다.

小註

建安丘氏曰, 遺之音者, 言鳥雖飛而音尙遺, 過之不遠者也. 陰以承陽爲順, 乘陽爲逆, 上逆而下順者, 明不宜上宜下之義.
건안구씨가 말하였다: '소리를 남김'은 새는 비록 날아갔고 소리는 오히려 아직 남겨져 있지만 멀리 지나치지 않은 것을 말한다. 음은 양을 잇는 것을 '순하다'고 하고, 양을 올라타는 것을 '거스른다'고 하니, "올라감은 거스르고 내려옴은 따르기 때문이다"는 "올라감은 마땅하지 않고 내려옴이 마땅하듯이 한다"는 뜻을 밝힌 것이다.

○ 雲峯胡氏曰, 矯天下之枉者, 以過爲正. 然剛過而中爲大過, 未得中爲小過. 是則事有當過者, 而皆不可外乎中也. 小過可小事, 不可大事, 大則凶矣. 如飛鳥宜下不宜上, 上則逆矣, 爲陰危之也.
운봉호씨가 말하였다: 천하의 굽은 것을 바로잡는 것은 지나치게 하는 것으로 바름을 삼는다. 그러나 굳센 양이 지나치고 이효와 오효 자리인 가운데 자리에 있으면 대과괘(大過卦䷛)가 되고, 이효와 오효 자리인 가운데를 얻지 못하면 소과괘(小過卦䷽)가 된다. 이는 일에는 지나치게 해야 하는 것이 있지만, 모두 알맞음에서 벗어나서는 안 된다는 것이다. '소과(小過)'는 "작은 일은 할 수 있고 큰일은 할 수 없다"란 크게 하면 흉하다는 것이고, "나는 새가 소리를 남김에 올라감은 마땅하지 않고 내려옴이 마땅하듯이 하다"란 올라가면 거스른다는 것이니, 음이 위태롭게 하기 때문이다.

## 韓國大全

송시열(宋時烈) 『역설(易說)』[67]

上逆者, 在上之爻爲逆理, 在下之爻, 順理也.

"올라감은 거스르다"란 위에 있는 효가 이치를 거스름이고, 아래에 있는 효는 이치에 순응한다는 것이다.

### 이익(李瀷) 『역경질서(易經疾書)』

事貴得中, 過則非禮. 然山上有雷, 以國家言, 則震簿板蕩之時. 故變其常而小過以圖存也. 如燕昭王擁篲於郭隗, 小過乎恭也, 宋子罕入哭於介夫, 小過乎哀也, 衛文公大布大帛, 小過乎儉也. 不然將有足恭而致辱, 過毁而滅性, 太儉而貽譏者矣. 聖人奚取焉.
일은 알맞음을 얻음을 귀하게 여기니, 지나치면 예(禮)가 아니다. 그러나 산 위에 우레가 있음은 국가로 말하면 우레가 치고 어지러운 때이기 때문에 일상을 바꾸어 작게 지나치게 하여 보존되기를 도모한다. 예를 들면 연(燕)나라 소왕(昭王)이 앞서서 빗자루로 길을 쓸면서 곽외를 맞이한[68] 것은 공손함에서 작게 지나친 것이며, 송(宋)나라 자한(子罕)이 수도의 문을 지키는 병사가 죽자 들어가 슬피 곡(哭)을 하였던[69] 것은 슬퍼함에서 작게 지나친 것이며, 위(衛)나라 문공(文公)이 거친 베옷을 입고 거친 명주로 만든 모자를 쓴[70] 것은 검소함에서 작게 지나친 것이다. 그렇게 하지 않으면 장차 넘치도록 공손하여 모욕을 받는 데에 이르고 지나치게 손상을 입어 생명을 잃게 되며 크게 검소하여 기롱을 받게 됨이 있을 것이다. 성인이 어찌 이를 취하겠는가?

### 권만(權萬) 「역설(易說)」

言自二至四, 倒看成兌, 仰看亦兌, 兌口也. 故有鳥音之象. 聲屬陽屬天, 音屬陰屬地, 音之下聞順, 故大吉, 逆聞則逆而不吉, 上六災眚, 是逆之過也.
이효로부터 사효에 이르기까지는 거꾸로 보아도 태괘(兌卦☱)가 되고 올려다보아도 또한 태괘(兌卦☱)이니 태괘(兌卦☱)는 입이다. 그러므로 새 소리의 상이 있다. '성(聲)'은 양에 속하고 하늘에 속하며 '음(音)'은 음에 속하고 땅에 속하여, 음(音)의 내려옴은 듣기에 순하기 때문에 크게 길하고 거스름은 들리기에 어긋나서 길하지 않으니 상육에서 말하는 '재생(災眚)'이 거스름의 지나침이다.

○ 中孚內虛, 小過中實.
중부괘(中孚卦䷼)는 안이 비었고, 소과괘(小過卦䷽)는 가운데가 차 있다.

---

67) 경학자료집성DB에 누락되었으나 영인본을 타이핑하여 보완했다.
68) 이러한 내용은 『사기(史記) · 맹자순경전(孟子荀卿傳)』에 보인다.
69) 이러한 내용은 『예기(禮記) · 단궁하(檀弓下)』에 보인다.
70) 이러한 내용은 『춘추좌씨전(春秋左氏傳) · 민공(閔公)』 2년에 보인다.

### 심조(沈潮) 「역상차론(易象箚論)」

象, 飛鳥遺音.
「단전」에서 말하였다: 나는 새가 소리를 남김.

互有巽, 乘風而飛之象. 互兌之口, 適當震體, 遺音之象也.
호괘에는 손괘(巽卦☴)가 있으니 바람을 타고 나는 상이다. 호괘인 태괘(兌卦☱)의 입은 진괘(震卦☳)의 몸체에 적당하니, 소리를 남기는 상이다.

### 김상악(金相岳) 『산천역설(山天易說)』

柔得中, 是以小事吉也. 剛失位而不中, 是以不可大事也. 有飛鳥之象焉, 飛鳥遺之音不宜上宜下大吉, 上逆而下順也.
「단전」에서 말하였다: 부드러운 음이 알맞음을 얻은 까닭에 작은 일이 길한 것이다. 굳센 양이 지위를 잃고 알맞지 못하기 때문에 "큰 일은 할 수 없는 것이다". 나는 새의 상이 있다. "나는 새가 소리를 남김에 올라감은 마땅하지 않고 내려옴이 마땅하듯이 하면 크게 길함"은 올라감은 거스르고 내려옴은 순하기 때문이다.

以卦變卦體言. 小事吉, 有得亨之善, 不可大事, 有利貞之戒, 卦有飛鳥之象. 鳥之遺音, 上逆而下順, 故小過之義, 不宜上而宜下大吉也.
괘의 변화와 괘의 몸체로 말하였다. '작은 일이 길함'에는 형통할 수 있는 선(善)이 있고, '큰일은 할 수 없는 것이다'에는 곧음이 이롭다는 경계가 있으며, 괘에는 나는 새의 상이 있다. 새가 소리를 남김은 올라감은 거스르고 내려옴은 순하기 때문에 '소과(小過)'의 뜻은 "올라감은 마땅하지 않고 내려옴이 마땅하듯이 하면 크게 길하다"는 것이다.

○ 五之得中, 爲可貴, 故不言其失位, 四之失位, 爲可惜, 故竝言其不中. 九三則以剛居剛, 非失位也. 上逆下順, 鳥音之上下也.
오효가 알맞음을 얻음은 귀할 만하기 때문에 '자리를 잃었다'고 말하지 않았고, 사효가 자리를 잃음은 애석할 만하기 때문에 '알맞지 못하다'고 아울러 말하였다. 구삼은 굳센 양으로 굳센 양의 자리에 있어서 자리를 잃은 것이 아니다. '올라감은 거스르고 내려옴은 순함'은 새의 소리가 올라가고 내려옴이다.

### 서유신(徐有臣) 『역의의언(易義擬言)』

六五互兌, 爲仰口, 六二反兌, 爲倒口, 是爲遺音之象也. 二至四互巽, 順風也, 三至五反巽, 逆風也. 鳥飛順風則高翔, 鳥[71]音順風則遠播, 逆風而泝之則反是也. 小過之義, 宜順不宜逆也.
육오가 있는 호괘인 태괘(兌卦☱)는 입을 위로 향하는 것이 되고, 육이에서 거꾸로 된 괘인 태괘(兌卦☱)는 입을 반대로 향하는 것이 되니, 이는 소리를 남기는 상이 된다. 이효로부터 사효까지의 호괘인 손괘(巽卦☴)는 순풍(順風)이고 삼효로부터 오효까지의 거꾸로 된 괘인 손괘(巽卦☴)는 역풍(逆風)이다. 새가 날 때에 바람에 순하면 높이 빙빙 돌며, 새의 소리도 바람에 순하면 멀리 퍼지지만, 바람에 거슬러 올라가면 이와 반대가 된다. '소과(小過)'의 뜻은 순히 함이 마땅하고 거스름은 마땅하지 않다는 것이다.

### 김기례(金箕澧)「역요선의강목(易要選義綱目)」

上逆而下順.
「단전」에서 말하였다: 올라감은 거스르고 내려옴은 순하기 때문이다.

指卦體, 上二陰乘剛則逆, 下二陰順陽則順.
괘의 몸체를 가리키는데, 위의 두 음은 굳센 양을 타고 있으니 거스르고, 아래 두 음은 양에 순종하니 순하다.

### 심대윤(沈大允)『주역상의점법(周易象義占法)』

有飛鳥之象焉. 飛鳥遺之音不宜上宜下大吉, 上逆而下順也.
「단전」에서 말하였다: 나는 새의 상이 있다. "나는 새가 소리를 남김에 올라감은 마땅하지 않고 내려옴이 마땅하듯이 하면 크게 길함"은 올라감은 거스르고 내려옴은 순하기 때문이다.

小過, 飛鳥之義爲重, 故特言之也. 卦之巽鳥互震動而對離麗, 有飛鳥象. 艮高止而互兌說亨, 有將就下而求食象. 風行雷聲, 有振翼象. 中張大而首尾銳, 有張翅象. 凡鳥之飛動者, 志在乎就下而求食也, 人之行道在乎恭下而得人之悅也. 鳥无就下求食之志, 則或无飛動矣, 人不恭下求悅, 則不能行道矣. 鳥之飛而下集, 其鳴聲動于上, 身卑[72]而聲高, 兌震爲動而喪[73], 曰遺, 兌爲音遺者, 與身相背也, 以喻聲在上而身在下

---

71) 鳥: 경학자료집성DB에 '鳥鳥'로 되어 있으나, 경학자료집성 영인본을 참조하여 '鳥'로 바로잡았다.
72) 卑: 경학자료집성 영인본에서는 여기에 해당하는 글자가 무슨 글자인지 알 수가 없으나, 경학자료집성DB에는 '卑'로 되어 있고, 문맥을 살펴보아도 '卑'가 맞는 듯하여 '卑'로 바로잡았다.

也. 遺之音者, 言聲在於上, 而亦不能極于高遠也. 言行恭下, 未若事業高大之爲名也. 小過之言行就下求悅, 因得名聲之揚動, 故取之也. 上逆下順者, 上則逆拂于人, 以取惡怒, 下則順承于人, 而得說懌也.
소과괘(小過卦)에서는 나는 새의 뜻이 중요하기 때문에 특별히 말하였다. 괘에서 손괘(巽卦☴)는 새이고 호괘인 진괘(震卦☳)는 움직임이며 음양이 바뀐 리괘(離卦☲)는 걸림이니, 나는 새의 상이 있다. 간괘(艮卦☶)는 높이 그침이며 호괘인 태괘(兌卦☱)는 기뻐하면서 형통함이니, 장차 아래로 나아가 음식을 구하는 상이 있다. 바람이 움직이고 우레 소리가 들리니, 날개짓하는 상이 있다. 가운데는 길고 크며 머리와 꼬리는 예리하니, 날개를 펴는 상이 있다. 새가 날아 움직임은 뜻이 아래로 향하여 음식을 구하는 데에 있고, 사람이 도를 행함은 뜻이 공손하게 낮추어 다른 사람들이 기뻐함을 얻는 데에 있다. 새가 아래로 향하여 음식을 구하는 뜻이 없다면 혹 날아 움직임이 없을 수 있고, 사람이 공손하게 낮추어 기쁨을 구하지 않으면 도를 행할 수가 없다. 새는 날아 아래로 모이고 그 울음소리는 위로 움직여 몸은 낮고 소리는 높으며, 태괘(兌卦☱)와 진괘(震卦☳)는 움직여 잃어버림이 되므로 '유(遺)'라고 하니, 태괘(兌卦☱)가 '음(音)을 남김'이 되는 것은 몸과 서로 등져 반대가 되므로 이로써 소리는 위에 있고 몸은 아래에 있음을 비유하였다. '소리를 남김'이란 소리가 위에 있어도 또한 높고 멀리까지 지극하게 할 수 없음을 말한다. 언행을 공손하게 낮춤은 사업이 높고 커서 유명하게 되는 것만 못하다. '소과(小過)'에서 언행이 자신을 낮추는 데로 나아가 기쁨을 구함은 명성을 떨치고자 하는 데에 기인하기 때문에 취하였다. "올라감은 거스르고 내려옴은 순하기 때문이다"란 올라가면 사람들에게 거슬려 미움과 분노를 사게 되고, 내려오면 사람들을 순하게 받들어 기쁨을 얻게 된다는 것이다.

### 오치기(吳致箕) 「주역경전증해(周易經傳增解)」

彖曰, 小過, 小者過而亨也〈卦體〉, 過以利貞, 與時行也. 柔得中〈二五〉, 是以小事吉也. 剛失位而不中〈三四〉, 是以不可大事也. 有飛鳥之象焉. 飛鳥遺之音不宜上宜下大吉, 上逆而下順也.
「단전」에서 말하였다: 소과(小過)는 작은 일이 지나쳐서 형통한 것이니〈괘의 몸체〉, 지나치게 하되 곧음이 이로움은 때에 따라 행하는 것이다. 부드러운 음이 알맞음을 얻은〈이효와 오효〉 까닭에 작은 일이 길한 것이다. 굳센 양이 지위를 잃고 알맞지 못하기 때문에〈삼효와 사효〉 "큰 일은 할 수 없는 것이다". 나는 새의 상이 있다. "나는 새가 소리를 남김에 올라감

---

73) 喪: 경학자료집성 영인본에서는 여기에 해당하는 글자가 무슨 글자인지 알 수가 없으나, 경학자료집성DB에는 '喪'으로 되어 있다.

은 마땅하지 않고 내려옴이 마땅하듯이 하면 크게 길함"은 올라감은 거스르고 내려옴은 순하기 때문이다.

此以卦體, 釋卦名義及卦辭也. 陽大陰小, 而陰多於陽, 故小者過也. 當小過之時, 行其小事之過, 而得其正者, 所以與時偕行也. 二五之柔, 則得其中, 三四之剛, 則失其中, 而小者得時, 故不可大事而可小事也. 陰上於陽而過, 則爲逆, 陰下於陽而不及, 則順, 故終以飛鳥之象設戒也. 餘見彖解.
이것은 괘의 몸체로 괘 이름의 뜻과 괘사를 풀이하였다. 양은 크고 음은 작은데 음이 양보다 많기 때문에 작은 일이 지나치다. '소과(小過)'의 때를 맞아 작은 일의 지나침을 행하지만 그 바름을 얻는 것은 때에 맞게 때와 함께 행하기 때문이다. 이효와 오효의 부드러운 음은 알맞음을 얻었고, 삼효와 사효의 굳센 양은 알맞음을 잃었지만 작은 것이 때를 얻었기 때문에 큰일은 할 수 없고 작은 일은 할 수가 있다. 음이 양보다 위에 있어서 지나치면 거스름이 되고, 음이 양보다 아래에 있어서 미치지 못하면 순하기 때문에 끝에서 나는 새의 상을 가지고 경계를 세웠다. 나머지는 괘사에 대한 풀이에 보인다.

### 이진상(李震相) 『역학관규(易學管窺)』

飛鳥遺之音.
「단전」에서 말하였다: 나는 새가 소리를 남김.
小過全體橫觀似飛鳥, 而遺音卽小過之意也. 且上體震也, 震爲鵠, 互體巽也, 巽爲鶴.
소과괘(小過卦) 전체를 가로로 보면 마치 나는 새의 모양과 비슷하고, 소리를 남김은 소과(小過)의 뜻이다. 또 상체는 진괘(震卦☳)이니 진괘(震卦☳)는 고니가 되고, 호괘의 몸체는 손괘(巽卦☴)이니 손괘(巽卦☴)는 학(鶴)이 된다.

○ 小註, 鳥□.
소주에서 말하였다: 새□.
參攷□, 當作□, 音穀, 鳥卵也.
□를 참고하여 살펴보면, 마땅히 □가 되어야 하니, 음(音)은 '곡(穀)'이며 새의 알이다.

○ 上逆而下順.
「단전」에서 말하였다: 올라감은 거스르고 내려옴은 순하기 때문이다.
五, 以陰居上, 逆也, 二, 以陰居下, 順也.
오효는 음으로 위에 있으니 거스르는 것이고, 이효는 음으로 아래에 있으니 순한 것이다.

### 박문호(朴文鎬) 「경설(經說) · 주역(周易)」

有飛鳥之象焉一句, 程傳以爲註文之誤入, 恐未然. 蓋易卜筮之書, 故不厄於秦火, 於諸經獨爲全書. 然則易中一字, 雖或不能無傳寫之誤, 而豈容有一句之誤入乎. 且此孔子所以釋彖辭也, 則亦不害爲解者之辭耳. 凡卦之取象於物, 以其有此象也. 此卦有飛鳥之象, 而書將終, 故特發其義, 以總之, 非其誤入明矣.
"나는 새의 상이 있다"라는 한 구절에 대하여 『정전』에서는 문장을 주석할 때 잘못 들어간 것이라고 여겼으나[74], 아마도 그렇지는 않은 듯하다. 『주역』은 점을 치는 책이기 때문에 진(秦)나라의 분서갱유에서도 위태롭지 않아 여러 경전에서 홀로 온전한 책이 되었다. 그래서 『주역』 중의 한 글자도 비록 혹 베껴 쓸 때의 잘못은 없을 수 없지만, 어찌 한 구절이 잘못 들어감이 있을 수 있겠는가? 또 이것은 공자가 괘사를 풀이한 것이니, 또한 풀이한 자의 말이 되는 데에 문제가 없을 뿐이다. 괘가 사물에서 상을 취하는 것은 이러한 상을 가지고 있기 때문이다. 이 괘에는 나는 새의 상이 있으므로 써서 장차 끝맺고자 하기 때문에 특별히 그 뜻을 드러내어 총괄한 것이지, 잘못 들어간 것이 아님은 분명하다.

小註, 丘氏所云, 鳥雖飛而音尙遺, 比諸程傳聲出而身已過, 其於過不遠之意, 恐尤長耳. 在高則大, 以其順下則易故也.
소주에서 건안구씨가 "새는 비록 날아갔고 소리는 오히려 아직 남겨져 있다"[75]라고 한 말을 『정전』에서 "소리가 나오면 몸은 이미 지나간다"[76]와 비교해보면, 지나침이 멀지 않다는 뜻에서 아마도 더욱 나을 듯하다. 『정전』에서 말한 "높은 데에 있으면 크다"는 것은 그 순하게 낮추기가 쉽기 때문이다.
單言飛鳥, 則是過之遠也. 若繼之以遺音, 則是過之不遠也. 初六本義, 兼言遺音, 未詳.
단지 '나는 새'라고 말한다면 이는 지나침이 먼 것이다. 만약 이를 이어서 '소리를 남김'이라고 한다면 이는 지나침이 멀지 않은 것이다. 초육에 대한 『본의』에서 '소리를 남김'을 겸하여 말한[77] 것은 잘 모르겠다.

### 이병헌(李炳憲) 『역경금문고통론(易經今文考通論)』

宋曰, 二陽在內, 上下各陰, 有似飛鳥舒翮之象, 故曰飛鳥. 飛而且鳴, 鳥去而音止, 故

74) 『周易傳義大全 · 小過卦 · 程傳』: 有飛鳥之象焉此一句, 不類彖體, 蓋解者之辭, 誤入彖中.
75) 『周易傳義大全 · 小過卦 · 小註』: 建安丘氏曰, 遺之音者, 言鳥雖飛而音尙遺, 過之不遠者也.
76) 『周易傳義大全 · 小過卦 · 程傳』: 鳥飛迅疾, 聲出而身已過. 然豈能相遠也.
77) 『周易傳義大全 · 小過卦 · 本義』: 飛鳥遺音, 不宜上, 宜下, 故其象占如此.

曰遺之音也.
송충(宋衷)이 말하였다: 두 양이 안에 있고 위와 아래에는 각각 음이니, 나는 새가 깃을 펴는 듯한 상이 있으므로 '나는 새'라고 하였다. 날면서 또 우는데 새는 가버리고 소리는 머물기 때문에 '소리를 남김'이라고 하였다.[78]

王曰, 過於小事而通, 過而得以利貞, 應時宜也. 不宜上, 宜下, 卽飛鳥之象. 上則乘剛, 逆也, 下則承陽, 順也.
왕필이 말하였다: 작은 일에 대하여 지나치게 하여 통하고, 지나치게 하여 곧음이 이로울 수 있는 것은 때의 마땅함에 호응하기 때문이다. 올라감은 마땅하지 않고 내려옴이 마땅함은 나는 새의 상이다. 올라가면 굳센 양을 타니 거스르고, 내려가면 양을 받드니 순하다.

右中孚小過一對之策, 損過補不及, 準中數.
앞의 중부괘(中孚卦䷼)와 소과괘는 하나의 짝이 되는 책수로, 지나침을 덜어내고 미치지 못한 데에 보충하여 책수가 360이 된다.

78) 이러한 내용은 당(唐)나라 이정조(李鼎祚)가 지은 『주역집해(周易集解)』에 보인다.

象曰, 山上有雷小過, 君子以, 行過乎恭, 喪過乎哀, 用過乎儉.

「상전」에서 말하였다: 산 위에 우레가 있는 것이 소과(小過)이니, 군자가 그것을 본받아 행동에는 공손함을 지나치게 하며 상사(喪事)에는 슬픔을 지나치게 하며, 씀에는 검소함을 지나치게 한다.

## 中國大全

### 傳

雷震於山上, 其聲過常, 故爲小過. 天下之事, 有時當過, 而不可過甚, 故爲小過. 君子觀小過之象, 事之宜過者則勉之, 行過乎恭, 喪過乎哀, 用過乎儉, 是也. 當過而過, 乃其宜也, 不當過而過則過矣.

우레가 산 위에서 진동하면 그 소리가 보통을 지나치므로 '소과(小過)'가 된다. 천하의 일이 때로 마땅히 지나치게 하여야 함이 있으나 너무 지나쳐서는 안 되므로 소과가 된다. 군자가 '소과(小過)'의 상을 관찰하여 일에 마땅히 지나치게 하여야 할 것을 힘쓰니, 행동에는 공손함을 지나치게 하고 상사(喪事)에는 슬픔을 지나치게 하고 씀에는 검소함을 지나치게 하는 것이 이것이다. 마땅히 지나치게 하여야 할 경우에 지나치게 함은 바로 마땅한 것이고, 지나치게 해서는 안 되는데 지나치게 하면 잘못이다.

### 本義

山上有雷, 其聲小過, 三者之過, 皆小者之過. 可過於小而不可過於大. 可以小過而不可甚過, 彖所謂可小事而宜下者也.

산 위에 우레가 있으면 그 소리가 작게 지나치니, 세 가지의 지나침은 모두 작은 일의 지나침이다. 작은 일에는 지나치게 할 수 있으나 큰 일에는 지나치게 해서는 안 된다. 작게는 지나치게 할 수 있으나 심하게 지나치게 해서는 안 되니, 괘사에서 이른바 "작은 일은 할 수 있고 내려옴이 마땅하듯이 한다"는 것이다.

**小註**

朱子曰, 山上有雷, 小過, 是聲在高處. 下來, 是小過之義. 飛鳥遺之音, 也是自高處放下聲來.
주자가 말하였다: "산 위에 우레가 있는 것이 소과(小過)이다"란 소리가 높은 곳에 있는 것이다. 아래로 내려옴은 '소과(小過)'의 뜻이다. "나는 새가 소리를 남김"은 또한 높은 곳으로부터 소리를 아래로 내려놓는 것이다.

○ 小過, 是過於慈惠之類, 大過, 則是剛嚴果毅底氣象.
'작게 지나침[小過]'은 자혜로움을 지나치게 하는 부류이고, '크게 지나침[大過]'은 굳세고 엄하며 과감하고 의연한 기상이다.

○ 小過, 大率是過得不多. 如大過便說獨立不懼, 小過只說這行喪用, 都只是這般小事.
'소과(小過)'는 대체로 지나치게 하는 것이 많지 않은 것이다. 예컨대, 대과괘(大過卦䷛)에서는 "홀로 서서 두려워하지 않는다"고 말하였는데 소과괘(小過卦䷽)에서는 '행동'과 '상사(喪事)'와 '씀'만을 말하였으니, 모두 이와 같은 작은 일일 뿐이다.

○ 小過, 是小事過, 又是過於小, 如行過乎恭, 喪過乎哀, 用過乎儉, 皆是過於小, 退後一步, 自貶底意思. 又曰, 君子行過恭, 喪過哀, 用過儉, 皆是宜下之意.
'소과(小過)'는 작은 일이 지나친 것이고, 또 작은 데에서 지나친 것이어서 행동에는 공손함을 지나치게 하고 상사(喪事)에는 슬픔을 지나치게 하며 씀에는 검소함을 지나치게 하는 것이 모두 작은 데에서 지나친 것이어서 뒤로 한 걸음 물러나 스스로 낮추는 뜻이다.
또 말하였다: 군자가 행동에는 공손함을 지나치게 하며 상사(喪事)에는 슬픔을 지나치게 하며, 씀에는 검소함을 지나치게 하는 것은 모두 "내려옴이 마땅하다"는 뜻이다.

○ 建安丘氏曰, 雷, 陽聲也, 方伏於地中, 其聲未發, 於卦爲復, 及出於地上, 其聲和暢, 於卦爲豫, 在於天上, 則震薄宇宙, 於卦爲大壯. 今在於山上, 則已離於地, 未升於天, 其聲小過而已.
건안구씨가 말하였다: 우레는 양의 소리인데 이제 땅속에 엎드려 있어서는 그 소리가 발산되지 않으니 괘로는 복괘(復卦䷗)가 되고, 땅 위로 막 나와서는 그 소리가 화창(和暢)하니 괘로는 예괘(豫卦䷏)가 되며, 하늘 위에 있어서는 우레가 상하 사방으로 널리 퍼지니, 괘로는 대장괘(大壯卦䷡)가 된다. 이제 산위에 있으니, 이미 땅에서는 떠났으나 아직 하늘에는

오르지 못한 것으로 그 소리가 작게 지나쳤을 뿐이다.

○ 平庵項氏曰, 曰行, 曰喪, 曰用, 皆見於動, 以象震也. 曰恭, 曰哀, 曰儉, 皆當止之節, 以象艮也.
평암항씨가 말하였다: '행동'이라고 하고 '상사'라고 하며 '씀'이라고 한 것은 모두 움직임에서 드러나니, 이로써 진괘(震卦☳)를 상징하였다. '공손함'이라고 하고 '슬픔'이라고 하며 '검소함'이라고 한 것은 모두 마땅히 멈추어야 할 절도이니, 이로써 간괘(艮卦☶)를 상징하였다.

○ 嵩山晁氏曰, 恭過則僞, 哀過則毁, 儉過則陋, 而君子以之者, 蓋有爲而爲之, 將矯之以爲中也. 時有擧趾高之莫敖, 故正考父矯之以循牆, 時有短喪之宰予, 故高柴矯之以泣血, 時有三歸反坫之管仲, 故晏子矯之以弊裘, 雖非中行, 亦足以矯時厲俗也.
숭산조씨가 말하였다: 공손함이 지나치면 거짓되고 슬픔이 지나치면 훼손되며 검소함이 지나치면 비루해지는데, 군자가 그것을 본받는 것은 잘하려고 하는 의도를 다하여 그렇게 한 것이니, 장차 알맞음으로 바로잡으려고 한 것이다. 당시에 행동거지가 거만한 막오(莫敖)가 있었기 때문에 정고보(正考父)가 담장을 따라 빠르게 걸어감으로써 바로잡았고[79], 당시에 단상(短喪)하려고 했던 재여(宰予)가 있었기 때문에 고시(高柴)가 피눈물로 바로잡았으며[80], 당시에 삼귀(三歸)와 반점(反坫)[81]을 두었던 관중이 있었기 때문에 안자(晏子)가 해진 갖옷으로 바로잡았으니[82], 비록 중도를 행한 것은 아니지만 또한 당시의 사나운 습속을 충분히 바로잡을 수 있었다.

○ 徂徠石氏曰, 晏子一狐裘三十年, 祭豚肩不掩豆, 人皆謂之不知禮, 獨曾子以爲國奢則示之以儉. 蓋齊奢侈之甚, 晏子能矯時之弊, 是得小過之義.
조래석씨가 말하였다: 안자(晏子)가 호구(狐裘) 한 벌로 삼십년을 입고 제사에 돼지고기를 제기에 채우지 않은 것에 대해 사람들이 모두 예를 알지 못한 것이라고 하였는데, 증자만이

---

79) 막오(莫敖): 벼슬이름이며, 초(楚)나라 무왕(武王)의 아들 굴하(屈瑕)를 말한다. 이에 관한 고사는 『춘추좌씨전(春秋左氏傳)』 환공(桓公) 십이년(十二年)조에 보인다.

80) 이러한 고시(高柴)의 일화는 『예기(禮記)·단궁(檀弓)』에 다음과 같이 보인다. "高子皐之執親之喪也, 泣血三年, 未嘗見齒, 君子以爲難."

81) 『論語·八佾』: 子曰 管仲之器 小哉. 或曰 管仲, 儉乎. 曰 管氏有三歸, 官事, 不攝, 焉得儉. 然則管仲, 知禮乎. 曰 邦君, 樹塞門, 管氏亦樹塞門, 邦君, 爲兩君之好, 有反坫, 管氏亦有反坫, 管氏而知禮, 孰不知禮,

82) 『禮記·檀弓』: 曾子曰, 晏子, 可謂知禮也已, 恭敬之有焉. 有若曰, 晏子, 一狐裘, 三十年, 遣車一乘, 及墓而反. 國君, 七箇, 遣車七乘, 大夫, 五箇, 遣車五乘, 晏子, 焉知禮. 曾子曰, 國, 無道, 君子, 恥盈禮焉, 國奢, 則示之以儉, 國儉, 則示之以禮.

나라가 사치스러워 검소함으로 보인 것이라고 생각하였다.[83] 대개 제나라는 사치가 심하였는데, 안자가 당시의 폐단을 바로잡을 수 있었으니, 이는 작게 지나치게 하는 뜻을 얻은 것이다.

○ 雲峯胡氏曰, 本義以爲小者之過, 蓋如不懼无聞, 是過於激烈, 過之大者. 此則過於收歛, 過之小者也. 又以爲可過於小, 而不可過於大, 蓋可過乎恭, 不可過乎傲, 可過乎哀, 不可過乎易, 可過乎儉, 不可過乎奢也. 又以爲不可甚過, 蓋恐其恭之甚, 則爲足恭, 哀之甚, 則爲喪明, 儉之甚, 則爲豚肩不掩豆也.

운봉호씨가 말하였다: 『본의』에서는 ‘작은 일의 지나침’이라고 여겼는데, 들리지 않음[84]을 두려워하지 않는 것과 같은 것은 격렬함에서 지나친 것이니, 지나침이 큰 것이다. 여기서는 수렴하는 데에서 지나친 것이니, 지나침이 작은 것이다. 또 작은 것에는 지나치게 해도 되지만 큰 것에는 지나치게 해서는 안 된다고 여겼으니, 아마도 공손함을 지나치게 할 수는 있으나 오만함을 지나치게 해서는 안 되며, 슬픔을 지나치게 할 수는 있으나 안이함을 지나치게 해서는 안 되며, 검소함을 지나치게 할 수는 있으나 사치를 지나치게 해서는 안 되기 때문인 듯하다. 또 심하게 지나치게 해서는 안 된다고 여겼으니, 아마도 그 공손함이 심하면 지나치게 공손한 것이 되고, 슬픔이 심하면 시력을 상실하게 되고, 검소함이 심하면 돼지고기를 제기에 채우지 못하게 됨을 걱정하였기 때문인 듯하다.

## 韓國大全

### 송시열(宋時烈) 『역설(易說)』[85]

雷動于上, 雷將奮擊, 而山止於下, 山之過小也. 曰喪曰行曰用, 皆震動遷變之意, 曰恭曰衰曰儉, 皆艮止守分之意, 其過小而過而不過也歟.

---

83) 『禮記 · 檀弓』: 曾子曰, 晏子, 可謂知禮也已, 恭敬之有焉. 有若曰, 晏子, 一狐裘, 三十年, 遣車一乘, 及墓而反. 國君, 七箇, 遣車七乘, 大夫, 五箇, 遣車五乘, 晏子, 焉知禮. 曾子曰, 國, 無道, 君子, 恥盈禮焉, 國奢, 則示之以儉, 國儉, 則示之以禮.

84) 『孟子 · 滕文公』: 匡章曰 陳仲子, 豈不誠廉士哉. 居於陵, 三日不食, 耳無聞, 目無見也.

85) 경학자료집성DB에 누락되었으나 영인본을 타이핑하여 보완했다.

우레가 위에서 움직임은 우레가 장차 힘껏 치려는 것이고, 산이 아래에서 그침은 산의 지나침이 작은 것이다. '상사(喪事)'와 '행동'과 '씀'을 말한 것은 모두 진괘(震卦☳)의 움직여 옮겨 변한다는 뜻이고, '공손함'과 '슬픔'과 '검소함'을 말한 것은 모두 간괘(艮卦☶)의 그쳐 분수를 지킨다는 뜻이니, 지나침이 작아서 지나치더라도 지나치지 않겠구나.

### 이만부(李萬敷) 「역통(易統)·역대상편람(易大象便覽)·잡서변(雜書辨)」

臣謹按, 本義釋小過之義, 尤爲穩當, 而先儒胡氏, 以爲可過於小而不可過於大, 可過乎恭不可過乎傲, 可過乎哀不可過乎易, 可過乎儉不可過乎奢也, 不可甚過, 恐其恭之甚, 則爲足恭, 哀之甚, 則爲喪明, 儉之甚, 則爲豚肩不掩豆, 其所發揮, 益明矣.
신이 삼가 살펴보았습니다: 『본의』에서 풀이한 '소과(小過)'의 뜻이 더욱 온당한데도, 이전 유학자인 운봉호씨는 주자가 말한 "작은 일에는 지나치게 할 수 있으나 큰 일에는 지나치게 해서는 안 된다"란 공손함을 지나치게 할 수는 있으나 오만함을 지나치게 해서는 안 되며, 슬픔을 지나치게 할 수는 있으나 형식적으로 잘 다스려지기[86]를 지나치게 해서는 안 되며, 검소함을 지나치게 할 수는 있으나 사치를 지나치게 해서는 안 된다는 말이고, "심하게 지나치게 해서는 안 된다"란 그 공손함이 심하면 지나치게 공손한[足恭][87] 것이 되고, 슬픔이 심하면 시력을 상실하게 되고, 검소함이 심하면 돼지고기를 제기에 채우지 못하게 됨을 두려워한다는 말이라고 여겼으니, 그 뜻을 드러내 빛낸 바가 더욱 분명합니다.

### 유정원(柳正源) 『역해참고(易解參攷)』[88]

正義, 雷之所出, 本[89]出於地. 今出山上, 過其本所, 故曰小過.
『주역정의』에서 말하였다: 우레가 나오는 곳은 본래 땅에서 나온다. 이제 산 위에서 나오는 것은 그 본래의 곳에서 지나치기 때문에 '소과(小過)'라고 하였다.

○ 漢上朱氏曰, 考父過恭, 高柴過哀, 晏平仲過儉, 非過於理也. 小過所以爲時中也.
한상주씨가 말하였다: 고보(考父)는 지나치게 공손하였고[90], 고시(高柴)[91]는 지나치게 슬

---

86) 『論語·八佾』: 禮, 與其奢也, 寧儉, 喪, 與其易也, 寧戚.
87) 『論語·公冶長』: 子曰 巧言令色足恭, 左丘明, 恥之, 丘亦恥之.
88) 경학자료집성DB에서는 소과괘 괘사에 해당하는 것으로 분류했으나, 내용에 살펴 이 자리로 옮겨 바로잡았다.
89) 本: 『주역정의』에는 '不'로 되어 있으나, 문맥상 '本'이 맞는 듯하여 그대로 두었다.
90) 이러한 내용은 『춘추좌씨전(春秋左氏傳)·소공(召公)』 7년에 보인다.
91) 고시(高柴): 춘추 시대 때 사람. 자는 자고(子羔) 또는 자고(子高), 자고(子皐), 계고(季皐)며, 공문(孔門) 72현(賢) 중 한 사람이다。 효성이 지극하여 부모의 그림자를 밟지 않았으며, 부모의 상을 당했을 때 3년

퍼하였으며[92], 안평중(晏平仲)은 지나치게 검소하였으나[93], 이치에서 지나친 것은 아니었다. '소과(小過)'는 때에 알맞음이 된다.

○ 隆山李氏曰, 行己之際, 恭可過, 傲不可過, 臨喪之際, 哀可過, 樂不可過, 制用之際, 儉可過, 奢不可過, 皆過爲卑小, 應小過之象.
융산이씨가 말하였다: 몸소 행동할 때에는 공손함은 지나쳐도 괜찮지만 오만함은 지나쳐서는 안 되고, 상(喪)에 임할 때에는 슬퍼하기는 지나쳐도 괜찮지만 즐거워하기는 지나쳐서는 안 되며, 물자를 쓰기를 제한 할 때에는 검소하기는 지나쳐도 괜찮지만 사치하기는 지나쳐서는 안 되니, 모두 지나친 것이 하찮거나 작은 것이 되니, '소과(小過)'의 상과 호응한다.

○ 雙湖胡氏曰, 震有行象, 互巽有恭象. 中四爻互大過, 爲棺槨, 有喪象. 互兌爲口, 有哀號象. 用則屬震動, 儉則屬艮止. 三者之過, 皆當小過時也.
쌍호호씨가 말하였다: 진괘(震卦☳)에는 움직이는 상이 있고, 호괘인 손괘(巽卦☴)에는 공손한 상이 있다. 가운데 네 효로 된 호괘로 이루어진 대과괘(大過卦䷛)는 관곽(棺槨)이 되니, 상(喪)의 상이 있다. 호괘인 태괘(兌卦☱)는 입이 되니, 슬퍼서 부르짖는 상이 있다. '씀[用]'은 진괘(震卦☳)인 움직임에 속하고, '검소'는 간괘(艮卦☶)인 그침에 속한다. 세 가지 지나침은 모두 '소과(小過)'의 때에 해당한다.

## 김상악(金相岳) 『산천역설(山天易說)』

山上有雷, 其聲過常, 小過之象. 三者之過, 皆過於常者也. 見大壯.
산위에 우레가 있으면 그 소리가 보통을 지나치므로 '소과(小過)'의 상이다. 세 가지의 지나침은 모두 보통보다 지나친 것이다. 대장괘(大壯卦䷡)에 보인다.

## 서유신(徐有臣) 『역의의언(易義擬言)』

山上之雷, 過於平地, 非雷之過, 山高而過, 故曰山上有雷, 小過也. 恭哀儉之過, 君子之小過也. 艮限在卦中, 是爲不過中不過限之象.

---

동안을 슬프게 울며 웃지 않았다고 한다.(『중국역대인명사전』, 2010. 이회문화사.)

92) 이러한 고시(高柴)의 일화는 『예기(禮記) · 단궁(檀弓)』에 다음과 같이 보인다. "高子皐之執親之喪也, 泣血三年, 未嘗見齒, 君子以爲難."

93) 『禮記 · 禮器』: 管仲鏤簋朱紘, 山節藻梲, 君子以爲濫矣, 晏平仲祀其先人, 豚肩不揜豆, 澣衣濯冠以朝, 君子以爲隘矣.

산 위의 우레는 평지보다 지나치니, 우레가 지나친 것이 아니라 산이 높아서 지나치기 때문에 "산위에 우레가 있는 것이 소과(小過)이다"라고 하였다. '공손함'과 '슬픔'과 '검소함'은 군자의 작게 지나친 것이다. 간괘(艮卦☶)인 한계가 괘의 가운데에 있으니, 이는 알맞음을 지나치지 않고 한계를 지나치지 않는 상이 된다.

### 박제가(朴齊家) 『주역(周易)』

大象, 山上有雷小過.

「상전」에서 말하였다: 산 위에 우레가 있는 것이 소과이다.

傳, 雷震於山, 其聲過常, 故爲小過. 旣曰, 過常, 又曰震山, 則大霹靂矣, 何謂小過. 本義, 雷聲小過, 似无病, 然若但說雷聲之小過, 則于澤于天于其隣之至近, 无所不可, 又何必曰山上耶. 蓋山上之雷, 雷之已遠, 而爲小雷者也. 此山乃遠山, 而此過乃不久之過也, 所以爲小者過, 過者小也. 夫雷聲小過之過, 本爲過去之過, 如飛鳥之過一般, 而以陽過陰過, 對澤滅木之大過, 然後爲過不及之過. 夫字變亦如卦變, 有自過不及而來爲過去者, 有自過去而往爲過失者. 朱子每於字變及大象, 捏合貼身處, 只從朴實頭釋訓釋詁, 究不得聖人之辭, 曲而中小而辨之妙用. 與夫古人用字, 與卦爻互用, 各取之異同, 故於中孚小過二卦, 自以爲依俙地說者, 是也.

『정전』에서 우레가 산에서 진동하면 그 소리가 보통을 지나치므로 '소과(小過)'가 된다[94]고 하였는데 이미 "보통을 지나친다"고 하고 또 "산에서 진동한다"고 한다면, 크게 벼락이 치는 것이니, 어떻게 '작게 지나침[小過]'이라고 말할 수 있겠는가? 『본의』에서는 우레 소리가 작게 지나쳐서 병폐가 없는 듯이 말하였지만, 만약 단지 우레 소리를 '작게 지나침[小過]'이라고 말한다면 연못과 하늘과 지극히 가까운 이웃한 곳에서도 안 될 바는 없는데, 어찌 반드시 '산 위에서'라고만 말할 수 있겠는가? 산 위의 우레는 우레가 이미 멀어서 작은 우레가 된다. 이러한 산은 이에 먼 산이고 이러한 지나침은 이에 오래되지 않은 지나침이니, 이 때문에 작은 일이 지나치면 지나친 것이 작게 된다. "우레 소리가 작게 지나친다"고 할 때의 '지나침[過]'은 본래 '지나가 버리다'고 할 때의 '지나침[過]'이어서 나는 새가 지나가는 모양과 같으니, 양의 지나침과 음의 지나침을 가지고 "못[澤]이 나무를 없애"[95]는 대과괘(大過卦䷛)를 대조한 후에야 '지나치거나 미치지 못한다'고 할 때의 '지나침'이 된다. 글자의 뜻이 바뀜은 또한 괘의 바뀜과 같으니, '지나치거나 미치지 못함'으로부터 와서 '지나가 버리다[過去]'가

94) 『周易傳義大全·小過卦·程傳』: 雷震於山上, 其聲過常, 故爲小過.

95) 『周易·大過卦』: 象曰, 澤滅木, 大過, 君子以, 獨立不懼, 遯世无悶.

되는 경우도 있고, "지나가 버리다[過去]"로부터 가서 과실(過失)이 되는 경우도 있다. 주자는 매번 글자의 변함[字變]과 「대상전」이 억지로 연결되어 부합되는 곳에서는 다만 소박하고 진실하게 「석훈(釋訓)」과 「석고(釋詁)」를 따라서 끝내 성인의 말이 완곡하지만 알맞고 작지만 분별되는 묘용이 됨을 이해하지 못하였다. 또한 옛 사람이 글자를 사용함과 괘와 효가 서로 쓰임이 됨과는 각각 취하는 바가 다르기 때문에 중부괘(中孚卦䷼)와 소과괘(小過卦)인 두 괘에서 어렴풋하게 여겨지는 곳으로부터 설명을 한 것이 이것이다.

### 윤행임(尹行恁) 『신호수필(新湖隨筆) · 역(易)』

行過乎恭, 柳下惠以之, 喪過乎哀, 大小連以之, 用過乎儉, 晏平仲以之. 過不及不中也, 然而與其不及, 無寧過, 恭優於傲, 哀勝於易, 儉愈於奢.

"행동에는 공손함을 지나치게 함"은 유하혜(柳下惠)가 이를 본받고, "상사(喪事)에는 슬픔을 지나치게 함"은 대련(大連)과 소련(小連)이 이를 본받고[96], "씀에는 검소함을 지나치게 함"은 안평중(晏平仲)이 이를 본받았다[97]. 지나치거나 미치지 못함은 알맞지 않지만, 미치지 못하기 보다는 차라리 지나치지 말아야 하니, 공손함은 오만함보다 낫고, 슬퍼함은 형식적으로 잘 다스려짐보다 낫고, 검소함은 사치함보다 낫다.

### 김기례(金箕澧) 「역요선의강목(易要選義綱目)」

雷出地末[98]而在山上, 其聲雖過常, 當草木萌動之時, 不可不小過. 過恭似僞魯[99], 有擧趾高之莫傲, 正考父循墻而矯之, 過哀雖毁聖門, 有宰予[100]之短喪, 故高柴泣血而矯之, 過儉雖吝, 齊自管仲三歸反坫之後奢, 故晏子弊裘而矯之, 君子雖過中, 不可不小過.

우레가 땅에서 나오지 않고 산 위에 있으니, 그 소리가 비록 보통보다 지나치더라도 풀과 나무가 싹을 틔우는 때를 맞아 작게 지나치지 않을 수 없다. 지나치게 공손함은 마치 거짓으로 노둔하게 보이는 듯하지만 발을 높이 들어 걷는 막오(莫傲)[101]가 있어서 정고보(正考

---

96) 『禮記 · 雜記』: 孔子曰, 少連大連, 善居喪. 三日, 不怠, 三月, 不解, 期, 悲哀, 三年, 憂, 東夷之子也.

97) 『禮記 · 禮器』: 管仲鏤簋朱紘, 山節藻梲, 君子以爲濫矣, 晏平仲祀其先人, 豚肩不揜豆, 澣衣濯冠以朝, 君子以爲隘矣.

98) 末: 경학자료집성DB와 영인본에 모두 '末'로 되어 있으나, 문맥을 살펴 '未'로 바로잡았다.

99) 魯: 경학자료집성 영인본에서는 여기에 해당하는 글자가 무슨 글자인지 알 수가 없으나, 경학자료집성DB에는 '魯'로 되어 있다.

100) 予: 경학자료집성DB에 '子'로 되어 있으나, 경학자료집성 영인본을 참조하여 '予'로 바로잡았다.

101) 이러한 내용은 『춘추좌씨전(春秋左氏傳) · 환공(桓公)』 13년에 보인다.

父)가 담 옆을 빠르게 돌아[102] 바르게 하였고, 지나치게 슬퍼함은 비록 성인의 도[聖門]를 훼손하지만 재여(宰予)의 짧은 기간의 상(喪)이 있었기 때문에 고시(高柴)가 상(喪)을 당하여 3년 동안 눈물을 흘리며 매우 슬퍼하여[103] 바르게 하였으며, 지나치게 검소함은 비록 인색하지만 제(齊)나라가 관중(管仲)이 삼귀(三歸)라는 대(臺)를 두고 술잔을 주고 받아 마시기를 마치면 술잔을 되돌려 놓는 자리를 둔[104] 후로부터 사치하였기 때문에 안자(晏子)는 해진 갖옷을 입어 바르게 하였으니[105], 군자가 비록 알맞음을 지나치지만 작게 지나치지 않을 수 없다.

### 심대윤(沈大允)『주역상의점법(周易象義占法)』

山上有雷, 主山而言, 止而動也. 不言言者, 行與事皆兼言也. 言之爲行者, 可以過乎遜, 言之爲事者, 可以過乎高. 獨言行過乎恭, 而言過乎遜, 在其中矣, 是三者, 皆小過而時中爾. 若過而不中於時, 則皆爲咎矣. 若行之大節, 喪之大禮, 用之大事, 亦不可不上出也, 卽言行之中, 亦有大事者也. 巽爲行爲恭, 兌喪互坎憂, 爲哀, 艮震爲用, 兌艮爲限節爲无光, 曰儉.

"산 위에 우레가 있음"을 산을 위주로 말하였으니, 그쳐 있으면서 움직임이다. '말[言]'에 대하여 말하지 않은 것은 행동과 일은 모두 말을 겸하고 있기 때문이다. 말이 행동으로 되는 경우에는 공손함에서 지나칠 수 있고 말이 일로 되는 경우에는 고원한 데에서 지나칠 수 있다. 유독 "행동에는 공손함을 지나치게 하다"고 말하였지만, 말에는 공손함을 지나치게 한다는 것이 그 안에 있으니, 이 세 가지는 모두 작게 지나쳐서 때가 알맞을 뿐이다. 만약 지나치면서 때에 알맞지 않으면 모두 허물이 된다. 행동에서 큰 절도와 상(喪)에서 큰 예의(禮儀)와 씀에서 큰 일과 같은 경우는 또한 위로 나가지 않을 수 없으니, 곧 말과 행동 중에 또한 큰 일이 있는 것이다. 손괘(巽卦☴)는 '행동'이 되고 '공손함'이 되며, 태괘(兌卦☱)인 상(喪)과 호괘인 감괘(坎卦☵)의 근심이 '슬픔'이 되고, 간괘(艮卦☶)와 진괘(震卦☳)는 '씀[用]'이 되며, 태괘(兌卦☱)와 간괘(艮卦☶)는 한정하여 절제함이 되고 빛이 없음이 되니 '검소함'이라고 하였다.

---

102) 이러한 내용은『춘추좌씨전(春秋左氏傳) · 소공(昭公)』7년에 보인다.

103) 이러한 고시(高柴)의 일화는『예기(禮記) · 단궁(檀弓)』에 다음과 같이 보인다. "高子皐之執親之喪也, 泣血三年, 未嘗見齒, 君子以爲難."

104)『論語 · 八佾』: 或曰, 管仲儉乎. 曰, 管氏有三歸, 官事, 不攝, 焉得儉. 然則管仲, 知禮乎. 曰, 邦君, 樹塞門, 管氏亦樹塞門, 邦君, 爲兩君之好, 有反坫, 管氏亦有反坫, 管氏而知禮, 孰不知禮.

105)『禮記 · 檀弓』: 曾子曰, 晏子, 可謂知禮也已, 恭敬之有焉. 有若曰, 晏子, 一狐裘, 三十年, 遣車一乘, 及墓而反. 國君, 七個, 遣車七乘, 大夫, 五個, 遣車五乘, 晏子, 焉知禮. 曾子曰, 國, 無道, 君子, 恥盈禮焉, 國奢, 則示之以儉, 國儉, 則示之以禮.

### 오치기(吳致箕) 「주역경전증해(周易經傳增解)」

雷震於山上, 其聲過常, 爲小過之象. 君子觀其象, 事之宜過於小者則勉之, 而若太過於恭則僞, 太過於哀則毁, 太過於儉則陋, 故三者之過, 皆小過之善者也.
우레가 산 위에서 진동하면 그 소리가 보통을 지나치므로 '소과(小過)'의 상이 된다. 군자가 '소과(小過)'의 상을 관찰하여 일에 마땅히 작은 것에서 지나치게 하여야 할 것이라면 힘써야하지만, 만약 공손함에서 크게 지나치면 거짓이고, 슬픔에서 크게 지나치면 생명이 훼손되며, 검소한 데에서 크게 지나치면 비루해지기 때문에 세 가지의 지나침은 모두 작게 지나침의 좋은 것이다.

### 이진상(李震相) 『역학관규(易學管窺)』

胡氏曰, 震有行象, 互巽有恭象. 中四爻互大過, 爲棺椁, 有喪象, 互兌爲口, 有哀號象. 用屬震動, 儉屬艮止.
호씨가 말하였다: 진괘(震卦☳)에는 움직이는 상이 있고, 호괘인 손괘(巽卦☴)에는 공손한 상이 있다. 가운데 네 효의 호괘는 대과괘(大過卦䷛)로 관곽(棺槨)이 되어 상(喪)의 상이 있고, 호괘인 태괘(兌卦☱)는 입이 되어 슬프게 부르짖는 상이 있다. '씀[用]'은 진괘(震卦☳)의 움직임에 속하고 '검소함'은 간괘(艮卦☶)인 그침에 속한다.

### 이병헌(李炳憲) 『역경금문고통론(易經今文考通論)』

孔子曰, 人之過也, 各於其黨, 觀過, 斯知仁矣[106]. 〈當於人情之易忽者而寧過之.〉
공자가 말하였다: 사람의 잘못은 각각 그 부류대로 하니, 그 잘못을 보면 인(仁)한지 인(仁)하지 않은지를 알 수가 있다. 〈인정(人情)의 쉽게 소홀해버리는 것에 해당해서는 차라리 지나치게 함이 낫다.〉

---

106) 이 글은 『논어(論語)·리인(里仁)』에 보인다.

## 初六, 飛鳥, 以凶.

초육은 나는 새처럼 빠르니 흉하다.

## 中國大全

**傳**

**初六, 陰柔在下, 小人之象, 又上應於四, 四復動體, 小人躁易, 而上有應助, 於所當過, 必至過甚, 況不當過而過乎. 其過如飛鳥之迅疾, 所以凶也. 躁疾如是, 所以過之速且遠, 救止莫及也.**

초육은 부드러운 음이 아래에 있으니 소인의 상이고, 또 위로 사효에 호응하는데, 사효는 더욱이 움직이는 몸체여서 소인이 조급하고 함부로 하며 위에 호응하여 도와주는 자가 있으니, 지나치게 해야 할 경우에 지나치게 함은 반드시 심하게 지나치는 데에 이르는데, 하물며 지나치게 해서는 안 될 경우에 지나치게 함에 있어서랴. 그 지나침이 나는 새의 빠름과 같으니, 이 때문에 흉하다. 조급하고 빠름이 이와 같으니, 이 때문에 지나침이 신속하고 또 멀어서 구원하여 멈춤이 미칠 수 없다.

**本義**

**初六, 陰柔, 上應九四, 又居過時, 上而不下者也. 飛鳥遺音, 不宜上, 宜下, 故其象占如此. 郭璞洞林, 占得此者, 或致羽蟲之孽.**

초육은 부드러운 음으로 위로 구사에 호응하고, 또 지나치는 때에 있어 올라가고 내려오지 않는 자이다. 나는 새가 소리를 남김은 올라감은 마땅하지 않고 내려옴이 마땅하므로 그 상과 점이 이와 같다. 곽박(郭璞)의 『동림(洞林)』에서 "점을 쳐서 이 효를 얻은 자는 혹 조류[羽蟲]의 재앙이 이른다"고 하였다.

**小註**

朱子曰, 初六飛鳥以凶, 只是取其飛過高了, 不是取遺音之義. 中孚有卵之象, 小過中間二畫, 是鳥腹, 上下四陰, 爲鳥翼之象. 鳥出乎卵, 此小過所以次中孚也.
주자가 말하였다: 초육에서 "나는 새처럼 빠르니, 흉하다"는 것은 그 날아감이 지나치게 높은 것을 취했을 뿐이지, 소리를 남기는 뜻을 취한 것은 아니다. 중부괘(中孚卦䷼)에 알의 상이 있고, 소과괘(小過卦䷽) 가운데의 두 획은 새의 배이고, 위아래의 네 음은 새의 날개인 상이 된다. 새가 알에서 나오니, 이것이 소과괘(小過卦)가 중부괘(中孚卦)의 다음이 되는 까닭이다.

○ 進齋徐氏曰, 初柔本下而上與四應, 四動體, 初從四而動, 如鳥之飛, 動而不止. 又小過之義, 上逆下順, 初躁動而從上, 失宜下之義, 故凶.
진재서씨가 말하였다: 부드러운 음인 초효가 아래에 근본하면서 위로 사효와 호응하는데, 사효는 움직이는 몸체여서 초효가 사효를 따라 움직이는 것이 새가 날아갈 때에 움직이고 멈추지 않는 것과 같다. 또 '소과(小過)'의 뜻은 "올라감은 거스르고 내려옴은 순하다"[107]는 것이니, 초효가 조급하게 움직여 위를 따르는 것은 "내려옴이 마땅하다"[108]는 뜻을 잃었기 때문에 흉하다.

○ 平庵項氏曰, 二爻, 皆當鳥翅之末. 初六在艮之下, 當止而反飛, 以飛致凶, 故曰飛鳥以凶. 上六, 居震之極, 其飛已高, 動而成離, 則麗於罔罟, 故曰飛鳥離之凶.
평암항씨가 말하였다: 두 효가 모두 새 날개의 끝에 해당한다. 초육은 간괘(艮卦☶)의 맨 아래에 있어서 마땅히 멈추어야 하는데도 반대로 날아가니, 날아서 흉함에 이르기 때문에 "나는 새처럼 빠르니, 흉하다"고 하였다. 상육은 진괘(震卦☳)의 끝에 있어서 그 날아감이 이미 높은데 상육이 움직여서 리괘(離掛☲)가 되면 그물에 걸리므로 "나는 새가 멀리 떠나가는지라 흉하다"고 하였다.

○ 雲峯胡氏曰, 大過有棟橈象, 棟之用在中, 故於三四言之. 小過有飛鳥象, 鳥之用在翼, 故於初上言之. 然初二五上, 皆翼也, 獨初上言之, 何也. 鳥飛不在翼而在翰, 初上其翰也. 飛於初已凶, 飛於上, 可知矣. 聖人戒辭, 與坤姤同. 大過之初, 過謹則无咎, 小過之初, 不謹已有咎.
운봉호씨가 말하였다: 대과괘(大過卦䷛)에 들보가 휘어지는 상이 있는데, 들보의 쓰임은 가운데 있기 때문에 삼효와 사효에서 말하였다. 소과괘(小過卦䷽)에는 나는 새의 상이 있는데, 새의 쓰임은 날개에 있기 때문에 초효와 상효에서 말하였다. 그러나 초효와 이효, 오

107) 『周易 · 小過卦』: 象曰, … 飛鳥遺之音不宜上宜下大吉, 上逆而下順也.
108) 『周易 · 小過卦』: 小過, 亨, 利貞, 可小事, 不可大事, 飛鳥遺之音, 不宜上, 宜下, 大吉.

효와 상효가 모두 날개인데, 초효와 상효에서만 말한 것은 어째서인가? 새가 날아가는 것은 날개에 있지 않고 깃털에 있으니, 초효와 상효가 그 깃털이다. 초효에서 날아감이 이미 흉하니, 상효에서 날아감도 알 수 있다. 성인이 경계한 말이 곤괘(坤卦䷁) 및 구괘(姤卦䷫)와 같다. 대과괘의 초효는 지나치게 삼가니 허물이 없고, 소과괘의 초효는 삼가지 않아 이미 허물이 있다.

## ▌韓國大全▐

### 송시열(宋時烈) 『역설(易說)』

義云, 不宜上, 宜下, 故其象占如此.
『본의』에서 말하였다: 올라감은 마땅하지 않고 내려옴이 마땅하므로 그 상과 점이 이와 같다.

孔穎達曰, 上逆下順, 而初上進而逆, 故凶.
공영달이 말하였다: 올라감은 거스르고 내려옴은 순한데[109], 초효는 위로 올라가 거스르기 때문에 흉하다.

項安世曰, 初在艮下, 當止而反飛, 故凶.
항안세가 말하였다: 초효는 간괘(艮卦☶)의 맨 아래에 있어서 마땅히 멈춰야 하는데도 반대로 날아가기 때문에 흉하다.

諸易詳矣.
여러 『주역』에 대한 설명에서 상세하다.

### 이익(李瀷) 『역경질서(易經疾書)』

初六之凶, 何以加以字. 此恐與大象之以相似. 其象則飛鳥也, 以之而爲凶, 猶言自作

109) 『周易·小過卦』: 象曰, … 飛鳥遺之音不宜上宜下大吉, 上逆而下順也.

之孼. 六五言在穴而不言其物, 卽初六之飛鳥, 爲六五弋之也. 據六五知其爲在穴, 據上六知其爲災眚, 意者, 鵂鶹之屬也. 初居最下, 有在穴之象, 言飛則飛過而作孼者也. 五之初, 初勢遠不相及, 卦有小過之義, 故至飛過作孼, 則可以弋取也. 穴者, 巢穴也, 在穴而飛出, 故以之則爲凶也.
초육의 '흉함'은 어째서 '이(以)'자를 덧붙였가? 이는 아마도 「대상전」의 '본받다[以]'와 서로 유사한 듯하다. 그 상은 나는 새이니 이를 본받아 흉하게 되므로 '스스로 만든 재앙'[110]이라고 한 말과 같다. 육오에서는 '구멍'이라고 말하고 그 대상물을 말하지 않았는데, 곧 초육의 나는 새가 육오가 쏘는 바가 된다[111]. 육오에 의하면 구멍에 있음을 알게 되고, 상육에 의하면 재생(災眚)이 됨을 알게 된니,[112] 생각건대 부엉이와 같은 부류에 속한다. 초효는 가장 아래에 있어서 구멍에 있는 상이 있으니, 나는 것으로 말하면 지나치게 날아 재앙을 만드는 것이다. 오효가 처음에는 초효의 형세가 멀어 서로 미치지 않지만, 괘에는 작게 지나친다는 뜻이 있기 때문에 지나치게 날아 재앙을 만드는 데에 이른다면, 쏘아서 잡을 수 있다. '구멍'이란 둥지이니, 둥지에 있다가 날아서 나가기 때문에 이를 본받는다면 흉하게 된다.

### 유정원(柳正源) 『역해참고(易解參攷)』

隆山李氏曰, 大過之棟, 小過之飛鳥, 皆以一卦取象. 然大過之棟, 寄之三四兩爻, 小過之飛鳥, 寄之初上二爻, 何也. 棟樑之用, 在室中, 飛鳥之逆順, 見於上下故也.
융산이씨가 말하였다: 대과괘(大過卦䷛)에서의 '들보[棟]'와 소과괘(小過卦)에서의 '나는 새[飛鳥]'는 모두 괘 하나에서 상을 취하였다. 하지만 대과괘에서의 '들보'는 삼효와 사효인 두 효에 의탁하고 소과괘(小過卦)에서의 '나는 새'는 초효와 상효인 두 효에 의탁하니 어째서인가? 마룻대와 들보의 쓰임은 집의 가운데에 있고, 나는 새의 거스름과 순함은 위와 아래에서 보이기 때문이다.

○ 案, 居卦之初, 在止之下, 宜靜以守之, 而反欲迅疾, 如鳥之羽毛未成, 而欲飛也, 凶可知矣.
내가 살펴보았다: 괘의 처음에 있고 그침의 아래에 있어서 마땅히 고요함으로써 지켜야 하는데도 도리어 신속하고자 하니, 마치 새의 깃털이 아직 다 자라지 않았는데도 날고자 하는 것과 같아 흉함을 알 수가 있다.

---

110) 『書經 · 太甲』: 天作孼, 猶可違, 自作孼, 不可逭, 旣往, 背師保之訓, 弗克于厥初, 尙賴匡救之德, 圖惟厥終.
111) 『周易 · 小過卦』: 六五, 密雲不雨, 自我西郊, 公, 弋取彼在穴.
112) 『周易 · 小過卦』: 上六, 弗遇, 過之, 飛鳥離之, 凶, 是謂災眚.

### 김상악(金相岳) 『산천역설(山天易說)』

小過之義, 上逆下順, 而初以陰居艮之下, 應震之四而動, 故遺音之鳥以飛而凶也.
'소과(小過)'의 뜻은 올라감은 거스르고 내려옴은 순함이지만, 초효는 음으로 간괘(艮卦☶)의 맨아래에 있으면서 진괘(震卦☳)의 사효와 호응하여 움직이기 때문에 소리를 남기는 새는 날아서 흉하다.

○ 三四爲鳥身, 初上爲翰, 故皆言飛. 居艮之下者, 當止而反飛, 在震之上者, 過飛而不止, 皆所以凶也. 以互體言, 震乘巽恒之象, 巽承坎井之象, 恒九四及井初六曰, 无禽者, 鳥之已飛也. 故六五曰, 弋取彼在穴也. 上六則震木生離火, 變而爲旅, 旅鳥已焚其巢, 故過取飛而離之之象, 兩爻皆凶, 又山上有木, 與漸同象, 漸取漸進之義, 故初曰, 鴻漸于干, 上曰, 鴻漸于陸, 而皆吉, 與小過相反.
삼효와 사효는 새의 몸이 되고, 초효와 상효는 날개가 되기 때문에 모두 '나는[飛]'이라고 말하였다. 간괘(艮卦☶)의 맨 아래에 있는 것은 마땅히 그쳐야 하는데도 도리어 날아가고, 진괘(震卦☳)의 맨 위에 있는 것은 지나치게 날아가서 그치지 않으니, 모두 이 때문에 흉하게 된다. 호괘의 몸체로 말하면, 진괘(震卦☳)가 손괘(巽卦☴)를 타고 있는 항괘(恒卦䷟)의 상이며, 손괘(巽卦☴)가 감괘(坎卦☵)를 받들고 있는 정괘(井卦䷯)의 상이니, 항괘(恒卦) 구사 및 정괘(井卦) 초육에서 '짐승이 없다'[113]고 말한 것은 새가 이미 날아간 것이다. 그러므로 육오에서 "저 구멍에 있는 것을 쏘아서 잡도다"[114]라고 하였다. 상육은 진괘(震卦☳)의 나무가 상육이 양으로 바뀌면 리괘(離卦☲)의 불을 낳아서 변하여 려괘(旅卦䷷)가 되고, 려괘(旅卦)의 상구에서는 새가 이미 둥지를 불태웠기[115] 때문에 소과괘(小過卦䷽)에서는 날아가 떠나가는 상을 취하였으니, 려괘(旅卦)의 상구와 소과괘(小過卦)의 상육인 두 효가 모두 흉하다. 또 산 위에 나무가 있음은 점괘(漸卦䷴)와 상이 같고, 점괘(漸卦)는 점진적으로 나아가는 뜻을 취하였기 때문에 초효에서 "기러기가 물가로 점진적으로 나아간다"[116]라고 하였고 상효에서는 "기러기가 공중으로 점진적으로 나아간다"라고 하여 모두 길하니, 소과괘(小過卦)와는 서로 반대가 된다.

---

113) 『周易·恒卦』: 九四, 田无禽. ; 『周易·井卦』: 初六, 井泥不食. 舊井无禽.
114) 『周易·小過卦』: 六五, 密雲不雨, 自我西郊, 公, 弋取彼在穴.
115) 『周易·旅卦』: 上九, 鳥焚其巢, 旅人, 先笑後號咷. 喪牛于易, 凶.
116) 『周易·漸卦』: 初六, 鴻漸于干, 小子厲, 有言, 无咎.

### 서유신(徐有臣) 『역의의언(易義擬言)』

小過之鳥, 固小矣, 初六又過小矣. 過小之鳥而遽然上飛, 亦其過也. 弱羽泝風, 而過於飛, 將見其折翼而墜也.

소과괘(小過卦)에서의 새는 진실로 작고, 초육은 또 지나치게 작다. 지나치게 작은 새이면서 갑작스럽게 위로 날아가니, 또한 지나침이다. 약한 날개로 바람을 거슬러서 나는 데에서 지나치니, 장차 날개가 꺾여 떨어짐을 알 수 있다.

### 박제가(朴齊家) 『주역(周易)』

雖曰小過, 飛之始, 則上而不下, 凶之道也. 其象迅疾未暇成凶, 而曰以凶, 非終凶者也.

비록 '작은 지나침'이라고 하더라도 날기 시작하는 때라면, 올라가고 내려오지 않으니 흉한 도이다. 그 상은 매우 빨라서 이룰 겨를이 없어서 흉하므로 '이로써 흉하다[以凶]'고 하였으니, "끝까지 하면 흉하다"117)는 것이 아니다.

### 이지연(李止淵) 『주역차의(周易箚疑)』

初六只謂之鳥, 則乃鳥之不正者, 非鸞鳳之類也. 故只以飛過, 爲務小過之時飛之大過, 故凶.

초육을 단지 새라고만 한다면 새 중에서 바르지 못한 것이니, 봉황과 같은 부류가 아니다. 그러므로 단지 지나치게 날기를 힘쓴다면, '소과(小過)'의 때에는 나는 것이 크게 지나침이 되기 때문에 흉하다.

### 김기례(金箕澧) 「역요선의강목(易要選義綱目)」

陰居艮下當止, 而初應四之動體, 急於上進, 失下順之道, 故凶.

음이 간괘(艮卦☶)의 맨 아래에 있어서 마땅히 그쳐야 하는데 초효가 사효의 움직이는 몸체에 호응하여 급하게 위로 나아가니, 내려옴이 순한 도를 잃었기 때문에 흉하다.

### 심대윤(沈大允) 『주역상의점법(周易象義占法)』

夫鳥之將就下求食, 必騰上而後, 乃下遠求食者, 其上愈高而其下必斜. 不有騰上則不

---

117) 『周易 · 訟卦』: 訟, 有孚窒惕, 中吉, 終凶.

能就下, 人之恭下而求悅, 必兼尊嚴而後乃得恭下. 過於卑恭而无尊嚴, 則爲諂而招人之侮, 過於尊嚴而无卑恭, 則爲傲而逢人之怒, 小過下就也, 故有過於卑恭而无過於尊嚴也. 過而得中, 故亦不至於爲諂而招侮也. 尊嚴者, 如鳥之騰上也, 卑恭者, 如鳥之就下也. 不有尊嚴, 則不能爲卑恭, 如鳥之不騰上, 則不能就下也. 其地位尊貴高絶于人, 則不可直爲卑恭而自落於賤. 其爲卑恭, 有道而无跡, 如鳥之遠去, 高飛而斜下, 下而不見其下也. 小過之義, 卑恭也而兼尊嚴, 就下也而兼上行, 故六爻皆有上行而後就下之義. 若乃人之能行小過之道, 得人之悅, 而後爲大過之事業, 如鳥之就下得食, 而後奮飛冲天也. 小過之爻位, 居剛, 求爲恭下也, 居柔, 不得不恭下也.
새가 장차 아래로 내려가 음식을 구함은 반드시 힘차게 오른 후에 내려와 멀리 음식을 구하는 것이니, 올라감이 높을수록 내려옴은 반드시 비스듬하다. 힘차게 오름이 없다면 아래로 나아갈 수가 없으니, 사람이 공손하게 낮춰 기쁨을 구함은 반드시 존엄(尊嚴)을 겸한 후에 공손하게 낮출 수 있다. 낮추고 공경한 데에 지나쳐서 존엄이 없다면 아첨이 되어 다른 사람이 모욕을 하는 결과를 불러오게 되며, 존엄한 데에 지나쳐서 낮추고 공경함이 없다면 오만하게 되어 다른 사람이 분노를 하는 상황을 만나게 되는데, '소과(小過)'는 아래로 나아감이기 때문에 낮추고 공경한 데에 지나침은 있어도 존엄한 데에 지나침은 없다. 지나치지만 알맞음을 얻었기 때문에 아첨이 되어 모욕을 불러 오는 데에는 이르지 않는다. 존엄이란 새가 힘차게 날아오르는 것과 같고, 낮추고 공경함이란 새가 아래로 나아가는 것과 같다. 존엄이 없으면 낮추고 공경함을 할 수가 없으니, 새가 힘껏 날아오르지 못하면 아래로 나아갈 수 없는 것과 같다. 지위가 존귀하여 다른 사람들보다 더없이 뛰어나고 높으면, 다만 낮추고 공경함을 행하여 스스로 천한 데로 떨어져서는 안 된다. 낮추고 공경함을 행하는 데에는 방법은 있지만 자취는 없으니, 새가 멀리 떠나가 버릴 때에 높이 날아서 비스듬히 내려오지만 내려와서는 그 아래를 보지 못하는 것과 같다. '소과(小過)'의 뜻은 낮추고 공경함이지만 존엄을 겸하고, 아래로 나아감이지만 위로 감을 겸하기 때문에 여섯 효가 모두 위로 간 후에 아래로 나아가는 뜻을 가지고 있다. 만약 사람이 '소과(小過)'의 도를 행할 수 있다면, 다른 사람의 기쁨을 얻은 후에 크게 뛰어난 사업을 하게 되니, 마치 새가 아래로 나아가 음식을 구한 후에 훨훨 날아올라 하늘로 치솟는 것과 같다. 소과괘(小過卦)에서 효의 자리는 굳센 양의 자리에 있으면 공손하게 낮추고자 하고, 부드러운 음의 자리에 있으면 공손하게 낮추지 않을 수 없다.

小過之豊䷶, 明盛也. 初六居剛, 求爲恭下, 而行與時俱, 不中才柔而居初地卑, 其卑恭自極, 不可更下, 而上應于四, 求爲尊嚴, 則又爲三之隔. 下則爲諂而不得爲恭下, 上則爲傲而不得爲尊嚴, 如鳥之將就下而騰上, 上之太高, 則絶於地而不見其食, 下而集焉, 則本自无食, 不可如何. 故曰飛鳥以凶. 初六下无可從, 而上有正應. 凡人之旣其卑恭自極, 不可更下而爲諂辱, 則當稍就上, 以爲尊嚴, 如鳥之就下, 不可不騰上也. 此乃豊明盛之義也. 小過下就也, 而此獨上行, 何也. 曰以上爲下, 故亦不至於傲也.
소과괘(小過卦䷽)가 풍괘(豊卦䷶)로 바뀌었으니, 밝고 성대한 것이다. 초육은 굳센 양의 자리에 있으면서 공손하게 낮추고자 하고 행동은 마땅한 때와 함께하지만, 알맞지 않고 자질이 유순하며 초효에 있어서 지위가 낮아 그 낮추고 공경함이 저절로 지극하여 다시 낮출 수가 없어서, 위로 사효와 호응하여 존엄하게 되고자 한다면 또한 삼효에게 막히게 된다. 낮추면 아첨이 되어 공손하게 낮춤을 할 수가 없고, 올라가면 오만하게 되어 존엄하게 될 수가 없으니, 마치 새가 장차 아래로 나아갔다가도 힘껏 오를 때에 너무 높이 오르면 땅과 떨어져 음식을 보지 못하고 내려와 모이면 본래 저절로 음식이 없어서 어쩔 수 없는 것과 같다. 그러므로 "나는 새처럼 빠르니 흉하다"고 하였다. 초육은 아래로는 따를 만한 것이 없으나 위로는 정응이 있다. 사람이 이미 낮추고 공경하기가 저절로 지극하여, 다시 낮춰서 아첨이 되어 모욕을 받게 되어서는 안 된다면 마땅히 점점 위로 나아가서 존엄하게 되어야 하니, 마치 새가 아래로 나아가지만 힘껏 위로 날아오르지 않을 수가 없는 것과 같다. 이것이 곧 풍괘(豊卦)의 밝고 성대하다는 뜻이다. 소과괘(小過卦)는 아래로 나아감인데 여기서는 유독 위로 가니, 어째서인가? 올라감으로써 내려감을 삼기 때문에 또한 오만한 데에는 이르지 않기 때문이다.

### 오치기(吳致箕) 「주역경전증해(周易經傳增解)」

初六, 陰柔不正而在下, 雖有九四陽剛之應, 而當過之初, 惟欲過于剛之上, 而不欲在下, 故有飛鳥之象, 而戒言以此致凶也.
초육은 부드러운 음으로 바르지 않고 맨 아래에 있으며, 비록 굳센 양인 구사와 호응이 있지만 지나침의 처음에 해당하며, 오직 굳센 양의 위로 지나가고자 하고 아래에 있고자 하지 않기 때문에 나는 새의 상이 있고, 이로써 흉함에 이름을 경계하여 말하였다.

○ 因彖辭而言飛鳥也. 飛在兩翼, 而初六上六, 皆翼之銳者, 故皆言飛, 而亦言凶也. 以者, 因也, 言因其飛而致凶也.
괘사에 인하여 '나는 새'를 말하였다[118]. 나는 것은 양 날개에 달려있는데, 초육과 상육은 모두 날개의 예리한 것이기 때문에 모두 '나는[飛]'을 말하였고 또 '흉하다'를 말하였다. '이(以)'란 인하다는 뜻이니, 그 나는 것에 인하여 흉함에 이름을 말한다.

---

118) 『周易 · 小過卦』: 小過, 亨, 利貞, 可小事, 不可大事, 飛鳥遺之音, 不宜上, 宜下, 大吉.

### 이진상(李震相) 『역학관규(易學管窺)』

鳥始離卵, 羽毛未成, 飛必隨傷, 所以匈也.
새가 비로소 알에서 벗어날 때에 날개와 털이 아직 다 자라지 않으므로 난다면 반드시 떨어져 다치니, 그래서 흉하게 된다.

### 이병헌(李炳憲) 『역경금문고통론(易經今文考通論)』

王曰, 上逆下順, 應在上卦, 進而之逆, 无所錯足, 飛鳥之凶也.
왕필이 말하였다: 올라감은 거스르고 내려옴은 순한데, 호응함은 상괘에 있어서 나아가지만 거스르게 되어 발을 둘 곳이 없으니, 나는 새의 흉함이다.

## 象曰, 飛鳥以凶, 不可如何也.

「상전」에서 말하였다: "나는 새처럼 빠르니 흉함"은 어쩔 수 없는 것이다.

## 中國大全

### 傳

**其過之疾, 如飛鳥之迅, 豈容救止也. 凶其宜矣. 不可如何, 无所用其力也.**

그 지나침의 빠름이 나는 새의 신속함과 같으니, 어찌 구원하고 멈추게 할 수 있겠는가. 흉함이 마땅하다. "어쩔 수 없는 것이다[不可如何]"는 힘을 쓸 곳이 없다는 것이다.

#### 小註

朱子曰, 若占得者, 更无可避之理, 故象曰不可如何也.

주자가 말하였다: 점쳐 얻은 것이 다시 피할 수 있는 이치가 없으므로 「상전」에서 "어쩔 수 없는 것이다"고 하였다.

○ 中溪張氏曰, 不可如何者, 猶言无可奈何也.

중계장씨가 말하였다: "어쩔 수 없는 것이다[不可如何]"는 어떻게 할 수가 없다고 말하는 것과 같다.

# 韓國大全

## 송시열(宋時烈) 『역설(易說)』

小象, 不可如何者, 莫之如何也.
「소상전」에서 말한 "어쩔 수 없는 것이다"란 어떻게 할 수가 없음이다.

## 이익(李瀷) 『역경질서(易經疾書)』

不可如何者, 猶云吾末如之何也.
"어쩔 수 없는 것이다"란 "나도 어찌할 수가 없다"[119]는 말과 같다.

## 김상악(金相岳) 『산천역설(山天易說)』

野同[120]錄飛鳥之凶, 凶有以也.
『야동록(野同錄)』에 나오는 '나는 새의 흉함'에서 '흉(凶)'은 까닭[以]이 있다.

## 박제가(朴齊家) 『주역(周易)』

象傳曰, 不可如何也, 時之急也, 所謂疾雷不及掩耳者矣. 朱子曰, 占得者, 更無可避之理. 然上則成凶, 下則不成凶, 雖曰以凶, 而與終凶有異, 未必無可避之理.
「소상전」에서 "어쩔 수 없는 것이다"라고 한 말은 때가 급박하다는 말이니, 이른바 "빠른 우레는 귀를 가릴 겨를이 없다"는 것이다. 주자는 "점쳐 얻은 것은 다시 피할 수 있는 이치가 없다"고 하였다. 그러나 올라가면 흉함을 이루게 되고 내려오면 흉함을 이루지 않게 되니, 비록 '이로써 흉하다[以凶]'고 하였더라도 "끝까지 하면 흉하다"[121]와는 다르므로 반드시 피할 수 있는 이치가 없는 것은 아니다.

---

119) 『論語 · 衛靈公』: 子曰, 不曰如之何如之何者, 吾末如之何也已矣.
120) 同: 경학자료집성DB와 영인본에 모두 '東'으로 되어 있으나, 『주역함서약주(周易函書約註)』를 살펴 '同'으로 바로잡았다.
121) 『周易 · 訟卦』: 訟, 有孚窒惕, 中吉, 終凶.

### 서유신(徐有臣) 『역의의언(易義擬言)』

莫能周旋之意也

주선(周旋)할 수가 없다는 뜻이다.

### 김기례(金箕澧) 「역요선의강목(易要選義綱目)」

張中溪曰, 猶言无可奈何.

중계장씨가 말하였다: 어떻게 할 수가 없다는 말과 같다.

### 오치기(吳致箕) 「주역경전증해(周易經傳增解)」

凶其宜矣, 莫能救解也.

흉함이 마땅하니, 도와서 해결할 수 없다.

## 六二, 過其祖, 遇其妣, 不及其君, 遇其臣, 无咎.

정전 육이는 할아버지를 지나가 할머니를 만나니, 임금에게 미치지 않고 신하의 도에 맞게 하면 허물이 없으리라.

본의 육이는 할아버지를 지나가 할머니를 만나니, 임금에게 미치지 않고 신하를 만나니, 허물이 없다.

## 中國大全

### 傳

陽之在上者, 父之象, 尊於父者, 祖之象, 四在三上, 故爲祖. 二與五居相應之地, 同有柔中之德, 志不從於三四. 故過四而遇五, 是過其祖也. 五陰而尊, 祖妣之象, 與二同德相應, 在它卦則陰陽相求, 過之時, 必過其常, 故異也. 无所不過, 故二從五, 亦戒其過. 不及其君, 遇其臣, 謂上進而不陵及於君, 適當臣道, 則无咎也. 遇, 當也, 過臣之分, 則其咎可知.

양이 위에 있는 것은 아버지의 상이고 아버지보다 높은 것은 할아버지의 상이니, 사효가 삼효의 위에 있기 때문에 할아버지[祖]가 된다. 이효는 오효와 서로 호응하는 자리에 있어 함께 부드러운 음으로 알맞은 덕이 있으니, 뜻이 구삼과 구사를 따르지 않는다. 그으므로 사효를 지나 오효를 만나니, 이는 할아버지를 지나는 것이다. 오효는 음으로 높으니 할머니의 상이고, 이효와 덕이 같아 서로 호응하니, 다른 괘에 있으면 음양이 서로 구하나 지나치는 때에는 반드시 그 보통을 넘으므로 다르다. 지나치지 않은 바가 없으므로 이효가 오효를 따름에도 그 지나침을 경계하였다. '임금에게 미치지 않고 신하의 도에 맞도록 하면[不及其君遇其臣]'은 위로 나아가되 능멸하면서 임금에게 미치지 않고 신하의 도에 맞도록 하면 허물이 없다는 것이다. '우(遇)'는 마땅함이니, 신하의 분수를 지나치면 허물이 됨을 알 수 있다.

### 本義

六二, 柔順中正, 進則過三四而遇六五, 是過陽而反遇陰也. 如此則不及六五,

**而自得其分, 是不及君而適遇其臣也. 皆過而不過, 守正得中之意, 无咎之道也, 故其象占如此.**

육이가 유순하고 중정하여 나아가면 삼효와 사효를 지나 육오를 만나니, 이는 양을 지나쳐 도리어 음을 만나는 것이다. 이와 같이 하면 육오에 미치지 못하고 스스로 그 분수를 얻는 것이니, 이는 임금에 미치지 못하고 적합하게 그 신하를 만나는 것이다. 모두 지나치지만 지나치지 않아서 바름[正]을 지키고 알맞음을 얻는다는 뜻이니, "허물이 없다[无咎]"는 도이므로 그 상과 점이 이와 같다.

**小註**

朱子曰, 三父四祖, 五便當妣. 過祖而遇妣, 是過陽而遇陰. 然而陽不可過, 則不能及六五, 卻反回來, 二上面.
주자가 말하였다: 삼효는 아버지이고 사효는 할아버지이니, 오효는 곧 할머니에 해당한다. 할아버지를 지나 할머니를 만남은 양을 지나 음을 만남이다. 그러나 양을 지나갈 수 없다면 육오에 이를 수 없어 도리어 반대로 돌아오니, 이효는 위로 마주한다.

○ 雲峯胡氏曰, 相過謂之過, 過是有心. 邂逅謂之遇, 遇是無心. 春秋公及宋公遇于清, 我所欲曰及, 不期而會曰遇, 及, 是有心, 遇, 是无心. 遇字, 與及字相反, 過字, 與不及相反. 六二柔順中正, 設使進而往, 則過三四之陽, 而遇六五, 是過其祖, 遇其妣也. 只如此而不進, 則不及六五, 而自遇其臣之分矣. 兩遇字, 微不同, 遇其妣, 邂逅之遇, 故本義曰反遇, 遇其臣, 適相當之遇, 故本義曰適遇, 皆過而不過者. 二之陰, 本過於陽, 今進則過而遇其妣, 不進則不及而遇其臣, 皆過而不過者也. 二柔順中正, 所以如此, 他爻過者, 不遇, 遇者, 不過. 唯六二, 過而又遇. 然以不及其君爲无咎, 則過其君可知. 過其祖則有繼世之譽, 過其君則有犯分之嫌.
운봉호씨가 말하였다: 서로가 지나감을 '과(過)'라고 하니, 지나감은 의도[心]가 있는 것이다. 뜻밖의 만남[邂逅]을 우(遇)라고 하니, 뜻밖의 만남은 의도[心]가 없는 것이다. 『춘추좌전』에서 "은공이 송 상공과 청(清)에서 만났다"[122]고 하였으니, 내가 하고자 해서 간 것을 '급(及)'이라고 하고 기약하지 않고서 만난 것을 '우(遇)'라고 하므로, '급'은 의도[心]가 있는 것이고 '우'는 의도[心]가 없는 것이다. '우'자는 '급'자와 서로 반대되고, '과(過)'자는 '불급'과 서로 반대된다. 육이는 유순하고 중정하니, 혹 나아가 가게 되면 삼효와 사효의 양을 지나 육오를 만나니[遇], 이는 그 할아버지를 지나서 할머니를 만나는 것이다. 다만 이와 같은데도 나아가지 않는다면 육오에 미치지 못하고 스스로 그 신하의 직분에 맞도록 한다[遇]. 두

122) 『춘추좌씨전』 은공 4년 조.

'우(遇)'자는 조금 같지 않은데, '할머니를 만남'은 뜻밖의 만남[邂逅]이므로 『본의』에서 "도리어 만난다"고 하였고, '신하를 만남'은 서로 적당한 만남이므로 『본의』에서 "적합하게 만난다"고 하였으니, 모두 지나가지만 지나치지 않은 것이다. 이효의 음이 본래 양을 지나가는데, 이제 나아가면 지나쳐서 그 할머니를 만나고, 나아가지 않으면 미치지 못하여 신하를 만나니, 모두 지나가지만 지나치지는 않은 것이다. 이효는 유순하고 중정하기 때문에 이와 같지만, 다른 효에서 지나친 경우는 만나지 못하고, 만난 경우는 지나치지 못한다. 육이만이 지나치면서도 또 만난다. 그러나 임금에게 미치지 못하는 것을 '허물이 없다'는 것으로 여기면 임금을 지나감을 알 수 있다. 할아버지를 지나감은 세대를 계승하는 명예가 있으나, 임금을 지나감은 분수를 범하는 혐의가 있다.

○ 中溪張氏曰, 過其祖, 遇其妣, 上逆也. 不及其君, 遇其臣, 下順也, 順則无咎.
중계장씨가 말하였다: 할아버지를 지나 할머니를 만남은 올라감은 거스르다는 것이다. 임금에게 미치지 못하고 신하를 만남은 내려옴은 순하다는 것이니, 순하면 허물이 없다.

○ 臨川吳氏曰, 二五, 當陰過之時, 而无害陽之事, 得中故也. 五中而不正, 二中而正, 故其爻辭比六五尤善.
임천오씨가 말하였다: 이효와 오효는 음이 지나친 때에 해당하지만 양을 해치는 일이 없으니 알맞음 얻었기 때문이다. 오효는 알맞지만 바르지 못하고, 이효는 알맞고 바르므로 그 효사가 육오에 비해 더욱 좋다.

## ‖韓國大全‖

### 권근(權近) 『주역천견록(周易淺見錄)』

小過, 陰過之時. 六二之陰, 過於三四二陽, 而遇六五之陰. 二與五, 雖皆是陰, 六二以陰居陰, 得位得時, 陰之盛也, 五以陰居陽, 處非其正, 才弱位高, 以强臣而事弱主之象. 三不中, 四大位, 皆不若六二之得時位. 六二以陰之盛能過三四二陽之剛, 况於六五之弱乎. 其爲臣道有可戒者, 故聖人懼而不敢言, 以過祖遇妣爲象. 又戒以不及其君, 遇其臣然後無咎, 象外之微辭也. 蓋六二雖過, 以其處中, 故因中以設戒雖過於祖而不及於君, 則可無過盛之咎矣. 夫子於象, 又明其意, 曰臣不可過也. 抑强臣, 扶弱主, 謹微之意, 至矣.
'소과(小過)'는 음이 지나친 때이다. 육이라는 음이 삼효와 사효인 두 양을 지나 육오라는 음을 만난다. 이효와 오효는 비록 모두 음이지만, 육이는 음으로 음의 자리에 있어서 제자리와 제 때를 얻었으니 음이 성대한 것이고, 오효는 음으로 양의 자리에 있어서 처함이 바르지 않고 재질은 약하면서 지위는 높으니, 즉 강한 신하로서 약한 임금을 섬기는 상이다. 삼효는 알맞지 않고 사효는 큰 지위를 가지지만, 모두 육이가 제 때와 제자리를 얻음만 못하다. 육이는 음의 성대함으로 삼효와 사효라는 두 굳센 양을 지나칠 수 있는데, 하물며 약한 육오에 있어서랴! 신하의 도리에는 경계할만한 것이 있기 때문에 성인이 두려워하면서 감히 말을 하지 못하고 할아버지를 지나가 할머니를 만나는 것으로 상(象)을 삼았다. 또 임금에게 미치지 않고 신하를 만난 한 후에 허물이 없다고 경계하였으니, 상에서 벗어난 은미한 말이다. 육이가 비록 지나치더라도 가운데 자리에 있기 때문에 알맞음으로 인하여 할아버지를 지나치더라도 임금에게 미치지 않으면 지나치게 성대한 허물은 없을 수 있다는 경계를 세웠다. 공자가 「소상전」에서 또 그 뜻을 밝혀, "신하는 지나치게 해서는 안 되는 것이다"라고 하였다. 강한 신하를 억누르고 약한 임금을 붙잡아 주니, 삼가고 은미한 뜻이 지극하다.

## 김장생(金長生) 『경서변의(經書辨疑)-주역(周易)』

六二, 過其祖, 遇妣.
육이는 할아버지를 지나가 할머니를 만나니.

三, 乃父也, 四, 乃祖也, 五, 乃祖妣也. 祖妣過祖考, 恐未然. 本謂過祖而遇祖妣, 非祖妣過祖考也.
삼효는 아버지이고, 사효는 할아버지이며, 오효는 할머니이다. 할머니가 할아버지를 지나친다고 한다면, 아마도 그렇지는 않은 듯하다. 본래 할아버지를 지나 할머니를 만남을 말하였지, 할머니가 할아버지를 지나는 것이 아니다.

## 송시열(宋時烈) 『역설(易說)』

祖與妣, 傳義各言象. 折中易以重昭穆孫祔[123]祖言之, 然未見其的然如此. 蓋以消息之道觀之, 乾爲父而始消其初爻者, 巽也, 又消其巽道者, 艮也, 乾之於艮爲祖之義耶.

123) 祔: 경학자료집성 영인본에서는 여기에 해당하는 글자가 정확히 무슨 글자인지 알 수가 없고, 경학자료집성 DB에는 '袝'로 되어 있으나, 문맥을 살펴 '祔'로 바로잡았다.

坤者母也而始消坤者, 震也. 生曰母, 死曰妣, 震之始消坤道已死, 故曰妣耶. 艮之中爻, 上與震之中爻爲應, 是過乾而遇坤之象. 凡卦皆自乾坤而變, 則父母者, 乾坤之謂. 依此看, 亦何如. 過二陽而遇陰爻, 象則果然, 而祖與妣之云, 亦果襯貼耶. 言之可悚. 不及其君者, 時當小過, 故不能大過與六五相遇, 遇其九三之臣, 與之相比, 所謂不及其君遇其臣也. 非其應而遇之, 過則過矣, 而其過小者, 卦爲小過而不可過越臣位也.
할아버지와 할머니에 대하여 『정전』과 『본의』에서 각각 상(象)을 말하였다. 『주역절중(周易折中)』에서는 소(昭)와 목(穆)을 거듭할 때에 손자는 할아버지와 합사함을 가지고 말하였지만, 정확하게 이와 같은지는 알 수가 없다. 천지의 시운(時運)이 돌고 도는 변화의 도[消息]로 살펴보면, 건괘(乾卦☰)는 아버지가 되는데 처음 그 초효를 잃은 것이 손괘(巽卦☴)이고, 겸손한 도를 잃은 것이 간괘(艮卦☶)이니, 건괘(乾卦☰)가 간괘(艮卦☶)에서 할아버지가 되는 뜻이구나. 곤괘(坤卦☷)란 어머니인데 처음 음[坤]을 잃은 것이 진괘(震卦☳)이다. 살아서는 '모(母)'라고 하고 돌아가셔서는 '비(妣)'라고 하는데, 진괘(震卦☳)가 처음 곤도(坤道)를 잃고 이미 사망했기 때문에 '비(妣)'라고 하였구나. 하괘(下卦)인 간괘(艮卦☶)의 가운데 효가 위로 상괘(上卦)인 진괘(震卦☳)의 가운데 효와 호응이 되니, 건(乾)을 지나쳐서 곤(坤)을 만나는 상이다. 괘는 모두 건괘(乾卦☰)와 곤괘(坤卦☷)로부터 변하니, 부모란 건괘(乾卦☰)와 곤괘(坤卦☷)를 말한다. 이에 의거하여 본다면, 또한 어떠한가? 두 양을 지나쳐 음효를 만남이, 상이라고 하면 과연 그렇겠지만, 할아버지와 할머니를 두고서 말한다면 또한 과연 뜻이 딱 들어맞겠는가? 말하기조차 두려울 만하다. "임금에게 미치지 않다"란 때가 '소과(小過)'에 해당하기 때문에 크게 지나쳐 육오와는 서로 만날 수가 없고 구삼인 신하를 만나 서로 친하니, 이른바 "임금에게 미치지 않고 신하를 만난다"는 말이다. 마땅한 호응이 아닌데도 만나는 것이 지나침이라면 지나침이지만, 그 지나침이 작은 것은 괘가 소과괘(小過卦)이고 신하의 지위를 넘어서는 안 되기 때문이다.

### 홍여하(洪汝河) 「책제(策題): 문역(問易) · 독서차기(讀書箚記)-주역(周易)」

小過, 六二, 過其祖, 遇其妣, 不及其君, 遇其臣.
소과괘(小過卦) 육이는 할아버지를 지나가 할머니를 만나니, 임금에게 미치지 않고 신하를 만나니.

祖爲四, 妣爲五, 君爲三, 臣二自謂也. 周人以祭姜嫄爲重, 故周公以此取象. 蓋不祭帝嚳而祭姜嫄, 是過其祖而遇其妣也. 祭畢而燕, 君不正南面而坐, 宰爲主而獻於卿, 是不及其君而遇其臣也. 過其祖, 不及其君, 故曰不宜上, 而不可大事, 遇其妣, 遇其臣, 故曰宜下, 而可小事也.

할아버지는 사효이고, 할머니는 오효이며, 임금은 삼효이고, 신하는 이효 자신을 말한다. 주(周)나라 사람들은 강원(姜嫄)에게 제사지냄을 중요하게 여겼기 때문에 주공(周公)은 이로써 상을 취하였다. 아마도 제곡(帝嚳)에게 제사 지내지 않고 강원에게 제사를 지내는 것이 "할아버지를 지나가 할머니를 만나는" 것인 듯하다. 제사를 마치고 잔치를 할 때에, 임금은 바르게 남면하여 앉아 있지 않고 재(宰)가 주인 역할을 하여 경(卿)에게 제수를 나누어 주니, 이것이 "임금에게 미치지 않고 신하의 도에 맞도록 한다"는 것이다. 할아버지를 지나가지만 임금에게 미치지 못하기 때문에 올라감은 마땅하지 않고 큰일은 할 수가 없다고 하였고, 할머니를 만나고 신하의 도에 맞도록 하였기 때문에 내려옴이 마땅하고 작은 일은 할 수 있다고 하였다[124].

## 이익(李瀷) 『역경질서(易經疾書)』

六五君位, 故言公而獨不言過. 三四居五之下, 皆云不過. 上六居五之上, 獨云過之. 然則過不過, 皆以五爲喩也. 六二, 不及其君, 遇其臣, 傳云不及其君, 臣不可過也, 兩臣字相勘, 而遇者二也. 臣之非指二可知, 而五非臣位則四而已矣, 五者君也. 以臣不可過釋不及[125]其君, 則不及者, 爲不過可知, 而其所謂不可過君者, 卽二之所遇之臣也. 然則不及其君之臣屬之九四, 非六二之不及也. 以此推之, 過祖之妣, 乃過[126]六五之上六, 而六二兼遇過其祖之妣與不及其君之臣也. 文勢分明如此, 諸爻可自此推知也.

육오는 임금의 자리이기 때문에 '공(公)'을 말하고 유독 '지나침[過]'을 말하지 않았다.[127] 삼효와 사효는 오효의 아래에 있어서 모두 '지나치지 않다[不過]'고 말하였다.[128] 상육은 오효의 위에 있어서 유독 '지나치다[過之]'고 말하였다. 그렇다면 지나치거나 지나치지 않음은 모두 오효와 비교하면서 말한 것이다. 육이에서 "임금에게 미치지 않고 신하를 만난다"고 하였고 「소상전」에서는 "'임금에게 미치지 않음'은 신하는 지나치게 해서는 안 되는 것이다"라고 하였으니, 두 '신하[臣]'라는 글자를 서로 참고할 때에 만나는 자는 이효이다. '신하'는 이효를 가리키는 것이 아님을 알 수가 있고, 오효는 신하의 자리가 아니므로 사효일 뿐이니, 오효란 임금이다. "신하는 지나치게 해서는 안 되는 것이다"로 "임금에게 미치지 않는다[不

124) 『周易 · 小過卦』: 小過, 亨, 利貞, 可小事, 不可大事, 飛鳥遺之音, 不宜上, 宜下, 大吉.

125) 及: 경학자료집성 영인본에서는 여기에 해당하는 글자가 정확히 무슨 글자인지 알 수가 없고, 경학자료집성 DB에는 '反'으로 되어 있으나, 문맥을 살펴 '及'로 바로잡았다.

126) 過: 경학자료집성 영인본에서는 여기에 해당하는 글자가 정확히 무슨 글자인지 알 수가 없고, 경학자료집성 DB에는 '遇'로 되어 있으나, 문맥을 살펴 '過'로 바로잡았다.

127) 『周易 · 小過卦』: 六五, 密雲不雨, 自我西郊, 公, 弋取彼在穴.

128) 『周易 · 小過卦』: 九三, 弗過防之, 從或戕之, 凶. ; 九四, 无咎, 弗過, 遇之, 往, 厲, 必戒, 勿用永貞.

及其君]"를 풀이하면 "미치지 않는다"란 "지나치지 않는다"가 됨을 알 수 있고, 이른바 "임금을 지나쳐서는 안 된다"고 할 때의 지나쳐서는 안 되는 자는 즉 이효가 만나는 신하이다. 그렇다면 임금에게 미치지 않는 신하는 구사에게 속하지, 육이가 미치지 않는 것이 아니다. 이를 미루어 나가면, 할아버지를 지나간 할머니는 곧 육오를 지나간 상육이라서 육이는 할아버지를 지나간 할머니와 임금에게 미치지 않는 신하를 겸하여 만난다. 문장의 형세가 분명하기가 이와 같으니, 여러 효들을 이로부터 미루어 알 수가 있다.

意者, 遇者二, 而臣是四, 妣是上, 君與祖是五也. 六五者, 在子孫爲祖, 在民庶爲君, 六二者, 與三爲比, 與五爲應, 不宜過此, 然而卦以小過爲義, 故過三而遇四之臣, 過五而遇上之妣, 臣不敢過君, 而妣可以過祖也.
내가 생각하기에는 만나는 자는 이효이고 신하는 사효이며 할머니는 상효이고 임금과 할아버지는 오효이다. 육오란 자손에 있어서는 할아버지가 되고 백성에 있어서는 임금이 되며, 육이는 삼효와 비(比)의 관계가 되고 오효와 호응이 되어 이것을 지나침이 마땅하지 않지만, 괘는 작은 지나침[小過]으로 뜻을 삼기 때문에 삼효를 지나쳐 사효인 신하를 만나고 오효를 지나쳐 상효인 할머니를 만나니, 신하는 감히 임금을 지나쳐서는 안 되지만 할머니는 할아버지를 지나칠 수 있다.

祖必有所自出, 周之禮, 祖后稷, 而祀姜嫄. 姜嫄后稷之母, 周人別立其廟而祀之, 豈非過祖之妣乎. 不然子孫安有過祖之義哉. 當與晉六二王母參看. 易以九五六四爲正, 而今皆反之, 有君柔臣剛之慮. 然臣不可過[129]君, 故二云不及, 四云不過, 其旨同也. 六二居中得正, 故不獨遇其祖, 兼遇過祖之妣, 不獨遇其君, 兼遇不及君之臣, 其吉可知. 然上六[130]云不遇何也. 二之於四, 相遇者也, 故四亦云遇之. 上六之妣, 卽二之往遇也, 上無降尊之義, 則遇非上六之事, 故曰已亢[131]也, 明其非遇也.
할아버지는 반드시 나온 근본이 있으니, 주(周)나라 예(禮)에 후직(后稷)을 시조로 삼으면서도 강원(姜嫄)을 제사지냈다. 강원은 후직의 어머니여서 주나라 사람들이 별도로 사당을 세워 제사를 지냈으니, 이는 어찌 할아버지를 지나친 할머니가 아니겠는가? 그렇지 않다면 자손들이 어찌 할아버지를 지나치는 뜻을 가지겠는가? 마땅히 진괘(晉卦) 육이에서 말한 '왕모(王母)'[132]와 더불어 참고하여 보아야 한다. 『주역』에서는 구오와 육사를 바르다고 여

129) 可過: 경학자료집성DB와 영인본에 모두 '過可'로 되어 있으나, 「소상전」과 문맥을 살펴 '可過'로 바로잡았다.
130) 六:경학자료집성DB와 영인본에 모두 '九'로 되어 있으나, 『주역(周易)』을 살펴 '六'으로 바로잡았다.
131) 亢: 경학자료집성DB에 '亢'으로 되어 있으나, 경학자료집성 영인본과 상육 「소상전」을 참조하여 '亢'으로 바로잡았다.

기는데 이제는 모두 반대가 되니, 임금이 약하고 신하가 강하다는 걱정이 있다. 그러나 신하는 임금을 지나쳐서는 안 되기 때문에 이효에서는 "미치지 않다[不及]"고 하였고 사효에서는 "지나치지 않는다[不過]"[133]고 하였으니, 그 뜻은 같다. 육이는 가운데 자리에 있고 제자리를 얻었기 때문에 단지 할아버지를 만날 뿐만이 아니라 할아버지를 지나친 할머니를 겸하여 만나고, 단지 임금을 만날 뿐만이 아니라 임금에게 미치지 못하는 신하를 겸하여 만나니, 길함을 알 수가 있다. 하지만 상육에서 "맞지 못하다[不遇]"라고 말한 것은 어째서인가? 이효는 사효에 대하여 서로 만나는 자이기 때문에 사효에서도 또한 '만나다[遇之]'라고 하였다. 상육인 할머니는 이효가 가서 만나는 자인데 상효에는 높임을 내리는 뜻이 없으니, 만남은 상육의 일이 아니기 때문에 "이미 올라갔기 때문이다"라고 하였으므로, 만난 것이 아님이 분명하다.

### 유정원(柳正源)『역해참고(易解參攷)』

正義, 過而得之謂之遇, 六二在小過而當位, 是過而得之也. 祖, 始也, 謂初也. 妣者, 母之稱. 六二居內, 履中而正, 固[134]謂之妣. 已過於初, 故曰過其祖也. 履得中正, 故曰遇其妣也. 過不至於僭, 盡於臣位而已, 故曰不及其君, 遇其臣, 无咎.

『주역정의(周易正義)』에서 말하였다: 지나치더라도 맞는 것을 일러 '만남[遇]'이라고 하는데, 육이는 소과괘(小過卦)에 있으면서 마땅한 자리에 있으니, 이는 지나치더라도 맞는 것이다. '조(祖)'는 시작이니, 초효를 말한다. '비(妣)'란 어머니의 호칭이다. 육이는 내괘에 있으면서 가운데 자리를 밟고 바르니 진실로 '비(妣)'라고 할 수 있다. 이미 초효를 지났기 때문에 "시조(始祖)를 지나다"라고 말하였다. 자리가 중정을 얻었기 때문에 "할머니에 맞다"라고 하였다. 지나쳐도 참람한 데에는 이르지 않아 신하의 지위를 다할 뿐이기 때문에 "임금에게 미치지 않고 신하의 도에 맞도록 하니, 허물이 없다"라고 하였다.

### 김상악(金相岳)『산천역설(山天易說)』

小過, 陰過之卦, 故二上言過, 三四言弗過, 而小過之義, 不宜上宜下, 故其象如此. 祖, 指三也, 妣, 謂二也. 陰陽相遇, 則无過極之失, 又三爲五之臣, 而二居艮之下, 與震无應, 故不及其君, 遇其臣, 得宜下之道, 而无咎也.

소과괘(小過卦)는 음이 지나친 괘이기 때문에 이효와 상효에서는 '지나침[過]'을 말하였고,

---

132) 『周易 · 晉卦』: 六二, 晉如愁如, 貞, 吉, 受玆介福于其王母.

133) 『周易 · 小過卦』: 九四, 无咎, 弗過, 遇之, 往, 厲, 必戒, 勿用永貞.

134) 固: 경학자료집성DB와 영인본에 모두 '故'로 되어 있으나, 『주역정의(周易正義)』를 살펴 '固'로 바로잡았다.

삼효와 사효에서는 '지나치지 않음[弗過]'을 말하였고, '소과(小過)'의 뜻이 올라감은 마땅하지 않고 내려옴이 마땅하기 때문에 상(象)이 이와 같다. '할아버지[祖]'는 삼효를 가리키고, '할머니[妣]'는 이효를 말한다. 음과 양이 서로 만나면 지나침이 매우 심한 잘못은 없으며, 또 삼효는 오효의 신하가 되고 이효는 간괘(艮卦☶)의 아래에 있으면서 진괘(晉卦)와는 호응이 없기 때문에 임금에게 미치지 않고 신하를 만나 내려옴이 마땅한 도를 얻어 허물이 없다.

○ 曲禮, 生曰父曰母, 死曰考曰妣, 而小過言妣, 蠱初六言考, 古人多通用之. 蓋三爲乾爻, 二爲坤爻, 故象祖象妣. 當過之時, 陰陽相遇爲美, 故大過九二與初相比, 曰老夫得其女妻, 无過極之失也. 君震象, 震艮皆一君二民, 君臣之象也. 自二而言, 則三爲祖, 自五而言, 則三爲臣, 與損六三曰, 一人行, 則得其友, 上九曰, 得臣无家相似.
『예기(禮記)·곡례(曲禮)』에서 "살아계실 때에는 '부(父)'라 하고 '모(母)'라 하며, 돌아가셨을 때에는 '고(考)'라하고 '비(妣)'라 한다"[135]고 하였는데, 소과괘(小過卦)에서 '비(妣)'라고 하였고, 고괘(蠱卦) 초육에서 '고(考)'라고 하였으니[136], 옛 사람들은 많이 이 둘을 통용하였다. 삼효는 양효[乾爻]가 되고 이효는 음효[坤爻]가 되기 때문에 '할아버지'와 '할머니'를 상징하였다. '지나침[過]'의 시대를 맞아 음과 양이 서로 만남은 아름답게 되기 때문에 대과괘(大過卦䷛) 구이는 초효와 서로 비(比)의 관계가 되므로, "늙은 남자가 젊은 아내를 얻다"[137]라고 하였으니, 지나침이 매우 심한 잘못은 없다. 임금은 진괘(震卦☳)의 상이고, 진괘(震卦☳)와 간괘(艮卦☶)는 모두 임금이 하나이고 백성이 둘이니[138], 임금과 신하의 상이다. 이효로부터 말하자면, 삼효는 '할아버지'가 되고, 오효로부터 말하자면 삼효는 '신하'가 되니, 손괘(損卦䷨) 육삼에서 "한 사람이 가면 그 벗을 얻는다"[139]고 하였고, 상구에서 "신하를 얻음이 집안에서만이 아니다"[140]라고 한 것과 서로 유사하다.

## 서유신(徐有臣)『역의의언(易義擬言)』

三四不過而二過, 是過其祖也. 過於四而至於五, 二與五應位而同德, 故曰遇其妣也. 五之過, 過於二之過, 是不及其君也. 不及於五而止於四, 二與四異位而同功, 故曰遇

---

135)『禮記·曲禮』: 生曰父, 曰母, 曰妻, 死曰考, 曰妣, 曰嬪, 壽考曰卒, 短折曰不祿.
136)『周易·蠱卦』: 初六, 幹父之蠱. 有子, 考无咎. 厲, 終吉.
137)『周易·大過卦』: 九二, 枯楊, 生稊, 老夫, 得其女妻, 无不利.
138)『周易·繫辭傳』: 其德行, 何也. 陽一君而二民, 君子之道也, 陰二君而一民, 小人之道也.
139)『周易·損卦』: 六三, 三人行, 則損一人, 一人行, 則得其友.
140)『周易·損卦』: 上九, 弗損, 益之, 无咎, 貞吉, 利有攸往. 得臣, 无家.

其臣也. 遇而有不及焉, 是爲小過也. 過其祖似乎過, 而遇其妣爲非過也. 不及其君似乎不及, 而遇其臣爲非不及也. 過而得中, 無太過無不及, 故无咎也.
삼효와 사효는 지나치지 않고 이효는 지나치니, 이는 할아버지를 지나감이다. 사효를 지나쳐 오효에게 이르고 이효는 오효와 호응하는 자리에 있으면서 덕을 같이하기 때문에 "할머니를 만난다"라고 하였다. 오효의 지나침은 이효의 지나침보다 지나치니, 이는 "임금에게 미치지 않는다"는 것이다. 오효에게 미치지 않고 사효에 머무르며 이효는 사효와 자리가 다르면서도 공(功)을 같이 하기 때문에 "신하를 만난다"라고 하였다. 만나면서 미치지 않음이 있으니, 이는 '소과(小過)'가 된다. 할아버지를 지나감은 지나친 듯하지만, 할머니를 만남은 지나침이 아니다. 임금에게 미치지 않음은 미치지 않은 듯하지만, 신하를 만남은 미치지 않음이 아니다. 지나쳐도 알맞음을 얻어 크게 지나침이 없고 미치지 못함이 없기 때문에 허물이 없다.

## 박제가(朴齊家) 『주역(周易)』

此以過與不及作對. 然爻辭紋而隱, 常以經過過中二義互說, 則又與遇作對. 此之爲文, 如艮其背與行其庭作對相似. 只可以義而推以所以爲對, 不可以對而求其所以爲義. 蓋[141]過祖遇妣, 指卦之所以小過者也. 不及其君, 遇其臣者, 指象之不宜上宜下者也. 其下語文句雖同, 而義之橫竪面勢不同, 又對遇之過, 與對不及之過, 不能歸一, 故先儒皆未免蹉跌. 夫過其祖者, 非爲突過也, 乃欲往謁之, 而反遇其祖之母, 指六五之應而言者也. 至爻之與不及作對說, 則轉而爲有餘之過. 本義曰, 皆過而不過, 守正得中之意, 則正如艮卦之內不見己, 外不見人之說, 而此爻爲無過不及之得中, 而非此卦之中矣. 夫過祖遇妣, 過則過矣, 而不害爲過之小, 故於二之中位而言之, 所以明其卦義也. 雲峯胡氏曰, 過祖則有繼世之譽, 則眞撞破煙樓之謂矣.
여기서 '지나침'은 '미치지 못함'과 상대가 된다. 그러나 효사에서는 에두르고 은근하여, 항상 '지나가다'와 '알맞음을 지나치다'는 두 가지 뜻으로 서로 설명하니, 또 '우(遇)'와도 상대가 된다. 이렇게 문장을 씀은 간괘(艮卦䷳)의 괘사에서 "등에 그친다"라고 한 말과 "그 뜰을 다닌다"라고 한 말[142]이 상대가 된 것과 유사하다. 다만 뜻을 가지고 상대가 되는 까닭을 미루어 알 수가 있을 뿐이지, 상대가 됨을 가지고 뜻이 되는 까닭을 구할 수는 없다. 할아버지를 지나가 할머니를 만남은 괘가 '작게 지나치게[小過]' 되는 까닭을 가리킨다. "임금에게 미치지 않고 신하의 도에 맞도록 함"이란 괘사에서 말한 "올라감은 마땅하지 않고 내려옴이

---

141) 蓋: 경학자료집성DB에 '盇'으로 되어 있으나, 경학자료집성 영인본을 참조하여 '蓋'로 바로잡았다.
142) 『周易 · 艮卦』: 艮其背, 不獲其身, 行其庭, 不見其人, 无咎.

마땅하다"는 것을 가리킨다. 말하는 문구는 비록 같더라도 뜻이 자유롭게 교차하면서 드러나는 형세가 같지 않고, 또 '우(遇)'와 상대가 되는 '과(過)'는 '미치지 못함'과 상대가 되는 '과(過)'와 하나의 뜻으로 귀결할 수 없기 때문에 이전의 유학자들은 모두 잘못을 하는 데에서 벗어나지 못하였다. "할아버지를 지나감[過其祖]"이란 힘차게 돌진하여 지나감이 아니라, 그에게 가서 뵙고자 하지만 도리어 할아버지의 어머니를 만남이니, 육오가 호응함을 가리켜 말한 것이다. 효사를 '미치지 못한다'는 것과 상대하여 설명하는 데에 이르면, 더 나아가 남음이 있다는 '지나침[過]'이 된다. 『본의』에서는 "모두 지나치지만 지나치지 않아서 바름[正]을 지키고 알맞음을 얻는다는 뜻이다"라고 하였으니 바로 간괘(艮卦䷳)의 『본의』에서 "안으로는 자신을 보지 못하고 밖으로는 다른 사람을 보지 못한다"[143]고 한 설명과 같으므로, 이 효는 '지나침'과 '미치지 못함'이 없는 알맞음을 얻음이 되지, 이 괘의 가운데가 아니다. 할아버지를 지나가 할머니를 만남은 지나치다면 지나치지만, 지나침이 작게 되는 데에는 해롭지는 않기 때문에 이효가 가운데 자리에 있는 데에서 말하였으니, 이로써 괘의 뜻을 밝힌 것이다. 운봉호씨는 "할아버지를 지나감은 세대를 계승하는 명예가 있다"고 하였으니, 진실로 자식이 아버지보다 더 훌륭함을 말한다.

### 하우현(河友賢) 『역의의(易疑義)』

六二, 遇其妣, 遇字, 是邂逅之義, 遇其臣遇字, 是適當之義.
육이의 "할머니를 만나다[遇其妣]"에서 '우(遇)'자는 해후한다는 뜻이고, "신하의 도에 맞게 하다[遇其臣]"에서의 '우(遇)'자는 적당하게 하다라는 뜻이다.

或問, 小過三四上六等辭, 傳義及諸儒之說, 皆不同如何. 曰, 此等處, 只當虛心翫究, 不必强生意見, 莫如朱子所謂當闕以俟知者
어떤 이가 물었다: 소과괘(小過卦䷽)의 삼효 · 사효 · 상육 등의 효사에 대하여 『정전』와 『본의』 및 여러 유학자들의 설이 모두 같지 않은 것은 어째서입니까?
답하였다: 이러한 곳에서는 다만 마음을 비우고 음미하여야 하며, 반드시 억지로 의견을 낼 필요는 없으니, 주자가 이른바 "마땅히 놔두고 아는 사람을 기다려야 한다"고 말한 것처럼 하는 것이 가장 좋다.

143) 『周易傳義大全 · 艮卦 · 本義』: 以卦體言, 內外之卦, 陰陽敵應而不相與也, 不相與, 則內不見己, 外不見人而无咎矣.

### 이지연(李止淵) 『주역차의(周易箚疑)』

陽者, 陰之君也, 陰者, 陽之臣也. 六五之於三四, 以位則五爲君, 而三四爲臣, 以德則三四爲君, 而二五爲臣, 六二之所遇, 非三四而乃五也. 以位則爲過其祖而遇其妣之象, 以德則爲不及君而遇其臣之象.

양이란 음의 임금이고, 음이란 양의 신하이다. 육오가 삼효와 사효에 대하여, 자리로 본다면 오효는 임금이 되고 삼효와 사효는 신하가 되며, 덕으로 본다면 삼효와 사효는 임금이 되고 이효와 오효는 신하가 되니, 육이가 만난 대상은 삼효와 사효가 아니라 오효이다. 자리로 본다면 할아버지를 지나가 할머니를 만나는 상이 되고, 덕으로 본다면 임금에게 미치지 않고 신하를 만나는 상이 된다.

### 김기례(金箕澧) 「역요선의강목(易要選義綱目)」

二以中正當小過之時, 以同德相求之心, 過父祖二位, 指三四. 陰以陽謂父. 上遇五應, 五附四, 故指謂祖妣, 則雖得君臣之會, 過陽遇陰, 恐涉上逆, 故反而自守不從君位, 而自適臣位得下順, 故无咎.

이효는 중정(中正)함을 가지고 '소과(小過)'의 때를 맞아 덕을 함께하여 서로를 구하는 마음을 가지고 아버지와 할아버지인 두 자리를 지나치니, 이 두 자리는 삼효와 사효를 가리킨다. 음은 양을 아버지라고 한다. 위로 오효를 만나 호응하지만 오효는 사효에 붙기 때문에 가리켜 할머니라고 하였으니, 비록 임금과 신하가 만날 수는 있지만 양을 지나가 음을 만나 '올라감이 거스름'[144]이 되는 데에 관계될까 두려워하기 때문에 돌이켜 스스로를 지켜 임금의 자리를 따르지 않고 스스로 신하의 자리로 가서 '내려옴이 순함'[145]을 얻었기 때문에 허물이 없다.

### 윤종섭(尹鍾燮) 『경(經)-역(易)』

小過之二, 過其祖遇其妣, 與蠱之象同. 二與五正應, 而三四隔之. 三爲內卦之上而爲父, 四稍尊有祖象, 五以陰居尊, 是王母.

소과괘(小過卦䷽)의 이효에서 "할아버지를 지나가 할머니를 만남"은 고괘(蠱卦䷑)의 상과 같다. 이효와 오효는 정응이지만 삼효와 사효가 가로막는다. 삼효는 내괘의 맨 위가 되어 아버지가 되고, 사효는 약간 존귀하여 할아버지의 상이 있으며, 오효는 음으로 존귀한 자리

---

144) 『周易 · 小過卦』: 象曰, 飛鳥遺之音不宜上宜下大吉, 上逆而下順也.

145) 『周易 · 小過卦』: 象曰, 飛鳥遺之音不宜上宜下大吉, 上逆而下順也.

에 있으니 할머니[王母]이다.

### 이종상(李鍾祥) 『역학려작(易學蠡酌)』

按, 其臣之臣, 傳本義皆泛以臣道臣分釋之, 而又把做六二說. 然其祖其妣其君之其, 皆是其人之其, 而皆屬別人說, 則不應其臣之其, 獨自異例, 而做自己[146]上看. 妄謂此臣字正指九四而言. 蓋其君其妣同一六五, 而以陰陽則爲妣, 以尊卑則爲君. 其祖其臣同一九四, 而以陰陽則爲祖, 以尊卑則爲臣. 六二當小過之時, 與六五爲正應, 是爲過祖遇妣之象. 然在君臣則不然者, 正以閨門之治, 恩常掩義, 故事或有過其祖而遇妣之時, 而朝廷之體小不加大, 故勢不得越近臣而干君尙賴. 九四才雖剛健, 性實柔和, 故與之相遇, 而得无咎之占. 九四爻不過遇之之遇, 當與此遇字參看.

내가 살펴보았다: '그 신하[其臣]'할 때의 '신하[臣]'에 대하여 『정전』과 『본의』에서는 모두 범범하게 '신하의 도리'[147]와 '신하의 분수'[148]로 풀이하여 또한 육이로 설명하였다. 그러나 '할아버지[其祖]'와 '할머니[其妣]'와 '임금[其]'에서의 '그[其]'는 모두 그 사람의 '그[其]'여서 모두 별도의 사람에 속한다는 말이니, '그 신하[其臣]'라고 할 때의 '기(其)'만을 독자적인 예로 하여 '자기'라고 보아서는 안 된다. 내 생각에 여기서 '신하[臣]'라는 글자는 구사를 가리켜 말한다. '임금[其]'과 '할머니[其妣]'는 육오와 동일하여, 음과 양으로 본다면 '할머니'가 되고 존(尊)과 비(卑)로 본다면 '임금'이 된다. '할아버지[其祖]'와 '신하[其臣]'는 구사와 동일하여, 음과 양으로 본다면 '할아버지'가 되고 존(尊)과 비(卑)로 본다면 '신하'가 된다. 육이는 '소과(小過)'의 때를 맞아 육오와 정응이 되니, 이는 할아버지를 지나가 할머니를 만나는 상이 된다. 그러나 임금과 신하에서라면 그렇지 않은 것은 바로 규방(閨房)을 다스림은 은혜가 항상 의로움을 덮기 때문에 일에 혹 할아버지를 지나쳐 할머니를 만나는 때가 있지만, 조정(朝廷)의 체통은 작은 것이 크게 될 수가 없기 때문에 형세가 임금을 가까이 모시는 신하를 넘어서 자신에게 힘이 되어 주기를 임금에게 요구할 수 없다. 구사는 자질이 비록 강건하고 성격이 진실로 부드럽고 온화하기 때문에 이효와 서로 만나 허물이 없는 점괘를 얻었다. 구사 효사에서의 "지나치지 아니하여 맞도록 한다[不過遇之]"[149]에서의 '맞도록 한다[遇]'는 마땅히 여기 육이 효사에서의 '만나다[遇]'라는 글자와 서로 참고하여 보아야 한다.

---

146) 己: 경학자료집성DB에 '已'로 되어 있으나, 경학자료집성 영인본을 참조하고 문맥을 살펴 '己'로 바로잡았다.

147) 『周易傳義大全 · 小過卦 · 程傳』: 不及其君, 遇其臣, 謂上進而不陵及於君, 適當臣道, 則无咎也.

148) 『周易傳義大全 · 小過卦 · 程傳』: 如此則不及六五, 而自得其分, 是不及君而適遇其臣也.

149) 『周易 · 小過卦』: 九四, 无咎, 弗過, 遇之, 往, 厲, 必戒, 勿用永貞.

## 심대윤(沈大允)『주역상의점법(周易象義占法)』

小過之恒䷟, 常久也. 六二以柔居柔, 不得不爲恭下, 而得中其地位貴, 而行過卑恭, 爲行中而時未中也. 艮巽爲家, 而艮止巽命, 震遷動, 而兌恩悅, 有家人父子之象. 四與三有祖與父之象, 六五以陰居尊, 有祖妣之象, 上六尊而在家之外, 有君師之象. 初六在二之下爲臣, 巽爲臣, 過四而應五, 故曰過其祖, 遇其妣.
소과괘가 항괘(恒卦䷟)로 바뀌었으니, 항상되고 오래감이다. 육이는 부드러운 음으로 부드러운 음의 자리에 있어서 공손하게 낮추지 않을 수 없고, 알맞음을 얻어 지위가 존귀한데도 행실이 지나치게 낮추고 공경하여 알맞음을 행하려고 하지만 때때로 알맞지 않게 된다. 간괘(艮卦☶)와 손괘(巽卦☴)는 집안이 되는데, 간괘(艮卦☶)는 그치고 손괘(巽卦☴)는 명령을 내리며 진괘(震卦☳)는 움직여 자리를 옮기고 태괘(兌卦☱)는 은혜로운 기쁨이 되니, 집안사람들과 부자의 상이 있다. 사효와 삼효에는 할아버지와 아버지의 상이 있고, 육오는 부드러운 음으로 존귀한 자리에 있으니 할머니의 상이 있으며, 상육은 존귀하지만 집 밖에 있으니 임금의 스승인 상이 있다. 초육은 이효의 아래에 있어서 신하가 되며 이효가 있는 호괘인 손괘(巽卦☴)는 신하가 되어 사효를 지나가 오효와 호응하기 때문에 "할아버지를 지나가 할머니를 만난다"고 하였다.

小過之過, 乃下就也, 而此上行, 亦言過者, 何也. 巽爲遇, 四爲巽, 而五言遇者, 何也. 曰, 妣從祖者也. 五從於四, 二應于五, 而同物與之, 俱從於四, 乃遇妣, 以從于祖也. 故曰過曰遇, 言揚之上而抑之還下也. 六二人臣, 因君以得尊嚴, 而小過之世, 六五柔君, 恭聽于四之賢臣, 六二亦不得不卑恭而從之矣. 不及其君, 言不及於上六也. 對中孚, 上六居艮體, 以在外, 故取對也. 遇其臣 言與初也. 二爲巽而言遇者, 二之於初, 下接其來而不就從之也. 人臣當莊毅以尊嚴, 而亦不可太上而傲, 當巽順以卑恭, 而亦不可過下而爲諂. 六二之下接于初, 而小過于恭下者, 雖違於其莊毅尊嚴之時, 而亦不失其中, 故曰无咎. 六二旣得尊嚴, 而若揚若抑, 不至於太上, 卑恭而不至於過下, 行中而可常, 如鳥之平飛, 頡頏而不爲決起, 亦不下集, 少上而旋下, 下而不至於地也.
'소과(小過)'에서의 지나침[過]은 곧 아래로 나아감인데, 여기서는 위로 가면서 또한 '지나감[過]'이라고 한 것은 어째서인가? 손괘(巽卦☴)는 만남이 되고 사효는 손괘(巽卦☴)가 되는데, 오효를 두고 '만남'을 말한 것은 어째서인가? 할머니는 할아버지를 따르는 자이다. 오효는 사효를 따르고, 이효는 오효와 호응하므로 음으로 같은 물(物)이 함께하여 다 같이 사효를 따르니, 할머니를 만나 이로써 할아버지를 따르는 것이다. 그러므로 '지나간다'고 말하고 '만난다'라고 하였으니, 들어서 올라가게 하고 억눌러서 아래로 돌아가게 함을 말한다. 육이는 신하라서 임금으로 인하여 존엄함을 얻는데, '소과(小過)'의 때에는 육오가 유순한 임금이라서 어진 신하인 사효에게 공손히 의견을 들으니, 육이 또한 낮추고 공경히 하여 사효를 따르지 않을 수 없다. "임금에게 미치지 않다"란 상육에 이르지 않음을 말한다. 음과 양이 바뀐 중부괘(中孚卦☴)이고, 상육은 간괘(艮卦☶)의 몸체에 있으면서 밖에 있기 때문에 음과 양이 바뀐괘에서 취하였다. "신하의 도에 맞도록 한다"란 초효와 함께함을 말한다. 이효는 손괘(巽卦☴)가 되는데 '맞도록 함[遇]'을 말한 것은 이효가 초효에 대하여 아래에서 그가 옴을 만나지만 나아가 그를 따르지 않기 때문이다. 신하는 마땅히 존엄스럽게 함으로써 장엄하게 해야 하지만 또한 너무 자신을 올려서 오만하게 해서는 안 되고, 마땅히 낮추고 공경함으로써 공손하게 순종하여야 하지만 또한 지나치게 낮추어서 아첨하게 되어서는 안 된다. 육이가 아래로 초효와 사귀면서 공경하게 낮추는 데에서 작게 지나친 것은 비록 장엄하고 존엄하게 해야 하는 때에는 어긋나지만, 또한 그 알맞음을 잃지 않았기 때문에 "허물이 없다"고 하였다. 육이가 이미 존엄함을 얻었어도 들어올리는 듯하고 억누르는 듯하여 크게 올라가는 데에는 이르지 않고, 낮추고 공경하더라도 지나치게 내려가는 데에는 이르지 않아 알맞음을 행하여 항상 될 수 있으니, 마치 새의 평상시 비행이 오르락내리락 하더라도 결연히 오르지 않고 또한 아래로 모이지도 않아 조금 오르고 선회하면서 내려가 아래로 가더라도 땅에 이르지는 않는 것과 같다.

오치기(吳致箕) 「주역경전증해(周易經傳增解)」

六二, 柔居中正, 過三四之剛而應六五之柔, 有過祖遇妣之象. 四之剛不居君位, 而與二不相應, 二之柔居剛之下, 而比初柔, 故有不及其君遇其臣之象. 然過於柔而无剛應, 宜若有咎, 而以其在小過之時, 能得中正, 故言无咎.

육이는 부드러운 음으로 중정한 자리에 있고, 굳센 양인 삼효와 사효를 지나가 부드러운 음인 육오와 호응하니, 할아버지를 지나가 할머니를 만나는 상이 있다. 굳센 양인 사효는 임금의 자리에 있지 않아 이효와 서로 호응하지 않고, 부드러운 음인 이효는 굳센 양의 아래에 있으면서 부드러운 음인 초효와 가깝기 때문에 임금에게 미치지 않고 신하를 만나는 상이 있다. 그러나 유순한 데에 지나치고 굳센 양의 호응이 없어서 마땅히 허물이 있는 듯하지만, '소과(小過)'의 때에 있으면서 중정할 수 있기 때문에 "허물이 없다"고 하였다.

○ 剛在上, 爲父祖之象, 而三四之剛, 在於應位之下, 柔居尊, 爲母妣之象, 而五過四之剛, 居當應之位, 故曰過其祖遇其妣也. 剛爲君之象, 而三四之剛, 不居君位, 與二不相應, 故曰不及其君也. 柔爲臣象, 而二比初柔, 故曰遇其臣. 此皆小過之象也. 爻辭柔多於剛, 曰過, 六二上六, 是也. 剛少於柔, 曰弗過, 九三九四, 是也. 毋論剛柔而應柔比柔, 則皆曰遇, 六二九四, 是也. 以柔應剛, 則曰弗遇, 上六, 是也.

굳센 양이 위에 있어서 아버지와 할아버지의 상이 되지만 굳센 양인 삼효와 사효가 호응하는 자리의 아래에 있고, 부드러운 음이 존귀한 자리에 있어서 어머니와 할머니의 상이 되지만 오효는 굳센 양인 사효를 지나 호응하는 자리에 있기 때문에 "할아버지를 지나가 할머니를 만난다"고 하였다. 굳센 양은 임금의 상이 되지만 굳센 양인 삼효와 사효는 임금의 자리에 있지 않고 이효와 서로 호응하지 않기 때문에 "임금에게 미치지 않는다"고 하였다. 부드러운 음은 신하의 상이 되지만 이효는 부드러운 음인 초효와 가깝기 때문에 "신하를 만난다"고 하였다. 이는 모두 '소과(小過)'의 상이다. 효사에서, 부드러운 음이 굳센 양보다 많다는 측면에서 볼 때에는 '지나치다[過]'고 하였으니, 육이와 상육이 이러한 경우이다. 굳센 양이 부드러운 음보다 적다는 측면에서 볼 때에는 '지나치지 않다[弗過]'고 하였으니, 구삼과 구사가 이러한 경우이다. 굳센 양과 부드러운 음을 논하지 않고 부드러운 음과 호응하고 부드러운 음과 가깝다는 측면에서 볼 때에는 모두 '만나다'라고 하였으니, 육이와 구사가 이러한 경우이다. 부드러운 음으로 굳센 양과 호응한다는 측면에서 볼 때에는 '맞지 못하다[弗遇]'고 하였으니, 상육이 이러한 경우이다.

### 이진상(李震相) 『역학관규(易學管窺)』

過其祖, 遇其妣.
할아버지를 지나가 할머니를 만나니.

二五本當相應, 而皆陰, 則非正應. 六二過四之祖, 而欲從正應, 反遇祖妣. 祖妣陰柔, 而居尊位者, 如晉二[150]之爲王母也. 然而五君位也, 四臣位也, 寧不及於五而遇得九四之陽, 則雖不能成就他過人之功業, 而亦有所合也. 遇是不期而邂逅之謂. 二之上進, 本以求陽, 本以見君, 而至君位, 則反遇其陰, 及陽位, 則反[151]遇其臣, 是固失望而分之所在, 自可无咎. 與九四弗過遇之, 正相發.(※ 전반적으로 원문을 알아볼 수가 없음.)
이효와 오효는 본래 마땅히 서로 호응하여야 하지만 모두 음이니, 정응이 아니다. 육이는 사효인 할아버지를 지나 정응을 따르고자 하지만, 도리어 할머니를 만난다. 할머니는 부드러운 음이면서 존귀한 자리에 있는 자이니, 진괘(晉卦䷢) 이효에서 왕모(王母)가 되는[152] 것과 같다. 그러나 오효는 임금의 자리이고 사효는 신하의 자리이니, 차라리 오효에 미치지 않고 양인 구사를 만날 수가 있다면, 비록 그가 다른 사람보다 뛰어난 공업을 성취할 수는

150) 二: 경학자료집성DB와 영인본에 모두 '五'로 되어 있으나, 『晉卦』를 살펴 '二'로 바로잡았다.
151) 反: 경학자료집성 영인본에서는 여기에 해당하는 글자가 무슨 글자인지 알 수가 없고, 경학자료집성DB에는 '及'으로 되어 있으나, 문맥을 살펴 '反'으로 바로잡았다.
152) 『周易·晉卦』: 六二, 晉如愁如, 貞, 吉, 受玆介福于其王母.

없더라도 부합하는 바가 또한 있게 된다. '만남'이란 기약하지 않고서 해후함을 말한다. 이효가 위로 나아감은 본래 양을 구하고 본래 임금을 뵙고자 하는 것이지만, 임금의 자리에 이르면 도리어 그 음을 만나고 양의 자리에 미치면 도리어 그 신하를 만나니, 이는 진실로 실망스럽지만 분수가 있는 곳이므로, 스스로 허물이 없을 수 있다. 구사의 "지나치지 아니하여 맞도록 한다"와 바로 서로 뜻을 드러낸다.

### 박문호(朴文鎬) 「경설(經說) · 주역(周易)」

祖妣君臣, 皆作指五讀, 似亦通. 蓋五若陽也, 則當爲君與祖, 而乃陰也, 故以臣與妣處之, 蓋在小過之時 與他卦有異故也. 又此卦凡遇字, 皆指正應, 此云過不及, 皆是不相遇之意.
'할아버지'와 '할머니', '임금'과 '신하'는 모두 오효를 가리킨다고 읽어도 또한 통할 듯하다. 오효가 만약 양이라면, 마땅히 임금과 할아버지가 되지만 음이기 때문에 신하와 할머니로 처우하니, 아마도 '소과(小過)'의 때에 있어서는 다른 괘와 차이가 있기 때문이다. 또 이 괘에서의 '만나다[遇]'라는 글자는 모두 정응을 가리키고, 여기서 말하는 '지나감[過]'과 '미치지 않음[不及]'은 모두 서로 만나지 않았다는 뜻이다.

如此則三字只是相因之勢, 未見有微反之意. 惟小註之然而二字, 暗合於程傳之意.
『본의』에서 말하는 "이와 같이 하면[如此則]"이라는 세 글자는 단지 서로 인하는 형세이니, 은근하게 반대가 되는 뜻이 있음은 보이지 않는다. 오직 소주(小註)에서 주자가 말한 '그러나[然而]'라는 두 글자가 암암리에 『정전』의 뜻과 부합된다.

## 象曰, 不及其君, 臣不可過也.

「상전」에서 말하였다: "임금에게 미치지 않음"은 신하는 지나치게 해서는 안 되는 것이다.

## 中國大全

### 傳

**過之時, 事无不過其常, 故於上進則戒及其君, 臣不可過臣之分也.**

지나치는 때에는 일이 보통을 넘지 않음이 없으므로 위로 나아감에는 임금에게 미침을 경계하였으니, 신하는 신하의 분수를 지나쳐서는 안 된다.

### 本義

**所以不及君而還遇臣者, 以臣不可過故也.**

임금에게 미치지 못하고 도리어 신하를 만나는 까닭은 신하는 지나치게 해서는 안 되기 때문이다.

#### 小註

中溪張氏曰, 君尊臣卑, 爲臣者, 不可陵及其君. 象言臣不可過者, 亦臣之分也.
중계장씨가 말하였다: 임금은 높고 신하는 낮으니, 신하가 된 자는 임금에게 미쳐서 능멸해서는 안 된다. 「상전」에서 "신하는 지나치게 해서는 안 된다"고 말한 것은 또한 신하의 분수이다.

○ 雲峯胡氏曰, 小者, 有時不可過, 臣之於君, 不可過也. 本義發之, 君臣之大分嚴矣.
운봉호씨가 말하였다: 작은 일은 때로 지나쳐서는 안 되는 경우가 있으니, 신하가 임금에 대하여 지나쳐서는 안 된다. 『본의』에서 그것을 드러냈으니, 임금과 신하의 큰 분수가 엄격하다.

## 韓國大全

### 김상악(金相岳) 『산천역설(山天易說)』

不及君而遇其臣, 无過極之咎也.
임금에게 미치지 않고 신하를 만남은 지나침이 매우 심한 허물은 없다.

### 서유신(徐有臣) 『역의의언(易義擬言)』

小過之時, 以過爲正, 而君臣之分, 獨不可有過也.
'소과(小過)'의 때에는 지나침을 바르다고 여기지만, 임금과 신하의 분별에서는 유독 지나침이 있을 수 없다.

### 이종상(李鍾祥) 『역학려작(易學蠡酌)』

此, 是過不及之過, 傳本義備矣.
이는 '지나침'과 '미치지 못함'에서의 '지나침'이니, 『정전』과 『본의』에 뜻이 나타나 있다.

### 심대윤(沈大允) 『주역상의점법(周易象義占法)』

上行而至於不及其君, 人臣之尊嚴莊毅也. 六二之所以如此者, 人臣不可過爲卑恭而諂也. 小過之爲過, 常在乎下就而不在乎上行, 憂其過下而不憂其太上也.
위로 가더라도 임금에게 미치지 않는 데에 이르는 것은 신하의 존엄스럽고 장엄함이다. 육이가 이와 같은 까닭은 신하가 지나치게 낮추고 공경하여 아첨하게 되어서는 안 되기 때문이다. '소과(小過)'에서 '지나침[過]'이 됨은 항상 아래로 나아가는 데에 있지 위로 가는 데에 있지 않으니, 지나치게 내려가는 것을 걱정하지 너무 올라가는 것을 걱정하지 않는다.

### 오치기(吳致箕) 「주역경전증해(周易經傳增解)」

所以不及君而遇其臣者, 以臣分之不可過君也.
임금에 미치지 않고 신하를 만나는 까닭은 신하의 분수가 임금을 지나쳐서는 안 되기 때문이다.

### 이병헌(李炳憲) 『역경금문고통론(易經今文考通論)』

王曰, 祖, 始也, 謂初也. 妣居內履中而正者也. 過初履二位, 故曰過其祖遇其妣.
왕필이 말하였다: '할아버지[祖]'는 시작이니, 초효를 말한다. '할머니[妣]'는 안에 있으면서 가운데 자리를 밟아 바른 자이다. 초효를 지나 이효의 자리를 밟고 있기 때문에 "할아버지를 지나가 할머니를 만난다"고 하였다.

姚曰, 不及其君, 遇其臣, 謂不及五, 遇四也.
요신이 말하였다: "임금에게 미치지 않고 신하를 만난다"란 오효에 미치지 않고 사효를 만난다는 말이다.

## 九三，弗過防之，從或戕之，凶.

정전 구삼은 지나치게 방비하지 않으면 따라서 혹 해친다. 그리하여 흉하리라.
본의 구삼은 지나치게 방비하지 아니하여 따라서 혹 해치니, 흉하다.

## 中國大全

### 傳

小過, 陰過陽失位之時, 三獨居正, 然在下, 无所能爲而爲陰所忌惡, 故有當過者, 在過防於小人. 若弗過防之, 則或從而戕害之矣, 如是則凶也. 三於陰過之時, 以陽居剛, 過於剛也, 旣戒之過防, 則過剛亦在所戒矣. 防小人之道, 正己爲先, 三不失正, 故无必凶之義, 能過防則免矣. 三居下之上, 居上爲下, 皆如是也.

소과(小過)는 음이 지나치고 양이 지위를 잃은 때이니, 삼효가 홀로 바른데[正]에 있으나 아래에 있어 할 수 있는 바가 없고, 음에게 시기와 미움을 받으므로 마땅히 지나치게 하여야 할 것은 소인을 지나치게 방비함에 있다. 만약 지나치게 방비하지 않으면 혹 따라서 해칠 것이니, 이와 같으면 흉하다. 삼효는 음이 지나칠 때에 양으로서 굳센 양의 자리에 있으니 굳셈에 지나침이고, 이미 지나치게 방비할 것을 경계하였으면 지나치게 굳센 것도 경계해야 한다. 소인을 방비하는 도는 자신을 바로 함이 우선이니, 삼효는 바름[正]을 잃지 않았으므로 반드시 흉하게 되는 뜻은 없으므로, 지나치게 방비할 수 있으면 면한다. 삼효는 하괘의 맨 위에 있으니, 위에 있으면서도 아래가 되는 것이 모두 이와 같다.

### 本義

小過之時, 事每當過, 然後得中. 九三, 以剛居正, 衆陰所欲害者也, 而自恃其剛, 不肯過爲之備, 故其象占如此. 若占者能過防之, 則可以免矣.

소과(小過)의 때에는 일을 언제나 마땅히 지나치게 해야 하니, 그런 뒤에야 알맞음을 얻는다. 구삼은 굳센 양으로 바른 데에 있어 여러 음이 해치고자 하는 대상이나 스스로 굳셈을 믿어서 기꺼이 지나치게 방비하지 않기 때문에 그 상과 점이 이와 같다. 점치는 자가 지나치게 방비할 수 있으면 면할 수 있다.

## 小註

朱子曰, 中孚小過兩卦, 鶻突不可曉, 小過尤甚. 如云弗過防之, 則是不能過防之也. 四字只是一句, 至弗過遇之與弗遇過之, 皆是兩字爲絶句, 意義更不可曉.
주자가 말하였다: 중부괘(中孚卦䷼)와 소과괘(小過卦䷽)는 흐릿하고 분명하지 못한데, 소과괘가 더욱 심하다. “지나치게 방비하지 않는다”고 말하였다면, 지나치게 방비할 수 없다는 것이다. ‘불과방지(弗過防之)’ 네 글자는 다만 한 구절이지만 ‘불과우지(弗過遇之)’와 ‘불우과지(弗遇過之)’에 있어서는 모두 두 글자씩 구(句)가 끊어지니, 말의 뜻이 더욱 분명하지 않다.

○ 瓜山潘氏曰, 柔過之時, 九三獨得位, 不過爲之防, 則橫逆至矣.
과산반씨가 말하였다: 부드러운 음이 지나친 때에 구삼만이 홀로 제자리를 얻었으나 지나치게 방비하지 않으면 횡포(橫暴)한 일이 이른다.

○ 雙湖胡氏曰, 朱子謂弗過遇之, 是兩字爲絶句, 愚謂弗過防之, 從或戕之, 亦當兩字爲絶句. 蓋小過, 乃陰過之時, 故二陽爻, 皆稱弗過, 是言陽弗能過也. 防之, 防陰也, 言弗能過之, 則當防之. 若不防而反從之, 則彼或得以戕我而凶矣. 二陰在下, 有上進之勢, 故當防.
쌍호호씨가 말하였다: 주자는 ‘불과우지(弗過遇之)’는 두 글자씩 구가 끊어진다고 말하였는데, 내 생각에는 ‘불과방지(弗過防之)’와 ‘종혹장지(從或戕之)’도 마땅히 두 글자씩 구가 끊어져야 한다. 소과괘(小過卦䷽)는 음이 지나친 때이므로 두 양효에서 모두 ‘지나치지 않는다’고 일컬은 것은 양이 지나칠 수 없음을 말한다. ‘방비한다[防之]’는 음을 막는 것이니, 지나칠 수 없다면 마땅히 막아야 함을 말한다. 막지 못하고 도리어 따르게 되면 저것이 혹 나를 해칠 수 있어 흉하다. 두 음이 아래에 있고 위로 나아가는 형세가 있기 때문에 막아야 한다.

○ 雲峯胡氏曰, 弗過防之作一句讀, 戒辭也. 依九四例作兩句讀, 亦戒辭也, 謂三恃其剛, 而不肯過防, 可也, 謂三之陽, 雖弗過而當防陰之過, 亦可也. 陰欲害陽, 陽當爲備, 若反從之, 則或被其戕而凶. 或者未必然之辭. 聖人以此戒三, 謂當以陰之過也而防之, 不當以陰之比也而狎之.
운봉호씨가 말하였다: ‘불과방지(弗過防之)’를 하나의 구(句)로 읽음은 경계하는 말이다. 구사의 용례에 따라 두 구로 만들어 읽더라도 또한 경계하는 말이니, 삼효가 그 굳셈을 믿어 기꺼이 지나치게 방비하지 않는다고 해도 옳고, 삼효의 양이 비록 지나치지 못해서 마땅히 음이 지나치는 것을 막아야 한다고 말해도 옳다. 음은 양을 해치려 하니, 양은 마땅히 방비하여야 하는데 도리어 따르게 되면 혹 죽임을 당하여 흉하다. ‘혹’이라는 것은 반드

시 그러하지는 않다는 말이다. 성인이 이것으로 삼효를 경계함은 음이 지나치는 것이기 때문에 방비하는 것이 마땅하고, 음과 비(比)의 관계이기 때문에 친압하는 것은 마땅하지 않음을 말한다.

## 韓國大全

### 권근(權近) 『주역천견록(周易淺見錄)』

九三, 處君子小人背馳之時, 以陽居陽, 過乎剛者也. 從者, 已過而追其後之謂. 君子之防小人, 當周旋顧慮過爲之防, 以備其後患. 不可恃其已過而忽之, 又不可以過剛而甚之也. 九三剛過而不中, 其於小人, 始則過於剛武而必絶, 終則恃其剛正而不備者也. 自古君子, 恃正而不備, 卒爲小人所困者, 多矣. 爻因其才而設爲過防之戒. 蓋常於所忽而不忘戒備, 故曰過防, 非過於剛武也. 惟先正己, 不惡而嚴以待之, 使己無可指之失, 彼無[153]可承之釁, 是過防之道也.

구삼은 군자와 소인이 배치되는 때에 있으면서, 양으로 양의 자리에 있어서 굳셈에서 지나친 자이다. '따라서[從]'란 이미 지나쳐서 그 뒤를 쫓는다는 말이다. 군자가 소인을 막음은 마땅히 두루 고려하고 막기를 지나치게 하여 후환을 방비한다. 이미 지나친 것을 믿고서 소홀히 해서는 안 되고, 또 지나치게 굳세게 하여 심하게 해서도 안 된다. 구삼은 굳셈이 지나쳐 알맞지 않아 소인에 대하여 처음에는 자신의 굳세고 맹렬한 데에 지나쳐서 반드시 끊어버리고, 끝에서는 자신의 굳세고 바름을 믿고서 방비하지 않는 자이다. 예로부터 군자 중에는 바름을 믿고서 방비하지 않아 끝내 소인에 의하여 곤혹을 겪게 된 자가 많았다. 효는 그 자질로 인하여 지나치게 방비해야 한다고 경계를 세웠다. 항상 소홀한 바에 대하여 경계하고 방비하기를 잊지 않기 때문에 "지나치게 방비한다"고 하였지 굳세고 맹렬한 데에서 지나치게 하였기 때문이 아니다. 오직 먼저 자신을 바르게 하여 미워하지 않고 엄하게 그를 대해서 나에게는 지적할만한 잘못이 없도록 하고 저에게는 이을만한 허물이 없도록 하니, 이것이 지나치게 방비하는 방법이다.

---

153) 無: 경학자료집성DB와 영인본에 모두 '旣'로 되어 있으나, 문맥을 살펴 '無'로 바로잡았다.

### 유정원(柳正源) 『역해참고(易解參攷)』

正義, 小過之世, 大者不能立德[154], 小者得過, 九三居下體之上, 以陽當位, 不能先過爲防, 至令小者或過. 上六小人最居高顯, 而復應而從焉. 其從之也, 則有殘害之凶, 至矣, 故曰不過防之. 春秋傳曰, 在內曰弑, 在外曰戕, 然則戕者殺害之謂也. 言或者, 不必之辭也. 謂爲此者, 幸而免也.
『주역정의』에서 말하였다: '소과(小過)'의 때에는 큰 사람은 덕을 세울 수가 없고 작은 사람은 지나칠 수 있으니, 구삼은 하체의 맨 위에 있으면서 양으로 제자리에 해당하지만 먼저 지나치게 방비할 수가 없어서 작은 사람이 혹 지나치도록 하는 데에 이른다. 상육은 소인 중에서 가장 높이 드러나는 곳에 있고 다시 호응하여 삼효를 따른다. 그 따름에 잔인하게 해치는 흉함이 지극하기 때문에 "지나치게 방비하지 않으면"이라고 하였다. 『춘추좌씨전(春秋左氏傳)』에서 "나라 안에 있는 사람이 군주를 죽임을 '시(弑)'라고 하고 나라 밖에서 들어온 사람이 다른 나라의 군주를 죽임을 '장(戕)'이라고 한다"[155]고 하였으니, 그렇다면 '장(戕)'이란 죽여서 해침을 말한다. '혹(或)'이라고 말한 것은 반드시 그렇다는 것은 아니라는 말이다. 이렇게 하는 자가 다행히 면할 수 있음을 말한다.

○ 案, 九三以剛居剛, 剛之過者也, 而當陰過之時, 居得其正, 是剛之不過也, 亦足以防陰也. 與九四弗過遇之同意, 三則過剛, 故言防陰, 四則居陰, 故言遇陰. 然下比二陰, 若反從之, 則或被其陰慝之所戕. 雲峯說可備一義.
내가 살펴보았다: 구삼은 굳센 양으로 굳센 양의 자리에 있어서 굳셈이 지나친 자이지만, 음이 지나친 때를 맞아 자리가 그 바름을 얻었으니, 이는 굳셈이 지나치지 않은 것이며 또한 음을 방비하기에는 충분하다. 구사에서의 "지나치지 아니하여 맞도록 하다[弗過遇之]"와 뜻이 같으나, 삼효는 지나치게 굳세기 때문에 음을 방비할 것을 말하고 사효는 음의 자리에 있기 때문에 음을 만날 것을 말하였다. 그러나 아래로는 음인 이효와 비(比)의 관계에 있어서 만약 도리어 이효를 따른다면 혹 사특한 음에게 해침을 당한다. 운봉호씨의 설이 하나의 뜻을 갖추었다고 할 수 있다.

### 김상악(金相岳) 『산천역설(山天易說)』

當過之時, 九三居艮之終, 與二爲比, 與上爲應, 旣弗過, 則當有以防其進. 若復從上而往, 則或有見戕之禍而凶矣.

---

154) 德: 경학자료집성DB와 영인본에 모두 이 글자가 빠져 있으나, 『주역정의』를 살펴 보충하였다.
155) 『春秋左氏傳 · 宣公』 18년: 秋, 邾人戕鄫子于鄫, 凡自虐其君曰弑, 自外曰戕.

'지나침[過]'의 때를 맞아 구삼은 간괘(艮卦☶)의 맨 끝에 있으면서 이효와는 비(比)의 관계가 되고 상효와는 호응이 되니, 이미 지나치지 않았다면 마땅히 그 나아감을 방비함이 있어야 한다. 만약 다시 상효를 따라 간다면 혹 해침을 당하는 화(禍)가 있어서 흉하게 된다.

○ 止陰于內, 防之象, 交陰于外, 從之象. 陰過則能殺物, 故曰或戕之. 春秋傳, 在內曰弑, 在外曰戕, 本爻之戕謂上也. 坤之弑, 則在初, 蓋震木克艮土, 故曰從或戕之.
안에서 음을 저지하니 막는 상이고, 밖에서 음과 사귀니 따르는 상이다. 음이 지나치면 다른 물(物)을 죽일 수 있기 때문에 "혹 해친다"고 하였다. 『춘추좌씨전(春秋左氏傳)』에서 "나라 안에 있는 사람이 군주를 죽임을 '시(弑)'라고 하고 나라 밖에서 들어온 사람이 다른 나라의 군주를 죽임을 '장(戕)'이라고 한다"[156]고 하였으니, 본 효에서의 '장(戕)'은 상효를 두고 한 말이다. 곤(坤)의 시해는 초효에 있으니, 진괘(震卦☳)의 나무가 간괘(艮卦☶)의 흙을 이기기 때문에 "따라서 혹 해친다"고 하였다.

## 서유신(徐有臣) 『역의의언(易義擬言)』

陰過陽不過, 故三四稱不過也. 然小過之時, 不能獨無所過, 九三過於剛, 九四過於慎矣. 艮有防限象, 又有戕擊象, 以弗過之陽, 防遏方過之二陰, 而又從以戕擊之, 過於剛也, 取凶之道也. 始未防微於未過之防日之不過也, 終欲力遏其已過之勢, 不容不戕擊也.
음은 지나치고 양은 지나치지 않기 때문에 삼효와 사효에서는 '지나치지 않음[不過]'을 말하였다. 그러나 '소과(小過)'의 때에 홀로 지나친 바가 없을 수 없어서 구삼은 굳셈에서 지나치고 구사는 삼감에서 지나친다. 간괘(艮卦☶)에는 막아 제한하는 상이 있고 또 해치고 공격하는 상이 있어서, 지나치지 않은 양으로 막 지나치게 되는 두 음을 막고 또 따라서 해치고 공격하니, 굳셈에서 지나침이고 흉함을 취하는 방법이다. 처음에는 아직 지나치지 않아 방비하는 데에 하루를 넘기지 않는 것에 대해 미연에 방비하지 않으면, 끝내는 이미 지나쳐 버린 형세를 힘써 막고자 하여 해치고 공격하지 않을 수 없다.

## 이지연(李止淵) 『주역차의(周易箚疑)』

不過防之, 言及其陰之不過, 而防閑之, 使不得過也. 三以一陽止於二陰之上, 宜及其陰之不過而防之也. 從者, 從上一陽也. 九三從上九, 則四與五因成坎體, 坎者, 陷也. 陽陷則陰過, 故爲從或戕之之象.

---

156) 『春秋左氏傳 · 宣公』 18년: 秋, 邾人戕鄫子于鄫, 凡自虐其君曰弑, 自外曰戕.

"지나치지 않을 때에 방비한다[不過防之]"란 음이 지나치지 않을 때에 이르러 막아 두어 지나칠 수 없도록 함을 말한다. 삼효는 하나의 양으로 두 음의 위에 머물러 마땅히 그 음이 아직 지나치지 않을 때에 이르러 방비하여야 한다. '따름[從]'이란 위의 한 양을 따름이다. 구삼이 위의 구(九)를 따르면 사효와 오효는 인하여 감괘(坎卦☵)의 몸체를 이루니, 감괘(坎卦☵)란 빠짐이다. 양이 빠지면 음이 지나치게 되기 때문에 "따라서 혹 해치는" 상이 된다.

### 김기례(金箕澧) 「역요선의강목(易要選義綱目)」

三以過剛, 當嚴防二陰之浸長, 而當過之時, 三過於解弛, 无防備之道, 而欲從陰, 則陰必害陽, 故或見戕而凶.

삼효는 지나친 굳셈으로 마땅히 두 음이 점점 자라남을 엄격하게 막아야 하는데도, '소과(小過)'의 때를 맞아 삼효는 지나치게 해이해져 방비하는 방법이 없고 음을 따르고자 하니, 음이 반드시 양을 해치기 때문에 혹 해침을 당하여 흉하다.

### 윤종섭(尹鍾燮) 『경(經)-역(易)』

小過, 陰過也. 於三四兩爻, 特稱弗過, 主陽也.

'소과(小過)'는 음이 지나친 것이다. 삼효와 사효인 두 효에서 다만 '지나치지 않다[弗過]'라고 하였으니, 양을 위주로 하였기 때문이다.

### 심대윤(沈大允) 『주역상의점법(周易象義占法)』

小過之豫䷏, 逸也. 九三以剛居剛, 以尊貴求爲恭下也. 上應于六, 尊嚴幾乎極, 而爲四所阻, 不得爲尊嚴也. 故曰不過防之, 不過上行也, 言欲上行而不就下, 則爲四所防也. 侯牧之專統, 幾如君而以之承順大臣也. 九三下從于初二, 而陽得陰, 爲得其所說也. 其卑恭過甚, 時中而行不中, 以居嫌疑之地, 不得不爾, 故曰從或戕之. 從或, 言從于初二也. 對離互巽爲從, 兌爲戕, 言爲四所戕也. 人之德崇位貴, 而能恭下以得人之說, 而乃爲德位勝於我者所逼, 而人之說吾者, 皆從於彼, 竝與吾而承順之. 九三之有初二, 乃亦四之有也, 嫌疑之甚也. 故曰凶. 鳥之高飛而斜下, 以就乎食, 而爲他鳥大於是者所争也. 二不言從三, 而三從于二與初者, 何也. 小過雖有上行之義, 而要其歸終, 則就下而不就上也. 過於恭下而承順於勝我者, 逸豫之道也. 時中而不免於凶者, 所處不安之甚也.

소과괘가 예괘(豫卦䷏)로 바뀌었으니, 즐기는 것이다. 구삼은 굳센 양으로 굳센 양의 자리에 있어서 존귀함으로 공손하게 낮추고자 한다. 위로 육효와 호응하여 존엄하기가 거의 지극하게 될 수 있지만, 사효에 의하여 막히게 되어 존엄하게 될 수가 없다. 그러므로 “지나치지 못하고 막혔다”라고 하였으니 지나쳐서 위로 가지 못한 것이라서, 위로 올라가고 아래로 가지 않으려고 한다면 사효에 의하여 막히게 됨을 말한다. 후목(侯牧)이 전일하게 다스림은 임금과 거의 같지만, 이로써 대신을 받들고 따르기 때문이다. 구삼은 아래로 초효와 이효에 따라서 양이 음을 얻으니, 기뻐하는 바를 얻게 된다. 그 낮추고 공손함이 지나치게 심하여 때에 알맞지만 행동은 알맞지 않아 혐의가 있는 곳에 있게 되니, 이렇게 하지 않을 수 없게 되기 때문에 “따라서 혹 해친다”고 하였다. ‘따라서 혹[從或]’이란 초효와 이효에 따름을 말한다. 큰 감괘(坎卦☵)의 음양이 바뀐 리괘(離卦☲)와 호괘인 손괘(巽卦☴)가 따름이 되고, 태괘(兌卦☱)가 해침이 되니, 사효에 의하여 해침을 당함을 말한다. 사람 중에서 덕이 높고 지위가 귀하면서도 공손하게 낮추어 다른 사람의 기뻐함을 얻을 수 있다가, 이에 덕과 지위가 나보다 더 나은 자에 의하여 핍박을 받아서 나에게 기뻐하던 자들이 모두 그를 좇아 나와 더불어 그를 받들고 따르게 된다. 구삼에게 초효와 이효가 있음은 또한 사효에게도 있음이니 혐의가 심하다. 그러므로 “흉하다”고 하였다. 새가 높이 날다가 비스듬히 내려와 먹을 것에 나아가다가 이 새보다 큰 다른 새에 의하여 다투게 된다. 이효에서는 삼효를 따른다고 말하지 않았는데도 삼효는 이효와 초효에 따르는 것은 어째서인가? 소과괘(小過卦)가 비록 위로 가는 뜻을 가지고 있지만, 반드시 끝으로 돌아와서는 아래로 나아가고 위로 나아가지 않는다. 공손하게 낮추는 데에 지나쳐서 나보다 나은 자를 받들고 따르는 것은 안일하게 기뻐하는 방법이다. 때에 알맞으면서도 흉한 데에서 벗어나지 못하는 것은 처하는 곳이 심하게 불안하기 때문이다.

### 오치기(吳致箕) 「주역경전증해(周易經傳增解)」

九三, 雖以陽剛居正, 當小過之時, 同類少而不能過於陰. 然以剛而得正, 故戒言當防止其陰邪, 使不得爲害於陽剛, 而應比皆柔, 其勢甚盛, 若不能防而反從之, 則或有戕害之患而爲凶也.
구삼은 비록 굳센 양으로 제자리에 있지만, ‘소과(小過)’의 때를 맞아 같은 부류는 적어 음보다 지나칠 수 없다. 그러나 굳센 양으로 바름을 얻었기 때문에 마땅히 사특한 음을 방지하여 굳센 양을 헤치지 않을 수 있도록 하여야 하며, 호응하고 비(比)의 관계에 있는 것이 모두 부드러운 음이라서 그 형세가 매우 성대하니, 만약 막을 수 없어서 도리어 음을 따른다면 혹 해치는 우환이 있어서 흉하게 됨을 경계하여 말하였다.

○ 弗過, 謂剛少於柔也. 防, 止也, 禦也, 取於艮. 從謂以剛從柔也. 或者, 未定之辭也. 戕, 傷也, 取於互兌爲毁折也.

‘지나치지 않다’란 굳센 양이 부드러운 음보다 적음을 말한다. ‘방(防)’이란 저지함이며 막음이니, 간괘(艮卦☶)에서 취하였다. ‘따름[從]’이란 굳센 양으로서 부드러운 음을 따름을 말한다. ‘혹(或)’이란 아직 정해지지 않았다는 말이다. ‘장(戕)’이란 손상시킴이니, 호괘인 태괘(兌卦☱)가 “해지고 끊어짐이 된다”[157]는 데에서 취하였다.

### 이진상(李震相) 『역학관규(易學管窺)』

弗過防之.
지나치지 않고 방비하다.

弗過防之, 與弗過遇之, 當從胡氏說, 作兩句讀〈弗過ㅣ오防之니〉. 九三果有過防之實, 則陽亦過也. 豈止爲小過乎.
“지나치지 않고 방비하다”와 “지나치지 아니하여 맞게 한다”[158]는 마땅히 운봉호씨의 설을 따라 두 구(句)로 만들어 읽어야 한다〈지나치지 않고 방비하니〉. 구삼에 과연 지나치게 방비하는 실제가 있다면 양이 또한 지나친 것이다. 어찌 다만 ‘작은 지나침[小過]’이 될 뿐이겠는가?

### 박문호(朴文鎬) 「경설(經說) · 주역(周易)」

旣戒之, 在所戒, 兩戒字不同 上勉之也 下禁之也.
『정전』에서 말한 “이미 경계하였다[旣戒之]”와 “경계하여야 할 대상에 있다[在所戒]”[159]에서 두 ‘경계[戒]’라는 글자는 같지 않으니, 앞에서는 힘쓴다는 말이며, 뒤에서는 막는다는 말이다.

云如六二爻例者, 以語意之同也, 如九三爻例者, 以文勢之同也. 然上六又當爲一證, 正與此相反, 而上六註亦引或說, 故於此无定論.
말하자면, 육이 효의 예(例)와 같은 경우는 말의 뜻[語意]이 같기 때문이고, 구삼 효의 예(例)와 같은 경우는 문장의 형세가 같기 때문이다. 그러나 상육도 또한 마땅히 하나의 증거가 되어야 하니, 바로 이 효와 서로 반대가 되어 상육 주(註)에서도 또한 ‘어떤 이의 설’을 인용하였기 때문에 이에 대해서는 정해진 설명이 없다.

---

157) 『周易 · 說卦傳』: 兌, 爲澤, 爲少女, 爲巫, 爲口舌, 爲毁折, 爲附決. 其於地也, 爲剛鹵, 爲妾, 爲羊.
158) 『周易 · 小過卦』: 九四, 无咎, 弗過, 遇之, 往, 厲, 必戒, 勿用永貞.
159) 『周易傳義大全 · 小過卦 · 程傳』: 三於陰過之時, 以陽居剛, 過於剛也, 旣戒之過防, 則過剛亦在所戒矣.

## 象曰, 從或戕之, 凶如何也.

「상전」에서 말하였다: "따라서 혹 해침"은 흉함이 어떠한가?

# 中國大全

### 傳

**陰過之時, 必害於陽, 小人道盛, 必害君子, 當過爲之防. 防之不至, 則爲其所戕矣. 故曰凶如何也, 言其甚也.**

음이 지나친 때에는 반드시 양을 해치고, 소인의 도가 왕성하면 반드시 군자를 해치니, 마땅히 지나치게 방비하여야 한다. 방비함이 지극하지 않으면 해침을 당하게 된다. 그러므로 "흉함이 어떠한가?"라고 하였으니, 심하다는 말이다.

### 小註

中溪張氏曰, 爲九三者, 若不過防二陰浸長之患, 而輕從之, 或者得以戕君子之陽, 其凶當如何也. 凡事不可過, 唯君子之防小人, 不可不過爲之慮也.

중계장씨가 말하였다: 구삼이 두 음이 점점 자라나는 근심을 지나치게 막지 않고 경솔하게 두 음을 따른다면 어떤 것이 군자의 양을 죽일 수 있으니, 그 흉함이 마땅히 어떠하겠는가? 모든 일에 있어 지나치게 해서는 안 되지만, 군자가 소인을 막는 것만은 지나치게 염려하지 않을 수 없다.

# ▌韓國大全▐

## 송시열(宋時烈) 『역설(易說)』

弗過防之, 傳義皆以弗爲過防釋之, 來氏獨以不過兩孚作句, 以不過而防之釋之. 若以九四不過遇之, 上六不遇過之之文觀之, 來說似好. 言艮之上爻, 不能過而相與於上六, 但以艮止之意, 防閑於內, 其心則常在於上六, 故有時或以大坎之刑象, 又從而戕害之. 且君子寡小人衆[160], 群陰之位, 每欲傷害君子, 三之君子, 處小過之時, 故不能大設防閑, 而至或被其戕害, 以此以彼其凶果何如也哉.

"지나치게 방비하지 않다"에 대하여 『정전』과 『본의』에서는 모두 지나치게 방비하는 것을 하지 않는다고 풀이하였는데, 래지덕은 유독 '불(不)'과 '과(過)' 두 글자만을 붙여 한 구로 만들어 지나치지 않아서 막다로 풀이 하였다. 만약 구사에서의 "지나치지 아니하여 맞도록 하다"[161]와 상육에서의 "도리와 맞지 못하여 지나치다"[162]라는 문장과 같이 본다면, 래지덕의 설명이 좋은 듯하다. 이는 간괘(艮卦☶)의 맨 위에 있는 효로 지나쳐 상육과 서로 함께 할 수가 없고 다만 간괘(艮卦☶)의 그친다는 뜻에서 안으로 막아 두지만, 그의 마음은 항상 상육에게 있기 때문에 때에 따라 혹 큰 감괘(坎卦☵)의 형상으로써 또 따라서 그를 해침을 말한다. 또 군자는 적고 소인은 많아 여러 음의 자리에서 매번 군자를 상하게 하고자 하는데, 삼효인 군자는 '소과(小過)' 때에 있기 때문에 막아 둠을 크게 설치할 수가 없어서 혹 그들에게 해침을 당하는 데에 이르니, 이렇게 하든지 저렇게 하든지 흉함이 과연 어떠한가?

## 이익(李瀷) 『역경질서(易經疾書)』

三四不過爲句, 防之遇之爲句, 過帖于五, 防與遇帖于二也. 四之不過, 爲不過君, 則三亦不過君矣. 四之遇, 爲遇二, 則三之防, 亦防二矣. 三居二四之間, 上不可過君, 下防之二遇四, 則於義爲背, 所謂三多凶, 是也. 從者, 在後之稱, 二在三後, 當小過之時, 三安能終防之乎. 如是, 或不免從後戕害之患. 凶如何者, 戒使改圖之意.

삼효와 사효에서는 '불과(不過)'가 한 구가 되고, '방지(防之)'와 '우지(遇之)'가 각각 한 구가 되니, '과(過)'는 오효에 연결되고 '방(防)'과 '우(遇)'는 이효에 연결된다. 사효에서의 '지나치

---

160) 衆: 경학자료집성 영인본에서는 여기에 해당하는 글자가 무슨 글자인지 알 수가 없고, 경학자료집성DB에는 '象'으로 되어 있으나, 문맥을 살펴 '衆'으로 바로잡았다.

161) 『周易 · 小過卦』: 九四, 无咎, 弗過, 遇之, 往, 厲, 必戒, 勿用永貞.

162) 『周易 · 小過卦』: 上六, 弗遇, 過之, 飛鳥離之, 凶, 是謂災眚.

지 않다'는 임금을 지나치지 않음이 되니, 삼효도 또한 임금을 지나치지 않는다. 사효에서의 '만남[遇]'은 이효를 만남이 되니, 삼효에서의 '막음[防]'도 또한 이효를 막는 것이다. 삼효는 이효와 사효 사이에 있는데, 위로는 임금을 지나칠 수가 없고 아래로는 이효가 사효를 만나는 것을 막으니, 의리상 배반이 되므로 이른바 "삼효는 흉함이 많다"163)는 것이 이것이다. '따라서[從]'란 뒤에 있는 것을 칭하니, 이효가 삼효 뒤에 있는데 '소과(小過)'의 때를 맞았으므로, 삼효가 어찌 이효를 끝내 막을 수 있겠는가? 이와 같다면, 혹 뒤에서 따라 해치는 우환에서 벗어나지 못한다. "흉함이 어떠한가"란 의도를 고치도록 하는 뜻을 경계한 것이다.

### 김상악(金相岳) 『산천역설(山天易說)』

凶如何也, 言其甚也.
"흉함이 어떠한가"는 그 심함을 말한다.

### 서유신(徐有臣) 『역의의언(易義擬言)』

凶之甚也.
흉함의 심함이다.

### 박제가(朴齊家) 『주역(周易)』

以卦名大過小過之義推之, 此卦之三四兩陽爻, 皆不能過於陰者也. 然而四之弗過, 乃與遇作對, 則此爻亦無異同. 字變亦如卦變, 此過字從有餘而來, 爲經過之過矣. 傳於三則以防爲句, 於四則以過爲句, 本義兩存其說, 而言三不交於二陰而防之也. 三處二陰之上, 以身當其方進之勢, 所謂防也. 從或戕之者, 言雖下從乎二陰, 而亦往往不免被戕者, 戒之之辭. 小人之臨難偸生而卒不免者, 可以鑑矣.
괘를 '대과(大過)'와 '소과(小過)'로 이름을 지은 뜻으로 미루어 보면, 이 괘의 두 양효인 삼효와 사효는 모두 음보다 지나칠 수 없는 자이다. 그러나 사효에서의 '지나치지 않다[弗過]'는 곧 '맞도록 하다[遇]'와 상대가 되니, 이 효도 또한 다를 바가 없다. 글자의 뜻이 바뀜은 또한 괘의 바뀜과 같으니, 여기서 '과(過)'자는 남음이 있다는 뜻에서 나왔으니, 경과(經過)하다의 '과(過)'가 된다. 『정전』에서는 삼효에서 '방(防)'을 구(句)로 삼았고 사효에서 '과(過)'를 구로 삼았으며, 『본의』에서는 두 가지 설을 다 두어서 삼효는 음인 이효와 사귀지

---

163) 『周易 · 卦辭傳』: 三與五, 同功而異位, 三多凶, 五多功, 貴賤之等也, 其柔危, 其剛勝耶.

않고 이효를 막는다고 말하였다. 삼효가 음인 이효의 위에 있어서 자신이 이효가 막 나아가려는 형세를 감당하는 것이 이른바 '방비[防]'이다. "따라서 혹 해친다"란 비록 아래로 두 음에 따르더라도 또한 왕왕 해침을 당하는 데에서 면하지 못함을 말한 것이니, 경계하는 말이다. 소인이 어려움을 맞아서 구차하게 살다가 끝내 면하지 못한 것을 거울삼을 수가 있다.

象傳曰, 凶如何也, 言已失身而從陰, 未免被戕, 其凶果何如也. 夫三以隻陽當衆陰之衝, 難乎免矣. 然畏而從之, 非徒無益, 乃反有凶.

「소상전」에서 "흉함이 어떠한가"라고 한 말은 이미 자신을 잃고 음을 좇아 해침을 당하는 데에서 면하지 못하여 그 흉함이 과연 어떠한가라고 말한 것이다. 삼효는 한 양으로 여러 음들의 충돌을 감당하니 면하기 어렵다. 그러나 두려워하면서 좇으면 단지 무익할 뿐만 아니라 도리어 흉함이 있다.

此爻, 惟唐之張睢陽, 庶幾當之矣.

이 효는 오직 당(唐)나라의 장수양(張睢陽)[164]만이 거의 여기에 해당한다.

## 오치기(吳致箕) 「주역경전증해(周易經傳增解)」

君子從小人, 而爲其所害, 則凶不可測也. 如何者, 言其甚也.

군자가 소인을 좇아 그에 의하여 해침을 당한다면 흉함을 헤아릴 수가 없다. '어떠한가[如何]'란 심함을 말한다.

## 이병헌(李炳憲) 『역경금문고통론(易經今文考通論)』

九三, 弗過, 防之, 從或戕之, 凶. 〈弗過句〉

구삼은 지나치지 않아서 막아 따라서 혹 해치니, 흉하다. 〈'불과(弗過)'를 구(句)로 하라〉

---

164) 장순(張巡): 당 현종(唐玄宗) 때 안록산(安祿山)의 난에 군사를 일으켜 적(賊)을 토벌한 장수이다. 장순, 요은(姚誾), 남제운(南霽雲), 허원(許遠) 등은 수양을 굳게 지켜 2년을 버티다가 성이 고립되고 원군이 이르지 않아 결국 식량이 떨어지고 사졸이 없어 성이 함락되어 사로잡히고 말았다. 장순이 죽으면서 말하기를, "나는 군부(君父)를 위해 의리로 죽지만 너희들은 역적에게 붙었으니 개돼지만 못하다. 어찌 오래가겠느냐." 하였다. 일명 장수양(張睢陽)이라고 한다. 이에 대한 기사는 『구당서(舊唐書)·충의열전(忠義列傳)』에 보인다.

象曰, 從或戕之, 凶如何也.
「상전」에서 말하였다: "따라서 혹 해침"은 흉함이 어떠한가?

虞曰, 防, 防四也.
우번이 말하였다: '막다[防]'란 사효를 막는 것이다.

姚曰, 三應在上, 爲四所隔, 故弗過. 艮止, 故防.
요신이 말하였다: 삼효의 호응은 상효에 있지만, 사효에 의하여 막히기 때문에 지나가지 못한다. 간괘(艮卦☶)는 저지함이기 때문에 막는다.

## 九四, 无咎, 弗過, 遇之, 往, 厲, 必戒, 勿用永貞.

구사는 허물이 없으니 지나치지 아니하여 맞도록 하니, 가면 위태로우므로 반드시 경계하여야 하며, 오래 하고 곧게 함을 쓰지 말아야 한다.

### 中國大全

**傳**

四當小過之時, 以剛處柔, 剛不過也, 是以无咎. 旣弗過, 則合其宜矣, 故云遇之, 謂得其道也. 若往則有危, 必當戒懼也, 往, 去柔而以剛進也. 勿用永貞, 陽性堅剛, 故戒以隨宜, 不可固守也. 方陰過之時, 陽剛失位, 則君子當隨時順處, 不可固守其常也. 四居高位, 而无上下之交, 雖比五應初, 方陰過之時, 彼豈肯從陽也. 故往則有厲.

사효는 소과(小過)의 때에 굳센 양으로 부드러운 음의 자리에 처하여 굳셈이 지나치지 않으니, 이 때문에 허물이 없다. 이미 지나치지 않았으면 마땅함에 부합하므로 '맞도록 한다'고 하였으니, 그 도를 얻었다는 말이다. 만약 가면 위태로움이 있으므로 반드시 경계하고 두려워해야 하니, '가면[往]'은 부드러운 음을 떠나 굳셈으로 나아가는 것이다. "오래 하고 곧게 함을 쓰지 말아야 한다[勿用永貞]"는 것은 양의 성질은 견고하고 굳세므로 마땅함을 따르라고 경계한 것이니, 고집하여 지켜서는 안 된다. 이제 막 음이 지나친 때에 굳센 양이면서 지위를 잃었으니, 군자는 마땅히 때에 따라 순리대로 대처하고, 그 떳떳함을 고집하여 지켜서는 안 된다. 사효는 높은 지위에 있으나 위아래의 사귐이 없으니, 비록 오효와 비(比)의 관계에 있고 초효와 호응하더라도 이제 막 음이 지나친 때라서 저 음들이 어찌 기꺼이 양을 따르겠는가? 그러므로 가면 위태로움이 있다.

**本義**

當過之時, 以剛處柔, 過乎恭矣, 无咎之道也. 弗過遇之, 言弗過於剛而適合其宜也, 往則過矣, 故有厲而當戒. 陽性堅剛, 故又戒以勿用永貞, 言當隨時之宜,

**不可固守也. 或曰, 弗過遇之, 若以六二爻例, 則當如此說, 若依九三爻例, 則過遇當如過防之義, 未詳孰是. 當闕以俟知者.**

지나친 때를 맞아 굳센 양으로 부드러운 음의 자리에 있어서, 공손함을 지나치게 하니 허물이 없는 도이다. "지나치지 않아 맞도록 한다[弗過遇之]"는 지나치게 굳세지 않아 그 마땅함에 적합함을 말하니, 가면 지나치므로 위태로움이 있어 마땅히 경계해야 한다. 양의 성질은 견고하고 굳세므로 또 "오래하고 곧게 함을 쓰지 말라"고 경계하였으니, 때의 마땅함을 따라야 하고 고집하여 지켜서는 안 됨을 말한다. 어떤 이는 "지나치지 않아 맞는다[弗過遇之]"는 것은 육이효의 예로 보면 마땅히 이렇게 설명해야겠지만, 구삼효의 예에 따른다면 '과우(過遇)'는 마땅히 지나치게 방비하는[過防] 뜻과 같아야 한다"고 하니, 누가 옳은지 모르겠다. 마땅히 놔두고 아는 자를 기다려야 할 것이다.

小註

朱子曰, 九四弗過遇之, 過遇猶言加意待之也. 上六弗遇過之, 疑亦當作弗過遇之, 與九三弗過防之, 文體正同.

주자가 말하였다: 구사에서 '불과우지(弗過遇之)'의 '과우(過遇)'는 뜻을 알고 신경을 써서 대하다는 말과 같다. 상육의 '불우과지(弗遇過之)'는 아마도 마땅히 '불과우지(弗過遇之)'로 써야 하니, 구삼에서 '불과방지(弗過防之)'라고 한 것과 문체(文體)가 딱 맞다.

○ 雙湖胡氏曰, 九四弗過, 與九三同義. 遇之, 前遇乎陰也. 上往, 則危厲, 必當致其戒謹. 然陽性本上, 故又戒其勿用於貞, 言不必永久貞固以自守. 但戒謹, 則可免厲矣. 二陰在上, 有遇之之勢, 故當戒.

쌍호호씨가 말하였다: 구사의 "지나치지 않는다"는 구삼과 뜻이 같다. '만난다(遇之)'는 음을 앞에서 만나는 것이다. 위로 가면 위태로워서 반드시 경계하고 조심해야 한다. 그러나 양의 성질이 본래 위로 가려하기 때문에 또 그 곧게 함을 쓰지 말라고 경계하였으니 반드시 오래하고 곧고 굳게 하여 스스로를 지킬 필요는 없음을 말한다. 다만 경계하고 조심하면 위태로움을 면할 수 있다. 두 음이 위에 있어 그와 만나는 형세가 있으므로 경계해야 한다.

○ 雲峯胡氏曰, 二陽皆當陰過之時. 然三當二陰方來之衝, 不可不防, 四當二陰已上之勢, 可以无咎, 故九三弗過防之, 防當用力, 九四弗過遇之, 遇非有心. 然往則有厲而當戒. 故戒三之從者, 從在下之陰也, 戒四之往者, 往而從上之陰也. 然往非也, 固守不能隨時之宜, 亦非也. 必知時識變者, 可悟此矣.

운봉호씨가 말하였다: 두 양이 모두 음이 지나친 때에 해당한다. 그러나 삼효는 두 음이 막 와서 부딪침에 해당하여 막지 않을 수 없고, 사효는 두 음이 이미 올라간 형세에 해당하

여 허물이 없을 수 있으므로 구삼에서 말한 '불과방지(弗過防之)'의 '방비[防]'는 마땅히 힘을 써야 하지만, 구사에서 말한 '불과우지(弗過遇之)'의 '맞도록 함[遇]'은 마음이 있는 것은 아니다. 그러나 가면 위태로움이 있어서 경계해야 한다. 그러므로 삼효의 따름을 경계한 것은 아래에 있는 음을 따르기 때문이며, 사효의 감을 경계한 것은 가서 위의 음을 따르기 때문이다. 그러나 가는 것도 그르고, 굳게 지키는 것도 때의 알맞음을 따를 수 없어 또한 그르다. 반드시 때를 알고 변화를 인식한 자라야 이것을 깨달을 수 있다.

## 韓國大全

### 이현익(李顯益) 「주역설(周易說)」[165]

弗過遇之, 作四字句, 則遇是相遇之義, 作二字句, 則遇是適合於宜之謂, 弗遇過之, 亦然. 而雙湖胡氏謂, 弗過遇之者, 陽微而不能過乎陰, 反遇於陽也, 弗遇過之者, 陰上而不能遇陽, 反過於陽也. 此以二字句者, 亦以遇爲相遇之義, 非傳義之旨.

'불과우지(弗過遇之)'를 네 글자로 구(句)를 만들면, '우(遇)'는 서로 만난다는 뜻이 되고, 두 글자로 구를 만들면 '우(遇)'는 마땅함에 적합하다는 말이 되니, '불우과지(弗遇過之)'[166] 도 또한 그러하다. 그런데 쌍호호씨는 "'불과우지'는 양이 미미하여 음을 지나갈 수 없어 도리어 양을 만나는 것이고, '불우과지'는 음이 올라가 양을 만날 수 없어 오히려 양을 지나침이다"라고 하였다. 이것은 두 글자로 구를 만든 것이면서, 또한 '우(遇)'를 서로 만난다는 뜻으로 삼았으니, 『정전』과 『본의』의 뜻은 아니다.

### 이익(李瀷) 『역경질서(易經疾書)』

九四, 先言无咎者, 六二旣云遇九四而无咎, 故卽指此而言, 不過以下方是此象, 上不可過君, 下與二遇也. 四五皆不得正, 而四剛五柔, 故猶有或過之戒, 謂往則危矣, 必可戒, 而勿用, 則永貞也. 勿用如乾初九辭[167], 孚卦之義, 乾文言有之, 上兩爻屬天, 下兩

165) 경학자료집성DB에서는 소과괘 괘사에 해당하는 것으로 분류했으나, 내용에 살펴 이 자리로 옮겨 바로잡았다.

166) 『周易 · 小過卦』: 上六, 弗遇, 過之, 飛鳥離之, 凶, 是謂災眚.

爻屬田也. 中孚之爲離, 小過之爲坎, 定矣.
구사에서 '허물이 없다'를 먼저 말한 것은 육이에서 이미 구사를 만나 허물이 없다고 말하였기 때문에 이를 가리켜 말한 것으로 '지나치지 않다[不過]' 이하가 곧 이러한 상이니, 위로는 임금을 지나쳐서는 안 되고 아래로는 이효와 만난다. 사효와 오효는 모두 제자리를 얻지 못하였는데 사효는 굳센 양이고 오효는 부드러운 음이기 때문에 오히려 혹 지나치다는 경계가 있으니, '감[往]'은 위태로워 반드시 경계하여야 하며 '쓰지 말아야 함[勿用]'은 오래하고 곧게 함을 말한다. '쓰지 말아야 한다[勿用]'란 건괘(乾卦☰) 초구의 효사[168]와 같고 중부괘(中孚卦☴)의 뜻으로 건괘(乾卦☰) 「문언전」에 있으니, 위에 있는 두 효는 하늘에 속하고 아래에 있는 두 효는 밭에 속한다. 중부괘(中孚卦☴)는 리괘(離卦☲)가 되고 소과괘(小過卦)는 감괘(坎卦☵)가 됨은 정해져 있다.

### 유정원(柳正源) 『역해참고(易解參攷)』

王氏曰, 宴安鴆毒, 不可懷也, 處於小過不寧之時, 而以陽居陰, 不能有所爲者也. 以此自守, 免咎可也, 以斯攸往, 危之道也. 不交於物, 物亦不與, 无援之助, 故危則必戒而已, 无所告救也. 沈沒怯[169]弱, 自守而已, 以斯而處於群小之中, 未足任者也, 故曰勿用永貞.
왕필이 말하였다: 행실이 바르지 못하면서 놀고 즐기는 것은 짐주(鴆酒)의 독과 같아서 마음에 품어서는 안 되니, '소과(小過)'의 편안하지 못한 때에 있으면서 양으로 음의 자리에 있어 훌륭한 일을 할 수가 없는 자이다. 이로써 스스로를 지켜 허물에서 벗어남은 괜찮지만 이로써 가는 바는 위험한 도이다. 다른 자와 교류하지 않고 다른 자도 그와 함께하지 않아 이끌어주면서 도와주는 자가 없기 때문에 위태로우면 반드시 경계할 뿐이며 구해주기를 알릴 데가 없다. 가라앉고 겁이 많아 마음이 약해 스스로를 지킬 뿐이며, 이로써 여러 작은 소인들 가운데에 있어서 일을 맡기기에는 부족한 자이기 때문에 "오래 하고 곧게 함을 쓰지 말아야 한다"고 하였다.

○ 案, 以陽從陰, 危道也, 所當戒也. 然不識隨時之宜, 而徒守其剛, 則无上下之交, 而易歸於絶物, 所當觀時玩象, 變通而適其中也.
내가 살펴보았다: 양으로 음을 좇음은 위험한 도이니, 마땅히 경계하여야 할 바이다. 그러나

---

167) 九辭: 경학자료집성DB와 영인본에는 소주(小註)로 되어 있으나, 문맥을 살피고 경학자료집성DB에도 본문으로 되어 있어 본문으로 고쳐 잡았다.
168) 『周易 · 乾卦』: 初九, 潛龍, 勿用.
169) 怯: 경학자료집성DB에 '怯'으로 되어 있으나, 경학자료집성 영인본을 참조하여 '怯'으로 바로잡았다.

때에 따르는 마땅함을 알지 못하고 다만 그 굳셈만을 지킨다면, 위와 아래의 교류가 없어서 쉽게 다른 자들을 끊는 데로 돌아갈 것이니, 마땅히 때를 살피고 상을 음미하여 변통하면서 알맞음에 맞게 하여야 할 바이다.

### 김상악(金相岳) 『산천역설(山天易說)』

九四失位, 宜有咎矣, 以剛處柔, 得宜下之義, 故能无咎. 然與五爲比, 與初爲應, 弗過于陰而反遇于陰矣, 若往則見害而厲, 必戒懼而勿用, 惟可永貞以自守也. 過而利貞者, 此也.
구사는 제자리를 잃어 마땅히 허물이 있을 듯하지만, 굳센 양으로 부드러운 음의 자리에 있어 '내려옴이 마땅한'170) 뜻을 얻었기 때문에 허물이 없을 수 있다. 그러나 오효와 비(比)의 관계가 되고 초효와 호응이 되어 음을 지나치지 않으면서 도리어 음을 만나니, 만약 가면 해로움을 당하여 위태로우므로 반드시 경계하고 두렵게 여겨 쓰지 말아야 다만 오랫동안 곧게 하여 스스로를 지킬 수 있다. "지나치게 하되 곧음이 이롭다"171)는 것이 이것이다.

○ 往者, 震之動也, 戒者, 震之懼也, 厲者, 震之往來厲也. 四之與三爲重畫之震, 震上六曰, 震不于其躬, 于其隣, 以本卦言, 三曰從或戕之, 四曰往厲必戒, 亦畏隣戒之意也. 三卽四之隣也. 勿用者, 艮之止也. 蓋小過之時, 陽之與陰爲比應而交者, 反爲相克, 故陽爻之在中者, 三凶而四厲. 三多凶, 四多懼, 蓋以是也. 故曰, 外內, 使知懼. 永貞, 見坤之用六, 震木生離火, 離艮之合, 賁之交也, 賁九三曰, 永貞吉, 取象相似.
'가다[往]'란 진괘(震卦☳)의 움직임이고, '경계하다[戒]'란 진괘(震卦☳)의 두려움이며, '위태롭다[厲]'란 진괘(震卦☳☳)에서의 "우레가 침에 왕래함이 위태로움"172)이다. 사효가 삼효와 함께함은 두 획씩 거듭된 진괘(震卦☳)가 되는데, 진괘(震卦☳☳) 상육에서는 "우레가 그 몸에 치지 않고 그 이웃에 친다"173)고 하였고, 본 괘로 말하면 삼효에서는 "따라서 혹 해친다"174)고 하였으며 사효에서는 "가면 위태로우므로 반드시 경계하여야 한다"고 하였으니, 또한 "이웃의 경계함을 두려워해서 이다"175)라는 뜻이다. 삼효는 곧 사효의 이웃이다. "쓰지 말아야 한다[勿用]"란 간괘(艮卦☶)의 그침이다. '소과(小過)'의 때에 양이 음과 함께 비(比)

---

170) 『周易 · 小過卦』: 小過, 亨, 利貞, 可小事, 不可大事, 飛鳥遺之音, 不宜上, 宜下, 大吉.
171) 『周易 · 小過卦』: 彖曰, 小過, 小者過而亨也, 過以利貞, 與時行也.
172) 『周易 · 震卦』: 六五, 震, 往來, 厲, 億无喪, 有事.
173) 『周易 · 震卦』: 上六, 震, 索索, 視, 矍矍, 征, 凶. 震不于其躬, 于其鄰, 无咎, 婚媾, 有言.
174) 『周易 · 小過卦』: 九三, 弗過防之, 從或戕之, 凶.
175) 『周易 · 震卦』: 象曰, 震索索, 中未得也, 雖凶无咎, 畏鄰戒也.

의 관계가 되고 호응이 되어 사귀는 것은 도리어 상극(相克)이 되기 때문에 괘의 가운데 효가 양효인 경우에 삼효는 흉하고 사효는 위태롭다. 삼효에 흉함이 많고 사효에 위태로움이 많은 것은 아마도 이 때문인 듯하다. 그러므로 "밖과 안에 두려움을 알게 하다"[176]라고 하였다. '오래하고 곧게 함[永貞]'은 곤괘(坤卦䷁)의 '용육(用六)'에서 보이고[177], 진괘(震卦☳)인 나무가 리괘(離卦☲)인 불을 낳아 리괘(離卦☲)와 간괘(艮卦☶)가 합함이 비괘(賁卦䷕)의 사귐인데 비괘(賁卦䷕)의 삼효에서 "영구히 하고 곧게 하면 길할 것이다"[178]라고 하였으니, 상을 취함이 서로 유사하다.

### 서유신(徐有臣) 『역의의언(易義擬言)』

三居二陰之上, 故凶, 四居二陰之下, 故无咎也. 居震互巽, 過於戒懼, 无咎之道也. 比應皆陰, 以弗過之陽, 遇方過之陰, 所往皆危厲, 其所戒懼, 勢必然也. 雖然一向過慎, 或幾於脂韋苟容, 故曰勿用永貞也. 四之剛動, 亦足以不永貞也.

삼효는 두 음의 위에 있기 때문에 흉하고, 사효는 두 음의 아래에 있기 때문에 허물이 없다. 상괘인 진괘(震卦☳)와 호괘인 손괘(巽卦☴)에 있어서 경계하고 두려워하는 데에 지나치니 허물이 없는 도이다. 비(比)의 관계에 있거나 호응하는 것이 모두 음이고 지나치지 않은 양으로 막 지나치려는 음을 만나므로 가는 곳마다 모두 위태로우니, 경계하고 두려워하는 바는 형세가 반드시 그러하기 때문이다. 비록 그러하더라도 한쪽으로만 치우쳐 지나치게 삼가면 혹 거의 비굴하게 아첨하고 비위를 맞추게 되기 때문에 "오래하고 곧게 함을 쓰지 말아야 한다"고 하였다. 사효의 굳센 움직임도 또한 오래하고 곧게 함을 쓰지 않는 데에 충분하다.

### 박제가(朴齊家) 『주역(周易)』

三防下而或凶, 四不從上而遇之, 蓋過[179]近於五陰, 不得不遇者也. 此當以勿用爲句, 蓋[180]九雖剛而處柔, 故曰必戒勿用. 爻本无咎而往則厲, 勿用然後可以永貞, 聖人之爲君子謀, 至矣. 夫貞固有不可貞之時, 如苦節, 是也. 若永貞, 則之死靡悔者也, 豈可

---

176) 『周易 · 卦辭傳』: 其出入以度, 外內, 使知懼, 又明於憂患與故. 无有師保, 如臨父母, 初率其辭, 而揆其方, 既有典常, 苟非其人, 道不虛行.

177) 『周易 · 坤卦』: 用六, 利永貞.

178) 『周易 · 賁卦』: 九三, 賁如濡如, 永貞吉.

179) 過: 경학자료집성DB에 '逼'으로 되어 있으나, 경학자료집성 영인본을 참조하여 '過'로 바로잡았다.

180) 蓋: 경학자료집성DB에 '盍'으로 되어 있으나, 경학자료집성 영인본을 참조하여 '蓋'로 바로잡았다.

曰勿用乎.
삼효는 아래를 막아도 혹 흉하지만, 사효는 위를 따르지 않아도 만나니, 아마도 음인 오효와 지나치게 가까워서 만나지 않을 수 없는 자인 듯하다. 여기서는 마땅히 "쓰지 말아야 한다[勿用]"를 하나의 구(句)로 삼아야 하니, 아마도 구(九)가 비록 굳센 양이지만 부드러운 음의 자리에 있기 때문에 "반드시 경계하여야 하고 쓰지 말아야 한다"고 한 듯하다. 효에는 본래 허물이 없지만 가면 위태로우므로 쓰지 말아야 한 후에 오래하고 곧게 할 수 있으니, 성인이 군자를 위해 도모함이 지극하다. '곧고 굳음[貞固]'에는 곧게 해서는 안 되는 때가 있으니, "괴롭도록 절제하다"[181]와 같은 경우가 이것이다. 만약 '곧게 하기를 오래함[永貞]'과 같은 경우라면 죽음에 이르더라도 후회함이 없는 것이다. 어찌 "쓰지 말아야 한다"고 하겠는가?

### 강엄(康儼) 『주역(周易)』

本義, 云云.
『본의』에서 말하였다, 운운.

按, 本義以此爻爲過乎恭, 而下文又曰往則過矣, 是謂往則過於剛也. 若或過於剛, 則害於恭矣, 然過於恭, 有時而然, 若常永貞固如此, 則亦非隨時之宜, 故又戒之.
내가 살펴보았다: 『본의』에서는 이 효를 지나치게 공손함으로 여기면서도, 다음 문장에서 또 "가면 지나치다"라고 하였으니 이는 가면 지나치게 굳셈을 말한다. 만약 혹 지나치게 굳세다면 공손함에 해로울 것이지만 지나치게 공손함은 그럴 때가 있어서 그러한 것이니, 만약 항상 오래 하고 곧게 하기를 진실로 이와 같이 한다면 또한 때의 마땅함을 따르는 것이 아니기 때문에 또 경계하였다.

### 이지연(李止淵) 『주역차의(周易箚疑)』

不過遇之, 言及其陰之不過而遇之也. 陰陽相遇則和合, 陰不得以過陽也. 遇者, 壓而勝之之謂也. 然則可謂陽盛而陰微, 而今九四以剛居柔, 不得其正, 以不得其正之道, 往則必危矣. 必戒以勿永貞者, 陰每以永貞戒之, 四則陰位而所應者陰也, 以剛居剛, 乃可永貞之道, 以陽居陰, 非可永貞之道故也.
"지나치지 아니하여 크게 이김"은 음이 지나치지 않아 크게 이기는 데에 이름을 말한다. 음과 양이 서로 만나면 화합하니, 음은 양을 지나칠 수가 없다. '우(遇)'란 압승을 말한다. 그렇

181) 『周易·節卦』: 節, 亨, 苦節, 不可貞.

다면 양이 성대하고 음은 미세하다고 말할 수가 있는데, 이제 구사는 굳센 양으로 부드러운 음의 자리에 있어서 바름을 얻지 못하여 바른 도를 얻을 수 없으니, 가면 반드시 위태롭다. 반드시 오래 하고 곧게 하지 말아야 한다고 경계한 것은, 음에 대해서는 매번 오래 하고 곧게 함으로써 경계하지만, 사효의 경우는 음의 자리에 있고 호응하는 바도 음이기 때문이니, 굳센 양으로 굳센 양의 자리에 있으면 곧 오래 하고 곧게 할 수 있는 도이고, 양으로 음의 자리에 있으면 오래 하고 곧게 할 만한 도가 아닌 까닭이다.

### 김기례(金箕澧) 「역요선의강목(易要選義綱目)」

陰過之時, 陽失位而陰无可從之理, 故不必過防, 自適其宜. 遇, 適遇六二, 遇其臣亦同. 弗防卽勢也, 非四之罪, 故先曰无咎, 往往而防也. 陰過而三旣弗防, 則四居柔位, 不量力而往防則危, 若以陽性貞固以防凶.

음이 지나친 때에 양이 제자리를 잃어 음이 좇을 만한 이치가 없기 때문에 지나치게 방비할 필요가 없이 저절로 마땅함에 적합하다. '맞도록 하다[遇]'란 육이와 적합하게 만남이니, "신하를 만나다"[182]와 같다. 방비하지 않는 것은 형세 때문이지 사효의 잘못이 아니기 때문에 먼저 "허물이 없다"고 하였으니 때때로 방비한다는 것이다. 음이 지나친데 삼효가 이미 방비하지 않는다면, 사효가 부드러운 음의 자리에 있는데도 힘을 헤아리지 않고 가서 방비하는 것은 위태로우니, 양의 성질로 곧고 굳게 하여 흉함을 방비하는 것과 같다.

### 심대윤(沈大允) 『주역상의점법(周易象義占法)』

小過之謙䷎, 斂下也. 九四以剛居柔, 德位旣高, 不得不恭下也. 下應于初而阻三, 其卑恭小過而亦不諂也, 故曰无咎. 行雖不中而大臣敵體于君, 爲其恭聽, 其時不可不過, 爲恭下也. 九四之尊嚴且極, 其上行微而无迹, 主乎就下而卑恭, 故先言无咎, 以斷其歸終也. 不過遇之, 言其尊嚴可以事君而已, 四之上行遇五而止也. 四居巽, 四之遇五, 如二之遇[183]初, 接其自來而不往從也. 二往從初則爲諂, 四往從五則爲傲. 二與初同物, 故不設戒焉. 四與五陰陽相遇, 故曰往厲必戒, 兌爲戒. 大臣主於恭下, 而亦不可自賤而失其尊嚴, 或有上行之時而但不可長耳. 兌艮震坎坤爲勿用永貞. 鳥之高飛且極少, 上騰而多下就也.〈四之尊嚴, 自五與之, 而非自求也. 四之志主於恭下, 而亦有不得不尊嚴者, 爲五也.〉

---

182) 『周易·小過卦』: 六二, 過其祖, 遇其妣, 不及其君, 遇其臣, 无咎.

183) 遇: 경학자료집성DB에 '過'로 되어 있으나, 경학자료집성 영인본을 참조하여 '遇'로 바로잡았다.

소과괘가 겸괘(謙卦䷎)로 바뀌었으니, 단속하고 낮추는 것이다. 구사는 굳센 양으로 부드러운 음의 자리에 있어서 덕망과 지위가 이미 높지만 공손하게 낮추지 않을 수 없다. 아래로는 초효와 호응하지만 삼효에게 막혀있고, 낮추고 공손하기가 조금 지나치지만 또한 아첨하지 않기 때문에 "허물이 없다"고 하였다. 행동은 비록 알맞지 않아 대신으로 임금과 지위가 대등하지만 임금의 명령을 공손하게 듣고, 그 때가 지나치지 않을 수 없지만 공손하게 낮춘다. 구사의 존엄은 또한 지극하지만 위로 올라감은 미약하여 흔적이 없고 아래로 나아가는 데에 주력하여 낮추고 공손하기 때문에 먼저 "허물이 없다"고 하여 그 결과를 단정하였다. "지나치지 않게 만나다[不過遇之]"란 그의 존엄함은 임금을 섬길 수 있을 뿐이어서 사효가 위로 가서 오효를 만나 그침을 말한다. 사효는 호괘인 손괘(巽卦☴)에 있어서 사효가 오효를 만남은 이효가 초효를 만남과 같으니, 스스로 온 것과 접촉하고 가서 따르는 않는다. 이효가 초효에게 가서 따른다면 아첨이 되고, 사효가 오효에게 가서 따른다면 거만하게 된다. 이효와 초효는 같은 음이기 때문에 경계하는 말을 세우지 않았다. 사효와 오효는 음과 양이 서로 만나기 때문에 "가면 위태로우므로 반드시 경계하여야 한다"고 하였으니, 태괘(兌卦☱)는 경계가 된다. 대신은 공손하게 낮춤을 위주로 하지만 또한 스스로를 천시하여 자신의 존엄함을 잃어서는 안 되고, 혹 위로 올라갈 때가 있더라도 다만 오래 해서는 안 될 뿐이다. 태괘(兌卦☱)·간괘(艮卦☶)·진괘(震卦☳)·감괘(坎卦☵)·곤괘(坤卦☷)가 "오래하고 곧게 함을 쓰지 말아야 한다[勿用永貞]"가 된다. 새가 높이 나는 경우는 매우 적으니, 위로 올라가도 대부분 아래로 내려온다.〈사효의 존엄은 오효로부터 주어진 것이지 스스로 구한 것이 아니다. 사효의 뜻은 공손하게 낮춤을 위주로 하지만, 또한 존엄하지 않을 수 없는 경우가 있으니 오효를 위해서이기 때문이다.〉

## 오치기(吳致箕) 「주역경전증해(周易經傳增解)」

九四以剛居柔, 宜若有咎, 而以其陽剛之動, 故言无咎. 然同類少而不能過於陰, 又其應柔比柔, 所遇者皆柔, 故反復以戒言往從則危厲矣. 必戒慎而勿用有往惟當永守正固之道, 使陰邪不可長也.

구사는 굳센 양으로 부드러운 음의 자리에 있어서 마땅히 허물이 있을 듯하지만, 굳센 양의 움직임 때문에 "허물이 없다"고 하였다. 그러나 같은 부류가 적어서 음보다 지나칠 수 없으며, 또 호응하거나 비(比)의 관계에 있는 것이 부드러운 음이라서 만나는 바가 모두 부드러운 음이기 때문에 반복하여 가서 따른다면 위태롭게 된다고 경계하여 말하였다. 반드시 경계하고 삼가서 갈 경우 오직 마땅히 오랫동안 바르고 곧음을 지켜야 하는 도를 쓰지 말아서 사특한 음이 장성할 수 없도록 해야 한다.

○ 弗過, 與三同. 遇之者, 謂下應初柔, 上比五柔也. 勿用, 承上句, 言勿用有往也. 永貞, 謂永守正固也.
"지나치지 않다[弗過]"는 삼효와 같다. "만나다[遇之]"란 아래로 부드러운 음인 초효와 호응하고 위로 부드러운 음인 오효와 비(比)의 관계에 있음을 말한다. "쓰지 말아야 한다[勿用]"는 윗 구절을 이어서 가는 바가 있음을 쓰지 말아야 함을 말한다. '오래 하고 곧게 함[永貞]'은 오랫동안 바르고 곧음을 지킨다는 말이다.

### 이진상(李震相) 『역학관규(易學管窺)』

弗過遇之.
지나치지 아니하여 맞도록 한다.

弗過者, 陽不能過也, 遇之者, 與陰遇也. 蓋初六躁疾先過, 故三但防備, 而九四亦未必相遇. 惟六二中正, 欲往從五, 而反遇其陰, 退轉至四, 四乃以剛居柔, 異體而同德, 故適與之相合也. 九四近五當往, 而五又柔暗不足與有爲, 且小人競進嫉害良善, 故往必有危, 且遇者暫合而已. 旣非正應, 五必弋取而後已, 與二偕往, 必見疑忌. 當隨時順處, 静以俟之, 不宜以近君之常例爲可固守也.
'지나치지 않다[弗過]'란 양이 지나칠 수 없다는 것이고, '맞도록 한다[遇之]'란 음과 만나는 것이다. 초육은 조급하고 빨라 앞서 지나치기 때문에 삼효는 다만 방비하여, 구사도 또한 반드시 서로 만날 수 있는 것은 아니다. 오직 육이만이 중정하여 가서 오효를 따르고자 하지만 도리어 음을 만나 물러나 돌아서 사효에 이르니, 사효는 굳센 양으로 부드러운 음의 자리에 있어서 몸체는 다르지만 덕이 같기 때문에 적합하게 함께하여 서로 부합한다. 구사는 오효와 가까워서 마땅히 가고자 하지만 오효는 또 유약하고 어두워 함께 일을 하기에는 부족하고, 또 소인들이 다투어 나서서 어질고 착한 사람들을 시기하고 해치기 때문에 가면 반드시 위태로움이 있으니, 또한 만남이란 잠시 부합한다는 것일 뿐이다. 이미 이효와 정응이 아니라서 오효가 이효를 반드시 쏘아서 잡은 후에나 멈출 것이니, 이효와 함께 간다면 반드시 의심과 꺼림을 받게 된다. 마땅히 때에 따르고 처한 곳에 순응하여 고요하게 기다려야 하니, 임금을 가까이 하는 일상적인 사례로 굳게 지킬 수 있다고 여기는 것은 마땅하지 않다.

### 박문호(朴文鎬) 「경설(經說)·주역(周易)」

諸爻皆以位不當爲不好事, 而此獨云得其宜, 且陽本可長之物, 而此云豈能長, 故本義云爻義未明, 言此象傳之文, 未足以明爻義也.
여러 효는 모두 자리가 마땅하지 않기 때문에 좋지 않은 일로 여겨졌는데도 여기서는 유독 『정전』에서 "마땅함을 얻었다"[184]고 하였고, 또 양은 본래 자랄 수 있는 것인데도 여기서는 "어찌 자랄 수 있겠는가"[185]라고 하였기 때문에 『본의』에서는 "효의 뜻이 분명하지 않다"[186]고 하였으니, 여기 구사 「소상전」의 문장이 효의 뜻을 밝히기에 충분하지 않음을 말한다.

184) 『周易傳義大全 · 小過卦 · 程傳』: 九四當過之時, 不過剛而反居柔, 乃得其宜. 故曰遇之, 遇其宜也.
185) 『周易傳義大全 · 小過卦 · 程傳』: 當陰過之時, 陽退縮自保足矣, 終豈能長而盛也. 故往則有危, 必當戒也.
186) 『周易傳義大全 · 小過卦 · 本義』: 爻義未明, 此亦當闕.

象曰，弗過遇之，位不當也，往厲必戒，終不可長也.

「상전」에서 말하였다: "지나치지 아니하여 맞도록 함"은 자리가 마땅하지 않기 때문이고, "가면 위태로우므로 반드시 경계하여야 함"은 끝내 장성(長盛)할 수 없어서이다.

## 中國大全

**傳**

位不當, 謂處柔. 九四當過之時, 不過剛而反居柔, 乃得其宜. 故曰遇之, 遇其宜也. 以九居四, 位不當也, 居柔, 乃遇其宜也. 當陰過之時, 陽退縮自保足矣, 終豈能長而盛也. 故往則有危, 必當戒也. 長, 上聲, 作平聲, 則大失易意, 以夬與剝觀之, 可見. 與夬之象, 文同而音異也.

'자리가 마땅하지 않음[位不當]'은 부드러운 음의 자리에 있는 것을 말한다. 구사가 지나친 때를 당하여 지나치게 굳세지 않고 도리어 부드러운 음의 자리에 있으니, 그 마땅함을 얻었다. 그러므로 "만난다[遇之]"고 말했으니, 그 마땅함을 만나는 것이다. 구(九)로서 사효의 자리에 있음은 자리는 마땅하지 않으나 부드러움에 있음은 바로 마땅함을 만나는 것이다. 음이 지나친 때를 당하여 양이 물러나 움츠려 자신을 보존하기만 하면 족한데, 끝내 어찌 자라고 왕성할 수 있겠는가? 그러므로 가면 위태로움이 있으니, 반드시 경계해야 한다. '장(長)'은 상성(上聲)인데, 평성(平聲)으로 보면 『주역』의 뜻을 크게 잃으니, 쾌괘(夬卦䷪)[187]와 박괘(剝卦䷖)[188]로 보면 알 수 있다. 쾌괘(夬卦䷪) 상육의 「소상전」과 비교해 보면 글자는 같으나 음은 다르다.

**本義**

爻義未明, 此亦當闕.

효의 뜻이 분명치 않으니, 이 또한 빼놓아야 한다.

---

187) 『周易 · 夬卦』: 上六, 象曰, 无號之凶, 終不可長也.

188) 『周易 · 剝卦』: 象曰, 剝, 剝也. 柔變剛也, 不利有攸往, 小人長也. 順而止之, 觀象也, 君子尙消息盈虛, 天行也.

小註

朱子曰, 此爻小象, 恐不得如伊川說以長字爲上聲. 勿用永貞, 便是不可長久, 勿用永貞, 是莫常常恁地. 又曰, 莫一向要進底意.
주자가 말하였다: 이 효의 「소상전」은 아마도 이천이 '장(長)'자를 상성(上聲)이라고 설명한 것만 못한 듯하다. "오래 하고 곧게 함을 쓰지 말아야 한다"는 것은 곧 장구(長久)하게 해서는 안 된다는 것이니, "오래 하고 곧게 함을 쓰지 말아야 한다"는 항상 이와 같이 하지 말라는 것이다.
또 말하였다: 한결같이 나아가고자 하지 말라는 뜻이다.

○ 李氏光曰, 方群陰用事之時, 求動而進, 則危矣, 故當戒謹, 亦勿固守其正, 而昧於幾也. 處小人之間, 求進則爲所擠陷, 守節則爲所嫉忌. 蓋處位不當, 姑靜以俟天時而已.
이광이 말하였다: 이제 막 여러 음이 권세를 부리는 때에 움직여 나아가기를 구하면 위태로우므로 마땅히 경계하고 조심해야 하니, 또한 그 바름을 고집스럽게 지켜서 기미에 어둡지 말아야 한다. 소인들 사이에 처하여 나아가기를 구하면 함정에 빠지게 되고, 절개를 지키면 시기와 꺼림을 받게 된다. 대체로 자리에 처함이 마땅하지 않으니 짐짓 고요함으로 하늘의 때를 기다릴 뿐이다.

○ 雲峯胡氏曰, 程傳長作上聲, 本義以爲爻義未明者. 何可長也, 凡四, 皆上爻言之, 終不可長, 凡三, 訟言於初, 夬言於上, 其義甚明. 此獨言於四, 故本義闕之.
운봉호씨가 말하였다: 『정전』에서는 '장(長)'자를 상성(上聲)이라고 하였고, 『본의』에서는 효의 뜻이 분명하지 않은 것으로 보았다. "어찌 장성할 수 있겠는가?[何可長也]"는 무릇 넷으로 모두 상효에서 말하였고[189], "끝내 장성할 수 없어서이다[終不可長]"는 셋으로 송괘(訟卦䷅)에서는 초효에서 말했고[190] 쾌괘(夬卦䷪)에서는 상효에서 말했는데[191], 그 뜻이 매우 분명하다. 소과괘(小過卦)에서는 유독 사효에서만 말했으므로 『본의』에서 이를 빼 놓았다.

---

189) 『周易 · 中孚卦』: 上九, 象曰, 翰音登于天, 何可長也. ; 『周易 · 豫卦』: 上六, 象曰, 冥豫在上, 何可長也. : 『周易 · 否卦』:上九, 象曰, 否終則傾, 何可長也. ; 『周易 · 屯卦』: 上六, 象曰, 泣血漣如, 何可長也.
190) 『周易 · 訟卦』: 初六, 象曰, 不永所事, 訟不可長也. 송괘(訟卦)의 경우는 종불가장(終不可長)이 아니라 송불가장(訟不可長)으로 되어 있다.
191) 『周易 · 夬卦』: 上六, 象曰, 无號之凶, 終不可長也.

## 韓國大全

### 송시열(宋時烈) 『역설(易說)』

如此處, 先言占而後言象者類多. 不過者, 不爲過三二爻而與初應也, 遇[192]之者, 與六五相遇也. 若往求乎初, 則其道危厲, 必有戒懼之事, 言當勿[193]以永久貞固之道, 而必遇於五, 而小象位不當者, 言不當其位遇之, 四本非卦主也, 又非君位也. 特以當小過之時, 以近比而遇之也. 終不可長者, 若見初應而從之, 則下艮爲水, 終於四爲貞固之事, 而旣遇於五, 不必用往厲之道也. 蓋他卦皆正應相求, 惟小過則艮止之上爻, 主初二兩陰, 震之下爻, 主五六兩陰, 分隔上下, 各以比近相求, 此皆一君二民之象. 故以祖孫君臣過與遇言之, 而無夫婦相應之義耳.

이와 같은 곳에서 먼저 점을 말하고 나중에 상을 말한 것이 대체로 많다. '지나치지 않다[不過]'란 삼효와 이효를 지나쳐서 초효와 호응하지 않음이고, '만나다[遇之]'란 육오와 서로 만남이다. 만약 가서 초효에게 구한다면 그 도는 위태로우므로 반드시 경계하고 두려워하는 일이 있어야 하니 마땅히 오래 하고 곧게 하는 도를 쓰지 말고 반드시 오효를 만나야 함을 말하였고, 「소상전」에서의 "자리가 마땅하지 않기 때문이다"란 그 자리가 마땅하지 않으면서 만남을 말하니 사효가 본래 괘의 주인도 아니고 또 임금의 자리도 아니기 때문이다. 다만 '소과(小過)'의 때를 맞아 가깝고 비(比)의 관계에 있기 때문에 만난 것이다. "끝내 장성(長盛)할 수 없어서이다"란 만약 초효를 보고서 호응하여 좇는다면 하괘인 간괘(艮卦☶)는 물이 되어 끝내 사효에 대해서는 곧게 하는 일이 되지만, 이미 오효를 만났다면 가서 위태로운 도를 반드시 쓸 필요는 없다. 대체로 다른 괘에서는 모두 정응은 서로 구하지만, 오직 소과괘(小過卦䷽)에서는 그치는 간괘(艮卦☶)의 맨 위에 있는 효가 초효와 이효인 두 음을 주관하고, 진괘(晉卦)의 맨 아래에 있는 효가 오효와 육효인 두 음을 주관하여 위와 아래를 분리시켜 각각 가까운 것으로 서로 구하니, 이는 모두 임금은 하나이고 백성은 둘인 상이다. 그러므로 할아버지와 손자, 임금과 신하를 지나치고 만남으로써 말하여 부부가 서로 호응하는 뜻이 없을 뿐이다.

---

192) 遇: 경학자료집성DB와 영인본에 모두 '過'로 되어 있으나, 문맥을 살펴 '遇'로 바로잡았다.

193) 物: 경학자료집성DB와 영인본에서는 여기에 해당하는 글자가 무슨 글자인지 알 수가 없고, 경학자료집성DB에는 비어 있으나, 문맥을 살펴 '物'로 바로잡았다.

### 유정원(柳正源) 『역해참고(易解參攷)』

終不可長.
끝내 장성(長盛)할 수 없어서이다.
雙湖胡氏曰, 不可長, 是說四可上往, 不可久住之意.
쌍호호씨가 말하였다: "장성(長盛)할 수 없어서이다"는 사효가 위로 갈수는 있지만 오래 머무를 수 없다는 뜻을 말한다.
○ 案, 往從於陰, 則是使陰長也, 故戒以往厲, 使陰不可長也.
내가 살펴보았다: 음에게 가서 좇는다면 이는 음을 장성하도록 하는 것이기 때문에 "가면 위태롭다"고 경계하여 음이 장성할 수 없도록 하였다.

傳, 當謂.
『정전』에서 말하였다: 당위(當謂)
〈案, 謂一作故.〉
〈내가 살펴보았다: '위(謂)'는 어떤 본(本)에는 '고(故)'로 되어 있다.〉

以九.
이구(以九).
〈案, 一无以字.〉
〈내가 살펴보았다: 어떤 본(本)에는 '이(以)'자가 없다.〉

### 임성주(任聖周) 「주역(周易)」[194]

九四, 小象曰不過遇之, 位不當也, 謂以剛居柔, 故能不上進而下遇, 得无咎也. 與萃九四大吉无咎位不當也相似
구사 「소상전」에서 "'지나치지 아니하여 맞도록 함'은 자리가 마땅하지 않기 때문이다"라고 한 말은 굳센 양으로 부드러운 음의 자리에 있기 때문에 위로 나아가지 않고 아래로 만날 수 있어서 허물이 없을 수 있다는 뜻이다. 취괘(萃卦䷬)의 구사 「소상전」에서 "'크게 길하여야 허물이 없음'은 자리가 마땅하지 않기 때문이다"[195]라고 한 말과 서로 유사하다.

194) 경학자료집성DB에서는 소과괘 통론에 해당하는 것으로 분류했으나, 내용을 살펴 이 자리로 옮겨 바로잡는다.
195) 『周易 · 萃卦』: 九四, 象曰, 大吉无咎, 位不當也.

## 김상악(金相岳) 『산천역설(山天易說)』

位不當者, 剛失位也. 剛之遇柔, 如柔之遇剛, 故不可長, 與姤彖傳同辭.
"자리가 마땅하지 않기 때문이다"란 굳센 양이 제자리를 잃었다는 것이다. 굳센 양이 부드러운 음을 만남은 부드러운 음이 굳센 양을 만남과 같기 때문에 장성할 수가 없으니, 구괘(姤卦䷫) 「단전」의 말[196]과 같다.

## 박제가(朴齊家) 『주역(周易)』

象傳曰, 位不當也, 又曰終不可長也, 謂其雖或遇之, 而不可長久. 往, 從也. 程傳, 長作去聲讀, 而謂陽之自保足矣, 終豈能長盛, 則有若無端自棄者. 然朱子曰, 不可長久, 是莫常之恁地者, 得之. 雲峯胡氏曰, 過是有心, 遇是无心, 引春秋公及宋公遇于淸, 我所欲曰及, 不期而會曰遇, 遇與及相反, 過與不及相反.
「소상전」에서 "자리가 마땅하지 않기 때문이다"라고 하였고, 또 "끝내 장성(長盛)할 수 없어서이다"라고 하였으니, 비록 혹 만나더라도 오래갈 수는 없음을 말한다. '가다[往]'란 따름이다. 『정전』에서는 '장(長)'자를 거성(去聲)의 뜻으로 읽어[197] 양이 스스로를 보존하기에 충분한데 끝내 어찌 자라고 왕성할 수 있겠는가[198]라고 한다면 마치 아무런 이유 없이 스스로를 포기하는 듯하다. 그러나 주자는 "장구(長久)하게 해서는 안 된다는 것이니, 항상 이와 같지는 않음이다"라고 말하였으니, 이 말이 맞다. 운봉호씨는 "'지나치다[過]'는 마음이 있는 것이고, '만나다[遇]'는 마음이 없는 것이다"라고 하면서, 『춘추좌씨전』의 "은공이 송 상공과 청(淸)에서 만났다"[199]를 인용하여 "내가 의도해서 간 것을 '급(及)'이라고 하고 기약하지 않고서 만난 것을 '우(遇)'라고 한다. '우'자는 '급'자와 서로 반대되고, '과(過)'자는 '불급(不及)'과 서로 반대된다"고 하였다.

案, 過有心, 與遇无心, 自作對足矣, 固不必引春秋. 春秋本無過字, 而只有遇字, 因遇而以不及爲過之反, 如此則及字只與過字同, 不及則乃不過而已. 不過者, 中也, 非不及也. 夫鄕愿之過我門者, 與陽貨之遇諸塗, 有心無心自見矣. 若過不及之云, 則有餘爲過, 不足爲不及[200]. 春秋之我所欲之及, 豈曰所欲之有餘也哉.

---

196) 『周易 · 姤卦』: 彖曰, 姤, 遇也, 柔遇剛也. 勿用取女, 不可與長也.
197) 『정전』에서는 '상성(上聲)'이라고 하여 이 곳과는 차이가 있다. "長, 上聲, 作平聲, 則大失易意, 以夬與剝觀之, 可見."
198) 『周易傳義大全 · 小過卦 · 程傳』: 當陰過之時, 陽退縮自保足矣, 終豈能長而盛也. 故往則有危, 必當戒也.
199) 『춘추좌씨전』 은공 4년 조.

내가 살펴보았다: '지나침[過]'에 마음이 있다는 것은 '만나다[遇]'에 마음이 없는 것과 저절로 상대가 되기에 충분하니, 진실로 반드시 『춘추좌씨전』을 인용할 필요는 없다. 『춘추좌씨전』에는 본래 '과(過)'자가 없고 다만 '우(遇)'자가 있을 뿐인데도 '우(遇)'자로 인해서 '미치지 못함[不及]'을 '지나침[過]'과 반대가 된다고 하였으니, 이와 같다면 '급(及)'자는 다만 '과(過)'자와 같을 뿐이고 '미치지 못함[不及]'은 곧 '지나치지 않음[不過]'일 뿐이다. '지나치지 않음[不過]'이란 알맞음이지, '미치지 못함'이 아니다. 향원(鄕愿)이 내 집 문을 지나치는[201] 것과 양화(陽貨)가 길에서 공자를 만난[202] 것에서 마음이 있고 없음은 저절로 드러난다. 만약 '지나치거나 미치지 못함[過不及]'을 말한다면 남음이 있음은 '지나침[過]'이 되고 부족함은 '미치지 못함[不及]'이 된다. 『춘추좌씨전』에서 내가 의도한다는 '급(及)'이 어찌 의도하는 바가 남음이 있음을 말하겠는가?

### 서유신(徐有臣) 『역의의언(易義擬言)』

位不當者, 不當遇而遇也, 終不可長者, 勿用永貞也.
"자리가 마땅하지 않기 때문이다"란 마땅히 만나지 말아야 하는데도 만나는 것이고, "끝내 장성(長盛)할 수 없어서이다"란 "오래 하고 곧게 함을 쓰지 말아야 한다"는 것이다.

### 심대윤(沈大允) 『주역상의점법(周易象義占法)』

不當君位, 故尊嚴未極也.
임금의 자리에 해당하지 않기 때문에 존엄함이 지극하지 않다.

### 오치기(吳致箕) 「주역경전증해(周易經傳增解)」

剛失位而居柔, 故陽不能過矣. 反遇陰而可危, 故戒其終不可長也.
굳센 양이 제자리를 잃고 부드러운 음의 자리에 있기 때문에 양은 지나칠 수 없다. 도리어 음을 만나 위태로울 수 있기 때문에 "끝내 장성(長盛)할 수 없어서이다"라고 경계하였다.

### 이진상(李震相) 『역학관규(易學管窺)』

終不可長, 小註朱子說爲得之.
"끝내 장성(長盛)할 수 없어서이다[終不可長]"에 대해서는 소주에 있는 주자의 설명이 옳다.

---

200) 及: 경학자료집성DB와 영인본에 모두 '足'으로 되어 있으나, 문맥을 살펴 '及'으로 바로잡았다.
201) 『孟子·盡心』: 孔子曰, 過我門而不入我室, 我不憾焉者, 其惟鄕原乎. 鄕原, 德之賊也.
202) 『論語·陽貨』: 陽貨欲見孔子, 孔子不見, 歸孔子豚, 孔子時其亡而往拜之, 遇諸塗.

### 이병헌(李炳憲) 『역경금문고통론(易經今文考通論)』

荀九家曰, 以陽居陰, 行過乎恭, 故无咎.
『순구가역』에서 말하였다: 양으로 음의 자리에 있고 행동에는 공손함을 지나치게 하기 때문에 허물이 없다.

姚曰, 四失位當升, 五失位當降, 故遇.
요신이 말하였다: 사효는 제자리를 잃어 마땅히 올라가야 하고, 오효는 제자리를 잃어 마땅히 내려가야 하기 때문에 만난다.

按, 勿用永貞, 言當戒而遇也.
내가 살펴보았다: "오래하고 곧게 함을 쓰지 말아야 한다[勿用永貞]"는 마땅히 경계하여 만나야 함을 말한다.

六五, 密雲不雨, 自我西郊, 公, 弋取彼在穴.

육오는 구름이 빽빽하나 비가 오지 않음은 우리 서쪽 들로부터 하기 때문이니, 공(公)이 저 구멍에 있는 것을 쏘아서 잡도다.

## 中國大全

傳

五以陰柔居尊位, 雖欲過爲, 豈能成功. 如密雲而不能成雨, 所以不能成雨, 自西郊故也. 陰不能成雨, 小畜卦中, 已解. 公弋取彼在穴, 弋, 射取之也, 射, 止是射, 弋有取義. 穴, 山中之空, 中虛乃空也, 在穴, 指六二也. 五與二本非相應, 乃弋而取之. 五當位, 故云公, 謂公上也. 同類相取, 雖得之, 兩陰, 豈能濟大事乎. 猶密雲之不能成雨也.

오효가 부드러운 음으로 존귀한 지위에 있으니, 비록 지나치게 하려 하나 어찌 공을 이룰 수 있겠는가? 구름이 빽빽이 끼었으나 비를 이룰 수 없는 것과 같으니, 비를 이루지 못하는 까닭은 서쪽 들로부터 하기 때문이다. 음이 비를 이루지 못함은 소축괘(小畜卦䷈)에서 이미 해석하였다. "공(公)이 저 구멍에 있는 것을 쏘아서 잡도다[公弋取彼在穴]"에서 '익(弋)'은 쏘아 취하는 것이고, '사(射)'는 다만 쏘는 것이니, 익(弋)은 '취한다'는 뜻이 있다. '구멍[穴]'은 산 가운데에 있는[203] 공간이고, 가운데가 빈 것이 공간이니, "구멍에 있다"는 것은 육이를 가리킨다. 오효는 이효와 본래 서로 호응하는 것이 아니어서 쏘아서 취한 것이다. 오효가 지위를 담당했기 때문에 '공(公)'이라고 말했으니, 공상(公上)을 말한다. 같은 무리로 서로 취하니, 비록 얻었으나 두 음이 어찌 큰 일을 해낼 수 있겠는가? 빽빽이 낀 구름이 비를 이루지 못하는 것과 같다.

---

203) 여기서 "산 가운데에 있다"란 산을 의미하는 간괘(艮卦)의 가운데 효를 말하는 듯하다.

本義

**以陰居尊, 又當陰過之時, 不能有爲, 而弋取六二以爲助, 故有此象. 在穴, 陰物也, 兩陰相得, 其不能濟大事, 可知.**

음으로 존귀한 지위에 있고, 또 음이 지나친 때에 해당하여 훌륭한 일을 할 수가 없어 육이를 쏘아 취하는 것으로 도움을 삼기 때문에 이러한 상이 있다. '구멍에 있는 것'은 음에 속한 물건이니, 두 음이 서로 얻으나 큰 일을 해 낼 수 없음을 알 수 있다.

小註

朱子曰, 密雲不雨, 大概是做不得事底意思.
주자가 말하였다: '구름이 빽빽하나 비가 오지 않음'은 대체로 일을 할 수 없다는 의미이다.

○ 弋, 是俊壯底意, 卻只弋得, 這般物事.
'쏨[弋]'은 화려하고 힘이 세다는 뜻인데, 도리어 이런 물건을 쏘아서 잡을 수 있을 뿐이다.

○ 雲峯胡氏曰, 密雲不雨, 自我西郊, 文王爲小畜六四言也, 而周公以言小過之六五. 蓋皆言小者, 不能大有爲也, 皆互兌, 皆有雲雨自西之象. 坎爲弓, 凡互坎, 或厚坎, 皆取弋射象. 然彼射隼射雉, 此僅取彼在穴, 甚言陰小之不足大有爲也. 初上有飛鳥象, 在穴不飛者也. 易之取象, 大者以田爲象, 最大者以狩爲象, 小則以弋爲象.
운봉호씨가 말하였다: "구름이 빽빽하나 비가 오지 않음은 우리 서쪽 들로부터 하기 때문이다"에 대하여 문왕은 소축괘(小畜卦䷈) 육사의 말로 여겨서 말하였고, 주공은 이로써 소과괘(小過卦䷽) 육오를 말하였다. 대체로 모두 '소(小)'라고 말한 것은 크게 훌륭한 일을 할 수 없고, 모두 호괘가 태괘(兌卦☱)여서 모두 구름과 비가 서쪽으로부터 오는 상이 있다. 감괘(坎卦)는 활이 되는데, 무릇 호괘인 감괘(坎卦)가 혹 두터운 감괘여서 모두 주살로 사냥하는 상을 취하였다. 그러나 저기서는 새를 쏘고 꿩을 쏘며, 여기서는 겨우 저 구멍에 있는 것을 취하였으니, 음이 작아 크게 훌륭한 일을 하기에 부족함을 심하게 말하였다. 초효와 상효에는 나는 새의 상이 있으나, 구멍에 있어 날지 못하는 것이다. 역에서 상을 취함은 큰 것은 밭으로 상을 삼고, 가장 큰 것은 사냥으로 상을 삼으며, 작은 것은 주살[弋]로 상을 삼는다.

## ‖韓國大全‖

### 송시열(宋時烈) 『역설(易說)』

此與小畜彖辭同, 而大坎爲雲爲雨, 互兌爲西, 震爲郊. 蓋五居君位, 澤不下究之象. 震爲侯王, 故通謂之公. 弋[204]者, 繫繩之矢, 坎爲弓, 陽爻爲矢, 巽爲繩也. 互兌爲穴, 卦有鳥象, 而五爻爲互兌, 此取在穴也. 五以巽象, 維繫互兌而取之 故曰戈取在穴.

이것은 소축괘(小畜卦) 괘사[205]와 같은데 큰 감괘(坎卦☵)는 '구름'이 되고 '비'가 되며, 호괘인 태괘(兌卦☱)는 '서쪽'이 되고, 진괘(震卦☳)는 '들[郊]'이 된다. 오효는 임금의 자리에 있는데도 은택이 아래로 미치지 않는 상이다. 진괘(震卦☳)는 제후국의 왕이 되기 때문에 공(公)이라고 말하여도 통한다. '익(弋)'이란 끈을 묶은 화살이니, 감괘(坎卦☵)는 활이 되고, 양효는 화살이 되며, 손괘(巽卦☴)는 끈이 된다. 호괘인 태괘(兌卦☱)가 '구멍[穴]'이 되고 괘에는 새의 상이 있으며, 오효는 호괘인 태괘(兌卦☱)가 되니, 이는 구멍에 있는 것을 잡음이다. 오효는 손괘(巽卦☴)의 상으로 호괘인 태괘(兌卦☱)를 끈으로 묶어 취하기 때문에 "구멍에 있는 것을 쏘아서 잡도다"라고 하였다.

### 석지형(石之珩) 『오위귀감(五位龜鑑)』

臣謹按, 小過之六五, 卦爲雙夾底坎, 故取雲雨象. 坎又爲弓爲穴, 故取弋在穴象. 互有兌, 兌屬西, 五在外卦, 故取西郊象. 蓋二氣均調, 乃能成雨, 是卦也陰多陽少, 故有不雨之義. 卦之中二爻象鳥身, 上下四陰象鳥翼, 則宜取弋飛之象, 而乃曰公弋取彼在穴, 甚言陰雖多, 不能大有所爲也. 伏願, 殿下求陽剛君子, 以成大有爲之志焉.

신이 삼가 살펴보았습니다: 소과괘(小過卦)에서 육오는 괘가 두 획이 쌍을 이룬 감괘(坎卦☵)가 되기 때문에 구름과 비의 상을 취하였습니다. 감괘(坎卦☵)는 또 활이 되고 구멍이 되기 때문에 구멍에 있는 것을 쏘아서 잡는 상을 취하였습니다, 호괘에는 태괘(兌卦☱)가 있는데 태괘(兌卦☱)는 서쪽에 속하고 오효는 외괘에 있기 때문에 서쪽 들인 상을 취하였습니다. 두 기(氣)가 똑같이 고르게 되어야 비를 만들 수 있는데, 이 괘는 음이 많고 양이 적기 때문에 비가 내리지 않는 뜻이 있습니다. 괘의 가운데에 있는 두 효는 새의 몸을 상징하고 위와 아래에 있는 네 음은 새의 날개를 상징하므로, 마땅히 날아가는 것을 주살로 쏘아서 잡는 상을 취해야 하는데도 "공(公)이 저 구멍에 있는 것을 쏘아서 잡도다"라고 하였으

---

204) 弋: 경학자료집성DB와 영인본에 모두 '戈'로 되어 있으나, 문맥을 살펴 '弋'으로 바로잡았다.

205) 『周易 · 小畜卦』: 小畜, 亨, 密雲不雨, 自我西郊.

니, 음이 비록 많더라도 훌륭하게 하는 일이 크게 있을 수 없음을 심하게 말한 것입니다. 엎드려 바라옵건대, 전하께서는 굳센 양인 군자를 구하시어 크게 훌륭한 일을 하고자 하는 뜻을 이루시옵소서.

### 홍여하(洪汝河) 「책제(策題): 문역(問易) · 독서차기(讀書箚記)-주역(周易)」

六五, 公弋取彼在穴.
육오에서 말하였다: 공(公)이 저 구멍에 있는 것을 쏘아서 잡도다.
五盪爲天象, 擬小畜. 穴中有禽, 雷取公弋.
오효의 텅 비어 있음은 하늘의 상이 되니, 소축괘(小畜卦)에 비교할 수 있다. 구멍 가운데에 새가 있으며, 우레에서 공(公)이 쏨을 취하였다.

原象, 兩一旣分.
「원상(原象)」에서 말하였다: 양의(兩儀)와 태일(太一)이 이미 나누어진다.[206]
兩一者, 兩儀之中, 一儀各分而爲二也.
'양일(兩一)'이란 양의(兩儀) 가운데 한 '의(儀)'가 각각 나누어져 둘이 되는 것이다.

交易爲體, 往此來彼.
「원상(原象)」에서 말하였다: 교대로 바뀌어 몸체가 되니, 이것이 가고 저것이 온다.[207]
本義, 卦變, 本爲彖傳往來二字而設, 然孔子言往來, 本諸文王, 泰否彖辭陰陽往來, 乃是天地自然之理也. 否泰說卦變, 則損益亦須說卦變.
『본의』에서의 괘변(卦變)은 본래 「단전」의 '왕래(往來)'라는 두 글자를 위하여 설치하였지만, 공자가 말하는 '왕래'는 본래 문왕(文王)에 근본 하여 태괘(泰卦䷊)와 비괘(否卦䷋)의 괘사에 나오는 음양의 왕래[208]가 되니, 곧 천지자연(天地自然)의 이치이다. 비괘(否卦䷋)와 태괘(泰卦䷊)를 괘변(卦變)으로 설명한다면, 손괘(損卦䷨)와 익괘(益卦䷩)도 또한 괘변으로 설명하여야 한다.

明筮, 六爻皆守.
「명서(明筮)」에서 말하였다: 여섯 효가 모두 변하지 않다.[209]

206) 『周易傳義大全 · 原象』: 兩一旣分, 一復生兩, 三才在目, 八卦指掌.
207) 『周易傳義大全 · 原象』: 交易爲體, 往此來彼, 變易爲用, 時靜時動.
208) 『周易 · 泰卦』: 泰, 小往大來, 吉亨. ; 『周易 · 否卦』: 否之匪人, 不利君子貞, 大往小來.
209) 『周易傳義大全 · 明筮』: 老極而變, 少守其常, 六爻皆守, 彖辭是當.

皆守者, 皆静也.
"모두 변하지 않다[皆守]"란 모두 고요함이다.

變視其爻, 兩兼首尾.
「명서(明筮)」에서 말하였다: 변하였으면 그 효를 보는데, 두 개가 변하였으면 위와 아래의 두 효를 겸하여 본다.210)
變者, 一爻變, 兩者, 兩爻變也.
'변(變)'이란 한 효가 변한 것이고, '양(兩)'이란 두 효가 변한 것이다.

視彼所存.
「명서(明筮)」에서 말하였다: 저 변하지 않고 보존되어 있는 바를 본다.211)
所存者, 之卦不動之二爻也.
'보존되어 있는 바[所存]'란 바뀐 괘[之卦]의 움직이지 않은 두 효이다.

新成舊毁.
「명서(明筮)」에서 말하였다: 새로운 괘가 이루어지고 옛 괘는 허물어진다.212)
新成舊毁, 舍本卦而專占之卦也.
'신성구훼(新成舊毁)'란 본괘를 버리고 오로지 바뀐 괘[之卦]만으로 점치는 것이다.

### 이익(李瀷) 『역경질서(易經疾書)』213)

上互爲兌, 兌陰當五爻, 故有雨澤之象, 而雨澤在上, 故有密雲不雨之象. 傳所謂已上者, 此也, 謂已上而不下也. 兌西方之卦, 故曰自214)我西郊. 公卽六二所謂君也, 初言飛鳥, 飛過而作孽者也. 本在山下, 有在穴之象, 而上震有威物之象, 故解上則云射隼于高墉之上, 此云弋取彼在穴. 穴, 巢穴也. 在穴而時出作孽, 故弋以取之也. 未濟九四變則互震, 故特加震字而明之, 亦威伐之義, 亦可證, 何以不言鳥, 初六已著也.
위에 있는 호괘는 태괘(兌卦☱)가 되고 태괘의 음이 오효에 해당하기 때문에 비가 내리는 못[澤]인 상이 있고, 비가 내리는 못[澤]이 위에 있기 때문에 구름이 빽빽하나 비가 오지

---

210) 『周易傳義大全 · 明筮』: 變視其爻, 兩兼首尾, 變及三爻, 占兩卦體.
211) 『周易傳義大全 · 明筮』: 或四或五, 視彼所存, 四二五一, 二分一專.
212) 『周易傳義大全 · 明筮』: 皆變而他, 新成舊毁, 消息盈虛, 舍此視彼.
213) 경학자료집성DB에서는 소과괘 구사에 해당하는 것으로 분류했으나, 내용을 살펴 이 자리로 옮겨 바로잡는다.
214) 自: 경학자료집성DB와 영인본에 모두 '身'으로 되어 있으나, 경문과 문맥을 살펴 '自'로 바로잡았다.

않는 상[215]이 있다. 「소상전」에서 이른바 "너무 올라갔기 때문이다"가 이것이니, 너무 올라가서 내려오지 않음을 말한다. 태괘(兌卦☱)는 서방(西方)의 괘이기 때문에 "우리 서쪽들로부터 하기 때문이다"라고 하였다. '공(公)'은 육이에서 이른바 '임금[君]'이며, 초효에서 말한 '나는 새[飛鳥]'[216]는 나는 것이 지나쳐서 재앙을 만드는 자이다. 본래 산 아래에 있으므로 구멍에 있는 상이 있고 상괘가 진괘(震卦☳)여서 위엄이 있는 물건인 상이 있기 때문에, 해괘(解卦䷧)의 상육에서는 "높은 담 위에서 새를 쏘아 맞춘다"[217]라고 하였고, 여기서는 "저 구멍에 있는 것을 쏘아서 잡도다"라고 하였다. '혈(穴)'은 둥지이다. 둥지에 있으면서 때때로 나와 재앙을 만들기 때문에 화살로 쏘아서 잡았다. 미제괘(未濟卦)의 구사가 변하면 호괘가 진괘(震卦☳)이기 때문에 미제괘(未濟卦) 구사에서는 특별히 '진(震)'자를 더하여 분명히 하였으니 또한 위엄이 있는 정벌이라는 뜻임을 증명할 수 있는데, 여기 소과괘(小過卦) 육오에서는 어찌하여 '새'를 말하지 않았는가? 초육에 이미 드러나 있기 때문이다.

### 유정원(柳正源) 『역해참고(易解參攷)』

漢上朱氏曰, 兌澤之氣上而爲雲, 兌陰盛也, 故爲密雲. 兌西震東, 巽風揚之, 雲自西往東, 由陰而升, 陰唱而陽不和, 不雨之象, 故曰自我西郊. 五自謂曰我, 小畜彖辭, 與小過六五同. 蓋小畜所畜者小, 小過所過者小, 皆不可以大事. 過之則畜之矣, 二卦雖殊, 而大者爲小者所畜, 則一而已.

한상주씨가 말하였다: 태괘(兌卦☱)인 못[澤]의 기운이 위로 올라가 구름이 되니, 태괘(兌卦☱)는 음이 성대하기 때문에 구름이 빽빽하게 된다. 태괘(兌卦☱)는 서쪽이고 진괘(震卦☳)는 동쪽이며, 손괘(巽卦☴)인 바람이 구름을 날려 구름은 서쪽으로부터 동쪽으로 가고, 음으로 말미암아 올라가 음이 선창하지만 양은 화답하지 않으니, 비가 오지 않는 상이기 때문에 "내가 서쪽 들로부터"라고 하였다. 오효는 스스로를 일러 '나[我]'라고 하였으니, 소축괘(小畜卦䷈)의 괘사[218]는 소과괘(小過卦)의 육오와 같다. 소축괘(小畜卦䷈)는 쌓는 바가 작고, 소과괘(小過卦)는 지나친 바가 작으니, 모두 큰일을 할 수가 없다. 지나치면 쌓이니, 두 괘가 비록 다르지만, 큰 것은 작은 것이 쌓이는 바가 됨은 한 가지일 뿐이다.

○ 進齋徐氏曰, 公謂五, 弋射取也. 彼謂二, 在穴, 二柔居中象. 因卦有飛鳥之象, 故曰弋取彼在穴.

---

215) 『周易·小過卦』: 六五, 密雲不雨, 自我西郊, 公, 弋取彼在穴.

216) 『周易·小過卦』: 初六, 飛鳥, 以凶.

217) 『周易·解卦』: 上六, 公用射隼於高墉之上, 獲之, 无不利.

218) 『周易·小畜卦』: 小畜, 亨, 密雲不雨, 自我西郊.

진재서씨가 말하였다: '공(公)'은 오효를 말하고, '익(弋)'은 쏘아서 잡는 것이다. '저[彼]'는 이효를 말하고 '구멍에 있는 것[在穴]'은 부드러운 음인 이효가 가운데 자리에 있는 상이다. 괘에 나는 새의 상이 있기 때문에 "저 구멍에 있는 것을 쏘아서 잡도다"라고 하였다.

○ 雙湖胡氏曰, 小過全體似坎弓象. 互巽繩弋象, 二陰在艮山之下, 巖穴象, 穴亦陰爻中斷象.
쌍호호씨가 말하였다: 소과괘(小過卦)는 전체적으로 감괘(坎卦☵)인 활의 상과 유사하다. 호괘인 손괘(巽卦☴)는 주살을 끈에 묶은 상이고, 두 음이 간괘(艮卦☶)인 산 아래에 있는 것은 바위에 뚫린 굴의 상이며, '구멍[穴]'도 또한 음효의 가운데가 끊어진 상이다.

○ 案, 我與公, 指五也, 西郊與彼, 指二也. 君位而曰公者, 以陰居尊也.
내가 살펴보았다: '나'와 '공(公)'은 오효를 가리키고, '서쪽 들'과 '저'는 이효를 가리킨다. 임금의 자리에 인데도 '공(公)'이라고 한 것은 음으로 존귀한 자리에 있기 때문이다.

### 김상악(金相岳) 『산천역설(山天易說)』

六五以陰居震之中, 應二爲互坎, 比四爲互兌, 兌與坎皆陰之過也, 故有密雲不雨自我西郊之象. 二居艮體而互巽, 又爲弋取彼在穴之象. 兩陰相得, 不能濟大事, 可知也.
육오는 부드러운 음으로 진괘(震卦☳)의 가운데에 있으며, 호응하는 이효는 호괘인 감괘(坎卦☵)가 되고 비(比)의 관계에 있는 사효는 호괘인 태괘(兌卦☱)가 되는데 태괘(兌卦☱)와 감괘(坎卦☵)는 모두 음이 지나치기 때문에 "구름이 빽빽하나 비가 오지 않음은 우리 서쪽들로부터 하기 때문인" 상이 있다. 이효는 간괘(艮卦☶)의 몸체에 있으면서 호괘는 손괘(巽卦☴)이니, 또 "저 구멍에 있는 것을 쏘아서 잡는" 상이 된다. 두 음이 서로 뜻은 맞지만 큰일은 이룰 수가 없음을 알 수가 있다.

○ 雲雨皆坎象, 西兌位也. 卦因四五升降, 中爻之坎, 變互兌體, 故曰密雲不雨自我西郊. 小者過, 故與小畜同象, 小畜終於旣雨者, 陽之極爲陰也, 小過終於不雨者, 陰之過抗陽也. 公者, 陽失位在四, 而陰居其上, 故不爲王而稱公也. 以絲係矢而射曰弋, 坎弓巽繩之象. 取者, 以艮手取之也. 穴, 鳥巢, 坎爲穴, 又隱伏, 故曰在穴. 初上之鳥, 高飛已盡, 惟有在穴者, 而互巽深入, 故雖弋取而不能得也. 小過之密雲不雨, 與解雷雨作相反, 故五與上雖皆稱公, 然弋取彼在穴, 不如射隼于高墉之上也. 學易者, 不可不知時識勢也.
'구름'과 '비'는 모두 감괘(坎卦☵)의 상이고, '서쪽'은 태괘(兌卦☱)의 자리이다. 괘는 사효와 오효가 오르고 내림으로 인하여 가운데 효가 있는 감괘(坎卦☵)가 호괘인 태괘(兌卦☱)

의 몸체로 바뀌기 때문에 "구름이 빽빽하나 비가 오지 않음은 우리 서쪽 들로부터 하기 때문이다"라고 하였다. 작은 것이 지나치기 때문에 소축괘(小畜卦䷈)와 상이 같으니, 소축괘(小畜卦)에서 "이미 비가 오는" 데에서 끝마친[219] 것은 양의 지극함이 음이 되었기 때문이고, 소과괘(小過卦)에서 비가 오지 않는 데에서 끝마친 것은 음의 지나침이 양을 저지하기 때문이다. '공(公)'이란 양이 제자리를 잃고서 사효의 자리에 있고 음이 그 위에 있기 때문에 왕이 되지 못하여 '공(公)'이라고 칭하였다. 실을 화살에 묶어서 쏘는 것을 '익(弋)'이라고 하니, 감괘(坎卦☵)인 활과 손괘(巽卦☴)인 끈의 상이다. '잡다[取]'란 간괘(艮卦☶)인 손으로 취하는 것이다. '구멍[穴]'은 새의 둥지이니, 감괘(坎卦☵)가 구멍이 되고 또 은밀히 숨기 때문에 '구멍에 있는 것'이라고 하였다. 초효와 상효에서의 새는 높이 날아가 이미 가버렸고, 오직 구멍에 있는 것이 있을 뿐인데 호괘가 손괘(巽卦☴)여서 깊이 들어가기 때문에 비록 쏘아서 잡고자 하더라도 얻을 수가 없다. 소과괘(小過卦)에서의 "구름이 빽빽하나 비가 오지 않음"은 해괘(解卦䷧)에서의 "우레와 비가 일어남"[220]과 서로 반대가 되기 때문에 소과괘(小過卦) 육오와 해괘(解卦) 상육에서 비록 모두 '공(公)'을 칭하였지만 "저 구멍에 있는 것을 쏘아서 잡음"은 "높은 담 위에서 새매를 쏘아 잡음"[221]만 못하다. 『주역』을 배우는 자는 때를 알고 형세를 깨닫지 않을 수 없다.

### 서유신(徐有臣) 『역의의언(易義擬言)』

雷鳴於山上而无雨, 密雲而已也. 五互兌我西郊也. 自我西郊, 雲未布於四方也, 然而四方之徯蘇, 切矣. 公喻文王也. 穴居者知雨, 喻望雲之民心也. 文王不得上位, 而得民之心, 譬矰弋之, 如不取於高, 而取在穴也. 此曷爲六五之象歟. 文王, 其位則侯伯, 其德則君天下而有餘矣, 德過於位也.

우레가 산위에서 울리는데도 비가 내리지 않고 구름만 빽빽할 뿐이다. 오효의 호괘인 태괘(兌卦☱)가 우리 서쪽 들이다. "우리 서쪽 들로부터 한다"는 구름이 아직 사방으로 퍼지지 않은 것이지만 사방에서 소생하기를 기다림[222]이 간절하다. '공(公)'은 문왕을 비유한다. 구멍에 거처하는 자가 비가 옴을 아는 것은 구름을 바라보는 백성의 마음을 비유한다. 문왕은 제위(帝位)에 오를 수는 없었지만 백성의 마음을 얻었으니, 주살을 쏘는 것에 비유하면 높이 있는 것에 대해서는 잡지 못하고 구멍에 있는 것을 잡는 것과 같다. 이것이 어찌 육오의 상이 되겠는가? 문왕은 그 지위로 보면 후백(侯伯)이지만 그 덕으로 보면 천하에 임금이

---

219) 『周易 · 小畜卦』: 上九, 旣雨旣處, 尙德, 載, 婦貞, 厲.
220) 『周易 · 解卦』: 天地解而雷雨作, 雷雨作而百果草木, 皆甲拆, 解之時大矣哉.
221) 『周易 · 解卦』: 上六, 公用射隼於高墉之上, 獲之, 无不利.
222) 『書經 · 仲虺之誥』: 攸徂之民, 室家, 相慶, 曰徯予后, 后來, 其蘇, 民之戴商, 厥惟舊哉.

되고도 남음이 있으니, 덕이 지위보다 지나친 것이다.

### 이지연(李止淵) 『주역차의(周易箚疑)』

於是乎陰始過陽, 而有密雲之象. 不取其在郊之陽, 而弋[223]取彼在穴[224]之陰, 陰與陰合之謂也

여기에서 음은 비로소 양을 지나쳐 구름이 빽빽한 상이 있다. 들에 있는 양을 취하지 못하고 쏘아서 저 구멍에 있는 음을 취하니, 음과 음이 부합함을 말한다.

### 김기례(金箕澧) 「역요선의강목(易要選義綱目)」

雲自西則不雨. 小過之時, 五以陰居尊, 不能得陰陽相和而不成雨, 與小畜同, 言小不能成大. 五互兌故曰西, 外卦故曰郊, 君位故曰公. 卦體似坎, 故取坎弓謂弋.

구름이 서쪽으로부터 오면 비가 내리지 않는다. '소과(小過)'의 때에 오효는 음으로 존귀한 자리에 있어서 음양이 서로 화합함을 얻을 수가 없어서 비를 이룰 수가 없음은 소축괘(小畜卦䷈)와 같으니, 작은 것이 큰 것을 이룰 수 없음을 말한다. 오효는 호괘가 태괘(兌卦☱)이기 때문에 '서쪽'이라고 하였고, 외괘이기 때문에 '들[郊]'이라고 하였으며, 임금의 자리이기 때문에 '공(公)'이라고 하였다. 괘의 몸체가 감괘(坎卦☵)와 유사하기 때문에 감괘(坎卦☵)인 활을 취하여 '익(弋)'이라고 하였다.

○ 彼在穴, 指二. 二在艮之中虛, 陰位, 故曰穴.

'저 구멍에 있는 것'은 이효를 가리킨다. 이효는 간괘(艮卦☶)의 가운데로 비어 있는 곳에 있고 음의 자리에 있기 때문에 '구멍[穴]'이라고 하였다.

○ 蓋二五无應, 而二自守在下, 則五雖求同德而爲助, 兩陰何以成雨.

이효와 오효는 호응함이 없고 이효는 스스로를 지키면서 아래에 있으니, 오효가 비록 덕을 같이 하여 도움이 되기를 구하고자 하지만 두 음이 어떻게 비를 이룰 수가 있겠는가?

### 심대윤(沈大允) 『주역상의점법(周易象義占法)』

小過之咸䷞, 感通也. 六五柔而居剛, 求爲恭下, 尊嚴已極, 不可復上, 五上有六同物而

---

223) 弋: 경학자료집성DB와 영인본에 모두 '戈'로 되어 있으나, 문맥을 살펴 '弋'으로 바로잡았다.

224) 穴: 경학자료집성DB와 영인본에 모두 '六'으로 되어 있으나, 문맥을 살펴 '穴'로 바로잡았다.

不就是也. 下无應從, 而近從于三四. 五之德位極而天下感通悅服, 不復上行以求尊嚴. 其所恭下者, 只在乎賢德而已, 其時不可以下人, 故爲行中而時不中也. 卦之下就而有得者, 三與五也. 三虛而五實, 夫以言行恭下, 得天下之悅服, 至五而小過之功成矣. 夫君子恭下以求悅者, 欲以行道而成其事業也, 故爻辭對彼此而言, 與小畜彖辭大同也. 密雲言小過之功成也, 巽密, 坎雲. 小畜之文德, 卽所以做事業者也, 故密雲便取彼此之象. 小過言行恭下, 由是而得立事業者也, 非卽以做事業者也. 故密雲只取本卦之象, 不雨言未及立其事業也. 坎兌爲雨, 兌爲不對離日互巽風, 有不雨之象. 自我西郊, 言未離其鄕也, 乾巽互兌爲西郊. 君子以言行恭下爲資器, 而得立事業, 故曰公弋取彼在穴, 爲人所尊敬, 而未及有施爲, 故不稱王而稱公. 坎離爲天而兼巽繩曰弋. 艮爲取, 艮阻互巽遠爲彼, 巽離爲在坎, 離爲穴, 皆互取對損象鳥之飛下而得食也.

소과괘가 함괘(咸卦䷞)로 바뀌었으니, 느껴서 통하는 것이다. 육오는 부드러운 음이면서 굳센 양의 자리에 있어서 공손하게 낮추고자 하고, 존엄함이 이미 지극하여 다시 올라갈 수가 없으며 오효 위에 똑같은 육(六)이 있어서 이에 나아가지 않는다. 아래로는 호응하여 따르는 바가 없고 가까이 삼효와 사효를 따른다. 오효의 덕과 지위가 지극하여 천하 사람들이 느껴 통하여 기쁘게 복종하므로 다시 위로 가서 존엄함을 구하지 않는다. 공손하게 낮추는 것은 단지 어진 덕에 달려 있을 뿐이니, 그 때가 다른 사람에게 낮출 수 없기 때문에 행위는 알맞게 하지만 때가 알맞지 않게 된다. 괘에서 아래로 나아가 얻게 되는 자는 삼효와 오효이다. 삼효는 비어 있고 오효는 차 있어 말과 행동이 공손하게 낮추어 천하 사람들이 기쁘게 복종함을 얻으니 오효에 이르러 '소과(小過)'의 공은 이루어진다. 군자가 공손하게 낮추어 기쁨을 구하는 것은 도를 행하여 사업을 이루고자 하기 때문이므로 효사에서는 피차(彼此)를 상대하여 말하였으니, 소축괘(小畜卦䷈)의 괘사[225]와 크게 같다. '구름이 빽빽함'은 '소과(小過)'의 공이 이루어짐을 말하니, 손괘(巽卦☴)는 '빽빽함'이고 감괘(坎卦☵)는 '구름'이다. 소축괘(小畜卦)에서의 '문덕(文德)'[226]은 사업을 만드는 자이기 때문에 '구름이 빽빽함'은 피차(彼此)의 상에서 취하였다. 소과괘(小過卦)에서 말과 행동을 공손하게 낮춤은 이로 말미암아 사업을 세울 수 있는 것이지, 이로써 사업을 하는 것이 아니다. 그러므로 '구름이 빽빽함'은 단지 본 괘의 상에서 취하였고, '비가 오지 않음'은 사업을 세우는 데에 아직 이르지 못했음을 말한다. 감괘(坎卦☵)와 태괘(兌卦☱)는 비가 되고, 태괘(兌卦☱)는 리괘(離卦☲)의 해와 호괘인 손괘(巽卦☴)의 바람과 상대하지 않기 때문에 비가 오지 않는 상이 있다. "우리 서쪽 들로부터 하다"란 그 마을을 아직 떠나지 않았음을 말하니, 건괘(乾卦☰)와 손괘(巽卦☴)와 호괘인 태괘(兌卦☱)는 '서쪽 들'이 된다. 군자는 말과 행동을 공

225) 『周易·小畜卦』: 小畜, 亨, 密雲不雨, 自我西郊.
226) 『周易·小畜卦』: 象曰, 風行天上, 小畜, 君子以, 懿文德.

손하게 낮춤을 자질로 삼아 사업을 세울 수 있기 때문에 "공(公)이 저 구멍에 있는 것을 쏘아서 잡도다"라고 하였으니, 다른 사람에게 존경을 받지만 일을 베풀어서 이루는 데에는 미치지 않았기 때문에 '왕(王)'이라고 칭하지 않고 '공(公)'이라고 칭하였다. 감괘(坎卦☵)와 리괘(離卦☲)는 '하늘'이 되고 겸하여 손괘(巽卦☴)는 끈이라서 '주살[弋]'이라고 하였다. 간괘(艮卦☶)는 취함이 되고, 간괘(艮卦☶)의 떨어져 있음과 호괘인 손괘(巽卦☴)의 밞이 '저[彼]'가 되며, 손괘(巽卦☴)와 리괘(離卦☲)가 '구멍에 있음[在坎]'이 되고, 리괘(離卦☲)는 '구멍[坎]'이 되니, 모두 서로 대괘(對卦)인 손괘(損卦䷨)가 새가 날아 아래로 내려와 음식을 얻는 것을 상징함을 취하였다.

### 오치기(吳致箕) 「주역경전증해(周易經傳增解)」

六五, 以柔乘剛, 陰過於陽, 故陰陽不和, 有密雲不雨之象. 然以位則柔得中而居剛, 以時則過將盡矣, 故飛鳥亦止于穴, 而公以濟過之才, 弋取在穴之鳥, 使不得過也. 其象如此, 占可知矣.
육오는 부드러운 음으로 굳센 양을 타고 있어서 음이 양보다 지나치기 때문에 음과 양이 화합하지 않아서 '구름이 빽빽하나 비가 오지 않는' 상이 있다. 그러나 자리로 보면 부드러운 음이 알맞음을 얻어 굳센 양의 자리에 있고, 때로 보면 지나침이 장차 다할 것이기 때문에 '나는 새'가 또한 구멍에 머무르고 공(公)이 잘못을 구제하는 자질을 가지고 구멍에 있는 새를 쏘아서 잡아 지나칠 수 없도록 한다. 그 상이 이와 같으니 점도 알 수가 있다.

○ 雲雨取於似坎, 而不雨言陰陽不和也. 互兌爲西, 爻變互乾爲郊之象, 與小畜彖辭同. 五不取君象, 故以公言也. 矢之繫繩曰弋, 而似坎爲弓矢, 互巽爲繩也. 卦以飛鳥言, 故在穴者亦謂鳥, 而飛則過之象, 在穴則將不過也. 穴亦取於似坎也.
'구름'과 '비'는 감괘(坎卦☵)와 유사한 데에서 취하였고, '비가 오지 않음'은 음과 양이 화합하지 않음을 말한다. 호괘인 태괘(兌卦☱)는 '서쪽'이 되고, 본 효가 변하여 함괘(咸卦䷞)가 되었을 때에 호괘인 건괘(乾卦☰)는 '들'의 상이 되니, 소축괘(小畜卦䷈)의 괘사[227]와 같다. 오효는 임금의 상을 취하지 않았기 때문에 '공(公)'으로 말하였다. 화살에 끈에 매어 있는 것을 '주살[弋]'이라고 하는데, 활과 화살이 되는 감괘(坎卦☵)와 유사하고 호괘인 손괘(巽卦☴)가 끈이 된다. 괘에서 '나는 새'로 말하기 때문에 '구멍에 있는 것[在穴]'도 또한 새를 말하는데, 날면 지나치다는 상이지만, 구멍에 있으면 장차 지나치지 않는다. '구멍'은 또한 감괘(坎卦☵)와 유사한 데에서 취하였다.

---

227) 『周易 · 小畜卦』: 小畜, 亨, 密雲不雨, 自我西郊.

## 이진상(李震相) 『역학관규(易學管窺)』

密雲不雨.
구름이 빽빽하나 비가 오지 않는다.

小過全體, 是厚坎, 故[228]爲密雲不雨之象. 六五在互巽之上, 故曰西郊, 郊者曠遠天際也. 先儒以兌爲西郊, 然象中我與公指五, 彼與西郊指二, 二乃巽體, 五乃兌體. 雲之自西而東者, 便是卦之自巽而兌, 西郊之非兌, 明矣.
소과괘(小過卦) 전체는 두터운 감괘(坎卦☵)이기 때문에 구름이 빽빽하나 비가 오지 않는 상이 된다. 육오는 호괘인 손괘(巽卦☴)의 맨 위에 있기 때문에 '서쪽 들'이라고 하였으니, '들'이란 아득하게 넓고 먼 하늘과 맞닿는 곳이다. 이전의 학자들은 태괘(兌卦☱)를 '서쪽 들'이라고 여겼으나, 상(象) 중에 '나'와 '공(公)'은 오효를 가리키고, '저[彼]'와 '서쪽 들'은 이효를 가리키니, 이효는 손괘(巽卦☴)의 몸체이고 오효는 태괘(兌卦☱)의 몸체이다. 우레가 서쪽으로부터 동쪽으로 가는 것은 괘가 손괘(巽卦☴)로부터 태괘(兌卦☱)로 가기 때문이니, '서쪽 들'이 태괘(兌卦☱)가 아님은 분명하다.

○ 弋取在穴.
구멍에 있는 것을 쏘아서 잡도다
胡氏曰, 小過全體似坎弓象, 互巽繩弋象. 二陰在艮山下, 巖穴象.
호씨가 말하였다: 소과괘(小過卦) 전체는 활의 상인 감괘(坎卦☵)와 유사하고, 호괘인 손괘(巽卦☴)는 끈을 묶은 주살의 상이다. 두 음이 간괘(艮卦☶)인 산 아래에 있으니, 바위로 된 굴의 상이다.

## 박문호(朴文鎬) 「경설(經說)·주역(周易)」

公弋取彼在穴, 似亦爲諸侯田獵之吉占, 而傳義皆不言者, 豈爲此卦只爲飛鳥之象 而不爲走獸之象故耶.

"공(公)이 저 구멍에 있는 것을 쏘아서 잡도다"는 또한 제후가 사냥을 할 때의 길한 점이 되는 것과 유사한데도 『정전』과 『본의』에서 모두 이를 말하지 않은 것은 아마도 이 괘가 다만 나는 새의 상만이 되고 달리는 짐승의 상이 되지 않기 때문인 듯하다.

---

228) 故: 경학자료집성 영인본에서는 여기에 해당하는 글자가 무슨 글자인지 알 수가 없고, 경학자료집성DB에는 '古'로 되어 있으나, 문맥을 살펴 '故'로 바로잡았다.

## 象曰, 密雲不雨, 已上也.

정전 「상전」에서 말하였다: "구름이 빽빽하나 비가 오지 않음"은 이미 올라갔기 때문이다.
본의 「상전」에서 말하였다: "구름이 빽빽하나 비가 오지 않음"은 너무 올라갔기 때문이다.

## 中國大全

### 傳

**陽降陰升, 合則和而成雨, 陰已在上, 雲雖密, 豈能成雨乎. 陰過, 不能成大之義也.**

양이 내려오고 음은 올라가서 합하면 화합하여 비를 이루는데, 음이 이미 위에 있으면 구름이 비록 빽빽하나 어찌 비를 이룰 수 있겠는가? 음이 지나쳐서 큰 것을 이룰 수 없다는 뜻이다.

### 本義

**已上, 太高也.**

'이상(已上)'은 너무 높은 것이다.

#### 小註

中溪張氏曰, 小畜小過, 皆言密雲不雨, 自我西郊, 何也. 曰, 陰陽二氣, 以均調適平而後雨. 陰多陽少, 陽多陰少, 則皆不雨也. 小畜以一陰畜五陽, 陰少於陽, 則不能以固乎陽, 故曰密雲不雨尙往也, 言陽尙往, 則不與陰和而不能雨矣. 小過以四陰而包二陽, 陽少於陰, 則不能制乎陰, 故曰密雲不雨已上也, 言陰已上, 則不與陽和而不能雨矣.
중계장씨가 말하였다: 소축괘(小畜卦䷈)와 소과괘(小過卦䷽)에서 모두 "구름이 빽빽하나 비가 오지 않음은 우리 서쪽 들로부터 하기 때문이다"라고 한 것은 어째서인가? 음과 양의 두 기운은 조화가 고르고 평평함이 알맞은 뒤에 비가 내린다. 음이 많고 양이 적거나 양이 많고 음이 적으면 모두 비가 내리지 않는다. 소축괘는 음 하나로 다섯 양을 저지하여 음이

양보다 적어서, 곧 양보다 견고할 수 없으므로 "구름이 빽빽하나 비가 오지 않음은 위로 올라감이다"고 하였으니, 양이 위로 올라가면 음과 화합하지 못하여 비를 내릴 수 없음을 말한다. 소과괘(小過卦)는 네 음으로 두 양을 감싸 양이 음보다 적으니, 음을 제어할 수 없으므로 "구름이 빽빽하나 비가 오지 않음은 너무 높기 때문이다"고 하였으니, 음이 너무 높으면 양과 화합하지 못하여 비를 내릴 수 없음을 말한다.

○ 雲峯胡氏曰, 二曰臣不可過, 五太高, 則又言君不可過也.
운봉호씨가 말하였다: 이효에서 "신하는 지나치게 해서는 안 되는 것이다"고 말하였는데, 오효가 너무 높음은 또한 임금도 지나치게 해서는 안 됨을 말한다.

## 韓國大全

### 송시열(宋時烈) 『역설(易說)』

小象已上者, 言當不宜上之時, 五旣居上位, 上下判隔, 澤不下絶故也.
「소상전」에서의 '이상(已上)'이란 올라감이 마땅하지 않은 때를 맞아 오효가 이미 높은 자리에 있으니, 위와 아래가 나뉘고 막혀 은택이 내려가지 않고 끊어진 까닭을 말한다.

### 유정원(柳正源) 『역해참고(易解參攷)』

王氏曰, 陽已上, 故止也.
왕필이 말하였다: 양이 이미 올라갔기 때문에 그쳤다.

○ 正義, 艮之陽爻, 已上於一卦之上而成止, 故不上交而爲雨也.
『주역정의』에서 말하였다: 간괘(艮卦☶)의 양효가 한 괘의 위에 이미 올라가 그치게 되었기 때문에 위로 교류하여 비가 되지 않았다.

○ 單氏曰, 小畜之不雨, 陽將進而上交也, 故曰尙往也. 小過之不雨, 陰已過而下交也, 故曰已上也.

단씨가 말하였다: 소축괘(小畜卦䷈)의 "비가 오지 않음"에서는 양이 장차 나아가 위로 교류하기 때문에 "오히려 감"이라고 하였다. 소과괘(小過卦)의 "비가 오지 않음"에서는 음이 이미 지나쳐서 아래로 교류하기 때문에 "이미 올라갔기 때문이다"라고 하였다.

### 김상악(金相岳) 『산천역설(山天易說)』

已上, 則上逆矣.
너무 올라감은 위로 거스르는 것이다.

### 서유신(徐有臣) 『역의의언(易義擬言)』

雲旣上於西矣, 行將布施四方也.
구름이 서쪽에서 이미 위로 올라와서 움직임이 장차 사방으로 퍼진다.

### 김기례(金箕澧) 「역요선의강목(易要選義綱目)」

已上.
너무 올라갔기 때문이다.

言陰過而居高.
음이 지나쳐서 높은 곳에 있음을 말한다.

### 박제가(朴齊家) 『주역(周易)』

此卦初上, 皆言飛鳥, 所謂初辭擬之, 卒成之終者也. 二言卦名義及象義, 三四爲卦主, 而以陽不從陰爲正. 惟山上有雷一象, 無處揷入, 特於得位之五, 借小畜之象發之, 此非畜義, 但取其遠雷過去之象, 而象傳曰已上者, 言雷之遠而已高也. 與小畜象傳不同, 小畜之尙往雲之上往也. 夫雷之大者, 必從風雨, 惟不雨之雷, 微微而過於天外遠山之上者, 所以爲小過之本象也. 曰公者, 五之本位也, 弋者, 射鳥之具, 穴者, 下之甚者也. 射鳥而取之于穴, 則飛鳥之至下者也, 卽宜下大吉之旨也. 合卦義與象義, 與九二竝立, 所以明其應也. 然則此爻當爲大吉之占而不言者, 在象故也. 蓋傳以下不能成雨不能有爲之說, 皆自落空, 而小過之只以卑下爲吉者, 可知矣.
이 괘에서 초효와 상효에서는 모두 '나는 새'를 말하였으니, 이른바 "처음에 말은 헤아리고, 끝마쳐 마침을 이룬다"[229]라는 것이다. 이효에서는 괘 이름과 「단전」의 뜻을 말하였고, 삼효와 사효는 괘의 주인이 되어 양이 음을 따르지 않는 것을 바름으로 삼았다. 오직 산 위에 우레가 있는 하나의 상은 있는 곳마다 끼워 넣을 데가 없지만, 단지 지위를 얻은 오효에서는 소축괘(小畜卦☴) 괘사의 내용[230]을 빌려와 말하였으니, 이는 '쌓는다[畜]'의 뜻이 아니라 다만 멀리 우레가 지나가버린 상을 취했을 뿐이라서, 소과괘(小過卦) 「소상전」에서 "이미 올라갔기 때문이다"라고 한 말은 우레가 멀고 이미 높이 있음을 말한다. 소축괘(小畜卦)의 괘사와는 같지 않으니, 소축괘(小畜卦)에서는 여전히 나아가는 구름이 위로 올라가는 것이다. 대체로 큰 우레는 반드시 바람과 비가 따르지만, 오직 비가 오지 않는 우레는 미미하거나 하늘 밖에 있는 먼 산 위보다 지나친 것이므로, 소과괘(小過卦)의 본 상이 된다. '공(公)'이라고 말 한 것은 오효가 본래 그러한 임금의 자리이기 때문이며, '익(弋)'이란 새를 쏘는 도구이고, '혈(穴)'은 아래가 깊은 것이다. 새를 쏘아 구멍에서 잡는다면, 나는 새가 아래에 이른 것이니, "내려옴이 마땅하듯이 하면 크게 길하다"[231]는 뜻이다. 괘사의 뜻과 「단전」의 뜻을 합하여 구이와 아울러 세우므로 호응함을 밝혔다. 그렇다면 이 효는 마땅히 크게 길한 점이 되어야 하는데도 이를 말하지 않은 것은 괘사에 이미 나와 있기[232] 때문이다. 『정전』 아래에 있는 '비를 이룰 수 없다[不能成雨]'와 '훌륭한 일을 할 수가 없다[不能有爲]'[233]는 설명은 모두 저절로 허사가 되니, 소과괘(小過卦)는 단지 자신을 낮춤을 길함으로 삼는다는 것을 알 수가 있다.

### 심대윤(沈大允) 『주역상의점법(周易象義占法)』

言小過之功已成, 而以恭下反得人之尊敬也. 小畜之尙往, 貴立事業也, 此之已上, 言行之恭下, 已極而不可終也. 小過之志, 在乎事業, 而終於小過而已, 則亦无所貴之也.

'소과(小過)'의 공이 이미 이루어져 공손하게 낮춤으로써 도리어 다른 사람의 존경을 받음을 말한다. 소축괘(小畜卦☴)에서의 '오히려 감[尙往]'[234]은 사업을 세움을 귀하게 여기는 것이고, 이 괘에서의 '이미 올라감[已上]'은 말과 행동을 공손하게 낮춤이 이미 지극하여 끝마칠 수 없다는 것이다. '소과(小過)'의 뜻은 사업에 있으므로 조금 지나친 데에서 끝마칠 뿐이니, 또한 귀하게 여길 바가 없다.

---

229) 『周易·卦辭傳』: 其初難知, 其上易知, 本末也. 初辭擬之, 卒成之終.

230) 『周易·小畜卦』: 小畜, 亨, 密雲不雨, 自我西郊.

231) 『周易·小過卦』: 小過, 亨, 利貞, 可小事, 不可大事, 飛鳥遺之音, 不宜上, 宜下, 大吉.

232) 『周易·小過卦』: 小過, 亨, 利貞, 可小事, 不可大事, 飛鳥遺之音, 不宜上, 宜下, 大吉.

233) 『周易傳義大全·小過卦·本義』: 以陰居尊, 又當陰過之時, 不能有爲, 而弋取六二以爲助, 故有此象.

234) 『周易·小畜卦』: 象曰, … 密雲不雨, 尙往也. 自我西郊, 施未行也.

### 오치기(吳致箕) 「주역경전증해(周易經傳增解)」

陰過於陽而居上, 以其太高故, 陰陽不和, 雲雖密而不雨也.
음이 양을 지나쳐 맨 위에 있어서 너무 높기 때문에 음과 양이 화합하지 않아 구름이 비록 빽빽하더라도 비가 오지 않는다.

### 이병헌(李炳憲) 『역경금문고통론(易經今文考通論)』

虞曰, 弋, 繒繳射也.
우번이 말하였다: '익(弋)'이란 주살로 쏘는 것이다.

本義曰, 已上, 太高也.
『본의』에서 말하였다: '이상(已上)'은 너무 높은 것이다.

按, 公指西伯也.
내가 살펴보았다: '공(公)'은 문왕[西伯]을 가리킨다.

## 上六, 弗遇, 過之, 飛鳥離之, 凶, 是謂災眚.

상육은 도리와 맞지 못하여 지나치니, 나는 새가 멀리 떠나가는지라 흉하니, 이를 재생(災眚)이라 이른다.

## 中國大全

### 傳

六, 陰而動體, 處過之極, 不與理遇, 動皆過之, 其違理過常, 如飛鳥之迅速, 所以凶也. 離, 過之遠也. 是謂災眚, 是當有災眚也, 災者, 天殃, 眚者, 人爲. 旣過之極, 豈惟人眚. 天災亦至, 其凶可知. 天理人事皆然也.

육(六)은 음이지만 움직이는 몸체로 소과괘(小過卦䷽)의 끝에 있어 도리로 맞지 못하고 움직임이 모두 지나치니, 이치를 어기고 보통을 넘음이 나는 새가 신속한 것과 같아, 이 때문에 흉하다. '떠남[離]'은 멀리 지나감이다. "이를 재생이라 이른다[是謂災眚]"는 당연히 재생(災眚)이 있다는 것이니, '재(災)'는 하늘의 재앙이고 '생(眚)'은 사람이 만든 것이다. 이미 지나침이 다했으니, 어찌 사람이 만든 재앙(眚)일 뿐이겠는가? 하늘의 재앙도 이를 것이니, 그 흉함을 알 수 있다. 하늘의 이치와 사람의 일이 모두 그러하다.

### 本義

六, 以陰居動體之上, 處陰過之極, 過之已高而甚遠者也, 故其象占如此. 或曰, 遇過, 恐亦只當作過遇, 義同九四, 未知是否.

육(六)은 음으로 움직이는 몸체의 맨 위에 있고 음이 지나친 끝에 처하니, 지나침이 이미 높고 매우 멀기 때문에 그 상과 점이 이와 같다. 어떤 이는 "'우과(遇過)'는 아마도 마땅히 '과우(過遇)'라 하여야 할 듯하니, 뜻이 구사와 같다"고 하였는데, 옳고 그름은 알지 못하겠다.

小註

誠齋楊氏曰, 上六以陰柔之資, 居震動之體, 豈惟不與二陽相遇而已. 直欲超而過之, 出其上, 極其高如飛鳥焉, 亢滿如此, 豈不罹災眚之凶乎.
성재양씨가 말하였다: 상육은 부드러운 음의 자질로 진괘(震卦)의 움직이는 몸체에 있으니, 어찌 오직 두 양과 서로 만나지 않을 뿐이겠는가? 곧바로 뛰어넘어 지나가고자 하여, 위를 벗어나 그 높음을 다한 것이 나는 새와 같아서 지나치게 찬 것이 이와 같으니, 어찌 재생의 흉함을 근심하지 않겠는가?

○ 雙湖胡氏曰, 此爻與四正相反. 九四曰弗過遇之, 上六曰弗遇過之, 弗過遇之者, 陽微而弗能過乎陰, 反遇乎陰也, 弗遇過之者, 陰上而弗能遇陽, 反過乎陽也. 小過陰過, 而陽弗過之時, 故四言弗過, 而上言過. 四前有陰, 有相遇之理, 上已過陽, 无復遇之期, 故四言遇, 而上言弗遇, 亦可見也. 飛鳥離之, 取遠過之象, 陰過如此, 非陰之福也. 災眚荐至, 凶孰甚焉. 此可爲小人過盛者之戒.
쌍호호씨가 말하였다: 이 효는 사효와 바로 반대된다. 구사에서는 '불과우지(弗過遇之)'라고 하였고 상육에서는 '불우과지(弗遇過之)'라고 하였으니, '불과우지'는 양이 미미하여 음을 지나갈 수 없어 도리어 음을 만나는 것이고, '불우과지'는 음이 올라가 양을 만날 수 없어 오히려 양을 지나침이다. 소과괘(小過卦䷽)는 음이 지나치고 양이 지나치지 못하는 때이므로 사효에서 "지나치지 않는다"고 하였는데, 상효에서는 "지나친다"고 말하였다. 사효의 앞에는 음이 있어 서로 만나는 이치가 있으나, 상효는 이미 양을 지나쳤으니 다시 만날 기회가 없으므로 사효에서는 "만난다"고 말하고 상효에서는 "만나지 못한다"고 한 것을 또한 볼 수 있다. '나는 새가 멀리 떠나감'은 멀리 지나친 상을 취하였으니, 음의 지나침이 이와 같은 것은 음의 복이 아니다. 재생(災眚)이 거듭 이르니, 흉함이 무엇이 이보다 심하겠는가? 이것은 소인이 지나치게 왕성하게 되는 것에 대한 경계이다.

○ 雲峯胡氏曰, 六二陰柔中正, 故曰過曰遇. 九四陽弗過而遇乎陰. 上六陰弗能遇而過乎陽. 四无心之遇. 上有心之過也. 初之飛鳥已凶, 上飛鳥而離之, 凶可知矣. 不特曰凶, 且天災人眚无不有之. 然則陰之過, 豈陰之福哉.
운봉호씨가 말하였다: 육이는 부드러운 음으로 중정하기 때문에 "지나간다"고 하고 "만난다"고 하였다. 구사는 양이 지나치지 못하고 음을 만난다. 상육은 음이 만날 수 없고 양을 지나쳤다. 사효는 무심하게 만나는 것이다. 상효는 마음이 있는 지나침이다. 초효의 나는 새는 이미 흉하고 상효도 나는 새인데 떠나가니, 흉함을 알 수 있다. 단지 "흉하다"고 말할 뿐만이 아니라서 또한 하늘의 재앙과 사람의 재앙이 있지 아니함이 없다. 그렇다면 음의 지나침이 어찌 음의 복이겠는가?

## 韓國大全

### 송시열(宋時烈) 『역설(易說)』

弗遇過之, 與九四相反而言, 言爲六五所隔, 不遇於陽, 而過越六五之位. 其飛已高, 必離於網繳. 五曰弋取, 而六則將過五而遇四之陽, 離五之弋, 其道凶, 而大坎爲多眚, 六之離凶, 由坎眚也. 故曰是謂災眚, 須詳看是謂二字.

"만나지 못하여 지나치다[弗遇過之]"는 구사[235]와 서로 반대하여 말한 것이니, 육오에 의하여 막히게 되어 양을 만나지 못하고 육오의 자리를 지나침을 말한다. 이미 높게 날아 반드시 그물과 주살에서 떠나간다. 오효에서는 "주살로 쏘아서 잡는다"[236]라고 하였는데, 상육은 장차 오효를 지나 사효인 양을 만나려고 하니 오효인 주살에서 떠나가므로 그 도가 흉하고, 큰 감괘(坎卦☵)는 재앙이 많게 되니 상육의 "떠나가는지라 흉하다"란 감괘(坎卦☵)의 재앙에서 말미암는다. 그러므로 "이를 재생(災眚)이라 이른다"라고 하였으니, 반드시 '시위(是謂)' 두 글자를 상세하게 살펴보아야 한다.

### 이익(李瀷) 『역경질서(易經疾書)』

上六, 過祖之妣也, 高而亢極也. 二之上遇而非上之降尊, 故曰不遇. 過之者, 過五也. 初與上, 皆云飛鳥之凶, 飛則騰上, 至五則爲其弋取, 至上則爲災眚, 彼云以凶者, 自以而作凶也, 此云離之凶, 彼來罹之而爲凶, 凶則一也, 而此非自作, 故爲災眚也. 初不言八而言六, 則老陰也, 已有變離之象, 離有網罟之象, 飛鳥以凶離網罟也. 飛而離之, 故上六發之, 與震上六參看[237]. 項安世曰, 坎離者, 乾坤之用也, 故上篇終於坎離, 下篇終於旣未濟. 頤中孚肖離, 大小過肖坎, 故上篇以頤大過附坎離, 下篇以中孚小過附旣未濟. 二陽函四陰, 則謂之頤, 四陽函二陰, 則謂之中孚, 二陰函四陽, 則謂之大過, 四陰函二陽, 則謂之小過, 離之爲麗, 坎之爲陷意, 亦類此. 此說極精故採之.

상육은 할아버지를 지나가 만나는 할머니이며, 높고 높음이 지극하다. 이효가 올라가 만나는 것이지 상효가 존귀함을 낮추는 것이 아니기 때문에 '만나지 못한다[不遇]'라고 하였다. '지나치다'란 오효를 지나침이다. 초효와 상효에서는 모두 '나는 새의 흉함'[238]을 말하였는

---

235) 『周易·小過卦』: 九四, 无咎, 弗過, 遇之, 往, 厲, 必戒, 勿用永貞.

236) 『周易·小過卦』: 六五, 密雲不雨, 自我西郊, 公, 弋取彼在穴.

237) 參看: 경학자료집성 영인본에서는 소주(小註)로 되어 있으나, 경학자료집성DB에는 본문으로 되어 있고 또 문맥을 살펴 본문으로 바로잡았다.

데, 날면 위로 올라 오효에 이르면 주살에 의하여 잡히고 상효에 이르면 재앙[災眚]이 되니, 저기 초효에서 "이로써 흉하다[以凶]"라고 한 것은 스스로 흉함을 만든 것이고, 여기 상효에서 "걸리는지라 흉하다"라고 한 것은 저것이 와서 붙어 흉하게 되는 것이라서, 흉한 데에서는 한 가지이지만 여기 상효에서는 스스로 만든 것이 아니기 때문에 재앙[災眚]이 된다. 초효에서 '팔(八)'이라고 하지 않고 '육(六)'이라고 하였다면 노음(老陰)이므로 이미 변한 리괘(離卦☲)의 상이 있고 리괘(離卦☲)에는 그물의 상이 있으니, 나는 새가 흉하게 그물에 걸리는 것이다. 날다가 걸리기 때문에 상육에서 말하였으니, 진괘(震卦䷲) 상육과 참고하여 봐야한다. 항안세(項安世)가 말하기를 "감괘(坎卦☵)와 리괘(離卦☲)는 건괘(乾卦☰)와 곤괘(坤卦☷))의 쓰임이기 때문에 상편에서는 감괘(坎卦䷜)와 리괘(離掛䷝)로 끝을 맺었고, 하편에서는 기제괘(既濟卦䷾)와 미제괘(未濟卦䷿)로 끝을 맺었다. 이괘(頤卦䷚)와 중부괘(中孚卦䷼)는 리괘(離卦☲)를 닮았고 대과괘(大過卦䷛)와 소과괘(小過卦)는 감괘(坎卦☵)를 닮았기 때문에 상편에서는 이괘(頤卦䷚)와 대과괘(大過卦䷛)를 감괘(坎卦䷜)와 리괘(離掛䷝)에 붙였고 하편에서는 중부괘(中孚卦䷼)와 소과괘(小過卦)를 기제괘(既濟卦䷾)와 미제괘(未濟卦䷿)에 붙였다. 두 양이 네 음을 둘러싸면 이괘(頤卦)라고 하고 네 양이 두 음을 둘러싸면 중부괘(中孚卦)라고 하며, 두 음이 네 양을 둘러싸면 대과괘(大過卦)라고 하고 네 음이 두 양을 둘러싸면 소과괘(小過卦)라고 하니, 리괘(離卦☲)가 걸림이 되고 감괘(坎卦☵)가 빠짐이 되는 뜻도 또한 이와 비슷하다"[239]라고 하였다. 이 설명이 지극히 정밀하기 때문에 골라내어 기록하였다.

### 유정원(柳正源) 『역해참고(易解參攷)』

王氏曰, 小人之過, 遂至上極, 過而不知限, 至於亢也. 過至于亢, 將何所遇. 飛而不遇,[240] 將何所託. 災自己致, 復何言哉.
왕필이 말하였다: 소인의 지나침이 마침내 위로 끝에 이르러 지나친데도 제한할 줄 몰라 지극한 데에 이르렀다. 지나침이 지극한 데에 이르렀으니, 장차 무엇을 만나겠는가? 날면서 만나지 못하니, 장차 무엇에 의탁하겠는가? 재앙은 자기가 초래하였으니, 다시 무엇을 말하겠는가?

○ 正義, 以小人之身, 過而不遇, 必遭羅網, 其猶飛鳥, 而[241]无托, 必離矰繳, 故曰飛

238) 『周易・小過卦』: 初六, 飛鳥, 以凶.
239) 이러한 내용은 『주역완사(周易玩辭)』에 보인다.
240) 遇: 경학자료집성DB와 영인본에 모두 '遇'로 되어 있으나, 『주역정의』에는 '已'로 되어있다.
241) 飛: 『주역정의』에는 '而' 앞에 '飛'자가 있다.

鳥離之凶也.
『주역정의』에서 말하였다: 소인의 몸으로 지나쳐서 만나지 못해 반드시 그물에 걸리게 되니, '나는 새'가 날면서 의탁할 바가 없어 반드시 주살에 걸리는 것과 같기 때문에 "나는 새가 멀리 걸리는지라 흉하다"라고 하였다.

○ 眉山蘇氏曰, 不過遇之, 君子不能過小人而遇者也. 不遇過之, 小人不肯遇君子而過之者也. 九四不能過六五而承之, 故曰不過遇之, 上六過九三而遠之, 故曰不遇過之.
미산소씨가 말하였다: "지나치지 아니하여 만난다"[242]란 군자가 소인을 지나칠 수가 없어서 만나는 것이다. "만나지 못하여 지나친다"란 소인이 군자를 만나기를 기꺼이 하지 않아 지나치는 것이다. 구사는 육오를 지나칠 수 없어서 받들기 때문에 "지나치지 아니하여 맞도록 한다"고 하였고, 상육은 구삼을 지나쳐 멀리가기 때문에 "만나지 못하여 지나친다"라고 하였다.

○ 白雲蘭氏曰, 始以小過爲无傷而不改, 如鳥之飛翔於始, 其終遂至於離其網羅.
백운란씨가 말하였다: 처음에 약간 지나침을 해로움이 없다고 여겨 고치지 않음이 새가 처음에는 빙빙 나는 것과 같지만, 끝에서는 마침내 그물에 걸리는 데에 이르게 된다.

○ 節齋蔡氏曰, 過遇五也, 今在五上, 故不遇過之, 過乎五也. 離過之遠也. 過而不中, 故凶, 天災人眚俱有也.
절재채씨가 말하였다: 지나쳐 오효를 만나는데, 이제 오효 위에 있기 때문에 도리와 맞지 못하여 지나침은 오효를 지나침이다. '멀리 떠나감[離]'이란 지나쳐 감이 먼 것이다. 지나치고 알맞지 않기 때문에 흉하니, 하늘의 재앙과 사람의 재앙이 모두 있다.

○ 案, 不與理遇, 則逆天之理, 必有天災, 動皆過常, 則拂人之情, 必有人眚.
내가 살펴보았다: 도리와 맞지 않는다면 하늘의 이치에 어긋나므로 반드시 하늘의 재앙이 있고, 움직임이 모두 보통을 지나친다면 사람의 실정을 거스르므로 반드시 사람의 재앙이 있다.

### 김상악(金相岳) 『산천역설(山天易說)』

上六, 以陰居震體之上, 處小過之終, 弗遇于陽, 反過于陽矣. 雖有九三之應, 動於上而不下, 故飛鳥離之而凶. 過之高而亢者, 非陰之福, 是謂災眚.

---

242) 『周易·小過卦』: 九四, 无咎, 弗過, 遇之, 往, 厲, 必戒, 勿用永貞.

상육은 음으로서 진괘(震卦☳)의 몸체 맨 위에 있고 소과괘(小過卦)의 끝에 있어서 양을 만나지 못하고 도리어 양을 지나쳤다. 비록 구삼의 호응이 있어서 위에서 움직이지만 아래로 내려오지 않기 때문에 나는 새가 떠나가서 흉하다. 지나침이 높아 지극한 것은 음의 복(福)이 아니니, 이는 재앙[災眚]을 말한다.

○ 四之弗過遇之者, 與五相比也, 上之弗遇過之者, 爲五所隔也. 陽之弗過遇之者, 惟有往厲之戒, 陰之弗遇過之者, 不免災眚之凶. 二則雖過遇同象, 得中而居下, 故能善補過而已. 離者, 過之遠也. 高飛遠擧, 不聞聲音, 與飛鳥遺之音相反, 與中孚翰音登天相似. 又震木生離火, 變而爲旅, 見旅上九. 先儒云, 上六其飛已高, 動而成離, 麗於網罟, 亦取變象也. 災眚見復上六. 蓋陰過則陽物多死, 陽物卽動物也, 故曰飛鳥離之凶, 陽過則陰物多死, 陰物卽植物也, 大過曰澤滅木, 是也.
사효에서 "지나치지 아니하여 만난다"[243]라고 한 것은 오효와 서로 비(比)의 관계에 있기 때문이며, 상효에서 "만나지 못하여 지나친다"라고 한 것은 오효에 의하여 막히기 때문이다. 양이 지나치지 아니하여 만난다는 것은 오직 가면 위태롭다는 경계가 있고, 음이 만나지 못하여 지나친다는 것은 재앙의 흉함을 면하지 못한다. 이효는 비록 지나침과 만남이 같은 상이지만, 알맞음을 얻어 하괘(下卦)에 있기 때문에 잘못을 잘 보완할 수 있을 뿐이다. '리(離)'란 지나침이 먼 것이다. 높이 날아 멀리 떠나 소리가 들리지 않아 "나는 새가 소리를 남김"[244]과는 서로 상반되고, 중부괘(中孚卦䷼) 상구에서의 "날아가는 소리가 하늘로 올라간다"[245]와는 서로 비슷하다. 또 진괘(震卦☳)의 나무가 리괘(離卦☲)인 불을 살리는데, 이 효가 변하여 려괘(旅卦䷷)가 되므로 려괘(旅卦䷷) 상구에 이러한 내용이 보인다.[246] 이전의 학자가 말하기를 "상육은 그 날아감이 이미 높은데 본 효가 움직여서 리괘(☲)가 되면 그물에 걸린다"[247]고 하였으니, 또한 변한 괘의 상에서 취하였다. '재생(災眚)'은 복괘(復卦䷗) 상육[248]에 보인다. 음이 지나치면 양은 대부분 죽으니 양이란 동물이기 때문에 "나는 새가 걸리는지라 흉하다"고 하였고, 양이 지나치면 음은 대부분 죽으니 음이란 식물이므로 대과괘(大過卦䷛) 「대상전」에서 "못[澤]이 나무를 없앤다"[249]라고 한 것이 이것이다.

---

243) 『周易·小過卦』: 九四, 无咎, 弗過, 遇之, 往, 厲, 必戒, 勿用永貞.
244) 『周易·小過卦』: 小過, 亨, 利貞, 可小事, 不可大事, 飛鳥遺之音, 不宜上, 宜下, 大吉.
245) 『周易·中孚卦』: 上九, 翰音登于天, 貞凶.
246) 『周易·旅卦』: 上九, 鳥焚其巢, 旅人, 先笑後號咷. 喪牛于易, 凶.
247) 『周易傳義大全·小過卦』: 平庵項氏曰, 二爻, 皆當鳥翅之末. 初六在艮之下, 當止而反飛, 以飛致凶, 故曰飛鳥以凶. 上六, 居震之極, 其飛已高, 動而成離, 則麗於罔罟, 故曰飛鳥離之凶.
248) 『周易·復卦』: 上六, 迷復, 凶, 有災眚, 用行師, 終有大敗, 以其國君凶, 至于十年, 不克征.
249) 『周易·大過卦』: 象曰, 澤滅木, 大過, 君子以, 獨立不懼, 遯世无悶.

### 서유신(徐有臣)『역의의언(易義擬言)』

弗遇者, 弗遇比應也, 過之者, 過三五也, 不當過而過之, 當遇而弗遇也. 上六過於卦外, 有太過之象焉. 蓋爲離世絶俗, 過高不中之行者, 如鳥之過於飛而離絶其群也, 取凶之道也. 然此所謂眚災之過也, 原恕之辭也.

'만나지 못함'이란 비(比)의 관계에 있거나 호응하는 바를 만나지 못한 것이고, '지나치다'란 삼효와 오효를 지나침이니, 마땅히 지나치지 않아야 하는데도 지나치고 마땅히 만나야 하는데도 만나지 못하는 것이다. 상육은 괘 밖으로 지나치니, 크게 지나치는 상이 있다. 세상을 떠나고 속세를 끊어 지나치게 높고 알맞지 않은 행동을 하는 자는 마치 새가 지나치게 날아서 그 무리와 떨어지고 끊어지는 것과 같아서 흉한 도를 취한다. 그러나 이것은 이른바 '재생(眚災)'이라고 하는 지나침이니, 사정을 고려하여 가엾고 딱하게 여겨서 하는 말이다.

### 박제가(朴齊家)『주역(周易)』

非字倒於四, 乃不遇而過者也. 飛鳥之最高者, 所謂不宜上之凶也. 離者, 麗也, 罹于網羅矰繳之謂也. 亦將變而爲離矣. 然亦小過, 故斷之曰災眚, 書傳曰, 眚謂過誤, 災謂不幸, 乃非怙終而肆赦之過也. 說出小過二字, 極分明, 立爻之旨槪如此.

글자가 사효[250]에서 앞뒤가 뒤바뀌어 이에 만나지 못하고 지나간다는 것이 아니다. 나는 새 중에 가장 높은 것은 이른바 "올라감은 마땅하지 않다"고 할 때의 흉함이다. '리(離)'란 걸림이니 그물이나 주살에 걸림을 말하는데, 또한 장차 본 효가 변하여 리괘(離卦☲)가 된다. 그러나 또한 작은 지나침[小過]이기 때문에 단정하여 '재생(災眚)'이라고 하였으니,『서경집전』에서 "'생(眚)'은 과오(過誤)를 말하고 '재(災)'는 불행을 말한다"고 하였음을 보면 뉘우치지 않고 다시 잘못을 저지르는 것이 아니라서 사면이 되는 잘못이다[251]. '소과(小過)'라는 두 글자를 설명해 내는 것이 지극히 분명하니, 효사를 세운 뜻이 대체로 이와 같다.

### 강엄(康儼)『주역(周易)』

本義, 或曰遇過 [止] 九四.

『본의』에서 말하였다: 어떤 이가 말하기를 "'우과(遇過)'는 아마도 마땅히 '과우(過遇)'라 하여야 할 듯하니, 뜻이 구사와 같다"고 하였다.

---

250)『周易 · 小過卦』: 九四, 无咎, 弗過, 遇之, 往, 厲, 必戒, 勿用永貞.

251)『書經集傳 · 舜典』: 眚災肆赦者, 眚, 謂過誤, 災, 謂不幸, 若人, 有如此而入於刑, 則又不待流宥金贖而直赦之也.

按, 此卦陰過於陽, 故名之曰小過, 乃小人多於君子之象也. 小人多於君子, 則其害君子必矣. 故初六曰飛鳥以凶, 而雲峯曰, 聖人戒辭, 與坤姤同, 可謂得其旨矣. 六二雖未見有戒陰之意, 然過其祖而遇其妣, 不及其君而遇其臣, 皆言過而不過, 守正得中之義, 則戒陰之意, 亦在其中矣. 九三九四, 乃君子而處於小人林立之中, 宜有剛健自守之道, 故九三戒其弗過防而見害, 九四許其弗過於剛而合其宜, 如是然後可以免小人之害, 所以爲君子謀者至矣. 至於六五上六, 皆陰之已過者, 故六五密雲而不雨, 上六飛鳥離之而凶, 陰之過, 亦豈陰之福哉. 然六五雖過而得中, 故猶可以弋取在穴, 上六則不但曰凶而災眚并至矣. 噫, 彼小人之結爲朋黨, 欲害君子者, 蓋亦觀於小過之六爻也哉.
내가 살펴보았다: 이 괘는 음이 양보다 지나치기 때문에 이름하기를 '소과(小過)'라고 하였으니, 소인이 군자보다 많은 상이다. 소인이 군자보다 많으면 반드시 군자를 해치게 된다. 그러므로 초육에서는 "나는 새처럼 빠르니 흉하다"[252]다고 하였는데, 운봉호씨가 말하기를 "성인이 경계한 말이 곤괘(坤卦☷)䷁) 구괘(姤卦䷫)와 같다"고 하였으니, 그 뜻을 잘 이해하였다고 할 수 있다. 육이는 비록 음을 경계하는 뜻이 있음을 볼 수가 없지만, 할아버지를 지나가 할머니를 만나며 임금에게 미치지 않고 신하를 만나는 것은 모두 지나치지만 지나치지 않아서 바름[正]을 지키고 알맞음을 얻는다는 뜻을 말하니, 음을 경계하는 뜻이 또한 그 가운데에 있다. 구삼과 구사는 군자이면서 소인들이 가득 둘러싼 가운데에 있지만, 마땅히 강건하게 스스로를 지키는 도가 있기 때문에 구삼에서는 "지나치게 방비하지 아니하여 따라서 혹 해친다"[253]고 경계하였고, 구사에서는 굳센 양보다 지나치지 아니하여 마땅함에 부합한다고 허여하였으니, 이와 같이 한 후에 소인이 끼치는 해로움에서 벗어날 수 있으므로, 군자를 위하여 도모하는 것이 지극하다. 육오와 상육에 이르러서는 모두 음이 이미 지나친 것이기 때문에 육오에서는 구름이 빽빽하지만 비가 오지 않고, 상육에서는 나는 새가 떠나가서 흉하니, 음이 지나침이 또한 어찌 음의 복(福)이겠는가? 그러나 육오가 비록 지나치더라도 알맞음을 얻었기 때문에 오히려 저 구멍에 있는 것을 쏘아서 잡을 수 있고, 상육은 단지 흉하다고 말할 뿐만이 아니라서 재앙이 아울러 이른다. 아! 저 소인이 붕당을 결성하여 군자를 해치고자 하는 것이 또한 소과괘(小過卦)의 여섯 효에 보이는구나.

### 이지연(李止淵) 『주역차의(周易箚疑)』

九三, 則及其未過而防之, 九四, 則及其未過而遇之, 上六, 則遂不與陰遇, 而遂使陰過之, 如飛鳥之遠離於其音, 烏得无眚乎.

---

252) 『周易 · 小過卦』: 初六, 飛鳥, 以凶.
253) 『周易 · 小過卦』: 九三, 弗過防之, 從或戕之, 凶.

구삼은 아직 지나치지 않은 데에 이르러 방비하고, 구사는 아직 지나치지 않은 데에 이르러 만나며, 상육은 마침내 음과 만나지 않아 끝내 음이 지나치도록 하여 나는 새가 그 소리보다 멀리 떨어짐과 같으니, 어찌 재앙이 없을 수 있겠는가?

### 김기례(金箕澧) 「역요선의강목(易要選義綱目)」

上六, 弗遇過之.
상육은 도리와 맞지 못하여 지나친다.
不能自適而過至亢.
스스로 적합하게 할 수가 없어서 지나쳐 지극히 높은 곳에 이른다.

飛鳥離之, 凶.
나는 새가 걸리는지라 흉하다.
初上, 皆言飛鳥, 取卦形也. 初當下順, 而應四奮迅而上則凶. 上居動體之極, 不能順下, 動而變爲離, 離目爲網罟, 上飛而麗[254]乎網.
초효와 상효에서 모두 '나는 새'[255]를 말하였으니, 괘의 형상에서 취하였다. 초효는 마땅히 내려옴이 순하지만, 사효와 호응하여 매우 빠르게 올라가면 흉하다. 상효는 움직이는 진괘(震卦☳)의 몸체 맨 위에 있어서 유순하게 내려올 수가 없어서 움직여 변하여 리괘(離卦☲)가 되니, 리괘(離卦☲)의 눈은 그물이 되어 위로 날다가 그물에 걸린다.

是謂災眚.
이를 재생(災眚)이라 이른다.
天災人眚, 竝至也. 卦中初上過故凶. 三曰防, 防下陰, 四曰遇, 遇上陰也.
하늘과 사람의 재앙이 아울러 이른다. 괘 가운데에 초효와 상효는 지나치기 때문에 흉하다. 삼효에서는 '방비한다'고 하였으니, 아래의 음을 방비함이고, 사효에서는 '만난다'고 하였으니, 위의 음을 만남이다.

贊曰, 過與不過, 與時偕行. 小而不大, 亨在利貞. 舍逆取順, 道可以成. 道无不在, 德在自明.
찬미하여 말한다: 지나침과 지나치지 않음은 때와 함께 움직이네. 작으면서 크지 않으니

---

254) 麗: 경학자료집성DB와 영인본에 모두 '鹿'으로 되어 있으나, 문맥을 살펴 '麗'로 바로잡았다.
255) 『周易 · 小過卦』: 初六, 飛鳥, 以凶.

형통함은 곧음이 이로운 데에 있구나. 거스름을 버리고 따름을 취하니 도가 이루어질 수 있도다. 도는 있지 않은 곳이 없으나, 덕은 스스로 밝히는 데에 달렸구나.

### 심대윤(沈大允) 『주역상의점법(周易象義占法)』

小過之旅䷷, 无所住着也. 上六以柔居柔, 不得不爲恭下, 而處高无位, 以居卦之窮, 是過爲卑恭而不知止, 有旅之義. 行與時俱不中, 至於謟侮而見傷也. 上无可上之地, 而下又不從于四而應三, 是務於就下而未已者也. 故曰不遇過之, 言不過四而過下也. 是飛鳥之有下而无上, 不集于食之處而違去過下也. 三居巽繩艮執之體, 而互離有羅網之象, 故曰飛鳥離之. 離, 麗也. 卑恭之過, 有心之災也, 所處不得不然, 无心之眚也, 故曰是謂眚災. 若言師傅, 則尊嚴太甚, 不可更爲上行, 上行則爲傲, 故但有恭下而已.
소과괘가 려괘(旅卦)로 바뀌었으니, 일정하게 머물러 있는 바가 없는 것이다. 상육은 부드러운 음으로 부드러운 음의 자리에 있어 공손하게 낮추지 않을 수 없고, 높은 곳에 있고 지위가 없으면서 괘의 끝에 있으므로, 이는 지나치게 낮추고 공손하여 그칠 줄 모름이 되니 나그네의 뜻이 있다. 행동과 때가 모두 알맞지 않아 의심과 업신여김을 받고 해침을 당하는 데에 이르게 된다. 상효는 위로는 올라갈 수 있는 곳이 없고 아래로는 또 사효를 따르지 않고 삼효와 호응하니, 이는 아래로 나아가기를 힘쓰면서 그치지 않는 자이다. 그러므로 "만나지 못하면서 지나친다"라고 하였으니, 사효를 지나치지 못하면서 지나치게 아래로 가려고 함을 말한다. 이는 나는 새가 아래로 가려는 뜻이 있고 위로 가려는 뜻이 없어서 먹이가 있는 곳에 모이지 않고 떠나가 지나치게 아래로 가는 것이다. 삼효는 손괘(巽卦☴)인 끈과 간괘(艮卦☶)인 잡음의 몸체에 있고, 호괘인 리괘(離卦☲)에는 그물의 상이 있기 때문에 "나는 새가 걸린다"고 하였다. '리(離)'는 걸림이다. 낮추고 공손함이 지나침은 마음을 둔 재앙[災]이고, 있는 곳마다 그렇게 하지 않을 수 없는 것은 뜻하지 않은 재앙[眚]이기 때문에 "이를 재생(眚災)이라 이른다"고 하였다. 만약 '사부(師傅)'로 말한다면, 존엄함이 매우 크고 심하여 다시 위로 가서는 안 되니, 위로 간다면 거만하게 되기 때문에 다만 공손하게 낮춤이 있을 뿐이다.

### 오치기(吳致箕) 「주역경전증해(周易經傳增解)」

上六, 居小過之極, 雖不遇柔於當應之地, 然居柔比柔, 過極而亢高, 故有飛鳥離之之象, 而言其凶, 是謂陰過陽之災眚也.
상육은 소과괘(小過卦)의 맨 끝에 있어서 비록 마땅히 호응해야 하는 곳에서 부드러운 음을 만나지 못하지만, 부드러운 음의 자리에 있고 부드러운 음과 가까워 지나치기가 지극하고 높기가 지극하기 때문에 나는 새가 걸리는 상이 있고 그 흉함을 말하였으니, 이는 음이 양보다 지나치는 재앙을 말한다.

○ 弗遇, 言應剛不應柔也, 離, 言麗於災眚, 而取於變離也.
'만나지 못함'은 굳센 양과 호응하고 부드러운 음과 호응하지 못함을 말하고, '리(離)'는 재앙에 걸림을 말하니, 본 효가 변한 리괘(離卦☲)에서 취하였다.

象曰, 弗遇過之, 已亢也.

정전 「상전」에서 말하였다: "맞지 못하여 지나침"은 이미 높은 것이다.
본의 「상전」에서 말하였다: "맞지 못하여 지나침"은 너무 높은 것이다.

## 中國大全

傳

居過之終, 弗遇於理而過之, 過已亢極, 其凶宜也.

지나침의 끝에 있어 이치로 맞지 않고 지나쳐서 지나침이 이미 높아 지극하였으니, 그 흉함이 마땅하다.

小註

一作矣.
어떤 본에는 의(矣)라고 썼다.

○ 進齋徐氏曰, 上六弗與陽遇, 而且過之. 躡其上, 極其亢, 如鳥之不能戢翼, 垂翅而超然高飛, 上而不能下, 所謂飛鳥離之凶也.
진재서씨가 말하였다: 상육이 양과 만나지 못하고, 또 지나친다. 그 위를 밟고 이미 높음을 다한 것이 새가 날개를 접을 수 없어 날개를 펼쳐 초연히 높이 날아가 올라가서 내려올 수 없는 것과 같으니, 이른바 "나는 새가 떠나가는지라 흉하다"는 것이다.

○ 建安丘氏曰, 小過, 四陰二陽. 陰過於陽, 故爲小過. 合六爻而論, 初上兩爻, 皆陰不中, 過者也. 故初飛鳥以凶, 上飛鳥離之凶, 皆戒其過也. 二五兩爻, 二比三, 五比四, 剛柔相濟, 位復得中, 不過者也. 故二言遇其臣, 五言弋在穴, 亦无凶咎之戒. 此上下四陰爻之別也. 至三四兩陽, 在三則曰弗過防之, 防, 謂防下二陰也. 使三在二陰之上, 而不謹爲之防, 則陰柔必至, 害已, 故曰從或戕之凶. 四曰弗過遇之, 遇, 謂遇上二陰也.

使四在二陰之下, 一或輕動, 致五六之遇, 則危厲之事也, 故曰往厲必戒. 然陰在陽上, 其害猶可逭, 陰在陽下, 其禍不可測矣. 是以九三凶, 而九四无咎. 此又中兩陽爻之別也. 觀小過者, 苟能於爻位, 陰陽求之, 則過與不過之義, 得矣.
건안구씨가 말하였다: 소과괘(小過卦䷽)는 음이 넷이고 양이 둘이다. 음이 양보다 많으므로 소과괘(小過卦)가 된다. 여섯 효를 합해 논하면 초효와 상효, 두 효는 모두 음으로 알맞지 못하니 지나가는 것이다. 그러므로 초효의 "나는 새처럼 빠르니 흉하다"와 상효의 "나는 새가 멀리 떠나가는지라 흉하다"는 것이 모두 그 지나감을 경계하였다. 이효와 오효, 두 효에서 이효는 삼효와 비(比)의 관계에 있고 오효는 사효와 비(比)의 관계에 있어 굳센 양과 부드러운 음이 서로 구제하고, 자리가 다시 알맞음을 얻어 지나치지 않는 것이다. 그러므로 이효에서 "신하의 도에 맞도록 한다"고 하였고, 오효에서 "구멍에 있는 것을 쏘아서 잡는다"고 하였으니, 또한 흉과 허물의 경계가 없다. 이것이 위아래 네 음효의 구별이다. 삼효와 사효인 두 양에 이르면 삼효에서는 "지나치게 방비하지 않는다"고 하였으니, '방비한다[防]'는 아래의 두 음을 방비함을 말한다. 삼효를 두 음 위에 있게 하였는데 삼가 두 음을 방비하지 못한다면 부드러운 음이 반드시 이르러 삼효 자신을 해치므로 "따라서 혹 해친다. 그리하여 흉하리라"라고 하였다. 사효에서는 "지나치지 아니하여 맞도록 한다"고 하였으니, '맞도록 함[遇]'은 위의 두 음을 만나는 것을 말한다. 사효를 두 음의 아래에 있게 하였으니, 한번이라도 혹 가볍게 움직여서 오효나 육효의 만남이 이르게 되면 위태로운 일이므로 "가면 위태로우므로 반드시 경계하여야 한다"고 하였다. 그러나 음이 양 위에 있으면 그 해로움을 오히려 면할 수 있으나, 음이 양 아래에 있으면 그 화를 예측할 수 없다. 이 때문에 구삼은 흉하고 구사는 허물이 없다. 이것이 또 가운데 있는 두 양효가 다른 까닭이다. 소과괘(小過卦)를 보는 자가 진실로 효의 자리에서 음과 양을 구할 수 있다면 지나치고 지나치지 않는 뜻을 깨달을 수 있다.

○ 臨川吳氏曰, 此卦初六與九四, 九三與上六, 兩爻之辭, 皆相表裏. 然初六之以凶, 其辭若急, 至九四曰无咎, 曰厲, 曰勿用, 則其辭緩, 何也. 九三之或戕, 其辭有疑, 至上六曰離之, 曰凶, 曰災眚, 則其辭決, 何也. 蓋陰柔過盛, 陽剛但宜下退, 不宜上進. 四居柔, 則能下也, 三居剛, 則好上也. 下則凶或可免, 上則凶不可免矣. 此初四之辭, 所以先急而後緩, 三上之辭, 所以始疑而終決與. 嗚呼, 陽剛有不幸而際斯時者可, 不知所以自處之道哉.
임천오씨가 말하였다: 이 괘의 초육과 구사, 구삼과 상육은 두 효사의 말이 모두 서로 표리가 된다. 그러나 초육의 '흉하다'는 그 말이 급한 듯한데, 구사에 이르러 "허물이 없다"고 하고 "위태롭다"고 하며 "쓰지 말아야 한다"고 하여 그 말이 느긋함은 어째서인가? 구삼에서 "혹 해친다"는 것은 그 말에 의심이 있는데, 상육에 이르러 "떠난다"고 하고 "흉하다"고 하며 "재생"이라고 하여 그 말이 분명함은 어째서인가? 대체로 부드러운 음이 지나치게 왕성하면

굳센 양은 다만 아래로 물러남이 마땅하고 위로 나아감은 마땅하지 않다. 사효는 부드러운 음의 자리에 있으니 낮출 수 있지만, 삼효는 굳센 양의 자리에 있으니 올라가기를 좋아한다. 낮추면 흉함을 혹 면할 수 있으나, 올라가면 흉함을 면할 수 없다. 이것은 초효와 사효의 효사가 앞에서는 급하고 뒤에서는 느긋한 까닭이며, 삼효와 상효의 효사가 처음에는 의심스럽지만 끝에서는 분명한 까닭이구나. 아! 굳센 양이 불행하게도 이 때를 만난 것은 그래도 괜찮지만, 스스로 대처하는 도를 알지 못하는구나!

## 韓國大全

### 송시열(宋時烈)『역설(易說)』

小象已亢者, 言既在亢高之位也

「소상전」에서의 "이미 높은 것이다"란 이미 지나치게 높은 자리에 있음을 말한다.

### 유정원(柳正源)『역해참고(易解參攷)』

不遇 [至] 亢也.

상육은 맞지 못하여 지나치니, 나는 새가 멀리 떠나가는지라 흉하니, 이를 재생(災眚)이라 이른다.

案, 過至亢極, 如飛鳥之遠離.

내가 살펴보았다: 지나침이 높아 지극한 데에 이르렀으니, 나는 새가 멀리 떠나감과 같다.

### 김상악(金相岳)『산천역설(山天易說)』

已亢, 則不止上逆而已. 飛鳥之離, 猶龍之亢, 故與乾上九同象.

너무 높은 것이라면, 위로 거슬러 올라감을 그치지 못할 뿐이다. 나는 새가 떠나감은 용이 올라감[256]과 같기 때문에 건괘(乾卦䷀)의 상구와 상이 같다.

---

256)『周易 · 乾卦』: 上九, 亢龍有悔.

서유신(徐有臣) 『역의의언(易義擬言)』

過之過, 亦旣亢矣, 宜有窮之災也.

지나침의 지나침도 이미 지극하게 높으니, 마땅히 다하는 재앙이 있다.

심대윤(沈大允) 『주역상의점법(周易象義占法)』

已亢極于下就也. 艮爲亢極, 言從三也. 小過, 言其大體, 則象言大吉, 只就恭下言之, 則爻不言吉利也.

이미 아래로 나아가기를 지극히 한 것이다. 간괘(艮卦☶)는 지극한 것이 되니, 삼효를 따름을 말한다. 소과괘(小過卦)는 대체(大體)로 말하면 괘사에서는 '크게 길하다'[257]고 하였고, 단지 공손하게 낮추는 데에서 말하면 효사에서는 길하고 이로움을 말하지 않았다.

오치기(吳致箕) 「주역경전증해(周易經傳增解)」

居過之極, 而已爲亢高, 故有所麗之災眚也.

지나침의 끝에 있어서 이미 지극하게 높기 때문에 걸려드는 재앙이 있다.

이진상(李震相) 『역학관규(易學管窺)』

不遇過之.

만나지 못하여 지나친다.

陽不上來, 故不遇陰, 躁之極, 故過之正, 與弗過遇之相反. 離, 非罹網之謂, 程傳得之.

양은 위로 오지 못하기 때문에 음을 만날 수 없고, 지극히 급하기 때문에 바름에서 지나쳤으니, "지나치지 아니하여 맞도록 한다"[258]와 서로 반대가 된다. '리(離)'는 그물에 걸림을 말하는 것이 아니니, 『정전』의 설명이 맞다.

이병헌(李炳憲) 『역경금문고통론(易經今文考通論)』

姚曰, 上居亢位, 過五而不遇五, 故已亢也.

요신이 말하였다: 상효는 지극히 높은 자리에 있어서 오효를 지나쳐 오효를 만나지 못했기 때문에 지극히 높은 것이다.

---

257) 『周易 · 小過卦』: 小過, 亨, 利貞, 可小事, 不可大事, 飛鳥遺之音, 不宜上, 宜下, 大吉.

258) 『周易 · 小過卦』: 九四, 无咎, 弗過, 遇之, 往, 厲, 必戒, 勿用永貞.

# 63

# 기제괘

既濟卦䷾

# 中國大全

傳

**旣濟, 序卦, 有過物者必濟, 故受之以旣濟. 能過於物, 必可以濟, 故小過之後, 受之以旣濟也. 爲卦水在火上, 水火相交, 則爲用矣. 各當其用, 故爲旣濟, 天下萬事已濟之時也.**

기제괘(旣濟卦)는 「서괘전」에서 "남보다 뛰어남이 있는 자는 반드시 이루므로 기제괘로 받았다"라고 하였다. 이미 남보다 뛰어나면 반드시 이룰 수 있다. 그러므로 소과괘(小過卦)의 뒤에 기제괘로 받았다. 괘는 물이 불 위에 있으니, 물과 불이 서로 사귀면 쓰이게 된다. 각기 그 쓰임에 마땅하므로 "이미 이루어졌다[旣濟]"고 하였으니, 천하의 모든 일이 이미 이루어지는 때이다.

小註

雲峯胡氏曰, 後天以坎離居先天乾坤之位, 故上經首乾坤終坎離, 下經亦以坎離之交不交終焉. 坎陽而離陰, 坎先而離後. 上經乾坤之後坎上坎下凡六卦, 下經亦以坎上坎下終焉. 卦名旣濟未濟, 亦且取義於坎. 五行坎中之水最先, 而天下坎險之時, 最多也.
운봉호씨가 말하였다: 후천도에서는 감괘와 리괘가 선천도의 건괘와 곤괘의 자리에 있기 때문에 상경은 건괘와 곤괘로 시작하고 감괘와 리괘로 맺었으며, 하경 또한 감괘와 리괘가 사귀거나 사귀지 않는 것으로 마쳤다. 감괘는 양이고 리괘는 음이며, 감괘는 먼저이고 리괘는 나중이다. 상경에는 건괘와 곤괘의 다음에 감괘가 위이거나 감괘가 아래인 괘가 여섯 괘이고, 하경 또한 감괘가 위이거나 감괘가 아래인 괘로 마쳤다. 괘 이름 기제와 미제 또한 감괘에서 취하였다. 오행에서 웅덩이[坎] 가운데의 물[水]이 가장 앞서고, 천하에 감괘가 상징하는 험한 때가 가장 많다.

○ 庸齋趙氏曰, 坤上乾下爲泰, 以天地之交也, 坎上離下爲旣濟, 以水火之交也. 以畫觀之, 則乾居坤中爲坎, 坎者乾之中也. 故乾居西北而坎居正北. 坤在乾中爲離, 離者坤之中也. 故坤居西南而離居正南. 坎離者, 乾坤之大用也. 故泰六爻雖相應, 而二五處非其位, 旣濟六爻不唯皆相應, 而剛柔无一之不當, 以是爻居是位, 其應者皆正也. 水火相交而剛柔正應, 其爲旣濟, 豈不大哉.
용재조씨가 말하였다: 곤괘가 위이고 건괘가 아래인 것이 태괘(泰卦䷊)로 하늘과 땅이 사귄 것이고, 감괘가 위이고 리괘가 아래인 것이 기제괘(旣濟卦䷾)로 물과 불이 사귄 것이다.

획으로 보면 건이 곤 가운데 있는 것이 감괘가 되니, 감이란 건괘가 가운데 있는 것이다. 그러므로 건괘가 서북에 있고 감괘가 정북에 있다. 곤이 건 가운데 있는 것이 리괘가 되니, 리란 곤괘가 가운데 있는 것이다. 그러므로 곤괘가 서남에 있고 리괘가 정남에 있다. 감괘와 리괘란 건괘와 곤괘의 큰 작용이다. 그러므로 태괘(泰卦䷊)의 여섯 효는 비록 서로 호응하지만, 이효와 오효는 제자리가 아닌 곳에 있고, 기제괘(旣濟卦䷾)의 여섯 효는 모두 서로 호응할 뿐만 아니라 굳센 양과 부드러운 음이 마땅하지 않은 효가 하나도 없어서 각 효가 제자리에 있고 호응하는 것이 모두 바르다. 물과 불이 서로 사귀고 굳센 양과 부드러운 음이 바로 호응하니, 기제괘가 되는 것이 어찌 크지 않겠는가!

○ 中溪張氏曰, 涉川曰濟. 旣未濟皆有坎體, 坎在外則內无險, 故爲旣濟, 坎在內則內有險, 故爲未濟.
중계장씨가 말하였다: 내를 건너는 것을 '제(濟)'라고 한다. 기제괘와 미제괘에는 모두 감괘의 몸체가 있는데, 감괘가 밖에 있으면 안에 험함이 없기 때문에 기제괘가 되고, 감괘가 안에 있으면 안에 험함이 있기 때문에 미제괘가 된다.

## 韓國大全

### 송시열(宋時烈) 『역설(易說)』

旣濟未濟, 相錯爲卦. 水在上而下流, 火[1]在下炎上, 則爲交濟. 火在上而炎上, 水在下而就下, 則其行相遠, 爲未濟. 旣濟之亨, 已然之亨也, 未濟之亨, 未然之亨也. 亨小者, 所亨者小事也. 利貞見象. 初吉者, 六二之柔中也, 終亂者, 九五之處坎險也.
기제괘(旣濟卦䷾)와 미제괘(未濟卦는䷿) 서로 음양이 바뀌어 괘가 되었다. 물은 위에서 아래로 흐르고 불은 아래에서 위로 타오르며 사귀어 이룬다. 불은 위에서 타오르고 물은 아래에서 흘러내려가며 가는 방향이 서로 멀어져서 미제괘이다. 기제괘의 형통함은 이미 그렇게 되어 형통한 것이고 미제괘의 형통함은 아직 그렇게 되지 못하여 형통한 것이다. '곧음이 이롭다'라는 것은 「단전」을 보라. '처음에는 길함'은 육이의 부드러움이 아래에 있기

1) 경학자료집성DB와 영인본에 '大'로 되어 있으나, 문맥을 살펴 '火'로 바로잡았다.

때문이고, '끝에서 어지러움'은 구오가 감괘(坎卦☵)의 험함에 있기 때문이다.

### 이만부(李萬敷) 「역통(易統) · 역대상편람(易大象便覽) · 잡서변(雜書辨)」

水火相交之象
물과 불이 서로 사귀는 상이다.

水在火上, 水火相交, 則爲用矣. 又六爻之位, 各得其正, 故爲旣濟, 天下萬事已濟之時也.
물이 불 위에 있어 물과 불이 서로 사귀니, 쓰임이 된다. 또 여섯 효의 위치가 각기 바름을 얻었기 때문에 기제이니, 천하의 모든 일이 이미 이루어진 때이다.

### 김상악(金相岳) 『산천역설(山天易說)』

䷾序卦, 有過物[2]者, 必濟, 故受之以旣濟.
「서괘전」에서 "남보다 뛰어남이 있는 자는 반드시 이루므로 기제괘로 받았다"라고 하였다.

○ 旣濟, 事之旣成也. 水火相交, 各得其用, 六爻之位, 皆得其正, 故爲旣濟. 水火相交, 則爲旣濟, 不交, 則爲未濟, 如火澤相違而爲睽, 相息而爲革也. 易六十四卦, 惟旣濟一卦, 坎上離下, 六爻之陰陽, 與六位之陰陽協, 故曰旣濟定也. 二濟本卦, 坎離互體, 亦坎離不雜他卦, 所以五行中惟水火各一. 然十二辟卦外, 皆具坎離之體, 故水火爲天地之用.
기제괘는 일이 이미 이루어진 것이다. 물과 불이 서로 사귀어 각기 쓰임을 얻고, 여섯 효의 자리가 모두 바름을 얻기 때문에 기제괘가 되었다. 물과 불이 서로 사귀면 기제괘이고 사귀지 않으면 미제괘인 것은 불과 못이 서로 어긋나면 규괘(睽卦䷥)가 되고 서로 없애버리면 혁괘(革卦䷰)가 되는 것과 같다. 『주역』의 64괘에서 기제괘(旣濟卦䷾) 하나만이 감괘가 위에 있고 리괘가 아래에 있으니, 여섯 효의 음양이 여섯 자리의 음양과 맞기 때문에 "기제괘는 정하는 것이다"라고 하였다. 기제와 미제의 본래 괘는 감괘와 리괘가 서로 호체이고 또한 감괘와 리괘가 다른 괘와 섞이지 않기 때문에 오행에서 물과 불이 각기 하나일 뿐이다. 그러나 12벽괘 외에는 모두 감괘와 리괘의 몸체를 갖추기 때문에 물과 불이 천지의 쓰임이 된다.

---

2) 경학자료집성DB와 영인본에 '物'이 없으나, 『주역전의대전』을 참조하여 보충하였다.

## 서유신(徐有臣)『역의의언(易義擬言)』

旣濟初九曰, 曳其輪.
기제괘 초구에서 “수레바퀴를 뒤로 끌며
曳, 坎象, 坎爲輿, 初其輪也.
‘끌다’는 것은 감괘의 상이고, 감괘는 수레이며, 초구는 그 수레바퀴이다.

濡其尾,
꼬리를 적신다”라고 하였다.
濡坎象, 離爲牛, 初其尾也.
‘적신다’는 것은 감괘의 상이고, 리괘는 소이고, 초구는 그 꼬리이다.

六二曰, 其茀,
육이에서 “… 가리개를 …,
互坎爲輿, 故有茀象.
호괘인 감괘가 수레이기 때문에 가리개의 상이 있다.

七日得,
칠일만에 얻으리라”라고 하였다.
震六二詳矣, 卦有日月之象也.
진괘(震卦) 육이에서 상세히 설명하였고, 괘에 일월의 상이 있다.

九三曰, 伐鬼方,
구삼에서 “귀방을 정벌하여
伐, 離兵甲象也, 鬼方坎象.
‘정벌한다’는 것은 리괘라는 무기의 상이고, 귀방은 감괘의 상이다.

三年,
삼 년 만에 …,
自未濟至旣濟, 爲三年象.
삼 년은 미제괘부터 기제괘까지가 삼 년의 상이다.

小人勿用.
소인은 쓰지 말아야 한다”라고 하였다.

未濟六三爲小人也.
미제괘의 육삼이 소인이다.

六四曰, 繻有衣袽,
육사에서 "물이 샘에 옷과 헌옷을 대비해 두고
互離包柔, 有絮衣之象也.
호괘인 리괘가 부드러움을 싸고 있어 솜옷의 상이 있다.

終日.
종일 …"라고 하였다.
坎爲夕也. 月行趍夜而來, 終日戒之義也.
감괘가 저녁이다. 달의 운행은 밤에 오니 종일 경계한다는 의미이다.

九五曰, 東鄰,
구오에서 "동쪽 이웃의
譬商紂也.
상나라 주왕을 비유하였다.

殺牛,
소를 잡는 …,
牛離象.
소는 리괘의 상이다.

西鄰,
서쪽 이웃의 …
喩文王也.
문왕을 비유하였다.

禴祭,
검소한 제사가 …"라고 하였다.
禴, 夏祭, 離象也..
검소한 제사는 여름 제사로 리괘의 상이다.

上六曰, 其首,
상육에서 "그 머리를 …"라고 하였다.
上爲首也.
상효가 머리이다.

### 심대윤(沈大允)『주역상의점법(周易象義占法)』

旣濟, 旣成也, 旣盡也. 水火者, 氣成形之始也, 故其爲物形不實而近乎氣, 後天克用之初, 而萬物之標本也, 故後天坎離居先天乾坤之位也. 水至陽來而變爲陰, 其性順下而爲先天之物, 火至陰來而變爲陽, 其性達上而爲後天之物. 主變化之權, 相克以爲用, 物之生死消長於是乎由之, 凡物旣成則盡矣. 卦之水上火下, 相交而成功, 相克而歸盡. 中男在上, 中女在下, 內外之事旣成, 而衰老死凶之患至矣. 六爻之陰陽, 皆得相配, 有歸妹終始之義也. 上險下明, 上勞難而下明得相配, 有歸妹終始之義也. 上險下明, 上老難而下明麗也. 明而險, 文明而艱難, 成物之道也. 互卦爲未濟旣濟, 異物合用而物之終也. 未濟分而始也, 合而複分, 終而複始, 天之道也. 凡本卦爲體, 而互卦爲用也.
기제괘는 이미 이루어진 것이고 극진한 것이다. 물과 불은 기가 형성되는 처음이기 때문에 사물의 형체가 채워지지 않아 기에 가깝고, 후천의 상극이 쓰이는 처음이고 만물의 표본이기 때문에 「후천도」에서는 감괘와 리괘가 「선천도」의 건괘와 곤괘의 자리에 있다. 물이 이르고 양이 와서 음으로 변하면 그 특성이 순순히 아래로 내려가 선천의 사물이 되고, 화가 이르고 음이 와서 양으로 변하면 그 특성이 위로 올라가 후천의 사물이 된다. 변화의 권세를 주도하여 상극으로 쓰임을 삼으면, 사물의 생멸과 소장이 여기에서 말미암으니, 사물은 이미 형성되면 극진하다. 괘의 물이 위에 있고 화가 아래에 있으니 서로 사귀어 공을 이루고 서로 극해서 극진한 데로 돌아간다. 가운데 아들이 아래에 있고 가운데 딸이 아래에 있어 내외의 일이 이루어진 다음이라 쇠약하고 늙어 흉하게 되는 환난이 생긴다. 여섯 효의 음과 양은 모두 서로의 짝을 얻으니, 귀매괘(歸妹卦䷵)의 끝과 시작의 의미가 있다.[3] 위는 험하고 아래는 밝아 위로는 수고롭고 어렵지만 아래로 분명히 서로의 짝을 얻으니, 귀매괘(歸妹卦䷵)의 끝과 시작의 의미가 있다. 위는 험하고 아래는 밝아 위로는 늙고 어렵지만 아래는 밝고 곱다. 밝지만 험하고, 문명하지만 어려우니 사물을 이루는 도이다. 호괘가 기제괘와 미제괘가 되며, 다른 사물이 합하여 사용되니 사물의 끝이다. 미제괘는 나누어져 시작하고, 합하여 다시 나누어지며, 끝나며 다시 시작하니 하늘의 도이다. 본래 괘는 몸체이고 호괘는 쓰임이다.

---

3)『周易 · 歸妹卦』: 天地不交而萬物不興, 歸妹, 人之終始也.

## 이진상(李震相) 『역학관규(易學管窺)』

傳註雲峰說.

『정전』의 주 운봉호씨의 설.

後天乾坤處不用之地, 則不可以揭始, 坎離處乾坤之位, 則不可以居終. 蓋乾坤爲坎離之體, 坎離爲乾坤用, 故始以乾坤, 而終以坎離. 未見其有改於□□水, 所以始萬物終萬物者. 故乾坤之次得坎體者六卦, 而於其終也, 又以坎上坎下結之, 其旨渙矣.

후천도에서 건괘와 곤괘가 쓰임이 되지 않는 곳에 있으니 시작을 들어 보일 수 없고, 감괘와 리괘가 곤괘의 위치에 있으면 끝에 있을 수 없다. 건괘와 곤괘는 감괘와 리괘의 몸체이고 감괘와 리괘는 건괘와 곤괘의 쓰임이기 때문에 건괘와 곤괘로 시작하고 감괘와 리괘로 맺었다. □□의 물을 고친 것을 본 적이 없는 것이 만물을 시작하고 마치는 것이다. 그러므로 건괘와 곤괘 다음에 감괘의 몸체를 얻은 것이 여섯 괘인데, 그 끝에서 또 감괘가 위에 있고 아래에 있는 것으로 맺어 그 뜻이 흩어졌다.

庸齋說.

용재조씨의 설.

方位亦恐易中無此意.

방위에서는 또한 『주역』에 이런 의미가 없는 것 같다.

## 이용구(李容九) 「역주해선(易註解選)」

雲峰胡氏曰, 天下之一治一亂. 陽一而陰二, 故治常小而亂常多. 創業之主, 以憂勤而吉, 守成之君, 以逸樂而亂.

운봉호씨가 말하였다: 천하는 한 번 다스려지고 한 번 어지러워진다. 양[⚊]은 하나이고 음[⚋]은 둘이기 때문에 다스려짐은 항상 적고 어지러움은 항상 많다. 나라를 세운 군주는 근심하고 부지런하여 길하고, 나라를 지키는 군주는 편안하고 즐겨서 어지럽다.

## 旣濟, 亨小利貞, 初吉終亂.

정전 기제(旣濟)에는 형통할 것이 작은 것이니 곧음이 이롭고, 처음에는 길하고 끝에는 어지럽다.
본의 기제(旣濟)에는 조금 형통하고 곧음이 이롭고, 처음에는 길하고 끝에는 어지럽다.

## 中國大全

### 傳

**旣濟之時, 大者旣已亨矣, 小者尙有亨也, 雖旣濟之時, 不能无小未亨也. 小字在下, 語當然也. 若言小亨, 則爲亨之小也. 利貞, 處旣濟之時, 利在貞固以守之也. 初吉, 方濟之時也, 終亂, 濟極則反也.**

이미 이루어진 때에 큰 것은 이미 형통하였으나 작은 것은 아직 형통할 것이 있으니, 이미 이루어진 때라도 조금 형통하지 못한 것이 없지 않다. '조금[小]'이라는 말이 뒤에 있어 말을 그렇게 해야 한다. 만약 '작은 형통함[小亨]'이라고 말하였다면 형통함이 작은 것이 된다. '곧음이 이로움[利貞]'은 이미 이루어진 때에 이로움이 곧고 굳세게 지킴에 있는 것이다. 처음에 길한 것은 막 이룰 때이고, 끝에 혼란한 것은 이룸이 지극하면 뒤집혀지는 것이다.

### 小註

朱子曰, 旣濟是已濟了, 大事都已亨過了. 只更小小底, 正在亨通, 若能戒謹恐懼, 得常似今猶自得, 不然便一向不好去了. 伊川之意, 亦是如此, 但要說做亨小, 所以不分曉.
주자가 말하였다: 기제는 이미 이루어져서 큰일은 모두 이미 형통하게 되었다. 그러나 오직 소소한 것들은 바로 형통한 가운데 있으니, 만약 삼가고 두려워할 수 있다면 항상 오늘처럼 오히려 자득할 수 있을 것이고, 그렇지 않으면 한결같이 좋지 않게 될 것이다. 이천의 뜻도 또한 이와 같지만, 다만 "형통함이 작다"고 설명하려고 했기 때문에 분명하지 않다.

本義

**旣濟, 事之旣成也. 爲卦水火相交, 各得其用, 六爻之位, 各得其正, 故爲旣濟. 亨小, 當爲小亨. 大抵此卦及六爻占辭, 皆有警戒之意, 時當然也.**

'기제(旣濟)'는 일이 이미 이루어진 것이다. 괘는 물과 불이 서로 사귀어 각기 그 쓰임을 얻었고 여섯 효의 자리가 각기 그 바름을 얻었기 때문에 기제괘라고 하였다. '형통함이 작다[亨小]'는 '조금 형통하다[小亨]'로 해야 한다. 이 괘와 여섯 효의 점사에 모두 경계하는 뜻이 있으니, 그렇게 해야 할 때이기 때문이다.

小註

朱子曰, 亨小當作小亨. 大率到那旣濟了時, 便有不好去, 所以說小亨. 如唐時貞觀之盛, 便向那不好處. 又曰, 若將濟便是好, 今已濟, 便只是不好去了.

주자가 말하였다: '형통함이 작다[亨小]'는 '조금 형통하다[小亨]'로 해야 한다. 대체로 이미 이루어진 때에는 곧 좋지 않은 것이 있기 때문에 조금 이롭다고 설명했다. 예를 들어 당나라 시대에 정관(貞觀)[4]의 성대함이 있고서 곧 좋지 않은 방향으로 향하였다.

또 말하였다: 이루어지려고 할 때라면 좋지만, 지금 이미 이루어졌으니 좋지 않게 된다.

○ 初吉終亂, 便有不好在末後底意思.

"처음에는 길하고 끝에는 어지럽다"는 것은 좋지 않은 것이 뒤에 있다는 뜻이다.

○ 隆山李氏曰, 水火相逮, 兩相交接, 旣濟之象, 旣濟則爲亨矣. 其所以致亨者, 非獨兩兩相應以居位各正故也. 初三五陽位, 皆以九居之, 二四六陰位皆以六居之, 六十四卦, 无如旣濟最正. 故曰利貞. 向使不正, 安能相濟. 夫旣濟功成, 物極則反, 理之必然, 故曰初吉終亂. 卦辭亦慮旣濟後盈溢太過者耶.

융산이씨가 말하였다: 물과 불이 서로 가까이 하여 둘이 서로 사귀는 것이 기제괘의 상이니, 이미 이루어지면 형통하다. 형통함을 이루는 까닭은 둘씩 서로 호응하여 자리를 차지한 것이 각각 바르기 때문만은 아니다. 초효 · 삼효 · 오효는 모두 양의 자리로 모두 구(九)가 거기에 있고, 이효 · 사효 · 육효는 음의 자리로 모두 육(六)이 거기에 있으니, 육십사괘 가운데 기제괘만큼 바른 괘가 없다. 그러므로 "곧음이 이롭다"고 말하였다. 바르지 않다면 어떻게 서로 이루어줄 수 있겠는가? 기제괘는 공이 이루어져 만물이 극에 달하면 돌아가는 것이

---

4) 정관(貞觀): 당 태종의 연호.

이치상 반드시 그런 것이기 때문에 "처음에는 길하고 끝에는 어지럽다"고 말하였다. 괘사 또한 이미 이루어진 후에 지나치게 차서 넘칠까 염려한 것인가 보다.

○ 潛室陳氏曰, 旣濟之卦, 時旣濟矣, 而曰亨小者, 蓋旣濟之尾, 乃未濟之首, 有儆戒无虞之意, 故只可言小亨也. 有初无終而二以柔居中, 此初吉也. 旣濟終爲未濟, 故又曰終亂.
잠실진씨가 말하였다: 기제괘는 때가 이미 이루어졌는데 "조금 형통하다"고 말한 것은 기제괘의 꼬리가 곧 미제괘의 머리여서 뜻밖의 일을 경계하는 뜻이 있기 때문에 다만 "조금 형통하다"고 말해야 한다. 시작은 있지만 끝이 없는데, 이효가 부드러운 음으로 가운데 있으니, 이것이 처음이 길한 것이다. 기제괘가 끝내 미제괘가 되기 때문에 또한 "끝에는 어지럽다"고 말하였다.

○ 中溪張氏曰, 利貞者, 六位當也. 初吉者二也, 終亂者上也. 離內坎外, 出離入坎, 則旣濟爲未濟矣.
중계장씨가 말하였다: 곧음이 이롭다는 것은 여섯 효의 자리가 마땅한 것이다. '처음에는 길하다'는 것은 이효를 말하고, '끝에는 어지럽다'는 것은 상효를 말한다. 리괘가 안에 있고 감괘가 밖에 있는데, 리괘를 떠나 감괘로 들어가면 기제괘가 미제괘로 된다.

○ 雲峯胡氏曰, 易之道, 一陰一陽, 天下之生, 一治一亂. 陽一而陰二, 故治常少而亂常多. 創業之主, 以憂勤而吉, 守成之君, 以逸樂而亂. 初吉不幾時, 終亂乃迭見, 聖人所以於旣濟之時深戒之也.
운봉호씨가 말하였다: 역의 도리는 한 번 음이 되었다가 한 번 양이 되고, 천하의 민생은 한 번 다스려지고 한 번 어지러워진다. 양[⚊]은 하나이고 음[⚋]은 둘이기 때문에 다스려짐은 항상 적고 어지러움은 항상 많다. 나라를 세운 군주는 근심하고 부지런하여 길하고, 나라를 지키는 군주는 편안하고 즐겨서 어지럽다. 처음에 길한 것은 얼마 가지 않고, 끝에 어지러운 것은 번갈아 나타나니, 성인이 이미 이루어진 때에 깊이 경계하는 까닭이다.

## 韓國大全

### 김장생(金長生) 『경서변의(經書辨疑)-주역(周易)』

既濟, 亨小利貞.
기제(既濟)는 조금 형통하고 곧음이 이롭다.

傳, 雖既濟之時, 不能無小未亨.
『정전』에서 말하였다: 이미 이루어진 때라도 조금 형통하지 못한 것이 없지 않다.

雖極治之時, 不能無小人不爲惡也, 正如此文字也.
극도로 다스려지는 때라도 소인이 악행을 하지 않음이 없을 수 없으니, 바로 여기의 글과 같다.

### 이익(李瀷) 『역경질서(易經疾書)』

易二十八宮反對者, 未必皆消長吉凶之相判. 既濟, 已成之卦, 未濟未及成之卦. 成有大小, 既濟以天下爲義, 則未濟特志之猶未六伸也. 凡六十四卦剛柔皆應者, 惟此兩卦, 但有正不正之別而已. 故未濟彖傳云, 雖不當位剛柔應也, 可以見矣. 易以互卦爲重, 兩卦之互卽相易. 故既濟初爲曳輪, 三爲鬼方, 未濟之二與四同辭. 其義極明, 此當未濟之時, 既濟之義已藏在其中.
『주역』에서 이십팔 궁이 반대되는 것은 반드시 모두 소장과 길흉이 서로 나누어지는 것은 아니다. 기제괘는 이미 이루어진 것에 대한 괘이고 미제괘는 아직 이루어지지 않은 것에 대한 괘이다. 이룸에는 큰 것과 작은 것이 있고 기제는 천하로 뜻을 삼으니, 미제는 단지 뜻이 아직 여섯으로 펴지지 않은 것이다. 육십사괘에서 굳셈과 부드러움이 모두 호응하는 것은 여기의 두 괘뿐으로 다만 바름과 바르지 않음의 구별이 있을 뿐이다. 그러므로 미제괘 「단전」에서 "비록 마땅하지 않은 자리이지만, 굳센 양과 부드러운 음이 호응 한다"라고 해서 알 수 있다. 『주역』은 호괘를 귀중하게 여기는데, 두 괘의 호괘는 곧 서로 바뀐다. 그러므로 기제괘 초구가 수레바퀴를 뒤로 끄는 것이고 삼효가 귀방인데, 미제괘의 이효[5]와 사효[6]가

5) 『周易 · 未濟卦』: 구이는 수레바퀴를 뒤로 끌듯이 하여 느리게 하니, 바르기 때문에 길하리라.[九二, 曳其輪, 貞吉.]
6) 『周易 · 未濟卦』: 구사는 곧으면 길하여 후회가 없어지리니, 진동하여 귀방(鬼方)을 정벌해서 삼 년이어야

같은 말이다. 그 의미가 아주 분명하니, 이것은 미제의 때에 기제의 의미가 이미 그 속에 있는 것이다.

三十六宮互體變易, 惟此两卦, 乾坤之互不動. 乾坤變爲泰否, 泰否之互爲漸妹, 漸妹之互爲旣未濟, 此易之始終. 其脉絡貫串, 亦以帝乙歸妹爲證也. 卦雖未濟次於旣濟, 以事勢則未濟當先於旣濟. 旣濟云者, 卽其未濟者已得濟也. 不然聖人命卦, 但曰成曰敗可矣.

삼십육 궁이 몸체를 번갈아 바꾸는 것은 여기의 두 괘뿐이고, 건괘(乾卦䷀)와 곤괘(坤卦䷁)의 호체는 움직이지 않는다. 건괘와 곤괘는 태괘(泰卦䷊)와 비괘(否卦䷋)로 변하고, 태괘와 비괘의 호체는 점괘(漸卦䷴)와 귀매괘(歸妹卦䷵)이며, 점괘와 귀매괘의 호체는 기제괘(旣濟卦䷾)와 미제괘(未濟卦䷿)이니, 이것이 『주역』의 시작과 끝이다. 그 맥락을 꿰뚫는 것도 제을이 여동생을 시집보내는 것[7]을 증좌로 한다. 괘에서 미제괘가 기제괘를 이을지라도 일의 기세로는 미제괘가 기제괘보다 앞서야 한다. 기제라고 한 것은 미제가 이미 이루어진 것이다. 그렇지 않다면 성인이 괘를 명명할 때에 이루었다고 하고 실패했다고 하면 된다.

又何以旣未對擧乎. 是以两卦爻辭, 皆互相證明, 其濡尾濡首曳輪鬼方, 未見有得失之別. 而旣濟之濡尾攄未濟, 知其爲小狐濡尾, 旣濟之濡首攄未濟, 知其爲飮酒濡首, 則彼先此後可知. 若曰一吉一凶, 如天地寒暑之相背, 非聖人命名之志也. 两卦特以大小先後爲義而已.

또 어째서 기제와 미제로 상대해서 들었는가? 이것은 두 괘의 효사로 모두 서로 증명할 수 있다. 꼬리를 적시는 것 · 머리를 적시는 것 · 수레바퀴를 뒤로 끄는 것 · 귀방에서는 득실의 구별이 있는 것을 볼 수 없다. 그러나 기제괘의 꼬리를 적시는 것은 미제괘에 의거했음에 그것은 어린 여우가 꼬리를 적시는 것임을 알겠고, 기제괘의 머리를 적시는 것은 미제괘에 의거했음에 그것이 술 마시고 머리를 적시는 것임을 알겠으니, 저것이 앞이고 이것이 뒤임을 알겠다. 만약 한 번 길하고 한 번 흉한 것이 천지의 추위와 더위가 서로 어긋나는 것과 같다고 했다면 성인이 이름붙인 뜻이 아니다. 두 괘는 단지 큰 것과 작은 것 · 앞과 뒤로 의미를 삼았을 뿐이다.

---

큰 나라에서 상이 있다.[九四, 貞吉, 悔亡, 震用伐鬼方, 三年, 有賞于大國.]

7) 『周易 · 泰卦』: 六五, 帝乙歸妹, 以祉元吉; 『周易 · 歸妹卦』: 六五, 帝乙歸妹, 其君之袂, 不如其娣之袂良, 月幾望, 吉.

### 유정원(柳正源)『역해참고(易解參攷)』

正義, 旣者, 皆盡之稱. 萬事皆濟, 故以旣濟爲名.
『주역정의』에서 말하였다: '이미 ~하였다[旣]'는 것은 모두 다하였다는 말이다. 모든 일이 이루어졌기 때문에 기제로 이름을 붙였다.

○ 案, 亨小字, 兼亨而小小者亨底兩義. 亨而小, 則猶有未亨者存焉, 此其終之易亂也. 小者亨, 則陰柔漸向不好處去, 此又其終之不能无亂也. 警戒之意深矣. 以成卦之始言, 則炎上者在下, 潤下者在上, 交相爲用, 是初之吉也. 以卦成之後言, 則水在上者, 日就注下, 火在下者, 日熾向上, 則功虧事敗, 是終之亂也. 書曰, 不矜細行, 終累大德, 詩曰, 靡不有初鮮克有終, 此不可見小而忘大, 恃初而怠終也.
내가 살펴보았다: '조금 형통하다'는 말은 '형통한데 작다'와 '작은 것이 형통하다'는 두 가지 의미를 겸한다. 형통한데 작으면 여전히 아직 형통하지 않은 것이 있으니, 이것은 그 끝에 쉽게 어지러운 것이다. 작은 것이 형통하면 음의 부드러움이 점차 좋지 않은 데로 가니, 이것은 또 그 끝에 어지럽지 않을 수 없는 것이다. 그러니 경계한 의미가 깊다. 괘를 이루는 시작으로 말하면, 타오는 것이 아래에 있고 흘러내려가는 것이 위에 있어 서로 쓰임이 되니 처음에 길한 것이다. 이루어진 괘로 말하면, 물이 위에 있을 경우에는 날로 아래로 흘러내리고, 불이 아래에 있을 경우에는 날마다 위로 타올라 공과 일이 어그러지고 잘못되니, 나중에 어지러운 것이다. 『서경』에서 "자그마한 행동이라도 신중히 하지 않으면 큰 덕에 끝내 누를 끼칠 것이다"라고 하고, 『시경』에서 "'처음을 두지 않는 이는 없지만 끝맺음을 두는 이는 드물다"라고 하였으니, 이것은 작은 것을 보고 큰 것을 잊어서는 안 되고, 처음을 믿어 끝을 소홀히 해서는 안 된다는 것이다.

### 김상악(金相岳)『산천역설(山天易說)』

旣濟之時, 大小皆亨, 而六二柔而得中, 故其亨在小. 九五剛而位當, 故勉以利貞. 初吉, 二之中也, 終亂, 上之窮也.
이미 이루어진 때에는 큰 것과 작은 것이 모두 형통하지만 육이가 부드러우면서도 알맞음을 얻었기 때문에 그 형통함이 작은 것에 있다. 구오는 굳세면서 자리가 합당하기 때문에 곧음이 이로운 것에 힘쓴다. 처음에는 길한 것은 이효가 가운데 있기 때문이고. 끝에는 어지러운 것은 상효가 곤궁하기 때문이다.

○ 旣濟, 以二爲主, 故曰亨小, 與旅巽之小亨不同, 如小過曰小者過而亨也. 水火相交以濟, 而在上者必潤下, 在下者必炎上, 故曰初吉終亂. 睽六三曰无初, 火澤之不交也,曰有終, 金火之相遇也. 詳見本爻.
기제괘는 이효가 주인이기 때문에 "형통할 것이 작은 것이다"라고 하였으니, 려괘(旅卦)나 손괘(巽卦)의 "조금 형통하다"[8]는 것과는 같지 않고, 소과괘에서 "작은 일이 지나쳐서 형통한 것이다"[9]라고 한 것과 같다. 물과 불이 서로 사귐으로 이루어 위에 있는 것은 반드시 흘러내리고 아래에 있는 것은 반드시 타오르기 때문에 "처음에는 길하고 끝에는 어지럽다"라고 하였다. 규괘(睽卦䷥) 육삼에서 "처음은 없다"라고 한 것은 불과 못이 서로 사귀지 않은 것이고, "끝이 있다"라고 한 것은 쇠와 불이 서로 만난 것이니, 자세한 설명은 그 효에 있다.

### 서유신(徐有臣) 『역의의언(易義擬言)』

小亨, 便已濟不待大亨也. 剛柔得正, 故曰利貞, 匪正不成濟也. 初吉終亂, 乘除之理也.
조금 형통한 것은 곧 이미 이루어졌으면 크게 형통할 필요가 없기 때문이다. 굳셈과 부드러움이 바름을 얻었기 때문에 "곧음이 이롭다"고 하였으니, 바름이 아니면 이루지 못하기 때문이다. 처음에는 길하고 끝에는 어지러운 것은 기복의 이치이다.

### 김기례(金箕澧) 「역요선의강목(易要選義綱目)」

水在火上, 下燃上沸, 得濟物之理, 而不相滅, 如坤在乾上, 陰陽交而生物.
물이 불 위에 있어 아래에서는 불이 타고 위에서는 물이 끓어 사물을 이루어주는 이치를 얻으면서도 서로 멸하지 않으니, 곤괘가 건괘의 위에 있어 음양이 서로 사귀어 사물을 낳는 것과 같다.

○ 內明外險, 剛柔相交, 有濟時之象.
안은 밝고 밖은 험하며 굳셈과 부드러움이 서로 사귀어 때에 맞춰 이루는 상이 있다.

亨小利貞, 初吉終亂.
기제(旣濟)에는 조금 형통하고 곧음이 이롭고, 처음에는 길하고 끝에는 어지럽다.

---

8) 『周易 · 旅卦』: 려(旅)는 조금 형통하니, 나그네가 곧으면 길하다.[旅, 小亨, 旅貞, 吉.]; 『周易 · 巽卦』: 손(巽)은 조금 형통하니, 가는 것이 이로우며 대인을 보는 것이 이롭다.[巽, 小亨, 利有攸往, 利見大人.]
9) 『周易 · 小過卦』: 「단전」에서 말하였다: 소과는 작은 일이 지나쳐서 형통한 것이다.[彖曰, 小過, 小者過而亨也.]

既濟之終, 卽未濟之初, 初吉終亂, 故小亨. 剛柔皆正, 其故利正. 成旣濟之功者, 必勤勞, 故初吉. 處旣濟之後者, 必逸豫未濟之象, 故終亂.
기제괘의 끝이 바로 미제괘의 처음이어서 처음에는 길하고 끝에는 어지러우므로 조금 형통한 것이다. 굳셈과 부드러움이 모두 바르니 그 때문에 곧음이 이로운 것이다. 기제의 공을 이룬 경우는 반드시 부지런히 노력하므로 처음에는 길한 것이다. 기제의 뒤에 있을 경우에는 반드시 미제로 달아나 즐기는 상이므로 끝에는 어지러운 것이다.

### 이항로(李恒老) 「주역전의동이석의(周易傳義同異釋義)」

傳, 小字在下, 語當然也. 云云.
『정전』에서 말하였다: '조금[小]'이라는 말이 뒤에 있어 말을 그렇게 해야 한다. ….

本義, 亨小當爲小亨.
『본의』에서 말하였다: '형통함이 작다[亨小]'는 '조금 형통하다[小亨]'로 해야 한다.

按, 彖傳曰, 旣濟亨小者亨也. 觀此則亨小字倒无疑.
내가 살펴보았다: 「단전」에서 "'기제는 형통함'은 작은 것이 형통함이다"라고 하였다. 이것을 보면 작은 것이 형통함은 글자가 도치된 것임을 의심할 수 없다.

### 심대윤(沈大允) 『주역상의점법(周易象義占法)』

旣濟之世, 大事旣已成終, 而利貞矣, 尙餘小事之可以亨而成終矣. 不曰小亨, 而曰亨者小, 事之餘者, 能亨而成終, 則大事之旣終者, 乃可保其平安也. 餘事不治, 則前功壞矣. 天下之亂, 常在於恃其成功, 而忽其餘零小事, 而不貞馴, 致禍敗也, 故曰小利貞, 无事則事生, 故曰, 初吉終亂, 此必然之理也. 坎初坤終, 坤巽爲亂, 坤之變坎之後爲巽, 而以言終而復始, 故互巽坤也. 傳之終止, 兼取艮也.
기제(䷾)의 세대에는 큰일이 이미 마침을 이루었으나 곧음이 이로우니, 여전히 나머지 작은 일을 형통하게 해서 마침을 이루려는 것이다. '조금 형통하다'고 하지 않고 '형통함이 적다'고 한 것은 일의 나머지를 형통하게 해서 마침을 이룰 수 있으면, 큰일을 이미 마쳤을 경우 그 평안함을 보전할 수 있기 때문이다. 나머지 일을 다스리지 않으면 앞서 세운 공이 사라진다. 천하의 어지러움은 항상 성공을 믿고 그 나머지 작은 일을 소홀하며 곧게 따르지 않아 화를 불러오는 데 있기 때문에 "형통함이 작아 곧음이 이롭다"고 하였고, 일이 없으면 일이 생기기 때문에 "처음에는 길하고 끝에는 어지럽다"고 하였으니, 이것은 필연적인 이치이다.

감괘가 처음이고, 곤괘가 끝이며, 곤괘와 손괘가 어지러움이다. 곤괘가 감괘로 변한 다음에 손괘가 되어 끝을 말하였으나 다시 시작하기 때문에 호괘가 손괘와 곤괘이다. 「단전」의 '끝에서 멈춘다'는 것은 간괘를 아울러 취한 것이다.

### 오치기(吳致箕) 「주역경전증해(周易經傳增解)」

旣濟者, 事之旣成也. 水性潤下, 火性炎上, 而水反在上, 火反在下, 爲上下相交以濟之象也. 卦體剛皆下乎柔, 柔皆上乎剛, 故曰小者亨. 上下剛柔, 皆當位而正, 故曰利貞. 方濟之時, 事皆順而得中, 故曰初吉. 旣濟之後事, 皆止而不治, 故曰終亂也.
기제는 일이 이미 이루어진 것이다. 물의 특성은 스며들며 내려가고 불의 특성은 불타며 올라가는데, 도리어 물이 위에 있고 불이 아래에 있으니, 위아래가 서로 사귀어 이루는 상이 된다. 괘의 몸체는 굳셈이 모두 부드러움보다 아래에 있고 부드러움이 모두 굳셈보다 위에 있기 때문에 "작은 것이 형통하다"고 하였다. 상하의 굳셈과 부드러움이 모두 제자리에 있어 바르기 때문에 "곧음이 이롭다"고 하였다. 막 이루어지는 때에는 일이 모두 순조롭고 알맞기 때문에 "처음에는 길하다"고 하였다. 기제 뒤의 일은 모두 멈추고 다스리지 않기 때문에 "끝에는 어지럽다"고 하였다.

○ 本義云, 亨小, 當作小亨.
『본의』에서 말하였다: '형통함이 작다[亨小]'는 '조금 형통하다[小亨]'로 해야 한다.

### 이진상(李震相) 『역학관규(易學管窺)』

彖傳, 明言小者亨, 依本義作小亨得之. 蓋三陰得位, 而三陽下之, 乃小者亨也. 小者旣亨, 則易於不貞, 故曰利貞. 雖治必亂,[10] 故曰終亂. 爻中大小, 皆以陰陽言, 非指所亨之多小也. 旣濟如玄宗開元之末, 君子小人雜而無別, 便向不好處去. 小者亨, 則大者之有不亨可知. 參攷謂兼亨, 而小底義恐未然.
「단전」에서 '작은 것이 형통함이다'라고 분명히 말하여 그대로 「본의」에서 조금 형통하다고 하였으니 옳다. 세 음이 제자리에 있고 세 양이 아래에 있으니, 바로 작은 것이 형통한 것이다. 작은 것이 이미 형통하다면 쉽게 곧지 못하게 되기 때문에 "곧음이 이롭다"고 하였다. 다스릴지라도 반드시 어지럽게 되기 때문에 "끝에는 어지럽다"고 하였다. 효에서 큰 것과 작은 것은 모두 음과 양으로 말하였으니, 형통함의 많고 적음을 가리키는 것이 아니다. 기제

---

10) 경학자료집성DB에 '氣'로 되어 있으나, 경학자료집성 영인본과 문맥을 참조하여 '亂'으로 바로잡았다.

는 현종 때 개원 연간의 말기에 군자와 소인이 뒤섞여 구분이 없어 좋지 않은 곳으로 흘러간 것과 같다. 작은 것이 형통하다면 큰 것은 형통하지 않음을 알 수 있다. 참고로 말하자면 형통함을 겸하였는데 작은 것의 의미는 그렇지 않은 것 같다.

### 박문호(朴文鎬) 「경설(經說)·주역(周易)」

凡易中卦之六位, 或當或不當, 其皆當皆不當, 惟而既濟未濟爲然. 且六爻皆相應, 故以此二卦終之, 是作者之意也. 蓋隨時變易之中, 又有一定之位, 故易以得位爲善, 其惟既濟乎.

『주역』에서 괘의 여섯 자리는 타당하기도 하고 타당하지 않기도 한데, 그 모두 타당하거나 타당하지 않은 것은 기제괘와 미제괘만이 그렇다. 또 여섯 효가 모두 서로 호응하기 때문에 이 두 괘로 끝냈으니, 바로 작자의 의도이다. 때에 따라 변하는 가운데 또 일정한 자리가 있기 때문에 『주역』은 자리를 얻은 것을 좋은 것으로 여기는데 그것은 오직 기제괘뿐일 것이다.

## 彖曰, 旣濟亨, 小者亨也.

「단전」에서 말하였다: "기제는 형통함"은 작은 것이 형통함이다.

## 中國大全

**本義**

### 濟下, 疑脫小字.

'제(濟)' 아래에 '소(小)'자가 빠진 듯하다.

**小註**

郭氏京曰, 旣濟亨小, 小者亨也. 按, 亨小下脫小字.
곽경이 말하였다: 기제괘가 형통함이 작다는 것은 작은 것이 형통함이다. 살펴보건대 '형소(亨小)' 아래에 '소(小)'자가 빠진듯하다.

○ 嵩山晁氏曰, 孔氏正義, 亦謂合有兩小字.
숭산조씨가 말하였다: 공영달의 『주역정의』에서도 마땅히 '소(小)'자가 둘 있어야 한다고 하였다.

○ 中溪張氏曰, 旣濟之亨, 何以謂之小者亨也. 蓋爻有六位, 三陰得位, 而三陽下之, 故曰小者亨也.
중계장씨가 말하였다: 기제괘의 형통함을 무엇 때문에 "작은 것이 형통함이다"라고 하였는가? 효에는 여섯 자리가 있는데, 세 음이 제자리를 얻고 세 양이 그 아래에 있기 때문에 "작은 것이 형통함이다"라고 하였다.

## ▌韓國大全▐

### 권만(權萬) 「역설(易說)」

恐當作既濟亨小小者亨也. 六爻陽居陽位陰居陰位, 三陽之中惟九五得位, 三陰之中二四皆得位, 是小者尤亨也. 然承剛則正, 而乘陽則不正矣, 故戒以利貞. 孔子曰, 利貞剛柔正而位當也, 此但指六爻之各當得其正位而言, 非以德言也. 既濟六爻互看, 則爲兩離兩坎, 而重在坎上, 其曰既者, 指上六脫坎而言歟.

"기제괘가 형통함이 작다는 것은 작은 것이 형통함이다[既濟亨小, 小者亨也]"라고 해야 할 것 같다. 여섯 효에서 양은 양의 자리에 있고 음은 음의 자리에 있는데, 세 양 가운데 구오만 제자리를 얻었고, 세 음 가운데 이효와 사효가 모두 자리를 얻었으니, 바로 작은 것이 더욱 형통한 것이다. 그러나 굳셈을 계승하면 바르고 굳셈을 올라타면 바르지 않기 때문에 곧음이 이롭다고 경계하였다. 공자가 "'곧음이 이로움'은 굳셈과 부드러움이 바르고 자리가 마땅하기 때문이다"라고 하였으니, 이것은 단지 여섯 효가 각기 바른 자리를 얻은 것을 가리켜서 말한 것이지 덕으로 말한 것이 아니다. 기제괘(既濟卦䷾)의 여섯 효를 서로 보면 두 개의 리괘와 두 개의 감괘인데, 중요함이 감괘에 있으니, '기(既)'라고 한 것은 상육이 감괘를 벗어남을 가리켜 말한 것 같다.

### 송시열(宋時烈) 『역설(易說)』

其道窮者, 非上六之謂也, 乃五處坎中, 衰窮亂極也.

'그 도가 궁하다'는 것은 상육을 말하는 것이 아니라 바로 오효가 감괘의 가운데 있어 쇠약함과 혼란함이 지극하기 때문이다.

### 김상악(金相岳) 『산천역설(山天易說)』

釋亨小之義, 易學正亨下有小字.

'형통함이 작은 것이니'의 의미를 해석하면서 『주역거정』에서는 형(亨)의 아래에 소(小)자를 첨가했다.

### 서유신(徐有臣) 『역의의언(易義擬言)』

水火相逮, 用在六二, 故曰小者亨也, 既濟不須許大看. 車涉之狐濟之, 蓋小水也.

물과 불이 서로 미쳐 쓰임이 육이에 있기 때문에 "작은 것이 형통함이다"라고 하였으니, 기제는 굳이 크게 볼 필요가 없다. 수레가 건너고 여우가 건너는 것은 작은 물이기 때문이다.

正則當位, 位當則正是, 何必疊言之. 剛柔正, 六爻得正位, 應正應也. 位當, 五剛二柔, 各得其分也.
바르면 자리에 마땅하고 자리가 마땅하면 바르고 옳은데, 어째서 굳이 겹쳐서 말하였는가? '굳셈과 부드러움이 바르다'는 것은 여섯 자리가 바른 자리를 얻어 호응이 바르게 호응한다는 것이다. '자리가 마땅하다'는 것은 오효의 굳셈과 이효의 부드러움이 각기 그 분수를 얻었다는 것이다.

### 하우현(河友賢)『역의의(易疑義)』

本義, 指六二.
『본의』에서 말하였다: 육이를 가리킨다.

然則終止則亂一節, 亦當曰指九五, 而本義不言何也. 蓋初吉柔得中, 旣曰柔得中, 則是分明指六二而言. 若終則亂一節, 於五六別旡明言之辭耳, 故本義於九五, 但曰初吉終亂亦此意, 著一亦字. 六四繻有衣袽, 四在濟, 卦水體, 故取舟爲象. 且坎下畫虛, 有舟罅漏象
그렇다면 끝에서 멈추면 어지럽다는 한 구절에서도 구오를 가리킨다고 해야 하는데『본의』에서 말하지 않은 것은 무엇 때문인가? "처음에 길함"은 부드러운 음이 알맞음을 얻었기 때문이다. 이미 "부드러운 음이 알맞음을 얻었기 때문이다"라고 말했다면 이것은 분명히 육이를 가리켜서 말한 것이다. 끝에서 멈추면 어지럽다는 한 구절은 오효와 육효에서 별도로 분명히 한 말이 없기 때문에『본의』는 구오에서 단지 "처음은 길하고 끝은 혼란하다는 말도 이러한 뜻이다"라고 하면서 '~도[亦]'라는 말을 드러냈다. 육사의 '젖음에 헌옷을 대비해 둔다'는 것은 사효가 이룸에 괘가 물의 몸체이기 때문에 배를 취해 상으로 하였다. 또 감괘는 아래의 획이 비었으니, 배가 갈라져 물이 스며드는 상이 있다.

## 利貞, 剛柔正而位當也.

"곧음이 이로움"은 굳셈과 부드러움이 바르고 자리가 마땅하기 때문이다.

## 中國大全

傳

**既濟之時, 大者固已亨矣, 唯有小者亨也. 時既濟矣, 固宜貞固以守之. 卦才剛柔正當其位. 當位者, 其常也, 乃正固之義, 利於如是之貞也. 陰陽各得正位, 所以爲既濟也.**

이미 이루어진 때에 큰 것은 이미 형통하였고, 오직 작은 것이 형통하여야 한다. 때가 이미 이루어졌으면 진실로 마땅히 곧고 굳게 지켜야 한다. 괘의 재질이 굳센 양과 부드러운 음이 바로 그 자리에 마땅하다. 자리에 마땅함은 떳떳함으로 바로 곧고 굳다는 뜻이니, 이처럼 곧음이 이롭다. 음과 양이 각각 바른 자리를 얻었으니, 이 때문에 기제괘가 되었다.

本義

**以卦體言.**

괘의 몸체로 말하였다.

小註

白雲郭氏曰, 六爻有應者八卦, 然應而皆得位者, 六十四卦獨此一卦而已. 是知既濟者, 必在有應, 必得其位, 然後可也.

백운곽씨가 말하였다: 여섯 효가 호응하는 것은 여덟 괘이지만, 호응하면서도 모두 제자리를 얻은 것은 육십사괘 가운데 이 한 괘뿐이다. 그러니 바로 기제라는 것이 반드시 호응이 있고 반드시 제자리를 얻은 다음에 된다는 것을 알 수 있다.

○ 中溪張氏曰, 旣濟之道所利者貞, 謂初九九三九五陽皆居陽, 六二六四上六陰皆居陰. 此剛柔各得其正而位當也.
중계장씨가 말하였다: 기제괘의 도리가 이로움으로 여기는 것은 곧음이니, 초구 · 구삼 · 구오의 양이 모두 양의 자리에 있고 육이 · 육사 · 상육의 음의 모두 음의 자리에 있는 것을 말한다. 이는 강함과 부드러움이 각각 그 바름을 얻고 자리가 마땅한 것이다.

## 韓國大全

### 김기례(金箕澧) 「역요선의강목(易要選義綱目)」

剛柔正而位當, 指六爻陰陽各得其位利貞之意. 初吉柔得中也, 指二居下體之中. 中正文明柔順而得濟. 終止則亂, 其道窮也, 如泰極而否, 治極而亂, 未濟之象, 五雖剛才, 奈何時變.
"굳셈과 부드러움이 바르고 자리가 마땅하기 때문이다"는 것은 여섯 효의 음과 양이 각기 그 자리를 얻어 곧음이 이롭다는 의미를 가리킨다. "'처음에는 길함'은 부드러운 음이 알맞음을 얻었기 때문이다"는 것은 이효가 하체의 가운데 있어 중정하고 문명하며 유순하여 이룸을 얻은 것을 가리킨다. "끝에서 멈추면 어지러움은 그 도가 궁하기 때문이다"는 것은 편안함[泰]이 다하여 막히고[否], 다스림이 다하여 어지러워지는 것과 같아 미제괘의 상이니, 오효가 굳센 재질일지라도 어떻게 때를 변화시키겠는가?

### 심대윤(沈大允) 『주역상의점법(周易象義占法)』

曰旣濟亨, 可知彖之非. 旣濟亨小與旣濟小亨, 如先儒之云也. 旣濟之小事正, 則大功之保也, 故傳釋利也, 六爻之剛柔, 各得其位, 而五又當位也.
기제는 형통함이라고 하였으니, 「단전」이 잘못되었음을 알 수 있다. "'기제는 형통함'은 작은 것"과 "기제에는 조금 형통한 것"은 선대의 학자들이 말한 것과 같다. 기제의 작은 일에 바르면 큰 공이 보전되기 때문에 「단전」에서 이로움으로 해석하였으니, 여섯 효의 굳셈과 부드러움은 각기 제자리를 얻었는데 오효가 또 자리에 합당하기 때문이다.

## 初吉，柔得中也.

"처음에는 길함"은 부드러운 음이 알맞음을 얻었기 때문이다.

## 中國大全

### 傳

二以柔順文明而得中，故能成旣濟之功. 二居下體，方濟之初也而又善處，是以吉也.

이효는 유순함과 문채의 밝음으로 알맞음을 얻었기 때문에 기제괘의 공을 이루었다. 이효가 하체에 있으니, 막 이루는 초기이며 또 잘 대처하기 때문에 길하다.

### 本義

指六二.

육이를 가리킨다.

#### 小註

中溪張氏曰，初吉者，以六二之柔而得下體之中也.

중계장씨가 말하였다: 처음에 길한 것은 육이의 부드러움으로 하체의 가운데를 얻었기 때문이다.

## 終止則亂, 其道窮也.

끝에서 멈추면 어지러운 것은 그 도가 궁하기 때문이다.

## 中國大全

### 傳

**天下之事, 不進則退, 无一定之理. 濟之終, 不進而止矣, 无常止也, 衰亂至矣, 蓋其道已窮極也. 九五之才, 非不善也, 時極道窮, 理當必變也. 聖人至此奈何. 曰唯聖人爲能通其變於未窮, 不使至於極也, 堯舜是也. 故有終而无亂.**

천하의 일은 나아가지 않으면 물러남에 일정한 이치가 없다. 이루어진 끝에서 나아가지 않고 멈추면 떳떳한 멈춤이 아니라서 쇠약하고 어지러움이 이르게 되니, 그 도가 이미 궁극에 이른 것이다. 구오의 재질이 선하지 않은 것은 아니나 때가 다하고 도가 궁하니, 이치상 마땅히 반드시 변한다. 성인이 이에 이르면 어찌해야 하는가? 오직 성인은 아직 궁하지 않을 때에 변통하여 끝에 이르지 않게 하니, 요임금과 순임금이 이에 해당된다. 그러므로 잘 마침이 있고 혼란함이 없었던 것이다.

### 小註

中溪張氏曰, 卦曰終亂而彖曰終止, 則亂非終之能亂也. 於其終而有止心, 此亂之所由主也.
중계장씨가 말하였다: 괘사에서는 "끝에서는 어지럽다"고 하였고, 「단전」에서는 "끝에서 멈추면"이라고 했으니, 어지러움이란 끝났다고 해서 어지러울 수 있는 것이 아니다. 끝에서 멈추려는 마음을 갖는 것이야말로 어지러움이 생기는 까닭이다.

○ 建安丘氏曰, 古今治亂之變, 何有窮也. 治極生亂, 亂極生治, 此雖天運, 實人事也. 人之常情, 處无事則止心生, 止則心有所怠而不復進, 此亂之所從起. 處多事, 則戒心生, 戒則心有所畏而不敢肆, 此治之所由兆. 治亂者天也, 所以制其治亂者人也. 彖曰終亂, 而傳曰終止則亂, 止則亂矣, 不止亂安從生. 玩一止字, 則知夫子之於贊易也, 其旨深矣.

건안구씨가 말하였다: 옛날과 오늘날의 다스려짐과 어지러움의 변화가 어찌 다함이 있겠는가? 다스려짐이 극에 달하면 어지러움이 생기고 어지러움이 극에 달하면 다스려짐이 생겨나니, 이것이 비록 천운(天運)이지만 실제로는 인사(人事)이다. 사람의 일상적인 감정은 일이 없는 때에 처하면 멈추려는 마음이 생겨나고, 멈추면 마음이 게을러져 더 이상 나아가지 않으니, 이것이 어지러움이 일어나는 이유이다. 일이 많은 때에 처하면 경계하는 마음이 생겨나고, 경계하면 마음이 두려워 감히 함부로 하지 않으니, 이것이 다스려짐이 조짐을 나타내는 이유이다. 다스리고 어지러워지는 것은 하늘의 일이지만, 다스리고 어지러워지는 것을 제어하는 것은 사람의 일이다. 「단사」에서는 "끝에서 멈추면"이라고 하고, 「단사」에서는 "끝에서 멈추면 어지러운 것은"이라고 했는데, 멈추면 어지러우니 멈추지 않는다면 어지러움이 어디에서 생겨나겠는가? 하나의 '지(止)'자를 음미하면 공자가 『주역』을 편찬한 그 뜻이 심오함을 알 수 있다.

○ 雙湖胡氏曰, 文王卦辭, 初吉終亂之云, 不過如泰極則否之類. 旣濟極則反爲未濟耳, 非有他也. 夫子釋之, 則曰終止則亂, 味止之一字, 卽雜卦所謂旣濟定也之義. 蓋旣濟之陰陽, 各歸其家, 易於伏而不動, 履其運者, 若一切止而不爲, 則亂之所由起矣. 此又夫子之旨也. 然則如之何而可, 亦曰剛柔雖正, 位雖當, 而氣機之運, 不可使一息或停. 譬之人身, 心火旣降, 腎水旣升, 可謂一身之旣濟矣. 然善於康濟者, 豈可使升者不降, 降者不升. 必如所謂靜極復動, 動極復靜, 一動一靜, 互爲其根而循環无端焉而後可耳. 此夫子終止則亂之微意也.

쌍호호씨가 말하였다: 문왕의 괘사에서 "처음에는 길하고 끝에는 어지럽다"는 것은 태괘가 극에 이르면 비괘가 된다는 것과 같은 종류에 불과하다. 기제괘가 극에 이르면 도리어 미제괘가 될 뿐이지 다른 것이 아니다. 공자가 풀이하여 "끝에서 멈추면 어지럽다"고 했는데, '지(止)' 한 글자를 음미해보면 「잡괘전」에서 말한 "기제괘는 안정됨이다"라는 뜻이다. 기제괘의 음양은 각각 집으로 돌아가 엎드려 있는 것을 편안하게 여겨 움직이지 않지만, 그 움직임을 따르는 자가 만약 한결같이 멈추어 아무 것도 하지 않는다면 어지러움이 그로부터 일어난다. 이 또한 공자의 뜻이다. 그렇다면 어떻게 하면 되는가? 또한 굳셈과 부드러움이 비록 바르고 자리가 비록 마땅하더라도 기운의 기틀이 움직임은 한 순간도 멈추지 않는다. 사람의 몸에 비유하자면 심장의 화(火)가 이미 내려가고 신장의 수(水)가 이미 올라갔으니, 한 몸이 이미 이루어졌다고 말할 수 있다. 그러나 편안하게 이루는 데 뛰어난 자가 어떻게 올라간 것을 내려가지 않게 하고 내려간 것을 올라오지 않게 할 수 있는가? 반드시 이른바 고요함이 극에 도달하여 다시 움직이고 움직임이 극에 도달하여 다시 고요하게 되어 한 번 움직이고 한 번 고요한 것이 서로 그 뿌리가 되면서 순환하여 끝이 없게 된 다음에야 가능하다. 이것이 공자가 "끝에서 멈추면 어지럽다"고 한 은미한 뜻이다.

## 韓國大全

### 이익(李瀷) 『역경질서(易經疾書)』

終止則亂, 謂當濟之時, 以濟爲期也, 止則必窮.
끝에서 멈추면 어지럽다는 것은 이루어진 때에는 이루어진 것을 기약으로 하니 멈추면 반드시 궁해진다는 말이다.

柔得中爲初吉, 則剛得中是後吉, 可知. 二以中道爲義, 五以受福爲義, 是也. 盛極則亂萌, 故又有濡首之厲, 終止則亂, 是也.
부드러움이 알맞음을 얻은 것이 처음에 길한 것이라면, 굳셈이 알맞음을 얻은 것이 뒤에 길한 것임을 알겠다. 이효는 알맞은 도로 의리를 삼고 오효는 복을 받음으로 의리를 삼는다는 것이 여기에 해당한다. 성대함이 다하면 어지러움이 싹 터기 때문에 또 머리를 적시는 위태로움이 있으니, 끝에서 멈추면 어지럽다는 것이 여기에 해당한다.

### 김상악(金相岳) 『산천역설(山天易說)』

以卦體釋卦辭. 剛柔, 正統言六爻. 位當, 專指九五. 柔謂二也. 以卦變言, 六二自初而上, 得下卦之中, 故初吉. 止者, 不進之意也. 時旣濟而上居卦終, 止而不濟, 所以其道窮也.
몸체로 괘사를 해석하였다. '굳셈과 부드러움'은 바로 여섯 효를 통괄하여 말하였다. '자리가 마땅하기 때문이다'는 것은 오로지 구오를 가리킨다. 부드러움은 이효를 말한다. 괘의 변화로 말하면 육이는 초효에서 위로 올라가 하괘의 가운데를 얻기 때문에 처음에는 길하다. '멈춘다'는 것은 나아가지 않는다는 의미이다. 때가 이미 이루어지고 위로 괘의 끝에 있어 멈추어 이루지 않기 때문에 그 도가 궁하다.

○ 周易折中, 易以剛中爲善, 而旣未濟, 皆取柔中者, 旣濟取內卦, 未濟取外卦, 猶泰否之義也. 終亂對初吉. 坎之陽能動而窮於上者, 无所之. 故終於止也, 所以亨在六二不在於五. 蓋水生於金, 而其潤下之性終, 必反其所由生而爲兌. 兌者止水也. 兌上離下, 其卦爲革. 水火之相交者, 反爲相息, 故曰終止則亂也. 其道窮, 亦謂坎之居上也. 然物不可終窮也, 故受之以未濟, 所以未濟爲花未開, 月未圓之時. 旣濟則正邵子所謂酩酊離披時節.

『주역절중』에서 말하였다: 『주역』은 굳셈이 알맞음을 좋은 것으로 여기는데, 기제괘와 미제괘에서는 모두 부드러움이 알맞음을 취하였으니, 태괘와 비괘의 의미와 같다. '끝에는 어지럽다'는 것은 '처음에는 길하다'는 것과 짝이다. 감괘(坎卦☵)의 양이 움직일 수 있으나 위에서 다한 경우여서 갈 곳이 없다. 그러므로 멈춘 곳에서 끝나기 때문에 형통함이 육이에 있고 구오에 있지 않다. 물은 쇠에서 나왔으나 아래로 적셔주는 특성이 다해 반드시 말미암아 나온 곳으로 되돌아가 태괘(兌卦☱)가 된다. 태괘는 물을 멈추는 것이다. 태괘(兌卦☱)가 위에 있고 리괘(離卦☲)가 아래에 있으면 그 괘는 혁괘(革卦䷰)이다. 물과 불이 서로 사귈 경우 도리어 서로 없애기 때문에 "끝에서 멈추면 어지럽다"고 하였다. '그 도가 궁한 것'도 감괘(坎卦☵)가 위에 있기 때문이다. 그러나 사물은 끝내 궁할 수 없으므로 미제괘로 받았으니 미제괘는 꽃이 아직 피지 않고 달이 아직 보름이 되지 않은 것이기 때문이다. 기제괘는 바로 소강절이 말한 "술 마시고 취하니 꽃이 떨어지는구나!"라는 시절이다.

### 서유신(徐有臣) 『역의의언(易義擬言)』

未濟變爲旣濟, 而離來居其方, 故曰柔得中也. 上六濡首而終止, 故曰其道窮也. 亂由於止, 止由於窮也.

미제괘(未濟卦䷿)가 기제괘(旣濟卦䷾)로 변해 리괘(離卦☲)가 그 자리로 와 있기 때문에 "부드러운 음이 알맞음을 얻었기 때문이다"라고 하였다. 상육은 머리를 적셨으나 끝에서 멈추기 때문에 "그 도가 궁하기 때문이다"라고 하였다. 어지러움은 그침에서 나오고 그침은 궁함에서 나온다.

### 박문호(朴文鎬) 「경설(經說) · 주역(周易)」

小者, 尙有亨, 言小者尙有可亨之者也.

작은 것은 여전히 형통하니, 작은 것은 여전히 형통할 수 있는 것이 있다는 말이다.

### 심대윤(沈大允) 『주역상의점법(周易象義占法)』

初吉以二之柔中也, 終亂, 以剛皆爲柔所掩, 五居坎陷之中也, 唯二濟之世如此說矣. 好事終止, 則惡事萌生, 治極則亂也.

처음에는 길함은 이효의 부드러운 음이 알맞기 때문이고, 끝에는 어지러움은 부드러움이 굳셈을 모두 가려 오효가 감괘의 험함 속에 있기 때문이니, 두 기제의 세태를 이처럼 설명할 뿐이다. 좋은 일이 끝내 멈추니 나쁜 일이 생겨나고, 다스림이 다하니 어지러워진다.

### 오치기(吳致箕) 「주역경전증해(周易經傳增解)」

此以卦體釋卦辭也. 以卦體言, 則柔皆上乎剛, 以卦義言, 則當旣濟之時, 大者豈不亨. 而亨極則終必有患, 故常保其小者亨之時. 然後其道可以不窮, 是乃旣濟之初也. 時旣濟矣, 剛柔皆得正位, 利於貞固以守之. 然在濟之初, 則事皆順而得中治道方興而吉, 在濟之終, 則事皆止而不治, 時極道窮而亂, 此聖人所以示戒丁寧者也.
이것은 괘의 몸체로 괘사를 해석한 것이다. 괘의 몸체로 말하면 부드러움이 모두 굳셈보다 위에 있고, 괘의 뜻으로 말하면 기제의 때이니, 큰 것이 어찌 형통하지 않겠는가? 그런데 형통함이 다하면 끝에는 반드시 우환이 있기 때문에 항상 그 작은 것이 형통한 때를 보전한다. 그렇게 한 다음에 그 도가 다하지 않으니, 바로 기제의 처음이다. 때가 이미 기제이면 굳셈과 부드러움이 모두 바른 자리를 얻어 정고하게 지키는 것이 이롭다. 그러나 기제의 처음에는 일이 모두 순조롭고 알맞음을 얻음으로 다스리는 도가 막 일어나 길하고, 기제의 끝에는 일이 모두 멈추고 다스려지지 않으므로 때가 다하고 도가 궁하여 어지러우니, 이것은 성인이 간곡하게 경계를 보인 까닭이다.

### 이진상(李震相) 『역학관규(易學管窺)』

水止於上, 則失其潤下之性, 而必至於停汙, 火止於下, 則失其炎上之性, 而必至於消滅, 豈非亂生之漸乎.
물이 위에서 멈추어 있으면 그것이 아래로 적셔주는 특성을 잃어 반드시 정체되어 더러워지게 되고, 불이 아래에 멈추어 있으면 그것이 타오르는 특성을 잃어 반드시 소멸되니, 어찌 점차로 어지러워지는 것이 아니겠는가?

### 최세학(崔世鶴) 주역단전괘변설(周易彖傳卦變說)」

旣濟, 泰之二體變也, 二與五二爻爲主, 故彖以初吉得中終亂道窮言之. 否二來居於下體之中, 而爲柔得中, 故初吉也, 否五往居於上體之中, 爲陷險道窮, 故終止則亂也.
기제괘(旣濟卦䷾)는 태괘(泰卦䷊)의 두 몸체가 변한 것으로 이효와 오효 두 효가 주인이기 때문에 「단전」에서 "'처음에는 길함'은 부드러운 음이 알맞음을 얻었기 때문이다. 끝에서 멈추면 어지러움은 그 도가 궁하기 때문이다"로 말했다. 비괘(否卦䷋)의 이효가 와서 하체의 가운데 있어 부드러운 음이 알맞음을 얻었기 때문에 처음에는 길하고, 비괘(否卦䷋)의 오효가 가서 상체의 가운데 있어 험한 데 빠져 도가 궁하기 때문에 끝에서 멈추면 어지럽다.

### 이병헌(李炳憲) 『역경금문고통론(易經今文考通論)』

享小, 謂二也. 坎離爲上經之終, 而旣濟未濟爲下經之終. 剛柔正而位當者, 惟旣濟, 而初吉終亂者, 猶日中則昃, 月盈則食也.
"형통함이 작다"는 것은 이효를 말한다. 감괘와 리괘는 『상경』의 끝이고, 기제괘와 미제괘는 『하경』의 끝이다. "굳셈과 부드러움이 바르고 자리가 마땅하기 때문이다"는 것은 기제괘뿐이고, "'처음에는 길함'은 부드러운 음이 알맞음을 얻었기 때문이다"는 것은 해가 중천에 있으면 기울고 달이 차면 사라지는 것과 같다.

### 권만(權萬) 「역설(易說)」

此終始, 非指初與上而言也. 下卦爲初, 上卦爲終, 下卦離之二得中, 故曰初吉.
여기의 처음과 끝은 초효와 상효를 가리켜 말한 것이 아니다. 하괘가 처음이고 상괘가 끝이니, 하괘인 리괘의 이효가 알맞음을 얻었기 때문에 "처음에는 길하다"고 하였다.

○ 上卦坎有止象亂象. 止, 卽霽行潦止之止. 水之洶湧, 本有亂象, 而火上之水, 沸而跳動, 亦有亂象. 水之沛然而流爲不窮, 而遇火亂沸水, 道之窮也.
상괘인 감괘에 멈추는 상과 어지러운 상이 있다. '멈춘다'는 것은 바로 날이 개어 가다가 소나기로 멈춘다고 할 때의 멈춘다는 것이다. 물의 세찬 흐름에는 본래 어지러운 상이 있고, 불 위의 물이 끓으며 빨리 움직이는 것에도 어지러운 상이 있다. 물은 세차게 흘러 다하지 않는데, 불이 어지럽게 물을 끓이는 것을 만나면 도가 궁한 것이다.

○ 水之性, 混混長流者, 非止也. 而以火遇水, 本有相克相滅之象, 故曰止. 凡人掉臂而行者, 遇水, 則未嘗不止留, 故水有止象. 易象橫看竪看, 無非有象, 而先看本象, 次看旁照之象, 可以參互. 若徒看本象, 而不知旁推, 則泥而不通矣.
물의 특성은 물결치며 길이 흘러가는 것이지 멈추는 것이 아니다. 그런데 불이 물을 만나면 본래 서로 극하여 서로 없애버리는 상이 있기 때문에 '멈춘다'고 하였다. 팔을 흔들며 가는 자가 물을 만나면 머물지 않은 적이 없기 때문에 물에는 멈추는 상이 있다. 『주역』의 상은 종횡으로 보면 상이 있지 않은 적이 없으니, 먼저 본래의 상을 보고 다음에 옆에서 드러나는 상을 참고해야 한다. 본래의 상만 보고 옆에서 추측할 줄 모르면 잘못되어 통하지 못한다.

## 象曰, 水在火上旣濟, 君子以, 思患而豫防之.

「상전」에서 말하였다: 물이 불 위에 있는 것이 기제(旣濟)이니, 군자가 그것을 본받아 환란을 생각하여 미리 방비한다.

## 中國大全

### 傳

**水火旣交, 各得其用, 爲旣濟. 時當旣濟, 唯慮患害之生. 故思而豫防, 使不至於患也. 自古天下旣濟而致禍亂者, 蓋不能思慮而豫防也.**

물과 불이 이미 사귀어 각각 그 쓰임을 얻은 것이 기제괘이다. 기제의 때를 당하였으면 오직 환난과 해가 생기는 것을 우려하여야 한다. 그러므로 생각하여 미리 방비해서 화에 이르지 않게 하는 것이다. 예로부터 천하가 이미 이루어졌는데도 재난과 어지러움이 생기는 것은 사려하여 미리 방비하지 못했기 때문이다.

### 小註

節齋蔡氏曰, 思患, 坎難象, 豫防, 離明象.
절재채씨가 말하였다: 환란을 생각하는 것은 감괘의 어려운 상이고, 미리 방비하는 것은 리괘의 밝은 상이다.

○ 臨川吳氏曰, 時雖旣濟, 凡事當慮其後患, 而爲之先備, 有備則无患. 思者, 慮其後也, 豫者, 爲之於其先也.
임천오씨가 말하였다: 때가 비록 이미 이루어진 때이지만 일이란 마땅히 뒷날의 우환을 염려하여 먼저 방비해야 하니, 방비가 있으면 후환이 없다. 생각하는 것은 그 뒤를 염려하는 것이고, 미리 하는 것은 앞서서 하는 것이다.

○ 平庵項氏曰, 人之用, 莫大於火, 而火常生患. 善濟火者, 莫如水, 思火之爲患, 而儲水以防. 使水常在火上, 其力足以勝之, 則其患亡矣. 是故君子之道, 立敎設政擧事, 知末流之生患, 必皆有以防而濟之.
평암항씨가 말하였다: 사람이 쓰는 것 가운데 불보다 중요한 것이 없지만, 불은 항상 환란을 일으키기도 한다. 불을 잘 끄는 것은 물만한 것이 없으니, 불의 환란을 생각하여 물을 저장하여 방비한다. 물을 항상 불 위에 두어 그 힘이 충분히 이길 수 있게 한다면 그 환란이 없어질 것이다. 그러므로 군자의 도는 가르침을 세우고 정사를 베풀고 일을 시행하여 말류(末流)에서 환란이 생기는 것을 알아 반드시 방비해서 구제한다.

○ 進齋徐氏曰, 旣濟雖非有患之時, 而患每生於旣濟之後, 君子於此愼思而豫爲之防, 則不至於患矣.
진재서씨가 말하였다: 기제는 비록 환란이 있는 때는 아니지만 환란은 매양 이미 이루어진 후에 생기니, 군자가 이에 대해 삼가 생각하여 미리 방지하면 환란에 이르지 않는다.

○ 白雲郭氏曰, 成湯之危懼, 成王之小毖, 皆思患豫防之謂也. 故卦言終亂, 象言豫防, 爻有濡首之厲, 其義一也.
백운곽씨가 말하였다: 탕임금이 두려워하고 성왕이 작은 것을 삼간 것은 모두 환란을 생각하여 미리 방비한 것을 말한다. 그러므로 괘에서는 "끝에는 어지럽다"고 하였고, 「상전」에서는 "미리 방비한다"고 말했으며, 효에는 머리를 적시는 위태로움이 있으니, 그 뜻은 동일하다.

○ 涑水司馬氏曰, 旣濟未濟, 反覆相承也. 艱險未濟, 君子以矜愼之志, 辨物之宜, 處之以道, 如是險无不濟, 功无不成, 事旣濟矣. 无所復爲, 則又當思未萌之患, 而豫防之. 是以君子能康乂民物而永保安榮也.
속수사마씨가 말하였다: 기제괘와 미제괘는 반복해서 서로 이어준다. 어려움이 아직 해결되지 않았을 때에 군자는 삼가는 뜻으로 사물의 마땅함을 변별하고 도로 대처해야 하니, 이와 같이 하면 험함을 모두 구제할 수 있고 공을 이루지 않음이 없어 일이 이미 이루어진다. 다시 할 것이 없을 경우에는 또한 마땅히 아직 싹트지 않은 환란을 생각하여 미리 방비해야 한다. 그러므로 군자는 백성과 만물을 편안하게 다스려 편안과 번영을 길이 보전한다.

# 韓國大全

## 권근(權近) 『주역천견록(周易淺見錄)』

水火相交, 以致其用, 而成既濟之功. □水在於上, 火在於下, 或潰夾而瀉下, 則必有滅火之患而不能成用. 故君子觀此, 思其將然之患, 而豫爲之防也. 既濟初九, 曳其輪, 濡其尾无咎, 六二婦喪其茀, 勿逐, 七日得. 是二爻皆以不進不行, 故無咎, 而且有得也. 彖曰, 終止則亂, 程傳天下之事, 不進則退, 既濟之終不進而止, 衰亂至矣. 是又以不進爲戒者, 初終之義不同也. 在事之初, 當愼勇而不敢□進, 在既成之後, 尤當愼守而不敢怠弛. 方其初而躁進, 則欲速不遲, 而有悔咎矣. 及其成而縱弛, 則既極必變而至衰亂矣.
물과 불이 서로 사귀어 쓰임을 이루고 기제의 공을 이룬다. □ 물이 위에 있고 불이 아래에 있어 혹 어지럽게 가깝게 하며 흘러내리면 반드시 불이 꺼지는 우환이 있어 쓰임을 이룰 수 없다. 그러므로 군자는 이것을 보고 앞으로 생길 우환을 생각하고 미리 방비를 한다. 기제의 "초구는 수레바퀴를 뒤로 끌며 꼬리를 적시면 허물이 없으리라"이고, "육이는 부인이 가리개를 잃었으니, 좇아가지 않더라도 칠 일 만에 얻으리라"이다. 이 두 효는 모두 나아가지 않고 가지 않기 때문에 허물이 없고 또 얻음이 있으니, 「단전」에서 "끝에서 멈추면 어지럽다"라고 하였다. 그런데 『정전』에서 "천하의 일은 나아가지 않으면 물러나고, 이미 이루어진 끝에서 나아가지 않고 멈추면 쇠약하고 어지러움이 이르게 된다"고 하였다. 이것은 또 나아가지 않는 것으로 경계를 삼은 것이니, 처음에는 길하고 끝에는 어지럽다는 의미와 같지 않다. 일의 초기에는 과감한 것을 삼가고 감히 □ 나아가지 않아야 하고, 이미 이룬 다음에는 더욱 삼가 지키고 감히 태만하지 않아야 한다. 그 초기에 조급하게 나아가면 빨리 하고자 하는 것을 늦추지 못해 허물이 생긴다. 이루어서 느긋해지면 이미 다한 것이 반드시 변하여 쇠약하고 어지럽게 된다.

## 송시열(宋時烈) 『역설(易說)』

水決則火滅, 火炎則水涸, 相交之中, 相害之機伏焉. 以坎之心思坎險之爲患, 此坎象也. 離爲虛中, 故以陽之堅固, 防閉於上下. 豫防者, 離之道也, 能防在乎豫, 能豫在乎思. 既濟非有患之時, 然其爲患母, 生於既濟之後, 故君子戈預防之.
「대상전」은 물이 넘쳐 흐르면 불이 꺼지고 불이 타오르면 물이 마르니, 서로 사귀는 가운데 서로 해치는 기미가 숨어 있는 것이다. 감괘의 마음으로 우환이 되는 감괘의 험함을 생각하니 이것이 감괘의 상이다. 리괘는 가운데가 비어있으므로 양의 견고함으로 위아래로 막는 것이다. 예방하는 것은 리괘의 도이다. 예방하는 것으로 막을 수 있고 생각하는 것으로 예방

할 수 있으니, 이미 이룬 것에는 우환이 있는 때가 아니지만 우환의 근본이 되는 것은 이미 이루어진 뒤에 생겨나기 때문에 군자가 창으로 예방한다.

### 이현익(李顯益) 「주역설(周易說)」

節齋蔡氏, 以思患爲坎, 豫防爲離, 平菴項氏, 以患爲火, 防爲水, 二說不同, 項氏長.
절재채씨는 환란을 생각하는 것을 감괘로 미리 방비하는 것을 리괘의 밝은 상으로 여기고, 평암항씨는 환란을 불로 방비를 물로 여겼으니, 두 설명이 같지 않은데, 항씨의 설명이 낫다.

### 이익(李瀷) 『역경질서(易經疾書)』

水火交争, 彗□在其間, 所以成濟, 其或不察而漏洩, 則若水不滃火, 火必爍水, 故曰思患而豫防之.
물과 불이 서로 싸우면 혜□(彗□)이 그 사이에 있기 때문에 이루어짐을 이룸에 혹 살피지 못하여 새면, 물이 불을 구름처럼 덮어버리지 못하고 불이 반드시 물을 말리는 것과 같기 때문에 "환란을 생각하여 미리 방비한다"고 하였다.

### 유정원(柳正源) 『역해참고(易解參攷)』

王氏曰, 存不忘亡, 旣濟不忘未濟也.
왕필이 말하였다: 생존했을 때는 죽음을 잊지 않고 기제에서는 미제를 잊지 않는다.

○ 瓊山丘氏曰, 物極則反, 理極則變, 必然之理也. 人君於此思其未萌之患, 慮其末流之禍, 審之於未然, 遏之於將長, 无使一朝底於不可救藥之地, 則禍患不作, 而常保其安榮矣. 成湯之危懼, 成王之小毖, 皆思患豫防之謂也. 若玄宗德宗宋之徽宗, 皆恃其富盛, 而不能謹之於始, 審之於微, 思其所必至之患, 而豫有以防之也.
경산구씨가 말하였다: 사물이 다하면 되돌아오고 이치가 다하면 변하는 것은 반드시 그런 이치이다. 임금은 이 때문에 아직 싹트지 않은 우환과 아직 생기지 않은 재난을 생각함으로 그렇게 되지 않았을 때에 살피고 자라려고 할 때에 막아 어느 날 아침 약을 구할 수 없는 지경에 이르게 함이 없으니, 재난과 우환이 생기지 않아 그 편안함과 영화를 항상 보존한다. 성탕(成湯)이 두려워하고 성왕(成王)이 작은 것을 삼간 것은 모두 우환을 생각하여 미리 예방한 것을 말한다. 당나라의 현종(玄宗)과 덕종(德宗) 및 송나라의 휘종(徽宗)이라면, 모두 부귀하고 성대함을 믿어 처음에 삼가고 미미할 때 살필 수 없었으니, 반드시 생길 우환을 생각하여 미리 방지하는 것이다.

김상악(金相岳) 『산천역설(山天易說)』

思患者, 離之明, 豫防者, 坎之難. 水火居五行之初, 形之未成, 氣之先見者, 故言思豫. 未雨而徹桑土, 未火而徙積薪, 皆思患而豫防之也.

환란을 생각하는 것은 리괘의 밝음이고, 미리 방비하는 것은 감괘의 어려움이다. 물과 불이 오행의 초기에 있어 형태가 이루어지지 않고 기운이 먼저 드러난 것이기 때문에 생각하여 미리 방비한다고 하였다. 비가 오기 전에 뽕나무 뿌리로 둥지를 엮어 놓는 것이고 불이 나기 전에 장작더미를 옮겨놓는 것은 모두 환란을 생각하여 미리 방비하는 것이다.

서유신(徐有臣) 『역의의언(易義擬言)』

水火相逮爲用, 制其過而輔其不及, 是爲旣濟也. 水火有不意之患, 故必思度而豫防之, 不以旣濟爲安也.

물과 불이 서로 가까이 하여 쓰임이 됨에 지나친 것을 절제하고 부족한 것을 보충하는 것이 기제이다. 물과 불에는 예기치 못한 우환이 생기기 때문에 반드시 생각하고 헤아려서 미리 방비하고 이미 이룬 것으로 편안함을 삼지 않는다.

이지연(李止淵) 『주역차의(周易箚疑)』

泰極則否, 旣濟極則未濟, 安而不忘危, 存而不忘亡者也, 大象曰, 思患而豫防之.

태괘가 다하여 비괘가 되고 기제괘가 다하여 미제괘여서 편안한데도 위태로움을 잊지 않고 보존하는데도 망할 것을 잊지 않으니, 「상전」에서 "환란을 생각하여 미리 방비한다"고 하였다.

김기례(金箕澧) 「역요선의강목(易要選義綱目)」

思患, 指坎險, 豫防, 指離明, 如慮火患者, 必備水而待.

환란을 생각하는 것은 감괘의 험함을 가리키고 미리 방비하는 것은 리괘의 밝음을 가리키니, 이를테면 화재를 염려하는 자가 반드시 물을 준비해서 대비하는 것과 같다.

윤행임(尹行恁) 『신호수필(薪湖隨筆)·역(易)』

思患, 於旣濟之後, 是謂在莒之思, 豫防於思患之時, 是謂擊柝之義.

환란을 생각하는 것은 이미 이루어진 뒤에 있으니, 바로 거(莒) 땅에서의[11] 생각을 말하고, 미리 방비하는 것은 우환을 생각하는 때에 있으니, 바로 밤에 순찰하는 의미[12]를 말한다.

### 심대윤(沈大允) 『주역상의점법(周易象義占法)』

君子觀水之克火, 在平安之日, 思患而豫防之. 坎爲憂患. 坤一變爲艮, 艮爲思爲豫爲防. 再變爲坎, 思而豫防, 則不至于患矣. 思患豫防者, 正其前事之餘, 防其後事之萌. 前功不懷, 則後事不萌, 後事能防, 則前功不壞.

군자는 물이 불을 극하는 것을 보고 평안할 때에 환란을 생각하여 미리 방비한다. 감괘는 우환이다. 곤괘가 한 번 변하여 간괘가 되니, 간괘는 생각함이고 미리이고 방비함이다. 다시 변하여 감괘가 되면 생각하여 미리 방비하니, 환란에 이르지 않는다. 환란을 생각하여 미리 방비하는 자는 앞일의 나머지까지 바로잡아 뒷일의 싹까지 방비한다. 앞일이 무너지지 않으면 뒷일이 싹트지 않고 뒷일을 방비할 수 있으면 앞의 공이 무너지지 않는다.

### 오치기(吳致箕) 「주역경전증해(周易經傳增解)」

水火既交, 爲既濟之象, 而天下之患, 每生於既濟之後, 君子以之慮患害之生, 而預防之也. 坎險爲患之象, 離明爲思之象. 預防謂圖之在早, 而未雨徹桑土, 未火徙積薪之類也.

물과 불이 이미 사귀어 기제의 상이 되었는데, 천하의 우환은 기제의 다음에 매번 생기니, 군자가 그것을 본받아 우환과 해로움이 생기는 것을 생각하여 미리 방비하였다. 감괘의 험함이 우환의 상이고, 리괘의 밝음이 생각의 상이다. '미리 방비한다'는 것은 미리 도모하는 것을 말하니, 비가 오기 전에 뽕나무 뿌리로 둥지를 엮어 놓는 것이고 불이 나기 전에 장작더미를 옮겨놓는 것들이다.

### 이병헌(李炳憲) 『역경금문고통론(易經今文考通論)』

荀曰, 六爻既正, 必當復亂, 故君子象之, 思患而豫防之.

순상이 말하였다: 여섯 효가 이미 바르게 되어 반드시 다시 어지럽게 되기 때문에 군자가 그것을 본받아 환란을 생각하여 미리 방비한다.

按, 水在上, 火在下, 防之不密, 則患卽至矣.

내가 살펴보았다: 물이 위에 있고 불이 아래에 있는데 방비하는 것이 치밀하지 않으면 환란이 바로 생긴다.

---

11) 과거 험난한 곤경에 처했을 때를 말한다. 제 환공(齊桓公)이 공자(公子) 시절에 거(莒) 땅으로 망명하여 온갖 어려움을 겪었는데, 귀국하여 즉위한 뒤 축하연(祝賀宴)이 벌어졌을 때 포숙아(鮑叔牙)가 술잔을 올리면서 "우리 임금께서 조국을 떠나 거 땅으로 망명했던 때를 잊지 않으시기를 축원한다.[祝吾君无忘其出而在莒也]"고 말했던 고사가 있다.

12) 『周易·繫辭下』: 重門擊柝, 以待暴客, 蓋取諸豫.

## 初九, 曳其輪, 濡其尾, 无咎.

초구는 수레바퀴를 뒤로 끌며 꼬리를 적시면 허물이 없으리라.

### 中國大全

**傳**

初以陽居下, 上應於四, 又火體, 其進之志銳也. 然時旣濟矣, 進不已, 則及於悔咎. 故曳其輪濡其尾, 乃得无咎. 輪所以行, 倒曳之, 使不進也. 獸之涉水, 必揭其尾, 濡其尾, 則不能濟. 方旣濟之初, 能止其進, 乃得无咎, 不知已, 則至於咎也.

초효는 양으로서 아래에 있으면서 위로 사효에 호응하고 또 불[火]의 몸체이니,[13] 그 나아가려는 뜻이 날카롭다. 그러나 때가 이미 이루어졌는데도 나아감을 그치지 않으면 후회와 허물에 미친다. 그러므로 수레바퀴를 뒤로 끌고 꼬리를 적셔 허물이 없을 수 있다. 수레바퀴는 굴러가는 것인데, 거꾸로 끌어서 나아가지 못하게 하는 것이다. 짐승은 물을 건널 때에 반드시 꼬리를 드니, 꼬리를 적시면 건너가지 못한다. 이미 이루어진 초기에 그 나아감을 그치면 이에 허물이 없을 수 있으니, 그칠 줄 모르면 허물에 이른다.

**本義**

輪在下, 尾在後, 初之象也. 曳輪則車不前, 濡尾則狐不濟. 旣濟之初, 謹戒如是, 无咎之道, 占者如是, 則无咎矣.

수레바퀴는 아래에 있고 꼬리는 뒤에 있으니, 초효의 상이다. 수레바퀴를 뒤로 끌면 수레가 나아가지 못하고 꼬리를 적시면 여우가 건너가지 못한다. 이미 이루어진 초기에 삼가고 경계하기를 이와 같이 하면 허물이 없는 도이니, 점치는 자가 이와 같이 하면 허물이 없을 것이다.

---

13) 하괘가 불을 상징하는 리괘(離卦)이기 때문에 이렇게 말하였다.

小註

朱子曰, 曳輪濡尾, 是只爭些子時候, 是欲到與未到之間, 不是不欲濟, 是要濟而未敢輕濟. 如曹操臨敵, 意思安閑, 如不欲戰, 老子所謂與兮若冬涉川之象. 涉則畢竟涉, 只是畏那寒了, 未敢便涉.
주자가 말하였다: 수레바퀴를 뒤로 끌며 꼬리를 적시는 것은 조금의 시간을 다투는 일로 도달하고자 하는 것과 아직 도달하지 않은 것의 사이에서 이루고자 하지 않는 것이 아니라 이루려고 하면서도 감히 경솔하게 이루지 못하는 것이다. 예를 들어 조조(曹操)가 적군을 맞아 뜻이 편안하고 한가하여 마치 싸우려고 하지 않는 듯 했던 것과 같으니, 노자의 이른바 "망설이기를 겨울에 내를 건너는 것처럼 한다"[14]는 상이다. 건너는 것을 결국 건너겠지만, 다만 차가운 것이 두려워 감히 바로 건너지 못하는 것이다.

○ 臨川吳氏曰, 旣濟之初, 可以濟, 而守正不遽進也. 如車將濟水而曳其輪, 狐將濟水而濡其尾, 雖不遽濟而終可濟, 故无咎.
임천오씨가 말하였다: 기제괘의 초효는 이룰 수 있는데도 바름을 지켜서 갑자기 나아가지 않는다. 수레가 물을 건너가려고 하면서 바퀴를 뒤로 끌며, 여우가 물을 건너려 하면서 꼬리를 적시는 것과 같아서, 비록 갑자기 건너가지는 않을지라도 마침내 건너야 하는 것이기 때문에 허물이 없다.

○ 中溪張氏曰, 輿以輪而行, 曳其輪, 則不前, 不亟行也. 獸必揭其尾而後濟, 濡其尾, 則不掉, 不速濟也. 初以剛居剛而應乎四, 當濟之始, 勇於上進, 故以此戒之.
중계장씨가 말하였다: 수레는 바퀴로 가는데 바퀴를 뒤로 끄니 나아가지 못하고 빨리 갈 수가 없다. 짐승은 반드시 꼬리를 올린 이후에 물을 건널 수 있는데, 꼬리를 적시면 흔들지 못하고 빨리 건널 수 없다. 초효는 굳센 양으로 굳센 양의 자리에 있으면서 사효에 호응하며, 기제의 처음에 있으면서 위로 나아가는 데 용감하기 때문에 이로써 경계하였다.

○ 隆山李氏曰, 徐進而不躐等, 无咎之道也.
융산이씨가 말하였다: 서서히 나아가 치례를 건너뛰지 않는 것이 허물이 없게 되는 방법이다.

○ 雲峯胡氏曰, 九剛動之才, 有輪象. 初一卦之後, 有尾象. 輪所以行, 此旣濟之時也而有未濟之象, 謹戒如此. 蓋欲濟而未肯輕也, 故无咎.

14)『道德經』: 十五章. 與兮若冬涉川, 猶兮若畏四隣.

운봉호씨가 말하였다: 구(九)는 굳세고 움직이는 재질이어서 바퀴의 상이 있다. 초효는 한 괘의 뒤에 있어서 꼬리의 상이 있다. 바퀴는 그걸로 가는 것이니, 이는 이미 이루어진 때이지만 아직 이루어지지 않은 상이 있어 이와 같이 삼가고 경계하는 것이다. 이루고자 하면서도 경솔하지 않으려고 하기 때문에 허물이 없다.

## ‖ 韓國大全 ‖

### 송시열(宋時烈)『역설(易說)』

坎爲曳爲輪爲水, 故曰濡, 爲狐, 故曰尾. 言初與六四爲應, 則互爲坎, 若牽曳其輪, 初近於水坎. 尾在後, 初猶後也, 故曰濡其尾, 其意无咎, 占亦如之.

감괘는 끄는 것이고 수레이며 물이기 때문에 "적신다"고 하였고, 여우이기 때문에 '꼬리'라고 하였다. 초효가 육사와 호응하여 호괘가 감괘가 되는 것은 수레바퀴를 끄는 것처럼 초효가 물인 감괘에 가까이 가는 것이라는 말이다. 꼬리는 뒤에 있어 초효가 뒤와 같기 때문에 "꼬리를 적신다"고 하였고, 그 의미는 허물이 없는 것이니 점도 그와 같다.

### 이익(李瀷)『역경질서(易經疾書)』

初九之輪, 卽六二喪茀之車輪. 特曳者在初, 故於此發之. 濡其尾與未濟同, 而以未濟之象推之, 則亦狐濡其尾也. 彼傳云亦不知極, 看一亦字, 可見其同義. 狐非曳輪之獸. 則各自爲義, 両句非相帖也. 六二雖得中正婦歸, 宜有遲待. 故初九爲之曳住, 至七日得其喪茀, 然後始發, 恰與屯六二之辭, 相似如是, 則得其中道矣. 乃若初之濡尾者, 狐之涉水, 必揚其尾, 差失而沾濡, 則雖不善, 旣濟故亦无咎之.

초구의 수레바퀴는 바로 육이의 가리개를 잃은 수레바퀴이다. 단지 뒤로 끄는 것이 초효에 있기 때문에 여기에서 드러냈다. 꼬리를 적시는 것은 미제와 같고 미제의 상으로 미루어보면 또한 여우가 꼬리를 적시는 것이다. 미제괘의 초효 「상전」에서 "또한 알지 못함이 지극한 것이다"라고 하였는데, '또한'이라고 한 말을 보고 그것이 같은 뜻임을 알았다. 여우가 수레를 뒤로 끌 수 있는 짐승이 아니다. 그렇다면 각기 스스로 의미가 있으니 두 구절은 서로 이어지는 것이 아니다. 육이가 중정을 얻어 여자가 시집갈지라도 천천히 기다려야 한다. 그러므로 초구가 뒤로 끌며 감에 칠 일이 되어 잃어버린 가리개를 얻은 다음에 비로소 가니,

꼭 준괘(屯卦) 육이의 말[15]과 이처럼 서로 비슷한 것은 중도를 얻은 것이다. 이에 만약 초구의 꼬리를 적시는 것이 여우가 물을 건넘에 반드시 그 꼬리를 들어야 하는데 잘못해서 적신 것이라면 잘한 것은 아닐지라도 기제이기 때문에 또한 허물이 없다.

### 유정원(柳正源) 『역해참고(易解參攷)』

鄭氏剛中曰, 坎爲輪. 初在坎後, 曳之也.
정강중이 말하였다: 감괘가 수레바퀴이다. 초효가 감괘의 뒤에 있으니, 뒤로 끄는 것이다.

○ 節齋蔡氏曰, 狐有濡尾象, 亦坎象.
절재채씨가 말하였다: 여우에게는 꼬리를 적시는 상이 있으니, 또한 감괘의 상이다.
小註, 朱子說, 與兮涉川, 道德經語.
소주에서 주자가 '망설이기를 내를 건너는 것처럼 한다'는 것은 『도덕경』 15장의 말이다.

○ 朱子曰, 老子說話只是欲得退步, 不與事物接. 如治人事天, 迫之而後動.
주자가 말하였다: 노자의 말은 단지 물러나려고 하는 것으로 사물과 만나지 않는 것이다. 이를테면 '사람을 다스리고 하늘을 섬기는 것'은 급박하게 된 다음에 움직이는 것이다.

○ 案, 與獸名, 象屬進退多疑. 禮記亦作猶與, 而老子一本作豫, 蓋與豫, 古字通用.
내가 살펴보았다: 여(與)는 짐승의 이름으로 진퇴에 의심이 많은 것을 상징한다. 『예기』에서도 '유(猶)와 여(與)'[16]라고 기록했다. 어떤 『노자』 본에서는 예(豫)라고 하였으니, 예(豫)와 옛날 글자에서는 통용되었다.

### 김상악(金相岳) 『산천역설(山天易說)』

當旣濟之時, 以剛居初, 有承應之交, 宜可以進, 而曳輪濡尾, 則不濟, 戒謹如是, 故得无咎. 時雖旣濟, 坎險在前, 故取象如此.
기제의 때에 굳셈으로 초효에 있고 계승하고 호응하는 사귐이 있어 나아가야 하는데, 수

---

15) 『周易 · 屯卦』: 육이는 어려워하고 머뭇거리며 말을 탔지만 내려오니, 도적이 아니라 혼인하려는 자이다. 여자가 정조를 지켜 시집가지 않다가 십 년이 되어서야 시집간다.[六二, 屯如邅如, 乘馬班如, 匪寇, 婚媾. 女子貞, 不字, 十年, 乃字.]

16) 『禮記 · 曲禮上』: 龜爲卜, 筴爲筮. 卜筮者, 先聖王之所以使民信時日, 敬鬼神, 畏法令也, 所以使民決嫌疑, 定猶與也. 故曰, "疑而筮之, 則弗非也, 日而行事, 則必踐之."

레바퀴를 뒤로 끌며 꼬리를 적시는 것은 이루지 못한 것이어서 이처럼 경계하고 삼가기 때문에 허물이 없을 수 있다. 때가 기제일지라도 감괘가 앞에 있기 때문에 이처럼 상을 취하였다.

○ 坎爲車爲曳, 而初在下, 故曰曳其輪. 記云車輪曳踵, 亦愼重之意也. 坎爲水, 又爲狐, 而初居後, 故曰濡其尾. 凡獸之涉水者, 皆揭其尾, 而狐則拖而在下, 故霑濡則不濟也. 約註, 旣濟爲已渡之濡, 未濟爲方渡之濡, 所以旣未濟以初爲尾, 而輪分初二. 蓋旣濟之曳輪, 在濡尾之前, 故无咎. 未濟之濡尾在初, 而不及曳輪, 故吝. 九二則曳輪在濡尾之後, 故貞吉. 變爻爲蹇, 蹇之初六曰, 往蹇, 來譽, 故本爻之象如此.
감괘는 수레이고 끄는 것인데 초효가 아래에 있기 때문에 "수레바퀴를 뒤로 끈다"고 했다. 『예기』에서 "수레바퀴가 구르듯이 발꿈치를 이으면서 간다"[17]는 것도 신중하다는 의미이다. 감괘는 물이고 또 여우인데 초효가 뒤에 있기 때문에 "꼬리를 적신다"고 하였다. 짐승들이 물을 건널 경우 모두 꼬리를 드는데, 여우는 끌면서 아래에 두기 때문에 적신다면 건너가지 않는다. 주석을 요약하면, 기제는 이미 건너서 적신 것이고, 미제는 막 건너면서 적신 것이기 때문에 기제와 미제에서는 초효가 꼬리이고, 수레바퀴는 초효와 이효로 나누어졌다. 구이는 수레바퀴를 뒤로 끄는 것이 적신 꼬리 뒤에 있기 때문에 바름이 길하다. 기제괘(旣濟卦䷾)의 초효가 변하면 건괘(蹇卦䷦)인데, 건괘(蹇卦) 초육에서 "가면 어렵고 오면 명예롭다"라고 하였기 때문에 기제괘 초효의 상이 이와 같다.

### 서유신(徐有臣) 『역의의언(易義擬言)』

坎爲輿, 初其輪也, 離爲牛, 初其尾也. 曳其輪而緩行, 不驅險也. 濡其尾, 不濡其身, 不入深也. 旣濟之始, 持重不妄進, 故无咎也.
감괘가 수레이고 초효가 그 바퀴이며, 리괘가 소이고 초효가 그 꼬리이다. 수레바퀴를 뒤로 끌어 천천히 가며 험한 곳으로 달려가지 않는다. 꼬리를 적신 것은 몸을 적시지 않은 것이고 깊이 들어가지 않은 것이다. 기제의 처음에는 신중함을 유지하여 함부로 나아가지 않기 때문에 허물이 없다.

### 박제가(朴齊家) 『주역(周易)』

本義, 輪在下, 尾在後, 初之象也, 說得極好. 朱子曰, 不是不欲濟, 是要濟而未敢輕濟.

17) 『禮記 · 曲禮下』: 執主器操幣圭璧, 則尙左手, 行不擧足, 車輪曳踵. 구절의 주, 車輪曳踵者, 曳, 拽也, 踵脚後也. 若執器行時, 則不得擧足, 但起前拽後, 使踵如車輪曳地而行, 故云車輪曳踵.

臨川吳氏曰, 車將濟水而曳其輪, 狐將濟水而濡其尾, 雖不遽濟而終可濟故无咎.
『본의』에서 "수레바퀴는 아래에 있고 꼬리는 뒤에 있으니, 초효의 상이다"라고 한 것은 설명이 아주 좋다. 주자는 "이루고자 하지 않는 것이 아니라 이루려고 하면서도 감히 경솔하게 이루지 못하는 것이다"라고 하였다. 임천오씨는 "수레가 물을 건너가려고 하면서 바퀴를 뒤로 끌며, 여우가 물을 건너려 하면서 꼬리를 적시니, 비록 갑자기 건너가지는 않을지라도 마침내 건너야 하는 것이기 때문에 허물이 없다"라고 하였다.

案, 卦爲旣濟, 則雖濟之初, 水已在後矣, 又何欲濟終濟之云乎. 經之云, 非不輕濟也, 乃雖已濟, 而如未濟之謂耳, 如此則无咎也. 雲峯胡氏曰, 此旣濟之時也, 而有未濟之象, 謹戒如此者得之. 而下又曰, 欲濟而未肯輕, 則又未免磨驢之跡, 何也.
내가 살펴보았다: 괘가 기제(旣濟䷾)이면 이룬 것의 초기일지라도 물이 이미 뒤에 있으니, 또 어째서 '건너고자 한다'거나 '끝내 건넌다'고 말하는가? 『역경』에서 말한 것은 경솔하지 않게 건너려는 것이 아니라 이미 건넜을지라도 아직 건너지 않는 것처럼 한다는 말일 뿐이니, 이와 같이 하면 허물이 없다. 운봉호씨가 "이는 이미 이루어진 때이지만 아직 이루어지지 않은 상이 있어 이와 같이 삼가고 경계하는 것이다"라고 한 것은 맞다. 그런데 또 아래에서 "이루고자 하면서도 경솔하지 않으려고 한다"라고 한 것은 빙빙 도는 흔적을 면하지 못하였으니, 무엇 때문이겠는가?

### 이지연(李止淵) 『주역차의(周易箚疑)』

時旣濟矣, 事亦已濟矣, 止而不進可也. 進則已爲未濟之漸矣.
때가 이미 이루어졌으면 일도 이미 이루어졌으니, 멈추고 나아가지 않아야 된다. 나아가면 이미 미제괘로 점차 나아가는 것이 된 것이다.

### 김기례(金箕澧) 「역요선의강목(易要選義綱目)」

在互坎之下, 故取坎輪坎水坎狐, 而曰輪曰濡曰尾. 初以剛明之才, 勿爲應四速濟之計, 當謹始而如挽欲行之車, 如濡涉川之狐尾, 不必速就, 豫備涉險之患, 則无咎.
호괘인 감괘의 아래에 있기 때문에 감괘의 수레바퀴 · 감괘인 물 · 감괘인 여우를 취하여 수레바퀴라고 하고 적신다고 하며 꼬리라고 하였다. 초효는 굳세고 밝은 재질로 사효와 호응하여 빨리 이루려는 계책을 하지 말고, 삼가며 시작하여 나아가려는 수레를 잡아당기는 듯이 내를 건너려는 여우꼬리를 적시는 듯이 반드시 빨리 나아가지 않으면서 험함을 건너는 환란을 미리 대비하면 허물이 없다.

### 심대윤(沈大允) 『주역상의점법(周易象義占法)』

二濟終始之義也. 水火合體以成卦, 水火之爲物, 陰陽變化, 而體用翻覆, 爲萬事萬物, 成毁終始之主, 故居上下經之末, 而爲先後天之終也. 上經坎離分居, 有其體而无其用, 先天氣化之理也. 下經二濟體用具備, 後天成形之道也. 二濟之辭, 多取彼此相對. 及之變卦, 彼此之象, 象其變化, 而互爲體用也. 旣濟之爻位, 居剛用力以治事也, 居柔不用力以待事之來也.

기제괘와 미제괘는 끝과 처음의 의미이다. 물과 불이 몸체를 합해 괘를 이룸에 물과 불은 음과 양이 변화하고 몸체와 쓰임이 번복해서 모든 일과 모든 사물 · 이룸과 훼손 · 끝과 처음이 되는 근본이기 때문에 『상경』과 『하경』의 끝에 있으면서 선천과 후천의 마침이 된다. 『상경』은 감괘와 리괘가 나눠져 있어 몸체는 있으나 쓰임은 없으니, 선천의 기가 변화하는 이치이기 때문이다. 『하경』은 기제괘와 미제괘는 몸체와 쓰임을 모두 갖추었으니 후천의 형태를 이루는 도리이기 때문이다. 기제괘와 미제괘라는 말은 대부분 저것과 이것이 서로 짝하는 것에서 취하였다. 괘로 변함에 저것과 이것의 상은 그 변화를 상징해서 서로 몸체와 작용이 된 것이다. 기제괘에서 효의 자리는 굳센 자리에 있으면 힘을 다해 일을 하는 것이고, 부드러운 자리에 있으면 힘을 다하지 않고 일이 오기를 기다리는 것이다.

旣濟之蹇䷦, 流行而朋合也. 旣濟之義, 異物合用, 而旣濟之世, 上下同心, 每卦初爻, 卽具全卦之義也, 凡濟事與濟水同義. 濟水者, 旣濟一水, 復有一水之在前, 前者未濟也. 旣濟內離枯, 而外坎流行乎地上, 旣濟後水而前水未濟也. 未濟, 內坎流而外離枯, 行乎水中, 旣離此岸, 而未到彼岸也. 旣濟平安而未濟危險也. 旣濟之初爻旣濟也, 六爻未濟也. 未濟之初爻未濟也, 六爻旣濟也.

기제괘가 건괘(蹇卦䷦)로 바뀌었으니, 떠돌아다니다가 친구들이 만난 것이다. 기제괘의 의미는 다른 것들이 합해서 쓰이는 것이어서 그 시대는 상하가 한마음이다. 괘마다 초효가 바로 전체 괘의 의미를 갖추고 있고, 일을 이루는 것은 물을 건너는 것과 같은 의미이다. 물을 건너는 자가 이미 하나의 물을 건넜는데, 다시 앞에 하나의 물이 있어 그것을 아직 건너지 못했다. 이미 내괘인 리괘(離卦☲)가 물을 말린 것은 이미 건넜는데, 외괘인 감괘(坎卦☵)가 지상에 흘러가고 있으니, 뒤의 물을 이미 건넜는데 앞의 물을 아직 건너지 못한 것이다. 미제괘(未濟卦䷿)는 안으로 감괘(坎卦☵)가 흘러가고 있고 밖으로 리괘(離卦☲)가 말리고 있어 물 가운데를 지나가는 것으로 이쪽 언덕을 이미 떠났으나 저쪽 언덕에 아직 도달하지 못한 것이다. 그러니 기제괘는 평안하고 미제괘는 위험하다. 기제괘의 초효는 이미 이룬 것이고, 육효는 아직 이루지 못한 것이다. 미제괘의 초효는 아직 이루지 못한 것이고 육효는 이미 이룬 것이다.

既濟之濡其尾, 旣登平地, 而其在後者, 尙在於水也, 濡其首, 平地將盡, 而其在先者, 復及於水也. 未濟之濡其尾, 將度大水, 而其始進者, 先及於水也, 濡其首, 大水旣盡, 而其終進者, 猶在於水也. 故俱曰濡. 凡天下之成事, 上爲先而下爲後, 天下之生事, 下爲始而上爲終也. 初九以剛居剛, 用力治敝, 而上應于四, 天下始平, 在下之人親附大臣, 而爲三之隔, 上下之情尙未孚也.
기제괘에서 '꼬리를 적신 것'은 이미 평지에 올라섰는데, 그 뒤에 있는 자들이 아직 여전히 물에 있는 것이고, '머리를 적시는 것'은 평지가 거의 끝나 앞에 있는 자들이 다시 물에 가까이 간 것이다. 미제괘에서 '꼬리를 적신 것'은 큰물을 건너려고 앞선 자들이 먼저 물에 다가간 것이고, '머리를 적신 것'은 큰물이 이미 다해 뒤에 오는 자들이 여전히 물에 있는 것이다. 그러므로 모두 "적신다"고 하였다. 천하가 일을 이룸에는 위가 먼저이고 아래가 나중이며, 천하가 일을 시작함에는 아래가 시작이고 위가 끝이다. 초구는 굳센 것이 굳센 자리에 있음으로 힘을 다해 폐단을 다스리고 위로 사효와 호응하여 천하가 비로소 평안해짐에 아랫사람들이 대신을 가까이 하나 삼효가 막고 있으니 위아래의 정이 아직 미덥지 않다.

朋類相合以從于上, 而治前事之餘弊, 故曰曳其輪. 曳自後引之也, 其事无專主也. 輪所以行也. 乾爲輪, 初從于四, 則爲乾二居離, 自後麗附爲曳. 曳其輪, 如濟水之攀, 引其前而登岸也. 初之時, 大事甫成, 而餘弊之未盡者尙多, 如濟水之未盡登岸, 故曰濡其尾. 離之對坎, 坎離爲麗於水曰濡. 居艮獸之下爲尾, 尾在後而无所用, 言從上而不自用也, 故无咎.
친구들이 서로 합해 위를 따르고 앞일에서 나머지 잘못된 것을 다스리기 때문에 "수레바퀴를 뒤로 끈다"고 하였다. '뒤로 끄는 것'은 뒤에서 당기는 것으로 그 일을 전담하는 주인이 없는 것이다. '수레바퀴'는 가기 위한 것이다. 건괘가 수레바퀴인데, 초효가 사효를 따르니, 건괘의 두 효가 리괘에 있어 뒤에서 달라붙어 있는 것이 뒤로 끄는 것이다. '수레바퀴를 뒤로 끄는 것'은 뒤에 붙어 있는 것이 끄는 것이다. '뒤로 끄는 것'은 물을 건널 때 매달리는 사람을 앞으로 당겨 언덕에 오르게 하는 것과 같다. 처음에 큰일을 크게 이루었으나 나머지 미진한 폐단이 아직 많아 물을 건넘에 아직 언덕에 다 오르지 못한 것과 같기 때문에 "꼬리를 적신다"고 하였다. 리괘(離卦☲)가 감괘(坎卦☵)를 짝해 감괘와 리괘가 물에 걸린 것을 "적신다"고 하였다. 간괘(艮卦☶)인 짐승의 아래에 있어 꼬리인데, 그것이 뒤에 있어 쓸데가 없다는 것은 위를 따라 스스로 쓰이지 않기 때문에 허물이 없다는 말이다.

### 오치기(吳致箕) 「주역경전증해(周易經傳增解)」

初九陽剛, 得正而在下, 當旣濟之初, 志在守成, 不輕其進, 有曳輪濡尾之象. 然上有正應, 而火性炎上, 雖若銳進而致咎, 以其剛明而居正, 能戒謹於初, 故言无咎.
초구는 양의 굳셈으로 바름을 얻어 아래에 있고 기제의 처음에 뜻이 이루어진 것을 지키는 데 있어 경솔하게 나아가지 않으니, 수레바퀴를 뒤로 끌고 꼬리를 적시는 상이 있다. 그러나 위로 바른 호응이 있고 불의 특성은 타올라서 날카롭게 나가 허물을 이룰 것 같으나 굳세고 밝음으로 바르게 처신하여 처음에 경계하고 삼갈 수 있기 때문에 허물이 없다고 말하였다.

○ 曳輪, 皆取於應坎, 濡亦取坎也. 坎爲狐, 而初在坎之下, 故曰尾, 亦以變艮爲尾也. 輿行必賴其輪, 而曳輪則不前也. 狐涉必揭其尾, 而濡尾則不濟也.
수레바퀴를 뒤로 끄는 것은 모두 감괘에 호응하는 것에서 취하였고, 적시는 것도 감괘에서 취하였다. 감괘는 여우이고 초효는 감괘의 아래에 있기 때문에 '꼬리'라고 하였으니, 또한 변한 간괘를 꼬리로 여긴다. 수레가 굴러가는 데는 반드시 그 바퀴에 의지하는데 바퀴를 뒤로 끌면 나아가지 못한다. 여우가 물을 건널 때는 반드시 그 꼬리를 드니, 꼬리를 적시고는 건너지 못하기 때문이다.

### 이진상(李震相) 『역학관규(易學管窺)』

坎爲輪爲曳爲狐爲濡, 而初在坎後, 故以尾言.
감괘가 수레바퀴이고 끄는 것이며 여우이고 적시는 것이며 초효가 감괘의 뒤에 있기 때문에 꼬리로 말하였다.

## 象曰, 曳其輪, 義无咎也.

「상전」에서 말하였다: "수레바퀴를 뒤로 끄는 것"은 의리에 허물이 없는 것이다.

## 中國大全

傳

既濟之初而能止其進, 則不至於極, 其義自无咎也.

이미 이루어진 초기에 나아감을 그치면 극한에 이르지 않으니, 그 의리에 스스로 허물이 없는 것이다.

## 韓國大全

### 김상악(金相岳) 『산천역설(山天易說)』

義无咎, 與解初六相似.

의리에 허물이 없는 것은 해괘(解卦) 초육[18]과 서로 비슷하다.

### 서유신(徐有臣) 『역의의언(易義擬言)』

曳輪緩行, 不害於初四應與之義也.

수레바퀴를 뒤로 끌어 천천히 가 초효와 사효가 함께하는 의의를 해치지 않는다.

18) 『周易 · 解卦』: 초육은 허물이 없다.[初六, 无咎.]

오치기(吳致箕) 「주역경전증해(周易經傳增解)」

旣濟之初, 而能止其進, 則不至於極, 其義自旡咎也.
이미 이루어진 초기에 나아감을 그치면 극한에 이르지 않으니, 그 의리에 스스로 허물이 없는 것이다.

박문호(朴文鎬) 「경설(經說)·주역(周易)」

旣濟未濟, 表裏之卦, 而濡尾於未濟, 以狐言之, 故此本義亦, 以狐言. 蓋狐性多疑, 尤疑於水, 故詩中多言狐於涉水.
기제괘와 미제괘는 겉과 안의 괘인데, 미제괘에서 꼬리를 적시는 것을 여우로 말하였기 때문에 여기의 『본의』에서도 여우로 말하였다. 여우의 성질은 의심이 많은데 물에서는 더욱 의심하기 때문에 『시경』에서 물을 건너는 것으로 여우를 많이 말하였다.

이병헌(李炳憲) 『역경금문고통론(易經今文考通論)』

宋曰, 初在後, 稱尾. 尾濡曳咎也. 得正有應於義, 危而無咎矣.
송충(宋衷)은 말하였다: 초효가 뒤에 있으니, 꼬리를 말한다. 꼬리가 젖고 뒤로 끄는 것은 허물이다. 바름을 얻어 의에 호응하니 위태롭지만 허물이 없다.

程傳曰, 能止其進, 則不至於極, 義自無咎.
『정전』에서 말하였다: 나아감을 그치면 극한에 이르지 않으니, 그 의리에 스스로 허물이 없는 것이다.

## 六二, 婦喪其茀, 勿逐七日得.

정전 육이는 부인이 가리개를 잃었으니, 쫓아가지 않으면 칠 일 만에 얻으리라.
본의 육이는 부인이 가리개를 잃었으니, 쫓아가지 않더라도 칠 일 만에 얻으리라.

### 中國大全

**傳**

二以文明中正之德, 上應九五剛陽中正之君, 宜得行其志也. 然五旣得尊位, 時已旣濟, 无復進而有爲矣, 則於在下賢才, 豈有求用之意. 故二不得遂其行也. 自古旣濟而能用人者鮮矣. 以唐太宗之用言, 尙怠於終, 況其下者乎. 於斯時也, 則剛中反爲中滿, 坎離乃爲相戾矣. 人能識時知變, 則可以言易矣. 二陰也, 故以婦言. 茀, 婦人出門以自蔽者也, 喪其茀, 則不可行矣. 二不爲五之求用, 則不得行, 如婦之喪茀也. 然中正之道, 豈可廢也. 時過則行矣. 逐者, 從物也, 從物則失其素守. 故戒勿逐, 自守不失, 則七日當復得也. 卦有六位, 七則變矣, 七日得, 謂時變也. 雖不爲上所用, 中正之道, 无終廢之理, 不得行於今, 必行於異時也, 聖人之勸戒深矣.

이효는 밝고 중정한 덕으로 위로 구오의 굳센 양이면서 중정한 임금에게 호응하니, 그 뜻을 행할 수 있어야 한다. 그러나 오효가 이미 높은 자리를 얻고 때가 이미 이루어져서 다시 나아가 할 일이 없으니, 아래에 있는 현명한 인재에 대하여 어찌 구하여 쓰려는 뜻이 있겠는가? 그러므로 이효가 그 행함을 이루지 못한다. 예로부터 이미 이룬 다음에 사람을 등용한 자가 드물다. 당 태종처럼 간언을 받아들인 사람도 오히려 끝에는 게을러졌는데, 하물며 그보다 아래인 자에 있어서랴. 이러한 때에는 가운데 있는 굳셈이 도리어 마음의 자만이 되어 감괘와 리괘가 서로 어그러진다. 사람이 때를 알고 변통할 줄을 알면 『주역』을 말할 수 있다. 이효는 음이기 때문에 부인으로 말하였다. '가리개[茀]'는 부인이 문을 나갈 때에 자신을 가리는 것이니, 가리개를 잃으면 갈 수가 없다. 이효가 오효에게 구하여 쓰이지 못하면 행할 수 없으니, 부인이 가리개를 상실한 것과 같다. 그러나 중정의 도를 어찌 폐할 수 있겠는가? 때가 지나면 행하게 된다. '쫓아가는 것[逐]'은 물건을 따르는 것이니, 물건을 따르면 평소의 지킴을 잃는다. 그러므로 쫓지 말라고 경계하였으니, 스스로 지키고 잃지 않으면 칠 일에 당연히 다시 얻게 될 것이다. 괘에는 여섯 자리가 있어 일곱이면 변하니, 칠 일에 얻는다는 것은 때가 변함을 말한다. 비록 윗사람에게 쓰이지 않으나 중정의 도가 끝내 폐해질 이유가 없으니, 지금에 행하지 못하면 반드시 다른 때에 행해질 것이니, 성인이 권면하고 경계한 것이 깊다.

本義

**二以文明中正之德, 上應九五剛陽中正之君, 宜得行其志, 而九五居旣濟之時, 不能下賢以行其道. 故二有婦喪其茀之象. 茀, 婦車之蔽, 言失其所以行也. 然中正之道, 不可終廢, 時過則行矣. 故又有勿逐而自得之戒.**

이효가 밝고 중정한 덕으로 위로 구오의 굳센 양이면서 중정한 임금에게 호응하니 그 뜻을 행할 수 있어야 하나, 구오가 이미 이루어진 때에 있어 현명한 사람에게 몸을 낮추어 그 도를 행하지 못한다. 그러므로 이효는 부인이 가리개를 잃는 상이 있다. '가리개[茀]'는 부인의 수레 가리개이니, 갈 수 있는 것을 잃음을 말한다. 그러나 중정의 도는 끝내 폐해질 수 없으니, 때가 지나면 행해지게 된다. 그러므로 또 좇지 않아도 스스로 얻는다는 경계가 있다.

小註

中溪張氏曰, 婦, 二也. 茀所以蔽車者, 婦人出門, 必有茀自蔽而後行. 詩云, 翟茀以朝是也. 二應在五, 以五溺於四[19]柔, 未卽應已, 故有喪茀之象.

중계장씨가 말하였다: 부인은 이효이다. 가리개는 수레를 가리는 것이니, 부인이 문을 나설 때에 반드시 가리개를 가지고 자신을 가리고 난 다음에 길을 간다. 『시경』에 "꿩의 깃으로 가리개를 한 수레를 타고 조회하네"[20]라고 한 것이 그것이다. 이효의 호응은 오효인데, 오효가 부드러운 사효에게 빠져서 곧바로 자기에게 호응하지 않기 때문에 가리개를 잃은 상이 있다.

○ 雲峯胡氏曰, 五雖與二應, 而不汲汲於求二者, 處旣濟之時, 剛中反爲中滿故也. 二欲自行其道, 不可得矣. 然五雖不汲汲於二, 二守中正之道, 亦不汲汲然逐之. 數極則必變, 道窮則必通, 不然喪, 但失其在外者, 逐則自失其在我者矣. 震六二亦曰七日得, 皆自二反覆數之, 歷七數又值二, 是二之所以爲中正者固在也, 中正可久廢哉.

운봉호씨가 말하였다: 오효가 이효와 호응하면서도 이효를 구하는데 급급하지 않은 것은

19) 四: 『주역전의대전』에는 '二'로 되어 있으나, 문맥으로 보아 '四'로 보인다.

20) 『詩經 · 碩人』: 翟茀以朝, 大夫夙退, 無使君勞.

기제의 때에는 굳센 양으로 가운데 있는 것이 도리어 속으로 자만하기 때문이다. 이효는 스스로 도를 행하고자 해도 얻을 수 없다. 그런데 오효가 그에게 급급해하지 않더라도 중정의 도를 지키고 또한 급급하게 쫓아가지 않는다. 운수가 극에 이르면 반드시 변하고 도가 궁하면 반드시 통하니, 그렇게 하지 않아 잃는다면 단지 밖에 있는 것을 잃을 뿐이고, 쫓아간다면 스스로 나에게 있는 것을 잃어버릴 것이다. 진괘(震卦)의 육이에서도 "칠 일 만에 얻는다"고 한 것은 모두 이효에서부터 되돌아오기까지를 헤아려보면 일곱 개의 수를 거쳐 다시 이효를 만나는 것으로 이효가 중정한 것은 본래 있는 것이니, 중정함을 오랫동안 폐할 수 있겠는가?

## 韓國大全

### 송시열(宋時烈)『역설(易說)』

婦者, 離爲中女也, 又陰爻也. 喪者, 失也. 外卦九五與我爲應, 而下之互坎爲盜竊之象. 茀者, 車後所蔽也, 是爾雅. 九三又爲坎, 車蔽於六二矣. 二爻不爲三之陽所蔽, 而往應於九五, 是爲喪其茀之象. 傳義, 皆以二爻爲九三所蔽, 不能往應九五, 釋之. 然則不言失德之凶者, 何也. 然象多両項看覽者詳之. 勿逐者, 言須不必追逐而求也. 七日, 如復之七日, 同言過六爻, 而時極必反, 將得正應也. 小象以中道者, 二五皆中, 相應皆中正之道也.

부인이라고 한 것은 리괘가 가운데 딸이고 또 음효이기 때문이다. 상(喪)은 잃어버린다는 것이다. 외괘의 구오가 나와 호응하는데, 하괘의 호괘인 감괘가 도적이 훔치는 상이다. 가리개는 수레의 뒤를 덮는 것이니, 『이아』가 옳다.[21] 구삼이 또 감괘이니 수레가 육이에게 덮인 것이다. 이효가 삼효인 양에게 덮이지 않고 오효에게 가서 호응하니 가리개를 잃은 상이다. 『정전』과 『본의』는 모두 이효가 구삼에게 가려져 구오에게 갈 수 없는 것으로 해석했다. 그렇다면 덕을 잃은 흉함을 말하지 않은 것은 무엇 때문인가? 그러나 상은 대부분 두 가지로 살펴보는 것이 자세하다. '쫓아가지 말라'는 것은 굳이 쫓아가서 구할 필요가 없다는 말이다. 칠 일은 복괘(復卦)의 칠 일처럼 여섯 효를 지나 때가 다하면 반드시 돌아와 바르게

---

21) 『爾雅 · 釋器』: 수레에서 앞을 가죽으로 덮은 것을 수레장식이라고 하고, 뒤를 덮은 것을 가리개라고 한다.[輿革前, 謂之鞎, 後謂之第.]

호응할 수 있음을 동일하게 말한 것이다. 「소상전」의 '중도를 쓰기 때문이다'는 것은 이효와 오효가 모두 알맞아 상응하는 것이 모두 중정한 도라는 것이다.

### 권만(權萬) 「역설(易說)」

六二茀, 與芾同, 紱也, 亦作韍.
육이의 불(茀)은 불(芾)과 같으니, 슬갑[紱]으로, 또한 불(韍)자로도 기록한다.

### 심조(沈潮) 「역상차론(易象箚論)」

七, 自二至五有艮體也, 日, 離也, 七亦火數.
칠은 이효부터 오효까지 간괘(艮卦)의 몸체가 있기 때문이다. 일(日)은 리괘(離卦)이고, 칠(七)도 불(火)의 수이다.

### 유정원(柳正源) 『역해참고(易解參攷)』

王氏曰, 居中履正, 處文明之盛, 而應乎五, 陰之光盛者也. 然居初三之間, 而上不承三, 下不比初. 夫以光盛之陰, 處於二陽之間, 近而不相得, 能旡見侵乎. 故曰喪其茀也. 稱婦者, 以明自有夫, 以它人侵之也. 茀, 首飾也. 夫以中道執乎貞正, 而見侵者, 衆之所助也. 處旣濟之時, 不容邪道者也, 時旣明盛, 衆又助之, 量斯勢也, 不過七日, 不須己逐而自得也.
왕필이 말하였다: 가운데 있고 바름을 밟고 있으며 문채의 밝음이 성대한 데 있으면서 오효와 호응하니 음이 빛나고 성대한 것이다. 그러나 초효와 삼효의 사이에 있는데도 위로 삼효를 받들지 않고 아래로 초효를 가까이 하지 않는다. 빛나고 성대한 음이 두 양의 사이에 있어 가까운데도 서로 얻을 수 없다면 침해를 당하지 않을 수 있겠는가? 그러므로 "가리개를 잃었다"고 하였다. 부인이라고 칭한 것은 자신에게 남편이 있음을 밝힌 것이니, 남들이 침해하기 때문이다. 가리개는 머리장식이다. 중도로 곧고 바름을 지키는데도 침해를 당할 경우에는 사람들이 도와준다. 기제의 때에 있어 나쁜 도를 받아들이지 않는 것은 때가 이미 밝고 성대하며 사람들이 또 도와줌에 그런 기세를 헤아렸으니, 칠 일도 지나지 않아 자신이 이룰 필요도 없이 저절로 얻는다.

○ 臨川王氏曰, 此爻巽順在中, 婦象也. 兩剛爲之蔽, 茀象也. 乘二剛以應五, 故曰婦喪其茀. 苟得志乎五, 則雖二剛猶在上下爲之蔽, 又焉用逐. 七日者, 從其應, 以往反之時言.

임천오씨가 말하였다: 이효는 유순한 것이 가운데 있으니 부인의 상이다. 두 굳셈이 가리고 있으니 가리개의 상이다. 두 굳셈을 타고 오효와 호응하기 때문에 "부인이 가리개를 잃었다"고 하였다. 진실로 오효에게 뜻을 얻었다면 두 굳셈이 여전히 위아래로 가리고 있을지라도 또 어찌 쫓아가겠는가? 칠 일은 호응을 따르는 것으로 갔다가 되돌아오는 시간을 말한 것이다.

○ 劉氏曰, 易以日言近, 以歲言遠.
유씨가 말하였다: 『주역』은 하루로 말하면 가깝고 한 해로 말하면 멀다.

○ 案, 婦者, 女之成婦之名也. 二之從五, 宜其合也, 而五之中滿, 乃反疏棄, 故曰婦喪其茀. 中滿, 固五之咎也, 而在下而求進, 從物而失守, 則婦亦未爲得也, 故又戒之, 曰勿逐. 古人所謂君臣上下旡墮其職, 乃安其身者, 此之謂也.
내가 살펴보았다: 부인은 여자가 부인이 된 것에 대한 이름이다. 이효가 오효를 따르는 것은 그 합이 당연한데, 오효의 마음은 자만해서 도리어 친하게 여기지 않고 버리기 때문에 "부인이 가리개를 잃었다"고 하였다. 마음이 자만한 것은 진실로 오효의 허물인데, 아래에 있으면서 나아가려고 하고 사물을 따르면서 지키는 것을 잃는다면 부인도 아직 얻지 못한 것이기 때문에 "쫓아가지 말라"고 또 경계하였다. 옛사람이 말한 군신과 상하가 그 임무를 무너뜨리지 않고 그 자신을 편하게 하는 경우가 이것을 말한다.

## 김상악(金相岳) 『산천역설(山天易說)』

六二居離之中, 與五爲應, 乃五之婦也, 然承乘皆剛, 而互坎體, 故婦喪其茀, 而不能行也. 然以中自守, 則雖勿逐, 終與正應相遇, 故歷七日而復得也.
육이가 리괘의 가운데 있으면서 오효와 호응하니 오효의 부인인데, 받들고 이어받는 것이 모두 굳셈이고 호체가 감괘이기 때문에 부인이 가리개를 잃어 가지 못하는 것이다. 그러나 알맞음으로 자신을 지키니 쫓아가지 않더라도 끝내 바르게 호응하는 것과 서로 만나기 때문에 칠 일을 지나 다시 얻는다.

○ 火者, 水之妃也. 茀, 蔽婦車者. 二居初輪之上, 乃茀也. 雖有正應, 爲三所阻, 故喪茀, 然時過則行, 故勿逐而七日得, 與屯六二曰, 女子貞不字十年乃字相似. 又二變則爲需, 旣濟而又互坎體, 故初之曳輪, 二之喪茀, 皆有須待之象也. 卦辭之亨小, 初吉, 在六二爻不言吉亨, 而吉大來, 乃見於九五象傳. 所以勿逐而得之者此也, 與睽初九相似. 日者, 離也, 七者, 爻位再周之數, 故曰七日得, 與震六二同. 或曰, 二五之合爲七.
불은 물의 부인이다. 가리개는 부인의 수레를 덮는 것이다. 이효가 첫 수레바퀴의 위에 있으니 가리개이다. 바르게 호응할지라도 삼효가 막고 있기 때문에 가리개를 잃지만 때가 지나면 가기 때문에 쫓아가지 않더라도 칠 일 만에 얻으니, 준괘(屯卦)의 육이에서 '여자가 정조를 지켜 시집가지 않다가 십 년이 되어서야 시집하는 것'과 서로 비슷하다. 또 이효가 변하면 수괘(需卦䷄)이고, 기제괘(旣濟卦䷾)인데 또 호체가 감괘의 몸체이기 때문에 초효의 '수레바퀴를 뒤로 끄는 것'과 이효의 '가리개를 잃은 것'에는 모두 반드시 기다리는 상이 있다. 괘사에서의 '조금 형통하고 처음에 길하다'는 것은 육이효에서 길하고 형통함을 말하지 않았으나 길함이 크게 오는 것이 바로 구오의 「상전」에 보이는 것이다. 쫓아가지 않더라도 얻는다는 것이 이것으로 규괘(睽卦䷥)의 초구와 서로 비슷하다.[22] 일(日)은 리괘(離卦☲)이고, 칠은 효의 자리가 거듭 도는 수이기 때문에 "칠 일 만에 얻으리라"라고 하였으니, 진괘(震卦䷲)의 육이와 같다.[23] 어떤 이는 "이효와 오효의 합이 칠이다"라고 하였다.

### 서유신(徐有臣) 『역의의언(易義擬言)』

茀有以儀之婦乃行矣. 五有以與之二乃應矣, 故以茀喩五也. 二五互未濟, 故曰喪其茀也. 未濟爲旣濟, 故曰七日得也. 喪不相與也, 得乃相應也. 七日得, 震六二詳矣.

'가리개'는 의식에 참여하는 부인이 쓰는 것이다. 오효는 함께 하는 이효와 호응하기 때문에 가리개로 그것을 비유하였다. 이효와 오효는 아직 이루지 못했기 때문에 "가리개를 잃는다"라고 하였다. 아직 이루지 못한 것이 이미 이루어졌기 때문에 "칠 일 만에 얻으리라"라고 하였다. '잃는다'는 것은 서로 함께 하지 않는다는 것이다 '얻는다'는 것은 서로 호응한다는 것이다. '칠 일 만에 얻는다'는 것은 진괘(震卦)의 육이에서 상세히 설명했다.

### 이지연(李止淵) 『주역차의(周易箚疑)』

婦喪其茀, 如周公之赤舃几几久, 當自明復爲時用者也.

'부인인 가리개를 잃었다'는 것은 이를테면 『시경』에서 '주공이 붉은 신을 편안히 여긴다'[24] 고 하는 것과 같으니, 당연히 스스로 다시 때의 쓰임이 됨을 밝힌 것이다.

---

22) 『周易 · 睽卦』: 초구는 후회가 없어지니, 말을 잃고 쫓지 않아도 스스로 돌아오니, 나쁜 사람을 만나야 허물이 없다.[初九, 悔亡, 喪馬, 勿逐, 自復, 見惡人, 无咎.]

23) 『周易 · 震卦』: 육이는 우레가 옴에 위태로워 재물을 잃고 아홉 언덕에 오르니, 좇지 않아도 이레 만에 얻으리라.[六二, 震來厲, 億喪貝, 躋于九陵, 勿逐, 七日得.]

24) 『詩經 · 狼跋』에 "공이 큰 아름다움을 사양하고, 붉은 신을 편안히 여기시도다. 〔公孫碩膚, 赤舃几几〕"라고 한 데서 나온 말이다. 곧 주공은 멀리 사방 나라에서 유언비어를 퍼뜨리고 가까이서 성왕(成王)이 알아주지 않았으나 붉은 신을 신고 편안히 있어 문제가 없었다는 것이다.

### 김기례(金箕澧) 「역요선의강목(易要選義綱目)」

陰正中, 故曰婦, 離中女, 故亦曰婦. 五雖應二, 處旣濟之後, 不急於求賢, 二雖亦應五, 處旣濟之初, 以文明柔中, 審於涉險之義, 而不遽進, 則取不行之意, 而曰喪茀. 蔽女車而行者, 曰勿逐. 數窮則通, 故曰七日. 自二至上, 而又反二則七爻, 故曰七得.
음이 바르기 때문에 "부인"이라고 하였고, 리괘(離卦)가 가운데 딸이기 때문에 또 "부인"이라고 하였다. 오효가 이효와 호응할지라도 기제의 뒤에 있어 현명한 이를 구하는 데 급하지 않고, 이효가 비록 또한 오효와 호응하지만 기제의 처음에 있어 문채의 밝음과 부드러운 알맞음으로 험함을 건너는 의미를 살피고는 급히 나아가지 않으니, 나아가지 않는 의미를 취하여 "가리개를 잃었다"고 하였다. 여자의 수레를 가리고 가는 것을 "쫓아가지 않는다"라고 한다. 자주 궁하면 통하기 때문에 "칠 일"이라고 했다. 이효에서 올라가 또 이효로 되돌아오면 일곱 번째 효이기 때문에 "칠 일 만에 얻으리라"라고 하였다.

### 심대윤(沈大允) 『주역상의점법(周易象義占法)』

旣濟之需䷄, 待人也. 六二以柔中居柔, 不用力以待事之來, 應五而隔于三, 故曰婦喪其茀. 婦, 二也. 喪, 言隔于三也. 離爲婦, 兌爲喪. 茀, 先儒云婦人之蔽車者, 坎爲車爲蔽, 離爲目, 蓋車之蔽目者也, 謂五也.
기제괘가 수괘(需卦䷄)로 바뀌었으니, 사람을 기다리는 것이다. 육이는 부드럽고 알맞은 것으로 부드러운 자리에 있어 힘써 일이 오는 것을 기다리지 않고, 오효와 호응하지만 삼효에게 막혀 있기 때문에 "부인이 가리개를 잃었다"고 하였다. '부인'은 이효이고, '잃었다'는 것은 삼효에게 막힌 것을 말한다. 리괘(離卦☲)가 부인이고, 태괘(兌卦☱)가 '잃었다'는 것이다. '가리개'는 선대의 학자들이 부인이 수레를 덮은 것이라고 말한 것이다. 감괘(坎卦☵)가 수레이고 덮은 것이며 리괘(離卦☲)가 눈이니, 수레에서 눈을 가리는 것으로 오효를 말한다.

知謀者, 行乎人之所不見, 如婦車之蔽目而行, 故以茀喻知謀也. 夫天下有事. 然後人臣効于君, 而行其知謀. 天下无事, 而猶用知謀, 則是好事之徒紛, 更以生亂也. 六二不用知謀以要君, 莊敬以待事之來, 待君之有問而進計焉, 故曰勿逐七日得.
지모가 있는 자가 사람들이 보지 않는 틈에 행하는 것은 부인의 수레가 눈을 가리고 가는 것과 같기 때문에 가리개로 모사할 줄 아는 것을 비유하였다. 천하에 일이 있은 다음에 신하가 임금에게 아뢰고는 그 지모를 행한다. 천하에 일이 없는데도 여전히 그 지모를 쓰는 것은 일이 단지 어지러워지는 것을 좋아해 다시 혼란을 일으키는 것이다. 육이가 지모를 쓰지 않는 것으로 임금을 맞이하고 엄숙히 공경하는 것으로 일이 오고 임금이 묻기를 기다리다가 계책을 내놓기 때문에 "쫓아가지 않더라도 칠 일 만에 얻으리라"라고 하였다.

兌震爲勿逐, 離爲七, 互兌爲革日之象, 艮爲得. 九五[25]變則爲震, 六二進于三, 則爲艮. 婦喪其茀, 言不用知謀以要君也. 高鳥盡, 良弓藏, 事難旣平, 人主之所以注意於知謀之臣, 亦怠矣. 勿逐七日得, 言不爲紛更生事, 而待其有問乃進也.
태괘(兌卦☱)와 진괘(震卦☳)가 '쫓아가지 않는다'는 것이고, 리괘(離卦☲)는 '칠 일'이며, 호괘인 태괘(兌卦☱)가 해[日]를 경계하는 상이고, 간괘(艮卦☶)가 '얻는다'는 것이다. 구오가 변하면 진괘(震卦☳)이고, 육이가 삼효로 나아가면 간괘(艮卦☶)이다. '부인이 가리개를 잃었다'는 것은 지모를 사용하지 않고 임금을 맞이한다는 말이다. 높이 나는 새가 없어지면 좋은 활이 갈무리되듯, 일의 어려움이 이미 평정되면 임금이 지모 있는 신하에게 주의하던 것도 게을러진다. '쫓아가지 않더라도 칠 일 만에 얻으리라'는 것은 어지럽게 다시 일을 만들지 않고 묻기를 기다려 나아가는 것을 말한다.

### 오치기(吳致箕) 「주역경전증해(周易經傳增解)」

六二, 柔得中正, 有文明之才, 上應九五之君, 宜得行其志, 而當旣濟之時, 五旣居尊, 怠於已成, 不能下賢而求道. 故二有婦喪其茀之象, 而不得上行, 然有中正之道, 能自守而不改, 故雖勿逐其所失, 而七日之間, 終復不求自得矣. 卽象而占可知也.
육이는 유순함이 중정함을 얻어 문채로 밝은 재질이 있고, 위로 구오의 임금과 호응해서 그 뜻을 행해야 하는데, 기제의 때에 오효가 이미 존귀한 자리에 있고 이미 이루어놓은 것에서 태만해져 현명한 자에게 낮추어 도를 구하지 않는다. 그러므로 이효는 부인이 가리개를 잃는 상이 있고 위로 갈 수 없지만 중정한 도가 있어 자신을 지키고 변하지 않을 수 있기 때문에 잃은 것을 쫓아가지 않더라도 칠 일 정도면 마침내 다시 구하지 않아도 저절로 얻을 것이다. 상을 가지고 점을 알 수 있다.

○ 二居柔, 而離爲中女, 故言婦也. 茀, 車蔽也. 互坎爲車, 離中虛爲茀之象, 而車旡蔽蓋, 則婦人不得行也. 互坎爲盜, 故言喪也. 七日取象與震二同.
이효는 부드러운 자리에 있고 리괘가 가운데 딸이기 때문에 부인을 말하였다. '가리개'는 수레 덮개이다. 호괘인 감괘가 수레이고 리괘가 가운데가 비어 가리개의 상이 되는데 수레에 덮개가 없으면 부인이 나갈 수 없다. 호괘인 감괘가 도둑이기 때문에 '잃는다'고 하였다.

---

25) 경학자료집성DB에 '互'로 되어 있으나, 경학자료집성 영인본과 문맥을 참조하여 '五'로 바로잡았다.

칠 일은 상을 취한 것이 진괘 이효[26]와 같다.

### 이진상(李震相) 『역학관규(易學管窺)』

初, 輪也, 而六二以陰蔽之, 翟茀之象也. 先儒以爲首飾者非是. 蓋五與二是正應, 而九三隔之, 不得以行, 故曰喪其茀. 物極必反, 故有七日得之象.

초효가 수레바퀴인데, 육이는 음으로 덮는 것이니 꿩 깃 가리개의 상이다. 선대의 학자들이 머리장식으로 여긴 것은 옳지 않다. 오효와 이효가 바르게 호응하는데, 구삼이 막고 있어 갈 수 없기 때문에 "가리개를 잃었다"고 하였다. 사물은 궁극이 되면 반드시 되돌아오기 때문에 칠 일 만에 얻는 상이 있다.

---

26) 『周易 · 震卦』: 육이는 우레가 옴에 위태로워 재물을 잃고 아홉 언덕에 오르니, 좇지 않아도 이레 만에 얻으리라.[六二, 震來厲, 億喪貝, 躋于九陵, 勿逐, 七日得.]

## 象曰, 七日得, 以中道也.

「상전」에서 말하였다: "칠 일 만에 얻음"은 중도를 쓰기 때문이다.

## 中國大全

傳

**中正之道, 雖不爲時所用, 然无終不行之理. 故喪茀七日當復得, 謂自守其中, 異時必行也. 不失其中, 則正矣.**

중정의 도가 비록 때에 쓰이지 않더라도 끝내 행해지지 않을 리가 없다. 그러므로 가리개를 잃은 지 칠 일 만에 다시 얻으니, 스스로 중도를 지키면 다른 때에 반드시 행해짐을 말한 것이다. 중도를 잃지 않으면 바름이 된다.

## 韓國大全

김상악(金相岳) 『산천역설(山天易說)』

中則正矣. 旣未濟, 皆以得中爲道也.

중도는 바르다. 기제와 미제는 모두 알맞음을 얻는 것을 중도로 삼는다.

서유신(徐有臣) 『역의의언(易義擬言)』

月望則盈, 上弦則中, 旣濟不可以盈也.

달이 보름에는 꽉 차고, 상현에는 알맞으니, 기제는 꽉 채워서는 안 된다.

**오치기(吳致箕) 「주역경전증해(周易經傳增解)」**

中正之道, 雖不爲時所用, 然終必得行, 故喪茀而當復得也.
중정한 도는 어떤 때에 쓰이지 않을지라도 끝내 반드시 행해질 수 있기 때문에 가리개를 잃었는데도 당연히 다시 얻는 것이다.

**박문호(朴文鎬) 「경설(經說)・주역(周易)」**

中滿, 言五自滿不能虛受六二也.
마음의 자만은 오효가 자만해서 마음을 비우고 육이를 받아들일 수 없다는 말이다.

**이병헌(李炳憲) 『역경금문고통론(易經今文考通論)』**

蓋指文王事也.
문왕의 일을 가리킨다.

鄭曰, 茀車蔽也, 與上文曳輪之義照應, 言失其所以行也.
정현이 말하였다: 가리개는 수레의 덮개로 앞에서 '수레바퀴를 뒤로 끈다'는 것과 짝이 되니, 덮고 가야 할 것을 잃었다는 말이다.

姚曰, 二得中正, 坤元之位也, 周而復始, 故七日得.
요신이 말하였다: 이효가 중정함을 얻은 것은 곤괘의 큰 지위로 한 바퀴 돌고 다시 시작하기 때문에 칠 일 만에 얻는 것이다.

## 九三, 高宗伐鬼方, 三年克之, 小人勿用.

구삼은 고종(高宗)이 귀방(鬼方)을 정벌하여 삼 년 만에 이겼으니, 소인을 쓰지 말아야 한다.

# 中國大全

**傳**

九三當旣濟之時, 以剛居剛, 用剛之至也. 旣濟而用剛如是, 乃高宗伐鬼方之事, 高宗必商之高宗. 天下之事旣濟, 而遠伐暴亂也. 威武可及, 而以救民爲心, 乃王者之事也. 唯聖賢之君則可, 若騁威武忿不服貪土地, 則殘民肆欲也. 故戒不可用小人. 小人爲之. 則以貪忿私意也, 非貪忿, 則莫肯爲也. 三年克之, 見其勞憊之甚. 聖人因九三當旣濟而用剛, 發此義以示人爲法爲戒, 豈淺見所能及也.

구삼은 이미 이루어진 때에 굳셈으로서 굳센 자리에 있으니, 굳셈을 쓰는 것이 지극하다. 이미 이루어졌는데 굳셈을 씀이 이와 같으니, 바로 고종(高宗)이 귀방(鬼方)을 정벌한 일로 그는 반드시 상나라의 고종일 것이다. 천하의 일이 이미 이루어짐에 포악한 자와 혼란한 자를 멀리 정벌하는 것이다. 위엄과 무력이 미칠 수 있어 백성을 구제함을 마음으로 삼는 것은 바로 왕자(王者)의 일이니 오직 성현인 임금만이 가능하고, 만일 위엄과 무력을 드날리며 복종하지 않음에 분노하고 영토를 탐낸다면 백성을 해치고 욕심을 부리는 것이다. 그러므로 소인을 쓰지 말라고 경계하였다. 소인이 행함은 탐하고 분노하는 사사로운 뜻으로 하는 것이니, 탐함과 분노가 아니면 즐겨하지 않는다. 삼 년 만에 이겼다는 것은 수고롭고 피곤함이 심함을 나타낸다. 성인이 구삼이 이루어진 때에 굳셈을 쓰는 것을 가지고 이런 뜻을 발하여 사람들에게 보여줌으로써 본보기를 삼고 경계를 삼았으니, 어찌 천박한 식견으로 미칠 수 있는 것이겠는가?

**本義**

旣濟之時, 以剛居剛, 高宗伐鬼方之象也. 三年克之, 言其久而後克, 戒占者不可輕動之意. 小人勿用, 占法與師上六同.

이미 이루어진 때에 굳셈으로서 굳센 자리에 있으니, 고종(高宗)이 귀방(鬼方)을 정벌한 상이다. 삼

년 만에 이겼다는 것은 오랜 뒤에 이겼음을 말하니, 점치는 자에게 가볍게 움직여서는 안 된다는 의미로 경계한 것이다. "소인을 쓰지 말라"는 것은 점치는 법이 사괘(師卦)의 상육효와 같다.

### 小註

朱子曰, 高宗伐鬼方, 疑是高宗舊日占得此爻, 故聖人引之以證此爻之吉凶. 如箕子之明夷利貞, 帝乙歸妹, 皆恐是如此.
주자가 말하였다: 고종이 귀방을 정벌한 것은 아마도 고종이 옛적에 점을 쳐서 이 효를 얻었기 때문에, 성인이 인용하여 이 효의 길흉을 증명하였을 것이다. 이를테면 "기자의 밝음이 손상되었으니 바르게 하는 것이 이롭다"[27]는 것과 "제을이 여동생을 시집보낸다"[28]고 한 것들은 모두 이와 같을 것이다.

○ 建安丘氏曰, 鬼方幽遠小國也. 蒼頡篇云, 鬼遠也. 三近坎體, 有鬼方之象, 離爲戈兵, 有伐之象.
건안구씨가 말하였다: 귀방은 아득히 먼 작은 나라이다. 「창힐편」에 "귀(鬼)는 멀다는 뜻이다"라고 하였다. 삼효는 감괘의 몸체에 가까우므로 귀방의 상이 있고, 리괘는 창이나 무기가 되므로 정벌하는 상이 있다.

○ 東谷鄭氏曰, 九三以剛陽處欲變之位. 剛陽則過於有爲, 欲變則動而之外. 內治已濟, 必欲用陽剛以求功於外者, 故爲之戒曰, 以高宗之盛而伐鬼方, 猶三年而後克之. 其可用小人而啓多事之源乎. 无事之世, 捨內治而幸邉功者, 皆小人啓之也.
동곡정씨가 말하였다: 구삼은 굳센 양으로 변하려고 하는 자리에 있다. 굳센 양은 무엇인가 하는 데에 지나치고, 변하려고 하는 것은 움직여 밖으로 간다. 안을 다스리는 것이 이미 이루어졌으니, 반드시 양의 굳셈을 써서 밖에서 공을 구하려고 하기 때문에, 경계하여 말하기를 "고종의 성대함으로도 귀방을 정벌하는데 오히려 삼 년 이후에 이길 수 있었다. 그런데 소인을 써서 여러 일의 근원을 열어 놓아서야 되겠는가?"라고 하였다. 일이 없는 때에 안을 다스리는 것을 버려두고 변경의 공을 바라는 것은 모두 소인이 열어 놓는 것이다.

○ 雲峯胡氏曰, 三居離明之極, 上在坎險之外, 故有高宗伐鬼方之象. 或是高宗伐鬼方, 嘗占得此爻, 故引之以爲象. 本義以爲六爻皆警戒意, 然則此亦爲九三戒也. 三居

27)『周易·明夷』六五.
28)『周易·歸妹』六五.

離終, 火性易躁, 況復以剛居剛, 聖人唯恐其失之躁動也. 故曰高宗之伐鬼方也, 宜若易然, 然且三年克之, 其不如高宗者, 可知矣. 小人勿用, 用小人, 則有躁動之失故也. 三代之兵, 未嘗用一小人, 用小人是平一亂而生一亂也. 聖人此意甚微, 故於初則勉其戒謹, 於二則戒以勿逐, 於三則戒以小人勿用. 蓋於旣濟之時, 唯欲其持重緩進, 常如未濟之時.
운봉호씨가 말하였다: 삼효는 밝음을 상징하는 리괘의 끝에 있고 위로는 험함을 상징하는 감괘의 밖에 있기 때문에 고종이 귀방을 정벌하는 상이 있다. 혹 고종이 귀방을 정벌한 것은 일찍이 점을 쳐서 이 효를 얻었기 때문에 인용하여 상으로 삼은 것일 수 있다. 『본의』에서는 여섯 효가 모두 경계하는 뜻이라고 하였는데, 그렇다면 이 또한 구삼을 위해 경계한 것이다. 삼효는 리괘의 끝에 있는데, 리괘가 상징하는 불의 성질은 쉽게 조급해지는데다가 더욱이 다시 굳센 양으로 굳센 양의 자리에 있으니, 성인이 조급히 움직이는 데서 잘못될까 걱정하였다. 그렇기 때문에 "고종이 귀방을 정벌하는 것이 마땅히 쉬울 듯 하였지만, 삼 년이 되어서야 이길 수 있었으니, 고종만 못한 자에 대해서는 알 수 있다. 소인을 쓰지 말아야 하니, 소인을 쓰면 조급하게 움직이는 잘못이 있게 되기 때문이다"라고 하였다. 삼대(三代)의 군사적인 일에는 한 사람의 소인도 쓰지 않았으니, 소인을 쓰면 하나의 어지러움을 평정했더라도 하나의 어지러움이 생겨나기 때문이다. 성인의 이 뜻이 매우 은미하기 때문에 초효에서는 경계하고 삼가도록 권면하였고, 이효에서는 쫓지 말라고 경계하였고, 삼효에서는 소인을 쓰지 말라고 경계하였다. 이미 이루어진 때에는 오직 몸가짐을 신중하게 하고 나아가기를 천천히 하여 항상 아직 이루지 않은 때처럼 하고자 해야 한다.

○ 中溪張氏曰, 小人夷狄, 皆爲陰類, 戎狄之禍遠, 小人之禍近, 故作易者, 於用兵之後, 必以小人勿用戒之. 如師之上, 旣濟之三是也.
중계장씨가 말하였다: 소인과 이적은 모두 음(陰)의 종류인데, 융적의 화는 멀고 소인의 화는 가깝기 때문에 『주역』을 지은 사람이 군대를 움직이는 일을 말한 후에 반드시 소인을 쓰지 말라는 것으로 경계하였다. 사괘(師卦)의 상효와 기제괘의 삼효가 그렇다.

## ‖韓國大全‖

### 권근(權近) 『주역천견록(周易淺見錄)』

九三剛而不中, 過乎剛者也. 高宗伐鬼方, 用剛之至也, 然至三年之憊而後克之, 愼重而不敢輕用也, 故用剛之至而不爲過. 自古用兵之久, 未有若高宗之伐鬼方, 故以爲用剛之至而得中之象. 若欲速而不遲, 則必過於殘暴矣. 此爻有過剛之象, 故以爲戒. 又旣濟內明而外險, 九三剛明之極處, 內之上當旣濟之時, 與外之險相接, 故爲中國治世之君, 而遠伐在外險暴之方之象, 是高宗之伐鬼方也, 九三剛明而正, 不過於剛, 則終必有功, 若使小人用之, 則過剛躁速, 克則有殘傷之咎, 不克則致禍敗之凶矣. 大抵小人而用兵類如此, 故師之上六, 亦戒以勿用也. 然師主師終而言, 不可以有功, 而使之有國家也, 旣濟主行師而言, 不可以有才, 而使之爲將帥也. 前後之言, 互相發明, 其慮遠矣. 雖然, 使之行兵, 雖有禍速而小, 使之當國, 其爲禍遲而大, 非惟驕溢而就菹醢, 或有跋扈而至簒弑. 自古亂賊之臣, 未有不因兵權而竊國柄者也. 吁此下脫一節, 在未濟後.

구삼은 굳세지만 알맞지 않아 굳셈에 지나친 것이다. 고종이 귀방을 정벌한 것은 굳셈을 씀이 지극한 것이나 삼 년이나 피곤에 지치게 한 이후에 이긴 것은 신중해서 감히 가볍게 쓰지 않았기 때문에 굳셈을 씀이 지극하나 지나치지 않은 것이다. 옛날부터 군대를 오래도록 동원함에 고종이 귀방을 정벌한 것만 한 것이 없기 때문에 굳셈을 씀이 지극하나 알맞음을 얻은 상으로 여겼다. 빨리 하고자 해서 더디게 하지 않는다면 반드시 지나치게 잔혹하고 난폭하게 된다. 여기의 효에는 지나치게 난폭한 상이 있기 때문에 경계하는 것으로 여겼다. 또 기제괘는 안이 밝고 밖이 험한데 구삼은 굳세고 밝은 끝으로 내괘의 꼭대기에서 기제의 때에 외괘의 험함과 서로 접해 있기 때문에 중국에서 세상을 다스린 임금으로 멀리 험하고 난폭한 곳을 정벌하는 상이 있으니, 바로 고종이 귀방을 정벌한 것이다. 구삼은 굳세고 밝으며 곧아서 굳셈을 지나치지 않으면 끝내 반드시 공이 있을 것이나, 소인을 쓰면 지나치게 굳셈으로 급히 하니, 이기면 피해를 입는 허물이 있고, 이기지 못하면 재앙을 당하는 흉함이 있다. 대체로 소인이면 군대를 쓰는 것이 이와 같기 때문에 사괘(師卦)의 상육에서도 쓰지 말라고 경계하였다. 그러나 사괘는 군대를 끝내는 것을 주로 해서 말하였으니, 공이 있다고 소인이 나라를 소유하게 해서는 안 된다. 기제괘는 군대를 부리는 것을 주로 해서 말하였으니, 소인이 재주가 있다고 장군이 되게 해서는 안 된다. 전후의 말로 서로 드러내 밝혔으니, 그 생각이 심원하다. 그렇기는 한데 소인이 군대를 부리게 하면 재앙이 빨리 생길지라도 작고, 나라를 맡게 하면 재앙이 늦게 일어날지라도 커서 교만이 지나쳐 사람을 죽일 뿐만이 아니라 발호해서 왕위를 찬탈하고 임금을 시해할 수 있다. 옛날부터 나라를 어지럽히는 신하는 병권을 가지고 나라의 권세를 훔치지 않는 경우는 없었다. 아! 이 아래에 한 구절이 탈락되었으니 미제괘 뒤에 있다.

### 송시열(宋時烈) 『역설(易說)』

九三, 高宗者, 借殷之齊險中興之君而言之. 伐者, 離有兵戈象也. 鬼方者, 幽陰之北方坎象也. 與睽[29]上九載鬼[30]同. 三年者, 離之數, 言久而後克之也. 陰爲小, 三爲人位, 故謂之曰小人, 言此爻則必陽剛之人, 然後可以當之, 而小人則不可也. 小象憊也者, 坎爲劳爲疾, 困而得之之義.

구삼의 고종은 은나라가 험함을 바르게 하여 중흥을 시켰던 임금을 빌어서 말한 것이다. '정벌한다'는 것은 리괘(離卦☲)에 전쟁의 상이 있기 때문이다. 귀방은 어둑한 북방으로 감괘(坎卦☵)의 상이니, 규괘(睽卦) 상구의 귀신이 실려 있다는 것[31]과 같다. 삼 년은 리괘(離卦☲)의 수로 오랜 뒤에 이길 수 있다는 말이다. 음은 작고 삼은 사람의 자리이기 때문에 "소인"이라고 하였다. 말하자면, 삼효는 반드시 굳센 양의 사람인 다음에 감당할 수 있고 소인은 안된다는 것이다. 「소상전」의 '피곤하다'는 것은 근심이고 괴로움이어서 곤란을 겪고 얻는다는 의미이다.

### 이익(李瀷) 『역경질서(易經疾書)』

高宗, 殷之振衰者也. 伐鬼方, 史不見, 詩蕩之五章, 上云殷商, 下云鬼方, 則服屬於商者也. 後人或以凶奴當之, 恐不然. 聖王之於戎狄來而禦之而已, 豈有窮兵必克之理哉. 傳云三年克之憊也, 若果久而至憊, 則師老矣, 恐未有克終之理. 凡征伐急之, 則不但有玉石俱燬之患, 我師亦必創殘, 而至於憊也, 故禹之平苗干羽以待其格. 高宗必至三年者, 非力不足, 慮其有憊傷之患, 與遯九三疾憊不同, 彼謂係遯之物疾而憊也. 此既濟故於下卦之上言之, 未濟者未及大成, 故於上卦之下言之. 此云高宗, 則天子之事也, 彼云有賞于大國, 則諸侯之事也.

고종은 은나라의 쇠약해진 국력을 진작시킨 자이다. 귀방을 정벌한 것은 역사서에는 보이지

---

29) 睽: 경학자료집성DB와 영인본에 '暌'로 되어 있으나 『주역전의대전』과 문맥을 참조하여 '睽'로 바로잡았다.
30) 鬼: 경학자료집성DB와 영인본에 '是'로 되어 있으나 『주역전의대전』과 문맥을 참조하여 '鬼'로 바로잡았다.
31) 『周易 · 睽卦』: 상구는 어긋남에 외로워 돼지가 진흙을 짊어진 것과 귀신이 한 수레 실려 있음을 본다. 먼저 활줄을 당겼다가 뒤에 활줄을 풀어놓으니, 도적이 아니라 혼구(婚媾)이다. 가서 비를 만나면 길하다.[上九, 睽孤, 見豕負塗載鬼一車. 先張之弧, 後說之弧, 匪寇, 婚媾. 往遇雨則吉.]

않고 『시경 · 대아 · 탕지』 5장에서 위에서는 은상(殷商)을 말하고 아래에서는 귀방을 말하였으니, 상나라에 복속된 것이다. 후대의 사람들은 혹 흉노로 보았는데 그렇지 않은 것 같다. 성왕(聖王)은 오랑캐들이 오면 막을 뿐이니, 어찌 군사들을 곤궁하게 하면서 반드시 이기는 이치가 있겠는가? 「상전」에서 "'삼 년 만에 이기는 것'은 피곤하다"고 한 것은 오래도록 해서 지치게 되면 군대가 노쇠해지니 이기기를 끝까지 하는 이치는 없을 것 같다는 것이다. 정벌을 급하게 하면 옥석을 모두 태우는 우환이 있을 뿐만 아니라 우리의 군대도 반드시 피해를 입어 지치게 되기 때문에 우임금이 묘를 평정할 때 방패와 깃으로 춤을 추며 그들이 오기를 기다렸던 것이다.[32] 고종이 반드시 삼 년까지 있었던 것은 힘이 부족해서가 아니라 피곤해서 지치게 되는 우환을 염려한 것으로 돈괘(遯卦) 구삼의 "병이 있어서 위태롭다"는 것과는 같지 않으니, 저기 돈괘에서는 매어 있으면서 도피해 있는 것이 병이 있어서 위태롭다는 것을 말하였다. 여기는 이미 이루어졌기 때문에 하괘의 위에서 말하였고, 아직 이루어지지 않은 것은 크게 이루어지지 않았기 때문에 상괘의 아래에서 말하였으니, 여기 기제괘에서 고종이라고 한 것은 천자의 일이고 저기 미제괘에서 "삼 년이어야 큰 나라에서 상이 있다"고 한 것은 제후의 일이다.

### 심조(沈潮) 「역상차론(易象箚論)」

鬼互坎象. 三離數, 又三爻也.
귀(鬼)는 호괘인 감괘(坎卦☵)의 상이다. 삼은 리괘(離卦☲)의 수이고 또 삼효이기 때문이다.

### 유정원(柳正源) 『역해참고(易解參攷)』

張子曰, 上六險而應卦之終亂者也, 鬼方之象.
장자가 말하였다: 상육이 험한데도 괘 끝의 어지러움과 호응하는 것이니 귀방의 상이다.

○ 李氏開曰, 上隔三位, 故曰三年.
이개가 말하였다: 위에서 삼효의 자리를 막고 있기 때문에 "삼 년"이라고 하였다.

○ 沙隨程氏曰, 沈黎志云, 鬼方俗尙鬼, 主祭者曰, 都天鬼主. 故宋獲羌戎之長, 亦曰鬼章. 然則高宗所伐, 其今黎雍以南歟.
사수정씨가 말하였다: 『침려지』에서 "귀방의 풍속은 귀신을 숭상하며, 제사를 주관하는 자

32) 『書經 · 大禹謨』 : 三旬, 苗民逆命, …, 舞干羽于兩階, 七旬有苗格.

를 '도천귀주(都天鬼主)'라고 불렀다. 그래서 송나라에서 강융(羌戎)의 수장을 포획하고 그를 '귀장(鬼章)'이라고도 불렀던 것이다"라고 했다. 그렇다면 고종이 정벌한 것은 지금의 여옹(黎雍) 이남일 것이다.

○ 廬陵龍氏曰, 按, 左傳投之四裔, 以禦魑魅, 所謂鬼方也, 小雅有內奰于中國, 覃及鬼方之語, 通言夷方, 本旡專指.
여릉용씨가 말하였다: 살펴보건대 『좌전』에서 "변방으로 보내 이매(魑魅)를 막게 했다"[33]고 했는데, 이때의 '이매(魑魅)'가 이른바 귀방이고, 『시경 · 소아』에서 "안으로는 중국에서 노여움을 받아 그것이 뻗쳐 귀방에 이르렀도다"[34]는 말이 있으니, 오랑캐의 방향을 통틀어 말한 것으로 본래 딱 찍어 가리키는 것은 없다.

○ 案, 王者之師以剛用剛, 一擧可克, 而猶有三年之憊, 此可見征伐之不可輕易也.
내가 살펴보았다: 왕자의 군사는 굳셈으로 굳셈을 사용하여 한 번에 이길 수 있는데 도리어 삼 년의 고달픔이 있으니, 이것으로 정벌은 가볍고 쉽게 여겨서는 안 됨을 알 수 있다.

小註丘氏說, 蒼頡篇, 李斯作取籒書文, 謂之小篆.
소주의 구씨의 설에서 『창힐편』은 이사(李斯)가 전자체의 글을 취하여 작성한 것이니, 소전체[35]를 말한다.

## 서유신(徐有臣) 『역의의언(易義擬言)』

未濟九四, 始伐鬼方, 到此三年, 乃克之, 未濟而爲旣濟也. 用旣濟之九三, 不用未濟之六三, 故曰小人勿用也. 在師, 亦曰小人勿用, 必亂邦也. 小人亂邦, 則師復興矣.
미제괘의 구사는 비로소 귀방을 정벌함에 삼 년 만에 이겼으니, 미제괘가 기제괘가 된 것이다. 기제괘의 구삼을 쓰고 미제괘의 육삼을 쓰지 않기 때문에 "소인은 쓰지 말아야 한다"고 하였다. 사괘에서도 "소인은 쓰지 말아야 함은 나라를 어지럽히기 때문이다"[36]고 하였으니, 소인이 나라를 어지럽히는 것은 군대가 다시 일어나기 때문이다.

---

33) 『春秋左氏傳 · 昭公』(9년): 先王居檮杌于四裔, 以禦螭魅.
34) 『詩經 · 蕩』: 內奰于中國, 覃及鬼方.
35) 소전체(小篆體): 한자의 팔체서(八體書)의 한 가지로 중국 진시황(秦始皇) 때, 이사(李斯)가 대전(大篆)을 간략하게 변형해 만든 글씨체이다.
36) 『周易 · 師卦』: 「상전」에서 말하였다: "대군이 명을 가짐"은 공을 바르게 하는 것이고, "소인을 쓰지 말아야 함"은 반드시 나라를 어지럽히기 때문이다.[象曰, 大君有命, 以正功也. 小人勿用, 必亂邦也.]

### 김상악(金相岳) 『산천역설(山天易說)』

高宗, 九五象, 鬼方, 上六象. 以陽剛居離之終, 遇已窮之陰, 而三五同功, 故有高宗伐鬼方三年克之之象. 既濟功成, 不當用陰爲治, 故小人勿用.
고종은 구오의 상이고, 귀방은 상육의 상이다. 양의 굳셈으로 리괘(離卦☲)의 끝에 있어 이미 다한 음을 만났는데, 삼효와 오효는 공을 같이 하기 때문에 고종이 귀방을 정벌하여 삼년 만에 이기는 상이 있다. 기제는 공을 이루어 음으로 다스려서는 안 되기 때문에 소인을 쓰지 말라는 것이다.

○ 五爲君, 而三居公侯之位, 故有受命征伐之象. 坎居西又爲盜, 故取鬼方爲象. 三年者, 三至上歷三位也. 未濟三年, 亦四至初之數也. 水火相克, 克之象. 既濟三年之克, 原未濟之始, 未濟三年之賞, 要既濟之終也. 來註言克之者, 鬼方在上, 仰關而攻克之甚難, 小象言憊者, 此也. 未濟鬼方在下, 易于爲力, 故自屈服曰, 有賞者, 如上之賞下也. 蓋周官司馬之職, 列于夏官. 故凡言征伐, 皆在離體之卦. 重離之五爲正邦之主, 而其上九曰, 王用出征有嘉, 故二濟之取象, 皆本于是也. 明夷九三曰, 南狩得其大首, 亦在離體. 小人勿用者, 伐鬼方爲去陰邪之功, 而復用小人, 則既濟爲未濟, 故有勿用之戒.
오효가 임금이어서 삼효가 공후의 지위에 있기 때문에 명을 받아 정벌하는 상이 있다. 감괘는 서쪽에 있고 또 도적이기 때문에 귀방을 취하여 상으로 하였다. 삼 년은 삼효부터 상효까지 세 자리를 거친 것이다. 미제괘의 삼 년도 사효부터 초효까지의 수이다. 물과 불은 서로 이기려는 것이어서 이기려는 상이다. 기제괘에서 삼 년 만에 이기는 것은 미제괘의 시작에 근원하고, 미제괘에서 삼 년이어야 상이 있는 것은 기제괘의 끝남을 맞이하는 것이다. 래지덕의 『주역집주』에서 "'이긴다'고 한 것은 귀방이 위에 있어 관문을 올려다보며 공격하여 이기기가 아주 어려워서이니, 「소상전」에서 '피곤하다'고 한 것은 이 때문이다. 미제괘는 귀방이 아래에 있어 힘을 쓰기 쉽기 때문에 스스로 굴복하여 '상이 있다'고 한 것은 위에서 아래에 상을 주는 것과 같은 것이다"[37]라고 하였다. 『서경』과 『주례』에서 사마(司馬)의 직책은 「하관」에 있다. 그러므로 정벌을 말한 것에는 모두 리괘(離卦☲) 몸체의 괘가 있다. 리괘(離卦䷝)의 오효는 바른 나라의 임금이어서 그 상구에서 "왕이 출정하여 아름다움이 있을 것이다"라고 하였다. 그러므로 기제괘와 미제괘의 상을 취함은 모두 여기에 근본한다. 명이괘의 구삼에서 "남쪽으로 사냥하여 큰 머리를 얻는다"는 것도 리괘의 몸체에 있다. '소

37) 『周易集註 · 未濟卦』: 九四, 貞吉, 悔亡, 震用伐鬼方, 三年, 有賞于大國. 구절의 주, 既濟言克之者, 鬼方在上, 仰關而攻克之甚難, 且水乃尅火之物, 火又在下, 所以三年方克, 小象曰憊者此也. 此則鬼方在下, 易于爲力, 故自屈服曰, 有賞者, 如上之賞下也.

인은 쓰지 말아야 한다'는 것은 귀방을 정벌하는 것은 음의 사악한 일을 제거하는 것인데 다시 소인을 쓰면 기제가 미제가 되기 때문에 쓰지 말라는 경계가 있는 것이다.

### 강엄(康儼) 『주역(周易)』

按, 離爲甲胄爲戈兵, 故離卦多言征伐. 如離上九王用出征, 明夷九三, 明夷于南狩得其大者, 晉上九維用伐邑, 是也. 然以高宗之賢, 而伐鬼方, 猶且三年而後克之, 則干戈之不可輕動, 可見矣. 如不得已而用之, 則必當使君子帥師, 所謂師貞丈人吉, 是也. 若小人, 則斷不可使之, 故曰小人勿用, 聖人之戒至矣.

내가 살펴보았다: 리괘는 무기이고 전쟁이기 때문에 리괘에서는 대부분 정벌을 말하였다. 이를테면 리괘(離卦) 상구에서 "왕이 출정한다"는 것과 명이괘(明夷卦) 구삼에서 "명이한 때에 남쪽으로 사냥하여 큰 머리를 얻었다"는 것과 진괘(晉卦)의 상구에서 "읍을 정벌하는 데에만 사용한다"는 것이 여기에 해당한다. 그러나 고종의 현명함에도 귀방을 정벌하는 데에 오히려 삼 년 이후에나 이겼으니, 전쟁은 경솔하게 일으키지 않아야 됨을 알 수 있다. 부득이하여 쓴다면 반드시 군자가 군대를 이끌도록 해야 하니 이른바 사괘(師卦)의 "사(師)는 바르게 하고 장인이라야 길하다"는 것이 여기에 해당한다. 소인이라면 결단코 부리지 말아야 하기 때문에 "소인은 쓰지 말아야 한다"고 하였으니, 성인의 경계가 지극하다.

### 이지연(李止淵) 『주역차의(周易箚疑)』

小人每以貪功名之心好, 生事於邊, 故戒勿用.

소인은 매번 공과 명성을 탐내는 마음으로 부근에서 일을 만들기 좋아하기 때문에 쓰지 말라고 경계하였다.

### 김기례(金箕澧) 「역요선의강목(易要選義綱目)」

過剛居火體之上, 又臨坎險, 則恐躁進而害於旣濟之功, 戒以動勞用力之久則必泥濟. 若小人, 則急於欲速, 以至敗事, 故凶. 小人勿用, 見師上六三. 近險而多凶, 故曰鬼方. 離數三, 故曰三年. 殷高宗伐遠方, 占得此卦, 久苦而克. 蓋言勤勞而濟. 伐, 取離兵象.

지나친 굳셈이 화의 몸체 위에 있고 또 감괘의 험함을 대하고 있으니, 급히 나아가 이미 이룬 공을 해칠 것을 염려하여 힘써 움직이고 노력하기를 오래 하여야 반드시 진창을 건너가는 것으로 경계하였다. 소인은 빨리 하는 데 급해 일을 망치기 때문에 흉하다. '소인은 쓰지 말아야 한다'는 사괘(師卦) 상육을 보라.[38] 험한 데 가까워 흉함이 많이 때문에 "귀방"

이라고 하였다. 리괘(離卦☲)의 수는 삼이기 때문에 "삼 년"이라고 하였다. 은나라 고종이 먼 곳을 정벌함에 점을 쳐서 기제괘를 얻고는 오래도록 고생해서 이겼으니, 근심하고 수고하여 이룬다는 말이다. '정벌'은 리괘(離卦☲)인 군대의 상에서 취했다.

### 심대윤(沈大允) 『주역상의점법(周易象義占法)』

旣濟之屯䷂, 艱苦也. 屯之義, 爲人受難也. 九三, 以剛居剛, 用力以治敝. 三之時, 前事之餘敝殆盡, 而其存者, 乃遠外不急切[39]之事也. 君子有遠慮深謀, 猶且艱若受難, 用力以治之, 去前之弊而防後之萌. 天下旣平, 諸侯奮其武, 以衛天子, 以治遠夷之未服者, 而必受命于天子以行之, 故以上六之事繫于三也. 三爲下卦之君, 而居離之上, 火之明在乎上, 五爲全卦之君, 而居坎之中, 水之明在乎中, 故三五皆繫應爻之事, 以象水火體用變幻之妙也.

기제괘가 준괘(屯卦䷂)로 바뀌었으니, 괴로운 것으로 사람이 어려움을 당하는 것이다. 구삼은 굳셈으로 굳센 자리에 있어 힘써 폐단을 다스린다. 삼효의 때는 앞에서 한 일의 나머지 폐단이 거의 다했으니, 남아 있는 것은 멀리 바깥에 있어 급하고 절박한 일이 아니다. 군자는 멀리 염려하고 깊이 생각하여 여전히 어려움을 당하듯이 괴로워하며 힘써 다스려 앞에 있던 폐단을 제거하고 뒤의 붕괴를 막는다. 천하가 평안해진 후에는 제후가 무력을 떨쳐 천자를 호위하며 멀리 복종하지 않는 오랑캐를 다스림에 반드시 천자에게 명령을 받아 시행하기 때문에 상육의 일이 삼효에게 달렸다. 삼효는 하괘의 주인으로 리괘의 위에 있으니 불의 밝음이 위에 있는 것이고, 오효는 전체 괘의 임금으로 감괘의 가운데 있으니 물의 밝음이 가운데 있는 것이다. 그러므로 삼효의 호체가 모두 효의 일에 연계되어 호응하니, 물과 불이 몸체와 작용으로 변환하는 묘함을 상징하였다.

九三應於上六, 而五隔之, 爲天子不專從三之嗜事喜功也. 上六九五之所親信者也, 故上六之意, 卽九五之意也. 凡他卦三爻應于上爻, 皆如此說也, 故上六以天子之事言之. 居高而宗於天下, 故曰高宗, 蓋殷之高宗也. 巽爲高, 乾爲宗. 九三進于四, 則爲巽, 取對鼎, 則乾在下. 乾在下者, 爲下所宗也. 離坤爲伐, 坎爲鬼, 巽爲方. 鼎有坎巽, 九三亦有鼎, 變惡爲善之義. 鬼方, 幽遠之國也. 巽爲三離互震, 艮爲年, 離兵艮得爲克, 三陷于二陰之中, 故曰小人勿用. 離坤爲小人. 艮震互對兌爲勿用, 言不可以私欲用兵

---

38) 『周易·師卦』: 상육은 대군이 명을 가져서 나라를 열고 가문을 이으니, 소인을 쓰지 말아야 한다.[上六, 大君有命, 開國承家, 小人勿用.]

39) 切: 경학자료집성DB와 영인본에 '芴'으로 되어 있으나, 문맥을 살펴 '切'로 바로잡았다.

於荒服也, 言不可以私欲生事以紛更也.
구삼은 상육에 호응하는데 오효가 막고 있으니, 천자가 삼효의 좋아하고 기뻐하는 일에 전적으로 따라주지 않는 것이다. 상육과 구오는 가까워서 믿는 것들이기 때문에 상육의 뜻이 바로 구오의 뜻이다. 다른 괘에서 삼효가 상효와 호응하는 것은 모두 이와 같이 설명하기 때문에 상육을 천자의 일로 말하였다. 높이 있어 천하에서 근본으로 여기기 때문에 "고종"이라고 하였으니, 은나라의 고종이다. 손괘가 높음[高]이고 건괘가 근본[宗]이다. 구삼이 사효로 나아면 손괘(巽卦☴)가 되는데 '마주하는 것[☰]'을 취하면 정괘(鼎卦䷱)이니, 건괘(乾卦☰)가 아래에 있다. 건괘가 아래에 있는 것이 아래에서 근본으로 여기는 것이다. 리괘와 곤괘가 정벌이고 감괘가 귀신[鬼]이고 손괘가 방향[方]이다. 정괘(鼎卦䷱)에는 감괘(坎卦)와 손괘(巽卦)가 있고, 구삼에도 정괘가 있으니, 악을 고쳐 선을 행하는 의미이다. 귀방은 아득히 멀리 있는 나라이다. 손괘가 삼인 리괘이고 호괘인 진괘이며, 간괘가 연(年)이고 리괘인 무기와 간괘의 얻음이 '이긴다'는 것이다. 삼효가 두 음의 가운데 빠졌기 때문에 "소인을 쓰지 말아야 한다"고 하였다. 리괘와 곤괘가 소인이다. 간괘와 진괘는 호괘와 마주하는 괘가 태괘로 '쓰지 말아야 한다'는 것이니, 사사로운 욕심 때문에 거칠게 복종시키는 데 군대를 쓰서는 안 된다는 말이고, 사사로운 욕심 때문에 일을 만들어 분란을 일으켜 바꾸어서는 안 된다는 말이다.

### 오치기(吳致箕) 「주역경전증해(周易經傳增解)」

九三在旣濟之時, 以剛居剛, 而應上六險體之柔, 有伐寇之象, 故以高宗之伐鬼方爲喻. 而所敵在險, 不可驟勝, 故三年然後方克. 此言用兵之難, 而賞功之際, 小人則不當寵之以祿位, 恐其挾功倚勢, 召亂於旣濟之世, 故其戒如此.
구삼이 기제의 때에 굳셈으로 굳센 자리에 있으면서 상육의 험한 몸체의 부드러움과 호응하니 도둑을 정벌하는 상이 있기 때문에 고종이 귀방을 정벌하는 것으로 비유하였다. 그러나 대적하는 것이 험한 데 있어 대번에 이길 수 없기 때문에 삼 년 연후에야 이길 수 있었다. 여기에서는 군대를 동원하는 것에 대한 어려움을 말하면서 공을 상줄 때에 소인은 봉록과 지위로 총애해서는 안된다는 것이니, 공과 권세를 끼고 기제의 세상에 어지러움을 불러들일 것을 염려하였기 때문에 이처럼 경계했던 것이다.

○ 鬼方在北, 而取於應坎也. 離爲戈兵, 變震爲動, 震動戈兵, 爲伐之象. 三取於離之數, 而三年言其久也. 旣濟盡成, 故克敵難也.
귀방은 북쪽에 있어 호응하는 감괘에서 취했다. 리괘(離卦☲)는 무기이고 진괘(震卦☳)로 변한 것이 움직임이 되어 무기를 떨쳐 움직이니 정벌의 상이다. 삼은 리괘의 수에서 취하였는데, 삼 년은 오랜 시간을 말한다. 기제괘가 모두 이루어졌기 때문에 적을 이기는 것은 어렵다.

### 이진상(李震相) 『역학관규(易學管窺)』

伐鬼方.
귀방을 정벌하여.

三居離體之終, 而外有坎險離, 爲甲冑戈兵, 坎爲盜, 故有是象.
삼효가 리괘(離卦☲)의 몸체의 끝에 있고 밖에 감괘(坎卦☵)의 험난함이 있어 갑옷과 무기가 되며, 감괘가 도적이기 때문에 이런 상이 있다.

○ 小人勿用.
소인을 쓰지 말아야 한다.
憲宗, 平准之後, 進用皇甫鎛等, 馴致大禍, 此其驗也.
헌종이 준을 평정한 후에 황보단[40] 등을 등용하여 큰 화를 불렀으니, 이것이 그 증험이다.

---

40) 황보단(皇甫鎛): 당대(唐代)에 재상에 올라 군사와 대권을 조종했던 환관이다.

**象曰, 三年克之, 憊也.**

「상전」에서 말하였다: "삼 년 만에 이기는 것"은 피곤하다.

## 中國大全

傳

**言憊以見其事之至難. 在高宗爲之則可, 无高宗之心, 則貪忿以殃民也.**

피곤함을 말하여 그 일이 지극히 어려움을 나타냈다. 고종(高宗)이 하는 것은 괜찮지만, 고종의 마음이 없다면 탐함과 분노로 백성을 해치는 것이다.

小註

或問, 三年克之憊也, 以言用兵是不得已之事, 以高宗之賢, 三年而克鬼方, 亦不勝其憊矣. 朱子曰, 言兵不可輕用也.
어떤 이가 물었다: "삼 년 만에 이기는 것은 피곤하다"는 것은 군대를 쓰는 것이 부득이한 일이니, 고종의 현명함으로도 삼 년 만에 귀방을 이겨서 그 피곤함을 이기지 못하였다는 말입니까?
주자가 말하였다: 군대를 가볍게 써서는 안 된다는 말입니다.

○ 建安丘氏曰, 三年而後克之, 則師老財匱, 其困憊亦已甚矣.
건안구씨가 말하였다: 삼 년이 된 이후에 이긴다면 군사들은 노쇠해지고 재물은 다 허비되어 그 곤란함이 이미 심하다.

○ 臨川吳氏曰, 憊, 言用力之疲困, 以見克之之難而用兵非美事也.
임천오씨가 말하였다: '피곤하다[憊]'는 것은 힘을 쓰는 것이 지쳐서 힘들다는 말이니, 이기기 어려움과 군대를 쓰는 것이 아름다운 일이 아님을 보여주었다.

## 韓國大全

### 김상악(金相岳) 『산천역설(山天易說)』

憊, 疲病也, 言憊以見克之之難也, 與遯三曰, 有疾厲[41]也相似. 鬼方爲高宗之疾也
'피곤하다'는 것은 지쳐서 병든 것으로 피곤하다는 것으로 이기기 어려움을 드러냈다는 말이니, 돈괘(遯卦) 삼효의 '병이 있어서 위태롭다'는 말과 서로 비슷하다. 귀방은 고종이 괴로워했던 것이다.

### 서유신(徐有臣) 『역의의언(易義擬言)』

先君子曰, 旣濟九三, 正是飮酒酩酊, 花開離披時, 節力已憊矣.
선대의 군자가 말하였다: 기제괘의 구삼은 바로 술 마시고 취하니 피었던 꽃이 떨어질 때로 힘을 아껴도 이미 피곤하다.

### 심대윤(沈大允) 『주역상의점법(周易象義占法)』

言艱苦也.
어렵고 고통스럽다는 말이다.

### 오치기(吳致箕) 「주역경전증해(周易經傳增解)」

用力疲困, 曰憊, 而三年後克之, 則師老財匱, 其困已甚矣.
힘을 써서 고달픈 것을 피곤하다고 하는데 삼 년 뒤에 이겼으니, 군대는 노쇠해졌고 재물은 다하여 그 피곤함이 이미 심하다.

### 이병헌(李炳憲) 『역경금문고통론(易經今文考通論)』

高宗, 殷武丁, 鬼方, 小國, 喩周公東征也.
고종은 은나라의 무정이고, 귀방은 작은 나라이니, 주공이 동쪽을 정벌한 것을 비유한 것이다.

---

41) 厲: 경학자료집성DB와 영인본에 '憊'로 되어 있으나 『주역전의대전』과 문맥을 참조하여 '厲'로 바로잡았다.

劉安曰, 以盛天子伐小蠻夷, 三年而後克, 言用兵之不可不重也. 或曰, 小人謂上.
유안이 "성대한 천자가 작은 오랑캐를 정벌하여 삼 년 이후에 이겼으니, 군대를 동원하는 일은 신중하지 않아서는 안 된다는 말이다. 어떤 이는 '소인은 상효를 말한다'고 하였다"라고 하였다.

## 六四, 繻有衣袽, 終日戒.

육사는 물이 샘에 옷과 헌옷을 준비해 두고 종일 경계한다.

## 中國大全

**傳**

四在濟卦而水體, 故取舟爲義. 四近君之位, 當其任者也. 當旣濟之時, 以防患慮變爲急. 繻當作濡, 謂滲漏也. 舟有罅漏, 則塞以衣袽, 有衣袽以備濡漏, 又終日戒懼, 不怠慮患, 當如是也. 不言吉, 方免於患也. 旣濟之時, 免患則足矣, 豈復有加也.

사효는 이룬 괘[濟卦]에 있고 물의 몸체이므로 배를 취하여 뜻으로 삼았다. 사효는 임금과 가까운 자리로 그 임무를 담당한 자이니, 이미 이루어진 때에 환란을 방지하고 변고를 염려함을 급하게 여겨야 한다. '수(繻)'는 '유(濡)'가 되어야 하니, 물이 새는 것을 말한다. 배가 틈이 있어 물이 새면 옷과 헌옷으로 막으니, 옷과 헌옷을 준비해 두어 새는 것에 대비하고 또 종일토록 경계하고 두려워하며 태만하지 않아 환란을 염려하기를 이와 같이 하여야 한다. 길함을 말하지 않은 것은 이제 막 환란을 면했기 때문이다. 이미 이루어진 때에는 환란을 면하면 족하니, 어찌 다시 더함이 있겠는가?

**本義**

旣濟之時, 以柔居柔, 能預備而戒懼者也, 故其象如此. 程子曰, 繻當作濡. 衣袽, 所以塞舟之罅漏.

이미 이루어진 때에 부드러움으로 부드러운 자리에 있으니, 미리 대비하여 경계하고 두려워하는 자이므로 그 상이 이와 같다. 정자가 말하기를 "수(繻)는 유(濡)가 되어야 한다"고 하였다. 옷과 헌옷은 배의 틈에 새는 곳을 막는 것이다.

小註

朱子曰, 六四以柔居柔, 能慮患預防. 蓋是心低小底人, 便能慮事. 柔善底人心不麤, 慮事細密, 剛果之人心麤, 不解如此.
주자가 말하였다: 육사는 부드러운 음으로 부드러운 음의 자리에 있어 환란을 염려하여 미리 방비할 수 있다. 조심스러운 사람은 일을 염려할 수 있다. 부드럽고 선한 사람의 마음은 거칠지 않아 일을 염려하는 것이 세밀하고, 굳세고 과감한 사람의 마음은 거칠어 이처럼 이해하지 못한다.

○ 中溪張氏曰, 六四出離入坎, 此濟道將革之時也. 濟道將革, 則罅漏必生於此. 四坎體也, 故取漏舟爲戒. 終日戒者, 自朝至夕, 不忘戒備, 常若坐弊舟而水驟至焉, 斯可以免覆溺之患.
중계장씨가 말하였다: 육사는 리괘를 떠나 감괘로 들어가니, 이는 이루어진 도가 바뀌려는 시기이다. 이루어진 도가 바뀌려고 하면 여기에 틈이 반드시 생긴다. 사효는 감괘의 몸체에 있기 때문에 물이 새는 배를 취하여 경계로 삼았다. 종일 경계한다는 것은 아침부터 저녁까지 경계와 대비를 잊지 않는 것이니, 항상 부서진 배 안에 앉아 있으면서 물이 갑자기 들어올 것처럼 하면 배가 전복되어 물에 빠지는 환란을 면할 수 있다.

○ 雲峯胡氏曰, 九三以剛居剛, 易失之躁, 故以高宗三年克鬼方之象戒之. 六四以柔居柔, 自有能預備而戒懼之象矣. 譬如乘舟者, 不可以无繻而忘衣袽. 亦不可謂衣袽已備, 遂恝然不知戒, 水寖至而不知, 則雖有衣袽, 不及施矣. 備患之懼, 不失於尋常, 而慮患之念, 又不忘於頃刻, 此處旣濟之道也.
운봉호씨가 말하였다: 구삼은 굳센 양으로 굳센 양의 자리에 있어서 조급한 데서 잘못되기 쉽기 때문에 고종이 삼 년 만에 귀방을 이기는 상으로 경계하였다. 육사는 부드러운 음으로 부드러운 음의 자리에 있으니 본래 예비하고 경계할 수 있는 상이 있다. 비유하자면 배에 타는 사람이 배가 새지 않을 것이라고 옷과 헌옷을 준비하는 것을 잊어서는 안 되는 것과 같다. 또한 옷과 헌옷을 이미 준비했다고 마침내 태평하게 경계할 줄 몰라 물이 새도 알지 못한다면, 옷과 헌옷이 준비되어 있을지라도 쓸모가 없을 것이다. 환란을 대비하는 두려움을 평소에 잃지 않아야 하고, 또한 환란을 생각하는 염려를 또한 잠시도 잊지 않아야 하니, 이것이 이미 이루어진 일에 대처하는 도이다.

## ‖韓國大全‖

### 권근(權近) 『주역천견록(周易淺見錄)』

六四坎水之初而險之始生也, 故有繻有衣袽終日戒之象, 處旣濟者, 所當疑慮而豫防也. 盛極當衰, 其漸微如罅漏之水, 忽而不戒, 則不可救矣. 此爻旣濟過中而險始生, 故發此戒也.
육사가 감괘인 물의 초효여서 험함이 시작되어 나오기 때문에 젖음에 옷과 헌옷을 장만해 두고 종일 경계한다는 상이 있으니, 기제에 처한 자는 의심하고 염려하여 예방해야 한다는 것이다. 성대함이 다하면 쇠약해지는 것이 틈으로 새는 물처럼 점차 쇠미해지니 소홀히 하여 경계하지 않으면 구제할 수 없다. 여기의 효는 기제가 가운데를 지나 험함이 시작되어 나오기 때문에 이런 경계를 하였다.

### 송시열(宋時烈) 『역설(易說)』

繻, 傳義, 皆以濡釋之, 衣袽, 皆以塞舟罅漏釋之. 蘇氏胡氏張氏皆云, 來氏獨云, 四變則爲乾衣, 兌爲毁衣. 繻帛者, 美衣, 袽衣者, 蔽衣. 涉水者, 不衣繻而衣袽, 覽者取舍. 但來氏四變之說, 錯之似過否. 終日者, 離爲日也. 戒者, 懼也. 小象有疑者, 亦坎象.
명주[繻]는 『정전』과 『본의』에서 모두 물이 새는 것으로 해석했고, 옷과 헌옷은 모두 배의 틈으로 물이 새어 들어오는 것을 막는 것으로 해석했다. 소씨 · 호씨 · 장씨는 모두 '래지덕만이 사효가 변하면 건괘(乾卦☰)의 옷이고 태괘(兌卦☱)는 헐어버린 옷이다'라고 했다고 한다. 명주와 비단[繻帛]은 아름다운 옷이고, 해진 옷[袽衣]은 낡은 옷이다. 물을 건너는 자는 비단옷을 입지 않고 낡은 옷을 입으니 보는 자가 취사하라. 다만 래지덕의 사효가 변한다는 설은 뒤섞인 것으로 지나치고 아닌 것 같다. '종일'은 리괘(離卦)가 일(日)이기 때문이다. '경계한다'는 것은 두려워한다는 것이다. 「소상전」에서 '의심할 것이 있어서이다'는 것도 감괘(坎卦☵)의 상이다.

### 이익(李瀷) 『역경질서(易經疾書)』

繻有衣袽, 謂鬼方雖定戒懼不怠其心, 常若有禍難闖至. 如舟有袽而或漏, 故曰有所疑也.
'물이 샘에 옷과 헌옷을 준비한다'는 것은 귀방이 안정되었을지라도 경계하고 두려워하여 그 마음을 나태하게 하지 않고 항상 재앙과 어려움이 머리를 내밀고 생길 것처럼 여긴다는 말이다. 이를테면 배에 헌옷이 있어도 물이 샐 수 있기 때문에 "의심할 것이 있어서이다"라고 한 것이다.

### 권만(權萬) 「역설(易說)」

袽, 說文作絮, 絜縕也. 引易需有衣絮. 古文易作茹, 京房作絮.

여(袽)는 『설문해자』에 여(絮)로 해 놓고, 깨끗한 헌옷이라고 하면서 『주역』의 "물이 샘에 옷과 헌옷을 준비한다"[42]라는 구절을 인용하였다. 『고문주역』에는 여(茹)로 되어 있고 경방은 여(絮)로 기록했다.

### 심조(沈潮) 「역상차론(易象箚論)」

互離中虛, 有舟象. 又自此爻觀, 則上下皆坎, 此爲左右上下透水之象, 妙哉. 衣者, 雜乾也, 日互離也.

호괘 리괘(離卦☲)는 가운데가 비어 배의 상이 있다. 또 여기의 효로 보면 위아래가 모두 감괘로 이것이 좌우와 상하로 물이 새는 상이 되니 묘하다. '옷'은 건괘가 섞인 것이고, '일(日)'은 호괘인 리괘(離卦)이다.

### 유정원(柳正源) 『역해참고(易解參攷)』

節齋蔡氏曰, 繻, 帛之美者, 袽, 衣之弊者. 旣濟過中, 時且變矣, 故四有衣袽之戒, 言繻雖美, 則必至於有袽, 事雖濟, 則必至於未濟, 必須終日戒懼乎. 此則憂疑可釋, 而不至於終亂矣.

절재채씨가 말하였다: 명주[繻]는 비단이 아름다운 것이고, 헌옷은 옷이 낡은 것이다. 이미 이루어짐으로 알맞음을 지나쳐 때가 변하려고 하기 때문에 사효는 옷과 헌옷의 경계를 하였다. 비단옷이 아름다울지라도 반드시 헌옷이 되고 일이 이루어졌을지라도 반드시 이루지지 않은 것에 이르게 되니, 반드시 종일 경계하고 두려워해야 한다는 말이다. 이것은 근심과 의심을 풀어 끝내 어지러워지는 지경에 이르지 않을 수 있는 것이다.

○ 林氏曰, 說者, 謂衣之敗絮, 可以塞漏舟. 愚謂漏舟而恃敗絮, 非防患之道也. 離爲日, 三爻皆離, 有終日象. 坎爲憂, 有戒懼象.

---

42) 『說文解字』: 絜縕也. …. 易曰需有衣絮.

임씨가 말하였다: 열(說)은 해진 옷으로 물이 새는 것을 막는 것을 말한다고 하였다. 내가 살펴보건대, 배에 물이 새는데 헌옷을 믿는 것은 환난을 방비하는 방법이 아니다. 리괘(離卦)가 일(日)인데, 삼효가 모두 리괘이니 종일의 상이 있다. 감괘는 우려함이니 경계의 상이 있다.

## 김상악(金相岳) 『산천역설(山天易說)』

繻, 周禮註作襦袽, 說文作絮絮緼也, 卽緼袍也. 六四居坎乘離, 與五相比. 得陽者, 爲衣繻也, 得陰者, 爲衣袽也, 謂於衣繻之中, 有衣袽者也. 時旣濟而終日戒懼, 所以保旣濟也.
명주는 『주례』의 주에 '저고리의 조각'으로 되어 있고, 『설문해자』에 '여(絮)는 깨끗한 헌옷이다'로 해 놨으니 곧 솜옷이다. 육사는 감괘에 있으면서 리괘를 타고 있고 오효와 서로 가깝다. 양을 얻은 것이 옷과 명주이고, 음을 얻은 것이 옷과 헌옷이니, 옷과 명주 가운데 옷과 헌옷이 있다는 말이다. 때가 이미 이루어졌지만 종일 경계하기 때문에 이미 이루어진 것을 지킨다.

○ 繻者, 坤之帛也, 袽者, 乾之衣也. 坎一陽居坤之中, 故象衣繻, 離一陰居乾之中, 故象衣袽. 濟道將終盛, 必有衰. 美衣不如緼袍, 盛牢不如薄具, 故四五之取象如此. 終日戒者, 六四出離入坎, 正當火戒水水戒火之時也. 四變爲革, 革卦曰, 已日乃孚, 故此曰, 終日戒.
'명주'는 곤괘인 비단이고, '헌옷'은 건괘의 옷이다. 감괘의 한 양이 곤괘의 가운데 있기 때문에 옷과 명주를 상징하고, 리괘의 한 음이 건괘의 가운데 있기 때문에 옷과 헌옷을 상징한다. 이루어진 도가 성대함이 다하려고 하니 반드시 쇠약하게 될 것이다. 보기 좋은 옷이 따뜻한 솜옷만 못하고, 성대한 희생이 검소한 갖춤만 못하기 때문에 사효와 오효에서 이처럼 상을 취했다. '종일 경계한다'는 것은 육사가 리괘를 떠나 감괘로 들어온 것이니, 바로 불이 물을 경계하고 물이 불을 경계하는 때이다. 사효가 변하여 혁괘(革卦䷰)로 되었고, 그 괘에서 "시일이 지나야 믿을 것이다"라고 하였기 때문에, 여기에서 "종일 경계한다"고 하였다.

## 서유신(徐有臣) 『역의의언(易義擬言)』

四多懼, 而旣濟之四, 尤宜戒愼也.
사효는 두려움이 많은데, 기제괘의 사효는 더욱 경계하고 삼감이 마땅하다

### 이지연(李止淵) 『주역차의(周易箚疑)』

時旣濟矣, 一有不愼, 則不幾何, 而生靈入於漏船也, 已當以副手稍工, 豫備其補漏之具, 而終日戒之可也.

때가 이미 이루어졌으나 조금이라도 삼가지 않으면 사람들이 물이 새는 배에 타게 되니, 당연히 도와주는 자와 사공이 새는 물을 막을 것을 미리 준비해 놓고 종일 경계해야 한다.

### 김기례(金箕澧) 「역요선의강목(易要選義綱目)」

以正陰處旣濟之半, 有若未濟之時戒於豫防, 如舟濟者儲衣袽, 而待舟之有濡漏. 又不以儲衣袽自足, 而終日戒懼, 不漏而恐漏. 坎體, 故居取漏舟, 居上下之半, 故有自朝至暮終日之戒.

바른 음으로 기제의 중간에 있어 미제의 때와 같이 미리 대비하는 것에 경계함이 있으니, 배로 물을 건너는 자가 옷과 헌옷을 쌓아둠으로 배에 물이 샐 것을 대비하는 것과 같다. 또 옷과 헌옷을 쌓아두는 정도로 스스로 만족하지 않아 종일 경계하고 두려워하고 물이 새지 않아도 그렇게 될까 염려한다. 감괘의 몸체이기 때문에 거주에 새는 배를 취하였고, 상하괘의 중간에 있기 때문에 아침부터 저녁까지 종일의 경계가 있다.

### 심대윤(沈大允) 『주역상의점법(周易象義占法)』

旣濟之革䷰, 去故也. 夫前事之遺敝, 是爲後事之張本, 革去其敝, 卽所以防其萌也. 六四以柔居柔, 莊敬以待事. 乾兌有莊敬以諫爭之象. 應初而隔三, 下情未孚也. 繻防其變也, 言隨其罅隙而防其漏. 古者, 用之關市, 以防變也, 先儒云, 衣袽以塞舟之孔. 巽爲帛, 艮爲防, 曰繻. 巽爲舟爲絮爲衣. 坎離爲穴[43], 互艮塞, 爲衣袽塞舟孔之象. 變卦之對蒙有艮, 六四亦有蒙雜而未辨之義也. 四之時天下太平, 事端之 萌微而不可辨, 故曰終日戒. 言敬惕而察之, 以愼防其微也. 離坤爲終日.

기제괘가 혁괘(革卦䷰)로 바뀌었으니, 옛것을 없애는 것이다. 앞의 일에서 남은 폐단은 뒷일의 근본이니, 그 폐단을 없애 버리는 것이 곧 그 붕괴를 막는 것이다. 육사는 부드러움으로 부드러운 자리에 있어 엄숙함과 공경함으로 일을 대한다. 건괘와 태괘에는 엄숙함과 공경함으로 간쟁하는 상이 있다. 초효와 호응하는데 삼효가 막고 있으니 아래로의 마음이 미덥지 않은 것이다. '명주[繻]'는 변화를 막는 것이니, 틈을 따라 물이 새는 것을 막는다는 말이다. 옛날에 그것을 관문과 저자에 사용해서 변란을 막았으니, 선대의 학자들은 '옷과

43) 경학자료집성DB와 영인본에 '宂'으로 되어 있으나, 문맥을 살펴 '穴'로 바로잡았다.

헌옷으로 배의 구멍을 막는다'고 하였다. 손괘(巽卦)는 비단이고, 간괘(艮卦)는 막음이니, '명주[繻]'라고 하였다. 손괘는 배이고 헌옷이며 옷이다. 감괘와 리괘가 구멍이고, 호괘인 간괘의 막음이니 옷과 헌옷으로 배의 구멍을 막는 상이다. 변한 혁괘(革卦䷰)의 음양이 바뀐 몽괘(蒙卦䷃)에 간괘(艮卦☶)가 있고, 육사에도 몽괘가 섞여 구별되지 않는 의미가 있다. 사효의 때는 천하가 태평하고 일의 싹이 은미해서 변별할 수 없기 때문에 "종일 경계한다"고 하였으니, 공경하고 두려워하면서 살핌으로써 그 미미한 때에 삼가고 방비한다는 말이다. 리괘와 곤괘가 종일이다.

### 오치기(吳致箕) 「주역경전증해(周易經傳增解)」

六四, 柔得其正, 而上承九五之君, 以佐濟世之功者也. 當旣濟盡成之時, 君臣上下, 狃於泰寧, 罅漏易生, 有濟水舟漏之象. 故戒言當防患, 慮變隨處補塞, 有衣袽之備, 而終日戒懼, 不可頃刻怠忽也.
육사는 부드러움으로 바름을 얻고 위로 구오의 임금을 받들어 세상을 구제하는 공을 돕는 자이다. 이미 이루어져 모두 이룬 때에 임금과 신하가 위아래로 태평하고 편안한 것에 익숙해져서 틈으로 새는 것이 쉽게 생기니 내를 건너는 배에 물이 새어 들어오는 상이 있다. 그러므로 환난을 방지해야 한다고 경계하여 말하였으니, 변화를 생각해 곳에 따라 보완하고 막으려고 옷과 헌옷을 준비해 두고 종일 경계하고 두려워하며 잠시라도 태만해서는 안된다.

○ 程傳, 繻當作濡, 言舟漏也. 濟功在舟, 而爻變互巽爲木, 木行水上爲舟. 變兌爲決, 卽舟漏之象也. 衣袽, 敗衣也. 乾爲衣, 而乾三陽, 散在三陰之間, 有敗衣補罅之象也. 日取於離. 終日戒, 言自朝至夕, 不忘備患也.
『정전』에서는 '수(繻)'는 '유(濡)'가 되어야 하니, 물이 새는 것을 말한다. 물을 건너는 공은 배에 있는데, 효가 변해 호괘인 손괘(巽卦☴)가 나무이고, 그것이 물위로 지나가는 것이 배다. 태괘(兌卦☱)로 변해 결함이 되면 바로 배에 물이 새는 상이다. '의녀(衣袽)'는 해진 옷이다. 건괘가 옷인데 건괘의 세 양이 세 음 사이로 흩어져 있으니 해진 옷으로 틈을 메우는 상이 있다. '일(日)'은 리괘(離卦☲)에서 취하였다. '종일 경계한다'는 것은 아침부터 저녁까지 환난을 대비함을 잊지 않는다는 말이다.

### 이진상(李震相) 『역학관규(易學管窺)』

節齋曰, 繻, 帛之美者, 袽, 衣之弊者. 旣濟之中, 時將變矣, 故有衣袽之戒, 言繻雖美, 必至於有袽, 事雖濟, 必至於終亂, 其說可通.

절재가 "명주[繻]는 비단이 아름다운 것이고, 헌옷은 옷이 낡은 것이다. 이미 이루어진 가운데 때가 변하려고 하기 때문에 옷과 헌옷의 경계를 하였으니, 비단옷이 아름다울지라도 반드시 헌옷이 되고 일이 이루어졌을지라도 반드시 끝내 혼란하게 된다는 말이다"라고 하였는데, 그 설명이 통한다.

## 象曰, 終日戒, 有所疑也.

「상전」에서 말하였다: "종일 경계함"은 의심할 것이 있어서이다.

# 中國大全

### 傳

**終日戒懼, 常疑患之將至也. 處旣濟之時, 當畏愼如是也.**

종일토록 경계하고 두려워함은 항상 환란이 생길 것을 의심해서이다. 이미 이루어진 때에 있어서 두려워하고 삼가기를 이와 같이 하여야 한다.

#### 小註

中溪張氏曰, 人之於事, 惟其有所疑於心, 然後能思所以處之, 此君子所以必思患而豫防之也.

중계장씨가 말하였다: 사람이 일에 대해서 오직 마음에 의심이 있은 다음에 대처할 방법을 생각할 수 있으니, 이것이 군자가 반드시 환란을 생각하여 미리 방비하는 방법이다.

# 韓國大全

### 김상악(金相岳) 『산천역설(山天易說)』

終日戒懼者, 疑禍患之將至也. 疑者, 坎之心病. 狐性多疑, 故初上皆取狐象, 而四又言疑.

종일 경계하고 두려워하는 것은 재앙과 환난이 생길 것을 의심하는 것이다. 의심하는 것은 감괘인 마음의 병이다. 여우의 성격은 의심이 많기 때문에 초효나 상효에서 모두 여우의 상을 취하였고 사효에서 또 의심을 말하였다.

### 심대윤(沈大允) 『주역상의점법(周易象義占法)』

疑者, 兩似而難辨也.
의심할 것은 둘이 비슷해서 구별하기 어려운 것이다.

### 오치기(吳致箕) 「주역경전증해(周易經傳增解)」

疑禍患之將至, 終日不忘戒懼也.
재앙과 환난이 올 것을 생각하여 종일 경계하고 두려워함을 잊지 않는다.

### 이병헌(李炳憲) 『역경금문고통론(易經今文考通論)』

孟以繻作需, 謂絮縏緼也. 前漢書終軍傳注, 繻音須, 細密羅, 又符帛, 舊関出入, 因裂繻頭合以爲符信. 蓋水之津渡有關臬, 故以此爲往來之符信.
맹희는 '수(繻)'를 수(需)로 보았으니, 솜으로 누벼서 따뜻한 것을 말한다. 『전한서 · 장군전』에서 '수(繻)는 음이 수(須)로 촘촘하게 누빈 것이다'라고 주석하고, 또 '비단조각의 부신으로 옛날 관문을 출입할 때에 찢은 명주의 머리자국을 합해 증거로 삼던 것이다'라고 주석하였다. 대개 나루터에서 물을 건널 때에 검열이 있기 때문에 이것으로 오고가는 증거를 삼았던 것이다.

## 九五, 東隣殺牛, 不如西隣之禴祭, 實受其福.

구오는 동쪽 이웃의 소를 잡는 제사는 서쪽 이웃의 검소한 제사가 실제로 복을 받는 것만 못하다.

### 中國大全

**傳**

五中實孚也, 二虛中誠也. 故皆取祭祀爲義. 東隣陽也謂五, 西隣陰也謂二. 殺牛盛祭也, 禴薄祭也, 盛不如薄者, 時不同也. 二五皆有孚誠中正之德, 二在濟下, 尙有進也, 故受福, 五處濟極, 无所進矣, 以至誠中正守之, 尙未至於反耳. 理无極而終不反者也, 已至於極, 雖善處, 无如之何矣. 故爻象唯言其時也.

오효의 가운데가 찬 것은 믿음이고, 이효의 가운데가 빈 것은 정성이다. 그러므로 제사를 취하여 뜻으로 삼았다. 동쪽 이웃은 양이니 오효를 말하고, 서쪽 이웃은 음이니 이효를 말한다. 소를 잡는 것은 성대한 제사이고 '약(禴)'은 검소한 제사이니, 성대함이 검소함만 못한 것은 때가 같지 않기 때문이다. 이효와 오효는 모두 믿음과 중정의 덕이 있으나, 이효는 기제괘의 아래에 있어서 아직 나아갈 곳이 있으므로 복을 받고, 오효는 기제괘의 궁극에 처하여 나아갈 곳이 없으니, 지성과 중정으로 지키면 여전히 뒤집힘에 이르지 않을 뿐이다. 이치는 궁극에 이르고서 끝내 뒤집히지 않는 것이 없으니, 이미 궁극에 이르렀으면 비록 잘 대처할지라도 어쩔 수가 없다. 그러므로 효와 상에 오직 그 때를 말하였다.

**本義**

東陽西陰, 言九五居尊而時已過, 不如六二之在下而始得時也. 又當文王與紂之事, 故其象占如此. 彖辭初吉終亂, 亦此意也.

동쪽은 양이고 서쪽은 음이니, 구오가 높은 자리에 있지만 때가 이미 지나버려 육이가 아래에 있지만 처음으로 때를 얻은 것만 같지 못하다는 말이다. 또 문왕(文王)과 주왕(紂王)의 일에 해당하므로 그 상과 점이 이와 같다. 단사(彖辭)의 처음은 길하고 끝은 혼란하다는 말도 이러한 뜻이다.

小註

或問, 九五爻以言紂雖貴爲天子, 祭祀之盛, 而不若文王之薄祭, 卻可以福祐. 蓋時之興衰, 自是如此. 朱子曰, 楊子雲云, 月未望則載魄於西, 旣望則終魄於東. 蓋十六日, 月雖缺未多, 更圓似生明之時, 畢竟是漸缺去. 月初雖小於生魄時, 畢竟是長底時節. 又問占得此爻則如何. 曰, 這當看所值之時如何, 大意大抵不得便宜.
어떤 이가 물었다: 구오효는 주(紂)가 비록 귀하기로는 천자가 되어 제사를 성대하게 지내더라도 문왕이 검소한 제사가 도리어 복을 받을 수 있는 것만 못하다고 말하고 있습니다. 때의 흥함과 쇠함이 본래 이와 같습니까?
주자가 답하였다: 양자운이 "달이 아직 보름이 되지 않았으면 서쪽 부분에서 밝음이 시작되고, 보름이 되면 동쪽 부분에서 밝음이 끝난다"고 하였습니다. 십육일에는 달이 비록 많이 이지러지지는 않아서 둥근 달이 마치 밝음을 생겨나게 하는 때인 것 같지만, 결국은 점점 이지러져 갑니다. 달이 처음에는 비록 밝음이 시작되는 때보다 작지만, 결국 자라나는 시절입니다.
또 물었다: 점쳐서 이 효를 얻으면 어떻습니까?
주자가 답하였다: 마땅히 만나는 때가 어떠한가를 보아야 하나, 큰 뜻은 대체로 그렇게 좋지는 않습니다.

○ 白雲郭氏曰, 祭之盛者, 非无誠也, 然以物爲主. 祭之薄者, 非无物也, 然以誠爲主. 物過於誠, 則物勝誠而誠日以衰, 誠過乎物, 則誠勝物而誠日以著是也.
백운곽씨가 말하였다: 성대한 제사는 정성이 없는 것은 아니지만 제물이 위주가 된다. 검소한 제사는 제물이 없는 것은 아니지만 정성이 위주가 된다. 제물이 정성보다 넘치면 제물이 정성을 이겨서 정성이 날로 쇠하고, 정성이 제물보다 넘치면 정성이 제물을 이겨서 정성이 날로 드러난다는 것이 그것이다.

○ 雲峯胡氏曰, 東陽也謂五, 西陰也謂二. 禴夏祭也, 離爲夏. 本義於爻辭, 拳拳於時之一字, 此則曰, 九五居尊而時已過, 不如六二在下而始得時也. 時之過, 如月已望而將晦之時乎. 時之始, 至如月方弦而將至於望之時也. 夫文王與紂, 同此一時也, 在紂則爲已過之時, 在文王則爲未至之時也. 然福在天地間, 未嘗不以與人, 非吝於紂而私於文王也. 文王實有以受之, 紂自无受之道爾.
운봉호씨가 말하였다: 동쪽은 양이고 오효를 말하며, 서쪽은 음이고 이효를 말한다. '약(禴)'은 여름 제사로 리괘가 여름이다. 『본의』는 효사에 대해서 '때[時]'라는 한 글자에 마음을 기울이고 있는데, 여기에서는 "구오는 높은 자리에 있지만 때가 이미 지나서, 육이가 아래에

있지만 처음으로 때를 얻은 것만 같지 못하다"라고 말하였다. 때가 지났다는 것은 예를 들어 달이 이미 보름이 되어 그믐이 되려는 때일 것이다. 문왕과 주(紂)는 한 시대를 함께하였지만, 주에게는 이미 지난 때였고 문왕에게는 아직 이르지 않은 때였다. 그러나 복은 천지 사이에 있어서 사람에게 주지 않은 적이 없으니, 주에게 인색하지도 않았고 문왕에게 사사롭게 하지도 않았다. 문왕은 실제로 복을 받을 일이 있었고, 주는 스스로 받을 만한 도가 없었던 것일 뿐이다.

## 韓國大全

### 송시열(宋時烈)『역설(易說)』

東隣西隣者, 當文王與紂之時, 故辭義若此否. 離兵坎刑, 殺之象. 離爲牛. 不如者, 不及也. 禴者, 夏祭, 離爲夏也. 祭後受福, 其吉大矣. 言九五以剛陽得君位, 然陷於坎險之中, 全無潔齊之意, 紂可以當之. 六二當離夏之時, 內有文明, 昭格于上, 文王可以當之.

동쪽 이웃과 서쪽 이웃은 문왕(文王)과 주(紂)의 시대에 해당하기 때문에 말의 의미가 이와 같았던 것인가! 리괘의 무기와 감괘의 형벌이 잡는[殺] 상이다. 리괘는 소이다. '~만 못하다'는 것은 ~에 미치지 못한다는 것이다. 검소한 제사는 여름 제사이니, 리괘가 여름이기 때문이다. 제사를 지낸 다음에 복을 받으니, 그 길함이 크다. 구오는 굳센 양으로 임금의 자리를 얻었으나 감괘의 험함에 빠져 정결한 의미가 전혀 없으니, 주(紂)가 그것에 해당한다. 육이는 리괘인 여름의 때에 해당하여 안으로는 문채의 밝음이 있고 위로 밝음이 이르니 문왕(文王)이 그것에 해당한다.

### 석지형(石之珩)『오위귀감(五位龜鑑)』

臣謹按, 既濟之九五, 以先天圖離位東坎位西, 故取東西之義. 且東者陽也, 西者陰也, 陽指九五, 陰指六二. 五雖盛處既濟已過之時, 二雖弱處既濟將盛之時, 故此之殺牛, 不如彼之禴祭也. 禴者, 夏祭. 離爲夏, 故取禴祭之義. 坎體中實, 離體中虛, 爲誠敬之象, 故取祭祀之義. 大抵凡祭祀, 主於備物, 則物勝誠, 而誠日以衰, 主於誠敬, 則誠勝物, 而物不足備. 伏願殿下, 誠敬恤祀, 實受其福焉.

신이 삼가 살펴보았습니다: 기제괘의 구오는 선천도에서 리괘의 위치가 동쪽이고 감괘의 위치가 서쪽이기 때문에 동쪽과 서쪽의 뜻을 취하였습니다. 또 동쪽은 양이고 서쪽은 음이니, 양은 구오를 가리키고 음은 육이를 가리킵니다. 오효가 성대할지라도 기제가 이미 지나친 때에 있고 이효가 약할지라도 기제가 성대하려는 때에 있기 때문에 여기의 소를 잡는 것은 저기의 약제사만 못합니다. 약제사는 여름 제사입니다. 리괘는 여름이기 때문에 약제사의 의미를 취하였습니다. 감괘의 몸체는 가운데가 차 있고 리괘의 몸체는 가운데가 비어 있어 성실하고 공경하는 상이 되기 때문에 제사의 의미를 취하였습니다. 대체로 제사는 제물을 위주로 하니, 제물이 정성보다 지나치면 정성은 날로 쇠퇴하고, 정성과 공경을 위주로 하면 정성이 제물보다 지나치니 제물은 충분히 갖출 필요가 없습니다. 전하께서는 정성과 공경으로 제사에 마음을 쓰시어 실제로 복을 받으시길 엎드려 바라옵니다.

### 이익(李瀷) 『역경질서(易經疾書)』

東隣西隣, 以殷周之際言也, 大傳所謂當殷之末世, 周之盛德, 是也. 禴祭, 四時祭之一, 詩所謂禴祀烝嘗, 是也. 擧禴則餘可包之矣, 傳以西隣之時爲釋則可見. 蓋謂此時, 而彼不能時也, 非謂彼殺牛而此否也. 文王爲西伯, 其祭未有不殺牛之理, 彼雖殺牛慢神瀆祀, 不如此之以時, 而實受其福也.

동쪽 이웃과 서쪽 이웃은 은나라와 주나라의 교체기로 말하였으니, 「계사전」에서 '은나라의 말세와 주나라의 덕이 성할 때일 것이다'라고 말한 것이 여기에 해당할 것이다. 약제사는 사시의 제사 중의 하나이니, 『시경』에서 말한 "약(禴)제사 · 사(祀)제사 · 증(烝)제사 · 상(嘗)제사가 여기에 해당한다. 약제사를 들었다면 나머지는 겸할 수 있으니, 「상전」에서 서쪽 이웃의 때로 해석하면 알 수 있다. 여기에서는 때에 맞추었는데 저기에서는 때에 맞출 수 없음을 말하는 것이지 저기에서는 소를 잡았는데 여기에서는 그렇게 하지 않았음을 말하는 것이 아니다. 문왕이 서백일 때 그 제사에 소를 잡지 않았을 까닭이 없으니, 저기에서 소를 잡을지라도 신을 모멸하고 제사를 더럽혔다면 여기에서 때에 맞추어 실제로 그 복을 받는 것만 못하다.

### 심조(沈潮) 「역상차론(易象箚論)」

九五東鄰西鄰.
구오의 동쪽 이웃과 서쪽 이웃.

東, 互離也, 西, 互坎也, 此先天方位也.

동쪽은 호괘인 리괘이고 서쪽은 호괘인 감괘이니 이것은 「선천도」의 방위이다.

### 유정원(柳正源) 『역해참고(易解參攷)』

坊記, 子云, 敬則用祭器. 故君子不以菲廢禮, 不以美沒禮. 故食禮, 主人親饋則客祭, 主人不親饋, 則客不祭. 故君子苟无禮雖美不食焉. 易曰, 東隣殺牛, 不如西鄰之禴祭, 寔受其福.

『예기 · 방기』에서 공자가 말하였다: 공경한다면 빈객을 대접하며 제기를 사용한다. 그러므로 군자는 음식이 변변치 못하다고 하여 예를 폐지하지 않고, 맛있다고 하여 예를 없애지 않는다. 그러므로 사례(食禮)에 있어서 주인이 직접 음식을 건네면 빈객은 그것으로 제사를 지내고, 주인이 직접 음식을 건네지 않는다면 빈객은 제사를 지내지 않는다. 그러므로 군자는 진실로 예가 없다면 비록 맛있는 음식이라 하더라도 먹지 않는다. 그러니 『주역』에서 "동쪽 이웃의 소를 잡는 제사는 서쪽 이웃의 검소한 제사가 실제로 복을 받는 것만 못하다"라고 하였다.

○ 王氏曰, 牛, 祭之盛者也, 禴, 祭之薄者也. 居旣濟之時, 而處尊位, 物皆濟矣, 將何爲焉. 其所務者, 祭祀而已. 祭祀之盛, 莫盛於修德, 故沼沚之毛, 蘋蘩之菜, 可羞於鬼神. 故黍稷非馨, 明德唯馨. 是以東隣殺牛, 不如西隣之禴祭, 實受其福也.

왕씨가 말하였다: 소를 잡는 것은 성대한 제사이고, 약제사는 검소한 제사이다. 기제의 때에 존귀한 자리에 있어 사물이 모두 이루어졌으니 무엇을 하겠는가? 힘쓰는 것은 제사일 뿐이다. 제사의 성대함은 덕을 닦는 것보다 성대한 것이 없기 때문에 연못이나 저수지에서 자라나는 풀과 빈(蘋)과 번(蘩)의 수초를 귀신에게 올릴 수 있다. 그러므로 서직과 같은 곡식의 제물이 향기로운 것이 아니라 밝은 덕의 제물이 향기로운 것이다.[44] 이 때문에 동쪽 이웃의 소를 잡는 제사가 서쪽 이웃의 검소한 제사가 실제로 복을 받는 것만 못하다.

○ 雙湖胡氏曰, 先天離東坎西, 今旣濟離先坎後, 則方位之自東而西也. 東隣指離六二, 西鄰指坎九五. 五以二爲東隣, 二亦以五爲西隣也. 牛離象, 殺牛, 離爲戈兵象. 坎爲幽陰, 多說祭祀. 水性就下, 又有禴薄之象. 實受其福, 又可見九五陽爻爲實也.

쌍호호씨가 말하였다: 「선천도」에서 리괘는 동쪽이고 감괘는 서쪽인데, 이제 기제괘에서 리괘가 앞에 있고 감괘가 뒤에 있으니, 방위가 동쪽에서 서쪽으로 간 것이다. 동쪽의 이웃은

---

44) 『春秋左氏傳 · 僖公』(5년): 故周書曰, '皇天無親, 惟德是輔.' 又曰, '黍稷非馨, 明德惟馨.' 又曰, '民不易物, 惟德繄物.' 如是, 則非德, 民不和, 神不享矣.

리괘의 육이를 가리키고 서쪽의 이웃은 감괘의 구오를 가리킨다. 오효가 이효를 동쪽의 이웃으로 삼으니, 이효도 오효를 서쪽의 이웃으로 삼는다. 소는 리괘의 상이니, '소를 잡는 것'은 리괘가 무기의 상이기 때문이다. 감괘는 어두워서 제사가 많다. 수의 특성은 아래로 흐르고 또 검소한 상이 있다. '실제로 그 복을 받는 것'으로는 또 구오의 양효가 차 있는 것을 알 수 있다.

○ 案, 隣者, 親比之謂也. 五與上比, 二與初比, 故同謂之隣.
내가 살펴보았다: 이웃은 가까운 것을 말한다. 오효는 상효와 가깝고 이효는 초효와 가깝기 때문에 함께 이웃이라고 했다.

小註, 朱子說, 楊子雲云.
소주의 주자의 설에서 양자운이 말하였다.
〈法言, 月未望, 則載魄於西, 既望則終魄於東, 其遡於日乎. ○ 朱子曰, 載者, 加載之意, 如老子云載營魄. 古註, 月未望則光始生於西, 既望則光消虧於西, 以漸東盡. 此兩句未盡, 此兩句盡, 在其遡於日乎一句上, 蓋以日爲主月之光也. 日載之光之終也, 月從之. 蓋初一二間, 日落於酉, 月是時同在於彼. 至十五日相對, 日落於酉, 月在卯. 此未望而載魄于西. 蓋月在東而日在西, 日載之光, 及日與月相去愈遠, 則光漸消, 而魄生少間. 月與日相差過, 日卻在東, 月卻在西. 故光漸東盡, 則魄漸復也. 故曰其遡於日乎, 其載其終皆向日也.
『법언』에서 말하였다: 달은 아직 보름이 되지 않았으면 서쪽 부분에서 밝음이 시작되고, 보름이 되면 동쪽 부분에서 밝음이 끝나니, 아마 해와 거꾸로 지나가기 때문일 것이다. ○ 주자는 "시작한다는 것은 더하여 시작한다는 의미이니, 『노자』에서 '밝음을 빛내기 시작한다'고 한 것과 같다"고 하였다. 옛 주석에서는 "달은 보름 이전이면 빛이 서쪽에서 시작하고 보름 이후이면 서쪽에서 빛이 사라지며 점차 동쪽으로 다한다"고 하였다. 이 두 구절이 미진하고 극진한 것은 '아마 해와 거꾸로 지나가기 때문일 것이다'라는 구절에 있으니, 해를 달빛을 주도하는 것으로 여기기 때문이다. 해가 시작하는 빛의 끝을 달이 따라가니, 초하루와 초이틀 사이에는 해가 서쪽으로 떨어지면 달이 바로 때에 맞추어 그쪽에 있다. 15일이 되면 서로 반대가 되어 해가 서쪽으로 떨어지면 달은 동쪽의 가운데 묘(卯)의 위치에 있다. 이것이 아직 보름이 되지 않았으면 서쪽 부분에서 밝음이 시작된다는 것이다. 달이 동쪽에 있으면 해가 서쪽에 있으니, 해가 시작되는 빛이 해와 달이 서로 떨어져 더욱 멀어지게 되면 빛이 점차 사라지며 밝음이 나오는 것이 오래가지 못한다. 달과 해가 서로 어긋나게 지나가니, 해가 또한 동쪽에 있으면 달은 또한 서쪽에 있다. 그러므로 그 빛이 점차 동쪽으로 극진해지는 것은 밝음이 점차로 회복되기 때문이다. 그러므로 "아마 해와 거꾸로 지나가기 때문

일 것이다"라고 하였으니, 그 시작과 그 끝이 모두 해를 향하고 있기 때문이다.〉

### 임성주(任聖周) 「주역(周易)」

傳義皆以二爲西五爲東, 而以文王與紂之事當之. 然實受其福與吉大來, 皆不屬本爻, 而歸諸六二論, 以義例終覺未穩. 來註艱難菲薄云云, 儘有意見, 而東西隣, 皆歸之他, 而强屬福吉等字, 於本爻者, 亦恐無義.
『정전』과 『본의』에서는 모두 이효를 서쪽으로 오효를 동쪽으로 여겨 문왕(文王)과 주(紂)의 일에 해당시켰다. 그러나 실제로 복을 받는 것과 길함이 크게 오는 것은 모두 여기의 효에 속하지 않아 육이에게 돌려 논하였으니, 『본의』의 예증은 끝내 맞지 않음을 알겠다. 래지덕의 『주역집주』에서 '힘들여 검소하게'라고 말한 것은 다소 의견이 있으나 동서의 이웃은 모두 다른 것으로 돌려 억지로 복과 길함을 소속시켰으니, 여기의 효에는 의미가 없는 것 같다.

愚意, 則先天位置, 離東坎西, 東隣正屬六二, 西隣正屬九五, 謂彼東隣之殺牛, 不如此西隣之禴祭云爾. 隣者, 東西家自相隣也. 蓋九五當旣濟之將終, 陷於險中, 而坐在漏船之上, 其勢誠危矣. 然陽剛居尊, 下有正應, 中正以延識勢知時, 故大布大帛, 痛自節約, 雖宗廟享祀, 亦以二簋可用爲心, 有孚盈缶, 鬼神饗之, 此所以實受其福, 而吉大來也. 九五爻中本有此節約之象, 實字大字, 皆指九五云者, 來氏之說誠得之矣.
내가 살펴보았다: 「선천도」의 위치는 리괘가 동쪽이고 감괘가 서쪽이니, 동쪽의 이웃은 바로 육이에 속하고 서쪽의 이웃은 바로 구오에 속한다. 저기 동쪽 이웃의 소를 잡는 제사는 여기 서쪽의 검소한 제사만 못하다는 말이다. 이웃은 동쪽이나 서쪽의 집안이 본래 저절로 이웃이라는 것이다. 구오가 기제가 끝나려고 할 때에 험한 가운데 빠져 물이 새는 배위에 앉아 있으니 그 형세가 진실로 위험하다. 그러나 양의 굳셈으로 존귀한 자리에 있으면서 아래로 바른 호응이 있고 중정함으로 이어 시세를 알기 때문에 거친 베로 만든 옷을 걸치고 거친 비단으로 만든 관을 쓰고 몹시 스스로 절약했으니 종묘에서 제사를 지낼지라도 그릇 둘을 사용하는 것으로 마음을 삼아 믿음을 가짐이 질그릇에 가득함으로 귀신이 흠향하니, 이것이 실제로 복을 받고 길함이 크게 오는 까닭이다. 구오의 효에는 본래 이런 절약의 상이 있으니, '실제로'와 '크게'는 모두 구오를 가리켜 말한 것이니, 래씨의 설명이 진실로 옳다.

蓋此爻原自極好, 又應爻喪茀之婦, 時至而行, 上下戮力可以濟難. 四則以柔居柔, 畏愼戒懼, 救急而已. 五則陽剛中正, 君臣同心, 雖時當濟衰, 不能大有所爲, 亦可以挽回否運, 不至於亂也. 坎六四樽酒簋貳用缶, 正是節損簡約之事. 蓋坎中有此象, 又中實爲孚. 孚乃利用禴, 所以言禴祭. 六二離有牛象, 又當旣濟之初, 故以殺牛盛祭言之. 九五爲坎之主, 險難艱苦, 又在旣濟將終之時, 故以薄祭言之. 然非取義於盛衰, 只以東西對言其豊薄耳. 卦辭終亂, 專指上六, 故曰終止則亂其道窮也.
여기의 효는 원래 아주 좋은데, 또 호응하는 효에서 가리개를 잃은 부인이 때가 되면 가서 상하가 힘을 합치니 어려움을 구제할 수 있다. 사효는 부드러움이 부드러운 자리에 있어 두려워하고 경계하며 구하기에 급급할 뿐이다. 오효는 양의 굳셈이 중정하여 임금과 신하가 한마음이니 때가 이루어 놓은 것이 쇠퇴하여 크게 일할 수 없을지라도 막힌 운을 당겨서 돌림으로 어지럽게 되지 않을 수 있다. 감괘(坎卦)의 육사는 동이의 술과 궤(簋)요, 더하되 질그릇을 사용하니, 바로 절약하고 덜어내어 간단하게 하는 일이다. 감괘에 이런 상이 있는데 또 가운데가 차 있어 미덥다. 미더움은 약제사에 이롭기 때문에 약제사를 말하였다. 육이의 리괘에 소의 상이 있는데, 또 기제의 초기이기 때문에 소를 잡는 성대한 제사로 말하였다. 구오는 감괘의 주인으로 험난하고 어려운데 또 기제가 끝나려는 때에 있기 때문에 검소한 제사로 말하였다. 그러나 성대함과 쇠퇴함에 의미를 취한 것이 아니라 단지 동쪽과 서쪽으로 짝지어 그 풍성함과 검소함을 말했을 뿐이다. 괘사의 '끝에는 어지럽다'는 것은 오로지 상육을 가리키기 때문에 "끝에서 멈추면 어지러움은 그 도가 궁하기 때문이다"라고 하였다.

### 김상악(金相岳) 『산천역설(山天易說)』

東陽西陰. 以坎遇離, 九五居尊, 而時已過, 不如六二之在下, 而始得時也. 故盛牢不如薄祭, 而二受其福也, 所以亨在六二.
동쪽은 양이고 서쪽은 음이다. 감괘가 리괘를 만났고 구오가 존귀한 자리에 있으나 때가 이미 지나가 육이가 아래에 있으면서 처음에 때를 얻은 것만 못하다. 그러므로 성대한 희생이 검소한 제사만 못하여 이효가 그 복을 받으니, 형통함이 육이에 있는 까닭이다.

○ 牛, 坤象. 坎一陽來坤之中, 滅坤牛, 而爲血卦殺牛之象. 禴, 夏祭也. 離之象殺牛, 卽萃之用大牲, 禴祭, 卽損之二簋用享也. 此爻之義, 卽文王與紂之事. 五變則爲明夷. 彖[45]曰文王以之, 亦謂六二. 蓋紂之爲君, 是東隣殺牛也. 文王之爲臣, 是西隣禴祭也. 岐周在西, 故云西隣. 受福, 謂无事於求福, 而福反來求也, 象傳曰, 吉大來, 是也. 夫子所謂我戰則克, 祭則受福, 卽三五兩爻之義也.
소는 곤괘의 상이다. 감괘의 한 양이 곤괘의 가운데로 와서 곤괘인 소를 없애 소를 잡는 피의 괘가 되었다. 약제사는 여름 제사이다. 리괘(離卦)의 상이 소를 잡는 것은 바로 취괘

45) 彖: 경학자료집성DB와 영인본에 '夷'로 되어 있으나, 『주역전의대전』과 문맥을 참조하여 '彖'으로 바로잡았다.

(萃卦)의 큰 제물을 쓰는 것이고, 약제사는 바로 손괘(損卦)의 그릇 둘로 제사를 지낼 수 있다는 것이다. 여기 효의 의미는 바로 문왕과 주의 일이다. 오효가 변하면 명이괘(明夷卦䷣)가 되니, 「단전」에서 "문왕이 그것을 사용하였다"라고 하였으니, 이효를 말한다. 주가 임금인 것은 동쪽 이웃이 소를 잡는 것이다. 문왕이 신하인 것은 서쪽 이웃이 약제사를 지내는 것이다. 기주(岐周)는 서쪽에 있기 때문에 서쪽 이웃이라고 하였다. 복을 받는 것은 복을 구하려고 아무 것도 하지 않았는데 복이 도리어 저절로 와서 구해지는 것이니, 「상전」에서 "길함이 크게 오는 것이다"라고 한 것이 여기에 해당한다. 공자가 말한 "나는 싸움을 하면 이기고 제사를 지내면 복을 받는다"라는 것은 바로 삼효와 오효 두 효의 의미이다.

### 서유신(徐有臣) 『역의의언(易義擬言)』

東鄰西鄰, 猶東家西家. 蓋古人設譬之辭, 而周公取之, 以當文王與紂之事也. 九五以坎則西鄰, 互離則東鄰. 東不如西者, 時不同也. 殺牛雖豊, 非其時, 則不誠也. 禴祭雖薄, 得其時, 則神享之, 天祐之也.
동쪽 이웃이나 서쪽 이웃은 동쪽 집이나 서쪽 집과 같다. 옛 사람들이 비유하는 말인데 주공이 그것을 가지고 문왕과 주의 일에 해당시켰다. 구오는 감괘로는 서쪽 이웃이고 호괘인 리괘로는 동쪽 이웃이다. 동쪽이 서쪽만 못한 것은 때가 같지 않기 때문이다. 소를 잡아 넉넉할지라도 때에 맞지 않으면 정성스러운 것이 아니다. 약제사가 검소할지라도 때에 알맞다면 신이 누리고 하늘이 돕는다.

### 박제가(朴齊家) 『주역(周易)』

傳, 殺牛, 盛祭也.
『정전』에서 말하였다: 소를 잡는 것은 성대한 제사이다.

案, 殺牛, 未必祭, 必曰祭者, 所以明禴之必爲薄祭也. 然非祭而殺, 故與祭對擧. 若祭則當曰, 殺牛之祭也. 故象傳曰, 西鄰之時也, 蓋殺牛雖豊而非時故也. 若盛祭則當曰不如西鄰之薄矣.
내가 살펴보았다: 소를 잡는다고 반드시 제사를 지내는 것이 아닌데, 굳이 '제사'라고 한 것은 약제사[禴]가 반드시 검소한 제사임을 밝히기 위한 것이다. 그러나 제사가 아닌데 잡았기 때문에 제사와 상대해서 들었다. 제사라면 "소를 잡는 제사이다"라고 해야 한다. 그러므로 「상전」에서 "서쪽 이웃의 때에 맞는 것"이라고 했으니, 소를 잡아 넉넉할지라도 때에 맞지 않기 때문이다. 성대한 제사라면 "서쪽 이웃의 검소한 제사만 못하다"라고 해야 한다.

## 이지연(李止淵) 『주역차의(周易箚疑)』

濟之以物, 不如濟之以誠.
사물을 가지고 이루는 것은 정성을 가지고 이루는 것만 못하다.

## 김기례(金箕澧) 「역요선의강목(易要選義綱目)」

東爲陽方, 指五剛, 西爲陰方, 指二柔. 坎爲血, 故取殺牛. 離爲夏, 故取禴, 夏祭名. 蓋言五剛雖尊大處既濟之後, 不思終亂之理, 自爲之盛, 亦无求二之急, 反不如二居既濟之初, 柔中自守, 以備既濟之勤而致福.
동쪽은 양의 방향이니 오효의 굳셈을 가리키고, 서쪽은 음의 방향이니 이효의 부드러움을 가리킨다. 감괘는 피이기 때문에 소를 잡는 것을 취하였다. 리괘가 여름이기 때문에 검소한 제사를 취하였으니, 여름 제사 이름이다. 오효의 굳셈은 존귀하고 큰 것이 기제의 뒤에 있으면서 끝에서 어지러워지는 이치를 생각하지 않으면 저절로 성대하게 될지라도 이효를 구하려는 다급함이 없으니, 도리어 이효가 기제의 처음에 있으면서 부드러움과 알맞음으로 스스로 지킴으로 기제의 근면함을 갖추어 복을 이루는 것만 못하다.

## 윤종섭(尹鍾燮) 『경(經)-역(易)』

既濟五坎自坤變爲殺牛. 離變震爲祭主, 傳曰吉大來. 二五變爲泰, 故曰大來也.
기제괘(既濟卦☵☲)의 오효는 감괘(坎卦☵)가 곤괘(坤卦☷)에서 변해 소를 잡는 것이 되었다. 리괘(離卦☲)가 진괘(震卦☳)로 변해 제주가 되었으니, 「상전」에서 "길함이 크게 오는 것이다"라고 하였다. 이효와 오효가 변하면 태괘(泰卦☷☰)가 되기 때문에 "크게 오는 것이다"라고 하였다.

## 심대윤(沈大允) 『주역상의점법(周易象義占法)』

既濟之明夷☷☲, 晦其明也. 九五之時, 天下太平无事, 无所用其明, 如坎水之藏其明于內, 以剛中居剛, 用力治敝, 應二而隔三, 爲不極其明之象. 然陷于二陰之中, 恐其恬弛而昏蔽, 不通群下之情, 故其辭如此. 東鄰, 四居震也. 殺牛, 離互兌象, 五從于四, 則爲兌. 西鄰, 二進, 則爲兌震也. 禴祭, 五居坎爲鬼, 二進於三, 則爲艮, 艮爲神廟也. 夫兼聽則明, 偏聽則暗, 人君不可專信其所寵任之臣, 而隔絶于臣僚. 六四, 大臣之委任, 非不可也, 而六二庶僚之. 以時進言, 如禴祭之物微而誠至實, 受其福, 時有賢於四也. 艮爲實爲受爲福. 變卦之對訟也, 九五亦有兩心交争之義也.

기제괘가 명이괘(明夷卦䷣)로 바뀌었으니, 그 밝음을 어둡게 한 것이다. 구오의 때는 천하가 태평하고 무사해서 그 밝음을 쓸 일이 없으니, 감괘인 수가 안에 그 밝음을 감춘 것과 같고, 굳세고 알맞음으로 굳센 자리에 있어 힘써 폐단을 바로잡으며 이효와 호응하여 삼효를 막으니, 그 밝음을 다하지 않는 상이 된다. 그러나 두 음 속에 빠져 편히 쉬며 가려지고 숨겨져서 아랫사람들의 마음과 통하지 않을 것을 두려워했기 때문에 그 말이 이와 같다. '동쪽의 이웃'은 사효가 진괘에 있는 것이다. '소를 잡는 것'은 리괘와 호괘인 태괘의 상이니, 오효가 사효를 따르면 태괘이다. 서쪽의 이웃은 이효가 나아가면 태괘와 진괘가 되는 것이다. 검소한 제사는 오효가 감괘에 있어 귀신인 것이고, 이효가 삼효로 나아가면 간괘인 것이니, 간괘는 사당이다. 널리 들으면 밝고 한쪽으로 들으면 어두우니, 임금은 총애하고 믿는 신하만 오로지 믿어 신하들에게 멀리 떨어져서는 안된다. 육사는 대신이 위임하는 것이 불가하지 않지만 육이라는 여러 벼슬아치들이 때에 맞게 진언하는 것이니, 검소한 제사의 제물이 미미하지만 정성이 지극히 참되어 그 복을 받는 것처럼 때에 맞는 것이 사효보다 낫다. 간괘는 참됨이고 받음이며 복이다. 변한 괘(䷣)의 음양이 바뀐 것이 송괘(訟卦䷅)이니, 구오에도 두 마음이 서로 다투는 의미가 있다.

### 오치기(吳致箕)「주역경전증해(周易經傳增解)」

九五, 雖以陽剛中正而居尊爲濟之主, 而下應六二之柔中, 然當旣濟將終之時, 事皆文勝而華侈, 不如方濟之初, 事皆從儉而誠實. 故戒言東鄰之殺牛盛祭, 不如西鄰之薄祭, 以誠實而受福慶之來也.

구오는 양의 굳셈이 중정하고 존귀한 자리에 있는 것으로 일을 이루는 주인이 되어 아래로 육이의 유순하고 알맞음에 호응할지라도 이미 이룬 일이 끝나려는 때에 일에 모두 겉치레만 만연하고 사치하니, 막 일을 이루는 초기에 일에 모두 검소하고 성실한 것만 못하다. 그러므로 동쪽 이웃의 소를 잡는 성대한 제사가 서쪽 이웃의 검소한 제사만 못하다고 경계하여 말하였으니 성실함으로 오는 복을 받기 때문이다.

○ 坎震皆陽, 而坎北震東, 故坎爲東之鄰, 而指五也. 離兌皆陰, 而離南兌西, 故離爲西之鄰, 而指二也. 五在濟終, 二在濟初, 故取象如此. 牛取於變坤, 離爲戈兵, 坎爲血, 故言殺. 夏祭曰禴, 而取於離. 實謂誠實, 而取於互坎也. 此以祭祀之事, 言旣濟初終之異, 以明他事皆然也.

감괘와 진괘는 모두 양으로 감괘는 북쪽이고 진괘는 동쪽이기 때문에 감괘가 동쪽의 이웃이니 오효를 가리킨다. 리괘와 태괘는 모두 음으로 리괘는 남쪽이고 태괘는 서쪽이기 때문에 리괘가 서쪽 이웃이니 이효를 가리킨다. 오효는 일을 이룬 끝에 있고 이효는 일을 이루는 처음에 있기 때문에 이처럼 상을 취했다. 소는 변한 곤괘에서 취했고, 리괘가 무기이고 감괘가 피이기 때문에 잡는다는 말을 하였다. 여름 제사를 검소한 제사라고 하는데 리괘에서 취했다. 실제로는 성실함을 말하는데 호괘인 감괘에서 취하였다. 여기에서는 제사의 일로 기제의 처음과 끝이 말하여 다른 일도 모두 그렇다는 것을 밝혔다.

## 이진상(李震相) 『역학관규(易學管窺)』

東鄰, 離也. 離爲牝牛爲[46]戈兵, 有殺牛象. 西鄰, 坎也. 坎有禴祭象. 六二, 在離體之中, 外有二陽文明, 得時之盛也. 九五, 在坎體之中, 而外有二陰虛弱, 寡約之至也. 然而離之中虛, 有外心之意, 物備而儀不及, 坎之中實, 有內心之意, 物薄而誠有餘, 所以六二則喪其茀, 而九五則實受其福. 這實字便是陽之實處. 先儒汎於方位之陰陽, 反以東鄰爲九五, 西鄰爲六二, 於實受其福之意未襯. 苟非此爻之受福, 則夫子何必以吉大來申明之也. 曰實曰大, 亦可見九五之爲矣. 然聖人之必爲此言者, 亦以戒人君之處旣濟者, 當以盛滿爲戒, 儉約爲主, 如禴祭之用誠也.

동쪽 이웃은 리괘이다. 리괘는 암소와 병기이니 소를 잡는 상이 있다. 서쪽 이웃은 감괘이다. 감괘에는 검소한 제사의 상이 있다. 육이는 리괘 몸체의 가운데 있어 밖으로 두 양이 문채로 밝은 것이 있으니 때의 성대함을 얻었다. 구오는 감괘 몸체의 가운데 있어 밖으로 두 음의 허약함이 있으니, 지극히 절약하여 아껴 쓴다. 그러나 리괘의 가운데가 비어 딴 마음의 의미가 있으므로 제물은 구비되었으나 의례가 미치지 못하고, 감괘의 가운데가 차 있어 속마음의 의미가 있으므로 제물은 소박하나 정성이 넘치니, 육이가 그 가리개를 잃고 구오가 실제로 복을 받는 까닭이다. 여기서의 '실제로'라는 말은 곧 양이 실제로 있는 것이다. 그런데 선대의 학자들은 방위의 음양 때문에 도리어 동쪽 이웃을 구오로 보고 서쪽 이웃을 육이로 보았으니, 실제로 복을 받는 의미에 가깝지 않았다. 여기의 효가 복을 받는 것이 아니라면 공자가 무엇 때문에 굳이 길함이 크게 오는 것이라고 거듭해서 밝혔겠는가? '실제로'라고 하고 '크게'라고 하였으니, 또한 구오가 한 것을 알 수 있다. 그러나 성인이 굳이 이런 말을 한 것은 가득 찬 것을 경계로 삼고 검약한 것을 위주로 함을 검소한 제사에 정성을 다하는 것처럼 해야 한다는 것이다.

---

46) 爲: 경학자료집성 영인본에서는 글자를 알아보기 어렵고, DB에는 '□'로 되어 있는 것을 문맥을 참조하여 '爲'로 하였다.

象曰, 東隣殺牛, 不如西隣之時也, 實受其福, 吉大來也.

「상전」에서 말하였다: "동쪽 이웃의 소를 잡는 제사"는 서쪽 이웃의 때에 맞는 제사만 못하니, "실제로 복을 받음"은 길함이 크게 오는 것이다.

## 中國大全

傳

五之才德非不善, 不如二之時也. 二在下有進之時, 故中正而孚, 則其吉大來, 所謂受福也. 吉大來者, 在旣濟之時, 爲大來也, 亨小初吉是也.

오효의 재주와 덕이 불선한 것은 아니지만, 이효가 때에 맞음만 못하다. 이효는 아래에 있어서 나아감이 있는 때이므로 중정하고 미더우면 길함이 크게 오니, 이른바 복을 받는다는 것이다. 길함이 크게 온다는 것은 이미 이루어진 때에 크게 오는 것이니, '형통함이 작다'는 것과 '처음에는 길하다'는 것이 여기에 해당한다.

小註

中溪張氏曰, 旣濟之後, 唯恐過盛. 以祭言之, 于斯時也, 豊不如約, 故東鄰不如西隣, 牛不如禴, 蓋祭而得其時. 雖禴之薄, 實足以受其福, 而吉之大來, 可知矣.

중계장씨가 말하였다: 이미 이룬 후에는 지나치게 성대한 것을 두려워할 뿐이다. 제사로 말하면 이 때에 풍성함은 간략함만 못하기 때문에 동쪽의 이웃이 서쪽의 이웃만 못하고, 소를 잡는 제사가 검소한 제사만 못하니, 제사는 때에 맞아야 한다. 비록 검소한 제사일지라도 실제로 충분히 복을 받을 수 있어 길함이 크게 오는 것을 알 수 있다.

## 韓國大全

### 김상악(金相岳) 『산천역설(山天易說)』

易以時位言, 而位不如時, 故曰西隣之時. 吉大來, 謂來於二也. 五來于二, 則爲泰, 所以泰曰, 小往大來.

『주역』은 때와 지위로 말하는데, 지위는 때만 못하기 때문에 "서쪽 이웃의 때"라고 하였다. '길함이 크게 오는 것이다'는 것은 이효에게 오는 것을 말한다. 오효가 이효에게 오면 태괘(泰卦䷊)가 되기 때문에 태괘에서 "작은 것이 가고 큰 것이 온다"고 하였다.

### 서유신(徐有臣) 『역의의언(易義擬言)』

時者, 當禴之時也. 夏日而烝祭, 則非其時也.

때에 맞는 것은 약(禴)제사를 지내야 할 때를 뜻한다. 여름인데 겨울의 증(烝)제사를 지낸다면 때에 맞는 것이 아니다.

### 심대윤(沈大允) 『주역상의점법(周易象義占法)』

訟有巽離, 爲改日曰時. 吉大來, 言下情上通而吉也. 泰之上下交通, 亦言大來也. 坎爲大, 震離爲來.

송괘(訟卦䷅)에 손괘(巽卦☴)와 리괘(離卦☲)가 있기 때문에 일(日)을 바꾸어 때[時]라고 하였다. '길함이 크게 오는 것이다'라는 것은 아래의 마음이 위로 통하여 길하다는 말이다. 태괘(泰卦䷊)의 상하는 서로 통하니 또한 '크게 오는 것이다'라고 말하였다. 감괘가 '크게'이고, 진괘(震卦)와 리괘(離卦)가 '오는 것'이다.

### 오치기(吳致箕) 「주역경전증해(周易經傳增解)」

時, 謂濟初之時, 而濟初事, 皆誠實, 故有大來之吉, 而受福也.

때는 이루는 처음의 때를 말하는데, 첫 일을 이룰 때는 모두 성실하기 때문에 크게 오는 길함이 있어 복을 받는 것이다.

### 박문호(朴文鎬) 「경설(經說)·주역(周易)」

牛不如禴, 與論語與奧寧竈語意略同.

소를 잡는 제사는 검소한 제사만 못하다는 것은 『논어 · 팔일』의 '아랫목 신에게 잘 보이기보다는 차라리 부엌 신에게 잘 보이라'는 말의 의미와 대략 같다.

苟未至, 苟字之義有齟齬,[47] 或是字訛耶.
'진실로 이르지 않는다'에서 '진실로'라는 말의 의미가 어긋나니, 아마도 글자가 잘못된 듯하다.

在旣濟之時爲大來, 言得旣濟之時, 故爲大來.
『정전』의 '이미 이루어진 때에 크게 오는 것이다'라는 것은 기제의 때를 얻었기 때문에 크게 오는 것이라는 말이다.

### 이병헌(李炳憲) 『역경금문고통론(易經今文考通論)』

姚曰, 蓋言祭享之禮貴, 在誠質, 不在物之豊約. 鄭以文王與紂之事當之.)
요신이 말하였다: 제사의 예에서 존귀하게 여기는 것은 성실함과 질박함에 있으며 제물의 풍부함과 검약함에 있지 않음을 말한다. 정현은 문왕과 주임금의 일로 해당시켰다.

按, 東鄰指五, 西鄰指二.
내가 살펴보았다: 동쪽 이웃은 오효를 서쪽 이웃은 이효를 가리킨다.

47) 박문호가 읽은 책에는 『정전』의 "尙未至於反耳" 구절이 "苟未至於反耳"로 되어 있었던 것이 아닌가 한다.

## 上六, 濡其首, 厲.

상육은 그 머리를 적시니 위태롭다.

### 中國大全

**傳**

旣濟之極, 固不安而危也, 又陰柔處之而在險體之上. 坎爲水, 濟亦取水義. 故言其窮至於濡首, 危可知也. 旣濟之終而小人處之, 其敗壞可立而待也.

기제괘의 끝에는 진실로 편안하지 못하여 위태롭고, 또 부드러운 음이 그곳에 있는데 험한 몸체의 위에 있는 것이다. 감괘(坎卦)는 물이어서 '제(濟)'에서도 물의 뜻을 취하였다. 그러므로 그 어려움이 머리를 적시는 데 이른다고 말하였으니, 위태로움을 알 수 있다. 기제괘의 끝인데 소인이 있으니 무너짐을 서서 기다릴 수 있다.

**本義**

旣濟之極, 險體之上, 而以陰柔處之, 爲狐涉水而濡其首之象. 占者不戒, 危之道也.

기제괘의 끝이고 험한 몸체의 위인데 부드러운 음이 그곳에 있으니, 여우가 물을 건너다가 머리를 적신 상이다. 점치는 자가 경계하지 않으면 위태로운 길이다.

**小註**

隆山李氏曰, 涉水而至於濡尾, 不害其爲濟也. 首亦濡, 則溺矣, 故厲.

융산이씨가 말하였다: 물을 건너다가 꼬리를 적시는 데 이르렀으니, 건너는 데 방해되지는 않는다. 머리까지 적시면 물에 완전히 빠지기 때문에 위태롭다.

○ 誠齋楊氏曰, 上六以柔懦之資, 懷亢滿之志, 居治安之極, 如已濟大川, 自謂沒世无風濤之虞矣. 不知濟其一, 又遇其一, 求載而无宿舟, 求涉而无善游, 褰裳馮河, 濡至於首, 則溺其身, 可知矣.
성재양씨가 말하였다: 상육은 부드럽고 나약한 자질로 높이 자만하는 마음을 품고서 다스려지고 편안한 곳의 끝에 있으니, 마치 큰 내를 이미 건너고서 스스로 영원히 풍파의 염려가 없을 것이라고 말하는 것과 같다. 하나를 이룰 줄도 모르는데 또 하나를 만났고, 실어주기를 구하는데 머무르는 배가 없으며, 건너기를 구하는데 헤엄을 잘 치지 못하니, 치마를 걷고 황하를 건너는데 머리까지 적시면 몸이 빠짐을 알 수 있다.

○ 中溪張氏曰, 初九濡其尾而无咎者, 以旣濟之初則吉也. 上六濡其首而厲者, 以旣濟之終止則亂也.
중계장씨가 말하였다: 초구가 꼬리를 적셨는데 허물이 없는 것은 이미 이룬 처음은 길하기 때문이다. 상육이 머리를 적셨는데 위태로운 것은 이미 이루어진 것이 끝에서 멈추면 어지럽기 때문이다.

○ 馮氏去非曰, 首在前尾在後, 則旣未濟之六爻象, 皆橫觀也. 皆有坎水, 故首尾皆濡, 以見凡事之欲濟者, 身在其中, 乃可濟也.
首尾皆濡, 則身在其中矣.
풍거비가 말하였다: 머리는 앞에 있고 꼬리는 뒤에 있으니, 기제괘와 미제괘의 여섯 효의 상은 모두 가로로 본 것이다. 모두 감괘의 물이 있기 때문에 머리와 꼬리를 모두 적셨으니, 일을 이루려고 하는 사람은 몸이 그 가운데 있어야 이룰 수 있음을 보여주었다.
머리와 꼬리를 모두 적셨다면 몸은 그 가운데 있다.

又曰, 旣濟險乃在前, 未濟乃出乎險者也, 而卦義相反, 蓋以水火相濟不相濟爲象也. 然險終在前, 故旣濟終厲, 終出乎險, 故未濟終孚, 應易窮則變之義.
또 말하였다: 기제괘는 험함이 바로 앞에 있고, 미제괘는 험함에서 벗어나 괘의 뜻이 상반되니, 물과 불이 서로 이루어주는 것과 이루어주지 않는 것으로 상을 삼았기 때문이다. 그러나 험함이 앞에서 끝나기 때문에 기제괘는 끝에서 위태롭고, 마침내 험함에서 벗어나기 때문에 미제괘는 마침내 미더우니, 『주역』의 궁하면 변한다는 뜻에 맞는다.

# 韓國大全

## 송시열(宋時烈) 『역설(易說)』

上六濡首, 與初九濡尾相照應, 初則水淺而濡尾, 終則水深而濡首. 以其上六, 故言首, 與大過之涉滅頂同意. 其首[48]厲也, 小象何可久者, 言非久, 必淪亡也.
상육의 '머리를 적시는 것'은 초구의 '꼬리를 적시는 것'과 서로 짝이 되니, 처음에는 물이 얕아 꼬리를 적셨고, 끝에는 물이 깊어 머리를 적셨다. 상육이기 때문에 머리를 말했으니, 대과괘(大過卦䷛) 상육의 "건너 이마까지 빠진다"는 것과 같은 의미이다. '그 머리를 적시니 위태롭다'는 것은 「소상전」의 '어찌 오래갈 수 있겠는가'로 오래가지 못하고 반드시 빠져서 망한다는 말이다.

## 이익(李瀷) 『역경질서(易經疾書)』

濡其首, 據未濟傳, 連飮酒說, 又謂不知節, 與狐濡尾不同, 故朱子疑之. 然孔子作傳者, 要後人因此而得經旨. 不然, 聖人之辭, 反不若不作之爲愈也, 且始焉濡尾至旣濟, 而又戒濡首可乎. 因獸之濡首, 轉爲人事之戒, 曰苟不知節, 抑滔湎于酒, 雖濟亦凶云爾, 用物相況, 故其言如此. 酒過而至於湛醉, 則必上濡於頭, 而是謂濡首也.
'머리를 적신다'는 것을 미제괘의 상구 「상전」에서의 술 마시는 말과 연결하고 또 절제를 모르는 것이라고 말한 것에 근거하면, 여우가 꼬리를 적시는 것과 다르기 때문에 주자가 의심하였다. 그러나 공자가 「상전」을 지은 것은 후대의 사람들이 이것을 근거로 경의 의미를 얻기를 원했기 때문이다. 그렇지 않다면 성인의 말은 도리어 짓지 않음이 나음만 못하니, 또 꼬리를 적시는 데에서 시작하여 이미 건너간 것에 이르렀는데 또 머리를 적실까 경계하는 것이 옳다는 것인가? 짐승이 머리를 적시는 것을 가지고 사람의 일에 대한 경계로 돌려 절제를 모른다면 도리어 술에 빠지는 데로 건너가니 건너갔을지라도 흉하다고 하였을 뿐이다. 사물로 서로 비교하였기 때문에 그 말이 이와 같다. 술이 지나쳐 술에 빠질 지경이라면 반드시 위로 머리를 적시니, 바로 '머리를 적신다'고 한 것이다.

## 유정원(柳正源) 『역해참고(易解參攷)』

王氏曰, 處旣濟之極, 旣濟道窮, 則之於未濟. 之於未濟, 則首先犯焉. 過而不已, 則遇

---

48) 首: 경학자료집성DB와 영인본에 '道'로 되어 있으나 『주역전의대전』과 문맥을 참조하여 '首'로 바로잡았다.

於難, 故濡其首也. 將沒不久, 危莫先焉.

왕필이 말하였다: 기제괘의 끝에 있어 기제의 도가 다하였으니 미제괘로 간다. 미제괘로 가면 머리가 먼저 침범된다. 지나쳤는데도 그만두지 않으면 환란을 만나기 때문에 그 머리를 적신다. 사라지는 것이 멀지 않았으니 위태로움이 이보다 앞서는 것은 없다.

○ 晉書郭璞爲著作郎上疏曰, 臣歲首占得解之既濟. 按爻論思, 方涉春木, 王[49]龍德[50]之時, 而爲廢水之氣來見乘, 加[51]升陽未布, 隆陰仍積, 坎爲法象, 刑獄所麗. 變坎加離, 厥象不燭. 以義推之, 皆爲刑獄殷繁, 理有壅濫.[52] 解卦繇曰, 君子以, 赦過宥罪, 旣濟卦繇曰, 君子以, 思患而豫防之. 臣愚以爲宜發哀矜之詔, 引在予之責, 蕩滌瑕釁, 贊揚布惠.

『진서』에서 곽박(郭璞)[53]이 저작랑이 되어 상소하여 말하였다: 신이 새해 첫머리에 점을 쳐 해괘(解卦䷧)가 기제괘(旣濟卦䷾)로 변하는 것을 얻었습니다. 효를 살펴 논의해보면, 봄의 나무를 막 지나 용의 덕을 왕성하게 할 때여서 물을 막는 기운이 와서 드러나며 올라가고 더하여 올라가는 양기가 아직 퍼지지 않았고 융성한 음기는 그대로 쌓여 있으니, 감괘가 모범이 되어 형벌과 옥사가 걸리고, 변한 감괘에 리괘를 더함에 그 상이 드러나지 않습니다. 의리로 미루어보면, 모두 형벌과 감옥입니다. 많은 이치에는 막히고 넘치는 것이 있으니, 해괘(解卦)「상전」에서 "군자가 그것을 본받아 과실을 용서하고 죄를 사면한다"고 하였고, 기제괘「상전」에서 "군자가 그것을 본받아 환란을 생각하여 미리 방비한다"라고 하였습니다. 신은 어리석어 애처롭고 불쌍하게 여기는 조령을 내리면, 저에게 있는 직책으로 흠을 씻고 은혜를 내리는 것에 대해 찬양해야 한다고 여깁니다.

---

49) 王: 경학자료집성DB와 영인본에 '土'로 되어 있으나『진서(晉書)·곽박전(郭璞傳)』을 참조하여 '王'으로 바로잡았다.

50) 德: 경학자료집성DB와 영인본에 '得'으로 되어 있으나『진서·곽박전』을 참조하여 '德'으로 바로잡았다.

51) 加: 경학자료집성DB와 영인본에 '如'로 되어 있으나『진서·곽박전』을 참조하여 '加'로 바로잡았다.

52)『晉書·郭璞傳』, 案爻論思, 方涉春木王龍德之時, 而爲廢水之氣來見乘, 加升陽未布, 隆陰仍積, 坎爲法象, 刑獄所麗, 變坎加離, 厥象不燭.以義推之, 皆爲刑獄殷繁, 理有壅濫.

53) 곽박(郭璞: 276~324): 동진(東晉) 하동(河東, 산서성) 문희(聞喜) 사람. 자는 경순(景純)이다. 박학하여 천문과 고문기자(古文奇字), 역산(曆算), 복서술(卜筮術)에 밝았고, 특히 시부(詩賦)에 뛰어났다. 진원제(晉元帝) 때 저작좌랑(著作佐郎)이 되어 왕은(王隱)과 함께『진사(晉史)』를 편찬하고 상서랑(尙書郎)으로 옮겼다. 나중에 왕돈(王敦)의 기실참군(記室參軍)이 되었다. 점을 쳐서 불길하다며 왕돈의 모반 계획을 만류했다가 왕돈에게 피살당했다. 홍농태수(弘農太守)에 추존되었다. 저서에『이아주(爾雅注)』와『삼창주(三蒼注)』,『방언주(方言注)』,『산해경주(山海經注)』,『도찬(圖贊)』,『목천자전주(穆天子傳注)』,『수경주(水經注)』,『주역동림(周易洞林)』,『초사주(楚辭注)』 등이 있다. 그밖에도『주역체(周易體)』와『주역림(周易林)』,『역신림(易新林)』,『모시습유(毛詩拾遺)』 등이 있었지만 전해지지 않는다. 문집에『곽홍농집(郭弘農集)』이 있다.

〈案, 五爻變而不變爻爲主, 故引此於上六下.
내가 살펴보았다: 다섯 효가 변하여 변하지 않는 효가 주인이기 때문에 상육의 아래에 이것을 인용하였다.〉

○ 案, 本義濡尾濡首, 皆以狐涉水言之, 蓋據未濟小狐而言.
내가 살펴보았다: 『본의』의 꼬리를 적시고 머리를 적시는 것은 모두 여우가 물을 건너는 것으로 말하였으니, 미제괘의 어린 여우를 근거로 말한 것이다.

小註, 誠齋說宿舟
소주에서 성재양씨는 머무르는 배라고 하였다.
〈案, 或者謂胡宿字武平, 爲眞州楊子縣尉, 大水漂溺居民, 宿率公私舟, 活數千人. 此段宿舟之說, 蓋出於此. 然如是說, 則語勢硬澁, 恐只是豫具之舟, 與下段求涉而旡善游同一語意.
내가 살펴보았다: 어떤 이는 "호숙은 자가 무평으로 진주 양자의 현위가 되었는데, 큰물이 주민들을 휩쓸어 익사시키니 그는 관과 개인의 배를 이끌고 수천 명이나 되는 사람들을 살렸다"고 하였다. 이 단락의 머무르는 배에 대한 설명은 여기에서 나왔다. 그러나 이처럼 말하면, 어세가 딱딱하고 매끄럽지 않으니 아마 미리 준비해둔 배일 뿐으로 아래 구절의 건너기를 구하는데 헤엄을 잘 치지 못한다는 것과 동일한 의미이다.〉

馮氏說首尾橫觀.
풍씨는 머리와 꼬리는 가로로 본 것이라고 하였다.
案, 卦之六爻以人爲象, 則初爲趾, 上爲輔頰, 以禽獸爲象, 則初爲尾, 上爲首. 其次序不異, 而此特言橫觀者, 據人身言, 則謂之上下, 以人身之直立也, 據禽獸言, 則謂之前後, 以禽獸橫生故也.
내가 살펴보았다: 괘의 여섯 효는 사람으로 상을 삼으면, 초효는 발이고 상효는 뺨이며, 짐승으로 상을 삼으면 초효는 꼬리이고 상효는 머리이다. 그 순서가 다르지 않으나 여기서 단지 가로로 본 것이라고 한 것은 사람의 몸으로 말하면 그것을 상하라고 하니, 사람은 몸은 똑바로 서있기 때문이고, 짐승으로 말하면 그것을 전후라고 하니 짐승은 가로로 기어 다니며 살기 때문이다.

### 김상악(金相岳) 『산천역설(山天易說)』

上六以陰居坎之終, 旣濟終亂, 故有濡首之厲.

상육은 음으로 감괘의 끝에 있어 이미 이루어진 일이 마침내 어지럽기 때문에 머리를 적시는 위태로움이 있다.

○ 五爲狐之身, 而上爲首也. 濡其首, 則其身已溺, 危可知也. 大過則澤水深, 故滅頂, 旣濟則坎水深, 故濡首.
오효가 여우의 몸이고 상육은 머리이다. 그 머리를 적시면 그 몸은 이미 빠졌으니 위태로움을 알만하다. 대과괘(大過卦䷛)는 못의 물이 깊기 때문에 이마까지 빠지고, 기제괘(旣濟卦䷾)는 감괘의 물이 깊기 때문에 머리를 적신다.

### 서유신(徐有臣) 『역의의언(易義擬言)』

坎之高, 水之深也. 上爲首, 水濡首也, 水深而濡首, 危厲矣. 唯當亟止而不濟也. 是謂終止, 則亂也. 濡首與滅頂有間, 濡首則知懼而止, 滅頂則無及矣.
감괘가 높이 있는 것은 물이 깊은 것이다. 위가 머리인데 물이 머리를 적셨다면 물이 깊어서 머리를 적신 것으로 위태로우니, 빨리 멈추고 건너지 말아야 할 뿐이다. 이것을 끝에서 멈추는 것이라고 한다. 머리를 적시는 것과 이마까지 빠지는 것과는 차이가 있으니, 머리를 적시는 것은 두려움을 알고 멈추는 것이고, 이마까지 빠지면 어찌할 도리가 없다.

### 박제가(朴齊家) 『주역(周易)』

初爲尾, 則上爲首矣. 濟之極而不止, 則幾乎溺矣. 濡其首, 則深可見矣.
초효가 꼬리라면 상효는 머리이다. 건너는 끝인데 멈추지 않으면 거의 빠진다. 그 머리를 적셨다면 깊이를 알 만하다.

### 강엄(康儼) 『주역(周易)』

按, 上六以陰柔之質, 處旣濟之極險體之上, 如狐之涉水, 至濡其首, 則渾身在水中, 而不能振矣. 以國家言之, 柔懦之君, 居治安之極, 溺於逸樂, 不自覺悟其危甚矣. 若知危, 而不極其樂, 則危者安矣.
내가 살펴보았다: 상육은 나약한 재질로 기제의 끝인 험한 몸체 위에 있어 여우가 물을 건너는 것과 같으니, 머리를 적실 지경이면 몸 전체가 물속에 빠져 나올 수 없다. 국가로 말하면 유약한 임금이 다스려져 편안한 끝에 있으면서 놀고 즐기는 데에 빠져 그 위태로움이 심함을 스스로 깨닫지 못하는 것이다. 위태로움을 알아 그 즐거움을 끝까지 하지 않으면 위태로운 것이 편안해진다.

### 이지연(李止淵) 『주역차의(周易箚疑)』

詩曰, 靡不有初, 鮮克有終. 凡涉川者, 始入水也, 小心揭厲, 步步戰兢, 其中流也, 用力前進, 恐有顚沛, 及旣濟而登岸之時, 放心投足, 一跌而落水, 反爲沾汚者多矣. 上六以陰柔之才, 安得无濡首之厲乎. 不至於凶者, 以濟之旣故也.
『시경』에서 "처음이 있지 않음이 없으나 끝이 있는 것은 드물다"라고 하였다. 내를 건너는 자가 처음 물에 들어설 때에는 조심스럽게 얕으면 바지를 걷고 깊으면 옷을 입은 채로 들어가 걸음마다 전전긍긍하며, 중간쯤 갔을 때에는 힘써 앞으로 가며 발이 걸려 넘어질까 두렵게 여기는데, 건너고 나서 언덕에 올랐을 때에는 방심하고 발을 헛디딤으로 한 번에 넘어져 물로 떨어져 옷을 버리는 경우가 많다. 상육은 나약한 재질이니 어찌 머리를 적시는 위태로움이 없겠는가? 흉함에 이르지 않는 것은 이미 건넜기 때문이다.

### 김기례(金箕澧) 「역요선의강목(易要選義綱目)」

居卦首, 故曰首, 如乾. 此之无首坎體, 故曰濡.
괘의 머리에 있기 때문에 "머리"라고 하였으니, 건괘와 같다. 여기서의 머리가 없는 것은 감괘의 몸체이기 때문에 "적신다"고 하였다.

○ 上居險極, 當旣濟之終, 陰柔之人, 不知泰極則否. 初吉則終亂, 自滿自安, 如過涉滅頂, 豈不危乎. 初九濡尾, 勤始而能濟也, 上六濡首, 終惰而自陷也.
위로 험함의 끝에 있어 기제괘의 끝에 해당하는 것은 나약한 사람이 편안함의 끝을 모른다면 막히는 것이다. 처음에 길하면 끝에 어지러운 것은 스스로 교만하고 스스로 편안하여 지나치게 건너 머리까지 잠기는 것과 같으니, 어찌 위태롭지 않겠는가? 초구의 꼬리를 적시는 것은 처음에 부지런하여 건너갈 수 있는 것이고, 상육의 머리를 적시는 것은 끝까지 게을러 스스로 추락하는 것이다.

贊曰, 水在火上, 相交而濟. 陰陽各半, 剛柔相齊. 初吉終亂, 常矣其勢. 濡首之禍, 始制宜戒.
찬미하여 말하였다: 물이 불의 위에 있어 서로 교제하며 이루네. 음과 양이 각기 반이어서 굳셈과 부드러움이 서로 구제하네. 처음에는 길하고 끝에는 어지러우며 그 기세가 항구하네. 머리를 적시는 재앙에 비로소 제재하고 경계해야 하는구나!

### 심대윤(沈大允) 『주역상의점법(周易象義占法)』

旣濟之家人䷤, 私黨也. 上六以柔居柔, 而處卦之終, 居无事之地, 而待事恬安弛, 廢有分異而生事之漸. 凡事起於分異, 而成於合同, 天下之亂, 常由於分黨傾軋, 分朋傾軋常由於小人争權, 小人争權, 常由於天下无事, 亦其義也. 應三而隔五, 下情不孚也. 濡其首, 言復生事端, 如平地旣盡, 而復及於水也. 首, 主奉也, 言自主統也. 震爲主首, 變卦之對震也. 凡言首尾者, 上下之自主, 與不自用之殊也. 端緖始生, 其成敗吉凶, 未可逆睹, 故曰厲. 家人之對爲解, 上六始免乎事, 而間逸之極矣, 絶无事, 則有事也. 凡每卦六爻, 已含後卦之義也.
기제괘가 가인괘(家人卦☲)로 바뀌었으니, 사사로운 당이다. 상육은 부드러움으로 부드러운 자리에 있고 괘의 끝에 있으며 일이 없는 곳에 있으나 일이 편안히 나태해지는 것을 대비하고 떨어져 있으면서 일을 점차로 만드는 것을 없앤다. 일은 떨어져 있는 데에서 생기고 함께하는 데에서 이루어지니, 천하의 어지러움은 항상 분당의 알력에서 나오고, 분당의 알력은 소인들의 권력 다툼에서 시작되며, 소인들의 권력 다툼은 항상 천하에 일이 없는 데에서 말미암는 것도 그런 의미이다. 삼효와 호응하지만 오효가 막고 있어 아래로의 정이 미덥지 않다. '그 머리를 적신다'는 것은 다시 일을 만드는 것이 평지가 이미 다해 다시 물로 나아가는 것과 같다는 말이다. 머리는 주인으로 받는 것이니, 스스로 주인으로 통솔한다는 말이다. 진괘(震卦☳)가 주인이 되는 머리인데 변한 괘의 음양이 바뀐 것이 진괘이다. 머리와 꼬리라고 말하는 경우는 위와 아래에서 스스로 주인이 되는 것과 스스로 사용하지 않는 것의 차이이다. 단서가 처음 나와 그 성패와 길흉을 예측할 수 없기 때문에 "위태롭다"고 하였다. 가인괘(家人卦☲)의 음양이 바뀐 괘는 해괘(解卦☵)로 상육이 비로소 일을 벗어났으나 한가함의 끝이어서 전혀 일이 없으면 일이 있는 것이다. 괘마다 육효는 이미 다음 괘의 의미를 포함하고 있다.

### 오치기(吳致箕)「주역경전증해(周易經傳增解)」

上六居旣濟之極, 當終止之時, 无慮危之心, 致滿溢之患, 有狐涉水濡其首之象. 而旣濡其首, 則已溺其身矣, 故言危厲也.
상육은 기제괘의 끝에 있어 마무리하는 때이니, 위험을 염려하는 마음이 없으면 자만으로 우환을 부르기에 여우가 물을 건너면서 머리를 적시는 상이 있다. 그런데 그 머리를 적셨다면 이미 그 몸이 빠졌기 때문에 '위태로움'을 말하였다.

○ 濡取坎, 而在上, 故言首也. 初在濟之始, 而許其不進, 故言濡尾. 上居濟之終, 而戒其滿極, 故言濡首也.
'적신다'는 것은 감괘에서 취했는데 위에 있기 때문에 '머리'를 말하였다. 초효가 건너는 시작에 있어 그 나아가지 아니함을 인정했기 때문에 '꼬리를 적심'을 말하였다. 상효는 건너는 끝에 있어 가득 참의 끝을 경계하였기 때문에 '머리를 적심'을 말하였다.

### 이진상(李震相) 『역학관규(易學管窺)』

此處旣濟之終, 故有危亂之象. 先儒多謂, 外三爻皆不好, 然坎水在外, 不歷其位, 則不可謂旣濟, 而五之受福, 旣濟之盛也, 六之濡首, 終亂之象也. 蓋濡首之兆, 已萌於受福之前, 而濡首之禍, 遽起於受福之際, 禍福之倚伏,[54] 亦可見矣. 小註, 宿舟, 謂宿戒之舟也.

이것이 기제의 끝에 있기 때문에 위험하고 어지러운 상이 있다. 선대의 학자들은 대부분 외괘의 세 효는 모두 좋지 않지만 감괘의 물이 밖에 있어 그 자리를 지나가지 않으면 이미 일을 이루었다고 말할 수 없으니, 오효의 '복을 받음'이 기제괘의 성대함이고 상육의 '머리를 적심'이 마침내 어지러운 상이라고 하였다. 젖은 머리의 조짐은 복을 받기 전에 나왔고 젖은 머리의 재앙은 복을 받는 사에 일어났으니, 재앙과 복이 서로 의지하는 것임을 또한 알 수 있다. '머무르는 배[宿舟]'는 일이 있기 전에 미리 경계하는 배를 말한다.

---

54) 伏: 경학자료집성DB에 '伏'로 되어 있으나, 경학자료집성 영인본과 문맥을 참조하여 '伏'으로 바로잡았다.

## 象曰, 濡其首厲, 何可久也.

「상전」에서 말하였다: "그 머리를 적셔서 위태로움"은 어찌 오래갈 수 있겠는가?

## 中國大全

傳

**旣濟之窮, 危至於濡首, 其能長久乎.**

기제괘가 궁극에 이르러 위태로움이 머리를 적시는 지경에 이르렀으니, 어찌 오래갈 수 있겠는가?

小註

或問, 旣濟上三爻, 皆漸漸不好去, 蓋出明而入險. 四有衣袽之象, 而曰有所疑也, 便是不美底端倪, 自此已露, 五殺牛則太自過盛, 上濡首則極而亂矣. 不知如何. 朱子曰, 然. 時運到那時, 都過了, 康節所謂, 飮酒酩酊, 開花離披時節, 所以有這樣不好底意思出來.
어떤 이가 물었다: 기제괘의 위 세 효는 모두 점점 좋지 않게 되니, 밝음으로부터 나와서 험함으로 들어가기 때문입니다. 사효는 옷과 헌옷의 상이 있는데 "의심할 것이 있어서이다"라고 한 것은 아름답지 않은 실마리가 이로부터 이미 노출된 것이고, 오효에서 소를 잡는 것은 지나치게 성대한 것이며, 상효에서 머리를 적신 것은 극에 달하여 어지러운 것입니다. 어떤지 잘 모르겠습니다.
주자가 답하였다: 그렇습니다. 시운이란 그 때에 왔다가 모두 지나가버리는 것으로 소강절이 말한 "술 마시고 취하니 피었던 꽃이 떨어지는구나!"라는 시절이기 때문에 이렇게 좋지 않은 의미를 갖게 된 것입니다.

○ 建安丘氏曰, 旣濟合離坎成卦, 坎在外无險矣, 故爲旣濟. 合六爻言之, 內三爻離明也, 初言曳輪无咎, 二言喪茀勿逐, 三有伐鬼方而克之象, 此已濟之事也. 外三爻坎險也, 在四則有衣袽之戒, 五則歎東隣殺牛不如西隣之時, 而上又有濡首厲何可久之訓, 則旣濟爲未濟矣.
건안구씨가 말하였다: 기제괘는 리괘와 감괘를 합해 이루어진 괘로 감괘가 밖에 있어서 험함이 없기 때문에 기제괘를 이룬다. 여섯 효를 합하여 말하면 안의 세 효는 리괘의 밝음인데, 초효에서는 '수레바퀴를 뒤로 끄니 허물이 없다'고 말하였고, 이효에서는 '가리개를 잃으나 좇지 말라'고 하였으며, 삼효에는 '귀방을 정벌하여 이기는' 상이 있으니, 이것은 이미 이루어진 일이다. 밖이 세 효는 감괘의 험함인데, 사효에는 '옷과 헌옷을 준비하라'는 경계가 있고, 오효에서는 '동쪽 이웃의 소를 잡는 제사가 서쪽 이웃의 때에 맞는 제사만 못하다'는 것을 탄식하였으며, 상효에서는 또한 '머리를 적셔서 위태로우니, 어찌 오래갈 수 있겠는가' 라는 교훈이 있으니, 기제가 미제로 바뀐 것이다.

## 韓國大全

### 유정원(柳正源) 『역해참고(易解參攷)』

王氏曰, 首旣被濡, 身將陷沒, 何可久長也.
왕필이 말하였다: 머리가 이미 적셔졌으면 몸은 가라앉을 것이니 어찌 오래갈 수 있겠는가?

### 김상악(金相岳) 『산천역설(山天易說)』

旣濟之極, 濡首之厲, 其何能長久也.
이미 이루어진 끝에서 그 머리를 적셔 위태로우니, 그것이 어찌 오래갈 수 있겠는가?

### 서유신(徐有臣) 『역의의언(易義擬言)』

凡涉水者, 不及肩, 則可涉, 過於肩, 則斯速退出焉已.
물을 건널 경우 어깨까지 물이 차지 않으면 건널 수 있고, 어깨를 지나칠 정도면 속히 물러나 나와야 될 뿐이다.

### 심대윤(沈大允) 『주역상의점법(周易象義占法)』

言不可久无事也, 旣濟治敝而防微. 故不言吉利也, 如夬之義, 是也.
오래도록 일이 없을 수 없으니, 이미 이루고 폐단을 다스려 미미할 때 막는다는 말이다. 그러므로 길하고 이롭다고 말하지 않았으니, 이를테면 쾌괘(夬卦)의 의미가 여기에 해당한다.

### 오치기(吳致箕) 「주역경전증해(周易經傳增解)」

旣濟之極, 危至於濡首, 豈能長久乎.
기제의 끝은 위험이 머리를 적시는 데 이르렀으니 어찌 오래갈 수 있겠는가?

### 이병헌(李炳憲) 『역경금문고통론(易經今文考通論)』

王曰, 旣濟之道, 窮於未濟, 則首[55]先犯焉.
왕필이 말하였다: 기제의 도는 미제에서 다하니, 머리가 먼저 침범한다.[56]

虞曰, 位極乘陽, 故曰何可久也.
우번이 말하였다: 자리가 끝이고 양을 타고 있기 때문에 "어찌 오래갈 수 있겠는가"라고 하였다.

---

55) 首: 경학자료집성DB에 '道'로 되어 있으나, 영인본과 『주역주』를 참조하여 '首'로 바로잡았다.
56) 『周易注 · 旣濟卦』: 上六, 濡其首, 厲. 구절의 주, 處旣濟之極, 旣濟道窮, 則之於未濟. 之於未濟, 則首先犯焉. 過進不已, 則遇於難, 故濡其首也. 將没不久, 危莫先焉.

# 64

## 미제괘

## 未濟卦䷿

# 中國大全

## 傳

**未濟, 序卦, 物不可窮也, 故受之以未濟, 終焉. 旣濟矣, 物之窮也, 物窮而不變, 則无不已之理, 易者, 變易而不窮也. 故旣濟之後, 受之以未濟而終焉. 未濟則未窮也, 未窮則有生生之義. 爲卦離上坎下, 火在水上, 不相爲用, 故爲未濟.**

미제괘(未濟卦)는 「서괘전」에 "사물은 다할 수 없기 때문에 미제괘(未濟卦)로써 받아 마쳤다"고 하였다. 이루어지고 나면 사물은 다한 것이고, 사물이 다하였는데도 변하지 않으면 그치지 않는 이치가 없는 것이니, 역(易)이란 변역하여 다하지 않는 것이다. 그러므로 기제괘(旣濟卦䷾) 다음에 미제괘(未濟卦)로 받아 마쳤다. 미제(未濟)는 아직 다하지 않은 것이니, 아직 다하지 않으면 낳고 낳는 뜻이 있다. 괘의 모양은 리괘(離卦☲)가 위에 있고 감괘(坎卦☵)가 아래에 있으니, 불이 물 위에 있어서 서로 쓰임이 되지 못하기 때문에 '미제(未濟)'가 된다.

## 小註

雲峯胡氏曰, 上經首乾坤, 乾坤之後六卦, 皆主坎之一陽. 下經終旣濟未濟. 濟因坎水取義而亨, 又皆主離之一陰, 天地終始, 皆水火相爲用也. 三陽失位, 故未濟, 三陰應三陽, 而陰又得中, 所以未濟終於濟也.

운봉호씨가 말하였다: 상경(上經)은 건괘(乾卦䷀)와 곤괘(坤卦䷁)로 시작하였는데, 건괘(乾卦䷀)와 곤괘(坤卦䷁)의 다음에 오는 여섯 괘는 모두 감괘(坎卦☵)의 한 양을 주인으로 하였다. 하경(下經)은 기제괘(旣濟卦䷾)와 미제괘(未濟卦䷿)로 끝났는데, 제(濟)는 감괘(坎卦☵)의 물로 말미암아 의미를 취하여 형통하고, 또한 모두 리괘(離卦☲)의 한 음을 주인으로 하여 천지의 시작과 끝은 모두 물과 불이 서로 쓰임이 된다. 세 양이 제자리를 잃었기 때문에 미제(未濟)이나, 세 음은 세 양과 호응하고 음이 또 알맞음을 얻었으니, '미제(未濟)'가 제(濟)에서 끝나는 까닭이다.

○ 鄭氏相卿曰, 上坎下離爲旣濟, 上離下坎爲未濟. 然離中有坎, 坎中有離, 二體而互成四卦, 四卦而歸二體, 其實一也. 坎水也, 其情淫而邪, 離火也, 其性烈而正, 坎常爲小人, 離常爲君子. 然離中有坎, 情其性也, 故旣未之離反爲小人. 坎中有離, 性其情也, 故旣未之坎反爲君子. 君子在上而小人在下, 則治无不濟, 故坎上離下爲旣濟. 小人在上而君子在下, 則治莫能濟, 故離上坎下爲未濟. 此以人事言也.

정상경(鄭相卿)이 말하였다: 상괘는 감괘(坎卦☵)이고 하괘는 리괘(離卦☲)인 것이 기제괘(旣濟卦䷾)이고 상괘가 리괘(離卦☲)이고 하괘가 감괘(坎卦☵)인 것이 미제괘(未濟卦䷿)이다. 그러나 리괘(離卦) 가운데에 감괘(坎卦)가 있고 감괘(坎卦) 가운데에 리괘(離卦)가 있어 두 몸체이면서 서로 네 괘를 이루고 네 괘이면서 두 몸체로 돌아가는데, 그 실제는 한 가지이다. 감괘(坎卦)는 물이어서 그 마음[情]은 음란하면서 사특하고, 리괘(離卦)는 불이어서 그 성질[性]은 극렬하면서 바르니, 감괘(坎卦)는 항상 소인이 되고, 리괘(離卦)는 항상 군자가 된다. 그러나 리괘(離卦) 가운데에 감괘(坎卦)가 있어 그 성질[性]을 마음[情]으로 삼기 때문에 기제괘와 미제괘에서는 리괘(離卦☲)가 도리어 소인이 된다. 감괘(坎卦) 가운데에는 리괘(離卦)가 있어 그 마음[情]을 성질[性]로 삼기 때문에 기제괘와 미제괘에서 감괘(坎卦)가 도리어 군자가 된다. 군자가 위에 있고 소인이 아래에 있으면, 다스림을 이루지 못함이 없기 때문에 감괘(坎卦☵)가 위에 있고 리괘(離卦☲)가 아래에 있는 것이 기제괘(旣濟卦䷾)가 된다. 소인이 위에 있고 군자가 아래에 있으면 다스림을 이룰 수 없기 때문에 리괘(離卦☲)가 위에 있고 감괘(坎卦☵)가 아래에 있는 것이 미제괘(未濟卦䷿)가 된다. 이것은 사람의 일로 말한 것이다.

## 未濟, 亨, 小狐汔濟, 濡其尾, 无攸利.

정전 미제(未濟)는 형통하니, 어린 여우가 용감하게 건너서 그 꼬리를 적시니, 이로운 바가 없다.
본의 미제(未濟)는 형통하니, 어린 여우가 거의 건너서 그 꼬리를 적시니, 이로운 바가 없다.

## 中國大全

### 傳

未濟之時, 有亨之理, 而卦才復有致亨之道, 唯在愼處. 狐能度水, 濡尾則不能濟. 其老者, 多疑畏, 故履氷而聽, 懼其陷也, 小者則未能畏愼, 故勇於濟. 汔, 當爲仡, 壯勇之狀, 書曰仡仡勇夫. 小狐果於濟, 則濡其尾而不能濟也. 未濟之時, 求濟之道當至愼則能亨, 若如小狐之果, 則不能濟也, 旣不能濟, 无所利矣.

'미제(未濟)'의 때에는 형통한 이치가 있고 괘의 재질이 다시 형통함을 이루는 도가 있으니, 오직 조심해서 처신하는 것에 달려 있을 뿐이다. 여우는 물을 건널 수 있지만 꼬리를 적시면 물을 건널 수 없다. 늙은 여우는 의심과 두려움이 많기 때문에 얼음을 밟으면서도 소리를 듣는 것은 빠질까 두려워하는 것이고, 어린 여우는 아직 두려워하고 조심할 수가 없기 때문에 용감하게 물을 건넌다. '흘(汔)'은 마땅히 '용감함[仡]'으로 해야 하니, 건장하고 용감한 모습이란 뜻으로, 『서경』에서 '씩씩하고 용감한 사나이'[1]라고 하였다. 어린 여우가 건너는 데에 과감하면 꼬리를 적셔 건널 수 없다. '미제(未濟)'의 때에 이루기를 구하는 도를 마땅히 지극하게 삼가면 형통할 수 있을 것이며, 만약 어린 여우처럼 과단성 있게 한다면 건널 수 없을 것이니, 이미 건널 수가 없다면 이로울 바가 없을 것이다.

### 本義

未濟, 事未成之時也. 水火不交, 不相爲用, 卦之六爻, 皆失其位, 故爲未濟. 汔,

---

1) 『書經·泰誓』: 番番良士, 旅力旣愆, 我尙有之, 仡仡勇夫, 射御不違, 我尙不欲, 惟截截善諞言, 俾君子, 易辭, 我皇多有之.

**幾也, 幾濟而濡尾, 猶未濟也. 占者如此, 何所利哉.**

'미제(未濟)'는 일이 아직 이루어지지 않은 때이다. 물과 불이 서로 사귀지 못하여 서로 쓰임이 되지 못하고, 괘의 여섯 효가 모두 제자리를 잃었기 때문에 '이루어지지 않음[未濟]'이 되었다. '흘(汔)'은 '거의[幾]'이니, 거의 건너가서 꼬리를 적심은 여전히 건너지 못한 것이다. 점을 치는 자가 이와 같이 하면 무슨 이익이 있겠는가?

**小註**

建安丘氏曰, 未者, 有所待之辭, 未濟非不濟也, 待時而濟爾.
건안구씨가 말하였다: '아직 …하지 못하다[未]'란 기다리는 바가 있는 말이니, '미제(未濟)'란 이루지 못했다는 것이 아니라 단지 때를 기다려서 이루려는 것이다.

○ 進齋徐氏曰, 未濟有終濟之理, 故亨. 狐能渡水, 濡尾則不能濟. 以六居初, 小狐也. 汔, 幾也. 尾, 謂初也. 幾濟而濡其尾, 則力竭而不能濟, 无所利矣.
진재서씨가 말하였다: 미제괘(未濟卦)에는 끝내 이루는 이치가 있기 때문에 형통하다. 여우는 물을 건널 수는 있지만 꼬리를 적신다면 건널 수가 없다. 육(六)으로 초효에 있는 것이 '어린 여우'이다. '흘(汔)'은 '거의[幾]'라는 뜻이다. '꼬리'는 초효를 말한다. 거의 건너가서 그 꼬리를 적신다면 힘을 다하고도 이룰 수 없는 것이니, 이로운 바가 없다.

○ 隆山李氏曰, 聖人作易, 一卦必求所以亨之理. 在旣濟時, 有旣濟之亨, 未濟時, 有未濟之亨, 旣濟已然之亨, 未濟方來之亨.
융산이씨가 말하였다: 성인(聖人)이 『주역』을 지을 때에, 한 괘마다 반드시 형통할 수 있는 이치를 구하였다. 기제괘(旣濟卦☵☲)의 때에는 '이미 이루어진[旣濟]' 형통함이 있고 미제괘(未濟卦)의 때에는 '아직 이루지 못한[未濟]' 형통함이 있으니, '기제(旣濟)'는 이미 그렇게 된 형통함이며 '미제(未濟)'는 막 다가오는 형통함이다.
又曰, 坎爲水爲穴爲隱伏, 物之穴居隱伏, 往來水間者, 狐也.
또 말하였다: 감괘(坎卦☵)는 물이 되고 동굴이 되며 숨어 엎드리는 것이 되니, 사물 중에 동굴에 살면서 숨어 엎드려 지내며 물 사이를 오고 가는 것은 여우이다.

○ 息齋余氏曰, 未濟本有亨之道, 但如小狐幾濟而濡尾, 則无所利爾, 謂占遇未濟者, 皆无攸利, 不可也, 在所處如何爾.
식재여씨가 말하였다: 미제괘(未濟卦)에는 본래 형통한 도가 있으나, 다만 어린 여우처럼 거의 건너서 꼬리를 적신다면 이로운 것이 없으니, 점을 쳐서 미제괘(未濟卦)를 만나는 자

는 모두 이로운 것이 없다는 것은 안 되고, 처신하는 바가 어떠한가에 달려 있을 뿐이라는 말이다.

○ 雲峯胡氏曰, 小狐汔濟濡其尾, 未濟之象也, 无攸利, 未濟之占也. 易不終旣濟而終未濟, 易不可窮故也. 未濟之時, 其花未開之春, 月未圓之夜乎. 天地不交爲否, 否不曰亨, 否不通也. 水火不交爲未濟, 非不濟也, 未焉爾. 故曰未濟亨, 无他, 未濟水火之不交, 而坎男居離女下, 又男女之交也. 况旣濟下離互坎, 上坎互離, 旣濟之中互未濟, 未濟下坎互離, 上離互坎, 未濟之中互旣濟. 非唯見時變之相爲反覆, 而水火互藏其宅, 復於易中見之.
운봉호씨가 말하였다: "어린 여우가 거의 건너서 그 꼬리를 적심"은 미제괘(未濟卦)의 상이고 "이로운 바가 없음"은 미제괘(未濟卦)의 점이다. 『주역』에서 기제괘(旣濟卦䷾)로 끝마치지 않고 미제괘(未濟卦)로 끝마쳤으니, 역(易)이란 다할 수가 없기 때문이다. 미제괘의 시기는 꽃이 아직 피지 않은 봄이고 달이 아직 둥글지 않은 밤이구나. 천지(天地)가 사귀지 않음이 비괘(否卦)여서 비괘(否卦)에서는 '형통하다'고 하지 않았으니, '비(否)'란 통하지 않음이다. 물과 불이 사귀지 않음이 미제괘(未濟卦)가 되니 '이루지 못하는[不濟]' 것이 아니라 아직 이루지 않았을 뿐이다. 그러므로 "미제(未濟)는 형통하다"고 하였으니, 다름 아니라 미제괘(未濟卦)에서는 물과 불은 사귀지 않지만 감괘(坎卦☵)의 남자가 리괘(離卦☲)의 여자 아래에 있어서 또한 남자와 여자가 사귀기 때문이다. 하물며 기제괘(旣濟卦)는 하괘가 리괘(離卦☲)이고 호괘가 감괘(坎卦☵)이며 상괘가 감괘(坎卦☵)이고 호괘가 리괘(離卦☲)라서 기제괘(旣濟卦) 가운데에 두 호괘가 미제괘(未濟卦)이며, 미제괘(未濟卦)는 하괘가 감괘(坎卦☵)이고 호괘가 리괘(離卦☲)이며 상괘가 리괘(離卦☲)이고 호괘가 감괘(坎卦☵)라서 미제괘(未濟卦) 가운데에 두 호괘가 기제괘(旣濟卦)임에랴! 때가 변하여 서로 반복됨을 볼 뿐만이 아니라, 물과 불이 서로 상대의 집에 깃듦을 다시 『주역』 가운데에서 본다.

## 韓國大全

### 권근(權近) 『주역천견록(周易淺見錄)』

吳氏以爲坎爲狐, 三四五互坎, 陽大陰小, 六五陰柔, 故曰小狐. 汔濟, 幾至於上. 蓋六五之狐, 未至上九, 是幾於濟, 而猶未濟也. 下坎初六連九二, 在互坎下畫之後, 小狐之身在前水而幾於濟, 其尾在後水之中, 故云濡其尾. 諸家以下坎爲狐者, 未恊. 愚按, 此得之. 但恐小狐, 非謂六五之陰, 當以下卦之坎爲老狐, 互卦之坎爲小狐也.
오씨는 다음처럼 여겼다: "감괘(坎卦)가 여우인데, 삼효 · 사효 · 오효는 호괘로 감이고, 양은 크고 음은 작은데, 육오는 음의 부드러움이기 때문에 '어린 여우'라고 하였다. '거의 건넜다[汔濟]'는 거의 상효에 이르렀다는 뜻이다. 육오의 여우가 아직 상구에 이르지 못하니, 거의 건넜으나 여전히 건너지 못한 것이다. 아래 감괘의 초육이 구이와 연결되어 호괘인 감괘 아래 효 밑에 있으니, 어린 여우의 몸이 앞에 있는 물에 있어 거의 건넌 것이고, 그 꼬리가 뒤에 있는 물에 있기 때문에 '그 꼬리를 적신다'고 하였다. 여러 학자들이 하괘 감을 여우로 본 것은 적합하지 않다." 내 생각에는 이 설이 옳다. 다만 어린 여우는 육오인 음을 말하는 것이 아닌 듯하니, 하괘인 감을 '늙은 여우'로, 호괘의 감을 '어린 여우'로 봐야 한다.

### 송시열(宋時烈) 『역설(易說)』

亨見上. 小字, 從下作句, 未詳. 狐者, 坎象. 汔, 幾也, 見井. 濡其尾, 說見上. 無攸利, 見象.
형통하다[亨]는 것은 기제괘에 나온다. '어린[小]'이란 말은 뒤와 연결하여 구문을 만든 것인데 자세하지는 않다. 여우는 감괘의 상이다. '흘(汔)'은 '거의[幾]'의 의미로 정괘(井卦)에 있다. '그 꼬리를 적신다'는 설명이 기제괘에 나온다. '이로운 바가 없다'는 것은 「단전」에 있다.

### 이만부(李萬敷) 「역통(易統) · 역대상편람(易大象便覽) · 잡서변(雜書辨)」

火水相背之象.
화와 수가 서로 등지고 있는 상이다.

水火不交, 不相爲用, 六爻皆失其位, 故爲未濟. 未濟事未成之時也.
물과 불이 사귀지 않아 서로 쓰임이 되지 않고, 여섯 효가 모두 제 자리를 잃었기 때문에 미제괘이다. 미제괘는 일이 아직 이루어지지 않은 때이다.

### 김상악(金相岳) 『산천역설(山天易說)』

☲☵序卦物不可窮也, 故受之以未濟.
「서괘전」에 "사물은 다할 수 없기 때문에 미제괘(未濟卦)로써 받았다"고 하였다.

○ 未濟, 事未成之時也. 水火不交, 不相爲用, 卦之六爻, 皆失其位, 故爲未濟也. 既濟, 水火已交, 故窮於上, 未濟, 水火不交, 故窮於下. 然窮於下者通於上, 所以物不可窮也, 故易終於未濟, 而實終於既濟. 蓋既濟坎上離下, 月在日上, 陰進而就盈, 爲望滿之期, 未濟, 則坎離交, 而日在月上, 陽進而就盈, 爲合朔之時, 故有亨小亨之別.
미제는 일이 아직 이루어지지 않은 때이다. 수와 화가 사귀지 않아 서로 쓰임이 되지 않고, 괘의 여섯 효가 모두 제 자리를 잃었기 때문에 미제괘이다. 기제는 수와 화가 이미 사귀었기 때문에 위에서 다하였고, 미제는 수와 화가 사귀지 않기 때문에 아래에서 다하였다. 그러나 아래에서 다하는 것은 위로 통하기 때문에 사물이 다할 수 없는 것이다. 그러므로 『역』이 미제괘에서 끝났으나 실은 기제괘에서 끝났다. 기제괘는 감괘가 위에 리괘가 아래에 있어 달이 해 위에 있는 것으로 음이 나아가 가득하게 된 것으로 가득 찬 것을 바라보는 시기이고, 미제괘는 감괘와 리괘가 교제하여 해가 달 위에 있는 것으로 양이 나아가 가득하게 된 것으로 합삭(合朔)의 때이기 때문에 형통함과 조금 형통함의 구별이 있다.

### 서유신(徐有臣) 『역의의언(易義擬言)』

未濟, 以中男中女, 居六十四卦之下, 如花之未開, 月之未圓, 有生生不窮之意. 首以乾坤, 殷[2]以離坎之未濟, 於乎旨哉.
미제괘는 둘째 아들과 둘째 딸이 육십사괘의 뒤에 있으니, 꽃이 아직 피지 않고 달이 아직 둥글게 되지 않아 자라고 자라는 것이 다하지 않는 의미가 있는 것과 같다. 건괘와 곤괘로 시작하여 리괘의 감괘의 미제괘로 크게 한 것이 참 아름답구나.

易之繫曰, 易无思也, 无爲也, 感而遂通. 自秦漢以來, 以易學聞者, 難以更僕數也, 或泥於象數而遺乎大義, 或局於占筮而昧乎本旨. 巧者, 傅會於日時, 謊者, 牽引於風角, 以至揚雄之三分, 而穿鑿極矣, 汨亂甚矣. 朱子曰, 孔子之易, 非文王之易, 文王之易, 非伏羲之易. 學者且依古易次第, 先讀本文, 則見本旨, 此爲讀易者, 第一法門, 而程子曰, 由孟子可以觀易. 蓋孟子言語闔闢處, 有變化不測之妙而然也.
『역』의 「계사전」에서 "역(易)은 생각도 없고 함도 없어 고요히 움직이지 않다가 느껴서 드디어 천하의 연고를 통한다"라고 하였다. 진한(秦漢) 이후로 역학으로 소문난 자들이 수 없이 많았으니, 어떤 이들은 상수(象數)에 빠져 대의(大義)를 버리고, 어떤 이들은 점서(占筮)에 국한되어 본지(本旨)에 어두웠다. 교묘한 자들은 일시(日時)로 견강부회하고, 황당한 자들은 풍각(風角)[3]에 끌어다 붙였는데, 양웅의 삼분에 와서는 극도로 천착하여 아주 어지

2) 殷: 경학자료집성DB와 영인본에 '殿'으로 되어 있으나, 문맥을 살펴 '殷'으로 바로잡았다.

러웠다. 주자가 "공자의 『역』은 문왕의 『역』이 아니고, 문왕의 『역』은 복희의 『역』이 아니다. 학자들은 『역』이 생긴 순서에 따라 먼저 본문을 읽으면 본래의 의도를 알 것이다"라고 하였으니, 이것은 『역』을 읽는 자들을 위한 첫 번째 가르침이다. 정자가 "『맹자』로 말미암아 『역』을 알 수 있다"라고 하였으니, 맹자의 교묘한 말은 변화를 예측하기 어렵기 때문에 그랬던 것이다.

或曰, 天地水火, 風雷山澤, 各有取象, 而獨遺日月者, 何也. 曰, 離爲火, 坎爲水. 火陽精也, 水陰精也. 陽爲日, 陰爲月. 曰, 不取諸人物, 何也. 曰, 乾父坤母, 人也, 六龍牝馬, 物也.
어떤 이가 말하였다: 하늘·땅·물·불·바람·우뢰·산·못에는 각기 취하는 상이 있는데, 해와 달만 그렇게 하지 않은 것은 무엇 때문입니까?
답하였다: 리괘가 불이고 감괘가 수인데, 불은 양의 정기이고 물은 음의 정기이며, 양은 해이고 음은 달이기 때문입니다.
물었다: 사람과 사물에게서 취하지 않은 것은 무엇 때문입니까?
답하였다: 건괘는 아버지이고 곤괘는 어머니인 것이 사람이며, 여섯 용과 암말은 사물입니다.

統六十四卦而論之, 其所以發性命之原, 分人物之性者, 卽乾道變化, 各正性命, 是已. 何以謂各正也. 人物之性不同也, 故特曰各之, 各之者, 異之也, 異之者, 分人物也.
육십사괘를 전체적으로 논하면, 성명(性命)의 근원을 드러내고 사람과 사물의 성(性)을 나누는 것은 건도가 변하고 화함에 각각 성명을 바르게 하는 것, 이것일 뿐이다. 무엇이 각각 바르게 하는 것인가? 사람과 사물의 성은 같지 않기 때문에 '각각'이라고 했으니, 각각은 다르게 하는 것이고 다르게 하는 것은 사람과 사물을 나누는 것이다.

程子, 主理, 朱子, 主數. 主數, 故言卜筮, 主理, 故言性命. 蓋易之爲書, 叅諸理, 倚於數, 闕一不可.
정자는 이치를 근본으로 했고, 주자는 수를 근본으로 했다. 수를 근본으로 했기 때문에 복서(卜筮)를 말하였고, 이치를 근본으로 했기 때문에 성명을 말하였다. 『역』은 모든 이치를 헤아리고 수에 의지하니, 하나라도 없어서는 안 된다.

---

3) 풍각(風角): 사방과 네 모퉁이의 바람을 궁(宮)·상(商)·각(角)·치(徵)·우(羽)의 다섯 음으로 구별해서 길흉(吉凶)을 점치는 방술.

陰陽之畫均, 而陰常勝於陽, 陽常屈於陰者, 何也. 以其陽一, 而陰二也. 陰之耦畫, 合以計之, 則爲三百八十四, 此所以陰常勝而陽常屈也. 故聖人裁抑之, 十月純坤, 而謂之陽月之類, 是也.
음양의 획이 같은데 음이 언제나 양을 이기고 양은 언제나 음에게 굴복하는 것은 무엇 때문인가? 양은 하나인데 음은 둘이기 때문이다. 음의 갈라진 획을 합쳐 계산하면 삼백팔십사이니, 이것이 음이 언제나 이기고 양이 언제나 굴복하는 까닭이다. 그러므로 성인이 음을 억제하였으니, 시월은 순수한 곤인데 양의 달이라고 하는 것들이 여기에 해당한다.

易之道廣矣, 九流百家, 莫不以易爲祖. 兵家之兩儀三才六花八陣, 醫家之發陳閉藏虛實浮沈, 道家之鍊精棲神塞兌嚥津, 皆以易而爲歸. 譬如春陽下敷, 得氣者有多少, 而欣欣向榮, 皆是春陽中物也. 易之道, 豈不誠廣乎哉.
역의 도는 넓어 구류(九流)[4]와 백가(百家)가 역을 시조로 하지 않음이 없다. 병가(兵家)의 양의(兩義)·삼재(三才)·육화(六花)[5]·팔진(八陳), 의가(醫家)의 발진(發陳)[6]·폐장(閉藏)[7]·허실(虛實)[8]·부침(浮沈), 도가의 연정(鍊正)·서신(棲神)[9]·색태(塞兌)[10]·연진(嚥津)[11]이 모두 역으로 귀결된다. 비유하자면 봄의 햇살이 아래로 비춤에 기운을 얻는 것들이 적지 않아 무럭무럭 자라는 것들은 모두 봄 햇살을 받은 사물과 같으니, 『역』의 도가 어찌 진실로 넓지 않겠는가?

## 서유신(徐有臣)『역의의언(易義擬言)』

未濟曰, 小狐, 坎象, 汔濟, 六三之象. 濡其尾, 濡坎象, 狐反身, 則三爲其尾也. 九二曰,

4) 구류(九流): 선진(先秦)의 아홉 학술 유파.
5) 육화(六花): 고대 중국의 진법(陣法)의 하나.
6) 발진(發陳): 생기게 하는 기운이 왕성해져서 묵은 것을 밀어내고 새 것이 생겨나게 한다는 말. 옛 의학서에는 봄 3개월을 발진이라고 하는데 봄이 오면 하늘과 땅이 모두 생기를 얻어서 만물을 번영하게 하기 때문이라고 함.
7) 폐장(閉藏): 겨울철 석 달을 이르는 말. 겨울철은 모든 사물이 생기를 잃고 잠복되어 있는 때라는 뜻에서 붙인 이름.
8) 허실(虛實): 팔강(八綱)에서 몸의 정기와 사기가 왕성하고 약한 것에 의해서 구분한 허증(虛證)과 실증(實證)을 말한 것. 즉 몸의 반응성[정기(正氣)]이 세고 약한 것과 사기가 왕성하고 약한 것에 의해 허실증(虛實證)을 구분했는데 몸의 반응성(저항력)이 약한 것은 허증이고 반응성이 높은 것은 실증이다. 옛 의학서에는 정기가 부족한 것은 허증이라고 사기가 왕성한 것은 실증이라고 하였다.
9) 서신(棲神): 도가에서 원신(元神)을 기르는 술법.
10) 색태(塞兌): 도가에서 처세 방법.
11) 연진(嚥津): 양생법(養生法)의 하나로 입 안에 있는 침을 삼키는 것.

曳其輪, 坎爲曳爲輪. 六三曰, 大川, 坎象. 九四曰, 伐鬼方, 詳旣濟. 六五曰, 君子之光, 離日象. 上九曰, 飮酒, 六三坎象. 濡其首, 上爲首.

미제괘에서 '작은 여우'라고 한 것은 감괘의 상이고, '거의 건넜다'는 것은 육삼의 상이며, '그 꼬리를 적신다'는 것은 '적신다'는 것이 감괘의 상이고, 여우가 몸을 되돌리면 삼효가 그 꼬리라는 것이다. 구이에서 '수레바퀴를 뒤로 끌듯이 하여 느리게 한다'라고 한 것은 감괘가 뒤로 끌듯이 하여 느리게 하는 것이고 수레바퀴라는 것이다. 육삼에서 '큰 내'라고 한 것은 감괘의 상이다. 구사에서 '귀방을 정벌한다'라고 한 것은 기제괘에서 자세히 설명했다. 육오에서 '군자의 빛남'이라고 한 것은 리괘가 해의 상인 것이다. 상구에서 '술을 마신다'라고 한 것은 육삼이 감괘라는 것이고, 그 '머리를 적신다'는 것은 상효가 머리라는 것이다.

### 심대윤(沈大允) 『주역상의점법(周易象義占法)』

未濟, 未成也, 未盡也. 火之性炎上, 水之性潤下. 二物各居其所, 不相交合而爲用, 中男在下而勞苦, 中女進而任事. 下用其知力, 上用其聽明. 中女麗乎外, 而治男事, 中男勞乎內, 而爲內政. 三陽掠柔之位, 而柔居剛之位, 剛柔相配, 而柔皆承剛, 未濟之象也. 未濟分而未合, 始而未終也, 上明察而下勞苦, 難險而文明, 治事之道也. 互卦爲旣濟, 分則有合, 始則有終, 物之理也. 凡本卦爲體, 而互卦爲用也. 旣濟後天也, 未濟先天也. 下經文終以未濟, 明先天之後天也. 易之道, 生生而不已, 終則有始有終於終者也.

미제는 아직 이루지 않고 다하지 않은 것이다. 화의 특성은 불타 올라가는 것이고, 수의 특성은 적시며 내려가는 것이다. 두 가지가 각기 제자리에 있으므로 서로 합해서 쓰임이 되지 않으니, 둘째 아들은 아래에서 노력하고 고생하며 둘째 딸이 나아가 멋대로 일을 한다. 아래로 그 지력을 사용하고 위로 그 총명을 사용하여 둘째 딸은 밖으로 빛을 내며 남자의 일을 다스리고, 둘째 아들은 안에서 수고하며 내정을 다스린다. 세 양이 부드러운 자리를 노략질하나 부드러움이 굳센 자리에 있어 굳셈과 부드러움이 서로 짝하고 부드러움이 모두 굳셈을 받드는 것은 미제의 상이다. 미제가 나누어졌으나 아직 합하지 않았고, 시작했으나 아직 끝나지 않았으며, 위로 밝게 살피나 아래로 수고롭게 고생하고, 험난하나 문명한 것이 일을 다스리는 도리이다. 호괘가 기제괘이니 나누어졌으면 합함이 있고 시작했으면 끝이 있는 것이 사물의 이치이다. 본래의 괘는 몸체이고 호괘는 쓰임이다. 기제괘는 후천이고 미제괘는 선천이다. 『하경』의 글이 미제괘로 끝난 것은 선천의 후천을 밝힌 것으로 역의 도리는 낳고 낳아 그침이 없으니, 끝나면 끝남에서 시작이 있고 끝남이 있는 것이다.

### 이용구(李容九) 「역주해선(易註解選)」

雲峰胡氏曰, 易不終旣濟, 而終未濟, 易不可窮故也. 未濟之時, 其花未開之春, 月未圓之夜乎.
운봉호씨가 말하였다: 『역』이 기제로 끝나지 않고 미제로 끝난 것은 『역』은 다할 수 없기 때문이다. 미제의 때는 꽃이 아직 피지 않은 봄이고 달이 아직 둥글지 않은 밤일 것이다.

○ 西溪李氏曰, 聖人設四卦, 必終於未濟者, 所以寓生生不窮之意. 未濟易之終, 上九未濟之終, 生生不窮之理在是, 亂者治之基, 治者乱之伏, 未濟之極, 豈不終濟哉.
서계이씨가 말하였다: 성인이 사괘를 만들어 놓고 굳이 미제에서 끝낸 것은 낳고 낳아 다하지 않는 의미를 부치기 위함이다. 미제가 『역』의 끝이고 상구가 미제의 끝인 것은 낳고 낳아 다하지 않는 이치가 여기에 있어 어지러움은 다스림의 토대이고 다스림은 어지러움이 잠복한 것이다. 그러니 미제(未濟)의 끝이 어찌 제(濟)를 끝내지 않는 것이겠는가?

## 이익(李瀷) 『역경질서(易經疾書)』

未濟未至於旣濟也, 遲速雖別大意相類.
미제는 기제에 아직 이르지 못해 더디고 빠름은 구별되나 큰 뜻은 서로 비슷하다.

按, 戰國策, 竝引詩易, 以靡不有初, 鮮克有終, 與狐濡其尾, 同勘爲言. 蓋小狐輕躁, 幾濟登岸, 心怠而尾濡, 故曰, 汔濟濡其尾. 傳所謂未出中者, 謂猶未離於水中也.
내가 살펴보았다: 『전국책』에서 시와 역을 함께 인용하여 "처음이 있지 않은 것은 끝이 있는 것이 드물다"[12]는 말을 "여우가 그 꼬리를 적신다"는 말과 함께 따져 말했다.[13] 어린 여우는 가볍고 경솔하니, 거의 건너갔으면 언덕으로 올라가야 하는데 마음이 게을러져서 꼬리를 적신다. 그러므로 "거의 건너서 그 꼬리를 적신다"고 하였으니, 「단전」에서 이른바 '험한 가운데를 벗어나지 못한 것이다'라는 것은 물에서 여전히 벗어나지 못했다는 말이다.

易中最貴, 剛柔相應. 六爻雖不當位, 上下無陔蔽之患, 雖未及大成, 其志亦與旣濟比竝, 其互爲旣濟, 則旣濟之義, 又藏在其中矣.
『주역』에서 가장 귀한 것은 굳셈과 부드러움이 서로 호응하는 것이다. 여섯 효가 제 자리에 합당하지 않으나 가리는 우환이 없고, 크게 이룸에는 미치지 못했으나 그 뜻이 또한 기제와 나란히 병행하고 그 호괘가 기제괘이니, 기제의 의미가 그 속에 들어있다.

---

12) 『詩經·蕩』: 蕩蕩上帝, 下民之辟. 疾威上帝, 其命多辟. 天生烝民, 其命匪諶. 靡不有初, 鮮克有終.
13) 『戰國策·頃襄王』(20년) : 詩云, "靡不有初, 鮮克有終." 易曰, "狐濡其尾." 此言始之易, 終之難也.

### 권만(權萬)「역설(易說)」

汔, 傳作仡.
흘(汔)은『정전』에서 '얼(仡)'로 하였다.

### 유정원(柳正源)『역해참고(易解參攷)』

正義, 小才不能濟難事, 同小狐雖能渡水而无餘力, 必須水汔, 方可涉川, 未及登岸, 而濡其尾, 豈有所利.
『정의』에서 말하였다: 하찮은 재주로는 어려운 일을 할 수 없는 것은 어린 여우가 물을 건널 수 있을지라도 남은 힘이 없는 것과 같아 반드시 물이 마르면 내를 건널 수 있으나 언덕에 오르지 못하고 그 꼬리를 적시니 어찌 이로운 바가 있겠는가?

○ 漢上朱氏曰, 孟喜云, 小狐濟水, 未濟一步, 下其尾, 故曰, 汔濟濡尾. 狐首輕尾重, 聽水負尾以濟
한상주씨가 말하였다: 맹희는 "어린 여우가 물을 건넘에 한 발자국을 아직 건너지 못하고 그 꼬리를 내리기 때문에 '거의 건너서 꼬리를 적신다'고 하였다"라고 하였다. 여우는 머리가 가볍고 꼬리가 무거워 물소리를 들으면 꼬리를 말아 올리고 건넌다.

○ 案, 彖傳, 有小狐之文, 故先儒皆依以爲解, 然小狐之小无意義. 蓋六五之柔得中, 所亨者小也, 恐於小字下當句. 旣濟亨小, 事已亨, 而猶有未亨, 慮患之意也. 未濟亨小, 事將亨, 而或有未亨, 將來之望也. 望
내가 살펴보았다:「단전」에 어린 여우라는 말이 있기 때문에 선대의 학자들은 모두 그것에 따라 해석했으나, '어린 여우'에서 '어린'은 의미가 없다. 육오의 부드러움이 알맞음을 얻어 형통한 것이 작다는 것이니, 아마 소자의 아래에 구두를 해야 할 듯하다. 기제의 형통함이 작은 것은 일이 이미 형통하였지만 여전히 형통하지 않음이 있는 것이니, 우환을 걱정하는 의미다. 미제의 형통함이 작은 것은 일이 형통하겠지만 혹 형통하지 않음이 있을 수 있는 것이니, 올 것에 대해 바라보는 것이다.

### 김상악(金相岳)『산천역설(山天易說)』

時雖未濟, 六五得中于上, 故能亨. 狐者, 坎象. 汔濟, 指二也. 濡尾, 謂初也. 衆狐, 幾濟, 小者, 最後而濡尾, 則終於未濟, 无所利也.
때가 미제이나 육오가 위에서 알맞음을 얻었기 때문에 형통할 수 있다. 여우는 감괘의 상이다. 거의 건넌 것은 이효를 가리킨다. 꼬리를 적신 것은 초효를 말한다. 무리지은 여우들이 거의 건넜는데 어린 것이 맨 뒤에 있어 꼬리를 적시니 미제에서 끝나고 이로운 바가 없다.

○ 坎爲穴, 爲隱伏物之穴, 居而隱伏者, 狐也. 狐之濟水, 必拖尾于後, 故曰濡其尾. 小過三四爲鳥身, 故初上皆言飛鳥, 未濟二四爲狐身, 故初言濡尾, 上言濡首.
감괘는 구멍으로 숨어 엎드려 있는 동물의 굴이니, 그곳에서 살면서 엎드려 있는 것은 여우이다. 여우가 물을 건널 때는 반드시 뒤로 꼬리를 끌기 때문에 "그 꼬리를 적신다"고 하였다. 소과괘(小過卦䷽)의 삼효와 사효는 새의 몸이기 때문에 초효와 상효에서 모두 나는 새를 말하였고, 미제괘의 이효와 사효는 여우의 몸이기 때문에 초효에서는 꼬리를 적신다고 하고 상효에서는 머리를 적신다고 하였다.

### 서유신(徐有臣)『역의의언(易義擬言)』

未濟, 非謂未亨, 特是亨之中, 有所未濟, 故曰, 未濟, 亨也. 狐, 坎象也. 汔濟者, 六三也, 一坎將盡, 幾濟之象也. 互坎, 又在前, 幾濟而未濟也. 四五之際, 水復深矣, 濡尾而止. 不濡其身, 不肯入深, 莫能終濟, 故无攸利也.
미제는 아직 형통하지 않은 것이 아니라 단지 형통한 가운데 건너지 못한 것이 있기 때문에 "미제는 형통하다"라고 하였다. 여우는 감괘의 상이다. 거의 건넌 것은 육삼으로 하나의 감괘가 다하려고 하여 거의 건넌 상인데, 호괘인 감괘가 또 앞에 있어 거의 건넜으나 아직 건너지 못한 것이다. 사효와 오효의 사이에 물이 다시 깊어 꼬리를 적시고 멈추고 그 몸을 적시지 않은 것은 깊이 들어가려고 하지 않아 건넘을 끝낼 수 없는 것이기 때문에 이로운 바가 없는 것이다.

### 김기례(金箕澧)「역요선의강목(易要選義綱目)」

未濟.
미제는.

易者, 變易不窮之道. 旣濟之後, 以未濟終篇者, 反復盈虛, 生生不窮.
『역』은 변화하고 바뀌면서 다하지 않는 도이다. 기제의 다음에 미제로 책을 마친 것은 반복하여 차고 기울면서 낳고 낳아 다하지 않는 것이다.

○ 火在水上, 炎上潤下, 不相交而未濟.

화가 수의 위에 있으니, 불타며 올라가는 것과 적시며 내려가는 것이 서로 사귀지 않아 미제이다.

○ 卦中剛柔失位, 未濟之象.
괘에서 굳셈과 부드러움이 제 자리를 잃은 것이 미제의 상이다.

○ 上經乾坤坎離爲始終, 卽先天之易理, 天地日月之象, 下經兌艮震巽坎離爲始終, 卽後天之易理六子爲夫婦水火之象, 其義可象.
「상경」에서 건괘(乾卦☰)·곤괘(坤卦☷)·감괘(坎卦☵)·리괘(離卦☲)가 시작과 끝이 된 것은 바로 선천에서의 『역』의 이치로 천지와 일월의 상이고, 「하경」에서 태괘(兌卦☱)·간괘(艮卦☶)·진괘(震卦☳)·손괘(巽卦☴)·감괘(坎卦☵)·리괘(離卦☲)가 시작과 끝이 된 것은 바로 후천에서의 『역』의 이치로 부부와 수화가 되는 여섯 자식의 상이니, 의미를 상징할 수 있다.

亨,
형통하니,
蓋道无不在易卦, 非大凶大事, 則擧皆曰亨, 凡言盡其道而愼, 則何處不亨.
도는 『역』의 괘에 있지 않은 것이 없어 아주 흉한 큰 일이 아니라면 대부분 '형통하다'고 하니, 그 도를 극진하게 하고 삼간다면 어느 곳인들 형통하지 않겠는가라는 말이다.
○ 未濟, 則終必有旣濟之理, 故亨.
미제에는 끝내 반드시 기제의 이치가 있기 때문에 형통하다.

小狐汔濟, 濡其尾, 无攸利.
어린 여우가 거의 건너서 그 꼬리를 적시니, 이로운 바가 없다.
坎爲狐. 則小狐指初六. 以陰居初剛, 如兒狐之不涉難者, 敢進而濡尾於中渡, 豈能乎. 无所利矣. 汔, 幾, 見井.
감괘가 여우이니, 어린 여우는 초육을 가리킨다. 음으로 초효의 굳센 자리에 있는 것은 어려움을 처리하지 못할 어린 여우가 감히 나아가 중간쯤 건너다가 꼬리를 적시는 것과 같으니, 어찌 할 수 있겠는가? 이로운 바가 없다. '흘(汔)'은 거의로 정괘(井卦)에 있다.

## 심대윤(沈大允) 『주역상의점법(周易象義占法)』

不言元者, 未濟, 後天之先天也, 事物之始分多生, 條目節次也, 乃分之初, 非生之始, 乃小分非大始也. 治事則可大, 故曰亨. 旣濟之所治, 事之餘也, 未濟之所爲, 事之始也. 坎爲狐, 乾圓坤方, 震短巽長, 坎大離小, 艮凸兌凹. 離坎爲小狐. 旣濟之水火相交, 爲誠與信相合, 而疑與詐, 相滅之象, 故能合而成. 未濟之水火相倍, 爲誠與信不合, 而疑與詐, 不息之象, 故分而未合. 狐, 多疑多詐之物, 是以取象也.
원(元)을 말하지 않은 것은 미제가 후천의 선천으로 사물이 처음 나누어져 다양하게 나옴에 조목과 절차는 나눔의 처음이지 생김의 처음이 아니고, 조금 나누어지는 것이지 큰 시작이 아니기 때문이다. 사물을 다스리면 크게 될 수 있기 때문에 "형통하다"고 하였다. 기제의 다스림은 일의 여분이고 미제의 다스림은 일의 처음이다. 감괘는 여우, 건괘는 원, 곤괘는 방, 진괘는 짧음, 손괘는 깊, 감괘는 큼, 리괘는 작음, 간괘는 볼록함, 태괘는 오목함이니, 리괘와 감괘는 작은 여우이다. 기제의 수와 화는 서로 사귐으로 정성과 믿음이 서로 합해 의심과 거짓이 서로 없어지는 상이기 때문에 서로 합해서 이룰 수 있다. 미제의 수와 화는 서로 등짐으로 정성과 믿음이 합하지 않아 의심과 거짓이 없어지지 않는 상이기 때문에 나누어지고 합하지 않는다. 여우는 의심이 많고 거짓을 잘하는 동물이니, 이 때문에 상을 취하였다.

程子曰, 老狐, 尤多疑畏, 履氷而聽, 小者, 勇於濟以其能濟, 故取小狐也. 汔, 幾也. 坤之變艮之後, 爲坎在艮之後爲尾. 危難之世, 事當順勢, 而不能自用, 有尾之義. 汔濟濡其尾, 未旣濟也, 此與初爻同事, 而與六爻同義也. 事殷而未成, 勞苦而未及於利, 故曰无攸利.
정자는 "늙은 여우는 더욱 의심과 두려움이 많아 얼음을 밟을 때도 소리를 듣고, 어린 것은 건너는 데에 용감하게 할 수 있기 때문에 어린 여우를 취하였다"라고 하였다. '흘(汔)'은 '거의'이다. 곤괘가 간괘로 변한 다음에 감괘가 간괘의 뒤에 있는 것이 되어 꼬리가 된다. 위험하고 어려운 때에는 일은 형세를 따라야 하고 스스로 마음대로 할 수 없으니, 꼬리의 의미가 있다. 거의 건너 그 꼬리를 적시니 기제와 미제이니, 이것이 초효와 일을 함께 하고 육효와 의미를 함께 하는 것이다. 일이 커서 아직 이루지 못하였고, 수고롭고 힘들어 아직 이로움에 미치지 못하였기 때문에 "이로운 바가 없다"고 하였다.

### 오치기(吳致箕) 「주역경전증해(周易經傳增解)」

未濟者, 事之未成也. 火炎上而居上, 水潤下而居下. 各居其所, 上下不交, 故爲未濟之象也. 卦體則柔得中於上, 而剛柔皆應, 卦義則終必有濟, 故言亨. 剛陷險中, 故曰, 小狐汔濟. 初險未能有濟, 故言濡其尾无攸利, 皆未濟之義也.
미제는 일이 아직 이루어지지 않은 것이다. 화가 불타올라서 위에 있고 물이 적셔 내려가서 아래에 있다. 각기 제 자리에 있어 상하가 사귀지 않기 때문에 미제의 상이다. 괘의 몸체는 부드러움이 위에서 알맞음을 얻어 굳셈과 부드러움이 모두 호응하고, 괘의 의미는 마침내 반드시 건너감이 있기 때문에 형통함을 말하였다. 굳셈이 험한 가운데 빠졌기 때문에 “어린 여우가 거의 건넜다”고 하였다. 초효의 험함은 건너감이 있을 수 없기 때문에 “그 꼬리를 적시니 이로운 바가 없다”고 말한 것은 모두 미제의 의미이다.

○ 坎爲狐, 而坎在下, 故曰小狐. 尾取於交體互艮, 而二五相易則成互艮也. 卦義始雖未濟, 而終至漸濟, 故以初則取九二之坎險而言无攸利, 以終則取六五之離明而言亨也.
감괘가 여우인데 그것이 아래에 있기 때문에 어린 여우라고 했다. 꼬리는 교체(交體)의 호괘인 간괘에서 취했는데, 이효와 오효를 서로 바꾸면 호체인 간괘를 이룬다. 괘의 의미로는 처음에 건너가지 못했을지라도 마침내 점차 건너가기 때문에 처음에서는 구이의 험한 감괘을 취하여 이로운 바가 없다고 하였고, 끝에서는 육오의 밝은 리괘를 취하여 형통함을 말하였다.

### 이진상(李震相) 『역학관규(易學管窺)』

三陽失位, 而猶居陰上, 故有可濟之理.
세 양이 제 자리를 잃었는데도 여전히 음의 위에 있기 때문에 건너갈 수 있는 이치가 있다.

### 박문호(朴文鎬) 「경설(經說) · 주역(周易)」

剛柔皆應者, 凡八卦, 而至將終, 故程傳因剛柔應之文, 特言以總之.
굳센 양과 부드러운 음이 모두 호응하는 것은 모두 여덟 괘인데 끝나려고 하기 때문에 『정전』에서 굳센 양과 부드러운 음이 호응한다는 말로 말미암아 특별히 말해서 총괄했다.

程子, 謫成都時, 著易傳, 而適遇箍桶者, 聞其說, 故特書於此, 是不以人廢言之意, 亦公心也.
정자는 성도(成都)로 귀양 갔을 때에 『역전』을 저술하면서 마침 통에 테를 두르는 자를 만나 그 설명을 들었기 때문에 특별히 여기에 기록했으니, 바로 사람의 신분으로 말을 못하게 하지 않는 의미로 또한 공평한 마음이다.

## 彖曰, 未濟亨, 柔得中也,

「단전」에서 말하였다: "미제가 형통함"은 부드러운 음이 알맞음을 얻었기 때문이며,

### 中國大全

**傳**

以卦才言也. 所以能亨者, 以柔得中也. 五以柔居尊位, 居剛而應剛, 得柔之中也. 剛柔得中, 處未濟之時, 可以亨也.

괘의 재질로 말하였다. 형통할 수 있는 것은 부드러운 음이 알맞음을 얻었기 때문이다. 오효는 부드러운 음으로 존귀한 자리에 있고 굳센 양의 자리에 있으면서 굳센 양과 호응하니, 부드러움의 알맞음을 얻었다. 굳센 양과 부드러운 음이 알맞음을 얻었으니, 미제괘(未濟卦)의 때에 있어서 형통할 수 있다.

**本義**

指六五言.

육오를 가리켜 말하였다.

**小註**

或問, 未濟所以亨者, 謂之未濟, 便是有濟之理. 但尙遲遲, 故謂之未濟, 而柔得中, 又自有亨之道. 朱子曰, 然.

어떤 이가 물었다: 아직 이루어지지 않아 형통한 것을 '미제(未濟)'라고 한 것은 곧 이루는 이치가 있기 때문입니다. 다만 항상 느릿느릿하기 때문에 이를 일러 '미제(未濟)'라고 하였는데, 부드러운 음이 알맞음을 얻었고 또 본래 형통한 도(道)가 있습니다. 어떻습니까? 주자가 말하였다: 그렇습니다.

○ 建安丘氏曰, 未濟, 非終於不濟, 欲濟而未爾. 柔得中, 謂五以柔而得中位也.
건안구씨가 말하였다: '아직 이루어지지 않음[未濟]'은 이루지 못하는 것에서 끝나는 것이 아니라, 이루려고 하면서 아직 그렇게 하지 못한 것이다. "부드러운 음이 알맞음을 얻음"은 오효가 부드러운 음으로 가운데 자리를 얻음을 말한다.

○ 雲峯胡氏曰, 乾坤之後, 爲坎者六, 至旣濟未濟, 雖因坎取義, 然皆曰柔得中也, 則又專指離而言. 坎之與離, 終始可相有而不可相无, 如此.
운봉호씨가 말하였다: 건괘(乾卦䷀)와 곤괘(坤卦䷁) 다음에 이어서 감괘(坎卦☵)로 이루어진 괘가 여섯인데,[14] 기제괘(旣濟卦䷾)와 미제괘(未濟卦)에서야 감괘(坎卦☵)에서 뜻을 취하였을지라도 모두 "부드러운 음이 알맞음을 얻었다"고 한 것은[15] 또한 오로지 리괘(離卦☲)를 가리켜 말한 것이다. 그러니 감괘(坎卦☵)가 리괘(離卦☲)와 함께 하는 것은 처음부터 끝까지 서로 있어야 되고 서로 없어서는 안되는 것이 이와 같다.

## 韓國大全

### 권만(權萬) 「역설(易說)」

指六五而言, 得中而在君位, 故亨.
육오를 가리켜서 말한 것으로, 알맞음을 얻고 임금의 자리에 있기 때문에 형통하다는 말이다.

### 유정원(柳正源) 『역해참고(易解參攷)』

王氏曰, 小狐不能涉大川, 須汔然後乃能濟. 處未濟之世, 必剛健拔難, 然後乃能濟. 汔, 乃能濟, 未能出險之中.
왕필이 말하였다: 작은 여우는 큰 내를 건널 수 없어 반드시 물이 마른 다음에야 건널 수 있다. 미제의 세대에 있어서는 반드시 강건함으로 어려움을 뽑아버린 다음에야 건널 수 있

---

14) 건괘(乾卦☰)와 곤괘(坤卦☷)에 다음에 연이어 오는 준괘(屯卦䷂)와 몽괘(蒙卦䷃)와 수괘(需卦䷄)와 송괘(訟卦䷅)와 사괘(師卦䷆)와 비괘(比卦䷇)를 말한다.
15) 『周易·旣濟卦』: 彖曰, 初吉, 柔得中也.

다. 물이 말라야 건널 수 있으니, 험한 가운데를 아직 벗어날 수 없는 것이다.

王氏曰, 位不當, 故未濟, 剛柔應, 故可濟.
왕필이 말하였다: 자리가 합당하지 않기 때문에 미제(未濟)이나 굳셈과 부드러움이 호응하기 때문에 건널 수 있다.

○ 正義, 未者, 今日雖未濟, 後有可濟之理. 以其不當其位, 故卽時未濟. 剛柔皆應, 足得相拯, 是有可濟之理, 故稱未濟, 不言不濟也.
『정의』에서 말하였다: 미(未)는 오늘 건너지 못했으나 뒤에 건널 수 있는 이치가 있는 것이다. 그 자리에 합당하지 않기 때문에 지금에는 미제이다. 그러나 굳셈과 부드러움이 모두 호응하여 서로 구조할 수 있는 것이 바로 건널 수 있는 이치가 있는 것이기 때문에 미제(未濟)라고 하였지 부제(不濟)라고 하지 않았다.

傳, 成都隱者.
『정전』에서 성도(成都)의 은자(隱者).
〈外書, 先生過成都, 坐于所館之堂讀易, 有造桷者, 前視之, 指未濟卦問焉. 先生曰, 何也. 曰, 三陽皆失位. 先生異之, 問其姓與居, 則失之矣.
『외서』에 선생이 성도를 지나가다가 객사에 앉아 『역』을 읽고 있는데 서까래를 깎는 자가 앞에서 그것을 보고 미제괘를 가리키며 물었다. 선생이 "무엇인가요?"라고 하자 "세 양이 모두 제 자리를 잃었습니다"라고 하였다. 선생이 기이하게 여겼으나 그의 성과 사는 곳을 묻는 것은 지나쳤다.〉

小註朱子說, 箍桶.
소주의 주자의 설명에서 통에 테를 두르는 것에 대해.
龍龕手鑑箍音孤, 以篾束物.
『용감수감』에서는 '箍'자의 음은 고(孤)라고 이며, 대나무 껍질로 사물을 엮은 것이라고 했다.
○ 韻書, 篾, 析竹.
『운서』에서 대나무 자른 것[篾]은 대나무를 가른 것이라고 하였다.

## 서유신(徐有臣) 『역의의언(易義擬言)』

柔得中, 六五也. 三陰下於陽, 應於陽, 所以爲亨, 是未濟之妙處, 而六五下於上九, 應於九二, 擧其最重者也

'부드러운 음이 알맞음을 얻은 것'은 육오이다. 세 음이 양보다 아래에 있으면서 양에 호응하기 때문에 형통하는 것이 미제의 묘한 곳인데, 육오가 상구보다 아래에 있으면서 구이와 호응하는 것은 가장 중요한 것을 든 것이다.

### 김기례(金箕澧) 「역요선의강목(易要選義綱目)」

指六五以陰居尊應二剛中, 則雖未濟而終能濟, 故亨. 既濟未濟二卦, 互坎互離, 互既濟互未濟, 反覆而時變, 有大同而小異.
육오가 음으로 존귀한 자리에 있으면서 굳세고 알맞은 이효와 호응하니, 비록 아직 건너지 않았을지라도 끝내 건널 수 있기 때문에 형통함을 가리킨다. 기제와 미제 두 괘는 호괘인 감괘와 호괘인 리괘가 서로 기제괘가 되고 서로 미제괘로 반복하면서 때에 맞춰 변해 크게는 같고 작게는 다르다.

## 小狐汔濟, 未出中也,

정전 "어린 여우가 용감하게 건넘"은 험한 가운데에서 벗어나오지 못한 것이며,
본의 "어린 여우가 거의 건넘"은 험한 가운데에서 벗어나오지 못한 것이며,

### 中國大全

#### 傳

**據二而言也. 二以剛陽居險中, 將濟者也, 又上應於五, 險非可安之地, 五有當從之理. 故果於濟, 如小狐也, 旣果於濟, 故有濡尾之患, 未能出於險中也.**

이효에 의거하여 말하였다. 이효는 굳센 양으로 험한[감괘(坎卦☵)] 가운데에 있어 건너려는 것이고, 또한 위로는 오효와 호응하여 험함이 편안할 수 있는 곳이 아니며, 오효에는 마땅히 따라야 하는 이치가 있다. 그러므로 과감하게 건너기를 어린 여우처럼 이미 과감하게 건넜기 때문에 꼬리를 적시는 걱정이 있으니, 험한 가운데에서 벗어날 수가 없다.

#### 小註

朱子曰, 小狐汔濟, 汔字訓幾, 與井卦同. 旣曰幾, 便是未濟. 未出坎中, 不獨是說九二爻, 通一卦之體, 皆是未出乎坎險, 所以未濟.

주자가 말하였다: "어린 여우가 거의 건넘[小狐汔濟]"에서 '흘(汔)'자는 '거의[幾]'라는 뜻으로 풀어야 하니, 정괘(井卦䷯)[16]와 같다. 이미 '거의'라고 하였다면 곧 아직 건너지 못한 것이다. "감괘(坎卦☵)에서 벗어나오지 못함"은 유독 구이 효만을 말한 것이 아니라, 한 괘의 전체를 통틀어 모두 감괘(坎卦☵)의 험함에서 벗어나지 못하는 것이기 때문에 아직 건너지 못한 것이다.

16) 『周易 · 井卦』: 井, 改邑不改井, 无喪无得, 往來井井, 汔至, 亦未繘井, 羸其瓶, 凶.

## 韓國大全

### 송시열(宋時烈) 『역설(易說)』

未出中者, 九二不能出於坎中也. 不續終者, 不能繼續而終之也.
'험한 가운데를 벗어나지 못하였다'는 것은 구이가 감괘의 가운데를 벗어날 수 없다는 것이다. '계속하여 끝마치지 못하기 때문이다'는 것은 계속하여 끝마칠 수 없다는 것이다.

### 권만(權萬) 「역설(易說)」

坎爲狐, 一陽陷於二陰之中, 爲未脫出險中也. 濡其尾, 以初六之象參看, 則其爲初無疑矣. 然以說文所訓者見之, 狐似指成卦全體而言也. 說文曰, 狐, 妖獸也, 鬼所乘之, 其色中和, 小前大後. 未濟卦火居水上者, 非常理. 理之非常者, 有妖意. 六五居中而亨者, 有中和之象. 五爲陰, 陰爲小, 而居上卦, 則爲前. 二爲陽, 陽爲大, 而居下卦, 則爲後. 前小後大之義, 可以證成, 則成卦全體, 雖謂之有狐象, 亦無不可耶. 若以陰陽小大之名言, 則坎之中畫爲大, 狐不可便道爲小狐也. 離之中畫爲陰爲小, 坎之幽陰有鬼之象, 而六五乘之, 雖謂之乘鬼可也. 指乘坎之離體六五, 謂之小狐, 恐無不可也.
감괘는 여우로 하나의 양이 두 음 가운데 빠져 험한 가운데에서 탈출하지 못한 것이다. 그 꼬리를 적시는 것은 초육의 상으로 보면 그것이 초효임을 의심하지 못한다. 그러나 『설문해자』에서 설명한 것으로 보면, 여우는 전체의 괘를 가리켜서 말한 것 같다. 『설문해자』에 "여우는 도깨비 같은 짐승으로 귀신이 타고 다니는데, 그 색은 중화(中和)이고 작은 것은 앞에 있고 큰 것은 뒤에 있다"라고 하였다. 화가 수 위에 있는 미제괘는 일반적인 도리가 아니다. 도리가 일반적인 것이 아닌 것에 도깨비의 의미가 있다. 육오가 가운데 있어 형통한 것에 중화(中和)의 상이 있다. 오효는 음이고, 음은 작은 것인데 상괘에 있으니 앞이고, 이효는 양이고, 음은 큰 것인데 하괘에 있으니 뒤이다. 앞에 있는 것이 작고 뒤에 있는 것이 크다는 의미가 증명될 수 있다면 괘를 이루는 전체에 여우의 상이 있다고 할지라도 안될 것이 없다. 그런데 음이 작고 양이 크다는 명분으로 말한다면, 감괘의 가운데 획은 큰 것이어서 여우를 다시 작은 여우라고 할 수 없다. 그러나 리괘의 가운데 획은 음이고 작은 것이고, 감괘의 어두움에 귀신의 상이 있는데, 육오가 그것을 타고 있어 귀신을 태웠다고 해도 되니, 감괘를 타고 있는 리괘 몸체의 육오를 가리켜 작은 여우라고 하는 것은 안될 것이 없다.

### 김기례(金箕澧) 「역요선의강목(易要選義綱目)」

程傳以爲據九二而言, 朱子曰, 不獨是九二一爻, 通一卦而言. 蓋二雖居險中, 卦內陽, 皆失位之中, 二獨有應君之剛. 在他卦, 亦多許五柔二剛處, 況九二爻辭, 不至躁進之科. 則似不必以二陽之大謂之小狐. 大抵未出中, 未之象. 朱註似是.

『정전』에서는 구이에 의거하여 말한 것으로 여겼는데, 주자는 "구이 한 효뿐만 아니라 한 괘를 통틀어 말했다"고 하였다. 이효가 험한 가운데 있을지라도 괘 안의 양들이 모두 제 자리를 잃은 가운데 이효만 임금에 호응하는 굳셈이 있다. 다른 괘에서도 오효의 부드러움과 이효의 굳셈을 허용한 곳이 많은데, 하물며 구이의 효사가 조급하게 나아가는 조목에 이르지 않았음에야 말해 무엇 하겠는가! 그렇다면 굳이 양인 이효의 큼을 가지고 어린 여우라고 할 필요는 없다. 대체로 험한 가운데에서 벗어나지 못했다는 것은 않[未]의 상이다. 주자의 주석이 옳은 것 같다.

## 濡其尾无攸利, 不續終也.

"꼬리를 적시니, 이로운 바가 없음"은 계속하여 끝마치지 못하기 때문이다.

## 中國大全

### 傳

**其進銳者, 其退速. 始雖勇於濟, 不能繼續而終之, 无所往而利也.**

나아감이 재빠른 자는 물러남도 빠르다. 처음에는 비록 용감하게 건너지만 계속하여 끝마치지 못하였으니 갔으나 이로움이 없는 것이다.

#### 小註

朱子曰, 不續終也, 是首濟而尾濡, 不能濟. 不相接續去, 故曰不續終也. 狐尾大, 濡其尾, 則濟不得矣.
주자가 말하였다: "계속하여 끝마치지 못하기 때문이다"란 머리는 건너는데도 꼬리는 젖어서 건널 수 없는 것이다. 서로 이어지지 않게 되었기 때문에 "계속하여 끝마치지 못하기 때문이다"라고 하였다. 여우의 꼬리는 커서 그 꼬리를 적시면 건널 수 없다.

○ 瀘川毛氏曰, 未濟之初六, 陰也, 小狐之象, 小人也, 非濡尾之不可濟, 而小人之不足以濟也.
노천모씨가 말하였다: 미제괘(未濟卦)의 초효는 음이며 어린 여우의 상은 소인이니, 꼬리가 젖어서 건널 수 없는 것이 아니라 소인이라서 건너기에는 부족한 것이다.

○ 建安丘氏曰, 不續終, 指初也. 下坎象狐, 初其尾也. 二之未能出險者, 以初柔力微, 而不能續其後也, 正猶狐幾濟而濡其尾, 首濟而尾未濟也, 何所利乎.
건안구씨가 말하였다: "계속하여 끝마치지 못함"은 초효를 가리킨다. 하괘인 감괘(坎卦☵)는 여우를 상징하니, 초효는 그 꼬리이다. 이효가 험함에서 벗어나지 못하는 것은 부드러운

음인 초효가 힘이 미약하여 그 뒤를 이을 수 없는 것으로, 바로 여우가 거의 건넜으나 그 꼬리를 적신 것과 같아 머리는 건너지만 꼬리는 건너지 못한 것이니, 무슨 이익이 있겠는가?

## 韓國大全

### 권만(權萬) 「역설(易說)」

尾, 指坎之初也. 未濟六爻互看, 亦兩離兩坎, 而亦重在坎. 其曰未者, 似指二四兩陽, 俱在險中未濟之象. 四似狐身, 二似狐尾. 初六六三似狐四足, 六五似狐兩眉, 上九似狐之首. 足目皆雙, 首尾身皆單, 故分屬陰陽爻如此. 狐性多疑, 渡河聽氷, 蓋憚其涉水者, 而入水濡尾, 非狐之利也, 故曰无攸利.
꼬리는 감괘의 초효를 가리킨다. 미제의 여섯 효를 호괘로 봐도 두 리괘에 두 감괘여서 또한 중점이 감괘에 있다. 여기서 미(未)라고 한 것은 이효와 사효 두 양이 모두 험한 가운데 아직 건너지 못한 상에 있는 것을 가리킨 것 같다. 사효는 여우의 몸과 같고 이효는 여우의 꼬리와 같으며, 초육 육삼은 여우의 네 발과 같고, 육오는 여우의 두 눈썹과 같으며, 상구는 여우의 머리와 같다. 발과 눈은 모두 쌍이고, 머리 · 꼬리 · 몸은 모두 하나이기 때문에 음효와 양효로 이처럼 나눠놓았다. 여우의 성질은 의심이 많아 강을 건넘에 얼음소리를 듣는 것은 물을 건너는 것을 꺼리는 것인데, 물에 들어가 꼬리를 적시는 것은 여우의 이로움이 아니기 때문에 "이로운 바가 없다"고 하였다.

○ 不續終, 未詳
'끝마치지 못하기 때문이다'는 것은 자세하지 않다.

### 서유신(徐有臣) 『역의의언(易義擬言)』

未出中者, 兩坎交互之中也. 不續終者, 半途而廢也.
'험한 가운데를 벗어나지 못한 것'은 두 감괘가 교호하는 가운데이기 때문이다. '계속하여 끝마치지 못하는 것'은 중도에서 그만두었기 때문이다.

### 김기례(金箕澧) 「역요선의강목(易要選義綱目)」

程傳曰, 其進鋭者, 其退速, 蓋得其深趣也, 不量力而妄進者, 豈能連步而進, 得繼續之終乎. 指初

『정전』에서 "나아감이 재빠른 자는 물러남도 빠르다"라고 하였으니, 그 깊은 취지를 얻은 것이다. 힘을 헤아리지 않고 함부로 나아가는 자가 어찌 발걸음을 이어서 나아가 끝까지 계속할 수 있겠는가? 초효를 가리킨다.

## 雖不當位, 剛柔應也.

비록 자리에 합당하지 않지만, 굳센 양과 부드러운 음이 호응한다.

## 中國大全

**傳**

**雖陰陽不當位, 然剛柔皆相應, 當未濟而有與, 若能重愼, 則有可濟之理, 二以汔濟, 故濡尾也. 卦之諸爻, 皆不得位, 故爲未濟. 雜卦云, 未濟, 男之窮也, 謂三陽皆失位也. 斯義也, 聞之成都隱者.**

비록 음과 양이 자리에 합당하지 않지만 굳센 양과 부드러운 음이 서로 호응하여 '미제(未濟)'를 맞아 함께 함이 있으니, 만약 신중하게 할 수 있으면 이룰 수 있는 이치가 있는데, 이효가 용감하게 건너기 때문에 꼬리를 적셨다. 괘의 모든 효가 모두 제자리를 얻지 못하였기 때문에 '미제(未濟)'가 되었다. 「잡괘전」에서 "미제괘(未濟卦)는 남자의 궁한 곳이다"라고 하였으니, 세 양이 모두 제자리를 잃었음을 말한다. 이러한 뜻을 성도(成都)의 은자(隱者)에게서 들었다.

**小註**

朱子曰, 張敬夫說, 伊川之在涪也, 方讀易, 有箍桶人以此問, 伊川不能答. 其人云, 三陽失位, 伊川謂是, 不知此語火珠林上已有. 蓋伊川未曾看雜書, 所以被他說動了.

주자가 말하였다: 장경부(張敬夫)는 "이천(伊川)이 부주(涪州)에 있을 때에 한창 『주역』을 읽고 있는데, 통에 테를 두르는 사람이 이 구절을 가지고 물으니 이천이 대답하지 못하였다. 그 사람이 '세 양이 제자리를 잃었다'고 하자, 이천은 '옳다'고 하였다"고 하였으니, 이 말이 『화주림(火珠林)』[17]에 이미 있는 것임을 알지 못하였던 것이다. 아마도 이천은 아직 잡다한 책들을 본적이 없었기 때문에 그의 말에 동요되었던 것 같다.[18]

---

17) 화주림(火珠林): 한(漢) 대에 경방에서 시작되었다고 전해지는 점법으로, 시초(蓍草) 대신에 동전을 이용한다.

○ 馮氏去非曰, 六爻雖不當位, 而剛柔皆應. 苟能協力以濟, 亦可致亨, 未濟者終濟矣.
풍거비(馮去非)가 말하였다: 여섯 효가 비록 자리에 합당하지 않지만, 굳센 양과 부드러운 음이 모두 호응한다. 만약 협력하여 이룰 수가 있다면 또한 형통하게 될 수 있으니, 아직 이루지 못한 것이 끝내 이루어지는 것이다.

○ 建安丘氏曰, 六爻剛居陰位, 柔居陽位, 雖未當位, 而一陰一陽各相應, 上下協力. 故終有出險之功也.
건안구씨가 말하였다: 여섯 효에서 굳센 양은 음의 자리에 있고 부드러운 음은 양의 자리에 있으니, 비록 자리에 합당하지 않을지라도 하나의 음과 하나의 양이 각기 서로 호응하여 위와 아래가 협력한다. 그러므로 마침내 험함에서 벗어나는 공이 있다.

○ 平庵項氏曰, 既濟三剛三柔皆正. 然剛柔正而位當, 卽謂六二九五, 剛柔正應而又當位也. 若泛言則失彖義, 未濟六爻皆不當位. 其曰雖不當位, 亦指六五言之. 剛柔應者, 覆解亨字. 雖无攸利, 用其柔中, 以與剛應, 自有致亨之理.
평암항씨가 말하였다: 기제괘(旣濟卦䷾)에서 굳센 세 양과 부드러운 세 음은 모두 바르다. 그러나 "굳셈과 부드러움이 바르고 자리가 마땅함"[19]이란 곧 육이와 구오가 굳센 양과 부드러운 음으로 바르게 호응하고 또 자리에 합당함을 말한다. 그런데 만약 범범하게 말한다면, 「단전」의 뜻을 잃게 되어 미제괘(未濟卦)의 여섯 효는 모두 자리에 합당하지 않은 것이다. "비록 자리에 합당하지 않지만"라고 한 것은 육오를 가리켜서 말한 것이다. "굳센 양과 부드러운 음이 호응한다"고 한 것은 '형통하다'는 말을 반복해서 풀이한 것이다. 비록 이로운 바가 없더라도 부드러운 음의 알맞음을 써서 굳센 양과 호응하니, 저절로 형통함을 이루는 이치가 있다.

18) 『朱子語類』: 伊川說, 未濟男之窮, 爲三陽失位, 以爲斯義得之. 成都隱者見張欽夫說, 伊川之在涪也, 方讀易, 有箍桶人以此問伊川, 伊川不能答. 其人云, 三陽失位. 火珠林上已有. 伊川不曾看雜書, 所以被他說動了.
19) 『周易·旣濟卦』: 彖曰, 旣濟亨, 小者亨也. 利貞, 剛柔正而位當也.

## 韓國大全

### 권만(權萬) 「역설(易說)」

言未濟六爻, 三陰居陽位, 三陽居陰位, 不若旣濟之各當其位. 然一陰一陽, 承剛藉柔, 各相比應, 則亦可取也.
미제괘의 여섯 효에서 삼음은 양의 자리에 있고 삼양은 음의 자리에 있으니 기제괘에서 제자리에 합당한 것만 못하지만, 하나의 음과 하나의 양이 굳셈을 받들고 부드러움을 깔고 있어 각기 서로 가까이 호응하는 것은 또한 취할 만하다.

○ 旣濟之柔, 得中於下, 未濟之柔, 得中於上.
기제의 부드러움은 하괘에서 알맞음을 얻었고, 미제의 부드러움은 상괘에서 알맞음을 얻었다.

### 서유신(徐有臣) 『역의의언(易義擬言)』

物不可終亂, 必有以濟之, 故復繫之曰, 雖不當位, 剛柔應也, 說卦所謂, 水火不相射[20]者也. 未濟之終, 其辭如此, 聖人憂世惓惓之意, 吁可見也.
사물은 끝까지 어지러울 수 없고 반드시 구제되는 것이 있기 때문에 다시 이어서 "비록 자리가 마땅하지 않지만, 굳센 양과 부드러운 음이 호응한다"고 하였으니, 「설괘전」에서 이른바 물과 불이 서로 쏘아 맞추지 않는다는 것이다. 미제를 마치면서 그 말이 이와 같은 것은 아! 성인이 세상을 간절하게 걱정하는 의미를 볼 수 있는 것이다.

### 김상악(金相岳) 『산천역설(山天易說)』

以卦體釋卦辭而言. 柔謂五也. 以卦變言, 六五自四而上, 是柔得中也. 未出中者, 二未能出於險中也. 不續終者, 初不能繼二而終也. 位, 陰陽之位也. 六爻雖不當位, 剛柔相應, 故終必有濟而亨也.
괘의 몸체로 괘사를 해석하여 말하였다. 부드러움은 오효를 말한다. 괘변으로 말하면 육오는 사효에서 올라온 것이니 바로 '부드러운 음이 알맞음을 얻은 것'이다. '험한 가운데를 벗

20) 射: 경학자료집성DB와 영인본에 '厭射'로 되어 있으나, 『주역전의대전』을 참고하여 '射'로 수정했다.

어나오지 못한 것'은 이효가 험한 가운데를 벗어나지 못한 것이다. '계속하여 끝마치지 못하는 것'은 초효가 이효로 계속하여 끝마치지 못하는 것이다. '자리'는 음과 양의 자리이다. 여섯 효가 자리에 합당하지 않으나 굳셈과 부드러움이 서로 호응하기 때문에 마침내 반드시 건너가서 형통한 것이다.

○ 柔得中, 未濟而旣濟也, 故亨. 未出中, 幾濟而未濟也, 故无攸利. 不續終, 則終於未濟, 所以旣濟曰, 終止則亂
'부드러운 음이 알맞음을 얻은 것'은 미제인데 기제인 것이기 때문에 형통한 것이다. '험한 가운데를 벗어나지 못한 것'은 거의 건넜으나 아직 건너지 못한 것이기 때문에 '이로운 바가 없음'이다. '계속하여 끝마치지 못하는 것'은 미제에서 끝났기 때문에 기제에서 "끝에서 멈추면 어지러운 것"이라고 하였다.

## 김기례(金箕澧) 「역요선의강목(易要選義綱目)」

指二五剛柔, 雖不正位, 有上下協力之象.
이효와 오효의 굳셈과 부드러움이 자리에 합당하지 않지만 상하로 협력하는 상이 있음을 가리켰다.

## 심대윤(沈大允) 『주역상의점법(周易象義占法)』

旣濟, 以五之當位釋利貞, 未濟, 以五之柔中釋亨. 五爲君位, 而一卦之功, 所由成也. 卦之剛柔, 皆失其位, 而九二居坎陷之中, 故曰未出中也. 旣濟, 以柔之中釋初吉, 未濟, 以二之未出中釋汔濟. 二爲內卦之中而主上半節也, 五爲外卦之中, 而主下半節也. 旣濟之終亂, 卽主五, 而言未出中也, 未濟之不續終, 卽主五, 而言柔得中而不當位也, 以得中, 故亨, 而以不當位, 故不續終也. 兌離坤, 爲不續終乾之變, 自兌爲離而尙遠於坤也. 凡傳言當位, 皆謂九五, 言不當位, 皆謂六五也. 復言雖以不當位, 故不能續成其終, 而九二以剛中相應, 故亦終有可濟之理也. 未有始而无終, 特未知其終之善不善也, 故不言終吉也.
기제괘는 오효가 제 자리에 합당한 것으로 곧음이 이로움을 해석했고, 미제괘는 오효의 부드러움과 알맞음으로 형통함을 해석했다. 오효는 임금의 자리여서 한 괘의 여기에서 이루어지는 것이다. 괘의 굳셈과 부드러움이 모두 제 자리를 잃었는데, 구이가 험한 감괘의 가운데 있기 때문에 "험한 가운데를 벗어나오지 못한 것이다"라고 하였다. 기제괘는 부드러움의 알맞음으로 처음에는 길함을 해석했고, 미제괘는 이효가 험한 가운데에서 벗어나오지 못한 것으로 거의 건넘을 해석했다. 이효는 내괘의 가운데여서 상괘의 절반을 주도하고, 오효는 외괘의 가운데여서 하괘의 절반을 주도한다. 기제괘의 '끝에는 어지럽다'는 것은 곧 오효를 주로 하여 험한 가운데에서 벗어나오지 못한 것을 말하였고, 미제괘의 '계속하여 끝마치지 못하였다'는 것은 곧 오효를 주로 하여 부드러움이 알맞음을 얻었으나 자리에 합당하지 않음을 말하였으니, 알맞음을 얻었기 때문에 형통하고, 자리에 합당하지 않기 때문에 계속하여 끝마치지 못한다는 것이다. 태괘(兌卦)·리괘(離卦)·곤괘(坤卦)는 건괘(乾卦)의 변화를 계속하여 끝마치지 못하는 것이고, 태괘(兌卦)에서 리괘(離卦)가 되었으나 오히려 곤괘(坤卦)에서는 먼 것이다. 『정전』에서 자리에 합당하다고 한 것은 모두 구오를 말하고, 자리에 합당하지 않다고 한 것은 모두 육오를 말한다. 다시 말해 자리에 합당하지 않기 때문에 계속하여 끝마침을 이룰 수 없을지라도 구이가 굳셈과 알맞음으로 서로 호응하기 때문에 또한 끝내 건널 수 있는 이치가 있다는 것이다. 시작했는데 끝이 없는 것은 없지만, 다만 그 끝의 선·불선을 모르기 때문에 끝에는 길하다고 하지 않았다.

## 이진상(李震相) 『역학관규(易學管窺)』

彖, 坎爲狐, 而陰在先, 故曰小狐. 汔, 幾也, 上九, 岸也. 幾至於岸, 而坎體窮, 故曰汔濟濡尾. 旣濟之初爻陽, 故動然後謂之濡尾, 未濟之初爻陰, 故雖静亦曰濡尾, 爻象之別也. 陽在陰上, 故不曰小亨, 而所惡者, 陰與陽敵, 故目爲小狐.

「단전」, 감괘가 여우인데 음이 앞에 있기 때문에 "어린 여우"라고 하였다. '흘(汔)'은 거의이다. 상구는 언덕이다. 거의 언덕에 이르러 감괘의 몸체가 다하였기 때문에 "거의 건너서 꼬리를 적셨다"고 하였다. 기제의 초효는 양이기 때문에 움직인 다음에 "꼬리를 적신다"고 하였고, 미제의 초효는 음이기 때문에 고요할지라도 "꼬리를 적신다"고 하였으니, 효의 판단이 다르기 때문이다. 양이 음의 위에 있기 때문에 "작은 것이 형통하다"고 하지 않았는데, 싫어하는 것은 음이 양과 맞서는 것이기 때문에 어린 여우라고 지목하였다.

○ 傳, 陰陽俱不當位, 則事將不濟, 而陽在陰上, 柔每應剛, 猶有可濟之理, 故曰未濟.

『정전』, 음과 양이 모두 자리에 합당하지 않으면 일이 구제되지 않는데 양이 음의 위에 있고 부드러움이 매번 굳셈과 호응하여 여전히 구제될 수 있는 이치가 있기 때문에 "미제"라고 하였다.

## 이병헌(李炳憲) 『역경금문고통론(易經今文考通論)』

未濟與旣濟爲一對, 亦取轉而相成之象.

미제괘와 기제괘는 하나의 짝으로 또한 돌아가며 서로 이뤄주는 상을 취한 것이다.

孟曰, 坎狐坎穴也. 狐穴居, 此二卦之柔得中. 小者亨, 皆無與於剛, 而以柔爲貴, 於此可見, 聖人戒陽而重陰也. 右一對之策, 準中數.
맹희가 말하였다: 감괘는 여우이고 감괘는 구멍이니, 여우가 굴에 산다. 여기 두 괘의 부드러움은 알맞음을 얻었다. '작은 것이 형통함'은 모두 굳셈과 함께 함이 없어 부드러움을 귀함으로 삼은 것이니, 여기에서 성인이 양을 경계하고 음을 중요하게 여겼음을 알 수 있다. 이상은 한 짝의 책수로 중수를 따른 것이다.

## 象曰, 火在水上, 未濟, 君子以, 愼辨物, 居方.

「상전」에서 말하였다: 불이 물 위에 있는 것이 미제(未濟)이니, 군자가 그것을 본받아 삼가 사물을 분별하여 제자리에 있게 한다.

## 中國大全

### 傳

**水火不交, 不相濟爲用, 故爲未濟. 火在水上, 非其處也. 君子觀其處不當之象, 以愼處於事物, 辨其所當, 各居其方, 謂止於其所也.**

물과 불이 사귀지 못하여 서로 이루면서 쓰이지 못하기 때문에 '미제(未濟)'가 되었다. 불이 물 위에 있는 것은 제 자리가 아니다. 군자는 그 자리에 합당하지 못한 상을 보고 사물에 대하여 조심스럽게 대처하고 그 마땅한 바를 변별하여 각각 제 자리에 있도록 하니, 제 자리에 머무름을 말한다.

### 本義

**水火異物, 各居其所, 故君子觀象而審辨之.**

물과 불은 다른 물건으로, 각각 제 자리에 있기 때문에 군자가 상을 관찰하고 살펴서 변별한다.

### 小註

白雲郭氏曰, 水火不交, 不相爲用, 所以爲未濟, 亦猶天地不交而爲否也. 物之有可辨者, 如水火之性, 是也. 居方者, 猶居上居下, 是也. 君子觀未濟之象, 而愼於辨物居方者, 欲其所居各得交濟之道, 毋若火在水上而不相爲用也. 不然, 則物自各止其所, 君子何愼之有.

백운곽씨가 말하였다: 물과 불이 사귀지 못하여 서로 쓰이지 않기 때문에 '미제(未濟)'가 되었으니, 또한 천지(天地)가 사귀지 못하여 '비색함[否]'이 되는 것과 같다. 사물 중에서

변별할 수 있는 것은 물과 불의 성질과 같은 것이 이것이다. “제 자리에 있다”는 것은 위에 있고 아래에 있는 것과 같은 것이 이것이다. 군자가 ‘미제(未濟)’의 상을 관찰하여 사물을 변별하고 제자리에 있는 데에 삼가는 것은 있는 곳에서 각각 사귀어 이루는 도를 얻어 마치 불이 물 위에 있어서 서로 쓰임이 되지 못하는 것과 같지 않게 하려는 것이다. 그렇지 않다면, 사물은 스스로 각각 그 마땅한 곳에 머무르니, 군자가 무엇을 삼가겠는가?

○ 建安丘氏曰, 辨物如火之明, 居方如水之聚, 猶火在天上大有, 亦以類族辨物言之, 其義可見.
건안구씨가 말하였다: “사물을 분별함”은 불이 밝음과 같고, “제자리에 있게 함”은 물이 모임과 같으니, 불이 하늘 위에 있는 대유괘(大有卦䷍)와 같고 또한 “족(族)을 분류하고 물(物)을 분별한다”라고 말한 데에서[21] 그 뜻을 알 수가 있다.

○ 雲峯胡氏曰, 水火異物, 故以之辨物. 水火各居其所, 故以之居方.
운봉호씨가 말하였다: 물과 불은 다른 것이기 때문에 이로써 사물은 분별한다. 물과 불은 각각 그 제 자리에 있기 때문에 이로써 제 자리에 있게 한다.

○ 開封耿氏曰, 旣濟未濟之所以不同者, 分定與亂耳. 故君子愼辨物, 使物以群分, 愼居方 使方以類聚. 如此, 則分定不亂, 而爲旣濟矣.
개봉경씨가 말하였다: 기제괘(旣濟卦䷾)와 미제괘(未濟卦)가 같지 않은 것은 분수가 안정되고 어지러운 것일 뿐이다. 그러므로 군자가 삼가 사물을 분별하여 사물이 무리로 나누어지도록 하고, 삼가 제자리에 있게 하여 자리가 종류대로 모일 수 있도록 한다. 이와 같이 하면 분수가 정해지고 혼란스럽지 않아 기제가 된다.

21) “류족변물(類族辨物)”은 대유괘(大有卦)가 아니라 동인괘(同人卦䷌)에 다음과 같이 보인다. “象曰, 天與火同人, 君子以, 類族, 辨物.”

## ▌韓國大全▐

### 송시열(宋時烈) 『역설(易說)』

愼辨物者, 離明之, 能辨于物也. 居方者, 離南在前, 坎北在後, 合居其方也, 方以類聚, 物以群分之意.

'삼가 사물을 분별한다'는 것은 리괘가 밝혀 사물을 분별할 수 있는 것이다. '제 자리에 있다'는 것은 리괘(離卦)인 남쪽이 앞에 있고 감괘(坎卦)인 북쪽이 뒤에 있어 그 방향에 합한다는 것이니, 「계사전」의 "방향은 유(類)로써 모아지고 사물(事物)은 무리로써 나누어진다"는 의미이다.

### 이만부(李萬敷) 「역통(易統)·역대상편람(易大象便覽)·잡서변(雜書辨)」

臣謹按, 旣濟而思患, 未濟而辨物, 蓋聖人措事處物, 無時而少忽也. 晉旣平吳, 撤去武備處, 胡羌遺種於塞內, 終致五胡亂, 華中原陸沈, 是旣濟而不思患之咎也. 漢高祖王蜀將相, 俱得其其人. 宋太祖初定天下, 措置不循前轍, 是合辨物居方之義. 故能以未濟爲濟, 前事之驗, 益可見矣.

신이 삼가 살펴보았습니다: 기제여서 우환을 생각하고 미제여서 사물을 분별하니, 성인은 사물을 처리하는데 어느 때고 소홀하게 함이 없는 것입니다. 진(晉)이 오(吳)를 평정한 다음에 군비처를 없애버려 서방과 북방의 각 족속들이 변방 안에 부족을 이어가면서 마침내 오호의 혼란을 불러와 중원대륙이 쇠퇴해졌으니, 바로 기제인데 우환을 생각하지 못한 허물입니다. 한(漢)나라 고조가 왕촉(王蜀)을 재상과 장군으로 삼아 모두 그 사람을 얻고, 송(宋)나라 태조가 처음 천하를 평정하고 전철을 밟지 않게 조치하였으니, 바로 사물을 분별하여 제 자리에 있게 한 의미에 부합합니다. 그러므로 미제(未濟)를 제(濟)로 할 수 있으면 일에 앞서 증험을 더욱 알 수 있습니다.

### 유정원(柳正源) 『역해참고(易解參攷)』

節齋蔡氏曰, 愼坎象, 辨離象

절재채씨가 말하였다: '삼가다'는 감괘(坎卦)의 상이고, '분별하다'는 리괘(離卦)의 상이다.

### 김상악(金相岳)『산천역설(山天易說)』

愼者, 思患豫防之意也. 辨物, 如火之明, 居方, 如水之聚. 物以群分, 方以類聚, 則定分不亂, 而爲旣濟也.
'삼간다'는 것은 환란을 생각하여 예방한다는 의미이다. '사물을 분별 한다'는 것은 불이 밝은 것과 같고, '제 자리에 있게 한다'는 것은 물이 모이는 것과 같다. 사물은 무리로 분별하고 자리는 종류대로 모이면 정해진 분수가 어지러워지지 않아 기제가 된다.

### 서유신(徐有臣)『역의의언(易義擬言)』

火在水上, 不相爲用, 是爲未濟也. 炎上之物而居上, 潤下之物而居下, 此已爲不相厭射, 而又必使之火居下水居上, 乃得以相逮而交濟, 故辨之居之, 皆當愼之也. 水火之爲物, 不可以雜糅, 此宜愼其辨也. 其不相爲用之時, 則火當居上方, 水當居下方, 其相爲用之時, 則火當居下方, 水當居上方, 此宜愼其居也. 由是推之, 凡天下之物, 不可不辨之也, 不可不居之也. 乾曰彊, 未濟曰愼, 君子以彊爲始, 以愼爲終也.
불이 물 위에 있으면 서로 쓰임이 되지 않으니 이것이 미제이다. 불타오르는 것인데 위에 있고 젖어 내려가는 것인데 아래에 있으면, 이것은 이미 서로 싫어 쏘아 맞추는 것이 아니니, 또한 반드시 불은 아래에 물은 위에 있게 해야 서로 다가가서 사귀어 이루게 하기 때문에 분별하고 제 자리에 있게 하는 것이 모두 삼가야 하는 것들이다. 물과 불은 섞여서는 안되니, 이것이 분별을 삼가야 하는 것이다. 그것들이 서로 쓰이지 않을 때에는 불은 위의 제 자리에 있어야 하고 물은 아래의 제 자리에 있어야 하며, 서로 쓰일 때에는 불은 아래의 자리에 있어야 하고 물은 위의 자리에 있어야 하니, 이것이 제 자리를 삼가야 하는 것이다. 이렇게 미루어 본다면, 천하의 사물은 분별하지 않아서도 안 되고 제 자리에 있지 않아서도 안된다. 건괘에서 '힘쓴다'고 하고 미제괘에서 '삼간다'고 했으니, 군자는 힘쓰는 것으로 시작하고 삼가는 것으로 마치기 때문이다.

### 박제가(朴齊家)『주역(周易)』

傳, 火在水上, 非其處也, 然則水在火上, 亦非其處矣. 本義, 各居其所者, 得之. 開封耿氏, 物以群分, 方以類聚之訓, 亦佳. 蓋君子之所以辨物居方者, 乃盡人之性, 盡物之性, 而將以濟之者也. 同人則曰, 類族者, 以人也, 此則見坎離之方位而推之耳.
『정전』에서 "불이 물 위에 있는 것은 제 자리가 아니다"라고 하였는데, 그렇다면 물이 불 위에 있는 것도 제 자리가 아니다. 『본의』에서 "각각 제 자리에 있다"고 한 것은 옳다. 개봉 경씨가 "사물이 무리로 나누어지도록 하고 종류대로 모일 수 있게 한다"는 가르침도 아름답다. 군자가 사물을 분별하여 제 자리에 있게 하는 것은 바로 사람의 본성을 극진하게 하고 사물의 본성을 극진하게 하여 구제하려는 것이다. 동인괘(同人卦)에서 족(族)을 분류한다는 것은 사람이기 때문이고, 여기에서는 감괘(坎卦)와 리괘(離卦)의 방위를 보고 미룬 것일 뿐이다.

### 김기례(金箕澧) 「역요선의강목(易要選義綱目)」

火居水上, 不相用, 君子當辨而止於止. 辨物如火照, 居方如水聚.
불이 물 위에 있어 서로 쓰이지 않으니, 군자가 분별하여 머물 곳에 머물게 한다. 사물을 분별하는 것은 불이 빛나는 것과 같고, 제 자리에 있게 하는 것은 물이 모이는 것과 같다.

### 이항로(李恒老) 「주역전의동이석의(周易傳義同異釋義)」

傳, 火在水上, 非其處也.
『정전』에서 말하였다: 불이 물 위에 있는 것은 제 자리가 아니다.

本義, 水火異物, 各居其所.
『본의』에서 말하였다: 물과 불은 다른 물건으로, 각각 제 자리에 있다.

按, 傳謂非其處, 本義, 謂居其所, 兩釋不同. 蓋傳意重在交濟, 本義止取卦象, 是以不同.
내가 살펴보았다: 『정전』에서는 '제 자리가 아니다'라고 하고, 『본의』에서는 '제 자리에 있다'고 해서 두 해석이 같지 않다. 『정전』의 깊은 의도는 사귀어 이루는 데 있고, 『본의』는 단지 괘의 상을 취했을 뿐이기 때문에 같지 않다.

### 이지연(李止淵 「주역차의(周易箚疑)」

水之上, 非火所居之方, 火之下, 非水所居之方. 一三五, 非陰所居之方, 二四六, 非陽所居之方. 物者, 陰陽之謂也, 方者, 上下位爻之謂也. 愼者, 愼而不居于不當居之方也.
물이 위에 있으면 불이 있을 곳이 아니고, 불이 아래에 있으면 물이 있을 곳이 아니다. 일·삼·오효는 음효가 있을 곳이 아니고, 이·사·육효는 양효가 있을 곳이 아니다. 사물은 음양을 말하고 자리[方]는 위아래 자리의 효를 말한다. 삼가는 것은 삼가서 합당하지 않은 자리에 있지 않는 것이다.

## 심대윤(沈大允) 『주역상의점법(周易象義占法)』

耿氏曰, 旣濟定, 而未濟亂也. 辨物使物以群分也, 居方使方以類聚也.
경씨가 말하였다: 기제는 안정되고 미제는 혼란하니, 사물을 분별하여 사물이 무리로 나누어지게 하고 제 자리에 있게 하여 무리로 모은다.

丘氏曰, 辨物如火之明, 居方如水之聚.
구씨가 말하였다: "사물을 분별함"은 불이 밝음과 같고, "제자리에 있게 함"은 물이 모임과 같다.

○ 未濟之世, 方物淆亂, 君子觀水火異志, 各歸之象, 以愼辨而居之. 艮爲愼, 兌爲辨, 離爲物, 艮爲居, 坎爲方. 方, 技, 術數也. 乾之變, 自兌爲離, 坤之變, 自艮爲坎. 未濟, 事之始也, 故取其所自, 而以內卦主之, 故言艮愼以統之也. 夫能辨事物之性情材志, 而各適其用, 則可以大合而成功也. 易, 後天逆數之理也, 故卦象, 皆先貞後悔, 而此獨先悔後貞, 何也. 後天之終將, 又有先天也.
미제의 시대에는 한창 사물이 어지러우니, 군자가 물과 불이 뜻이 달라 각기 돌아가는 상을 보고 삼가 분별하여 제 자리에 있게 한다. 간괘(艮卦)는 삼간다는 것이고, 태괘(兌卦)는 분별한다는 것이며, 리괘(離卦)는 사물이고, 간괘(艮卦)는 있다는 것이며, 감괘는 방법이다. '방법[方]'은 기술로 술수이다. 건괘(乾卦)의 변화는 태괘(兌卦)에서 리괘(離卦)로 되고, 곤괘(坤卦)의 변화는 간괘(艮卦)에서 감괘(坎卦)로 된다. 미제괘는 일의 시작이기 때문에 그것이 비롯하는 것을 취하였는데, 내괘로 주도하기 때문에 간괘의 삼감을 말하여 통괄하였다. 사물의 성정과 재주를 분별하여 그 쓰임에 맞게 하면 크게 통합하여 공을 이룰 수 있다. 역은 후천에서 예측하는 이치이기 때문에 괘의 상은 모두 정고함을 앞세우고 뉘우침을 뒤로 하는데, 여기에서만 뉘우침을 앞세우고 정고함을 뒤로 한 것은 무엇 때문인가? 후천의 종당에는 또 선천이 있기 때문이다.
〈或曰, 同人之格致, 人道之始也, 故亦先悔後貞也.
어떤 이가 말하였다: 동인(同人)의 격물치지는 인도의 시작이기 때문에 뉘우침을 먼저 하고 정고함을 뒤로 한다.〉

## 오치기(吳致箕) 「주역경전증해(周易經傳增解)

水火不交爲未濟, 故君子觀其潤燥不同之象, 以之愼辨物而群分, 觀其各有所居之象, 以之居其方而類聚也.

물과 불이 사귀지 않는 것이 미제이기 때문에 군자는 적시는 것과 말리는 것의 같지 않은 상을 보고 삼가 사물을 분별하여 무리로 분류하고, 각기 제 자리에 있는 상을 보고 제 자리에 있게 하여 무리로 모은다.

### 이진상(李震相)『역학관규(易學管窺)』

蔡氏曰, 慎, 坎象, 辨, 離象. 愚按, 水火異物, 而火居炎上之方, 水居潤下之方.
채씨가 말하였다: '삼가다'는 감괘(坎卦)의 상이고, '분별하다'는 리괘(離卦)의 상이다.
내가 살펴보았다: 물과 불은 다른 것이어서 불은 타올라가는 곳에 있고 물은 젖어 내려가는 곳에 있다.

### 박문호(朴文鎬)「경설(經說)·주역(周易)」

大象. 程傳, 以非其處言其物, 本義, 以各居其所言其性. 蓋不曰上火下水, 而曰火在水上, 故程子云然.
「대상전」. 『정전』에서는 제 자리가 아닌 것으로 그 사물을 말하였고, 『본의』에서는 각각 제 자리에 있는 것으로 그 특성을 말하였다. "위에 있는 것이 불이고 아래에 있는 것이 물이다"라고 하지 않고 "불이 물 위에 있다"고 했기 때문에 정자가 그렇게 말한 것이다.

卦旣以未濟爲名, 故初爲卦主, 而復取卦辭, 以作爻辭.
괘에서 미제로 이름을 붙였기 때문에 처음에 괘의 주인으로 삼고 다시 괘사를 취하여 효사를 지었다.

### 이병헌(李炳憲)『역경금문고통론(易經今文考通論)』

王曰, 辨物居方, 令物各當其所也.
왕필이 말하였다: 사물을 분별하여 제 자리에 있게 하는 것은 사물이 각기 제 자리에 합당하게 하는 것이다.

## 初六, 濡其尾, 吝.

초육은 꼬리를 적셨으니, 부끄럽다.

## 中國大全

**傳**

**六, 以陰柔在下, 處險而應四. 處險則不安其居, 有應則志行於上. 然己旣陰柔, 而四非中正之才, 不能援之以濟也. 獸之濟水, 必揭其尾. 尾濡則不能濟, 濡其尾, 言不能濟也. 不度其才力而進, 終不能濟, 可羞吝也.**

육(六)이 부드러운 음으로 아래에 있으니, 험한 곳에 있으면서 사효와 호응하는 것이다. 험한 곳에 있으면 있는 곳을 편안하게 여기지 못하고, 호응이 있으면 뜻이 위로 간다. 그러나 자신이 이미 부드러운 음이고 사효는 중정한 재질이 아니니, 구원하여 구제할 수가 없다. 짐승이 물을 건널 때에 반드시 꼬리를 든다. 꼬리가 젖으면 건널 수가 없으니, "꼬리를 적셨음"은 건널 수 없음을 말한다. 자신의 자질과 힘을 헤아리지 않고 나아가 끝내 건널 수 없으니, 부끄러울 만하다.

**本義**

**以陰居下, 當未濟之初, 未能自進, 故其象占如此.**

부드러운 음으로 아래에 있어 '미제(未濟)'의 처음에 해당하는데, 스스로 나아갈 수가 없기 때문에 그 상과 점이 이와 같다.

**小註**

進齋徐氏曰, 旣濟初濡其尾无咎, 未濟初濡其尾吝者. 旣濟之初, 才剛足以有濟, 又下卦離體, 明也. 明則知緩急之宜而不急濟, 又苟知緩濟之義, 則雖濡尾, 亦終濟矣, 故无咎. 未濟之初, 才柔不足以濟, 又下卦坎體, 陷也. 陷則冒險以進, 而急於求濟, 不知未濟之義, 則至於濡尾而不能濟矣, 故可吝.

진재서씨가 말하였다: 기제괘(旣濟卦䷾) 초효에서는 “꼬리를 적시면 허물이 없으리라”[22]라고 하였고, 미제괘(未濟卦) 초효에서는 “꼬리를 적셨으니, 부끄럽다”고 한 것은 다음과 같다. 기제괘(旣濟卦)의 초효는 재질이 굳센 양이라서 건너기에 충분하고, 또 하괘가 리괘(離卦☲)인 몸체라서 밝다. 밝으면 서두르거나 천천히 해야 하는 마땅함을 알아 급하게 건너지 않고, 또 진실로 천천히 건너는 의로움을 안다면 비록 꼬리가 젖더라도 또한 마침내 건널 것이기 때문에 허물이 없다. 미제괘의 초효는 재질이 부드러운 음이라서 건너기에는 충분하지 않고, 또 하괘가 감괘(坎卦☵)인 몸체라서 빠진다. 빠지면 모험하면서 나아가 건너기를 구하는 데에 급하니, 아직 건널 수 없다는 의로움을 모른다면 꼬리가 젖는 데에 이르러 건널 수가 없기 때문에 부끄러워할 만하다.

○ 雲峯胡氏曰, 以陽居陽, 當旣濟之初而濡其尾, 時可濟, 不敢輕濟也, 故无咎. 初以陰居陽, 當未濟之初而濡其尾, 時未可濟, 不能自濟也, 故吝.
운봉호씨가 말하였다: 양으로 양의 자리에 있으면서 기제괘(旣濟卦䷾)의 처음에 해당하여 꼬리를 적시니, 때가 건널 만한데도 감히 가볍게 건너지 않기 때문에 허물이 없다. 초효는 음으로 양의 자리에 있으면서 미제괘(未濟卦)의 처음에 해당하여 꼬리를 적시니, 때가 아직 건널 만하지 않아서 스스로 건널 수 없기 때문에 부끄럽다.

○ 林氏栗曰, 卦言无攸利, 而爻言吝者, 以在下一卦之初, 其失未遠也, 故係之以憂虞爾.
임률이 말하였다: 괘사에서 “이로운 바가 없다”[23]고 말하고 효사에서 ‘부끄럽다’고 말한 것은 하괘의 초효에 있어서 그 잘못이 아직 멀리까지 나아가지는 않았기 때문에 근심하고 걱정하는 것으로 이었을 뿐이다.

## 韓國大全

### 송시열(宋時烈) 『역설(易說)』

旣濟之初九, 以陽而无咎, 未濟之初六, 以陰而終吝. 陽則雖近於坎水, 以陽而求陰, 終

22) 『周易 · 旣濟卦』: 初九, 曳其輪, 濡其尾, 无咎.
23) 『周易 · 未濟卦』: 未濟, 亨, 小狐汔濟, 濡其尾, 无攸利.

有可濟之道, 陰則陰柔昏暗, 始入於坎中, 無能濟之道. 故此小象曰, 不知極也, 言昏暗而無知者, 至於極也.
기제괘의 초구는 양이어서 허물이 없고, 미제괘의 초육은 음이어서 끝내 부끄럽다. 양은 감괘인 수와 가까울지라도 양으로서 음을 구제하기 때문에 끝내 건널 수 있는 도리가 있다. 음은 음험하고 부드러우며 어두워서 처음 감괘 속으로 들어가면 건널 수 있는 도리가 없다. 그러므로 여기의 「소상전」에서 "끝을 알지 못한다"라고 하였으니, 어두워서 지혜가 없는 자는 끝에 이른다는 말이다.

### 김상악(金相岳) 『산천역설(山天易說)』

初六居坎之下, 未濟之始, 雖有應援於上, 才柔不能濟, 輕進而濡其尾, 吝之道也.
초육이 감괘의 아래인 미제의 시작에 있어, 위로 호응하여 잡아당길지라도 재주가 유약하여 건널 수 없는데 가볍게 나아가 그 꼬리를 적시니, 부끄럽게 되는 도이다.

○ 孔疏, 未濟之始始於旣濟上六也. 旣濟云, 濡其首, 言始入於難, 未沒其身也. 此言濡其尾, 進不知極, 已沒其身也. 大過上六, 則居兌坎之上, 故曰過涉滅頂. 又二濟之狐, 皆取於坎, 而在上者, 爲大狐, 在下者, 爲小狐. 故雖濡尾同象. 而彼无咎, 而此吝, 剛柔之不同也. 蓋二卦坎離之交, 水火互藏其宅, 故以反對相類.
『주역정의』 공영달의 소에서 말하였다: 미제괘의 시작이 기제괘의 상육에서 시작한다. 기제괘에서 "그 머리를 적시니"라고 한 것은 처음으로 어려움에 빠져 그 몸이 아직 가라앉지 않은 것이고, 여기에서 "꼬리를 적셨으니"라고 한 것은 이미 그 몸이 빠진 것이다. 대과괘(大過卦䷛)상육은 태괘와 감괘의 위에 있기 때문에 "지나치게 건너 이마까지 빠지니"라고 하였다. 또 기제와 미제의 여우는 모두 감괘에서 취했으니, 위에 있는 것은 큰 여우이고 아래에 있는 것은 어린 여우이다. 그러므로 꼬리를 적시는 것은 같은 상인데 저기에서는 허물이 없고 여기에서는 부끄러우니, 굳셈과 부드러움이 같지 않기 때문이다. 대개 두 괘에서 감괘와 리괘가 사귐은 물과 불이 서로 상대의 집에 깃드는 것이기 때문에 반대되는 것으로 서로 짝지었다.

### 서유신(徐有臣) 『역의의언(易義擬言)』

濡其尾, 將濟也, 濡尾而已, 乃不遂也. 柔懦不堪濟事, 爲可羞吝也. 未濟之初, 故有是象也.
꼬리를 적신 것은 건너려다 꼬리만 적시고 건너지 못한 것이다. 나약하여 건너는 일을 감당하지 못하니 부끄러울 수 있다. 미제의 초효이기 때문에 이런 상이 있다.

### 박제가(朴齊家) 『주역(周易)』

與既濟之初同, 而彼无咎, 而此吝者, 何也. 彼爲虛設以爲若濡尾者, 然則无咎, 故與曳輪倂擧. 此則眞是狐之濡尾矣. 二之曳其輪, 眞是二之自曳, 爻之爲義巧變如此. 本義當未濟之初, 未能自進, 故象占如此. 〈案〉, 濡其尾者, 輕進而濡者也, 非不能進也. 傳, 不度其才力而進, 終不能濟者爲是. 象傳曰, 不知極者, 言軽進而不知止也. 此極字恐與既濟之上九, 何可久之久字, 爲叶.

기제괘의 초효와 같은데, 저기에서는 허물이 없고, 여기에서는 부끄러운 것은 무엇 때문인가? 저기에서는 가정하여 꼬리를 적시는 경우로 여겼으니, 그렇다면 허물이 없다는 것이기 때문에 수레바퀴를 뒤로 끄는 것과 함께 들었다. 그런데 여기에서는 진실로 여우가 꼬리를 적신다는 것이다. 이효의 수레바퀴를 뒤로 끌듯이 한다는 것은 진실로 이효가 스스로 뒤로 끄는 것이니, 효의 의미가 이처럼 교묘하게 변하였다. 『본의』에서는 "'미제(未濟)'의 처음에 해당하는데, 스스로 나아갈 수가 없기 때문에 그 상과 점이 이와 같다"라고 하였다. 〈살펴보건대〉 '꼬리를 적셨다'는 것은 가볍게 나아가 적셨다는 것이니, 나아갈 수 없는 것이 아니다. 『정전』에서는 "자신의 자질과 힘을 헤아리지 않고 나아가 끝내 건널 수 없다"라고 하였는데 옳다. 「상전」에서 "알지 못함이 지극한 것이다"라고 한 것은 가볍게 나아가 멈출 줄 모른다는 말이다. 여기의 극(極)이라는 말은 기제괘 상구의 "어찌 오래갈 수 있겠는가"라고 할 때의 '오래갈 수 있다[久]'와 협운이다.

### 강엄(康儼) 『주역(周易)』

按, 既濟初九, 以濡其尾爲无咎, 未濟初六, 以濡其尾爲吝, 何也. 蓋君子處既濟, 則慮其亂, 處未濟則欲其治. 故既濟之初, 濡其尾, 則此乃不輕進之象也, 故无咎, 未濟之初, 濡其尾, 則此乃不能濟之象也, 故吝. 然則九二曳其輪, 爲貞吉者, 何也.

내가 살펴보았다: 기제괘의 초구에서는 꼬리를 적시는 것을 허물이 없는 것으로 여겼고, 미제괘의 초육에서는 꼬리를 적시는 것을 부끄러운 것으로 여겼으니 무엇 때문인가? 군자는 기제에 대처하는 것은 혼란해질 것을 염려하는 것이고, 미제에 대처하는 것은 다스림을 이루고자 하는 것이다. 그러므로 기제의 처음에 꼬리를 적시는 것은 바로 가볍게 나아가지 않는 상이기 때문에 허물이 없고, 미제괘의 처음에 꼬리를 적시는 것은 바로 건널 수 없는 상이기 때문에 부끄러운 것이다. 그렇다면 구이의 '수레바퀴를 뒤로 끌듯이 하니 바르기 때문에 길하리라'라는 것은 무슨 의미인가?

曰, 九二曳其輪, 非不能進也, 乃以陽剛之臣, 上應陰柔之君, 若不恪守臣分, 而用剛輕進, 則失爲下之正, 而反有陵柔之嫌矣. 其必倒曳其輪, 殺其勢緩其進, 然後上下相交, 而可以濟天下之難矣. 此則其所以不進者, 乃所以能進, 而非若初六之陰柔, 在下欲濟而不能濟也, 貞吉之占不亦宜乎.
구이의 수레바퀴를 뒤로 끌듯이 하는 것은 나아갈 수 없는 것이 아니라 굳센 신하인 양이 위로 부드러운 임금인 음에 호응함에 신하의 신분을 삼가 지키지 않고 굳셈을 사용하여 가볍게 나아가면 신하가 되는 바름을 잃어 도리어 부드러움을 능멸하는 의심을 받는다. 그러니 반드시 수레바퀴를 거꾸로 끌어 그 기세를 덜어내고 그 나아감을 느슨하게 한 다음에야 상하가 서로 사귀어 천하의 어려움을 구제할 수 있다. 이것은 나아가지 않는 것이 바로 나아갈 수 있는 까닭이지만, 부드러운 음인 초육이 아래에서 건너가려고 하면서 건너가지 못하는 것과 같지 않은 것이니, 바르기 때문에 길하다는 점이 또한 마땅한 것이 아니겠는가!

### 이지연(李止淵) 『주역차의(周易箚疑)』

旣濟初九之需〈邊氵〉, 其尾乃安安, 而不肯進者也, 此卦初六之需〈邊氵〉, 其尾乃躁躁, 而欲妄進者也. 象傳之極字或拯字之誤耶.
기제괘 초구의 수(需)〈물수[氵]변임〉는 그 꼬리가 편안한 것이어서 나아가려고 하지 않는 것이고, 여기 미제괘 초육의 수(需)〈물수[氵]변임〉는 그 꼬리가 조급한 것이어서 함부로 나아가려고 하는 것이다. 「상전」의 극(極)자는 증(拯)자의 잘못인 것 같다.

### 김기례(金箕澧) 「역요선의강목(易要選義綱目)」

見卦辭, 陰居初剛, 陰性吝, 故曰吝,
괘사를 보면 음이 초효의 굳센 자리에 있고 음의 특성이 부끄럽기 때문에 "부끄럽다"고 하였다.

### 심대윤(沈大允) 『주역상의점법(周易象義占法)』

旣濟, 平安之世, 治其事以防亂之萌, 未濟危亂之日, 治其事以撥其亂也. 未濟之爻位, 居剛用力以任難也, 居柔不用力以解紛也.
기제괘는 평안한 시대에 일을 다스려 어지러움의 싹을 방지하는 것이고, 미제괘는 위험하고 혼란한 때에 일을 다스려 그 혼란을 없애는 것이다. 미제괘의 효가 굳센 자리에 있으면 힘을 다해 어려움을 책임지고, 부드러운 자리에 있으면 힘쓰지 않아 어지러움을 풀어버린다.

未濟之睽☲☱, 立異也. 未濟之義, 人異能, 物異用, 未濟之世, 上下離心. 每卦初爻, 卽具全卦之義也. 初六以柔居剛, 出力任難, 而上應于四, 時淺地卑, 不能自用, 而唯上所駈, 故曰濡其尾, 如將濟水而先及於水也. 變卦之對爲艮, 各効其能, 任其用, 睽異而不能兼備, 是執一事効一技, 以事上者也, 故曰吝.
미제괘가 규괘(睽卦☲☱)로 바뀌었으니, 다른 것을 세우는 것이다. 미제의 의미는 사람이 능력을 달리하고 사물이 쓰임을 달리하여 미제의 시대에 상하가 마음을 달리한다. 매 괘의 초효는 곧 전체 괘의 의미를 갖추었다. 초육은 부드러움으로 굳센 자리에 있어 힘을 다해 어려움을 책임지면서 위로 사효와 호응하는데, 때가 덜 되고 처지가 낮아 스스로 쓸 수 없고 오직 위에 의해 몰려갈 뿐이기 때문에 '꼬리를 적신다'고 하였으니, 이를테면 물을 건너려고 먼저 물가에 이른 것이다. 변한 괘의 반대괘가 간괘(艮卦☶)여서 각기 그 능력을 드러내어 그 쓰임을 책임지는데, 어그러지고 달라 겸비할 수 없으니, 바로 하나의 일을 잡고 하나의 기술을 드러내어 위를 섬기는 것이기 때문에 "부끄럽다"고 하였다.

### 유정원(柳正源)『역해참고(易解叅攷)』

王氏曰, 未濟之始, 始於旣濟之上六也, 濡其首, 猶不反至於濡其尾.
왕필이 말하였다: 미제의 시작은 기제의 상육에서 시작하니, 그 머리를 적시는 것은 그 꼬리를 적시는 데에 되돌아 이르지 못한 것과 같다.

○ 漢上朱氏曰, 卦後爲尾, 坎水濡之, 濡其尾也.
한상주씨가 말하였다: 괘의 뒤가 꼬리여서 감괘인 수가 적시니, 그 꼬리를 적시는 것이다.

### 오치기(吳致箕)「주역경전증해(周易經傳增解)」

初六陰柔不正而在下, 當未濟之初, 无位而才弱, 不足以有濟. 而以其失正, 故不度才力而妄進, 有狐涉濡尾之象, 是以爲吝.
초육이 음험하고 유약하며 바르지 않으면서 아래에 있어 미제의 초효에 해당하니, 지위도 없고 재주도 약해 건너기에 부족하다. 그런데 바름을 잃었기 때문에 재주와 힘을 헤아리지 않고 함부로 나아가, 여우가 건너다가 꼬리를 적시는 상이 있으니, 부끄럽게 되는 것이다.

○ 濡尾之象, 與旣濟雖同, 而時義則異, 故其占不同也.
꼬리를 적시는 상은 기제괘와 같을지라도 때와 의미는 다르기 때문에 그 점이 같지 않다.

## 象曰, 濡其尾, 亦不知極也.

「상전」에서 말하였다: "꼬리를 적심"은 또한 알지 못함이 지극한 것이다.

# 中國大全

### 傳

**不度其才力而進, 至於濡尾, 是不知之極也.**

자신의 자질과 힘을 헤아리지 않고 나아가 꼬리를 적시는 데에 이르렀으니, 이는 알지 못함의 지극함이다.

### 本義

**極字, 未詳, 考上下韻, 亦不叶, 或恐是敬字. 今且闕之.**

'극(極)'자는 자세히 알 수가 없고, 앞과 뒤의 운(韻)을 살펴봐도 또한 맞지 않으니, 아마도 '경(敬)'자 인 듯하다. 당장은 우선 내버려 둔다.

#### 小註

朱子曰, 極字猶言極則.
주자가 말하였다: '극(極)'자는 '지극한 법칙[極則]'이라는 말과 같다.

又曰, 猶言界至之謂.
또 말하였다: '경계[界至]'를 이르는 말[24]과 같다.

---

24) 이 구절은 『주자어류(朱子語類)』에는 "初六, 亦不知極也, 極字猶言極則. 又曰, 猶言界至也."라고 하여, 여기서의 구절과는 다르다.

或云, 當作拯字.
어떤 이가 말하였다: '건너는 것[拯]'으로 해야 한다.

○ 雷氏曰, 初六知始之欲濟, 而不知終之不能續, 故曰亦不知極也. 極者, 終窮之謂.
뢰씨가 말하였다: 초육은 처음에 건너고자 할 줄만 알고 끝에 계속할 수 없음을 알지 못하기 때문에 "또한 끝을 알지 못한다"고 하였다. '극(極)'이란 맨 끝을 말한다.

## 韓國大全

### 김장생(金長生) 『경서변의(經書辨疑)-주역(周易)』

未濟初六象, 極字.
미제 초육 「상전」의 '지극한 것[極]'이라는 말에 대해

小註朱子曰, 或云當作拯爲是
소주 주자의 말에서 '건너는 것[拯]'으로 해야 한다는 말이 맞다.

### 서유신(徐有臣) 『역의의언(易義擬言)』

極之義, 難曉, 韻不协可疑.
지극한 것의 의미는 알기 어렵고, 운이 맞지 않아 의심된다.

### 이익(李瀷) 『역경질서(易經疾書)』

如水火一升一降, 愼辨物也, 如水火不相射, 愼居方也. 既未濟互體相易, 故未濟之自二至五, 卽旣濟也. 故旣之初二, 未之二四同辭, 可以見矣. 其序差一位, 而未及濟之時. 初六無關切, 故其初與二, 只分言旣之初辭也. 初六之前, 無其物, 而傳云亦不知極, 攄一亦字, 可見帖旣濟之辭而言也. 旣濟初九之輪, 卽六二喪茀之輪, 而曳之者, 初也. 未濟之初柔弱, 故雖曳而不言下一亦字, 曳在其中.
이를테면 물과 불이 하나는 올라가고 하나는 내려가는 것이 삼가 사물을 분별하는 것이고, 이를테면 물과 불이 서로 쏘아 맞추지 않는 것이 삼가 제 자리에 있게 하는 것이다. 기제괘

(旣濟卦䷾)와 미제괘(未濟卦䷿)는 호체로 서로 바뀌었기 때문에 미제괘(未濟卦는䷾)의 이효부터 오효까지가 곧 기제괘이다. 그러므로 기제괘의 초효 · 삼효 미제괘의 이효 · 사효는 말이 같은 것을 알 수 있다. 그 순서가 한 자리 어긋나 제(濟)의 때에 미치지 못하였다. 그런데 초육은 관계가 없기 때문에 미제괘의 초효와 이효에서는 오직 기제괘의 초효의 효사를[25] 나누어서 말하였다. 초육의 앞에는 사물이 없는데, 「상전」에서 "또한 알지 못함이 지극한 것이다"라고 하였으니, '또한' 이라는 말을 근거로 기제의 말을 표제로 하여 말한 것임을 알 수 있다. 기제 초구의 수레바퀴는 곧 육이의 가리개를 잃은 수레바퀴이니, 뒤로 끌듯이 하는 것은 초효이다. 미제의 초효는 유약하기 때문에 비록 뒤로 끌듯이 하면서 아래의 '또한'이라는 말을 하지 않을지라도 끌듯이 하는 것은 그 속에 있다.

極當作拯. 凡坎初皆言拯, 如此韻叶.
'지극한 것[極]'은 건너는 것으로 해야 한다. 감괘의 초효에서 모두 건너는 것을 말한 것은 이와 같이 협운이다.

### 유정원(柳正源) 『역해참고(易解參攷)』

案, 不知極者, 言不知拯濟之義也. 小註朱子說, 當作極字之極, 疑拯字. 如此則與上下韻叶.
내가 살펴보았다: '알지 못함이 지극한 것'이라는 것은 건너는 의미를 알지 못한다는 말이다. 소주 주자의 말에서 '지극한 것[極]'으로 봐야 한다는 말에서 '지극한 것[極]'은 '건너는 것[拯]'로 해야 한다. 이렇게 하면 위아래와 협운이다.

### 김상악(金相岳) 『산천역설(山天易說)』

亦者, 承旣濟上爻之辭. 極, 終也, 卽不續終之意也. 或曰, 極, 至也, 謂不知其所至之所也. 詩云, 豈敢憚行, 畏不能極, 是也.
'또한'은 기제괘 상효의 말을 이은 것이다. '극(極)'은 끝마침이니, 곧 계속해서 마치지 못한다는 의미이다.
어떤 이는 말하였다: 극(極)은 끝까지 간다는 것으로 끝까지 간 곳을 알지 못한다는 말이다. 『시경』에서 "어찌 감히 길 떠남을 꺼리리오. 끝까지 갈 수 없음이 두렵구나"라고 한 말이 여기에 해당한다.

---

25) 『周易 · 旣濟卦』: 初九, 曳其輪, 濡其尾, 无咎; 『周易 · 未濟卦』: 初六, 濡其尾, 吝. 九二, 曳其輪, 貞吉.

### 김기례(金箕澧) 「역요선의강목(易要選義綱目)」

不續終之意.
계속하여 끝마치지 못한다는 의미이다.

### 심대윤(沈大允) 『주역상의점법(周易象義占法)』

極, 朱子曰, 當作拯. 拯随流而取物也. 下兌獨變, 則有巽互離艮坎, 曰拯. 以言下民, 故獨取下對也. 言初雖濡尾任難, 而亦不能随事兼治也, 夫器使天下, 而各任其所長, 乃成大業也.
극(極)자는 주자가 '증(拯)'으로 해야 한다고 했는데, 증(拯)은 흐름을 따라 사물을 취하는 것이다. 아래의 태괘(兌卦)만 변하면 손괘(巽卦)·호괘인 리괘(離卦)·간괘(艮卦)·감괘(坎卦)가 있어 증(拯)이라고 하였다. 그것으로 아래의 백성들을 말하였기 때문에 오직 아래의 대괘(對卦)를 취하였다. 초효가 꼬리를 적시고 어려움을 책임질지라도 일에 따라 다스림을 겸할 수 없으니, 천하의 인재를 중용하여 각기 그 뛰어난 것에 책임을 지워야 대업을 이룬다는 말이다.

### 오치기(吳致箕) 「주역경전증해(周易經傳增解)」

不度才力, 而進至於濡尾, 是亦不知之極也. 亦, 發語辭.
재주와 힘을 헤아리지 못하고 꼬리를 적시는 데까지 갔으니 이것도 지극한 것을 모른 것이다. '또한'은 발어사이다.

### 이진상(李震相) 『역학관규(易學管窺)』

極當作拯. 小註謂然, 而亦誤作極, 此謂不知拯濟之義也.
극(極)자는 건너는 것으로 해야 한다. 소주에서도 그렇게 말했는데 또한 잘못하여 극(極)으로 해 놨으니, 이것은 건넌다는 의미를 몰랐다는 말이다.

### 박문호(朴文鎬) 「경설(經說)·주역(周易)」

極字, 小註朱子說, 當作拯者. 於韻與義, 恐是. 不知拯, 言不知拯濟之道也.
극(極)자는 소주에서 주자가 건너는 것으로 해야 한다고 설명한 것이 옳은 것 같다. 건너는 것을 모르는 것은 건너는 방법을 모른다는 말이다.

### 이병헌(李炳憲) 『역경금문고통론(易經今文考通論)』

王曰, 未濟之始, 始於旣濟之上六濡首, 不反至於濡尾, 不知紀極者也, 頑甚, 故曰吝.
왕필이 말하였다" 미제괘의 시작이 기제괘의 상육의 머리를 적신다는 것에서 시작하여 꼬리를 적시는 데 돌아와 이르지 못해 종극을 못하는 것이다. 완고함이 심하기 때문에 부끄럽다.

## 九二, 曳其輪, 貞吉.

정전 구이는 수레바퀴를 뒤로 끌듯이 하여 느리게 하면, 바르게 하여 길하리라.
본의 구이는 수레바퀴를 뒤로 끌듯이 하여 느리게 하니, 바르기 때문에 길하리라.

## 中國大全

### 傳

在他卦, 九居二爲居柔得中, 无過剛之義也. 於未濟, 聖人深取卦象以爲戒, 明事上恭順之道. 未濟者, 君道艱難之時也. 五以柔處君位, 而二乃剛陽之才, 而居相應之地, 當用者也. 剛有陵柔之義, 水有勝火之象, 方艱難之時, 所賴者, 才臣耳, 尤當盡恭順之道, 故戒曳其輪, 則得正而吉也. 倒曳其輪, 殺其勢, 緩其進, 戒用剛之過也. 剛過則好犯上而順不足, 唐之郭子儀李晟, 當艱危未濟之時, 能極其恭順, 所以爲得正而能保其終吉也. 於六五則言其貞吉光輝, 盡君道之善, 於九二則戒其恭順, 盡臣道之正, 盡上下之道也.

다른 괘에서는 구(九)가 이효에 있으면 부드러운 음의 자리에 있고 가운데 자리를 얻은 것이 되어 지나치게 굳센 뜻이 없다. 그런데 미제괘(未濟卦)에서는 성인(聖人)이 깊이 괘의 상을 취하여 경계한 것은 윗사람을 섬김에 공손하게 하는 도를 밝힌 것이다. '미제(未濟)'란 임금의 도가 어렵고 곤란한 때이다. 오효는 부드러운 음으로 임금의 자리에 있고 이효는 곧 굳센 양의 자질로 서로 호응하는 자리에 있으니, 마땅히 쓰여야 할 자이다. 굳센 양은 부드러운 음을 능멸하는 뜻을 가지고 있고 물은 불을 이기는 상을 가지고 있으니, 이제 막 어렵고 곤란한 때에 의지할 바는 자질이 있는 신하일 뿐이어서 더욱 공손하고 유순한 도를 다해야 하기 때문에 수레를 뒤로 끌듯이 하여 느리게 하면 바름을 얻어 길하게 된다고 경계하였다. 그 수레를 도리어 뒤로 끌어 그 기세를 줄이고 그 나아감을 느리게 하는 것은 굳셈을 쓰는 것이 지나침을 경계한 것이다. 굳셈이 지나치면 윗사람을 범하기를 좋아하여 유순함이 부족한데, 당(唐)나라의 곽자의(郭子儀)와 이성(李晟)은 어렵고 위태로운 미제(未濟)의 때에[26] 그 공손하고 유순함을 지극히 할 수 있었기 때문에 바름을 얻어 끝내 길함을 보존할 수 있게 되었다. 육오에서는 "곧음으로 길함[貞吉]"과 '빛남[光輝]'을 말하여 선한 임금의 도를 다하였고, 구이에 대해서는 공손하고 유순하기를 경계하여 바른 신하의 도리를 다하였으니, 위와 아래의 도리를 다한 것이다.

---

26) 곽자의(郭子儀)의 경우는 안록산(安祿山)의 난을 말하고, 이성(李晟)의 경우는 주차(朱泚)의 난을 말한다.

本義

**以九二, 應六五而居柔得中, 爲能自止而不進, 得爲下之正也. 故其象占如此.**

구이가 육오와 호응하고 부드러운 음의 자리에 있으면서 가운데 자리를 얻은 것으로 스스로 멈출 수 있어 나아가지 않게 되었으니 아랫사람이 되는 바름을 얻었기 때문에 그 상과 점이 이와 같다.

小註

朱子曰, 坎有輪象, 所以說輪.
주자가 말하였다: 감괘(坎卦☵)에는 수레바퀴의 상이 있기 때문에 '수레바퀴'를 말하였다.

○ 節齋蔡氏曰, 以剛居中, 上應六五, 有才濟難者也. 然以剛應柔, 易生陵忽之心, 故能緩其所以行, 乃得正而吉也.
절재채씨가 말하였다: 굳센 양으로 가운데 자리에 있으며 위로는 육오와 호응하니, 어려움을 건너는 자질이 있는 자이다. 그러나 굳센 양으로 부드러운 음에 호응하여 업신여기는 마음이 쉽게 생기기 때문에 가는 바를 느리게 할 수 있어야 이에 바름을 얻어 길하다.

○ 雲峯胡氏曰, 旣濟初九, 兼濡尾曳輪二象. 未濟初與二分之, 初在下當爲尾, 九剛動當爲輪. 初濡其尾, 才柔不能自進, 二曳其輪, 剛居柔而得中, 能自止而不進也. 中則无有不正, 是以貞吉.
운봉호씨가 말하였다: 기제괘(旣濟卦䷾)의 초구에는 "꼬리를 적심"과 "수레바퀴를 뒤로 끎"이라는 두 개의 상을 겸하고 있다[27]. 미제괘(未濟卦)에서는 이 두 가지 상이 초효와 이효로 나누어지니, 초효는 아래에서 '꼬리'가 되어야 하고, 구(九)는 굳세게 움직여서 '수레'가 되어야 한다. 초효의 "꼬리를 적신다"는 자질이 부드러운 음이라서 스스로 나아갈 수가 없는 것이고, 이효의 "수레바퀴를 뒤로 끌듯이 한다"는 굳센 양이 부드러운 음의 자리에 있으면서 가운데 자리를 얻어 스스로 멈출 수 있어 나아가지 않는 것이다. 가운데 자리이면 바르지 않음이 없기 때문에 길하다는 것이다.

○ 厚齋馮氏曰, 未濟緣旣濟立象, 故濡尾濡首, 兩卦旣同, 而伐鬼方與曳其輪, 先從一位爾. 蓋未濟之二, 乃旣濟之五, 未濟之四, 乃旣濟之三, 其爻之剛則然也. 所不同者時與位之異, 故吉凶異焉.

---

27) 『周易·旣濟卦』: 初九, 曳其輪, 濡其尾, 无咎.

후재풍씨가 말하였다: 미제괘(未濟卦)는 기제괘(旣濟卦䷾)에 기인하여 상을 세웠기 때문에 "꼬리를 적심"과[28] "머리를 적심"은[29] 두 괘에서 이미 동일하고, "귀방(鬼方)을 정벌함"[30]과 "수레바퀴를 뒤로 끌듯이 함"[31]도 앞서고 뒤따르는 한 자리일 뿐이다. 아마도 미제괘(未濟卦)의 이효는 곧 기제괘(旣濟卦)의 오효이고, 미제괘(未濟卦)의 사효는 곧 기제괘(旣濟卦)의 삼효이니, 그 효들이 굳센 양이라서 그러한 듯하다. 같지 않은 것이 때와 자리의 다름이기 때문에 여기에서 길함과 흉함이 다른 것이다.

## ‖韓國大全‖

### 송시열(宋時烈) 『역설(易說)』

坎之爲曳輪說, 見上, 其義與旣濟初九同. 而旣濟之初, 不居中位, 故僅得无咎而已, 此則居下之中, 以貞固之道往, 得中正之應, 所以吉也.
감괘가 수레바퀴를 끈다는 설명은 앞에 있으니, 그 의미는 기제괘 초구와 같다. 그런데 기제괘의 초효는 가운데 자리에 있지 않기 때문에 겨우 허물이 없을 뿐인데, 이것은 하괘의 가운데 있어 정고한 도리로 가서 알맞고 바른 호응을 얻었기 때문에 길하다.

### 이익(李瀷) 『역경질서(易經疾書)』

曳其輪, 初雖曳住, 而此剛彼弱, 行而不止, 不待乎七日. 故貞吉.
수레바퀴를 뒤로 끌듯이 하여 느리게 하는 것은 처음에는 뒤로 끌듯이 느리게 할지라도 이것은 굳세고 저것은 약해 가면서 그치지 않고 칠 일을 기다리지 않는 것이다. 그러므로 바르기 때문에 길한 것이다.

---

28) 『周易 · 旣濟卦』: 初九, 曳其輪, 濡其尾, 无咎. ; 『周易 · 未濟卦』: 初六, 濡其尾, 吝.
29) 『周易 · 旣濟卦』: 上六, 濡其首, 厲. ; 『周易 · 未濟卦』: 上九, 有孚于飮酒, 无咎, 濡其首, 有孚, 失是.
30) 『周易 · 旣濟卦』: 九三, 高宗伐鬼方, 三年克之, 小人勿用. ; 『周易 · 未濟卦』: 九四, 貞吉, 悔亡, 震用伐鬼方, 三年, 有賞于大國.
31) 『周易 · 旣濟卦』: 初九, 曳其輪, 濡其尾, 无咎.

## 유정원(柳正源) 『역해참고(易解參攷)』

隆山李氏曰, 旣濟曳輪濡尾, 在初爻, 未濟初旣濡尾矣, 而二猶曳其輪, 以時不同也. 然此爻於五, 剛柔相應, 雖在險中, 未可驟進. 唯守正待時, 剛中之材, 終可濟, 安得不吉.
융산이씨가 말하였다: 기제괘에는 수레바퀴를 뒤로 끌며 꼬리를 적시는 것이 초효에 있고, 미제괘에서는 초효에서 꼬리를 적신 다음에 이효에서 여전히 수레바퀴를 뒤로 끌듯이 하여 느리게 하는 것은 때가 다르기 때문이다. 그러나 이효는 오효에 대해 굳셈과 부드러움이 서로 호응하니, 비록 험한 가운데 있어 빨리 나아가지 못할지라도 바름을 지키며 때를 기다릴 뿐이다. 굳세고 알맞은 재질은 끝내 건널 수 있으니 어찌 불길 하겠는가?

○ 勿軒熊氏曰, 坎有輪象, 離有牛象而曳之. 旣濟坎在外, 初與四應, 故離自內曳之, 欲其得所止也. 未濟坎在內, 五與二應, 故離自外曳之, 欲其出於險也.
물헌웅씨가 말하였다: 감괘(坎卦)에는 수레바퀴의 상이 있고 리괘(離卦)에는 소의 상이 있어서 끄는 것이다. 기제괘는 감괘가 밖에 있고 초효와 사효가 호응하기 때문에 리괘가 안에서 끌어 그 멈출 곳을 얻고자 한다. 미제괘는 감괘가 안에 있어 오효와 이효가 호응하기 때문에 리괘가 밖에서 끌어 험한 곳에서 벗어나고자 한다.

○ 雙湖胡氏曰, 二五互旣濟, 二卽旣濟初, 故象同.
쌍호호씨가 말하였다: 이효와 오효의 호괘가 기제괘이니, 이효가 기제괘의 초효이기 때문에 상이 같다.

## 김상악(金相岳) 『산천역설(山天易說)』

當未濟之時, 比初三, 而居坎中, 與五爲應, 宜可以進, 而曳輪徐行, 得爲下之正, 故吉也.
미제의 때에 초효와 삼효는 가까이 하고 감괘 속에 있으며 오효와 호응하니 당연히 나아가야 되지만 수레바퀴를 뒤로 끌듯이 하여 느리게 가는 것이 아래가 되는 바름을 얻었기 때문에 길하다.

○ 初曰濡尾, 二曰曳輪. 初柔而二剛也. 故旣濟, 則合言於初九, 未濟則分言於初二. 蓋未濟爲君道艱危之時, 故戒用剛之過. 程傳是也.
초효에서는 “꼬리를 적신다”고 하고, 이효에서는 “수레바퀴를 뒤로 끌듯이 하여 느리게 한다”고 하였다. 초효는 부드럽고 이효는 굳세기 때문에 기제괘에서는 초효에서 합하여 말하였고, 미제괘에서는 초효와 이효에 나누어서 말하였다. 미제괘는 임금의 도리가 어렵고 위태로운 때이기 때문에 굳셈을 지나치게 사용하는 것을 경계하였다. 『정전』이 옳다.

### 서유신(徐有臣) 『역의의언(易義擬言)』

以中應中, 爲得其正也.
가운데 있으면서 가운데 있는 것과 호응하니 그 바름을 얻은 것이다.

### 서유신(徐有臣) 『역의의언(易義擬言)』

九二剛中而應於五, 得位用事, 進而將濟也. 但以濟險之車, 故曳輪而緩行. 愼重如此, 宜無僨敗也. 正應相與, 故曰貞吉也. 二五互旣濟, 故有是象也.
구이는 굳세고 알맞으면서 오효와 호응하니, 지위를 얻어 일하고 나아가서 구제할 수 있다. 다만 험함을 구제하는 일이기 때문에 수레바퀴를 뒤로 끌듯이 하여 천천히 행한다. 이처럼 신중하면 당연히 실패가 없다. 바르게 호응하여 서로 함께 하므로 "바르기 때문에 길하리라" 라고 하였다. 이효와 오효의 호괘가 기제괘이기 때문에 이런 상이 있다.

### 이지연(李止淵) 『주역차의(周易箚疑)』

曳其輪, 時與旣濟異, 而志則與旣濟之曳輪者, 同也.
수레바퀴를 끌듯이 하여 느리게 하는 것은 때가 기제괘와 다른데 뜻은 기제괘의 수레바퀴를 뒤로 끄는 것과 같다.

### 김기례(金箕澧) 「역요선의강목(易要選義綱目)」

見旣濟初.
기제괘 초효에 있다.

○ 以剛明之才, 在應君之位, 審於進而不妄動, 以未濟爲己任, 得在下之正也.
굳세고 밝은 재질로 임금과 호응하는 지위에 있어 나아가는 것을 살펴 함부로 움직이지 않으니, 미제를 자신의 임무로 여기고 아래에 있는 바름을 얻은 것이다.

### 심대윤(沈大允) 『주역상의점법(周易象義占法)』

未濟之晉䷢, 進也. 九二以剛中居柔, 志在解紛, 而自陷于二陰之中, 應五而隔三, 不能擅行己意. 而柔順從五, 以進于治安也, 故曰曳其輪. 二從于五, 則爲乾九二之道, 可貞而吉矣.

미제괘가 진괘(晉卦䷢)로 바뀌었으니, 나아가는 것이다. 구이는 굳세고 알맞음으로 부드러운 자리에 있어 뜻이 분란을 해소시키는 데 있으나 본래 두 음의 가운데에 빠져 있고, 오효와 호응하나 삼효에게 막혀 자신의 뜻을 마음대로 행할 수 없다. 그런데 유순하게 오효를 따라 다스리고 편안한 데로 나아가기 때문에 "수레바퀴를 뒤로 끌듯이 하여 느리게 한다"고 하였다. 이효가 오효를 따르면 건괘(乾卦) 구이의 도가 되기 때문에 바르고 길할 수 있다.

### 오치기(吳致箕) 「주역경전증해(周易經傳增解)」

九二, 陽剛得中, 上應六五之君, 而中以行正, 才足以有濟. 然以其居柔, 故當未濟之時, 量時度力, 不輕其進, 有曳其輪之象, 所以言貞吉.

구이는 굳센 양이 알맞음을 얻어 위로 육오의 임금과 호응하고 알맞음으로 바름을 행하니, 재주가 충분히 구제할 수 있다. 그러나 부드러운 자리에 있기 때문에 미제의 때에 때와 힘을 헤아려 가볍게 나아가지 않아 수레바퀴를 뒤로 끌듯이 하여 느리게 하는 상이 있으니, '바르기 때문에 길하리라'라고 하는 까닭이다.

○ 曳輪, 皆取象於坎也.

수레바퀴를 뒤로 끌듯이 하여 느리게 하는 것은 모두 감괘에서 상을 취한 것이다.

### 이진상(李震相) 『역학관규(易學管窺)』

旣濟初九, 言曳其輪, 而此於九二言之者, 輪圓屬陽. 應在六五, 自止而不進, 故有是象. 陽得中而志柔, 故曰貞吉.

기제괘의 초구에서는 "수레바퀴를 뒤로 끈다"고 하고, 여기 구이에서 말한 것은 수레바퀴는 둥글어 양에 속한 것이다. 호응함이 육오에 있어 스스로 멈추고 나아가지 않기 때문에 이런 상이 있다. 양이 알맞음을 얻었는데 뜻이 부드럽기 때문에 "바르기 때문에 길하리라"라고 하였다.

## 象曰, 九二貞吉, 中以行正也.

정전 「상전」에서 말하였다: "구이는 바르게 하여 길함"은 알맞음으로써 바름을 행하기 때문이다.
본의 「상전」에서 말하였다: "구이는 바르기 때문에 길함"은 가운데 자리로써 바름을 행하기 때문이다.

## 中國大全

### 傳

**九二得正而吉者, 以曳輪而得中道乃正也.**

구이가 바름을 얻어 길한 것은 수레바퀴를 뒤로 끌듯이 하여 중도(中道)를 얻음이 곧 바름이기 때문이다.

### 本義

**九居二, 本非正, 以中故, 得正也.**

구(九)가 이효 자리에 있음은 본래 바름이 아니지만, 가운데 자리에 있기 때문에 바름을 얻었다.

#### 小註

雲峯胡氏曰, 程子云, 正有不中, 中无不正. 此曰以中故得正, 易之大義也.

운봉호씨가 말하였다: 정자(程子)는 "'바름[正]'에는 알맞지 않음이 있지만, '알맞음[中]'에는 바르지 않음이 없다"고 하였다. 그런데 여기 『본의』에서는 "가운데 자리에 있기 때문에 바름을 얻었다"라고 하였으니 『주역』의 큰 뜻이다.

# 韓國大全

## 김상악(金相岳) 『산천역설(山天易說)』

二之貞吉, 雖不正以得中而行正也.
이효의 바르기 때문에 길함은 바르지 않을지라도 알맞음을 얻어 바름을 행하기 때문이다.

## 오치기(吳致箕) 「주역경전증해(周易經傳增解)」

處中以行正, 故不輕其進, 得正而吉也.
알맞음에 있어 바름을 행하기 때문에 가볍게 나아가지 않아 바름을 얻어 길하다.

## 이병헌(李炳憲) 『역경금문고통론(易經今文考通論)』

姚信曰, 坎爲曳爲輪. 兩陰夾陽, 輪之象也. 二應於五, 而隔於四, 止而據初, 故曳其輪, 處中而行, 故貞吉也.
요신이 말하였다: 감괘가 끄는 것이고 수레바퀴이다. 두 음이 양을 끼고 있는 것이 바퀴의 상이다. 이효가 오효와 호응하는데 사효에게 막혀 멈추어서 초효에 의지하고 있기 때문에 수레바퀴를 뒤로 끌듯이 하여 느리게 하는 것이고, 알맞음에 있으면서 행하므로 바르기 때문에 길한 것이다.

王曰, 位雖不正, 中以行正也.
왕필이 말하였다: 자리가 바르지 않을지라도 알맞음으로 바름을 행한다.

## 六三, 未濟征凶, 利涉大川.

육삼은 미제(未濟)에서 가면 흉하지만, 큰 내를 건너는 것이 이롭다.

### 中國大全

**傳**

未濟征凶, 謂居險, 无出險之用, 而行則凶也, 必出險而後, 可征. 三以陰柔不中正之才而居險, 不足以濟, 未有可濟之道出險之用而征, 所以凶也. 然未濟, 有可濟之道, 險終, 有出險之理. 上有剛陽之應, 若能涉險而往從之則濟矣, 故利涉大川也. 然三之陰柔, 豈能出險而往. 非時不可, 才不能也.

"미제(未濟)에서 가면 흉하다"란 험함에 있으면서 험함에서 벗어날 능력이 없는데 가면 흉하다는 말이니, 반드시 험함을 벗어난 이후에 가야 된다. 삼효는 부드럽고 중정하지 않은 음인데 험함에 있어 구제하기에 부족하니, 구제할 만한 도와 험함에서 벗어날 능력이 없기 때문에 흉하다. 그러나 '미제(未濟)'는 건너갈 수 있는 도가 있는 것이고, 험함이 끝남은 험함에서 벗어날 이치가 있는 것이다. 위로 호응하는 굳센 양이 있으니, 험함을 건너가 그를 따를 수 있다면 구제되기 때문에 큰 내를 건너는 것이 이롭다. 그러나 부드러운 음인 삼효가 어찌 험함에서 벗어나 갈 수 있겠는가? 때가 아니면 할 수 없으니 자질이 할 수 없기 때문이다.

**本義**

陰柔不中正, 居未濟之時, 以征則凶. 然以柔乘剛, 將出乎坎. 有利涉之象, 故其占如此. 蓋行者, 可以水浮, 而不可以陸走也. 或疑利字上, 當有不字.

부드러운 음이 중정하지 않은데 '미제(未濟)'의 때에 있으니, 이로써 가면 흉하다. 그러나 부드러운 음으로 굳센 양을 올라타고 있어 감괘(坎卦☵)에서 벗어날 것이다. 건넘이 이로운 상이 있기 때문에 그 점이 이와 같다. 가는 사람은 물 위로 떠서 가야 되고 땅으로 달려가서는 안 된다. 어떤 이는 의심하기를 '리(利)'자 앞에 마땅히 '불(不)'자가 있어야 한다고 하였다.

**小註**

莆陽劉氏曰, 六三居險之極, 未能出險, 而陰柔失位, 才不足以濟, 又求進焉, 凶可知矣. 烏能涉夫難乎. 既曰, 未濟征凶, 又曰, 利涉大川, 文義相背. 本義, 或疑利字上, 有不字, 爲得之. 大抵未濟下三爻, 皆未能出險. 三與初爻, 皆陰柔, 才不足以濟險, 九二剛中, 才足以濟險, 時未可進, 守貞則吉. 以此推之, 三非利涉, 可知矣.
보양류씨가 말하였다: 육삼은 험함의 끝에 있어 아직 험함에서 벗어날 수 없고, 부드러운 음으로 제자리를 잃어 자질이 구제되기에 부족한데도 나아가고자 하니, 흉함을 알 수가 있다. 어찌 어려움을 건널 수 있겠는가? 이미 "미제(未濟)에서 가면 흉하다"고 해놓고, 또 "큰 내를 건너는 것이 이롭다"고 하는 것은, 문장의 뜻이 서로 위배된다. 『본의』에서 "어떤 이는 의심하기를 '리(利)'자 위에 '불(不)'자가 있어야 한다고 하였다"고 한 것이 맞다. 대체로 미제괘(未濟卦)에서 하괘의 세 효는 모두 험함에서 벗어날 수가 없다. 삼효와 초효는 모두 부드러운 음이어서 자질이 험함에서 구제되기에는 부족하고, 구이는 굳센 양이고 알맞아 자질이 험함에서 구제되기에 충분하나 때가 아직 나아갈 수 없으니, 바름을 지키면 길하다. 이로써 미루어 보면, 삼효는 건넘이 이로운 것이 아님을 알 수가 있다.

○ 雲峯胡氏曰, 既濟六爻不出卦名, 未濟六三卦名獨見. 蓋爻俱失位, 初上處无位之地, 中四爻三, 皆曰貞吉. 獨於六三曰未濟征凶, 豈非未濟之時, 以征則凶, 而以居貞則吉乎. 况未濟之時, 唯剛乃克有濟, 故九二九四貞吉, 上九无咎. 如六三陰柔, 又不中正, 未濟終難濟矣, 故以征則凶, 亦不利涉川也.
운봉호씨가 말하였다: 기제괘(既濟卦䷾)의 여섯 효에서는 괘의 이름이 나오지 않고, 미제괘(未濟卦)에서는 오직 육삼에서만 괘의 이름이 보인다. 미제괘(未濟卦)의 효가 모두 제자리를 잃었는데, 초효와 상효는 지위가 없는 곳에 있고, 가운데 네 효 중 세 효에서 모두 "곧으므로 길하다"고 하였다. 그런데 유독 육삼에서만 "미제(未濟)에서 가면 흉하다"고 하였으니, 어찌 '미제(未濟)'의 때에 가면 흉하고 가만히 있으면서 바르게 하면 길함이 아니겠는가? 하물며 '미제(未濟)'의 때에서는 오직 굳센 양이어야 구제할 수 있기 때문에 구이는 바르기 때문에 길하고 구사는 곧으면 길하며 상구는 허물이 없다.[32] 육삼과 같은 경우에는 부드러운 음인데다가 또 중정하지 않아 '미제(未濟)'에서는 끝내 구제하기가 어렵기 때문에 가면 흉하니, 또한 내를 건너는 것이 이롭지 않다.

---

32) 『周易 · 未濟卦』: 上九, 有孚于飮酒, 无咎, 濡其首, 有孚, 失是.

## 韓國大全

### 권근(權近) 『주역천견록(周易淺見錄)』

以六居三, 陰柔不中正, 其才未有能濟之用, 所以征凶. 然三居險終, 有出險之理, 可濟之道矣. 利涉大川, 以六之才, 則不可征, 以三之時, 則利於涉. 人居可爲之時, 以非才妄動, 而反致禍敗者, 多矣. 知己之才不足以濟, 上應陽剛[33]而往從之, 則可以出險而成濟之功, 是利涉大川也. 故愚以爲未濟征凶, 自用也, 利涉大川從上也,
음(陰)으로서 삼(三)에 거하고, 음이 부드럽고 중정(中正)하지 않으며 그 재주가 건널 수 있는 능력이 없기 때문에 가면 흉하다. 그러나 삼은 험난함의 끝에 있어 험난함을 벗어나는 이치와 건널 수 있는 방법이 있다. '큰 내를 건넘이 이롭다'는 것은 육(六)의 재주라면 가서 안 되지만 삼의 때라면 건너는 것이 이롭다. 사람이 할 수 있을 때를 만나면 능력도 없으면서 함부로 움직이다 도리어 재앙과 낭패를 당하는 경우가 많다. 자기의 재주가 건너기에 부족하다는 것을 알고 위로 양의 굳셈에 호응하여 가서 따르면 험난함을 벗어나 구제하는 공을 완성할 수 있으니, 바로 큰 내를 건너는 것이 이롭다는 것이다. 그러므로 '미제에 가면 흉하다'는 것은 자기 마음대로 하는 것이고, '큰 내를 건너는 것이 이롭다'는 것은 윗사람을 따르는 것이라고 생각한다.

### 송시열(宋時烈) 『역설(易說)』

當未濟之時, 以陰柔之質, 居不當位, 而但以陰從陽, 而求合于上六, 則有征凶之象. 然上九, 則旣處高位, 以剛陽而有來援之義, 故曰, 利涉大川. 大川者, 互坎也.
미제의 때에 음의 부드러운 재질로 제 자리에 합당하지 않은 자리에 있는데, 다만 음으로 양을 따르고 상육과 합하기를 구하니 가면 흉한 상이 있다. 그러나 상구는 이미 높은 지위에 있고 굳센 양으로서 와서 구원하는 의미가 있기 때문에 "큰 내를 건너는 것이 이롭다"고 하였다. 큰 내는 호괘인 감괘이다.

### 이익(李瀷) 『역경질서(易經疾書)』

六三猶未濟矣, 不思利涉之道, 而徒欲亟征, 豈非凶禍. 此與旣濟之濡袽同意, 而彼以

33) 剛: 경학자료집성DB와 영인본에 '酬'로 되어 있으나, 문맥을 살펴 '剛'으로 바로잡았다.

四, 此以三, 又與鬼方易位者同, 豈不謂六三猶未濟乎. 既云未濟征凶, 恐無利涉大川之理, 利字上, 疑脫不字.
육삼은 여전히 건너지 못하였는데, 건너는 것이 이롭다는 도리를 생각하지 않고 단지 빨리 건너가고자 하니, 어찌 흉한 재앙이 아니겠는가? 이것은 기제괘의 젖음에 헌옷을 장만해 둔다는 것과 같은 의미이고, 저기에서는 사효이고 여기에서는 삼효인 것은 또 귀방이 자리를 바꾼 것과 같으니, 어찌 육삼은 여전히 미제라고 말하지 않겠는가? 이미 "미제에서 가면 흉하다"고 말해놓고 큰 내를 건너는 것이 이로울 도리는 없는 듯하니, '이롭다[利]'는 말 앞에 '~하지 않다[不]'라는 말이 빠진 것으로 보인다.

### 유정원(柳正源) 『역해참고(易解參攷)』

王氏曰, 以陰之質失位居險, 不能自濟者也. 以不正之身, 力不能自濟, 而求進焉, 喪其身也, 故曰征凶. 二能拯難, 而已比之, 載二而行, 溺可得乎, 故曰利涉大川.
왕필이 말하였다: 음의 재질로 제 자리를 잃고 험한 데 있어 스스로 구제할 수 없는 자이다. 바르지 못한 몸으로 힘이 스스로 구제할 수 없는데 나아가기를 구해 자신을 잃기 때문에 "가면 흉하다"고 하였다. 이효가 어려움을 구제할 수 있는데 이미 가까이 있어 그것을 싣고 하니 빠질 수 있겠는가? 그러므로 "큰 내를 건너는 것이 이롭다"고 하였다.

○ 雙湖胡氏曰, 自三至五, 又有互體之坎, 故有大川象.
쌍호호씨가 말하였다: 삼효부터 오효까지에 또 호체 감괘가 있기 때문에 큰 내의 상이 있다.

○ 案, 三, 坎體也. 不利於陸走, 而利於水行, 故曰征凶利涉.
내가 살펴보았다: 삼효는 감괘의 몸체여서 육지를 걸어가는 데는 이롭지 않고 물을 건너는 데는 이롭기 때문에 "가면 흉하지만 건너는 것이 이롭다"고 하였다.

### 김상악(金相岳) 『산천역설(山天易說)』

三之陰居未濟之時, 有應而不交, 故以征則凶矣. 然將出乎坎, 而比四以附剛, 故利於涉川也.
삼효의 음이 미제의 때에 있어 호응하지만 사귀지 못하기 때문에 가면 흉하다. 그러나 감괘를 벗어날 것이고 사효를 가까이 하여 굳셈에 의지하기 때문에 내를 건너는 데에 이롭다.

○ 未濟之義, 水火不交, 而三以不正之陰, 居上下之交, 故有征凶之戒. 初居下, 故曰濡其尾, 三則將出險, 而利涉矣. 來註, 正卦爲坎, 變卦爲巽, 木在水上, 乘木有功, 故利涉大川. 或曰, 本義利字上有不字. 三之位不當, 旣不可以陸走, 又不利於浮水, 故六爻中獨言未濟. 又與訟爲同體之卦, 水火不交, 天水違行, 故皆不利於涉川也. 然坎水生震木, 離火生艮土, 變而爲頤. 頤之五曰, 不可涉大川, 上曰利涉大川, 而三與上爲應, 則當從上之利涉. 而或者之言, 必從五之不可涉, 何也. 且一爻中, 分以利不利, 未知其何者爲是, 當兩存之, 以竢知者.
미제의 의미는 물과 불이 교제하지 않는데, 삼효는 바르지 못한 음으로 상하가 사귀는 곳에 있기 때문에 가면 흉하다는 경계가 있다. 초효는 아래에 있기 때문에 "꼬리를 적신다"고 하였고, 삼효는 험난한 곳을 벗어나려고 해서 건너는 것이 이롭다. 어떤 이는 "『본의』에서 '이롭다[利]'는 말 앞에 '~하지 않다[不]'는 말이 있어야 한다"고 하였다. 삼효는 자리가 합당하지 않아 이미 육지로 걸어갈 수는 없고 또 물 위로 가는 데도 이롭지 않기 때문에 여섯 효 가운데에서 유독 미제를 말하였다. 또 송괘(訟卦䷅)와 같은 몸체의 괘여서 물과 불이 사귀지 않고 하늘과 물이 어긋나게 흘러가기 때문에 모두 내를 건너는 데에 이롭지 않다. 그러나 감괘(坎卦☵)의 수는 진괘(震卦☳)인 목을 낳고 리괘(離卦☲)인 화는 간괘(艮卦☶)인 토를 낳아 이괘(頤卦䷚)로 변했다. 이괘(頤卦䷚)의 오효에서 "큰 내를 건너서는 안 된다"고 하였으나, 상효에서 "큰 내를 건너는 것이 이롭다"고 하고 삼효와 상효가 호응하니, 상효의 건너는 것이 이로움을 따라야 한다. 그런데 어떤 이의 말은 오효의 건너서는 안됨을 반드시 따르니 무엇 때문인가? 대개 한 효에서 이로움과 이롭지 않음을 나누었으나 어떤 것이 옳은지 알 수 없어 둘 다 놔둠으로 아는 자를 기다리겠다.

### 서유신(徐有臣)『역의의언(易義擬言)』

此爻之象, 所以爲未濟, 故六爻之中, 獨稱未濟也, 是謂汔濟而未濟者也. 兩坎之交柔不當位, 未可以征進, 故曰征凶, 利涉之義難解.
여기 효의 상이 미제가 되는 까닭이기 때문에 여섯 효 가운데에서 오직 미제라고 하였으니, 바로 거의 건넜으나 아직 건너지 못한 경우이다. 두 감괘의 효가 부드럽고 자리에 합당하지 않아 아직 나아갈 수 없기 때문에 "가면 흉하다"고 하였다. '건너는 것이 이롭다'는 구절의 의미는 해석하기 어렵다. 래시넉의 『주역집주』에서는 "바른 괘가 감괘이고 변한 괘가 손괘이니, 나무가 물 위에 있어 그것을 타는 공이 있기 때문에 큰 내를 건너는 것이 이롭다"고 하였다.

### 박제가(朴齊家) 『주역(周易)』

濟, 本從渡涉爲字, 而轉爲極救之義. 於是水亦可以濟火, 火亦可以濟水矣. 卦之得濟名, 以水火之交相爲用, 而以渡涉取象. 它卦莫不皆然. 然則此爻, 未濟者, 從坎離上下而言也. 三處水火之交, 不相爲用之地, 而征, 故凶. 其曰利涉者, 從下體單坎而言也. 三乃坎之上, 故爲利涉. 蓋凶於豎, 而利於橫者也. 其占涉, 則涉矣, 而必不得上下之交矣.

건널 제(濟)자는 본래 건넌다[渡涉]는 말에서 글자가 만들어졌는데 구제함을 다한다는 의미로 변했다. 이에 물로도 불을 구제할 수 있고 불로도 물을 구제할 수 있으니, 괘에 제(濟)라는 이름이 있는 것은 물과 불의 사귐이 서로 쓰임이 되어 구제한다는 것으로 상을 취한 것이다. 다른 괘도 그렇지 않은 것이 없다. 그렇다면 여기의 효에서 미제라는 것은 감괘와 리괘가 위아래로 있어서 말한 것이다. 삼효가 물과 불이 사귀는 데 있어 서로 쓰임이 되는 곳이 아닌데 가기 때문에 흉하다. "큰 내를 건너는 것이 이롭다"고 한 것은 아래 몸체에 홀로 있는 감괘로 말한 것이다. 삼효는 감괘의 위이기 때문에 건너는 것이 이롭다. 대개 바르게 하는 데에 해롭고 뜻을 굽히는 데에 이로운 것이다. 그 점이 건너는 것이라면 건너는 데 반드시 상하의 사귐은 얻지 못한다.

本義曰, 行者, 可以水浮, 而不可陸走, 謂猶未離乎坎體也. 然坎之上, 已出水矣. 如坎之上, 置于叢棘, 亦陸險非水險, 豈有曰涉, 而浮在水上之理耶. 必有止泊, 然後爲利涉. 若浮水而已, 則利浮非利涉矣. 若曰利上[34]有不字, 則辭雖極平然, 上文未濟征凶一句, 已包赦濟濟涉二義, 此不利涉大川, 五字爲贅, 恐當依經文釋之.

『본의』에서 "가는 사람은 물 위로 떠서 가야 되고 땅으로 달려가서는 안 된다"고 하였으니, 여전히 감괘(坎卦)의 몸체를 떠나서는 안된다는 말이다. 그러나 감괘의 위는 이미 물을 벗어났다. 이를테면 감괘의 위에는 가시덤불이 있어 또한 육로의 험함이지 수로의 험함이 아닌데, 어찌 "건넜다"고 말했다고 물에 떠 있는 이치가 있다는 것인가? 반드시 멈추어 정박한 다음에 건너는 것이 이롭다는 것이다. 물에 떠 있을 뿐이라면 떠 있는 데에 이로운 것이지 건너는 데에 이로운 것이 아니다. "'이롭다[利]'는 말 위에 '~하지 않는다[不]'는 말이 있어야 한다"고 말한다면, 말은 아주 매끄러우나 앞에 있는 "미제(未濟)에서 가면 흉하다"는 구절에 이미 '사면하여 구제한다'와 '건넌다'는 두 가지 의미가 포함되었기에 여기의 큰 내를 건너는 것이 이롭지 않다는 말은 군더더기가 되니, 경문대로 해석해야 할 것 같다.

---

34) 上: 경학자료집성DB와 영인본에 '止'로 되어 있으나, 문맥을 살펴 '上'으로 바로잡았다.

### 이지연(李止淵) 『주역차의(周易箚疑)』

陰柔不中者, 安可以濟事乎. 利字上疑有不字.
음의 부드럽고 알맞지 않은 것이 어떻게 일을 이룰 수 있겠는가? '이롭다[利]'는 말 위에 '~하지 않는다[不]'는 말이 있어야 할 것으로 여겨진다.

### 김기례(金箕澧) 「역요선의강목(易要選義綱目)」

卦中六爻剛柔, 雖失位, 陽爻无凶, 謂剛能濟險, 初三陰爻无吉, 謂陰躁則入險.
괘에서 여섯 효의 굳셈과 부드러움이 제자리에 있지 않을지라도 양의 효는 흉함이 없으니, 굳셈은 험함을 건너갈 수 있다는 말이고, 초효와 삼효는 음효이나 길함이 없으니, 음이 조급하면 험함에 빠질 수 있다는 말이다.

○ 三以不中正, 若不量力而往, 則居險而未能濟, 故凶. 然未濟有旣濟之象, 則若能待時而出險, 則可謂利涉. 本義曰, 利字上當有不字, 亦合未濟征凶.
삼효는 중정하지 않아 힘을 헤아리지 않고 간다면 험함을 건너갈 수 없기 때문에 흉하다. 그러나 미제에는 기제의 상이 있으니 때를 기다려 험함을 벗어날 수 있다면 건너는 것이 이롭다고 할 수 있다. 『본의』에서 "'이롭다[利]'는 말 위에 '~하지 않는다[不]'는 말이 있어야 한다"고 하였는데, 또한 미제에서 가면 흉하다는 말에 부합한다.

### 심대윤(沈大允) 『주역상의점법(周易象義占法)』

未濟之鼎䷱, 變惡爲善也. 六三以柔居剛, 出力任難, 上應于六, 而隔于四, 從上之任使, 而情志不通, 不可自用. 三之時, 事難垂平, 而當勞變逸危變安之際, 故獨曰未濟. 尤當敬愼巽順, 操之勿失, 以保其成, 不可妄生端緖以亂垂成之功, 故曰征凶. 對巽震爲征, 巽舟居上剛之下, 有沉没象. 不自用而從于上, 則上變而爲震, 有巽舟遷動之義, 无剛壓沉没之象, 故曰利涉大川. 巽坎爲行水曰涉, 坎乾爲大川, 在危難之時, 專任之臣, 尤不可自用, 而開讒疑之端, 速不測之禍也.
미제괘가 정괘(鼎卦䷱)로 바뀌었으니, 악을 선으로 변화시킨 것이다. 육삼은 부드러움으로 굳센 자리에 있어 힘을 다해 어려움을 책임지는데, 위로 육효와 호응하지만 사효에게 막히고, 위에서 맡겨서 부리는 대로 따르지만 마음이 통하지 않으니, 마음대로 할 수 없다. 삼효의 때는 일이 어려우나 거의 바르게 되어 수고로움이 편하게 되고 위태로움이 안전하게 되는 때이기 때문에 여기에서만 "미제"라고 하였다. 그러니 더욱 공경하고 삼가며 겸손하고 순종함으로 그것을 잡고 놓치지 않아 그 이룬 것을 보전해야 하고, 함부로 어떤 단서를 내놓아 거의 이룬 공을 어지럽혀서는 안되기 때문에 "가면 흉하다"고 하였다. 손괘(巽卦☴)와 반대인 진괘(震卦☳)가 '간다'는 것이고, 손괘(巽卦☴)인 배가 위의 굳센 爻 아래에 있어 침몰의 상이 있다. 그러니 마음대로 하지 않고 위를 따르면 위가 변하여 진괘(震卦☳)가 되어 손괘(巽卦☴)인 배가 움직이는 의미가 있는데 굳셈이 눌러 침몰하는 상이 없기 때문에 "큰 내를 건너는 것t이 이롭다"고 하였다. 손괘와 감괘가 물로 가는 것이니, "건넌다"라고 하였고, 감괘(坎卦☵)와 건괘(乾卦☰)가 큰 내이니, 위험하고 어려운 때에는 전임하는 신하가 마음대로 헐뜯고 의심하는 단서를 열어 예측할 수 없는 재앙을 빨리 오게 해서는 안된다.

### 오치기(吳致箕) 「주역경전증해(周易經傳增解)」

六三, 陰柔不得中正, 而不能相應於文明之君, 以其柔弱之才, 未足以有濟, 故戒言往則有凶, 然上有剛陽之應, 而險又將終, 可以出險而漸濟, 故言利涉大川.
육삼은 음의 유순함이 중정을 얻지 못해 문명한 임금과 서로 호응하지 못하고 그 유약한 재질로는 건너기에 부족하기 때문에 가면 흉하다고 경계하여 말하였다. 그러나 위에는 굳센 양의 호응이 있고 험함이 또 끝나려고 하여 험함을 벗어나 점점 건너갈 수 있기 때문에 큰 내를 건너는 것이 이롭다고 하였다.

○ 涉川, 取坎及變巽.
내를 건너는 것은 감괘(坎卦☵)가 손괘(巽卦☴)로 변하는 것에서 취하였다.

象曰, 未濟征凶, 位不當也.

「상전」에서 말하였다: "미제(未濟)에서 가면 흉함"은 자리가 마땅하지 않기 때문이다.

## 中國大全

傳

三, 征則凶者, 以位不當也, 謂陰柔不中正, 无濟險之才也. 若能涉險以從應則利矣.

삼효에서 "가면 흉하다"란 자리가 합당하지 않기 때문이니, 부드러운 음이 중정하지 않아 험함에서 구제할 자질이 없음을 말한다. 만약 험함을 건너 호응하는 바를 따를 수 있다면 이롭다.

小註

臨川吳氏曰, 未濟諸爻位皆不當, 而象傳特於六三言之者, 陰柔居險極也.
임천오씨가 말하였다: 미제괘(未濟卦)의 모든 효는 자리가 모두 합당하지 않은데도, 「상전」에서 특별히 육삼에 대해서만 말한 것은 부드러운 음이 험함의 끝에 있기 때문이다.

○ 瀘川毛氏曰, 九二九四, 以不純用其剛故吉, 而六五又以柔中而亨, 各因爻取義. 獨此爻以非其人而居其位也.
노천모씨가 말하였다: 구이와 구사는 순수하게 그 굳셈을 쓰지 않기 때문에 길하고, 육오는 또한 부드러운 음으로 알맞아서 형통하니, 각각 효에 따라 뜻을 취한 것이다. 다만 삼효만은 마땅한 사람이 아닌데도 그 자리에 있는 것이다.

## 韓國大全

**김상악(金相岳) 『산천역설(山天易說)』**

位不當, 見彖傳.
'자리가 마땅하지 않기 때문이다'는 설명은 단전에 있다.

**서유신(徐有臣) 『역의의언(易義擬言)』**

六爻皆位不當, 而此獨言者, 亦猶獨稱未濟也.
여섯 효는 모두 자리가 합당하지 않은데 여기에서만 말한 것은 또한 여기에서만 미제를 칭한 것과 같다.

**오치기(吳致箕) 「주역경전증해(周易經傳增解)」**

陰柔不得中正, 而不度時, 宜有所往進則凶也.
음이 부드럽고 중정하지 않은데, 때를 헤아리지 않으니, 가면 흉한 것은 당연하다.

**이진상(李震相) 『역학관규(易學管窺)』**

征, 陸走也, 涉水行也. 六三坎體, 故利於涉, 而凶於征.
가는 것은 육지로 가는 것이고 건너는 것은 물로 가는 것이다. 육삼은 감괘의 몸체이기 때문에 건너는 것에는 이롭고 가는 것에는 흉하다.

**박문호(朴文鎬) 「경설(經說)·주역(周易)」**

方言征凶, 而忽復言利涉大川, 其上下之義, 齟齬不相入.
或說似有理.
가면 흉하다고 금방 말하고는 갑자기 다시 큰 내를 건너는 것이 이롭다고 하니, 위아래의 의미가 어긋나 서로 이어지지 않는다.
어떤 이의 설명에 이치가 있는 것 같다.

時不可之時, 指上句未濟與險終之時也.

『정전』에서 '때가 아니다'고 할 때의 때는 윗 구절에서 '미제'와 '험함이 끝남'의 때를 가리킨다.

**이병헌(李炳憲)『역경금문고통론(易經今文考通論)』**

荀曰, 未濟者, 未成也. 女在外, 男在內, 婚姻未成. 征上從四則凶, 利下從坎, 故利涉大川矣.

순상이 말하였다: 미제는 아직 이루지 못한 것이다. 여자가 밖에 있고 남자가 안에 있어 혼인이 아직 이루어지 않았다. 위로 가서 사효를 따르면 흉하고 아래로 감괘를 따르면 이롭기 때문에 큰 내를 건너는 것이 이롭다.

## 九四, 貞吉, 悔亡, 震用伐鬼方, 三年, 有賞于大國.

구사는 곧으면 길하여 후회가 없어지리니, 진동하여 귀방(鬼方)을 정벌해서 삼년이어야 큰 나라에서 상이 있다.

### 中國大全

#### 傳

九四陽剛, 居大臣之位, 上有虛中明順之主, 又已出於險, 未濟已過中矣, 有可濟之道也. 濟天下之艱難, 非剛健之才, 不能也. 九雖陽而居四, 故戒以貞固則吉而悔亡, 不貞則不能濟, 有悔者也. 震, 動之極也, 古之人, 用力之甚者, 伐鬼方也, 故以爲義. 力勤而遠伐, 至於三年然後, 成功而行大國之賞, 必如是, 乃能濟也. 濟天下之道, 當貞固如是, 四居柔, 故設此戒.

구사는 굳센 양으로 대신의 자리에 있고 위로 마음을 비워 밝고 유순한 임금이 있으며 또 이미 험함에서 벗어났고 '미제(未濟)'가 이미 가운데를 지났으니, 구제할 수 있는 도가 있다. 천하의 어려움과 곤란함을 구제함은 강건한 자질이 아니라면 할 수가 없다. 구(九)가 비록 양이지만 사효의 자리에 있기 때문에 바르고 곧으면 길하여 후회가 없어진다고 경계하였으니, 바르지 않으면 구제할 수 없으므로 후회가 있다. 진괘(震卦☳)는 움직임의 지극함이니, 옛사람들이 심하게 힘을 쓰는 것은 귀방(鬼方)을 정벌하였기 때문에 뜻으로 삼았다. 힘쓰고 부지런히 하여 멀리 정벌하여 3년에 이른 후에야 성공하여 큰 나라의 상을 행하니, 반드시 이와 같이 하면 구제할 수 있다. 천하를 구제하는 도는 마땅히 바르고 굳게 함이 이와 같아야 하니, 사효는 부드러운 음의 자리에 있기 때문에 이와 같이 경계시켰다.

#### 小註

誠齋楊氏曰, 旣濟伐鬼方而憂其憊者, 旣濟之世利用靜也. 未濟伐鬼方而得其賞者, 未濟之世利用動也.

성재양씨가 말하였다: 기제괘(旣濟卦☵☲)에서 귀방(鬼方)을 정벌하면서 피곤함을 걱정하는

것은 '기제(旣濟)'의 때는 고요함을 쓰는 것이 이롭기 때문이다. 미제괘(未濟卦)에서 귀방(鬼方)을 정벌해서 상을 얻는 것은 '미제(未濟)'의 때는 움직임을 쓰는 것이 이롭기 때문이다.

○ 隆山李氏曰, 旣濟之三, 離之上也, 未濟之四, 離之下也. 二爻正當濟難之地, 故象討伐. 但旣濟言高宗, 未濟則受命出征者耳.
융산이씨가 말하였다: 기제괘(旣濟卦䷾)의 삼효는 리괘(離卦☲)의 맨 위에 있고, 미제괘(未濟卦)의 사효는 리괘(離卦☲)의 맨 아래에 있다. 두 효는 바로 구제하기가 어려운 곳에 해당하기 때문에 토벌(討伐)을 상징한다. 다만 기제괘(旣濟卦)에서는 '고종(高宗)'을 말하였고, 미제괘(未濟卦)라면 명을 받아 정벌하러 가는 자일뿐이다.

本義

**以九居四, 不正而有悔也, 能勉而貞則悔亡矣. 然以不貞之資, 欲勉而貞, 非極其陽剛用力之久, 不能也, 故爲伐鬼方三年而受賞之象.**

구(九)로써 사효의 자리에 있으니 바르지 않아 후회가 있으나, 열심히 하여 바르게 할 수 있다면 후회가 없어진다. 그러나 바르지 못한 자질이기 때문에 열심히 하여 바르게 하고자 하면, 굳센 양을 지극히 하여 힘을 오랫동안 씀이 아니라면 할 수가 없기 때문에 귀방(鬼方)을 정벌해서 삼 년이 되어서야 상(賞)을 받는 상이 된다.

小註

雲峯胡氏曰, 爻言貞吉者三. 九二剛中, 中則正矣, 言貞吉而不言悔亡. 五柔中, 故貞吉无悔. 九四不中, 故勉之以貞吉而後悔亡, 言不如是則悔不亡也. 旣濟九三以剛居剛, 故直曰高宗伐鬼方, 未濟九四以剛居柔, 故曰震用伐鬼方. 震懼也, 臨事而懼, 未濟者必濟矣. 大抵三四爻皆人位, 易於乾之三曰終日乾乾, 夕惕若懼也, 於旣濟之四曰終日戒, 戒懼也. 此復取震懼之意, 懼以終始, 所以爲易之敎也.
운봉호씨가 말하였다: 효사에서 "곧으면 길하다[貞吉]"라고 말한 것은 셋이다. 구이는 굳센 양으로 알맞고 알맞으면 바르니, "곧으면 길하다"[35]라고 하였고 "후회가 없어진다"고 하지 않았다. 오효는 부드러운 음으로 알맞기 때문에 곧아서 길하여 후회가 없다. 구사는 알맞지

35) 『周易 · 未濟卦』: 九二, 曳其輪, 貞吉.

않기 때문에 곧음으로써 힘써 길한 후에 후회가 없어지므로, 이와 같지 않으면 후회가 없어지지 않음을 말한다. 기제괘(旣濟卦䷾)의 구삼은 굳센 양으로 굳센 양의 자리에 있기 때문에 곧바로 "고종(高宗)이 귀방(鬼方)을 정벌한다"[36]고 하였고, 미제괘(未濟卦)의 구사는 굳센 양으로 부드러운 음의 자리에 있기 때문에 "진동하여 귀방(鬼方)을 정벌한다"고 하였다. '진동함'은 두려워함이니, 일을 할 때에 두려워하면 아직 이루지 못한 자도 반드시 이루게 된다. 대체로 삼효와 사효는 모두 사람의 자리이니, 『주역』에서 건괘(乾卦䷀)의 삼효에서는 "종일토록 힘쓰고 힘써 저녁까지도 두려워한다"[37]고 하였고, 기제괘(旣濟卦)의 사효에서는 "종일 경계한다"[38]고 하였으니, '경계함[戒]'이란 두려워함이다. 여기서 다시 떨면서 두려워하는 뜻을 취하여 처음부터 끝까지 두려워하기 때문에 『주역』의 가르침이 된다.

## ‖ 韓國大全 ‖

### 송시열(宋時烈) 『역설(易說)』

貞固則吉而无悔. 震者懼也. 傳所謂多懼耶. 來氏云, 四爻變, 則爲震. 伐鬼方, 見上. 四變則爲坤, 坤爲國. 以大國對鬼方而言也. 有賞則雖不言克, 而班師頒賞之時也. 旣濟之伐鬼方, 九三在下, 故仰而攻之, 其攻甚難. 此之伐鬼方, 鬼方在下, 俯而攻之, 如上之賞下, 其攻甚易, 故不曰克, 而曰有賞也. 蓋卦與上卦相錯, 此卦之四, 卽上卦之三也, 故皆以伐鬼方言之. 小象志行者, 四以震動之志得行, 其相應之道也.

정고하면 길하여 후회가 없어진다. '진동한다'는 것은 두렵게 한다는 것이니, 「계사전」에서 말한 '두려움이 많다'는 것이다. 래씨는 "사효가 변하면 진괘(震卦)가 된다"고 하였다. '귀방을 정벌한다'는 설명은 앞에 있다. 네 번 변하면 곤괘(坤卦)가 되고 곤괘는 나라이다. 큰 나라가 귀방에 짝하는 것으로 말하였다. 상이 있다면 이긴 것을 말하지 않을지라도 철군해서 상을 내리는 때이다. 기제괘에서 귀방을 정벌하는 것은 구삼이 아래에 있기 때문에 올려다보며 공격하는 것이니, 그 공격이 아주 어렵다. 여기에서 귀방을 정벌하는 것은 귀방이 아래에 있어 내려다보며 공격하는 것이니, 위에서 상을 주는 것처럼 그 공격이 아주 쉽기

36) 『周易・旣濟卦』: 九三, 高宗伐鬼方, 三年克之, 小人勿用.
37) 『周易・乾卦』: 九三, 君子, 終日乾乾, 夕惕若, 厲, 无咎.
38) 『周易・旣濟卦』: 六四, 繻有衣袽, 終日戒.

때문에 "이긴다"고 하지 않고 "상이 있다"고 하였다. 괘가 윗 괘와 서로 바뀌면 여기의 사효가 곧 윗 괘의 삼효이기 때문에 모두 귀방으로 말하였다. 「소상전」에서 '뜻이 행하여진 것이다'라는 것은 사효가 진동시키는 뜻을 행할 수 있는 것이니, 서로 호응하는 방법이다.

### 이익(李瀷) 『역경질서(易經疾書)』

震用者, 與高宗對, 勘則亦必別有其人在也. 旣濟以東西隣, 當殷周對乎. 殷者, 非周乎. 說卦云, 帝出乎震, 震卽帝出之始事也. 周之征伐, 自崇侯始意者, 指其事, 不言文王者, 周公之辭也. 左傳云, 文王聞崇德亂而伐之, 軍三旬而不降, 退修敎而復伐之, 因壘而降. 修敎, 非一日之事, 亦必三年, 然後克之, 鬼方是也. 鬼方者, 高宗伐之而服, 後與紂爲同惡. 文王伐之, 後人以北狄當之. 然詩云, 內奰于中國, 覃及鬼方. 當殷之衰, 其虐毒寧有遠及塞外之理, 聖人之於外戎, 只云薄伐, 至于太原而已, 高宗又豈有三年黷武之義. 其必外國, 而近殷周之域者, 崇, 是也.
'진용(震用)'이라는 말은 고종과 짝하니, 따져보면 또한 별도로 그 사람이 있었을 것이다. 기제괘에서 동쪽의 이웃과 서쪽의 이웃은 은나라와 주나라가 짝인 것에 해당할 것이다. 은나라는 주나라가 아니다. 「설괘전」에서 "상제가 진괘(震卦)에서 나왔다"고 하였으니, 진괘는 곧 상제가 나온 처음의 일이다. 주나라의 정벌이 숭(崇)의 제후에게서 처음 뜻하였던 것이어서 그 일을 가리켰는데, 문왕을 말하지 않은 것은 주공의 말이기 때문이다. 『좌전』에서 "문왕이 숭(崇)의 덕이 어지럽다는 것을 듣고 정벌하였는데, 삼십일 동안 주둔하면서도 항복받지 못하였고, 물러나 교화를 시행하며 다시 정벌하였는데 보루를 이용하여 항복받았다고 하였다"고 하였다. 교화를 시행하는 것이 하루의 일이 아니라 또한 반드시 삼년이 지난 다음에 이겼으니, 귀방이 이런 경우에 해당한다. 귀방은 고종이 정벌하여 복종시켰으니 뒤에 주(紂)와 같은 악(惡)이고, 문왕이 정벌하였으니, 후대의 사람들에게는 북적(北狄)에 해당한다. 그런데 『시경』에서 "안으로 노여움이 중국에 가득하여 멀리 귀방까지 뻗쳐 이르렀다"라고 하였다. 은나라가 쇠퇴할 때에 잔인한 독이 여전히 멀리 변방 바깥까지 미칠 이유가 있어 성인이 바깥의 오랑캐들에게는 단지 "잠깐 함윤을 정벌하여, 태원에 이르렀다"라고 하였던 것뿐이니, 고종에게 또 어찌 삼년씩이나 군대를 더럽히는 의미가 있었겠는가? 그것은 반드시 외국으로 은나라와 주나라의 경계에 가까운 나라일 것이니, 숭(崇)이 여기에 해당한다.

有賞于大國者, 文王西伯也. 其伐也, 必率諸小國而行, 旣克則小國同受賞于周也.
큰 나라에서 상이 있다는 것은 문왕 서백이니, 정벌에 모든 작은 나라를 거느리고 갔고, 이기고 나면 작은 나라도 주나라에서 같이 상을 받았다.

심조(沈潮) 「역상차론(易象箚論)」

伐, 離爲戈兵也. 大國, 乾體而又近君也.
정벌한다는 것은 리괘가 무기인 것이다. 큰 나라는 건괘의 몸체여서 또 임금에 가깝다.

유정원(柳正源) 『역해참고(易解參攷)』

鄭氏〈剛中〉曰, 四居互坎之中, 動成震, 故以威震爲義
정강중이 말하였다: 사효는 호괘인 감괘의 가운데 있어 움직임으로 진괘가 되기 때문에 위의의 진동으로 의미를 삼았다.

○ 厚齋馮氏曰, 鬼方初六也. 有賞, 六五大君也. 大國本爻之位, 陽爲大, 位爲國也.
후재풍씨가 말하였다: '귀방'은 초육이다. '상이 있다'는 것은 육오의 대군이다. '큰 나라'는 여기 효의 자리이니, 양이 '큰'이고 자리가 '나라'이다.

○ 節初齊氏曰, 鬼方在南. 既濟九三伐鬼方, 三互離之初也. 未濟九四伐鬼方, 四亦當離之初也.
절초제씨가 말하였다: 귀방은 남쪽에 있다. 기제괘의 구삼에서 귀방을 정벌하니, 삼효는 호괘인 리괘(離卦)의 초효이다. 미제괘의 구사에서 귀방을 정벌하니, 사효 역시 리괘(離卦)의 초효에 해당한다.

○ 雙湖胡氏曰, 三年離三爻象.
쌍호호씨가 말하였다: 삼년은 리괘 삼효의 상이다.

○ 案, 疑高宗之伐鬼方也, 初筮, 得既濟之三, 及其受命出征之日, 又筮得此爻歟.
내가 살펴보았다: 고종이 귀방을 정벌한 것은 의심되니, 처음 점쳐서 기제괘의 삼효를 얻었는데, 명령을 받아 출정하는 날에 또 점을 쳐서 여기의 효를 얻었다는 것인가!

김상악(金相岳) 『산천역설(山天易說)』

四, 當貞悔之交, 以剛居柔, 故能貞, 則吉而悔亡也. 鬼方, 指初也. 以剛明之才, 承文德之君, 震之以威, 伐鬼方而自服, 故有賞于大國也.
사효는 곧음과 후회의 교차에 해당하는데 굳셈으로 부드러운 자리에 있기 때문에 곧을 수 있으면 길하여 후회가 없는 것이다. 귀방은 초효를 가리킨다. 굳세고 밝은 재질로 빛나는 덕을 가진 임금을 받들어 위엄으로 진동시키며 귀방을 정벌하여 저절로 복종하게 하기 때문에 큰 나라에서 상이 있는 것이다.

○ 未濟言貞吉者三. 九二剛中而行, 故貞吉. 九四雖不中剛而志行, 故貞吉悔亡. 六五柔中而有孚, 故貞吉无悔, 所以雖不當位剛柔應也. 震者, 卦名震字之義, 驚遠而懼邇也. 未濟之四, 與晉爲同體之卦, 晉象曰康侯用錫馬蕃庶, 而四之明體居柔, 得順麗之義, 故伐鬼方有賞同象. 又師之所以行師征伐, 取之于坎, 故既濟未濟, 皆言伐鬼方. 師之大君有命而正功, 曰開國承家, 小人勿用, 故未濟曰, 有賞于大國, 既濟曰小人勿用.
미제에서 "곧으면 길하다"고 한 것은 세 번이다. 구이는 굳셈이 가운데 있으면서 행하기 때문에 곧으면 길하다. 구사는 알맞지 않을지라도 뜻이 행하여지기 때문에 곧으면 길하여 후회가 없다. 육오는 부드러움이 가운데 있어 믿음이 있기 때문에 곧아서 길하여 후회가 없다. '진동한다[震]'는 것은 괘의 이름인 진(震)자의 의미이니, 멀리까지 놀라게 하여 두렵게 하는 것이다. 미제괘(未濟卦䷿)의 사효는 진괘(震卦䷢)와 같은 몸체이니, 진괘의 「단전」에서 "편안하게 다스리는 제후이니, 여러 차례 말을 하사하였다"라고 하였는데, 사효는 밝은 몸체로 부드러운 자리에 있어 유순하고 빛나는 의미를 얻기 때문에 귀방을 정벌해서 상(賞)이 있다는 것과 상(象)이 같다. 또 사괘(師卦䷆)에서 군대를 보내 정벌한다는 것도 감괘(坎卦☵)에서 취했기 때문에 기제와 미제에서 모두 귀방을 정벌한다는 것을 말하였다. 사괘(師卦)의 대군이 명을 가져 공을 바르게 하니, "나라를 열고 가문을 이으니, 소인을 쓰지 말아야 한다"라고 하였기 때문에 미제괘에서 "큰 나라에서 상이 있다"고 하였고, 기제괘에서 "소인을 쓰지 말아야 한다"라고 하였다.

## 서유신(徐有臣) 『역의의언(易義擬言)』

九四出於險外, 未濟欲變也. 正應相與, 水火相逮, 故貞吉悔亡也. 震用者, 震動而用武也, 始伐之辭也. 伐鬼方者, 所以就既濟也. 不稱高宗者, 蒙上文既濟之辭也. 閱三爻爲既濟, 故曰三年也. 不撓異議, 不求近功, 賞賚奬勵, 愈久愈勤, 宏規遠謨, 何事不濟, 其大國也哉.
구사가 험한 바깥으로 벗어났으니 미제가 변하려는 것이다. 바르게 호응하면서 서로 함께하고 물과 불이 서로 미치기 때문에 곧으면 길하여 후회가 없어지는 것이다. '진동하여[震用]'는 진동시키며 군대를 부리는 것이니, 정벌을 시작하는 말이다. '귀방을 정벌한다'는 것은 기제괘로 나아가는 것이다. 고종을 말하지 않은 것은 앞에 있는 기제의 말을 그대로 이었기 때문이다. 세 효를 거쳐 기제가 되기 때문에 "삼년이어야"라고 했다. 이의를 흔들지 않고 눈앞의 공리를 구하지 않으며 상으로 장려하고 오래될수록 더욱 부지런히 하며 심원하게 도모하여 어떤 일인들 구제하니, 아마도 큰 나라일 것이다.

### 박제가(朴齊家)『주역(周易)』

旣濟之三, 已伐之後, 旣過之三年也. 明將盡而遇險, 故戒以小人勿用. 此之四, 始伐之事也, 將來之三年也. 其曰三年, 蓋從離體三爻而言. 離之盡, 則濟矣. 同於上卦之三者, 明其卦之反如損益之象, 其用力之久, 則旣與未俱可相通變. 高宗而曰震用, 旣與未之爲義, 可得. 其曰于大國者, 得於上之象也, 指上九以後之位可見矣.
기제괘의 삼효는 이미 정벌한 다음이니 삼년이 지나버린 것이다. 다해서 험하게 되려는 것을 밝혔기 때문에 소인을 쓰지 말아야 한다고 경계하였다. 여기의 사효는 정벌을 시작하는 일이니, 다가오는 삼년이다. '삼년'이라고 한 것은 대개 리괘의 몸체인 삼효를 따라 말하였다. 리괘가 다하면 구제되는 것이 앞 괘의 삼효와 같은 것은 손괘(損卦䷨)와 익괘(益卦䷩)처럼 그 괘의 반대를 밝힌 것이니, 힘쓰는 것이 오래되면 기제괘와 미제괘에서 모두 서로 변화의 이치를 안다는 것이다. 고종이어서 "진동하여"라고 했으니, 기제와 미제가 의미하는 것을 알 수 있다. '큰 나라에서'에서 말한 것은 위에서 얻는다는 상이니, 구오 이후의 자리를 가리킴을 알 수 있다.

### 강엄(康儼)『주역(周易)』

按, 九四已出乎坎, 而當濟難之任, 上有陰柔之君, 不足與有爲, 則克濟之責, 專在於四. 爲九四者當極力擔當, 然後可以有濟, 故曰震用伐鬼方. 震字便見其極力之意, 然亦不可以期功於一朝一夕之間, 必待積久, 而可以成功, 故又曰三年有賞于大國.
내가 살펴보았다: 구사는 이미 감괘를 벗어나 환난을 구제해야 하는 책임이 있고, 위로 유약한 음인 임금이 있으나 함께 일하기에는 부족하여 구제해야 하는 책임이 오로지 사효에 있다. 그러니 구사는 담당한 것에 극도로 힘을 다한 다음에 구제할 수 있기 때문에 "진동하여 귀방을 정벌한다"고 하였다. 진동한다는 말에는 바로 극도로 힘쓴다는 의미가 있으나 또한 일조일석에 기대할 수 없고, 반드시 오래도록 쌓기를 기다려야 성공할 수 있기 때문에 또 "삼년이어야 큰 나라에서 상이 있다"고 하였다.

### 이지연(李止淵)『주역차의(周易箚疑)』

未濟者, 過中時, 將濟矣, 如否之過中, 爲泰之漸.
미제(未濟)는 가운데를 지나칠 때 구제하려는 것이니, 비(否)가 가운데를 지남에 점차 태(泰)로 되는 것과 같다.

### 김기례(金箕澧) 「역요선의강목(易要選義綱目)」

既濟三在離體上, 故取王者行伐, 未濟四在離體下, 故取承命行伐, 而受賞于王.
기제괘의 삼효는 리괘의 몸체 위에 있기 때문에 왕이 정벌을 행하는 것을 취하였고, 미제괘의 사효는 리괘의 몸체 아래에 있기 때문에 명을 받들어 정벌을 행함으로 왕에게 상을 받는 것을 취하였다.
○ 四變則爲震互體, 故曰震用. 蓋未濟之時, 動作而成功, 震懼而獲賞.
사효가 변하면 호괘의 몸체가 진괘이기 때문에 "진동하여[震用]"라고 하였다. 미제의 때에는 움직여서 공을 이루고 두려움을 진동시켜 상을 받는다.

### 이항로(李恒老) 「주역전의동이석의(周易傳義同異釋義)」

傳, 古之人, 用力之甚者, 伐鬼方也, 故以爲義.
『정전』에서 말하였다: 옛사람들이 심하게 힘을 쓰는 것은 귀방(鬼方)을 정벌하였기 때문에 뜻으로 삼았다.

本義, 非極其陽剛用力之久, 不能也, 故爲伐鬼方三年而受賞之象.
『본의』에서 말하였다: 굳센 양을 지극히 하여 힘을 오랫동안 씀이 아니라면 할 수가 없기 때문에 귀방(鬼方)을 정벌해서 삼 년이 되어서야 상(賞)을 받는 상이 된다.

按, 離爲甲胄, 有征伐之象. 坎居于北, 爲鬼方之象, 故於既濟之三, 未濟之四, 皆以伐鬼方爲言. 蓋居離坎火水相接之際, 故有相克相射之象.
내가 살펴보았다: 리괘(離卦)는 갑주여서 정벌의 상이 있다. 감괘(坎卦)는 북방에 있어 귀방의 상이기 때문에 기제괘의 삼효와 미제괘의 사효에서 모두 귀방을 정벌하는 것을 말하였다. 리괘와 감괘인 불과 물이 서로 만나는 곳에 있기 때문에 서로 극하고 쏘는 상이 있다.

### 심대윤(沈大允) 『주역상의점법(周易象義占法)』

未濟之蒙䷃, 雜而未辨也. 九四以剛居柔, 有解紛之功, 應初而隔二, 救民而亦不阿附上, 承柔中之君. 故曰貞吉. 九四之時, 危難之事既平. 故曰悔亡. 其急切之事甫卑, 餘事之爲利害者, 蒙雜而不可辨, 四不遽以爲安而恐懼以解之. 既濟之九三, 治餘弊之不急切者, 當居剛用力, 此解危難之不急切者, 當居柔緩圖也. 平安恬弛之時, 不用力, 則委靡而不振, 危難甫免之日, 不緩圖, 則困頓以不克. 震, 恐懼也. 艮震爲用, 離坤爲伐. 變卦之對爲革, 有巽坎爲鬼方. 離震艮巽爲三年, 兌爲賞. 坤爲國, 坎爲大, 言終能靖難, 而受封爵也.
미제괘가 몽괘(蒙卦☶)로 바뀌었으니, 섞여서 분별되지 않는 것이다. 구사는 굳셈이 부드러운 자리에 있어 분란을 해소하는 공이 있으니, 초효와 호응하고 이효를 멀리하며, 백성들을 구제하고 또한 상효와 영합하지 않으며, 위로 부드럽고 알맞은 임금을 받든다. 그러므로 "곧으면 길하다"고 하였다. 구사의 때는 위태롭고 어려운 일들이 이미 평안해졌다. 그러므로 "후회가 없어지리니"라고 하였다. 위급하게 크고 작은 일과 나머지 일의 이롭고 해로운 것이 뒤섞여 분별할 수 없으니, 사효가 서둘러 편하게 만들지 않고 염려하며 해결한다. 기제의 구삼은 위급하지 않은 남은 폐단을 다스리는 경우로 굳센 자리에 있으면서 힘써야 하는 것이고, 여기 미제의 구사는 위급하지 않은 위태롭고 어려운 것을 푸는 경우로 부드러운 자리에 있으면서 서서히 도모해야 하는 것이다. 평안하고 느슨한 때에는 힘쓰지 않으면, 맥이 빠져 진작되지 않고, 급박하고 보충하고 힘쓸 조목을 느슨하게 해서 도모하지 않으면 고달프게 되어 극복할 수 없다. '진동한다'는 것은 두렵게 하는 것이다. 간괘(艮卦)와 진괘(震卦)는 '쓰는 것[用]'이고, 리괘(離卦)와 곤괘(坤卦)는 정벌하는 것이다. 변한 몽괘(蒙卦☶)의 반대괘가 혁괘(革卦☱)로 손괘와 감괘가 있으니 귀방이다. 리괘 · 진괘 · 간괘 · 손괘가 삼년이고, 태괘가 상이며, 곤괘가 나라이고, 감괘가 '큰'이니, 마침내 환란을 다스려 봉작을 받을 수 있다는 말이다.

## 오치기(吳致箕) 「주역경전증해(周易經傳增解)」

九四陽剛, 不得中正, 而居大臣之位, 宜若有悔, 然上承文明柔中之君, 將有漸濟之功, 故戒言固守其正, 則可以得吉, 而能亡其悔矣. 以其剛明之才, 震用師旅, 往伐鬼方, 而三年之後, 有慶賞于大國, 言將有濟功也.
구사는 양의 굳셈이 중정을 얻지 못했는데도 대신의 지위에 있어 후회가 있어야 되지만 위로 문채 나고 밝으며 부드럽고 알맞은 임금을 이어 점차로 구제하는 공이 있을 것이기 때문에 바름을 고수하면 길함을 얻어 그 후회를 없앨 수 있다고 경계하여 말하였다. 굳세고 밝은 재질로 군대를 진동하여 부리며 가서 귀방을 정벌하고, 삼년 뒤에는 큰 나라에서 경사스러운 상이 있으니, 구제하는 공이 있을 것이라는 말이다.

○ 震, 懼也, 取於爻變互震. 伐鬼方, 與旣濟同象, 而卦反, 則三四易位, 故彼言于三, 此言于四. 而旣濟則濟在於初, 故九三言克鬼方, 未濟則將濟於終, 故九四言賞大國, 時義之異也. 大取於陽, 國取爻變互坤.
'진동한다'는 것은 '두렵게 한다'는 것으로 효가 호괘인 진괘로 변한 것에서 취하였다. '귀방을 정벌한다'는 것은 기제괘와 같은 상인데 괘를 거꾸로 하면 삼효와 사효는 자리가 바뀌기 때문에 저기에서는 삼효에서 말하였고 여기에서는 사효에서 말하였다. 그런데 기제에서는 건너는 것이 초효에 있기 때문에 구삼에서 귀방을 정벌하는 것을 말하였고, 미제에서는 끝에서 구제하려고 하기 때문에 구사에서 큰 나라에서 상이 있다고 하였으니, 때의 의미가 다르기 때문이다. '큰'은 양에서 취하였고, 나라는 효가 호괘인 곤괘로 변한 것에서 취하였다.

### 이진상(李震相)『역학관규(易學管窺)』

九四, 居互坎之中, 動成震, 故曰震用伐. 震如薄言震之之震. 本爻陽, 故曰大國.
구사가 호괘인 감괘의 가운데 있어 진동하면 진괘가 되기 때문에 "진동하여 정벌해서"라고 하였다. '진동하다'는 것은『시경』의 "바로 위엄을 보내 진동시킨다"고 할 때의 진동시킨다와 같다. 여기의 효는 양이기 때문에 "큰 나라"라고 하였다.

## 象曰, 貞吉悔亡, 志行也.

「상전」에서 말하였다: "곧으면 길하여 후회가 없어짐"은 뜻이 행하여진 것이다.

# 中國大全

### 傳

**如四之才, 與時合而加以貞固, 則能行其志, 吉而悔亡, 鬼方之伐, 貞之至也.**

사효와 같은 자질이 때와 부합하여 바르고 곧음을 더한다면 그 뜻을 행할 수 있어 길하고 후회가 없어지리니, 귀방(鬼方)을 정벌함은 곧음의 지극함이다.

#### 小註

臨川吳氏曰, 近柔中之君, 其志得行也.
임천오씨가 말하였다: 부드럽고 알맞은 임금과 가깝기 때문에 그 뜻이 행해질 수 있다.

○ 沙随程氏曰, 震用伐鬼方, 此大臣贊其興衰撥亂之事.
사수정씨가 말하였다: 진동하여 귀방을 정벌한다는 것은 대신이 쇠락한 나라를 흥기시키고 어지러운 나라를 잘 다스리는 일을 찬미한 것이다.

# 韓國大全

### 김상악(金相岳) 『산천역설(山天易說)』

志行, 非如旣濟之憊也.

'뜻이 행하여진 것이다'는 기제괘의 '피곤하다'와 같지 않다.

**서유신(徐有臣) 『역의의언(易義擬言)』**

應與之志行, 而水火相逮也

호응하고 함께 뜻이 행하여져 물과 불이 서로 미친다.

**김기례(金箕澧) 「역요선의강목(易要選義綱目)」**

剛居陰, 故戒以正而悔亡則吉. 伐, 亦取離象. 志行, 四以大臣位, 承柔順之君, 貞固用力而成功, 其志得行.

굳셈이 음의 자리에 있기 때문에 곧으면 후회가 없어 길하다고 경계하였다. '정벌한다'는 것도 리괘의 상에서 취하였다. 뜻이 행하여지는 것은 사효가 대신의 지위로 유순한 임금을 받들어 정고하게 힘써 공을 이루니, 그 뜻을 행할 수 있는 것이다.

**심대윤(沈大允) 『주역상의점법(周易象義占法)』**

志行于五, 而有成也.

뜻이 오효에 행해져서 이룸이 있다.

**오치기(吳致箕) 「주역경전증해(周易經傳增解)」**

以四剛明之才, 上承明君, 而守以貞固, 則能行其志而吉也.

사효의 굳세고 밝은 재질로 위로 밝은 임금을 이어 정고함을 지키면 그 뜻을 행해 길할 수 있다.

**박문호(朴文鎬) 「경설(經說)·주역(周易)」**

大國, 天子之國也.

큰 나라는 천자의 나라이다.

或曰, 受封國之大, 豈其然歟.

어떤 이는 "대국을 분봉받은 것이다"고 했는데, 어찌 그렇겠는가?

**이병헌(李炳憲)『역경금문고통론(易經今文考通論)』**

京曰, 震, 敬也.
경방이 말하였다: "진동한다"는 것은 공경한다는 것이다.

王曰, 伐鬼方者, 興衰之征也. 每至興衰, 而取義焉. 處文明之初, 始出於難, 其德未盛, 故曰三年也.
왕필이 말하였다: "귀방을 정벌한다"는 것은 흥성과 쇠퇴로 가는 것이다. 매번 흥성과 쇠퇴에 이르러 의미를 취한 것이다. 문명의 초기에는 어려움에서 처음 벗어나 그 덕이 아직 성대하지 않기 때문에 "삼년이어야"라고 하였다.

按, 此亦況周公東征三年之事, 坎離亦有此意.
내가 살펴보았다: 이 구절도 주공의 동정(東征)이 삼년 걸린 일을 비유한 것인데, 감괘와 리괘에도 이런 의미가 있다.

## 六五, 貞吉, 无悔, 君子之光, 有孚, 吉.

육오는 곧아서 길하여 후회가 없으니, 군자의 빛남은 믿음이 있어서 길하다.

## 中國大全

### 傳

五文明之主, 居剛而應剛, 其處得中, 虛其心而陽爲之輔, 雖以柔居尊, 處之至正至善, 无不足也. 旣得貞正, 故吉而无悔. 貞其固有, 非戒也, 以此而濟, 无不濟也. 五, 文明之主, 故稱其光, 君子德輝之盛而功實稱之, 有孚也. 上云吉, 以貞也, 柔而能貞, 德之吉也, 下云吉, 以功也, 旣光而有孚, 時可濟也.

오효는 문명(文明)의 주인으로 굳센 양의 자리에 있으면서 굳센 양과 호응하고 처함이 가운데 자리를 얻어 마음을 비워 양이 보필하니, 비록 부드러운 음으로 존귀한 자리에 있지만 처함이 지극히 바르고 지극히 선하므로 부족함이 없다. 이미 곧고 바름을 얻었기 때문에 길하여 후회가 없다. '곧음'은 본래 있는 것이며 경계함이 아니니, 이로써 이루면 이루지 못할 것이 없다. 오효는 문명의 주인이기 때문에 '빛남[光]'을 말하였으니, 군자의 덕은 빛남이 성하고 공은 실제로 여기에 걸맞아 믿음이 있다. 앞에서 말한 '길함'은 '곧기[貞]' 때문이니 부드러운 음이면서 곧게 할 수 있음은 덕의 길함이며, 뒤에서 말한 '길함'은 공(功)이기 때문이니 이미 빛나고 믿음이 있으면 때는 이룰 수 있는 것이다.

### 本義

以六居五, 亦非正也, 然文明之主, 居中應剛, 虛心以求下之助, 故得貞而吉且无悔, 又有光輝之盛, 信實而不妄, 吉而又吉也.

육(六)으로써 오효의 자리에 있음은 또한 바른 것은 아니지만, 문명(文明)의 주인으로 가운데 자리에 있고 굳센 양과 호응하여 마음을 비워 아랫사람의 도움을 구하기 때문에 '곧음'을 얻어 길하고 또 후회가 없으며, 또한 빛남이 성대하여 미덥고 진실하여 망령되지 않으니, 길하고 또 길하다.

小註

李氏光曰, 九二中正之臣, 爲之正應, 四上二陽相與夾輔, 能虛己而任用之, 故貞吉而无悔也.
이광(李光)이 말하였다: 구이는 중정한 신하로 정응이 되고, 사효와 상효인 두 양은 서로 함께 와서 도와주니, 자신을 비워 그들에게 일을 맡겨 쓸 수 있기 때문에 곧아서 길하여 후회가 없다.

○ 林氏栗曰, 四應在初, 故先悔而後亡, 五應在二, 故貞吉而无悔.
임률(林栗)이 말하였다: 사효가 호응하는 바는 초효에 있기 때문에 먼저는 후회하지만 뒤에 없어지고, 오효가 호응하는 바는 이효에 있기 때문에 곧아서 길하여 후회가 없다.

○ 節齋蔡氏曰, 文明之主, 故稱君子之光. 下得二四恭順剛明之臣, 故言孚吉.
절재채씨가 말하였다: 문명(文明)의 주인이기 때문에 "군자의 빛남"을 말하였다. 아래로 이효와 사효인 공손하고 유순하며 굳세고 밝은 신하를 얻었기 때문에 "믿음이 있어서 길하다"고 하였다.

○ 雲峯胡氏曰, 九居四非貞, 貞吉悔亡, 勉之之辭也. 六居五亦非貞, 貞吉无悔, 與之之辭也. 蓋五文明之主, 是爲君子之光, 虛心以求九二剛中之助, 是爲有孚. 此所以爲正吉而又吉也.
운봉호씨가 말하였다: 구(九)가 사효의 자리에 있어서 곧음은 아닌데도 "곧으면 길하여 후회가 없어지리라"고 하였으니 권면하는 말이다. 육(六)이 오효의 자리에 있어서 또한 곧음은 아닌데도 "곧아서 길하여 후회가 없다"고 하였으니 허여하는 말이다. 오효는 문명(文明)의 주인이니, 이는 군자가 빛남이 되고 마음을 비워서 굳센 양으로 알맞은 구이의 도움을 구하니, 이는 "믿음이 있음"이 된다. 이것이 바르므로 길하고 또 길하게 되는 까닭이다.

## ❙韓國大全❙

### 송시열(宋時烈) 『역설(易說)』

貞吉无悔, 與四同. 四以陽而得之, 五則以位而得之, 其得則一也. 君子者, 五雖君位陰柔, 故但以君子言. 光者, 離之光輝也. 其光發越徵之於九二, 誠信相孚, 君子之道也. 離爲日光, 故小象曰, 其暉吉也.
'길하여 후회가 없다'는 것은 사효와 같다. 사효는 양으로 그것을 얻었고 오효는 자리로 그것을 얻었는데, 얻은 것은 동일하다. 군자는 오효가 임금의 자리일지라도 음의 부드러움이기 때문에 단지 군자로 말한 것이다. 빛남은 리괘(離卦)의 빛남이다. 그 빛남이 구이보다 멀리 징험되는 것은 성신(誠信)이 서로 미덥고 군자의 도이기 때문이다. 리괘(離卦)는 해의 빛남이기 때문에 「소상전」에서 "그 빛남이 길하다"고 하였다.

### 석지형(石之珩) 『오위귀감(五位龜鑑)』

臣謹按, 未濟之六五中而不正, 猶曰貞吉, 何也. 正未必中, 而中无不正也. 離爲文明之象, 又得陽剛之輔, 故光盛而至於有暉, 蘇軾所謂光出於有形之表, 而不以力用者, 是也. 噫, 暉生於光, 光生於謙. 六五爲未濟之謙主, 故有光暉之吉, 而能濟其未濟, 謙之德其盛矣乎. 伏願殿下, 執中持謙, 受人之光, 而濟時之艱焉. 五位龜鑑下篇終.
신이 삼가 살펴보았습니다: 미제괘의 육오는 알맞지만 곧지 않은데도 오히려 곧아서 길하다고 하였으니, 무엇 때문이겠습니까? 곧음은 반드시 알맞음이 아니지만 알맞음은 곧지 않음이 없기 때문입니다. 리괘(離卦)는 문채로 밝은 상이고, 또 양의 굳센 보좌를 얻었기 때문에 빛남이 성대해서 빛남이 있게 된 것이니, 소식(蘇軾)이 『동파역전(東坡易傳)』에서 말한 '빛남이 형체의 표면으로 나왔는데 노력으로 한 것이 아니다'라고 한 것이 여기에 해당합니다. 아! 빛남은 빛에서 나오고 빛은 겸손에서 나옵니다. 육오는 미제에서 겸손의 주인이기 때문에 빛남의 길함이 있고 미제를 이룰 수 있으니, 겸손의 덕이 성대합니다. 전하께 엎드려 바라옵건대, 중도를 잡고 겸손을 지키며 남의 빛을 받아들여 시대의 어려움을 구제하십시오.

### 이현석(李玄錫) 「역의규반(易義窺斑)」

文明之主, 居中應剛, 虛心以求下之助, 故能得吉而又吉. 易卦爻辭, 鮮有如此之美者, 明君得賢臣之慶信乎, 其有光矣. 易之君道, 始於利見大人, 終于君子有孚, 則聖人之致意, 於君臣之契者, 可謂深矣. 且考諸卦, 則六五之君, 下應九二之臣者, 除此卦外,又有蒙泰大有蠱臨睽益升鼎歸妹豊, 合爲十二卦, 皆以柔中虛己, 下應剛明之賢臣爲象, 而如解之君子有解, 亦以九二爲應故也. 賢君之道, 逸於任人, 惟不自用, 乃能用人, 恭己南面, 責成於下, 而股肱良哉, 庶事康哉. 此實君天下之要道也.
문채로 밝은 임금이 알맞음에 있고 굳셈에 호응하면서 마음을 비워 아래의 도움을 구하기 때문에 길함을 얻어 또 길하다. 『역』의 괘사와 효사에 이처럼 아름다운 경우가 드문 것은 밝은 임금이 어진 신하를 얻은 경사와 믿음이 빛남이 있는 것이다. 『역』에서 임금의 도는 건괘(乾卦) '대인을 보는 것이 이롭다'에서 시작하여 여기 '군자의 빛남은 믿음이 있어서'에서 끝나니, 성인이 마음을 다한 것이 임금과 신하의 만남에서 깊다고 할 수 있다. 또 여러 괘를 살펴보면 육오의 임금이 아래로 구이의 신하와 호응하는 경우는 여기 미제괘(未濟卦) 외에 또 몽괘(蒙卦) · 태괘(兌卦) · 대유괘(大有卦) · 고괘(蠱卦) · 림괘(臨卦) · 규괘(睽卦) · 익괘(益卦) · 승괘(升卦) · 정괘(鼎卦) · 귀매괘(歸妹卦) · 풍괘(豊卦)로 합해서 열두 괘인데, 모두 부드럽고 알맞은 것이 자신을 비워 아래로 굳세고 밝고 현명한 신하와 호응하는 상이다. 그런데 이를테면 해괘(解卦䷧)에서 '군자가 풂이 있음'도 구이가 호응하기 때문이다. 현명한 임금의 도는 사람들에게 맡겨놓고 오직 스스로 힘쓰지 않고 사람들을 쓰며 자신을 공손히 하여 임금 자리에 앉아 있으면서 아래로 성공을 따지는데도 신하들이 훌륭하고 모든 일이 편안한 것일 뿐이다. 이것이 실로 천하에 임금 노릇하는 중요한 도이다.

程子曰, 六居五九居二者, 多由助而有功, 蒙泰之類是也, 九居五六居二, 則其功多不足, 屯否之類是也. 蓋臣賢於君, 則輔君以君所不能, 臣不及君, 則贊助而已, 不能成大功也. 此說固然矣. 然堯舜之臣, 未必賢於堯舜, 而能成熙皞之治, 是則聖人事也. 在易惟乾卦可以當之. 人君果有唐虞之德業, 則賢才自當蔚興, 飛龍在天利見大人是也. 苟未及乎勛華之聖, 則唯當求賢自輔, 湯之尹武之望尙矣, 而武丁成王齊桓晉文, 以下賢智之君, 莫不皆然, 此所以勞於求賢也. 夫以柔順之君, 當未濟之世, 雖無自己剛毅弘濟之才, 而委任賢能, 貞吉无悔. 君子之光, 於斯爲盛, 嗚呼, 豈不休哉.
정자가 "건괘(蹇卦䷦) 구오에서 "음효[六]가 오효의 자리에 있고 양효[九]가 이효의 자리에 있는 것은 대부분 도움으로 말미암아 공로가 있으니, 몽괘(蒙卦䷃)와 태괘(泰卦䷊)의 부류가 이것이고, 양효[九]가 오효 자리에 있고 음효[六]가 이효 자리에 있는 것은 그 공로가 부족한 경우가 많으니, 준괘(屯卦䷂)와 비괘(否卦䷋)의 부류가 이것이다. 신하가 임금보다 어질면 임금이 할 수 없는 것으로 임금을 보필하지만, 신하가 임금에 미치지 못하면 임금을 도와 보조할 뿐이니 큰 성공을 이룰 수 없다"라고 하였다. 이 설명은 진실로 그렇다. 그러나 요순의 신하가 반드시 요순보다 어진 것은 아니었으나 빛나고 밝은 정치를 이룰 수 있었던 것이 바로 성인의 일이니, 『역』에서 건괘(乾卦)만이 그것에 해당할 수 있다. 임금에게 진실로 당우(唐虞)의 덕업이 있으면 현명하고 재주 있는 이들은 저절로 무성하게 일어나니, 건괘(乾卦) 구오의 '나는 용이 하늘에 있으니, 대인을 보는 것이 이롭다"는 것이 여기에 해당한다. 공이 빛나는 성인에 미치지 못하면 현인을 구해 자신을 돕게 해야 하니, 탕(湯)임금에게 이윤(伊尹)과 무왕(武王)에게 여상(呂尙)인데, 무정(武丁) · 성왕(成王) · 제(齊) 환공(桓公) · 진(晉) 문공(文公) 이후로 현명하고 지혜로운 임금은 모두 그렇게 하지 않은 적이 없으니, 이 때문에 현명한 신하를 구하는 데 노심초사하는 것이다. 유순한 임금이 미제의 때에 자신에게 굳세게 넓게 구제하는 재주가 없을지라도 현명하고 능력 있는 신하에게 위임하면 곧아서 길하여 후회가 없다. 군자의 빛남이 이에 성대하게 울릴 것이니, 아! 어찌 아름답지 않겠는가.

或曰, 恒之六五, 亦下應九二, 而有夫子凶之戒, 何也. 曰, 程傳不云乎, 在他卦, 六居君位, 而應剛, 未爲失也, 在恒故不可耳. 蓋恒者久也, 物不可以久居其所, 故受之以遯. 恒之當五, 幾乎入遯, 時勢至此, 則爲君者, 當剛毅奮厲随事制義, 然後可以捄時. 而乃五也, 以柔爲中, 以順爲正, 循常守舊而已, 故有從婦之凶也. 通書曰, 知時識勢, 學易之大方, 此言質矣.
어떤 이가 말하였다: 항괘(恒卦䷟)의 육오도 아래로 구이와 호응하는데, 남자는 흉하다는 경계가 있는 것은[39] 무엇 때문입니까?
답하였다: 『정전』에서 "다른 괘에서는 음[六]이 임금의 자리에 있으면서 굳센 양과 호응함은 잘못되지 않지만, 항괘에 있기 때문에 안 된다"라고 하지 않았습니까? 항(恒)이란 오래하는 것인데 사물은 제 자리에 오래도록 있을 수 없기 때문에 돈괘(遯卦䷠)로 받았습니다. 항괘(恒卦䷟)의 오효는 돈괘(遯卦䷠)로 들어가는 것에 가까우니, 때의 추세가 여기에 와서는 임금된 자는 굳세게 떨쳐 일어나서 일에 따라 마땅함을 제재한 다음에 때를 구제해야 합니다. 그런데 오효는 부드러움으로 알맞고 유순함으로 곧아서 상도를 따라 옛 것을 지킬 뿐이기 때문에 부인의 도를 따른 흉함이 있는 것입니다. 「통서」에서 "때와 추세를 아는 것이 『역』을 배우는 큰 방법이다"라고 하였으니, 이것은 실질을 말한 것입니다.

## 유정원(柳正源) 『역해참고(易解參攷)』

雙湖胡氏曰, 光謂象. 管輅曰, 日中爲光, 朝日爲輝. 有孚, 六五以中虛爲孚, 上九則以剛實爲孚. 貞吉者, 戒之以正則吉.
쌍호호씨가 말하였다: '빛남'은 상(象)을 말한다. 관로(管輅)가 "해가 중천에 있는 것이 빛남[光]이고, 아침의 해는 '빛남'이다"라고 하였다. '믿음이 있다'는 것은 육오의 가운데가 빈 것

39) 『周易 · 恒卦』: 六五, 恒其德, 貞, 婦人, 吉, 夫子, 凶.

이 믿음인 것이고, 상구는 굳세고 알참이 믿음인 것이다. '곧아서 길하다'는 것은 곧으면 길하다고 경계한 것이다.

○ 案, 九四之以陽居陰, 宜有悔也, 而能勉而貞, 故悔亡. 六五之以柔居尊, 似有悔也, 而得中應剛, 故旡悔.
내가 살펴보았다. 구사는 양으로 음의 자리에 있으니 후회가 있는 것이 당연하지만 힘써서 곧게 될 수 있기 때문에 후회가 없어지는 것이다. 육오는 부드러움이 존귀한 자리에 있어 후회가 있을 것 같은데 알맞음을 얻고 굳셈과 호응하기 때문에 후회가 없는 것이다.

### 김상악(金相岳) 『산천역설(山天易說)』

以六居五, 非其正也, 然爲文明之主, 比應皆剛, 虛心以求助, 故貞吉旡悔, 又有光輝之盛, 信實而不妄之象. 貞吉者, 德也, 有孚者, 功也, 所以功德之盛光, 見于外也.
육(六)이 오효의 자리에 있는 것은 바름이 아니지만 문채로 밝은 주인이고, 가까이 하는 것과 호응하는 것이 모두 굳셈이며, 마음을 비워 도움을 구하기 때문에 곧아서 길하여 후회가 없고, 또 빛남이 성대하여 신실하고 함부로 하지 않는 상이 있다. '곧아서 길하다'는 것은 덕이고, '믿음이 있다'는 것은 공이기 때문에 공덕의 성대한 빛남이 밖으로 드러난다.

○ 五之君與二四大臣, 皆得貞吉, 可見君臣共貞之義也. 九四悔亡, 初雖有悔, 終能亡之, 六五旡悔, 本旡可悔也. 諸卦之四, 言悔亡. 則五皆旡悔者, 自悔亡而進乎旡悔也, 與大壯四五相似. 君子之光有孚, 見需彖辭. 光者, 離之明也. 離爲日, 故小象曰, 其暉吉也. 六爻之中, 惟五與二, 中以相交, 故皆吉. 貞自其居中言, 悔自其存心言, 光自發諸心者言, 孚自徵諸人者言也.
오효의 임금과 이효와 사효의 대신은 모두 곧아서 길하니, 임금과 신하가 함께 곧은 의미를 알 수 있다. 구사는 후회가 없어질 것이고, 초효는 후회가 있을지라도 마침내 없으며, 육오는 후회가 없으니 본래 후회할 것이 없다. 여러 효의 사효에서 후회가 없다고 말하였다. 그렇다면 오효가 모두 후회가 없는 것은 후회가 없어질 것에서 후회가 없는 것으로 나아간 것이니, 대장괘의 사효 · 오효와 서로 비슷하다.[40] '군자의 빛남은 믿음이 있어서 길하다'는 말은 수괘(需卦) 단사에 있다.[41] 빛남은 리괘(離卦)의 밝음이다. 리괘는 해이기 때문에 「소

40) 『周易 · 大壯卦』: 구사는 곧으면 길하여, 후회가 없게 되니, 울타리가 터져서 곤궁하지 않게 되며, 큰 수레의 바퀴살이 장성하다. 육오는 양을 쉽게 잃지만, 후회가 없게 된다.〈九四, 貞吉, 悔亡, 藩決不羸, 壯于大輿之輹. 六五, 喪羊于易, 旡悔.〉
41) 『周易 · 需卦』: 彖曰, 需, 須也, 險在前也. 剛健而不陷, 其義不困窮矣. 需, 有孚, 光亨, 貞吉, 位乎天位,

상전」에서 "그 빛남이 길한 것이다"라고 하였다. 여섯 효 가운데 오효와 이효만이 알맞음으로 서로 사귀기 때문에 모두 길하다. 곧음은 가운데 있는 것으로 말하였고, 후회는 마음을 보존하는 것으로 말하였으며, 빛남은 마음에서 발하는 것으로 말하였고, 믿음은 사람들에게서 징험하는 것으로 말하였다.

### 서유신(徐有臣) 『역의의언(易義擬言)』

未濟水火不交之象, 而至外卦爲將濟之時, 故四與初相逮, 而貞吉悔亡. 五尊位又別於四所應. 九二剛中, 故貞吉而无悔也. 文明而有光, 虛中而有孚, 可以成旣濟也.

미제괘(未濟卦䷿)는 물과 불이 사귀지 않는 상이지만 외괘가 구제하려는 때가 되었기 때문에 사효와 초효가 서로 미쳤으니, 곧아서 길하여 후회가 없다. 오효는 존귀하여 또 사효가 호응하는 것과는 구별된다. 구이는 굳세고 알맞기 때문에 곧으면 길하여 후회가 없는 것이다. 문채로 밝아 빛남이 있고 비어 있고 알맞아 믿음이 있으니 기제를 이룰 수 있다.

### 이지연(李止淵) 『주역차의(周易箚疑)』

此六五, 周成王可當之.

여기의 육오는 주나라의 성왕이 그에 해당한다.

### 김기례(金箕澧) 「역요선의강목(易要選義綱目)」

六五, 貞吉无悔.

육오는 곧아서 후회가 없다.

九四, 陽居陰, 故戒以貞則吉而悔亡. 六五, 陰居陽, 故許其自貞而吉无悔. 蓋易中, 抑剛處, 勉其過剛而害陽, 抑陰處, 恐其以陰害陽, 其實皆扶陽而抑陰.

구사는 양으로 음의 자리에 있기 때문에 곧으면 길하여 허물이 없다고 경계하였다. 육오는 음으로 양의 자리에 있기 때문에 스스로 곧아서 길하여 허물이 없다고 인정하였다. 『역』에서 굳셈을 억누른 곳은 굳셈이 지나쳐 양을 해칠 것을 벗어나게 하는 것이고, 음을 억누른 곳은 음이 양을 해칠 것을 염려한 것이니, 실로 모두 양을 돕고 음을 누르는 것이다.

---

以正中也.〈「단전」에서 말하였다: 수(需)는 기다리는 것이니, 험한 것이 앞에 있다. 강건하나 빠지지 않으니, 그 의리가 곤궁하지 않을 것이다. "수(需)가 믿음이 있으면 밝게 형통하고 곧으면 길함"은 하늘 자리에 위치해서 정중(正中)하기 때문이다.〉

君子之光, 有孚, 吉.
군자의 빛남은 믿음이 있어서 길하다.
五爲文明之君, 故曰君子之光.
오효는 문명의 임금이기 때문에 "군자의 빛남"이라고 하였다.
○ 應九二之剛, 承乘上四之剛, 虛中而居尊, 以受贊襄, 故曰有孚, 然則何不能濟. 旣濟六二之反.
구이의 굳셈에 호응하고 구사의 굳셈을 받들며 올라타고 있으나 비어 있고 알맞으면서 높은 자리에 있어 도움을 받기 때문에 "믿음이 있다"고 하였으니, 그렇다면 무엇이고 구제할 수 없겠는가? 기제괘(旣濟卦䷾) 육이의 반대이다.

### 윤종섭(尹鍾燮) 『경(經)-역(易)』

未濟五, 君子之光, 以柔得中, 猶可濟時, 其輝吉也.
미제의 오효는 군자의 빛남이 부드러움으로 알맞음을 얻어 여전히 때를 구제할 수 있으니, 그 빛남이 길하다.

### 이항로(李恒老) 「주역전의동이석의(周易傳義同異釋義)」

傳, 五文明之主, 故稱其光.
『정전에서 말하였다: 오효는 문명의 주인이기 때문에 빛남을 말하였다.

本義, 文明之主, 居中應剛, 又有光輝之盛.
『본의』에서 말하였다: 문명의 주인으로 가운데 자리에 있고 굳센 양과 호응하여 또 빛남이 성대함이 있다.

按, 離爲日, 坎爲月, 日在上, 月在下. 陰陽相對, 互相資益, 故未濟之五, 光輝最盛.
내가 살펴보았다: 리괘(離卦☲)는 해이고 감괘(坎卦☵)가 달인데, 해가 위에 있고 달이 아래에 있어 음과 양이 서로 짝하여 서로 도움이 되고 보태주기 때문에 미제괘의 오효는 빛남이 최고로 성대하다.

### 심대윤(沈大允) 『주역상의점법(周易象義占法)』

未濟之訟䷅, 兩心交争也. 六五以柔中居剛, 用力任難, 委任于四, 而應于二, 六五之時, 事有當爲者, 有不當爲者, 訟之義也. 五處之得其中, 故曰貞吉无悔. 此獨取下對也, 任賢授能, 得其力以成功, 故曰君子之光有孚吉. 艮爲君子爲光, 坎爲孚. 進四于五, 進二于三, 皆成艮. 二四皆居坎體, 有以誠進于五之象. 或從四或用二, 亦爲訟之義也. 貞吉, 言處事之道吉也, 有孚吉, 言用賢之吉也.
미제괘가 송괘(訟卦䷅)로 바뀌었으니, 두 마음이 서로 싸우는 것이다. 육오가 부드럽고 알맞음으로 굳센 자리에 있어 힘써 어려움을 감당하면서 사효에게 위임하고 이효와 호응하니, 육오의 때에 일에 해야 할 것과 하지 말아야 할 것이 있는 것이 송(訟)의 의미이다. 오효가 처신에 알맞음을 얻었기 때문에 "곧아서 길하여 후회가 없다"고 하였다. 여기서는 오직 아래의 짝을 취하여 현명하고 능력 있는 자에게 맡김으로 힘을 얻어 성공하기 때문에 "군자의 빛남은 믿음이 있어서 길하다"고 하였다. 간괘(艮卦)가 군자이고 빛남이며, 감괘가 믿음이다. 사효를 오효로 밀어 올리고 이효를 삼효로 밀어 올리면 모두 간괘가 된다. 이효와 사효가 모두 감괘의 몸체에 있어 정성으로 오효에게 나아가는 상이 있다. 사효를 따르기도 하고 이효를 쓰기도 하는 것도 송(訟)의 의미이다. '곧아서 길하다'는 것은 일을 처리하는 도가 길하다는 말이고 '믿음이 있어서 길하다'는 것은 현신을 등용하는 것이 길하다는 말이다.

오치기(吳致箕) 「주역경전증해(周易經傳增解)」

六五, 當未濟之時, 以柔居尊, 而剛不足, 宜若有悔. 然居剛, 而中以行正, 故言正且吉, 而无悔, 乃以文明之德, 下應剛中之臣, 虛心求助, 而有君子德輝之盛, 相與孚信, 而將見漸濟之功, 故又言吉也.
육오는 미제의 때에 부드러움으로 존귀한 자리에 있으나 굳셈이 부족하여 후회가 있을 것 같다. 그러나 굳센 자리에 있고 알맞음으로 바름을 행하기 때문에 곧고 또 길하여 후회가 없다고 하였으니, 바로 문명의 덕으로 아래로 굳세고 알맞은 신하와 호응하여 마음을 비우고 도움을 구하는데, 군자의 빛나고 성대한 덕이 있고 서로 믿어 점차로 구제되는 공이 드러나려고 하기 때문에 또 길하다고 하였다.

○ 指六五之君曰君子, 稱其德也. 光, 取離之文明, 有孚, 取離之虛中也. 上云吉, 以德言, 下云吉, 以功言也.
육오의 임금을 가리켜 군자라고 한 것은 그 덕을 말한 것이다. '빛남[光]'은 리괘의 문명(文明)을 취한 것이고, '믿음이 있음[有孚]'은 리괘의 가운데가 비었음을 취하였다. 앞에서 길하다고 한 것은 덕으로 말한 것이고 뒤에서 길하다고 한 것은 공으로 말한 것이다.

### 이진상(李震相) 『역학관규(易學管窺)』

五爲人位, 離明得中, 故曰君子之光. 下有坎體, 而應乎九二, 故有孚吉. 暉, 日象.
오효는 사람의 자리로 리괘(離卦)의 밝음이 알맞음을 얻었기 때문에 군자의 빛남이라고 하였다. 아래에 감괘의 몸체가 있고 구이와 호응하기 때문에 믿음이 있어서 길한 것이다. '빛남'은 해의 상이다.

## 象曰, 君子之光, 其暉吉也.

「상전」에서 말하였다: "군자의 빛남"은 그 빛남이 길한 것이다.

## 中國大全

### 傳

**光盛則有暉, 暉, 光之散也. 君子積充而光盛, 至於有暉, 善之至也, 故重云吉.**

빛이 성하면 빛남[暉]이 있으니, '빛남[暉]'이란 빛이 발산하는 것이다. 군자가 쌓아 가득해서 빛이 성하여 빛남이 있는 데에 이름은 선의 지극함이기 때문에 거듭하여 '길함'을 말하였다.

### 本義

**暉者, 光之散也.**

'빛남[暉]'이란 빛이 발산하는 것이다.

#### 小註

童溪王氏曰, 暉者, 光之發也. 光盛則有暉. 然則暉生於光, 而光又生於謙, 此六五所以爲未濟之謙主也.
동계왕씨가 말하였다: '빛남[暉]'이란 빛이 발산하는 것이다. 빛이 성하면 빛남이 있다. 그러므로 빛남은 빛에서 생겨나고 빛은 또 겸손함에서 생겨나니, 이는 육오가 미제괘(未濟卦)의 겸손한 주인이 되는 까닭이다.

○ 中溪張氏曰, 君臣同心以致治, 則未濟者終濟矣. 此君子所以有光暉之吉也.
중계장씨가 말하였다: 임금과 신하가 마음을 똑같이 하여 지극하게 다스리면, 아직 이루지 못한 것도 끝내 이룰 것이다. 이것이 군자가 빛이 빛나는[光暉] 길함이 있는 까닭이다.

## 韓國大全

### 서유신(徐有臣)『역의의언(易義擬言)』

暉者, 明照及物者, 盛也. 離爲日, 故以暉釋光也.
빛남[暉]은 사물에 밝게 빛나는 것이 성대한 것이다. 리괘(離卦)가 해이기 때문에 빛남[暉]으로 빛남[光]을 해석했다.

### 이익(李瀷)『역경질서(易經疾書)』

六五之貞吉悔亡, 承九四而言, 旣克鬼方, 其有光輝信矣.
육오의 곧아서 길하여 후회가 없는 것은 구사를 이어서 말하였으니, 귀방을 이긴 다음 그 빛남이 있음에 미더운 것이다.

### 김상악(金相岳)『산천역설(山天易說)』

傳義備矣
『정전』과『본의』에 자세히 설명되어 있다.

### 심대윤(沈大允)『주역상의점법(周易象義占法)』

言其以明用賢无方, 非主一而已.
현신을 등용함에 구속됨이 없어 하나를 주로 하지 않을 뿐임을 밝히는 것으로 말하였다.

### 오치기(吳致箕)「주역경전증해(周易經傳增解)」

六五德業之盛, 有君子之光, 而其光如日之暉, 是以吉也.
육오는 성업의 성대함에 군자의 빛남이 있고, 그 빛남이 해의 빛남과 같으니, 이 때문에 길하다.

### 박문호(朴文鎬)「경설(經說)·주역(周易)」

一爻再言吉, 已見於巽九五. 而傳義至此, 特釋以見例者, 蓋以書已終也.

한 효에서 거듭 길하다고 말한 것은 이미 손괘(巽卦) 구오에 있다. 그런데 『정전』과 『본의』가 여기에서 특별히 해석해 사례로 드러낸 것은 글이 이미 끝났기 때문이다.

### 이병헌(李炳憲) 『역경금문고통론(易經今文考通論)』

姚曰, 離爲日, 故其暉吉.
요신이 말하였다: 리괘(離卦)는 해이기 때문에 그 빛남이 길한 것이다.

按, 于寶以六五爲周公攝政之象, 其義亦通.
내가 살펴보았다: 우보는 육오를 주공이 섭정한 상으로 여겼는데 그런 의미도 통한다.

## 上九, 有孚于飮酒, 无咎, 濡其首, 有孚, 失是.

정전 상구는 술을 마시는 데에 믿음을 두면 허물이 없지만, 그 머리를 적시면 믿음을 가지는 데에 옳음을 잃으리라.

본의 상구는 술을 마시는 데에 믿음을 두니 허물이 없지만, 그 머리를 적시면 자신을 너무 믿어서 옳음을 잃으리라.

## 中國大全

傳

九以剛在上, 剛之極也, 居明之上, 明之極也. 剛極而能明, 則不爲躁而爲決. 明能燭理, 剛能斷義, 居未濟之極, 非得濟之位, 无可濟之理, 則當樂天順命而已. 若否終則有傾, 時之變也, 未濟則无極而自濟之理, 故止爲未濟之極, 至誠安於義命而自樂, 則可无咎. 飮酒, 自樂也. 不樂其處, 則忿躁隕穫, 入於凶咎矣. 若從樂而耽肆過禮, 至濡其首, 亦非能安其處也. 有孚, 自信于中也. 失是, 失其宜也, 如是則於有孚, 爲失也. 人之處患難, 知其无可奈何, 而放意不反者, 豈安於義命者哉.

구(九)는 굳센 양으로 맨 위에 있으니 굳셈의 지극함이며, 밝음의 맨 위에 있으니 밝음의 지극함이다. 굳셈이 지극하고 밝을 수 있으면 조급하지 않고 결단함이 있게 된다. 밝음은 이치를 밝힐 수 있고 굳셈은 의로움을 결단할 수 있는데, '미제(未濟)'의 맨 끝에 있어 이룰 수 있는 자리가 아니고 이룰 수 있는 이치가 없으니, 하늘을 즐거워하고 명(命)에 순종해야 할 따름이다. "비색한 것이 끝나면 기울어진다"[42]는 것이라면 때가 변한 것이지만, 미제괘(未濟卦)는 지극하다고 하여 저절로 이루어지는 이치가 없기 때문에 '미제(未濟)'의 끝이 될 뿐이니, 지극히 성실하게 의로움과 명(命)에 편안히 하여 스스로 즐거워하면 허물이 없을 수 있다. '술을 마심'은 스스로 즐거워함이다. 자신의 처지를 즐거워하지 않으면 화내고 조급해 하며 마음대로 되지 않아 괴로워서 흉함과 허물에 빠진다. 만약 즐거움을 좇아 즐기는 것이 끝이 없어 예(禮)를 지나쳐서 머리를 적시는 데에 이르면, 이 또한 자신의 처지를 편안하게 여길 수 있는 것이 아니다. '믿음을 가짐[有孚]'이란 스스로 마음에서 믿음이다.

---

42) 『周易 · 否卦』: 上九, 象曰, 否終則傾, 何可長也.

'옳음을 잃음'이란 그 마땅함을 잃음이니, 이와 같이 되면 믿음이 있음에 대하여 잘못된다. 사람 중에 환난(患難)에 당했을 때에 어찌할 줄 몰라 마음대로 하며 돌아오지 않는 자가 어찌 의로움과 명(命)에 대하여 편안하게 여기는 자이겠는가?

小註

建安丘氏曰, 旣言飮酒之无咎, 復言飮酒濡首之失, 何耶. 蓋飮酒可也, 耽飮而至於濡首, 則昔之有孚者, 今失於是矣.

건안구씨가 말하였다: 술을 마심에 허물이 없다고 말한 다음 다시 술을 마셔 머리를 적시게 되는 잘못을 말한 것은 어째서인가? 술을 마심은 괜찮지만, 마시는 데에 빠져 머리를 적시기까지 했다면 예전에는 믿음이 있던 자가 이제는 여기서 믿음을 잃었기 때문이다.

○ 誠齋楊氏曰, 旣濟上六之濡首者, 水也, 未濟上九之濡首者, 非水也, 酒也. 水之溺人, 溺其一身, 酒之溺人, 溺其心以及其天下國家. 故洚水之害, 小於儀狄之酒, 禹惡旨酒之功, 大於平洚水.

성재양씨가 말하였다: 기제괘(旣濟卦䷾)의 상육에서 머리를 적시는 것은 물이고, 미제괘(未濟卦)의 상구에서 머리를 적시는 것은 물이 아니라 술이다. 물이 사람을 빠뜨림은 그 한 사람의 몸을 빠뜨리는 것이지만, 술이 사람을 빠뜨림은 그 마음을 빠뜨림이 천하 국가에까지 미친 것이다. 그러므로 홍수의 피해는 의적(儀狄)이 만든 술보다 작고, 우임금이 단 술을 싫어하였던 공은 홍수를 다스리는 것보다 크다.[43]

本義

**以剛明, 居未濟之極, 時將可以有爲, 而自信自養以俟命, 无咎之道也. 若縱而不反, 如狐之涉水而濡其首, 則過於自信, 而失其義矣.**

굳세고 밝음으로 '미제(未濟)'의 맨 끝에 있어서 때가 훌륭한 일을 할 수 있고 스스로를 믿고 스스로 기르며 명(命)을 기다리니, 허물이 없는 도이다. 만약 방종하여 돌아오지 않기를 마치 여우가 물을 건너는 것처럼 그 머리를 적신다면, 스스로 믿음을 지나쳐서 그 의로움을 잃게 된다.

---

43) 『戰國策·魏策』: 魯君興, 避席擇言曰, 昔者, 帝女令儀狄作酒而美, 進之禹, 禹飮而甘之, 遂疏儀狄, 絶旨酒, 曰, 後世必有以酒亡其國者.

**小註**

朱子曰, 未濟卦取狐爲象, 上象頭, 下象尾.
주자가 말하였다: 미제괘(未濟卦)는 여우를 취하여 상으로 삼았으니, 위는 머리를 상징하고 아래는 꼬리를 상징한다.

○ 未濟只陽爻便好, 陰爻便不好, 但六五上九兩爻不如此. 六五謂其得中, 故以爲吉, 上九有可濟時之才, 又當未濟之極, 可以濟矣, 亦不云吉, 更曉不得.
미제괘(未濟卦)에서는 양효만 좋고 음효는 좋지 않는데, 오직 육오와 상구 두 효는 이와 같지 않다. 육오는 「단전」에서 알맞음을 얻었기 때문에 길하다고 말하였고[44], 상구는 때를 구제할 수 있는 자질을 가지고 있고 또 '미제(未濟)'의 끝에 해당하여 이룰 수 있는데도 또한 '길하다'고 말하지 않았으니, 분명하게 알 수가 없다.

又曰, 濡首, 分明是狐過溪而濡其首, 今象卻云飮酒濡首, 皆不可曉.
또 말하였다: '머리를 적심'은 분명히 여우가 시내를 건너면서 그 머리를 적심인데, 이제 「상전」에서 도리어 "술을 마셔 머리를 적심"이라고 하였으니, 모두 분명하게 알 수가 없다.

○ 問, 未濟上九, 以陽居未濟之極, 宜可以濟, 而反不善者, 竊謂未濟, 則當寬靜以待. 九二九四以陽居陰, 皆能靜守. 上九則極陽不中, 所以如此. 曰, 也未見得是如此. 大抵時運旣當未濟, 雖有陽剛之才, 亦无所用, 況又不得位. 所以如此.
물었다: 미제괘(未濟卦)의 상구는 양으로 '미제(未濟)'의 끝에 있어서 당연히 건너갈 수 있는데도 도리어 잘하지 못하는 자이니, 제가 생각하기에 '미제(未濟)'는 너그럽고 고요하게 하여 기다려야 합니다. 구이와 구사는 양으로 음의 자리에 있어서 모두 고요하게 지킬 수 있지만, 상구는 지극한 양으로 알맞지 않기 때문에 이와 같습니다. 어떻습니까?
답하였다: 또한 이와 같음을 알 수가 없습니다. 대체로 시운(時運)이 이미 '미제(未濟)'를 만났다면 비록 굳센 양의 자질이 있더라도 또한 소용이 없는데, 하물며 또 지위를 얻지 못한 데에 있어서이겠습니까? 그래서 이와 같습니다.

○ 易不是說殺底物事, 只可輕輕地說. 若是確定一爻吉一爻凶, 便是揚子雲太玄了, 易不恁地. 兩卦各自說濡尾濡首, 不必拘說在此言首, 在彼言尾. 大概旣濟是那日中將晡時候, 盛了, 只是向衰去. 未濟是那五更初時, 只是向明去. 聖人當初見這個爻裏, 有

---

44) 『周易 · 未濟卦』: 象曰, 未濟亨, 柔得中也,

這個意思, 便說出這一爻來. 或是從陰陽上說, 或是從卦位上說, 他這個說得散漫, 不恁地逼拶他, 他這個說得疏, 到他密時, 盛水不漏, 到他疏時, 疏得无理會. 若只要就名義上求他, 便是今人說易了, 大失他易底本意. 周公做這爻辭, 只依稀地見這個意, 便說這個事出來, 大段散漫.
『주역』은 판에 박은 듯이 설명할 것이 아니라, 다만 가볍게 설명해야 되는 것일 뿐이다. 만약 한 효는 길하고 한 효는 흉하다고 확정하는 것이라면, 곧 양웅(揚雄)의 태현(太玄)[45]이 되어 버리니, 『주역』은 그렇지 않다. 기제괘(既濟卦䷾)와 미제괘(未濟卦) 두 괘는 각각 스스로 '꼬리를 적심'을 말하고 '머리를 적심'을 말하였으니, 반드시 여기에서는 '머리'를 말하고 저기에서는 '꼬리'를 말하는 데에 구속되어 설명할 필요는 없다. 대체로 기제괘(既濟卦)는 저 하루 가운데 저녁때에 성대해지는 것이니, 쇠한 데로 향하는 것일 뿐이다. 미제괘(未濟卦)는 저 하루가 밝아오는 초기이니, 밝은 데로 향한 것일 뿐이다. 성인(聖人)이 당초에 이 효의 속뜻을 보고서 이러한 생각을 가지고 바로 여기 한 효를 설명하였다. 혹 음양으로 설명하였고 혹 괘에서 효의 자리로 설명하여 그 설명이 산만할 수 있고, 그렇게 다그치지 않아 그 설명이 엉성할 수 있으나, 저것이 엄밀한 때에는 물을 담아도 새지 않고, 저것이 엉성한 때에는 이해할 수 없을 만큼 엉성하다. 만약 단지 이름과 뜻으로 저것을 구하고자 한다면, 이는 곧 오늘날의 사람들이 『주역』을 설명하는 것이 되어 저 『주역』의 본래 뜻을 크게 잃게 된다. 주공(周公)이 효사를 지을 때에 이러한 뜻을 어렴풋이 알고 바로 이러한 일을 설명했으니 아주 산만하다.

○ 節齋蔡氏曰, 五爲濟主, 三四助之, 已成濟功矣, 己獨處上, 无所用力, 唯孚于飮酒自樂, 不妄生事, 乃爲无咎.
절재채씨가 말하였다: 오효가 '이루는' 주인이어서 삼효와 사효가 도와 이미 구제하는 공을 이루었는데, 자신이 홀로 맨 위에 있어 힘을 쓸 일이 없다. 오직 술을 마셔 스스로 즐거워하는 데에 믿음을 두어 함부로 일을 만들지 않으니 허물이 없게 된다.

又曰, 既濟之後必亂, 故主在初卦, 而亨取二, 未濟之後必濟, 故主在上卦, 而亨取五.
또 말하였다: '기제(既濟)'의 뒤에는 반드시 어지러워지기 때문에 주인이 초효에 있는데도 형통함을 이효에서 취하였고, '미제(未濟)'의 뒤에는 반드시 이루기 때문에 주인이 상효에

45) 태현(太玄): 전한(前漢) 말기의 양웅(揚雄)이 사용한 용어이다. 『주역』을 본 따 『태현경(太玄經)』을 저술하여 우주의 원리와 발전을 논하였는데, 그는 현(玄)을 우주의 근본이라 하였다. 여기에서 만물이 생긴다는 그의 생각은 노장의 도(道) 사상과 역(易)의 생성론(生成論)과 상통하는 점이 있으나, 현(玄)에 시(始)·중(中)·종(終)의 삼원이 있다고 한 점은 특이하다.(『철학사전』, 2009, 중원문화.)

있는데도 형통함을 오효에서 취하였다.

○ 雲峯胡氏曰, 旣濟三陽皆得位, 未濟三陽皆失位. 然旣濟初曳輪, 未濟二亦曳輪, 旣濟三伐鬼方, 未濟四亦伐鬼方. 旣濟之五, 反不如未濟之上者, 以時而言, 未濟不如旣濟之初, 旣濟不如未濟之終也. 程傳於此二爻發出義命二字, 本義分言之, 蓋謂未濟之極, 將可濟矣, 自信自養, 所以俟命也. 若縱而不反, 如狐之濡其首, 則過於自信自養, 而失其義矣. 命在天, 義在我, 不能自信自樂以俟命, 非也, 過於自信自樂, 而失我之義, 亦非也. 周公係易, 於旣濟之終, 以濡其首爲時事之失, 於未濟之終, 以濡其首爲人事之失, 其與民同患之意, 愈切故於辭愈懼. 善學易者, 信不可頃刻不知所懼也.
운봉호씨가 말하였다: 기제괘(旣濟卦☲)의 세 양은 모두 제자리를 얻었고, 미제괘(未濟卦)의 세 양은 모두 제자리를 잃었다. 그러나 기제괘(旣濟卦)의 초효에서 "수레바퀴를 뒤로 끈다"[46]고 하였는데 미제괘(未濟卦) 이효에서도 또 "수레바퀴를 뒤로 끌듯이 한다"고 하였고, 기제괘(旣濟卦) 삼효에서 "귀방(鬼方)을 정벌한다"[47]고 하였는데 미제괘(未濟卦) 사효에서도 또한 "귀방(鬼方)을 정벌한다"고 하였다. 그런데 기제괘(旣濟卦)의 오효가 도리어 미제괘(未濟卦)의 상효만 못한 것은 때로써 말하였기 때문이니, '미제(未濟)'는 기제괘(旣濟卦)의 처음만 못하고 '기제(旣濟)'는 미제괘(未濟卦)의 끝[終]만 못하다. 『정전』에서는 이 두 효에 대하여 '의로움[義]'과 '명(命)'이라는 두 글자를 드러내었고, 『본의』에서는 나누어 말하였으니 '미제(未濟)'의 끝은 이룰 수 있어서 스스로 믿고 기다리기 때문에 명(命)을 기다린다는 말이다. 만약 방종하여 돌아오지 않기를 마치 여우가 그 머리를 적시는 것과 같이 한다면, 스스로 믿고 기름이 지나쳐서 그 의로움을 잃게 된다. '명(命)'은 하늘에 달려 있고 '의로움'은 자신에게 달려 있으니, 스스로 믿고 즐거워하면서 명을 기다릴 수 없음은 잘못이고, 스스로 믿고 즐거워함을 지나치게 하여 자신의 의로움을 잃음도 또한 잘못이다. 주공(周公)이 『주역』에 효사를 붙일 때에, 기제괘(旣濟卦)의 끝에서는 '머리를 적심'을 당시의 일에서 일어나는 잘못으로 여기고, 미제괘(未濟卦)의 끝에서는 '머리를 적심'을 사람의 일에서 일어나는 잘못으로 여겼으니, 백성들과 걱정을 함께하는 뜻이 더욱 절실하기 때문에 말에서도 더욱 두려워하였다. 『주역』을 잘 배우려는 자는 진실로 잠시라도 두려워할 줄 몰라서는 안 된다.

○ 西溪李氏曰, 聖人設卦必終於未濟者, 所以寓生生不窮之意也. 未濟易之終, 上九未濟之終, 生生不窮之理在是. 大亂者治之基, 治者亂之伏. 未濟之極, 豈終不濟哉.

46) 『周易·旣濟卦』: 初九, 曳其輪, 濡其尾, 无咎.
47) 『周易·旣濟卦』: 九三, 高宗伐鬼方, 三年克之, 小人勿用.

以上九之才言, 終於必濟矣.

서계이씨가 말하였다: 성인(聖人)이 괘를 배열할 때에 굳이 미제괘(未濟卦)에서 끝낸 것은 낳고 낳아 다하지 않는 뜻을 함축시키려고 한 것이다. 미제괘(未濟卦)는 『주역』의 끝이고, 상구는 미제괘(未濟卦)의 끝이니, 낳고 낳아 다하지 않는 이치가 여기에 있다. 크게 어지러움은 다스림의 기초이고, 잘 다스려짐은 어지러움을 숨기고 있으니, '미제(未濟)'의 끝이 어찌 끝내 구제되지 않겠는가? 상구의 자질로써 말하면, 반드시 구제되는 데에서 끝날 것이다.

## ‖韓國大全‖

### 김장생(金長生) 『경서변의(經書辨疑)-주역(周易)』

海平尹斗壽相公, 及崔生命龍云, 未濟飮酒濡首之辭, 爻與象有異, 周公孔子兩說, 不同云云.

해평 윤두수(尹斗壽) 상공[48]과 최명룡(崔命龍)[49]이 말하였다: 미제괘의 술을 마시고 머리를 적신다는 말은 효사와 「소상전」이 다르니, 주공과 공자의 두 설명이 같지 않기 때문이다.

○ 崔岦曰, 上九, 以陽實居之, 有孚者也. 旣有孚矣, 雖飮酒亦可, 此甚言孚之可保也. 然又耽肆至於濡首之飮, 則竝與孚而失之矣. 易之取義, 觸類而長, 如說濟便生濡義, 說濡便生濡首義, 於狐於飮酒, 何拘之有焉. 朱子說獨異夫小象之飮酒濡首, 殊未曉得云云.

최립(崔岦)[50]이 말하였다: 상구는 실한 양으로 있어 믿음을 두는 자이다. 이미 믿음을 두어

---

48) 윤두수(尹斗壽 : 1533－1601) : 조선 중기의 문신으로 1592년 임진왜란이 일어나자 선조와 함께 피난길에 올라 어영대장 · 우의정을 거쳐 평양에서 좌의정에 올랐다. 문장에 능하고 글씨도 뛰어나 문징명체에 일가를 이루었다. 1589년 정여립(鄭汝立)의 역모사건을 계기로 일어난 기축옥사를 통해 서인이 동인을 제거하고 정권을 장악한 뒤, 대사헌 · 호조판서를 지냈다. 저서로는 『오음유고(梧陰遺稿)』 · 『성인록(成仁錄)』 · 편서로는 『기자지(箕子志)』 · 『평양지(平壤志)』 · 『연안지(延安志)』 등이 있다. 시호는 문정(文靖)이다.

49) 최명룡(崔命龍 : 1567－1621) : 역학에 깊고 수학에 정통한 조선 중기의 문인 화가로 자는 여윤(汝允)이다.

50) 최립(崔岦 : 1539－1612) : 자는 입지(立之), 호는 간이(簡易) · 동고(東皐)이며, 진사 최자양(崔自陽)의 아들이다. 1555년(명종 10) 17세의 나이로 진사가 되고, 1561년 식년문과에서 장원급제하였다. 여러 벼슬을 거친 뒤, 형조참판에 이르러 사직하고 평양에 은거하였다. 당대의 문장가로 인정받아 중국과의 외교문서를 많이 작성하였다. 또한 역학(易學)에 심오하여 『주역본의구결부설(周易本義口訣附說)』 등 2권의 저서를

술을 마셔도 되니, 이것은 믿음을 보존할 수 있음을 심하게 말한 것이다. 그러나 즐기는 것이 끝이 없어 머리를 적실 정도로 마시게 되면 믿음과 함께 해도 잘못된다. 『역』에서 의미를 취하는 것은 유(類)에 따라 확장한 것으로 이를테면 건넌다고 했으면 바로 적신다는 의미를 내놓고 적신다고 했으면 머리를 적신다는 의미를 내놓으니, 여우이든 술 마심이든 어찌 구애될 것이 있겠는가? 주자의 설명은 유독 「소상전」의 '술을 마셔 머리를 적심'과 다르니, 도무지 알 수 없다.

○ 愚按, 旣濟未濟, 兩卦上下, 濡尾濡首, 皆以狐言之. 而獨於此飮酒濡首, 不應遽變其文意也. 程傳, 所謂耽肆過禮, 至濡其首者, 亦蒙上文, 如狐涉水之意, 而不加如一字也, 又何疑乎. 以愚觀之, 海平及二崔之言, 恐竝失之也.
내가 살펴보았다: 기제와 미제 두 괘의 상괘와 하괘에서 '꼬리를 적시는 것'과 '머리를 적시는 것'은 모두 여우로 말하였다. 그런데 오직 여기에서의 '술을 마셔 머리를 적심'만 갑자기 그 글의 의미를 바꾸어서는 안 될 것이다. 『정전』의 이른바 '즐기는 것이 끝이 없어 예(禮)를 지나쳐서 머리를 적시는 데에 이르면'이라는 구절도 위의 글을 이어받은 것으로 '여우가 물을 건너듯 한다'는 의미이지만 '같다'는 글자를 쓰지는 않았다. 어찌 또 의심하겠는가? 내가 보기에는 해평과 두 최씨의 말은 모두 잘못된 것 같다.

○ 景任曰, 易之爲書, 與他書不同. 每卦之爻, 各自取象, 非如大學中庸之文, 首尾貫通, 上下照應.
경임(景任)[51]이 말하였다: 『역』이라는 책은 다른 책과 같지 않다. 매 괘의 효사는 각기 스스로 상을 취해 『대학』과 『중용』의 글이 처음부터 끝까지 관통되어 있으면서 위아래로 호응하는 것과 같지 않다.

竊謂, 兩卦諸爻, 濡首濡尾, 雖皆以狐取象, 而未濟之上九, 不妨自以飮酒濡首取象, 如乾之五爻, 皆以龍取象, 而中間九三一爻, 則自以君子乾乾取象也. 崔岦所論, 甚愜鄙意.
내가 살펴보았다: 두 괘의 여러 효에서 머리를 적시고 꼬리를 적시는 것이 모두 여우로 상을 취했으나 미제괘의 상구에서 술을 마시고 머리를 적시는 것으로 상을 취한 것에 방해

---

남겼다. 문집으로 『간이집』이 있고 시학서(詩學書)로 『십가근체시(十家近體詩)』와 『한사열전초(漢史列傳抄)』 등이 있다.

51) 정경세(鄭經世, 1563~1633) : 조선 중기의 문신 학자로 자가 경임(景任)이고 호는 우복(愚伏)이다. 저서로는 『양정편(養正篇)』과 『주문작해(朱文酌海)』 등이 있다.

되지 않으니, 건괘(乾卦)의 다섯 효에서 모두 용으로 상을 취했으나 중간의 구삼 한 효에서 군자가 힘쓰고 힘쓰는 것으로 상을 취한 것과 같다. 최립(崔岦)의 설명은 내 마음에 아주 흡족하다.

### 송시열(宋時烈) 『역설(易說)』

飮酒者, 坎象也. 下有坎酒, 而上九飮之, 此有孚无咎. 若飮之而不知節, 昏醉潦倒, 濡首而不能反, 則終失无咎之道, 故曰失是. 是者, 卽无咎也.
술을 마시는 것은 감괘(坎卦)의 상이다. 아래에 감괘라는 술이 있어 상구가 마시니, 이것이 믿음을 두면 허물이 없다는 것이다. 술을 마시면서 절제를 모르면 어둡고 취해 큰 비에 넘어지고 머리를 적시고 돌아가지 못하니, 마침내 허물이 없는 도를 잃어버리기 때문에 "옳음을 잃는다"고 하였다. '옳음'은 바로 '허물이 없는 것'이다.

### 이익(李瀷) 『역경질서(易經疾書)』

上九之辭, 與旣濟之上六同, 故曰亦不知節也, 亦字, 宜諦看, 誠若不知節, 而至於濡首, 則其失是者, 信然矣. 是者, 指上文君子之光也. 易中言酒者, 四, 需坎困未濟, 皆險難之時也. 旣未濟兩卦槪相似, 然其征伐, 則旣濟先, 而未濟後, 故其伐也, 彼以高宗, 則天子之事也, 此以文王, 則諸侯之事也. 若自未濟, 而至於旣濟, 則周之武王, 亦可以當之矣.
상구의 말은 기제 상육과 같기 때문에 "또한 절제를 알지 못하는 것이다"라고 하였으니, '또한'이라는 말을 잘 살펴야 한다. 진실로 절제를 알지 못해 머리를 적시게 되었다면 옳음을 잃은 것이 진실로 그럴 것이다. '옳음'은 앞에 있는 육오에서 군자의 빛남이다. 『역』에서 술을 말한 경우는 네 군데 수괘(需卦)·감괘(坎卦)·곤괘(困卦)·미제괘(未濟卦)로 모두 험난한 때이다. 기제괘(旣濟卦)와 미제괘(未濟卦)는 대체로 서로 비슷하지만 정벌하는 것은 기제괘가 앞이고 미제괘가 뒤이기 때문에 그 정벌이 저기에서 고종은 천자의 일이고 여기에서 문왕은 제후의 일이다. 미제괘에서 시작해서 기제괘에 이르렀다면 주나라 무왕이 또한 그것에 해당할 수 있을 것이다.

### 임성주(任聖周) 「주역(周易)」

未濟上九, 以剛明之極, 居未濟之終, 旣富有其具, 而時亦可以有爲, 然旣在旡位之地, 無所致力, 只自信自養, 以俟天命而已. 故曰有孚于飮酒, 如伊尹耕於有莘之野, 囂囂然樂堯舜之道, 是也. 若於湯三聘之後, 猶依舊囂囂, 不思幡然, 則所謂飮酒濡首, 有孚失是者也. 蓋幡然一起, 君臣際會, 則自上九而爲九二, 由未濟而向旣濟, 上下相應, 一德同輝, 終則有始, 生生不窮矣.
미제괘의 상구는 굳세고 밝은 궁극으로 미제의 끝에 있으니, 이미 갖출 것을 풍부하게 소유하여 어느 때라도 큰일을 할 수 있으나 이미 지위가 없는 곳이어서 힘을 쓸 수가 없고 단지 자신을 믿고 스스로 기르면서 천명을 기다릴 뿐이다. 그러므로 "술을 마시는 데에 믿음을 둔다"고 하였으니, 이를테면 이윤이 유신(有莘)의 들에서 농사지으며 태연히 요순의 도를 즐긴 것이 여기에 해당한다. 만약 탕이 세 번 초빙한 뒤에도 여전히 그대로 마음을 바꿀 것을 생각하지 않았다면 자신을 너무 믿어 옳음을 잃은 것이다. 마음을 바꾸어 한 번 일어나 임금과 신하가 서로 만난 것은 상구에서 구이가 된 것이고, 미제로 말미암아 기제로 향한 것이며, 상하가 서로 호응하여 덕을 하나로 하여 함께 빛나는 것이고, 끝나면 시작이 있어 낳고 낳아 다하지 않는 것이다.

### 유정원(柳正源) 『역해참고(易解參攷)』

王氏曰, 未濟之極, 則反於旣濟, 旣濟之道, 所任者當也. 所任者當, 則可信者, 无疑而已逸焉, 故曰有孚于飮食无咎.
왕필이 말하였다: 미제의 끝은 기제로 되돌아가니, 기제의 도는 책임자가 맡는다. 책임자가 맡으면 믿을 수 있는 자는 의심 없이 이미 기뻐하기 때문에 "술을 마시는 데에 믿음을 두니 허물이 없다"고 하였다.

○ 朱子曰, 未濟九四與上九有孚, 皆不可曉, 只得且依俙如此說.
주자가 말하였다: 미제괘의 구사와 상구의 믿음을 둔다는 것은 모두 알 수 없는데, 다만 어렴풋이 이처럼 설명할 수 있었던 것이다.

○ 林氏曰, 坎爲酒象, 離中虛, 飮酒象, 濡首, 沈溺之形.
임씨가 말하였다: 감괘는 술의 상이고, 리괘의 가운데가 비어 있는 것은 술을 마시는 상이며, 머리를 적시는 것은 물에 빠진 모양이다.

○ 進齋徐氏曰, 濡坎象, 首上象.
진재서씨가 말하였다: 적시는 것은 감괘의 상이고, 머리는 상효의 상이다.

○ 西山眞氏曰, 按程傳, 自需有孚至此爻, 論孚信之義, 无一不切於用者, 皆當熟玩而服膺焉.

서산진씨가 말하였다: 『정전』을 살펴보건대 수괘(需卦)의 '믿음이 있다'는 것에서 여기의 효까지 믿음을 논한 의미가 어느 것도 쓰임에 절실하지 않은 것이 없으니, 모두 익숙하게 익혀서 가슴으로 받아들여야 한다.

○ 案, 明極則安於天理而自樂, 剛極則過於自信而失義.
내가 살펴보았다: 밝음이 끝까지 가면 천리에 편안하여 스스로 즐겁고, 굳셈이 끝까지 가면 자신을 믿는 데에 지나쳐서 의로움을 잃는다.

本義, 小註, 朱子說, 晡晡. 〈說文, 晡, 申時食.〉
『본의』 소주 주자의 설에서 '저녁 먹을 때'에 대해. 〈『설문해자』에서 저녁 먹을 때는 신시(申時)의 식사이다.〉

○ 案, 宋時方言, 以申時爲晡晡.
내가 살펴보았다: 송나라 때의 방언에서는 신시를 저녁 먹을 때로 여겼다.

## 김상악(金相岳)『산천역설(山天易說)』

上九, 以陽剛居離之終, 與五相比, 爲坎之悔, 與三相應, 自信自養, 有孚于飮酒而无咎. 然縱而不反, 如狐之涉水而濡首, 則過於自信而失其義矣.
상구는 양의 굳셈이 리괘(離卦)의 끝에 있어 오효와 서로 가까운 것이 감괘(坎卦)의 후회이고, 삼효와 서로 호응하여 스스로 믿고 스스로 기르는 것이 술을 마시는 데에 믿음을 두어 허물이 없는 것이다. 그러나 방종하여 되돌아올 줄 모르는 것이 여우가 물을 건너면서 머리를 적시는 것과 같다면 자신을 너무 믿어서 그 의로움을 잃은 것이다.

○ 上有孚, 離之中虛也, 下有孚, 坎之中實也. 酒, 坎象, 故需九五困九二未濟上九, 皆言酒. 考異, 文王周公以酒誥戒, 其象見於易, 其言詳於書, 三爻皆陽剛制之意也. 濡其首, 見旣濟上六. 初之濡尾, 上之濡首, 所謂畏首畏尾, 身其餘幾者也, 所以旣濟, 而猶厲未濟, 而失是, 上變爲解, 解之二,[52] 取三狐之象, 故卦言小狐, 而初上之象, 亦如此. 乾居上經之首, 故六爻, 皆取龍象. 中孚小過旣濟未濟, 居下經之末, 故豚魚飛鳥小狐, 取象雜亂, 皆潛龍之變化也. 剛爻始於乾初九, 終於未濟上九, 所以匪風下泉, 居變風之末.

---

52) 二: 경학자료집성DB와 영인본에 '三'으로 되어 있으나, 문맥을 살펴 '二'로 바로잡았다.

앞의 '믿음을 두는 것'은 리괘(離卦)의 가운데가 비었기 때문이고, 뒤의 '믿음을 가지는 것'은 감괘(坎卦)의 가운데가 차 있기 때문이다. 술은 감괘의 상이기 때문에 수괘(需卦䷄)의 구오 · 곤괘(困卦䷮)의 구이 · 미제괘(未濟卦䷿)의 상구에서 모두 술을 말하였다. 그런데 『고이(考異)』에서 문왕과 주공이 술로 경계를 내린 것은 그 상이 『역경』에 있고, 그 말이 『서경』에 있으니, 세 효는 모두 양의 굳셈이 제재하는 의미이다. '머리를 적시는 것'에 대한 설명은 기제괘 상육에 있다. 초효의 꼬리를 적심과 상효의 머리를 적심은 이른바 『춘추좌씨전』의 "머리가 될까 두려워하고, 꼬리가 될까 두려워한다면, 몸 전체 중에 걱정되지 않는 부분이 얼마나 되겠는가"라는 것이기 때문에 기제(旣濟)인데도 여전히 미제(未濟)인 것을 괴로워하는 것인데, 옳음을 잃은 것은 상효가 변해 해괘(解卦䷧)가 된 것이다. 해괘의 이효에서 세 마리 여우의 상을 취하였기 때문에 괘에서 어린 여우를 말하였는데, 초효와 상효의 상도 이와 같다. 건괘(乾卦)는 상경의 처음에 있기 때문에 여섯 효에서 모두 용의 상을 취하였다. 중부괘(中孚卦) · 소과괘(小過卦) · 기제괘(旣濟卦) · 미제괘(未濟卦)는 하경의 끝에 있기 때문에 돼지와 물고기 · 나는 새 · 어린 여우 등 상을 취함이 어지럽게 뒤섞여 있는데, 모두 잠겨 있는 용이 변화한 것이다. 굳센 효가 건괘의 초구에서 시작하여 미제괘의 상구에서 끝났기 때문에 『시경』의 「비풍(匪風)」과 「하천(下泉)」[53]이 「변풍(變風)」[54]의 끝에 있다.

## 서유신(徐有臣) 『역의의언(易義擬言)』

坎爲酒, 應於坎, 孚于飮酒也. 上爲首, 水深而濡首, 未可涉也. 凡揭厲者, 飮酒浹洽, 可以扶吾之氣, 禦水之寒. 故爲无咎也. 然飮酒, 自有其時, 濡首之時, 不宜於飮, 而上九尙有孚於三, 失其時宜也. 是與時通.

감괘(坎卦)가 술인데, 감괘와 호응하니, 술을 마시는 데에 믿음을 두는 것이다. 상효가 머리인데, 물이 깊어 머리를 적시니, 아직 건너가지 못하는 것이다. 높이 들어 떨쳐 일으키는 것은 술을 마신 덕분에 나의 기운을 돋우어 차가운 물에 대비할 수 있다는 것이다. 그러므로 허물이 없다. 그러나 술을 마시는 데에는 본래 때가 있어 머리를 적시는 때에는 술을 마시는 것이 옳지 않는데, 상구가 여전히 삼효에 믿음을 두니, 때의 마땅함을 잃은 것이다. '옳음[是]'은 때와 통한다.

---

53) 「비풍 · 하천(匪風 · 下泉)」: 『시경』의 편명으로, 모두 현자가 나라의 어지러움을 슬퍼한 시들이다.

54) 「변풍(變風)」: 『시경』 대서(大序)의 국풍(國風) 가운데 패(邶)에서부터 빈(豳)까지의 13국(國)에서 지어진 시를 말하는데, 『시경』 대서(大序)에 "왕도(王道)가 쇠하고 예의가 없어지며 정치가 잘못되면서 변풍(變風)과 변아(變雅)가 생기기 시작했다"라고 하였다

## 박제가(朴齊家) 『주역(周易)』

酒者, 水中有火交濟之物, 在醫方, 爲陰陽雙補之劑. 故必曰酒, 必曰孚. 孚, 亦交感之義, 然飮不知節, 而至於濡首, 則失其所謂孚者矣. 酒無當於濡首, 而曰濡首者, 上旣言尾, 上卦之終, 亦言濡首. 此之爲象, 固不可廢, 故接之于飮酒之下, 爲醉極而溺之象, 可謂辯矣. 以言者尙其辭者, 不其信乎.
술은 물속에 불이 있어 서로 구제하는 것이라 의술에서는 음과 양이 서로 보완하는 약제이다. 그러므로 굳이 '술'이라고 하고 '믿음'이라고 하였다. 믿음도 교감의 의미이다. 그러나 술을 마시면서 절제를 몰라 머리를 적시게 되면 이른바 믿음을 잃은 자이다. 술은 머리를 적시는 것과 관련이 없는데 "머리를 적시면"이라고 한 것은 앞에서 이미 꼬리를 말하였기에 상괘의 끝에서도 머리를 적신다고 말하였던 것이다. 여기 효에서의 상은 진실로 없앨 수 없기 때문에 술을 마신다는 말 아래에 연결해서 극도로 취해서 빠지는 상으로 하였던 것은 말을 교묘하게 했다고 할 수 있으니, 「계사전」의 말하는 자는 말을 숭상한다는 것을 믿지 않을 수 있겠는가!

朱子曰, 分明是狐過溪而濡其首, 今象卻云飮酒濡首, 皆不可曉者.
주자가 말하였다: '머리를 적심'은 분명히 여우가 시내를 건너면서 그 머리를 적심인데, 이제 「상전」에서 도리어 "술을 마셔 머리를 적심"이라고 하였으니, 모두 분명하게 알 수가 없다.
蓋不謂聖人之巧變至於斯也.
성인이 교묘하게 변화시킨 것이 여기에 이를 줄은 몰랐던 것이다.

朱子曰, 易不是說殺底物事, 只可輕輕地說. 若是確定一爻吉一爻凶, 便是楊子雲太玄了, 易不恁地. 兩卦各自說濡尾濡首, 不必拘說在此言首, 在彼言尾. 可謂確說. 然此之首尾, 則確有定位, 但狐之尾, 而不必狐之首, 則獨不可拘了.
주자가 말하였다: 『주역』은 판에 박은 듯이 설명할 것이 아니라, 다만 가볍게 설명해야 되는 것일 뿐이다. 만약 한 효는 길하고 한 효는 흉하다고 확정하는 것이라면, 곧 양웅(揚雄)의 태현(太玄)이 되어 버리니, 『주역』은 그렇지 않다. 기제괘(旣濟卦䷾)와 미제괘(未濟卦□) 두 괘는 각자 '꼬리를 적심'을 말하고 '머리를 적심'을 말하였으니, 반드시 여기에서는 '머리'를 말하고 저기에서는 '꼬리'를 말하는 데에 구속되어 설명할 필요는 없다"라고 하였다. 확설(確說)이라 할 만하다. 그러나 여기서의 머리와 꼬리는 확실하게 정해진 위치가 있고, 단지 여우의 꼬리라서 반드시 여우의 머리가 아니라는 것에는 특히 구속될 필요는 없다.

又曰, 旣濟是日中衙晡時候, 盛了. 只是向衰去. 未濟是五更初時, 只是向明去. 聖人當初見這箇爻裏, 有這箇意思, 便說出這一爻來. 或是從陰陽上說, 或是從卦位上說, 他這箇說得散漫, 不恁地逼煞他, 他這箇說得疏, 到他密時, 盛水不漏, 到他疏時, 疏得无理會. 若只要就名義上求他, 便是今人說易了, 大失他易這本意. 周公做這爻辭, 只依俙地見這箇意, 便說這箇事出來, 大段散漫.
또 주자가 말하였다: 기제괘(旣濟卦)는 저 하루 가운데 저녁때에 성대해지는 것이니, 쇠한 데로 향하는 것일 뿐이다. 미제괘(未濟卦)는 저 하루가 밝아오는 초기이니, 밝은 데로 향한 것일 뿐이다. 성인(聖人)이 당초에 이 효의 속뜻을 보고서 이러한 생각을 가지고 바로 여기 한 효를 설명하였다. 혹 음양으로 설명하였고 혹 괘에서 효의 자리로 설명하여 그 설명이 산만할 수 있고, 그렇게 다그치지 않아 그 설명이 엉성할 수 있으나, 저것이 엄밀한 때에는 물을 담아도 새지 않고, 저것이 엉성한 때에는 이해할 수 없을 만큼 엉성하다. 만약 단지 이름과 뜻으로 저것을 구하고자 한다면, 이는 곧 오늘날의 사람들이 『주역』을 설명하는 것이 되어 저 『주역』의 본래 뜻을 크게 잃게 된다. 주공(周公)이 효사를 지을 때에 이러한 뜻을 어렴풋이 알고 바로 이러한 일을 설명했으니 아주 산만하다.

可謂說得盡. 大抵朱子於易, 謂未曉處多者, 是爲勝於人之知者多者矣. 然依俙者, 後人之依俙, 非聖人依俙地說也, 其曰散漫者, 天下萬理, 約之於六位之中, 所謂掛一漏萬, 存十一於千百者也. 固不可確定一爻吉一爻凶, 但非故爲散漫疏略說話. 象旣不傳, 亦不可傳底物事, 然今之所謂疏者, 安知非極密耶. 不可以見之疏而謂本不密也.
주자의 이런 설명들은 설명을 다했다고 할 수 있다. 주자가 『주역』에 대해 알 수 없는 곳이 많다고 한 것은 남들보다 뛰어나게 아는 것이 많다는 것이다. 그런데 '어렴풋이'라는 것은 후대 사람들이 어렴풋하다는 것이지 성인이 어렴풋이 설명했다는 것이 아니다. '산만하다'고 한 것은 천하의 모든 이치가 여섯 자리로 요약된다는 것이고, 이른바 하나를 내걸어 만을 빠뜨리고 아주 많은 것에서 십에 하나를 보존한다는 것이어서 진실로 한 효는 길하고 한 효는 흉하다고 확정할 수 없는 것이니, 다만 고의로 산만하고 간략하게 설명한 것이 아니다. 그러나 지금의 이른바 간략하다는 것은 극도로 정밀하다는 것이 아닌 줄 어떻게 알았겠는가? 간략하다고 보고 본래 정밀하지 않았다고 해서는 안 된다.

### 강엄(康儼) 『주역(周易)』

按, 易之終未濟, 雖見其生生不窮之理, 而治極則生亂, 亂極則生治, 聖人必以未濟終之者, 實是望旣齊於天下也.
내가 살펴보았다: 『역』의 끝인 미제가 낳고 낳아 다하지 않는 이치를 드러낼지라도 다스림이 다하면 어지러움을 낳고 어지러움이 다하면 다스림을 낳는데, 성인이 굳이 미제괘로 끝

낸 것은 실로 천하에서 기제를 바란 것이다.

先儒曰, 旣濟卦, 如飮酒酩酊開花. 按, 離時節. 又曰, 未濟, 如花未開之春, 月未圓之夜. 以此二說而玩味之, 則易終未濟之義, 可默會矣. 先儒嘗以夫子刪詩, 以匪風下泉之詩, 繼之變風之末, 謂亂極思治之意. 易之終於未濟, 其亦此意也歟.
선대의 학자가 "기제괘는 꽃피는 시절에 술을 마셔 취한 것과 같다"라고 하였으니, 생각해보건대 시절을 떠나는 것이다. 또 "미제는 꽃이 아직 피지 않은 봄이고 달이 아직 둥글지 않은 밤과 같다"고 하였다. 이 두 가지 말로 완미해보면 『역』이 미제에서 끝난 의미를 암암리에 알 수 있다. 선대의 학자들은 일찍이 공자가 시를 성대하게 한 것을 가지고 비풍(匪風)·하천(下泉)의 시로 「변풍(變風)」의 끝을 이었으니, 어지러움이 다하면 다스림을 생각한다는 의미를 말한 것이다. 『역』이 미제에서 끝난 것도 이런 의미일 것이다.

又按, 三百八十四爻, 始於乾之初九, 而終於未濟之上九, 此可見陽之統陰, 而聖人扶陽抑陰之意, 亦見矣.
또 내가 살펴보았다: 삼백 팔십 사효가 건괘(乾卦) 초구에서 시작하여 미제괘(未濟卦)의 상구에서 끝났으니, 여기서 양이 음을 거느림을 알 수 있는데, 성인이 양을 돕고 음을 누르는 의미도 드러난다.

## 이지연(李止淵) 『주역차의(周易箚疑)』

孚于飮酒者, 唐高祖之縱酒也, 首失是者, 張翼德之在下邳也.
술을 마시는 데에 믿음을 둔 경우는 당나라 고조가 술에 취했던 것이고, 머리를 적시면 자신을 너무 믿어서 옳음을 잃은 경우는 장익덕(張翼德)이 하비(下邳)에 있었던 것이다.

## 김기례(金箕澧) 「역요선의강목(易要選義綱目)」

中實, 故曰有孚, 離體有中孚象. 剛居明極, 當未濟之終, 則有若旣濟之始也, 當以中實之誠自戒, 如飮酒者, 恐或及亂, 而自養[55]以待, 則可至旣濟之功而无咎. 若有恃剛明而耽敖, 以至飮酒濡首之境, 則在上而反, 不如在下之濡尾, 沉湎自溺, 失於中實之孚, 大矣.
가운데가 차 있기 때문에 "믿음을 둔다"고 하였는데, 리괘(離卦☲)의 몸체에 중부괘(中孚卦

55) 養: 경학자료집성DB와 영인본에 '養'으로 되어 있으나, 문맥을 참조하여 '養'으로 바로잡았다.

䷝)의 상이 있다. 굳셈이 밝음의 끝에 있고 미제의 끝에 해당하면, 기제의 시작과 같음이 있어 당연히 가운데가 차 있는 성실함으로 스스로 경계하니, 이를테면 술을 마시는 자가 혹 어지럽게 될까 염려하여 스스로 기르는 것으로 대비하는 것이니, 기제의 공에 이를 수 있어 허물이 없다. 만약 굳셈과 밝음에 의지하여 멋대로 놂으로 술을 마셔 머리를 적시는 지경이 된다면, 위에서 되돌아감이 아래에서 꼬리를 적시는 것만 못하니, 깊이 가라앉아 스스로 빠지면 가운데가 차 있는 믿음을 잃는 것이 크다.

○ 胡雲峯曰, 易三百八十四爻, 只是一時字, 豈徒未濟之濡首者, 不知節. 諸卦皆以得時則吉, 失時則不吉. 酒取坎象.
운봉호씨는 "『주역』의 삼백팔십사 효는 단지 '때[時]'라는 한 글자이다"라고 하였으니, 어찌 단지 미제의 머리를 적신 것이 절제를 몰라서였겠는가? 여러 괘에서 모두 그 때문에 때를 얻으면 길하다는 것이고 때를 잃으면 불길하다는 것이다. 술을 감괘(坎卦)의 상을 취한 것이다.

贊曰, 一陰一陽, 非道而何. 陽一陰二, 治少亂多. 大人濟世, 若涉風波. 非敢曰知, 心鎭口哦.
찬미하여 말하였다: 한 번은 음이 되고 한 번은 양이 되니 도가 아니고 무엇이겠는가? 양은 하나이고 음은 둘이니 다스려짐은 적고 어지러움은 많도다. 대인이 세상을 구제함은 바람 부는 파도를 건너는 것 같네. 감히 '안다'고 하지 않은 것은 마음이 읊조리는 것을 누른 것이지.

## 이항로(李恒老) 「주역전의동이석의(周易傳義同異釋義)」

傳, 飮酒, 自樂也. 若縱樂而耽肆過禮, 至濡其首, 則亦未能安其處也.
『정전』에서 말하였다: '술을 마심'은 스스로 즐거워함이다. 만약 즐거움을 좇아 즐기는 것이 끝이 없어 예(禮)를 지나쳐서 머리를 적시는 데에 이르면, 이 또한 자신의 처지를 편안하게 여길 수 있는 것이 아니다

本義, 若縱而不反, 如狐之涉水而濡其首, 則過於自信, 而失其義矣.
『본의』에서 말하였다: 만약 방종하여 돌아오지 않기를 마치 여우가 물을 건너는 것처럼 그 머리를 적신다면, 스스로 믿음을 지나쳐서 그 의로움을 잃게 된다.

按, 坎爲狐, 故坎取狐象. 居多濡尾濡首, 皆狐涉水之象也. 若以飮酒之過, 直爲濡首, 則語不襯貼, 故本義添八狐涉以補之.

내가 살펴보았다: 감괘(坎卦)가 여우이기 때문에 감괘에서 여우의 상을 취하였다. 사는 곳에서 꼬리를 적시고 머리를 적시는 일이 많은 것이 모두 여우가 물을 건너는 상이다. 술을 지나치게 마신 것을 바로 머리를 적시는 것으로 여긴다면 말이 돋보이지 않기 때문에 『본의』에서 "여우가 물을 건넌다"는 말을 보충했던 것이다.

## 심대윤(沈大允) 『주역상의점법(周易象義占法)』

未濟之解䷧. 上九居卦之終, 以剛居柔, 鎭静以解紛者也. 有應于三而從五, 賴其任難之力, 而自居无事之地, 故曰有孚于飮酒. 離爲孚, 兌口巽入, 爲飮. 上九從五, 則爲巽, 從三則, 爲兌. 三五俱居坎體, 曰酒, 言能令三五信之, 而變爲巽悅也. 五主進賢, 而上主教訓, 故五取進, 而上取變也. 上九之時, 事難悉平, 可以安樂, 故曰无咎. 尙有餘弊之可解, 故曰濡其首, 如度水之未盡登于岸也. 若得三五之以誠治之, 可免濡首之患, 故曰有孚失是. 坎爲孚, 兌爲失爲是. 三五從于上九, 則皆兌也. 二濟之六爻, 俱有兩從之意, 所以治而復亂, 亂而復治也. 未濟之上九離互坎變震, 日月晝夜遷動, 而无窮之象也.

미제괘가 해괘(解卦䷧)로 바뀌었다. 상구가 괘의 끝에 있으니, 굳셈이 부드러운 자리에 있음으로 어지러움을 가라앉혀 분란을 푸는 것이다. 삼효와 호응하지만 오효를 따라 어려움을 책임지는 힘을 의뢰해 놓고 일이 없는 위치에 있기 때문에 "술을 마시는 데에 믿음을 둔다"고 하였다. 리괘(離卦)가 믿음이고, 태괘(兌卦)의 입과 손괘(巽卦)의 들어감이 마시는 것이다. 상구가 오효를 따르면 손괘가 되고 삼효를 따르면 태괘가 된다. 삼효와 오효가 모두 감괘(坎卦)의 몸체에 있어 '술'이라고 하였으니, 삼효와 오효를 믿게 해서 손괘(巽卦)의 기쁨으로 변하게 할 수 있다는 말이다. 오효는 현신에게 나아가는 것을 주로 하고 상효는 교훈을 주로 하기 때문에 오효는 나아감을 취하였고, 상효는 변함을 취하였다. 상구의 때에는 일의 어려움이 모두 다스려져 안락할 수 있기 때문에 허물이 없다. 여전히 남아 있는 폐해가 있기 때문에 "그 머리를 적시면"이라고 하였으니, 이를테면 물을 건너는데 언덕에 다 올라가지 못한 것이다. 삼효와 오효가 성실하게 다스린다면 머리를 적시는 우환은 면할 수 있기 때문에 "자신을 너무 믿어서 옳음을 잃으리라"라고 하였다. 감괘(坎卦)가 믿음이고, 태괘(兌卦)는 잃음이고 옳음이다. 삼효와 오효가 상구를 따르는 것은 모두 태괘(兌卦)이기 때문이다. 기제괘와 미제괘의 여섯 효에는 모두 양쪽으로 따르는 의미가 있기 때문에 다스려지면 다시 어지러워지고 어지러워지면 다시 다스려진다. 미제괘의 상구는 리괘(離卦)와 호괘 감괘(坎卦)가 진괘(震卦)로 변한 것이니, 해와 달이 주야로 움직이는 것이어서 끝이 없는 상이다.

### 오치기(吳致箕) 「주역경전증해(周易經傳增解)」

上九以剛明之才, 在未濟之極, 雖旡其位而知時, 將有濟, 故自信自養, 飮酒爲樂以俟天命, 而旡躁妄輕動之咎. 然失中而居極, 故戒言若過於自信, 至于耽樂而濡其首, 則所信者, 反失其宜也.

상구는 굳세고 밝은 재질로 미제의 끝에 있으니, 지위가 없을지라도 때를 알아 구제할 수 있기 때문에 스스로 믿고 스스로 기르며 술을 마시면서 즐거움을 삼아 천명을 기다려 경거망동하는 허물이 없다. 그러나 알맞음을 잃고 끝에 있기 때문에 자신을 너무 믿어 즐거움에 빠져 머리를 적시면 믿는 것이 도리어 그 마땅함을 잃게 된다.

○ 有孚, 與五象同. 酒取於應坎. 濡首, 與旣濟象雖同, 而義不同, 彼以狐之涉水爲言, 此以飮酒不節爲言也. 失是, 言失其宜也.

'믿음을 두는 것'은 오효의 상과 같다. '술'은 감괘와 호응하는 것에서 취하였다. '머리를 적시는 것'은 기제괘의 상과 같을지라도 의미가 다르니, 저기에서는 여우가 물을 건너는 것으로 말하였고 여기에서는 술을 마셔 머리를 적시며 절제하지 못하는 것으로 말하였다. '옳음을 잃었다'는 것은 마땅함을 잃었다는 말이다.

### 이진상(李震相) 『역학관규(易學管窺)』

以知命自信, 而飮酒自樂, 可旡咎矣. 若至於濡首失禮, 而以爲自信之事, 則失其是矣. 是, 卽義之所安也. 此以飮酒沈溺, 比於狐之涉水而濡首, 非謂飮酒而酒濡其首也. 象言飮酒濡首, 亦此意.

천명을 알아 스스로 믿고, 술을 마셔 스스로 즐거우니, 허물이 없을 수 있다. 머리를 적셔 예를 잃는 지경인데도 스스로 믿는 일이라면 그 옳음을 잃는다. '옳음'은 의로움이 편안한 것이다. 여기에서는 술을 마시는 데에 빠진 것을 여우가 물을 건너는 것처럼 머리를 적시는 것과 나란히 놓았으니, 술을 마셔 술로 그 머리를 적신다는 말이 아니다. 「상전」에서 '술을 마셔 머리를 적심'이라는 말도 이런 의미이다.

○ 小註厚齋說.

소주 후재풍씨의 설

山澤通氣, 雷風不相悖, 水火相逮. 正下經首咸恒終旣未濟之象, 而都用先天卦位, 無所謂震兌乾巽坎艮之移易方位者. 先輩誤信後天方位之說, 每多援附於易象, 而厚齋又以先天對待之說, 移屬後天說話, 殊可嘆也.

'산과 연못이 기(氣)를 통하고, 우레와 바람이 서로 어그러지지 않으며, 물과 불이 서로 미친다'는 것은 바로 「하경(下經)」의 시작인 함괘(咸卦)와 항괘(恒卦)이고 끝인 기제괘(旣濟卦)와 미제괘(未濟卦)의 상인데, 모두 선천의 방위를 사용해서 이른바 진괘 · 태괘 · 건괘 · 손괘 · 감괘 · 간괘가 옮긴 방위가 없다. 선배들이 후천방위의 설을 잘못 믿어 매번 다양하게 역의 상에다 끌어다 붙였는데, 후재풍씨가 또 선천대대의 설을 후천설로 옮겨 소속시켰으니, 아주 통탄스럽다.

### 채종식(蔡鍾植) 「주역전의동귀해(周易傳義同歸解)」

傳, 解作飮酒濡首, 本義, 解作狐涉濡首. 蓋程易以飮酒濡首, 爲耽樂過禮. 若耽樂過禮, 則於有孚爲失也. 本義, 以狐涉濡首, 比縱而不反. 若縱而不反, 則過於自信而失其義也. 然則耽樂過禮者, 豈非縱而不反之義乎. 其於有孚爲失者, 亦非過於自信, 而失其義者乎.

『정전』에서는 술을 먹어 머리를 적시는 것으로 해석했고, 『본의』에서는 여우가 건너는 것처럼 머리를 적시는 것으로 해석했다. 대개 『정전』은 술을 먹어 머리를 적시는 것을 즐기는 것이 끝이 없어 예(禮)를 지나친 것으로 여긴다는 것이다. 즐기는 것이 끝이 없어 예를 지나쳤다면 믿음을 가지는 데에 잘못된 것이다. 『본의』는 여우가 물을 건너는 것처럼 방종하여 돌아오지 않는다는 것이다. 방종하여 돌아오지 않는다면 자신을 너무 믿는 데에 잘못되어 의로움을 잃은 것이다. 그렇다면 즐기는 것이 끝이 없어 예를 지나친 것이 어찌 따르고 방종하여 돌아오지 않는 의미가 아니겠는가? 믿음을 가지는 데에 잘못되는 것도 자신을 너무 믿는 데에서 잘못되어 그 의로움을 잃은 것이 아니겠는가?

## 象曰, 飮酒濡首, 亦不知節也.

「상전」에서 말하였다: "술을 마셔 머리를 적심"은 또한 절제를 알지 못하는 것이다.

## 中國大全

### 傳

**飮酒至於濡首, 不知節之甚也. 所以至如是, 不能安義命也, 能安則不失其常矣.**

술을 마셔 머리를 적시는 데에 이르는 것은 절제함을 알지 못함이 심한 것이다. 이와 같은 데에 이른 까닭은 '의로움[義]'와 '명(命)'을 편안하게 여기질 못하기 때문이니, 편안하게 여긴다면 그 항상됨을 잃지 않을 것이다.

### 小註

雲峯胡氏曰, 旣濟以中道, 離之中也, 未濟中以行正, 坎之中也. 旣濟九五東隣殺牛, 不如西隣之時, 時卽所謂中也, 未濟上九不知節, 節卽所謂中也. 堯之授舜, 只是一中字, 易三百八十四爻, 只是一時字, 易於小象之末曰中曰時, 易之大義略可見矣. 末一句, 亦不知節也, 不知節者, 不知隨時以取中也. 大易敎人之意切矣.

운봉호씨가 말하였다: 기제괘(旣濟卦䷾)에서 '중도를 씀'[56]은 리괘(離卦☲)의 가운데이기 때문이고, 미제괘(未濟卦)의 "알맞음으로써 바름을 행함"[57]은 감괘(坎卦☵)의 가운데이기 때문이다. 기제괘(旣濟卦) 구오의 「상전」에서 "'동쪽 이웃의 소를 잡는 제사'는 서쪽 이웃의 때에 맞는 제사만 못하다"[58]고 하였으니 여기서 말하는 '때[時]'가 이른바 '가운데[中]'이고, 미제괘(未濟卦) 상구의 「상전」에서 "절제를 알지 못한다"고 하였으니 여기서 말하는 '절제'가 이른바 '가운데[中]'이다. 요임금이 순임금에게 준 것은 단지 '알맞음[中]'이라는 한 글자이

56) 『周易 · 旣濟卦』: 六二, 象曰, 七日得, 以中道也.
57) 『周易 · 未濟卦』: 九二, 象曰, 九二貞吉, 中以行正也.
58) 『周易 · 旣濟卦』: 九五, 象曰, 東隣殺牛, 不如西隣之時也, 實受其福, 吉大來也.

며, 『주역』의 삼백팔십사 효는 단지 '때[時]'라는 한 글자이니, 『주역』에 나오는 「소상전」의 끝에 '알맞음[中]'과 '때[時]'을 말한 데에서 『주역』의 큰 뜻을 대략 알 수가 있다. 끝에 있는 한 구절 또한 "절제를 알지 못하는 것이다"이니, 절제를 알지 못하는 것은 때에 따라 알맞음[中]을 취할 줄 모르는 것이다. 위대한 『주역』이 사람을 가르치는 뜻이 간절하다.

○ 或問, 居未濟之時, 未可動作, 初六陰柔不能固守而輕進, 故有濡尾之吝. 九二陽剛得中得正, 曳其輪而不進, 所以貞吉.
어떤 이가 물었다: '미제(未濟)'의 때에 있어서 동작할 수가 없는데도, 초육은 부드러운 음으로 굳게 지키지 못하고 가볍게 나아가기 때문에 꼬리가 젖는 후회가 있습니다. 구이는 굳센 양으로 중정을 얻어 수레바퀴를 뒤로 끌듯이 하여 나아가지 않기 때문에 바르게 하여 길합니다.
朱子曰, 也是如此, 大概難曉.
주자가 말하였다: 또한 이와 같으나, 대체로 알기가 어렵습니다.

又曰, 大概未濟之下卦, 皆是未可進用, 濡尾曳輪, 皆是此意. 六三未離坎體, 便也不好. 到四五已出乎險, 方好. 上九又不好了.
또 말하였다: 대체로 미제괘(未濟卦)의 하괘는 모두 나아가 쓸 수가 없는 것이니, '꼬리를 적심'과 '수레바퀴를 뒤로 끌듯이 함'은 모두 이러한 뜻입니다. 육삼은 감괘(坎卦☵)의 몸체에서 아직 떨어지지 않아 또한 좋지 않습니다. 사효와 오효에 이르러 험함에서 벗어나 좋아지게 됩니다. 상구는 또 좋지 않게 됩니다.

○ 未濟與旣濟諸爻, 頭尾相似. 中間三四兩爻, 如損益模樣, 顚倒了他. 曳輪濡尾, 在旣濟爲无咎, 在此卦則或吝, 或貞吉, 這便是不同了.
미제괘(未濟卦)와 기제괘(旣濟卦䷾)의 여러 효는 처음과 끝이 서로 유사하다. 중간에 있는 두 효인 삼효와 사효는 손괘(損卦䷨)와 익괘(益卦䷩)의 모양처럼 뒤집혔다. '수레바퀴를 뒤로 끌듯이 함'과 '꼬리를 적심'은 기제괘(旣濟卦)에서는 허물이 없는 것이지만, 여기 미제괘(未濟卦)에서는 혹 부끄러운 것이고 혹 바르기 때문에 길한 것이니, 이것이 곧 같지 않은 것이다.

○ 建安丘氏曰, 未濟合坎離成卦. 坎在內, 猶有險也, 故爲未濟. 合六爻言之, 內三爻坎險也, 初言濡尾之吝, 二言曳輪之貞, 三有征[59]凶位不當之戒, 皆未濟之事也. 外三爻離明也, 四言伐鬼方有賞, 五言君子之光有孚, 上言飮酒无咎, 則未濟爲旣濟矣.

---

59) 征: 『주역전의대전』에는 '貞'으로 되어 있으나, 문맥을 살펴 '征'으로 바로잡았다.

건안구씨가 말하였다: 미제괘(未濟卦)는 감괘(坎卦☵)와 리괘(離卦☲)가 합하여 이루어진 괘이다. 감괘(坎卦☵)는 안에 있어 여전히 험함이 있기 때문에 '미제(未濟)'가 되었다. 여섯 효를 합하여 말하면 다음과 같다. 내괘에 있는 세 효는 감괘(坎卦☵)의 험함이니, 초효에서는 꼬리를 적시는 부끄러움을 말하였고, 이효에서는 수레바퀴를 뒤로 끌듯이 하는 바름을 말하였으며, 삼효에는 가면 흉함은 자리가 마땅하지 않기 때문이라는 경계가 있으니, 모두 '미제(未濟)'에서의 일이다. 외괘(外卦)에 있는 세 효는 리괘(離卦☲)의 밝음이니, 사효에서는 귀방(鬼方)을 정벌해서 상이 있음을 말하였고, 오효에서는 군자의 빛남은 믿음이 있어서임을 말하였으며 상효에서는 술을 마시는 데에 믿음을 두니 허물이 없음을 말하였으니, '미제(未濟)'가 '기제(旣濟)'가 된 것이다.

○ 莆陽劉氏曰, 未濟下三爻未出險, 初濡尾, 二曳輪, 三征凶. 上三爻已出險矣, 四志行, 五有孚吉, 上有孚飮酒而已. 旣濟吉少凶多. 未濟吉多凶少, 然雖吉, 未嘗不戒也.
보양유씨가 말하였다: 미제괘(未濟卦)의 아래에 있는 세 효는 험함에서 벗어나지 못하였으니, 초효에서는 꼬리를 적시고, 이효에서는 수레바퀴를 뒤로 끌듯이 하며, 삼효에서는 가면 흉한 것이다. 위에 있는 세 효는 이미 험함에서 벗어났으니, 사효는 뜻이 행하여진 것이고, 오효는 믿음이 있어서 길한 것이며, 상효는 술을 마시는 데에 믿음을 두는 것일 뿐이다. 기제괘(旣濟卦䷾)는 길함이 적고 흉함이 많다. 미제괘(未濟卦)는 길함이 많고 흉함이 적은데, 비록 길하더라도 일찍이 경계하지 않음이 없었다.

○ 西溪李氏曰, 上篇首乾坤, 終坎離, 下篇首咸恒, 終旣濟未濟, 亦坎離也. 天地之道, 不過於陰陽五行之用, 莫先於水火. 上篇首天地, 陰陽之正也. 故以水火之正終焉. 下篇首夫婦, 陰陽之交也. 故以水火之交終焉.
서계이씨가 말하였다: 상편에서는 건괘(乾卦䷀)와 곤괘(坤卦䷁)를 맨 앞에 두고 감괘(坎卦䷜)와 리괘(離卦䷝)를 맨 끝에 두었으며, 하편에서는 함괘(咸卦䷞)와 항괘(恒卦䷟)를 맨 앞에 두고 기제괘(旣濟卦䷾)와 미제괘(未濟卦)를 맨 끝에 두었으니, 또한 감괘(坎卦䷜)와 리괘(離卦䷝)이다. 천지(天地)의 도는 음양오행의 쓰임에 지나지 않으니, 물과 불보다 앞서는 것이 없다. 상편에서 하늘과 땅을 맨 앞에 둔 것은 음양의 바름이기 때문이다. 그러므로 물과 불의 바름을 가지고 끝을 맺었다. 하편에서는 부부를 맨 앞에 둔 것은 음양의 사귐이기 때문이다. 그러므로 물과 불의 사귐을 가지고 끝을 맺었다.

○ 隆山李氏曰, 陰陽之氣, 往來乎天地之間, 或不能无過差, 故聖人作易, 於頤大過之後, 繼之以坎離, 蓋以陰陽之中而救大過之弊也, 於中孚小過之後, 繼之以旣濟未濟, 亦以陰陽之交而中者而救小過之弊也.

융산이씨가 말하였다: 음양의 기(氣)가 천지의 사이를 왕래할 때에, 혹 착오가 없을 수가 없기 때문에 성인(聖人)이 『주역』을 지으면서, 이괘(頤卦☶)와 대과괘(大過卦☱) 다음에는 감괘(坎卦☵)와 리괘(離卦☲)로 이었으니, 아마도 음양의 알맞음을 가지고서 '대과(大過)'의 폐단에서 구제하려고 하였기 때문이며, 중부괘(中孚卦☴)와 소과괘(小過卦☳)의 다음에는 기제괘(旣濟卦☵)와 미제괘(未濟卦)로 이었으니, 또한 음양이 사귀면서 알맞은 것을 가지고서 '소과(小過)'의 폐단에서 구하려고 하였기 때문이다.

○ 厚齋馮氏曰, 乾上坤下, 離東坎西, 此先天之易, 天地日月之四象也. 故居上經之始終, 以立造化之體. 山澤通氣, 雷風不相悖, 水火相逮, 此後天之易, 六子之功用也. 故居下經之始終, 以致造化之用. 旣濟之後, 猶有未濟者, 示造化之用終, 則有始也.
후재풍씨가 말하였다: 건괘(乾卦☰)가 위에 있고 곤괘(坤卦☷)가 아래에 있으며, 리괘(離卦☲)가 동쪽에 있고 감괘(坎卦☵)가 서쪽에 있으니, 이것은 선천(先天)의 '역(易)'이고, 하늘 · 땅 · 해 · 달인 네 가지 상이다. 그러므로 상경의 처음과 끝에 두어 조화의 본체를 세웠다. 산과 연못이 기(氣)를 통하고, 우레와 바람이 서로 어그러지지 않으며, 물과 불이 서로 미치니[60], 이것은 후천의 '역(易)'이고, 여섯 자식의 효용이다. 그러므로 하경의 처음과 끝에 두어 조화의 작용을 지극히 하였다. 기제괘(旣濟卦☵)의 뒤에 여전히 미제괘(未濟卦)가 있는 것은 조화의 작용이 끝나면 다시 시작함이 있음을 보인 것이다.

## 韓國大全

### 권근(權近) 『주역천견록(周易淺見錄)』

愚按, 旣濟上六, 是水之極, 故言濡其首, 未濟上九, 離之極, 而亦言濡首. 象以爲飮酒濡首. 酒者, 水之得火而成者也, 是因上之辭, 甚言沈酗之意, 程傳以酒濡首. 吳氏謂, 飮酒而至被水濡其首, 如今人甚醉, 欲其速醒, 以水洒面也. 然旣未濟全卦, 皆以濟水而言, 故旣濟初九, 亦離體, 而言濡尾, 未可分二體而各言也,
내가 살펴보았다: 기제의 상육은 물의 끝이므로 '그 머리를 적신다'고 하였고, 미제의 상구는

60) 『周易 · 說卦傳』: 故水火相逮, 雷風不相悖, 山澤通氣然後, 能變化, 旣成萬物也.

리괘(離卦)의 끝인데도 '머리를 적신다'고 하였다. 「상전」에서 술을 마셔 머리를 적시는 것으로 여겼던 것은, 술은 물이 불을 얻어 이루어진 것이니, 위의 말을 이어 술에 빠져 주정하는 것을 심하게 말한 것이다. 『정전』에서는 '술로 머리를 적신다'고 보았다. 오징은 "술을 마시고 물로 머리를 적시는 것"으로 보았으니, 오늘날 사람들이 심하게 취하면 빨리 깨기 위해 세수를 하는 것과 같다. 그러나 기제와 미제의 전체 괘는 모두 물을 건너는 것으로 말하고 있기 때문에 기제 초구에서도 리괘(離卦)의 몸체인데도 '꼬리를 적신다'고 하였으니, 두 개의 몸체로 나누어 각기 말할 수 없었던 것이다.

### 유정원(柳正源) 『역해참고(易解參攷)』

案, 未濟卦之終也, 上九爻之終也, 而必戒之以飮酒濡首亦不知節, 何也. 其憂世之意乎. 後世之棄禮蔑法敗家亡國者, 專由麴糱之禍. 故孟子歷敘群聖, 以大禹之惡旨酒爲首, 其意亦猶是也.

내가 살펴보았다: 미제괘는 괘의 끝이고 상구는 효의 끝인데, 굳이 '술을 마셔 머리를 적심은 또한 절제를 알지 못하는 것이다'로 경계한 것은 무엇 때문인가? 아마도 세상을 걱정하는 의도일 것이다. 후세에 예와 법을 버리고 멸시하여 집안과 나라를 망치는 자들은 오로지 술 때문에 생긴 재앙이다. 그러므로 맹자가 여러 성현들을 차례로 기술하면서 우 임금이 좋은 술을 싫어한 것을 으뜸으로 했으니, 그 의미가 또한 이와 같다.

小註, 厚齋說.

소주 후제의 설명.

案, 此一段所論上下經始終甚巧妙. 而但說卦第六章, 動萬物以下, 說後天卦位, 山澤通氣以下, 復說先天對待, 恐不可通謂之後天, 且上下經分屬先後天, 終有未安, 覽者, 當取其所長, 而闕其所疑, 可也.

내가 살펴보았다: 여기의 한 단락에서 상하경의 처음과 끝을 논한 것은 아주 교묘하다. 그런데 단지 「설괘전」 육장의 만물을 움직이는 것 이하에서 후천괘의 위치를 논하고, 산과 못이 기를 통하는 것 이하에서 다시 선천의 대대(對待)를 논한 것은 아마 전적으로 그것을 후천으로 말할 수 없었기 때문이고, 또 상하경을 선후천에 분속하기가 끝내 편안하지 않았기 때문일 것이다. 보는 자들이 뛰어난 점을 취하고 의심나는 점을 제쳐놔야 하는 것이 가하다.

### 김상악(金相岳) 『산천역설(山天易說)』

飮酒而至於濡首, 不知節之甚也. 初之不知極, 愚者不及也, 上之不知節, 知者過之也.

술을 마시고 머리를 적시는 지경이 되었다면 절제를 심하게 모르는 것이다. 초효의 알지 못함이 지극한 것은 어리석은 자가 미치지 못하는 것이고, 상효가 절제를 모르는 것은 아는 자가 지나친 것이다.

○ 序卦, 渙者離也, 物不可以終離, 故受之以節. 未濟則亦離也, 然上九居三百八十四爻之末, 故曰亦不知節也.
「서괘전」에서 환(渙)은 떠남이니, 사물은 끝내 떠날 수 없기 때문에 절괘(節卦)로 받았다. 미제괘(未濟卦)는 떠나는 것이지만 상구가 삼백팔십사효의 끝에 있기 때문에 "절제를 알지 못하는 것이다"라고 하였다.

### 심대윤(沈大允) 『주역상의점법(周易象義占法)』

自居安善, 而置人憂勞, 人之常情, 而治亂之本, 所由生也. 知節則治, 不知節則亂. 知節者, 常少, 而不知節者, 常多. 是以少治而多亂, 未嘗不始於治, 而終之以亂, 故曰不知節也. 於是乎, 聖人其有深喟也歟. 夫人君而知節, 則長有其天下國家矣, 大夫而知節, 則永終其祿位矣, 庶人而知節, 則安保其妻子矣. 嗚呼. 凡爲人者, 何以不節焉, 上之之卦, 獨變爲渙, 則五六二爻, 居艮巽之體, 有艮爲安互巽爲善. 下卦獨變, 則爲離, 三四二爻, 居坎巽兌之體, 有憂勞巽說之象, 上取之卦者, 以憂勞變爲安善也. 兌坎爲不知爲節, 以言置人憂勞而不知節, 故取下對也.
자처하는 것은 편하고 좋지만 남에게 두는 것은 근심스럽고 수고로운 것이 사람들의 일상적인 마음이고 다스림과 어지러움이 말미암아 나오는 것이다. 절제를 알면 다스려지고 절제를 알지 못하면 어지럽다. 절제를 아는 자는 항상 적고 절제를 알지 못하는 자는 항상 많다. 그래서 다스려짐은 적고 어지러움은 많고, 다스려짐에서 시작하지 않은 적이 없으나 어지러움으로 끝나기 때문에 "절제를 알지 못하는 것이다"라고 하였으니, 여기에서 성인이 크게 한숨을 쉰 것이다. 임금인데도 절제를 알면 천하와 국가를 오래도록 소유하고, 대부인데도 절제를 알면 녹봉을 오래도록 받으며, 서인인데도 절제를 알면 처자를 편안히 보호할 수 있다. 아! 사람들이 어째서 절제하지 못하는가? 미제괘(未濟卦䷿)의 상괘가 변한 괘가 오직 환괘(渙卦䷺)라면, 오효와 육효 두 효가 간괘(艮卦☶)와 손괘(巽卦☴)의 몸체에 있으니, 간괘가 편안함이고 호괘인 손괘가 좋음이다. 하괘만 변한 것이 리괘(離卦䷝)라면, 삼효와 사효 두 효가 감괘·손괘·태괘의 몸체에 있으니, 근심스럽고 수고하며 공손하게 말하는 상이 있고, 상괘에서 취한 괘는 근심스럽고 수고하는 것을 가지고 편하고 좋은 것으로 변하게 하는 것이다. 태괘와 감괘는 알지 못함이고 절제여서 남에게 두는 것이 근심스럽고 수고로운 것인데도 절제를 알지 못하기 때문에 하괘의 반대괘를 취한 것이다.

凡交對互變而取象者, 皆随其義而取之也. 有其義, 則必有其象, 自然脗合, 非人之所能牽强傅會穿鑿以爲之也. 凡變對取象者, 不獨有其象而已, 其卦義, 亦必與爻之義相合, 卽如取安善之象于渙, 爲精神政令發達之義. 精神政令發達, 則尊貴而安善矣. 取憂勞之象于離, 離附于人, 則役使而憂勞矣. 又如九四取伐鬼方之象于革, 而革爲去故之義, 與本爻之伐鬼方相合矣. 如六五取進賢之象于漸, 而漸有進賢之義, 是也. 夫易之象理, 綜錯交互回通, 而无所觝牾, 神妙不測, 然後見天地之理无窮, 而聖人之才不可量也. 非天下之至精, 其孰[61]能與於此. 夫理之玄者, 以神會之而已矣, 意之所不能到也. 意之微者, 言之所不能盡也, 言之精者, 書之所不能傳也, 書之深者, 人之所不能曉也, 匪天下之至神, 其孰能與於此.
서로 짝이 되어 서로 변하면서 상을 취하는 것은 모두 의미를 따라 취한 것이다. 의미가 있으면 그런 상이 있어 저절로 꼭 맞으니, 사람들이 견강부회하고 천착해서 할 수 있는 것은 아니다. 변하고 짝이 되어 상을 취한 것은 상이 있을 뿐만 아니라 그 괘의 의미에도 반드시 효의 의미가 서로 합하니, 곧 이를테면 편하고 좋은 상을 환괘(渙卦䷺)에서 취하여 정신과 정령의 발달의 의미로 보는 것이다. 정신과 정령이 발달하면 존귀하여 편하고 좋은 것이다. 근심스럽고 수고로운 것을 리괘(離卦䷝)에서 취하여 사람들에게 두면 일을 시켜 근심스럽고 수고롭다. 또 이를테면 구사가 혁괘(革卦䷰)에서 귀방을 정벌하는 상을 취하여 혁괘가 옛 것을 제거하는 의미가 되면 여기 효의 귀방을 정벌하는 것과 서로 합하고, 이를테면 육오가 점괘(漸卦䷴)에서 현명한 것으로 나아가는 상을 취하여 점괘에 현명한 것으로 나아가는 상이 있는 것이 여기에 해당한다. 『역』에서 상(象)의 이치는 뒤섞여 서로 돌아가며 통하고 이르지 않는 곳이 없어 신묘함을 예측하지 못한 다음에 천지의 이치는 무궁하고 성인의 재질은 헤아릴 수 없음을 안다. 천하의 지극히 정묘함이 아니면 누가 여기에 참여할 수 있겠는가? 이치의 현묘함은 신(神)으로 깨달을 뿐이고, 뜻으로 이를 수 없는 것이다. 뜻의 미묘함은 말로 다할 수 없고, 말의 정묘함은 그림으로 전할 수 없으며, 그림의 심오함은 사람들이 깨달을 수 없으니, 천하의 지극히 신묘함이 아니면 누가 여기에 참여할 수 있겠는가?

### 오치기(吳致箕) 「주역경전증해(周易經傳增解)」

俟時之將濟, 而飮酒自養, 然亦不宜於不知限節而濡首也.
시대가 구제될 것을 기다리며 술을 마시며 자신을 기르지만 또한 한계와 절제를 알지 못해 머리를 적셔서는 안된다.

61) 孰: 경학자료집성DB에 '熟'으로 되어 있으나, 경학자료집성 영인본과 문맥을 살펴 '孰'으로 바로잡았다.

**박문호(朴文鎬) 「경설(經說) · 주역(周易)」**

上下卦, 濡尾濡首, 不可異同看, 故本義於此濡首, 亦以狐釋之. 然則象傳之飮酒濡首, 當活看, 言飮酒, 如狐濡首也.
상하괘의 꼬리를 적시고 머리를 적심은 같을 수 없기 때문에 「본의」에서는 여기의 머리를 적시는 것도 여우로 해석했다. 그렇다면 「상전」의 술을 마셔 머리를 적심은 융통성 있게 봐야 하니, 술을 마심이 여우가 머리를 적시는 것과 같다는 말이다.

易經, 以飮酒不知節終之, 聖人戒酒之意, 如此足以備. 鄕飮酒, 義之一則也.
『역경』에서 술을 마셔 절제를 모르는 것으로 마친 것은 성인이 술을 경계하는 의미를 이와 같이 충분히 구비했던 것이다. 향음주는 의례의 한 모범이다.

**이병헌(李炳憲) 『역경금문고통론(易經今文考通論)』**

王曰, 未濟之極, 則反於旣濟, 所任者當, 可信之. 无疑而已逸焉, 故曰, 有孚于飮酒无咎也.
왕필이 말하였다: 미제의 끝에는 기제로 되돌아가니, 맡은 것은 맡아서 믿어야 된다. 의심 없이 이미 즐기기 때문에 "술을 마시는 데에 믿음을 두니 허물이 없다"라고 하였다.

虞曰, 六位失正, 故有孚失是, 若紂沈湎於酒, 以失天下也.
우번이 말하였다: 여섯 자리가 바름을 잃었기 때문에 자신을 너무 믿어 옳음을 잃었으니, 주(紂)가 술에 빠져 천하를 잃은 것과 같다.

節, 止也.
'절제'는 멈춤이다.

咸恒爲下經之始, 旣濟未濟爲終. 蓋以人事而言, 故損益在下經之中爲之樞紐.
함괘(咸卦)와 항괘(恒卦)는 하경(下經)의 시작이고 기제괘(旣濟卦)와 미제괘(未濟卦)는 끝이다. 인사(人事)로 말하였기 때문에 손괘(損卦)와 익괘(益卦)가 하경의 가운데에서 핵심이 되었다.

細推六十四卦次序, 則陰陽相對, 首尾相應, 二篇之中, 條理融貫, 宜細心玩繹.
육십사괘의 순서를 세밀하게 유추해보면, 음양이 서로 짝하고 처음과 끝이 서로 호응하니, 두 편의 가운데에서 조리가 잘 이어진 곳은 세심하게 연결해야 한다.

自損益至旣濟未濟, 凡二十四卦, 爲十二對. 每一對揲之, 以三百六十, 則有過者, 四十八策, 合四千三百六十有八策. 與咸恒以下一千八百策. 竝計, 則合六千一百六十有八策. 上篇之策, 五千三百五十有二, 下篇之策六千一百六十有八, 合萬有一千五百二十策.
손괘(損卦)와 익괘(益卦)에서 기제괘(旣濟卦)와 미제괘(未濟卦)까지는 모두 이십사 괘로 열두 짝이다. 매번 하나의 짝을 삼백육십으로 헤아리면, 지나친 것이 사십팔책이니, 합이 사천 삼백육십팔책이다. 함괘와 항괘 이하의 천팔백책을 함께 계산하면 육천백육십팔책이다. 상편의 책이 오천삼백오십이이고, 하편의 책이 육천백육십팔이니, 합이 만천오백이십책이다.

下經象陰, 而震艮巽兌, 各自錯雜于四大綱領卦之內, 然自震艮巽兌, 出現以後, 竝無乾坤之象.
하경은 음을 상징하는데, 진괘(震卦) · 간괘(艮卦) · 손괘(巽卦) · 태괘(兌卦)는 각기 저절로 사대강령의 괘에 뒤섞였는데, 진괘(震卦) · 간괘(艮卦) · 손괘(巽卦) · 태괘(兌卦)가 출현한 다음부터 모두 건괘(乾卦)와 곤괘(坤卦)의 상이 없어졌다.

## ❙ 한국주역대전 편찬실


연구책임자 최영진_성균관대 교수, 율곡학회 회장

연구실장 임옥균_성균관대

연구팀장 김학목_고려대

이선경_성신여대

허종은_성균관대

전임연구원 강필선_서일대

김병애_서울시립대

윤종빈_충남대

이경한_성균관대

이상훈_형양사범대

정병섭_전북대

조희영_숭실대

진성수_전북대

최정준_동방문화대

함윤식_성균관대

연구원 김송자_성균관대

단윤진_성균관대

마용철_성균관대

오상현_숭실대

정진욱_성균관대

이윤정_성균관대

김혜일_경희대

이은호_성균관대

# 한국주역대전 12 절괘·중부괘·소과괘·기제괘·미제괘

초판 인쇄 2017년 8월 10일
초판 발행 2017년 8월 30일

엮 은 이 | 한국주역대전 편찬실
펴 낸 이 | 하운근
펴 낸 곳 | 學古房

주 소 | 경기도 고양시 덕양구 통일로 140 삼송테크노밸리 A동 B224
전 화 | (02)353-9908 편집부(02)356-9903
팩 스 | (02)6959-8234
홈페이지 | http://hakgobang.co.kr
전자우편 | hakgobang@naver.com, hakgobang@chol.com
등록번호 | 제311-1994-000001호

ISBN 978-89-6071-692-6 94140
978-89-6071-680-3 (전14권)

**값 : 1,250,000원 (전14책)**

이 도서의 국립중앙도서관 출판예정도서목록(CIP)은 서지정보유통지원시스템 홈페이지(http://seoji.nl.go.kr)와 국가자료공동목록시스템(http://www.nl.go.kr/kolisnet)에서 이용하실 수 있습니다. (CIP제어번호 : CIP2017021511)